HOMMAGE
À
ROBERT JAMMES

Anejos de *Criticón*

1. *Hommage à Robert Jammes*, 1994, 3 vols., XX + 1229 p.   450 F

2. *L'individu face à la société : quelques aspects des peurs sociales dans l'Espagne du Siècle d'Or*, 1994, 129 p.   60 F

3. Ana VIAN HERRERO, *El «Diálogo de Lactancio y un arcidiano» de Alfonso de Valdés : obra de circunstancias y diálogo literario. Roma en el banquillo de Dios*, 1994, 246 p.   100 F

HOMMAGE À ROBERT JAMMES

VOLUME I

Édité par Francis CERDAN
avec le concours de l'équipe LESO

PRESSES UNIVERSITAIRES DU MIRAIL

Anejos de *Criticón*, 1

ISSN : 0247-381-X
ISBN : 2-85816-245-X

© Presses Universitaires du Mirail, 1994
Université de Toulouse-Le Mirail
56, rue du Taur
31000 Toulouse

Canción pour Robert Jammes

Marc VITSE
Université Toulouse-Le Mirail

Toulouse, avril 1994

Aujourd'hui, jour de Pâques fleuries, voilà bientôt trente-trois ans de ma connaissance d'avec monsieur Robert Jammes.

Connaissance à la mode du Siècle d'Or, c'est-à-dire *de oídas*, comme dans tant de *novelas* ou de *comedias*. Un mien ami de Limoux, étudiant sporadiquement exilé à Grenoble, me contait lors de ses retours à Toulouse sa fascination pour un jeune assistant à nul autre pareil, et dénommé Robert Jammes. Tant et si bien que l'ipésien que j'étais, au CAPES prétendant obligé, s'en fut un jour de conserve à Paris et put enfin apercevoir – de loin – l'objet d'une telle admiration : le cheveu non policé, le sourcil en bataille et, surtout, signe alors manifeste d'un anticonformisme déclaré, et que n'ornait nulle cravate, une éclatante chemise *rouge* ; rouge, allez savoir pourquoi, avec en prime un air à faire bourle

> del estadista y sus razones todas

et à conclure :

> mas basta, que la mula ya es llegada.
> ¡ A tus lomos, oh rucia, me encomiendo !

Passent les jours, passent les mois. L'ipésien se fait agrégatif et, confronté aux énigmes du poète cordouan, continue d'entretenir avec l'exégète de *Pyrame et Thisbé* le commerce muet d'un échange à distance.

Passent les mois, passent les ans. En 1965, l'agrégé nouveau devient modeste assistant à la Faculté des Lettres de Toulouse, l'année même où Robert Jammes y fait son entrée avec le titre – oncques ne fut plus pleinement porté – de maître de conférences. Un long prélude silencieux semble devoir s'achever quand, en un même étage de la rue Albert-Lautmann, se retrouvent deux spécialistes – mais à des niveaux si différents – du Siècle d'Or espagnol. Entre eux, pourtant, la parole ne naît guère, qui eût pu dès lors les unir : trop divergentes encore sont leurs voies

Hommage à Robert Jammes (Anejos de *Criticón*, 1), Toulouse, PUM, 1994, pp. I-VIII.

particulières, trop prenants les entrelacs de leurs vies quotidiennes où tous deux s'enfoncent comme voyageurs solitaires :

> Pasos de un peregrino dan errante
> perdidos unos, otros inspirados.

Passe le temps, sonne l'heure, et le moment, pour chacun, de refaire surface. Des collaborations s'ébauchent, mais naît un affrontement, celui-ci plus riche d'avenir que celles-là. L'objet, mineur, en importe peu ; reste l'occasion donnée à Robert Jammes et à moi-même de nous rencontrer vraiment et d'échanger au fond. C'est chose faite, dans la lumière blafarde d'un parking mirallien, au soir de réunions fort houleuses. Deux heures durant, Robert, Odette et Marc parlent et se parlent. Une amitié se forge, et s'ouvre l'ère des connivences.

Connivence, d'abord, d'organisateurs, employés, avec quelques autres, à construire au Mirail la recherche sur les Siècles d'Or. Après l'élan donné par Francis Cerdan et Frédéric Serralta, c'est à mon tour de seconder celui qui fut directeur, successivement, de l'équipe « Poésie du Siècle d'Or » (RCP 439, 1975-1980), puis de l'unité de recherche associée au CNRS, « Littérature Espagnole du Siècle d'Or » (LESO : ERA 918, 1981-193 ; UA 1050, 1984-1987). Un directeur bien peu banal, il est vrai, toujours prêt au partage, fût-il polémique, de ses connaissances de maître ès Siècles d'Or ; toujours enclin, *primus inter pares,* à une confiante répartition des responsabilités ; toujours tenté, avec impertinence, de tourner en dérision raideurs académiques et lourdeurs cénérésiennes de notre société trop ordinée.

Connivence, aussi, de rédacteurs. Ouverte par le fameux *Rétrogongorisme,* la revue *Criticón,* née – et vivant – de l'obstination inlassable d'Odette Gorsse, alors responsable de France-Ibérie Recherche, devient au fil des années l'espace d'une collaboration de chaque instant : vérifications, rectifications, réécritures, suggestions et enrichissements nous font accomplir œuvre commune, à quoi s'associe le LESO, qui y confirme peu à peu son identité.

Connivence, encore, de fondateurs. Lors d'un congrès de la Société des Hispanistes Français, présidée par Augustin Redondo, et tenu en 1984 à la Casa de Velázquez, Robert Jammes converse avec Aurora Egido : l'idée surgit d'une Association Internationale « Siècle d'Or » (AISO). Le LESO, une fois encore, sera là, avec tout *Criticón,* pour en élaborer les annuaires et participer à sa création officielle, en 1987, sous la houlette de Robert Jammes qui, toujours réticent aux honneurs, se refuse à en assurer la présidence. Telle est sa devise :

> Traten otros del gobierno
> del mundo y sus monarquías.

Connivence, enfin, plus intime, de chercheurs. Tout, pourtant, semblait séparer le gongoriste hors pair d'un caldéroniste impénitent. De Góngora même – au détour d'un compte rendu ou au hasard d'une communication – différaient leurs lectures, s'il est vrai que l'enthousiasme du premier avait su engendrer la ferveur du second. Mais la généreuse ouverture du maître sut accepter puis redresser les remarques outrecuidantes du disciple ; mieux, le gongoriste se fit, plus que directeur, conseiller d'écriture de la thèse du *comediante,* l'obligeant à conférer toujours plus de clarté à l'expression par trop hermétique d'une pensée fort éloignée de la sienne, mais objectivement entendue et justement rectifiée. Au-delà du labeur des hommes et de l'entente des cœurs, s'était formée, en et par Góngora, dans et par la recherche, une communion certaine des esprits.

Je puis le dire, en ce jour, avec fierté : aujourd'hui, dans une Université amoindrie, il y a bientôt vingt ans de ma connivence profonde d'avec Robert Jammes.

*

Quoi de mieux, dès lors, que d'en donner preuve nouvelle en t'offrant, Robert, au terme d'un prologue qui s'est fait hommage, le présent d'une bluette gongorine.

Il est, du poète cordouan, certaine *canción* dont tu disais qu'elle était « considérée à juste titre comme l'un des chefs-d'œuvre de la poésie gongorine », et qu'elle mériterait plus « long commentaire » que l'espace forcément réduit que tu lui consacrais dans ta thèse[1]. À cette invite, comme à tant d'autres disséminées dans tes *Études...* et autres travaux, nombreux ont su répondre et produire une ample moisson de précisions érudites, de remarques subtiles ou d'essais interprétatifs[2]. Des apports de ces spécialistes de la poésie du Siècle d'Or je voudrais cependant aujourd'hui, sans rien ignorer de ma dette à leur égard, faire large abstraction. Aussi me donnerai-je licence de laisser dans l'ombre et Pétrarque et Le Tasse, et Francesco Coccio et Antonio Terminio, et Icare et Roland, et l'*exclusus amator* et la *militia amoris*, et autres « patanerías eruditas »[3]. Pareillement ferai-je fi, fût-ce provisoirement, de tout contexte d'écriture et éléments (auto)biographiques ou épithalamiques divers.

Car ma perspective se voudra celle, immédiate et naïve, si j'ose dire, d'un *comediante* confronté à ce qui lui apparaît, dès l'abord, comme la splendide tirade d'un personnage de théâtre inventé par un Góngora aux talents (nullement) insoupçonnés d'auteur dramatique.

Mais je vais trop vite. Accordons-nous d'abord, Robert, le temps d'enchantement d'une lecture éblouie.

1600

[I]   ¡Qué de invidiosos montes levantados,
de nieves impedidos,
me contienden tus dulces ojos bellos!
¡Qué de ríos, del hielo tan atados,
del agua tan crecidos,   5
me defienden el ya volver a vellos!
¡Y qué, burlando de ellos,
el noble pensamiento
por verte viste plumas, pisa el viento!

[II]   Ni a las tinieblas de la noche obscura   10
ni a los hielos perdona,
y a la mayor dificultad engaña;
no hay guardas hoy de llave tan segura,
que nieguen tu persona,
que no desmienta con discreta maña;   15
ni emprenderá hazaña
tu esposo, cuando lidie,
que no la registre él, y yo no invidie.

[III]   Allá vueles, lisonja de mis penas,
que con igual licencia   20
penetras el abismo, el cielo escalas;

---

[1] *Études sur l'œuvre poétique de Don Luis de Góngora y Argote*, Bordeaux, 1967, pp. 425-426 et 545.

[2] José María Micó en fait la synthèse dans le chapitre III (« La superación del petrarquismo », pp. 59-102) de son ouvrage *La fragua de las Soledades. Ensayos sobre Góngora* (Barcelona, Sirmio, 1990), où l'on trouvera toutes les informations bibliographiques.

[3] José María Micó, *op. cit.*, p. 88.

y mientras yo te aguardo en las cadenas
de esta rabiosa ausencia,
al viento agravien tus ligeras alas.
Ya veo que te calas   25
donde bordada tela
un lecho abriga y mil dulzuras cela.

[IV]   Tarde batiste la invidiosa pluma,
que en sabrosa fatiga
vieras (muerta la voz, suelto el cabello)   30
la blanca hija de la blanca espuma,
no sé si en brazos diga
de un fiero Marte, o de un Adonis bello ;
ya anudada a su cuello
podrás verla dormida,   35
y a él casi trasladado a nueva vida.

[V]   Desnuda el brazo, el pecho descubierta,
entre templada nieve
evaporar contempla un fuego helado,
y al esposo, en figura casi muerta,   40
que el silencio le bebe
del sueño con sudor solicitado.
Dormid, que el dios alado,
de vuestras almas dueño,
con el dedo en la boca os guarda el sueño.   45

[VI]   Dormid, copia gentil de amantes nobles,
en los dichosos nudos
que a los lazos de amor os dio Himeneo;
mientras yo, desterrado, de estos robles
y peñascos desnudos   50
la piedad con mis lágrimas granjeo.
Coronad el deseo
de gloria, en recordando;
sea el lecho de batalla campo blando.

[VII] Canción, di al pensamiento   55
que corra la cortina,
y vuelva al desdichado que camina.⁴

Un amant – au sens classique du terme – se trouve brutalement séparé de sa dame, désormais mariée à un autre, et exhale ses plaintes selon le déroulement rythmé des six stances d'une *canzone*. Or, ce qui frappe dans l'organisation de ce monologue, c'est sa structure « dialoguée » : l'Amant – même s'il n'en obtient nulle réponse – s'y adresse tour à tour à sa Dame (vv. 1-18), puis à sa Pensée (vv. 19-42), et enfin aux Époux (vv. 43-54), sa parole retrouvant ainsi le schème

---

⁴ Texte emprunté à la très remarquable *Antología poética* éditées par Antonio Carreira (Madrid, Castalia, 1986, *Castalia didáctica*, 13, pp. 118-121), et que reprend, à deux virgules près (virgules supprimées après « segura », v. 13, et après « cortina », v. 56), José María Micó, dans son excellente édition critique des *Canciones y otros poemas en arte mayor* (Madrid, Espasa-Calpe, 1990, *Clásicos castellanos nueva serie*, 20, pp. 84-91). Sont citées, dans ce dernier ouvrage, deux variantes de l'édition Hozes (1633) – aux vers 19 (« vuelas » et non « vueles ») et 24 (« agravian » et non « agravien ») –, variantes sans doute *faciliores* ou médiocres, mais dont j'essaierai de montrer l'intérêt à la lumière de ma lecture théâtrale.

formel qui préside à tant de soliloques dramatiques, où le Moi du protagoniste peut avoir affaire à des instances aussi multiples que la Pensée, l'Honneur, l'Amour...[5]

Le rapport de notre texte au théâtre, pour relatif qu'il soit, ne s'arrête cependant pas là. Le personnage n'y fait pas qu'exprimer ses tourments ; comme pour notre Rodrigue, en d'autres stances fameuses, son monologue est le lieu d'une prise de décision qui, au terme d'une rigoureuse progression, le conduit du ressentiment au renoncement, de l'animosité à la générosité, du désamour au don de l'amour. De là qu'il faille le lire comme l'histoire d'un parcours, dont le poète nous fournit de surcroît les coordonnées spatiales et temporelles, au point que l'on pourrait aller jusqu'à dire de cette *canción* qu'elle est, en miniature, toute une *comedia*, avec les trois actes de ses trois fois deux stances (I-II ; III-IV ; V-VI).

Car le découpage selon les interlocuteurs (vv. 1-18, 19-42 et 43-54), très prégnant et trop souvent retenu, ne rend pas raison du mouvement profond de ce monologue. Il ne vient pas seulement heurter la division du texte en strophes régulières et bien marquées, puisqu'il implique une rupture entre la *fronte* (vv. 37-42) et la *sirima* (vv. 43-45) de la cinquième stance. Il fait surtout éclater le continuum temporel (stances V et VI) du moment privilégié de la contemplation dans la présence – et au présent –, et vient briser de ce fait l'admirable construction temporelle du poème, dont la versification – tout comme au théâtre – souligne les phases, en rythmant avec précision l'évolution des rapports du Moi et de sa Pensée.

Le temps est venu, cher Robert, de te conter à ma manière l'histoire de l'Amant de cette pièce gongorine.

I. De son Aimée, cet Amant est désormais privé. Massivité et mauvaiseté d'obstacles accumulés – foisonnement d'expressions de quantité et de formes au pluriel – concourent sans pitié à son isolement. Et il ne peut opposer, à l'agressive verticalité ou à l'opiniâtre horizontalité de ces éléments chthoniens ligués contre lui, que la singularité qualitative de l'aérienne légèreté de sa Pensée, c'est-à-dire de son imagination[6]. Contre les violences qui lui sont faites pour son maintien dans la froideur paralysante d'un « paysage hivernal », il n'a qu'elle pour noble alliée, et que la ruse pour stratégie. Aussi la vêt-il de son armure empennée et la suit-il du regard lorsqu'elle parvient, première victoire dans la surverticalité, au faîte du vent.

II. Mais cet envol, pour sa Pensée, n'est pas encore séparation d'avec le Moi du personnage. Leur couple ne se disjoint pas lorsque le Moi imagine l'implacable progression de sa féale sans merci – extérieur (premier *piede*) ; seuil (deuxième *piede*) ; intérieur (*sirima*). Lointaines barrières naturelles (« tinieblas », « hielos ») et proches barrières humaines (« guardas de llave ») cèdent aux stratagèmes (« engaña », « desmienta con discreta maña ») d'une authentique *dama duende*, capable de pénétrer le réduit le plus intime. Qu'on ne s'y trompe guère, pourtant. Le Moi n'a point véritablement quitté les rivages où il est amarré. Dans son immobilité foncière, il n'a, d'abord, fait qu'énoncer les vertus de sa compagne de combat. Puis, comme emporté quand même par le mouvement de cette *adelantada*, il se l'est figurée dans la distance maintenue d'actions à venir (subjonctifs prospectifs associés au futur de « emprenderá ») ; et le voilà comme embarqué avec elle, et avec elle rendu, dans l'espace étroit d'un seul et même vers (« que no la registre él, y yo no invidie »). Son voyage, pourtant, n'aura été qu'une illusion ; entre l'« invidiosos » initial et

---

[5] Citons, à titre d'exemple, l'admirable monologue de Teodoro, au début du deuxième acte du *Perro del hortelano* (« Nuevo pensamiento mío... ») ; voir l'étude que j'en fais dans « El tercer monólogo de Teodoro en *El perro del hortelano* (II, vv. 1278-1325) », dans les Actes des XI Jornadas sobre teatro del Siglo de Oro, Almería, 18-20 de marzo de 1994, sous presse.

[6] « *Pensamiento* : facultad o potencia imaginativa (*vis imaginativa*) » (*Autoridades*).

l'« invidie » terminal, il n'aura été qu'un surplace, dans la circularité absolue d'une fixation envieuse incapable d'évolution. Impatience du ressentiment et précipitation de la passion auront comme annulé les effets de cette première offensive ; et le Moi, au seuil de la stance troisième, se verra, en quelque sorte, ramené à son point de départ, dans le blocage de son obsession première encore exacerbée par l'image d'un amour à jamais impossible et insupportablement absent. Le premier Acte vient de se refermer.

III. Son déroulement, malgré tout, n'aura pas été vain. Il nous aura fait connaître avec plus de précision l'objet de l'animosité de l'Amant, cet Époux, sur qui seul – contre ses précautions et contre ses actions – semble s'être concentrée la lutte engagée, et traduite, dans la strophe II, par l'intensification générale des connotations guerrières. Il aura, surtout, et malgré les apparences, mis en branle le temps, un temps qui continue de s'écouler, et dont le passage s'inscrit dans le blanc typographique séparant les stances II et III, selon la modalité même de la temporalité au théâtre, où les dramaturges de l'époque savent faire usage des espaces entre les actes, de « las distancias / de los dos actos »[7]. Car, lorsque s'ouvre la stance troisième, quelque chose a changé, qui est une première libération. Le Moi, maintenant, se veut dissocié de sa Pensée ; il ne fait, à proprement parler, plus corps avec elle, et la peut prendre dès lors comme interlocutrice directe, qu'il charge bientôt d'une haute mission[8]. Alors, de par son autonomie nouvelle, hors des hantises initiales, cette Pensée peut, en toute « licence » (v. 20), prendre son envol, puis établir, entre l'« ici » d'un Moi disjoint (« esta rabiosa ausencia », v. 23) et le « là-bas » (« allá », v. 19) d'un couple conjoint, l'infinie distance d'un parcours fulgurant. Le Moi peut bien encore croire qu'elle va, telle un oiseau de proie, fondre sur l'objet honni de tant de furieux transports. Mais ce que sa Pensée découvre, dans son indépendance à peine conquise loin des chaînes de la rancœur originelle, c'est le séduisant tableau du riche décor et de l'intime douceur d'une chambre nuptiale :

> là, tout n'est qu'ordre et beauté
> luxe, calme et volupté.

IV. Certes, il s'agit bien là du lieu dont le Moi, tout empreint de ses fantasmes envieux, lui avait confié l'invasion. Mais si le cadre est bien le même, le moment d'intrusion choisi par la Pensée vient bouleverser les plans du Moi. Ce dont celui-ci, dans son dépit rageur, avait imaginé se repaître, c'était du spectacle intolérable de l'accomplissement de l'union charnelle. Or c'est dans son « après » (« vieras ») que le situe sa Pensée ; c'est depuis cet « après » – et donc dans la distance lénifiante d'une vision rétrospective – que le Moi peut réinventer *autrement* la scène tant

---

[7] Lope de Vega, *Arte nuevo*, vv. 194-197 :

> Pase en el menos tiempo que ser pueda,
> si no es cuando el poeta escriba historia
> en que hayan de pasar algunos años,
> que éstos podrá poner en las distancias
> de los dos actos...

[8] Les deux variantes (v. 19 : « vuelas » ; v. 24 : « agravias ») dont fait état l'éditon Hozes, parmi d'autres versions, sont, dans cette perspective de lecture théâtrale, moins irrecevables que ne le pense José María Micó (voir son édition, citée, p. 85 : « la preferencia de algunos testimonios por el presente de indicativo (19, 24) estropea el sentido y el vehemente deseo expresado en la tercera instancia »). Simplement, elles ne font que pousser à l'extrême le processus de rupture temporelle qu'on s'est proposé de lire dans le fondu en blanc de la séparation typographique entre les strophes II et III. Dans cet intervalle le Moi, s'il reste physiquement prisonnier dans la réclusion originelle d'une rancœur exaspérée, a délivré plus rapidement et plus complètement son esprit, dont l'émancipation traduit une transformation plus profonde. Version moins nuancée et moins riche, mais qui n'a rien d'absurde.

redoutée. L'Épouse, non plus que l'Époux, n'y gardent leur identité trop humaine ; les voilà, par la magie de la sublimation mythologique, métamorphosés en divinités consacrées aux jouissances de l'amour, réincarnés en dieux dont ils partagent et la beauté et l'innocence :

> c'est Vénus tout entière à l'époux enlacée.

Mieux, c'est vers cet « après » (« podrás ») que le Moi, lui aussi transformé, et qui désormais a rejoint sa Pensée, c'est vers cet « après » qu'il la fait se tourner pour qu'elle découvre, avec lui, au cœur de la célébration mythique du mystère de l'amour, l'enlacement non encore dénoué de ce couple toujours anonyme de par l'effet de sa simple désignation pronominale (« ver*la*... y a *él* »).

V. Disparus les emportements de l'ire jalouse ; oublié le vol qui se voulait viol d'une intimité ; et, avec eux, achevé le deuxième Acte, qui consacre la défaite des pulsions d'un Éros vindicatif. Transfiguré, le Moi a retrouvé sa maîtrise et, partant, la volonté d'obliger sa Pensée – de s'obliger lui-même – à s'approcher encore du tableau entrevu[9]. De l'Amant fasciné, l'œil vivant parcourt alors lentement – épouse pourrait-on dire – le corps de l'Aimée, dans la fraîche moiteur de son ardente vénusté. Puis il s'arrête sur l'Époux, enfin nommé à nouveau (« y al esposo »), et saisi dans le geste délicat de la caresse d'un dernier baiser. Enfin, tout mouvement s'arrête, et cesse tout bruit :

> Oh, récompense auprès de sa Pensée
> qu'un long regard sur le calme des dieux !

Qu'un long regard sur le repos de ces divines incarnations, sur le sommeil de ces humains qui sont encore des demi-dieux, lorsque l'Amant, presque élevé à son tour au rang du dieu ailé, peut enfin le reconnaître dans toute la plénitude de sa tutélaire présence.

VI. Et, du même coup, dans toute la plénitude de sa révélation. L'union des corps, parfaite en sa sublime beauté, a fait remonter l'Amant jusqu'à l'étroite harmonie des âmes, où l'Amour règne en maître (« de vuestras almas dueño »). Il ne lui reste plus qu'à se retirer noblement, c'est-à-dire à confesser l'égale noblesse de cette « copia gentil de amantes nobles » ; il ne reste plus à son Moi qu'à regagner – par choix délibéré, cette fois, et non dans une hargneuse impuissance – les lieux inhospitaliers d'un agreste exil, où tenter de trouver de difficiles consolations à ses amoureuses souffrances. Mais il ne le fera point sans un dernier trait de générosité aristocratique. À sa Pensée, demeurée pour l'heure auprès des Époux réunis dans la félicité des nœux d'Hyménée, il confie le soin de leur transmettre un dernier vœu : que dès le réveil, quand point à nouveau le désir, ils sachent sans réserve s'adonner au plaisir, dans les douces mêlées de leurs aimantes effusions. Non plus donc seulement, de la part de l'Amant solitaire, noble renoncement ; non plus, de son côté, simple apaisement ; mais, au bout du voyage imaginaire, contentement partagé dans la jouissance octroyée.

VII. La délivrance s'est accomplie. Un personnage nouveau va pouvoir reprendre sa route. Ses pas ne le conduiront plus, contre monts et rivières, à la recherche de l'Aimée. Simplement, depuis son éloignement présent, il lui faudra rappeler à lui sa Pensée, encore emplie de l'image d'un amour extrême, et tirer ainsi le rideau sur la scène de ses fantasmes. Ne nous laissons guère abuser par cette dernière image. Si l'on peut dire ce poème « théâtral », c'est, on l'a vu, par son analogie structurelle avec certains monologues de la *Comedia* ; c'est, également, par la modalité de son

---

9 Zoom et gros plan dirait notre époque de cinéma.

déroulement temporel, ordonné en un découpage ternaire marqué du sceau de la forme métrique. C'est, enfin, par le parcours héroïque d'un Amant dont le sacrifice s'accorde à l'issue d'un heureux mariage. Mais l'on se gardera de pousser trop loin une assimilation qui ne peut avoir cours – et un cours limité – que pour les six premières stances. Car, pas plus qu'il n'y a rideau sur le devant de la scène des *corrales*, il n'y a, dans la postériorité du dénouement d'une pièce, de prise de parole possible du personnage ou du *poeta de comedias*. Or, notre poème reste, *avant* et *après* tout, une *canción*. Une *canción* couronnée, dans la plus pure tradition poétique, d'un envoi, où le personnage, semblant sortir de lui-même, abandonne la première personne dont il avait jusque-là fait un usage continu, et recourt, pour parler de lui-même, à la troisième personne, occupant alors, en un subtil jeu d'ambiguïté littéraire, la position du poète en personne : « el desdichado que camina ».

Ultime habileté de Góngora, dont l'éclatante originalité m'aura autorisé, aujourd'hui, tel le Narcisse inversé des *Solitudes*, à « desdeñar fuentes », je veux dire à n'aller point quérir de sources. Je ne voudrais point cependant conclure sans souligner l'un des traits les plus attirants de cette originalité. Car j'imagine, Robert, ton sourire sceptique devant cette trop caldéronienne reconstruction d'une *canzone* gongorine comme l'histoire d'un itinéraire héroïque, comme l'inscription d'une des figures de la générosité aristocratique. Mais peut-être seras-tu plus disposé à me faire crédit si j'ajoute que, dans le concert de ceux qui s'emploient à célébrer les vertus du renoncement noble, nul ne saurait confondre la voix unique de Góngora, seul capable alors d'y hausser un personnage par la seule exaltation, sensuelle et voluptueuse, d'un amour trop humain que traduit, dans sa plénitude païenne, la vêture d'une mythologie revivifiée. N'est-ce pas là, justement, de Góngora et de sa non-conformité – pour ne pas dire de son non-conformisme – l'une des images dont tu a su nous convaincre ?

*

Car aujourd'hui, maître-ami des Roches-Fleuries[10], il y a plus de quarante ans de ta jouissance d'avec don Luis de Góngora. Jouissance jamais égoïste ou envieuse, mais partagée toujours, et toujours féconde. Un modeste bouquet vient d'en naître, cueilli, pour ton hommage, dans la « huerta de don Marcos » :

> Canción, di al pensamiento
> que corra la cortina,
> y vuelva al desdichado que camina.

---

10 Robert Jammes, à Vieille-Toulouse, vit dans une délicieuse demeure qui a nom « Les Roches-Fleuries » ; et l'on sait que Góngora avait en fermage à Cordoue « la huerta de don Marcos », prénom qui est aussi celui du signataire de ces lignes.

ROBERT JAMMES

Vies

Odette GORSSE
Université de Toulouse-Le Mirail

Août 1961. Je viens d'être reçue à l'agrégation d'espagnol. Je peux aller au cinéma et flâner dans l'île Saint Louis, oublier enfin le programme... Un véritable cauchemar, ce programme ! Un *auto* de Sor Juana, une *comedia* de Calderón et *La fábula de Píramo y Tisbe* de Góngora. En ai-je eu du mal avec ce Don Luis de Cordoue ! Par bonheur il y avait les articles d'un certain Robert Jammes. Du solide celui-là, rien à lui reprocher. En voilà un qui sait lire son texte et qui ne manque ni de rigueur ni de science. Un vrai rat de bibliothèque, sans doute. Un de ces vieux professeurs, solitaires et rébarbatifs, qui passent leurs journées dans un bureau austère, au milieu de meubles Napoléon III, au fond d'un appartement sombre et poussiéreux de la région parisienne...

*

Telle était l'image qu'une jeune agrégée ingrate, irrespectueuse et bien peu perspicace, se faisait alors de Robert Jammes. Et je frémis à l'idée que c'est encore ainsi que je l'aurais longtemps imaginé si l'amitié n'en avait décidé autrement.

Ce fut un de nos amis politiques communs qui nous présenta l'un à l'autre. Ancien instituteur, journaliste et militant, il s'appelait Georges Fournial. Il était d'une grande générosité et j'avais en lui une confiance absolue. Aussi, lorsqu'il me proposa de m'amener chez l'auteur des « Notes sur *La fábula de Píramo y Tisbe* de Góngora », acceptai-je sans hésiter ; mais non sans quelque inquiétude. Ces deux hommes me semblaient alors si différents, l'un tout ouvert aux problèmes de notre société, l'autre – croyais-je – tout entier tourné vers le seul passé, que cette première rencontre ne pourrait être que superficielle, conventionnelle, voire ennuyeuse. Quoi qu'il en fut, j'étais fort impressionnée.

C'est à Pamiers, dans la maison familiale de Robert Jammes, qu'eut lieu cette première entrevue. C'était une demeure ancienne, largement ouverte sur un jardin ; à de multiples détails l'on voyait que des générations y avaient vécu et travaillé. Le soleil ariégeois de septembre était chaud et la fraîcheur de la treille où mûrissaient les raisins autour desquels bourdonnaient les guêpes me surprit agréablement. La sensation de bien-être que j'éprouvais à pénétrer dans un univers agréable et familier, les odeurs sucrées des fruits mûrs et le bruissement des insectes me rassurèrent. Sur le seuil se tenait un homme semblable à ceux que j'avais l'habitude de rencontrer dans mon toulousain natal : un homme de la campagne, solide et accueillant sans rien d'austère ni de rébarbatif : c'était Robert Jammes.

Il nous fit entrer dans la salle à manger où la table était dressée pour de nombreux convives. Et Robert Jammes, qui ne vivait pas en solitaire, nous présenta Francine, son épouse, et ses quatre enfants. Dans un coin, les accoudoirs sculptés d'un fauteuil ancien accrochaient la lumière. Quand fut venu le moment de prendre place autour de la table, le maître de maison, pour marquer en quelle estime il tenait les mérites de Georges Fournial, avança ce fauteuil et offrit à notre ami la meilleure place. Puis commença le repas arrosé du vin de sa vigne. Les propos échangés portèrent bien peu sur la littérature du Siècle d'Or. Nous parlâmes de la vie à Pamiers, du goût du pain acheté au marché, de la meilleure façon de tailler la vigne, de problèmes syndicaux, des grandes questions nationales et internationales ; Robert Jammes m'apparut attentif à la parole de l'autre, désireux de s'informer : le maître savait aussi écouter. Plus tard, il nous conduisit à son bureau, adossé au chais où, un mois plus tard, bouillirait une modeste vendange. Par les fenêtres pénétraient largement la lumière ariégeoise et les éclats de voix des enfants jouant dans le jardin. La vie bruissait tout alentour... et je venais de découvrir Robert Jammes dans son étonnante polyvalence : le maître mais aussi le disciple, le fils de paysans, riche de son passé et solidement enraciné dans cette terre d'Ariège, mais aussi le citoyen plongé dans le présent, ouvert aux autres, à leurs difficultés, et préoccupé des questions de notre temps, l'homme enfin – père, époux, ami. Jamais, depuis, malgré les vicissitudes d'une vie qui parfois rapproche et parfois éloigne, rien n'est venu démentir cette première impression.

Le 26 avril 1927, dans un milieu de modestes agriculteurs, naît Robert Jammes. Issu, par son père, d'une lignée de viticulteurs de Limoux, c'est cependant à Pamiers qu'il va passer les années de son enfance et de son adolescence, dans cette ville où depuis au moins trois générations sa famille maternelle pratique le maraîchage. Bien que tout à fait conscients de la valeur intellectuelle de l'enfant, ses parents, persuadés que l'on doit dans la vie avoir plusieurs cordes à son arc et garder la possibilité de pratiquer plusieurs métiers, l'initient à toutes les tâches agricoles. Robert court pieds-nus dans les rigoles pour surveiller l'arrosage des légumes, il apprend à tresser les paniers pour le transport et la vente de carottes et poireaux au marché, s'initie à la greffe des arbres ; il sait bientôt comment traiter leurs maladies, comment apporter à la vigne tous les soins qu'elle exige. Aujourd'hui Robert n'a rien oublié de ces premiers enseignements ; jamais ces travaux ne lui ont pesé; jamais il n'a perdu son allure de paysan et c'est avec fierté qu'il fait remarquer que nul inconnu ne l'a jamais pris... pour un professeur d'université.

Reste que, dans cette famille de maraîchers, Robert apparaît comme un être d'exception : ses qualités intellectuelles font bientôt comprendre à ses parents qu'il sera le premier à ne pas perpétuer la tradition familiale. Ils n'en éprouvent aucune amertume et l'encouragent à suivre cette voie. Sa mère tout particulièrement l'y pousse. Cette femme intelligente, dont Robert ne peut évoquer le souvenir sans émotion, n'a pu faire d'études; mais elle suit le travail de son fils et l'aide fort longtemps dans ses tâches scolaires. Enfin arrive le jour où, admis en hypocagne, il entre au lycée Henri IV. Mais la maladie le rattrape à une époque où il est bien difficile de lutter contre elle, dans une capitale encore soumise aux restrictions de la guerre. Et c'est dans sa ville natale que le jeune étudiant revient se réfugier. Il y recouvre la santé au bout de deux longues années pendant lesquelles il travaille pratiquement seul. Le lycée Pierre de Fermat de Toulouse, enfin, le présente au concours. En 1947, Robert Jammes est reçu à l'École Normale Supérieure de la rue d'Ulm. Il en sort quatre ans plus tard, en 1951, agrégé d'espagnol.

Nommé professeur au lycée de Carcassonne, il ne va rester que peu de temps dans l'enseignement secondaire. Très vite il est sollicité pour donner quelques heures de cours à l'Université de Montpellier et, dès 1953, il y est recruté en tant qu'Assistant à la Faculté des Lettres de cette ville. En 1957, il est nommé Chargé d'enseignement à la Faculté des Lettres de Grenoble, où il devient responsable du département nouvellement créé. Détaché au CNRS en 1962, il se consacre pendant trois ans à la rédaction de sa thèse, puis rejoint l'Université en 1965. C'est maintenant à Toulouse, à l'Université du Mirail, qu'il exerce, d'abord comme Maître-Assistant puis comme Maître de Conférences et enfin, sa thèse soutenue, comme Professeur. Tout au long de ces années sa forte personnalité et sa fidélité à ses convictions l'amènent à se heurter à un certain nombre de ses collègues. Par trois fois, certains tentent, pour des raisons politiques, de le chasser de l'enseignement supérieur. Avec ténacité, Robert Jammes résiste et les tentatives de ses adversaires, finalement désavouées par tel ou tel conseil, échouent, tandis que Paris, reconnaissant ses mérites, intervient en sa faveur et rétablit son bon droit.

Entre-temps, en 1967, Robert Jammes publie ses *Études sur l'œuvre poétique de Don Luis de Góngora y Argote* dont il serait superflu, ici, de faire l'éloge. Et, jusqu'en 1969, il mène, avec une égale réussite, sa carrière d'enseignant et celle de chercheur. Mais le destin est là... Francine meurt, et avec sa disparition brutale commence le temps de l'épreuve.

*

Me voici à nouveau sous la treille de la maison familiale de Pamiers. La dernière fois que j'avais vu Francine, ici, nous avions à peine eu le temps de parler. Je devais partir et elle était rentrée tard d'une des réunions politiques qui était une part de sa vie si active. Nous avions évoqué, je ne sais plus à propos de quoi, le temps où elle taillait des vêtements pour ses enfants et où elle tapait à la machine la thèse de Robert. Mais aujourd'hui elle repose, sans vie. Dans le bureau, la lumière joue sur le bois du cercueil encore ouvert. Robert rentre. Dans son jardin il a coupé un rameau qu'il dépose entre les mains de Francine.

*

Il reste seul désormais, avec quatre enfants dont le plus jeune n'a pas dix ans. Seul, il doit s'occuper d'eux et assumer seul les tâches matérielles qu'exige la vie de tous les jours, et seul faire face aux problèmes que pose chez chacun l'angoisse née de la disparition de leur mère. Tout son temps et toutes ses forces y passent car Robert est de ceux qui luttent et regardent vers la vie. Il met toute son énergie à reconstruire la sienne. Il ne tarde pas à rencontrer Annie qui sait la tragédie de la perte d'un époux et a dû, elle aussi, apprendre à se battre pour élever ses deux enfants. Ensemble ils vont reconstituer une famille, lui donner sa cohésion. Le passé, comme il se doit, le cède à la vie : la maison de Pamiers, trop lourde de ce passé, se voit un jour remplacée par la maison neuve de Vieille-Toulouse.

Vous la trouverez, au détour du chemin des Roches-Fleuries. Elle se dresse, tout en haut d'un hectare de terrain fort pentu, sur les côteaux qui dominent la métropole régionale, assez grande pour accueillir six enfants et les enfants de ces enfants. Un sentier sinueux y mène, tout en bas, jusqu'au jardin potager. À mi-pente, Robert a planté une vigne. En ce mois d'août 1994, le vendange s'annonce belle. Un peu plus haut ne paissent plus les moutons qu'un temps avait abrité une bucolique bergerie : moutons bien réels, ils causaient plus de tracas que les tranquilles brebies des églogues. Devant la façade qui domine le vallon, la treille d'une véranda est parfois mise à mal par les loirs. Les portes fenêtres laissent pénétrer la lumière dans une maison elle aussi ouverte aux amis. Comme elles l'étaient au soir d'une journée consacrée à France-Cuba – il y a déjà longtemps –, où j'ai eu la joie de pouvoir bavarder, au coin de la cheminée, avec Nicolás Guillén ou Retamar tout en savourant grillades et oreillettes préparées par la maîtresse de maison. Ou comme en cette fin d'aprés-midi, où, assise à la terrasse, je goûte le plaisir de quelques instants de quiétude en compagnie d'Annie et de Robert.

*

Réussir aussi harmonieusement dans une telle entreprise n'est possible qu'au prix de bien des sacrifices. Pendant de longues années, le chercheur Robert Jammes est resté sans parler. Certains le croient même définitivement muet. À tel point que la revue *Europe* peut publier, en mai 1977, un numéro spécial consacré à Góngora en négligeant de solliciter la collaboration de celui qui, depuis dix déjà, s'est affirmé comme le grand spécialiste de l'auteur des *Solitudes*. Funeste méprise, qui mérite qu'on y porte remède. Robert n'a jamais craint la polémique lorsqu'elle est nécessaire et son *Retrogongorisme*, qui marque, en 1978, la naissance de *Criticón*, est une fort allègre critique des diverses contributions à ce numéro spécial. S'appuyant sur une analyse rigoureuse du texte – domaine dans lequel il excelle – et sur le plus élémentaire bon sens – qualité dont il ne manque pas –, Robert Jammes y montre que l'originalité de la pensée et le brillant de l'expression ne peuvent pallier les insuffisances d'une lecture superficielle ou celles d'un médiocre travail de documentation :

> Ami lecteur, si nous faisions une pause ? tu n'es pas effrayé ? En avons nous vu, pourtant, des animaux étranges ! Des coqs francophones, des poules desdémoniaques, des perdrix qui gazouillent, des chèvres frustrées, des boucs chastes, des chevreau-légers, des lapins tire-bouchons, des abeilles lettristes, sans oublier les canards et les chiens chauves de Darmangeat, ni les octaves à rimes atones du professeur Aubrun... J'aurais aimé, si le budget de *Criticón* n'était pas si misérable, apporter ma contribution à ce bestiaire. J'aurais placé ici une gravure bien connue de Goya : elle représente un intellectuel fatigué, endormi à son bureau ; autour de lui, voletant (et pépiant, je suppose), d'énormes oiseaux ténébreux... La légende dit : « Le sommeil de la raison engendre des monstres ». (Robert Jammes, « Retrogongorisme », *Criticón*, Toulouse, France-Ibérie Recherche, 1978)

Précédé de la discrète publication d'une pionnière *Floresta de poesías eróticas del Siglo de Oro*, le retour visible de Robert Jammes sur la scène de la recherche vient d'avoir lieu ; il ne la délaissera plus. Sans ignorer l'époque contemporaine – comme le montre l'hommage rendu à Toulouse à Rafael Alberti – ni l'Amérique de langue espagnole – thème de l'hommage qu'il coordonne pour Noël Salomon – il continue de centrer son intérêt sur le Siècle d'Or; le nombre et la qualité des thèses qu'il dirige alors font de l'Université de Toulouse-Le Mirail l'un des grands centres internationaux de la recherche sur cette période. Il y structure définitivement l'équipe de littérature espagnole du Siècle d'Or, le LESO, associé au CNRS. La revue *Criticón* devient instrument privilégié de la recherche vivante sur les XVIe et XVIIe siècles espagnols. Colloques et travaux collectifs se succèdent, dont il assure la direction et, souvent, l'essentiel du travail, comme le récent *Glosario de voces anotadas en los cien primeros volúmenes de Clásicos Castalia*. Mais Robert Jammes n'oublie pas qu'il n'est de recherche sans organisation. Il crée, avec l'amicale complicité d'Aurora Egido, l'Association Internationale du Siècle d'Or (AISO) tout en refusant, dans son indifférence aux honneurs, d'en être le président. Et il voit l'ensemble de ses activités couronnées par la tenue à Toulouse, en 1993, du IIIe congrès de l'AISO, réunissant autour du LESO plusieurs centaines de spécialistes.

Lourdes tâches, il est vrai, et qui ont conduit Robert, dès 1987, à se mettre à l'abri des tracas de la vie universitaire. Il a encore des pages à écrire, des choses à faire ! Comme cette édition des *Soledades*, à laquelle il pense depuis si longtemps et qui vient de voir le jour dans un fort volume de 700 pages. Ou encore comme ces rubriques qui ne figurent pas dans sa bibliographie officielle : « Le panégyrique du figuier », ou « Réflexions sur la sècheresse », ou bien « L'ormeau se meurt, vive l'ormeau ! », ou encore « Adapter la nature, s'adapter à la nature », toutes publiées dans le *Bulletin Municipal de Vieille-Toulouse* et qu'il signe du nom de Robert le jardinier ; sa science n'est pas moins grande que celle du très connu Michel le jardinier de nos antennes nationales et il n'est pas rare qu'il reçoive des appels au secours.

> Voix affolée : Les platanes de ma cour, ceux qu'a planté mon arrière-grand père sont malades [suit une description détaillée des arbres en question et des symptômes de la maladie]. Ils vont mourir si je ne trouve pas de solution.

> Robert Jammes, très calme : Il s'agit très certainement d'anthracnose, et il est possible de traiter. *Viennent alors toutes les indications pratiques...*

Alors, si vous avez problèmes d'établissement de texte, si tel vers de Góngora vous semble incompréhensible ou si telle phrase de Gracián vous paraît hermétique, si vos arbres se refusent à pousser, vous pouvez appeler Robert Jammes. Celui qui vous répondra n'est pas seulement un chercheur exceptionnel. C'est également quelqu'un qui ne s'est jamais coupé des réalités de ce monde, qui a su marier, avec bonheur, la littérature et la vie.

C'est à cet homme tout entier, notre maître et notre ami, que nous rendons hommage.

ROBERT JAMMES

Bibliographie

Odette GORSSE
Université de Toulouse-Le Mirail

I. OUVRAGES

1. Góngora y Argote, Don Luis de. *Letrillas*. Édition critique et annotée. Paris, Ediciones Hispano-Americanas, 1963. XXXI-532 p.

2. *Études sur l'œuvre poétique de don Luis de Góngora y Argote*. Bordeaux, Institut d'Études Ibériques et Ibéro-Américaines de l'Université de Bordeaux, 1967. XI-703 p.

3. *Floresta de poesías eróticas del Siglo de Oro*. Toulouse, Université de Toulouse-Le Mirail, France-Ibérie Recherche, 1975. XXIV-363 p.

    En collaboration avec Pierre Alzieu et Yvan Lissorgues.

3 bis. *Poesía erótica del Siglo de Oro*. Barcelona, Editorial Crítica, 1984. 361 p.

    (*Lecturas de filología*; deuxième édition, revue et corrigée, du n° 3 *supra*.)

4. Góngora y Argote, Luis de. *Letrillas*. Madrid, Castalia, 1980. 305 p.

    (*Clásicos Castalia*, 101 ; nouvelle édition, en espagnol, revue et complétée, du n° 1 *supra*.)

5. Édition et présentation de *Hommage à Juan Marinello et Noël Salomon. Cuba : les étapes d'une libération* (Actes du colloque international de Toulouse, 22-24 novembre 1978). Toulouse, France-Ibérie Recherche, 1979 et 1980. 2 vol., XXIII-347 + 91 p.

6. Góngora, Luis de. *Las firmezas de Isabela*. Edición, introducción y notas, Madrid, Castalia, 1984. 309 p.

    (*Clásicos Castalia*, 137.)

7. *Anuario áureo*. N° 29 de *Criticón*, 1985. 345 p.

    En collaboration avec Odette Gorsse et Marc Vitse.

(Supplément I dans le n° 35 de *Criticón*, pp. 149-195 ; supplément II dans le n° 39 de *Criticón*, pp. 143-195.)

8. *La obra poética de Góngora* . Madrid, Castalia, 1987. X-574 p.

(*Literatura y Sociedad*, 38 ; traduction par Manuel Moya de *Études sur l'œuvre...*, n° 2 *supra*.)

9. *Vingt-six versions espagnoles (Licence, Concours)*. Traduites et commentées par Robert Jammes, avec la collaboration d'Odette Gorsse et le concours de l'UA 1050 du CNRS. Toulouse, Service des Publications de l'Université de Toulouse-Le Mirail, 1987. XIV-193 p.

(*Amphi VII*, 8 ; deuxième édition, revue et corrigée, Toulouse, Presses Universitaires du Mirail, 1989. 199 p.)

10 *Anuario áureo II*, n° 48 de *Criticón*, 1990. 214 p.

En collaboration avec Odette Gorsse et Marc Vitse.

11. *Criticón, 1978-1988. Índices*, 1990. 84 p.

En collaboration avec Maïté Mir.

12. *Une autre Espagne du Siècle d'Or*. Toulouse, Université de Toulouse-Le Mirail, 1988. 53 p.

En collaboration avec Maïté Mir et Marc Vitse.

13. *Glosario de voces anotadas en los 100 primeros volúmenes de Clásicos Castalia*. Madrid, Castalia, 1993. XXVII-752 p.

En collaboration avec Maïté Mir et l'équipe LESO, URA 1050 du CNRS.

(*Clásicos Castalia*, 200.)

14. Góngora, Luis de. *Soledades*. Edición, introducción y notas, Madrid, Castalia, 1994. 734 p.

(*Clásicos Castalia*, 202.)

II. ARTICLES, COMMUNICATIONS ET CONTRIBUTIONS DIVERSES

15. « Un sonnet faussement attribué à Góngora ». Dans *Revue des langues romanes*, n° LXXII, 1956, pp. 211-214.

16. « L'imitation poétique chez Francisco de Trillo y Figueroa ». Dans *Bulletin hispanique*, n° LVIII, 1956, pp. 457-481.

17. « L'anticléricalisme des proverbes espagnols ». Dans *Les langues modernes*, n° 6, 1958, pp. 365-383.

18. « Le romance *Cloris el más bello grano* de Góngora ». Dans *Les langues néo-latines*, n° 151, 1959, pp. 16-36.

19. « Études sur Nicolás Antonio. Nicolás Antonio commentateur de Góngora ». Dans *Bulletin hispanique*, n° LXII, 1960, pp. 193-215.

20. « Notes sur *La fábula de Píramo y Tisbe* de Góngora ». Dans *Les langues néo-latines*, n° 156, 1961, pp. 1-46.

21. « Les épigrammes burlesques de Juan Navarro de Cascante ». Dans *Les langues néo-latines*, n° 159, 1961, pp. 3-21.

22. « L'*Antidote* de Jáuregui annoté par les amis de Góngora ». Dans *Bulletin hispanique*, n° LXIV, 1962, pp. 192-215.

23. « Supplément aux *Coplas de disparates* ». Dans *Bulletin Hispanique*, n° LXIV bis (*Mélanges offerts à Marcel Bataillon par les hispanistes français*), 1962, pp. 358-393.

    En collaboration avec Maxime Chevalier.

24. « Essai de critique textuelle : le romance *En el baile del ejido* de Góngora ». Dans *Les langues néo-latines*, n° 164, 1963, pp. 3-17.

25. « Juan de Espinosa Medrano et la poésie de Góngora ». Dans *CMHLB (Caravelle)*, n° 7, 1966, pp. 126-142.

26. « Rétrogongorisme ». Dans *Criticón*, n° 1, 1978, pp. 1-82.

27. « *La destruyción de Troya*, "entremés" attribué à Góngora ». Dans *Criticón*, n° 5, 1978, pp. 29-52.

28. « L'explication de texte peut-elle être un exercice scientifique ? » Dans *Actes du XIVe Congrès de la Société des Hispanistes Français*, Nice, 1978, pp. 101-129.

29. « Nicolás Antonio et le combat pour la vérité (31 lettres de Nicolás Antonio à Vázquez Siruela) ». Dans *Hommage des hispanistes français à Noël Salomon*, Barcelona, Laia, 1978, pp. 411-429.

    En collaboration avec Odette Gorsse.

30. « La literatura española de los siglos XVIII al XX y su interpretación por los hispanistas franceses ». Dans *Arbor* n° 400, 1979, pp. 41-54.

    En collaboration avec Albert Dérozier.

31. « Advertencias sobre *Los cantares del rey Salomón en octava rima* atribuidos a fray Luis de León ». Dans *Criticón*, n° 9, 1980, pp. 5-27.

32. « Dos sátiras vallisoletanas de Góngora ». Dans *Criticón*, n° 10, 1980, pp. 3-57.

33. « À propos de Góngora et de Quevedo : conformisme et anticonformisme au Siècle d'Or ». Dans *La contestation de la société dans la littérature espagnole du Siècle d'Or* (Actes du colloque de Toulouse, 15-17 janvier 1981), Toulouse, Service des Publications de l'Université de Toulouse-Le Mirail, 1981, pp. 83-93.

    (*Travaux de l'Université de Toulouse-Le Mirail*, série A, XVII.)

34. « La risa y su función social en el Siglo de Oro ». Dans *Risa y sociedad en el teatro español del Siglo de Oro* (Actes du 3e Colloque du GESTE, Toulouse, 31 janvier-2 février 1990), Paris, Éditions du CNRS, 1980, pp. 3-11.

35. « Cinco letrillas atribuidas a Góngora ». Dans *Criticón*, n° 13, 1981, pp. 87-106.

36. « Respuesta [a las *Notas* de Antonio Carreira al *Jardín de Venus*] ». Dans *Criticón*, n° 13, 1981, pp. 118-122.

37. « Un poème militariste et nationaliste sur l'expulsion des Morisques : la *Liga deshecha* de Juan Méndez de Vasconcelos (1612) ». Dans *Les Morisques et leur temps* (Actes du colloque de Montpellier), Paris, Éditions du CNRS, 1983, pp. 437-460.

    En collaboration avec Louis Cardaillac et Adrien Roig.

38. « Elementos burlescos en las *Soledades* ». Dans *Edad de Oro* (Universidad Autónoma de Madrid), n° II, 1983, pp. 99-117.

39. « La letrilla dialogada ». Dans *El teatro menor en España a partir del siglo XVI* (Actes du colloque de la Casa de Velázquez, 20-22 mai 1982), Madrid, CSIC, 1983, pp. 91-120.

40. « Tradition populaire et inspiration savante dans la poésie de Góngora ». Dans *Traditions populaires et diffusion de la culture en Espagne (XVIᵉ-XVIIᵉ siècles)* (Actes de la table ronde de Bordeaux, 20-21 décembre 1981), Bordeaux, Presses Universitaires de Bordeaux, 1983, pp. 207-218.

41. « Discours de réception au Doctorat *Honoris causa* de Rafael Alberti ». Dans *Doctor Rafael Alberti. El poeta en Toulouse, poesía, teatro, prosa* (Actes du colloque de Toulouse, avril 1983), Toulouse, Service des Publications de l'Université de Toulouse-Le Mirail, 1984, pp. 25-34.

    (*Travaux de l'Université de Toulouse-Le Mirail*, série A, XXV)

42. « La *Soledad tercera* de Rafael Alberti ». Dans *ibid*, pp. 123-137.

43 « Un hallazgo olvidado de Antonio Rodríguez-Moñino: la primera redacción de las *Soledades* ». Dans *Criticón*, n° 27, 1984, pp. 5-35.

44. « Doscientas cincuenta notas para una mejor comprensión literal de la primera parte del *Criticón* de Gracián ». Dans *Criticón*, n° 33, 1986, pp. 51-104.

    Travail collectif réalisé au sein de l'équipe LESO.

45. « Amours et sexualité à travers les *Mémoires* d'un Inquisiteur du XVIIᵉ siècle ». Dans *Amours légitimes, amours illégitimes en Espagne (XVIᵉ-XVIIᵉ siècles)* (Actes du colloque de Paris, 3-6 octobre 1984), Paris, Publications de la Sorbonne, 1985, pp. 183-194.

    En collaboration avec Louis Cardaillac.

46. « Ensayo de una edición de las *Soledades* ». Dans *Edición y anotación de textos del Siglo de Oro* (Actes du séminaire de Pampelune, 10-13 décembre 1986), Pamplona, EUNSA, 1987, pp. 159-209.

    (Anejos de *RILCE*, 4.)

47. « La *Crítica de reflexión* de Lorenzo Matheu y Sanz. Edición, índice y notas ». Dans *Criticón*, n° 43, 1988, pp. 73-188.

    En collaboration avec Odette Gorsse.

48. « Trescientas notas para una mejor comprensión literal del *Criticón* de Gracián (Segunda y tercera parte) ». Dans *Criticón*, n° 43, 1988, pp. 189-245.

   (Voir *supra*, 43.)

   Travail collectif réalisé au sein de l'équipe LESO.

49. « Gracián y Europa ». Dans *Las influencias mutuas entre España y Europa a partir del siglo XVI* (Actes du colloque de Wolfenbüttel, 5-7 novembre 1985), Wiesbaden, Harrassowitz, 1988, pp. 57-68.

   (*Wolfenbütteler Forschungen*, 39.)

50. « Gracián y la política (Actualidad del *Criticón*) ». Dans *Política y literatura*, Zaragoza, Caja de Ahorros y Monte de Piedad, 1988, pp. 65-83.

51. « *La conquête de Plassans* de Emilio Zola, hipotexto de *La Regenta* ». Dans *Realismo y naturalismo en España en la segunda mitad del siglo XIX* (Actes du colloque de Toulouse), Barcelona, Anthropos, 1988, pp. 385-399.

52. « Apuntes sobre *Literatura española contemporánea (1898-1950)* de Juan Chabás ». Dans *Dianium*, IV *(Homenaje a Juan Chabás)*, Denia, Centro Asociado Uned, 1989, pp. 127-136.

53. Prologue au *Cancionero secreto de Cantabria*, édité par Fernán Gomarín Guirado, Santander, Universidad de Cantabria, 1989, pp. 11-19.

54. « A propósito de la *Floresta de poesías eróticas del Siglo de Oro*. Reflexiones pedagógicas ». Dans *Revista de la Asociación Europea de Profesores de Español* (Actes du congrès de Toulouse, 1986), XIX-XX, n° 36-37, 1989, pp. 115-128.

55. « Historia y creación poética : Góngora y el descubrimiento de América ». Dans *Hommage à Claude Dumas. Histoire et création*, Lille, Presses Universitaires de Lille, 1990, pp. 53-65.

56. « Función de la retórica en las *Soledades* ». Dans *La silva* (Actes de la première rencontre de poésie du Siècle d'Or, Séville-Cordoue), Sevilla-Córdoba, Grupo PASO, 1991, pp. 213-233.

57. « *Vulgo lascivo erraba*: un pasaje difícil de las *Soledades* ». Dans *Glosa* (Córdoba), n° 2, 1991, pp. 145-157.

58. « La literatura del Siglo de Oro a través de los manuales de historia y comentarios literarios ». Dans *Actas del primer encuentro franco-alemán de hispanistas* (Mainz, 1989), Frankfurt-am-Main, Vervuert , 1991, pp. 214-221.

59. « Traduire Góngora ». Dans *Bulletin hispanique*, n° XCIII, 1991, pp. 207-219.

60. « Lexicografía e ideología : un diccionario que va a misa ». Dans *Arquivos do Centro Cultural Português*, n° 31 *(Homenagem ao Professor Adrien Roig)*, 1992, pp. 225-251.

61. « Las didascalias en el teatro de Góngora ». Dans *Le livre et l'édition dans le monde hispanique (XVIe-XXe siècles) : pratiques et discours paratextuels* (Actes du colloque de Grenoble, 14-16 nov. 1991), *Tigre* (Grenoble), numéro spécial, 1992, pp. 143-159.

62. « Métaphores du corps dans un passage du *Criticón* (II, 8) ». Dans *Le corps comme métaphore dans l'Espagne des XVIe et XVIIe siècles. Du corps métaphorique aux métaphores corporelles*

(Actes du colloque de Paris, 1-4 oct. 1990), Paris, Publications de la Sorbonne / Presses de la Sorbonne Nouvelle, 1992, pp. 265-274.

En collaboration avec Marc Vitse.

63. « La figura del donaire en *Las firmezas de Isabela*, de Góngora ». Dans *El gracioso en el teatro del Siglo de Oro* (Actes du 5ᵉ colloque du GESTE, Toulouse, 18-20 avril 1991), *Criticón*, n° 60, 1994, pp. 61-68.

64. « La peur de la mort dans le *Criticón* de Gracián ». Dans *La peur de la mort en Espagne au Siècle d'Or : littérature et iconographie* (Actes du séminaire de Paris, 25 mai 1992), Paris, Publications de la Sorbonne / Presses de la Sorbonne Nouvelle, 1993, pp. 113-121.

En collaboration avec Marc Vitse.

65. « Góngora et la poésie lyrique ». Dans *Histoire de la littérature espagnole*, Paris, Fayard, 1993, tome 1 (« Moyen Âge - XVIᵉ siècle - XVIIᵉ siècle »), pp. 629-656.

66. Prologue aux *Nuevos poemas atribuidos a Góngora* édités par Antonio Carreira, Barcelona, Sirmio, 1994, pp. 5-15.

67. Prologue à Joaquín Roses Lozano, *La recepción crítica de las « Soledades » en el siglo XVII : el problema de la oscuridad*. London, Tamesis Books, 1994.

68. « La génesis textual de las *Soledades* ». Dans Actes du séminaire franco-espagnol sur la poésie du Siècle d'Or, Madrid, Casa de Velázquez, mars 1994. Sous presse.

69. « Le XVIᵉ et le XVIIᵉ siècles ». Dans *Histoire de la littérature espagnole d'expression castillane*, Paris, PUF. Sous presse.

70. « Manuel Josef Quintana et la poésie du Siècle d'Or ». Dans *Hommage à Albert Dérozier*, Université de Besançon. Sous presse.

III. TRADUCTIONS

71. Leopoldo Alas, dit Clarín. *La régente*. Paris, Fayard, 1987. 733 p.

En collaboration avec Yvan Lissorgues, Albert Belot, Claude Bleton et Jean-François Botrel.

72. Traduction de 15 poésies de Góngora et de quelque 700 vers des *Solitudes*, dans le volume de la collection *La Pléiade* consacré à la poésie espagnole. Paris, Gallimard. Sous presse.

IV. DIRECTION DE PUBLICATIONS

73. *Criticón*. Revue de l'Unité de recherche « Littérature Espagnole du Siècle d'Or » (LESO), associée au CNRS. Cette publication périodique, éditée par France-Ibérie Recherche de 1978 à 1991, l'est aujourd'hui par les Presses Universitaires du Mirail. Elle a paru régulièrement depuis 1978 (revue trimestrielle jusqu'en 1988, quadrimestrielle à partir de 1989), et en est à ce jour à son 62ᵉ numéro.

Las poesías del manuscrito 091 de la biblioteca del Castillo de Peralada

Pierre ALZIEU
Université de Toulouse-Le Mirail

A pesar de la intensa labor de catalogación y edición de cancioneros de los Siglos de Oro que se viene realizando desde hace varios años tanto en España como en el extranjero, muchos manuscritos poéticos quedan todavía por estudiar. Si los que se conservan en las grandes bibliotecas públicas están catalogados y su existencia es conocida de los especialistas, es de suponer que muchas bibliotecas privadas guardan en sus anaqueles, entre incunables, ediciones raras, códices y manuscritos coleccionados por ricos bibliófilos, alguno de esos tesoros que esperan al investigador que los dé a conocer.

Buen ejemplo de ello es la biblioteca del Castillo de Peralada (Girona), donde se conserva un manuscrito poco conocido y todavía sin explotar que entre *varias materias* contiene una amplia colección de poesías áureas[1]. Esta biblioteca, una de las más ricas de España, se sitúa en un magnífico conjunto histórico, constituido por el palacio o castillo y un antiguo convento carmelitano, que hoy alberga además un casino y un museo del vidrio único en Europa. Se considera que su punto de partida se sitúa alrededor de 1888, cuando el abogado Antoni de Rocabertí, conde de Zavellà, y su hermano el ingeniero Tomàs de Rocabertí, conde de Peralada, que hasta entonces residían en París, decidieron establecerse en el Empordà y trasladaron a su palacio de Peralada sus respectivas bibliotecas particulares. A este fondo inicial cabe añadir algunos ejemplares provenientes del convento, libros de cuentas y de devoción. Los hermanos Rocabertí, que realizaban frecuentes viajes a Madrid y a París, fueron enriqueciendo sus colecciones hasta su muerte a finales de siglo. Desaparecidos sin descendencia directa los condes, su hermana Joana, heredera de los títulos y del castillo y convento, falleció también sin descendencia, en 1899. Entonces empezó un período de decadencia y abandono que durante dos décadas puso en peligro la conservación del monumento y de su contenido. Hasta 1923, cuando el

---

[1] Quisiera expresar mi agradecimiento a Mossèn Josep Clavaguera i Canet, archivero, y a doña Inés Padrosa Gorgot, bibliotecaria, por la generosa ayuda que me prestaron en la preparación de este trabajo.

magnate barcelonés Miquel Mateu adquirió el conjunto. La biblioteca contaba entonces con 20 000 volúmenes : son 72 000 en la actualidad[2].

Ahí surge el primer problema planteado por el manuscrito que nos ocupa. Sabemos por doña Inés Padrosa que los condes solían marcar sus adquisiciones bibliófilas con un pequeño sello o tampón que estampaban en el primero y el último folio. Se trata de un diminuto motivo cuyas dimensiones no sobrepasan los tres milímetros de ancho por cuatro de alto y que representa una corona condal rematada por una P. Efectivamente el folio 1 y el folio 240 v. llevan la discreta señal. Formaría parte pues el manuscrito del fondo reunido por los condes. Pero el folio 251 señala un número de registro muy superior a los 20 000 volúmenes que constaban en la Biblioteca en 1923, es decir un cuarto de siglo después de la muerte del último conde de Peralada: 49 481...

El *Manuscrito 091* es un fuerte volumen de 21 x 30,5 cm. en rústica, de tapas y lomo azules. En el cuarto superior del lomo, bastante desgastado, se puede leer *Manusc. de Varias Mater*. En el cuarto inferior, un tejuelo de papel blanco de 2,2 x 1,4 cm. lleva la signatura *091 (Manuscrito)*.

Las tapas, hoy separadas del volumen, son de color azul descolorido por fuera y blanco por dentro : las constituye aparentemente una simple hoja de papel azul pegada a las que fueron en un principio la primera y la última página del manuscrito. El reverso de la primera tapa lleva en su parte superior, escrito a lápiz: *320 - 2 v.*; el interior de la segunda, foliado con el n° 251, lleva en su parte inferior derecha la apuntación ya aludida del Registro de entrada: *Reg 49481*.

La falta de portada, por consiguiente de verdadero título, se debe seguramente al carácter heterogéneo del contenido, que reúne en un mismo volumen dos terceras partes de prosa y una de poesía. Pero al mismo tiempo le quita al lector la posibilidad de enterarse de unos detalles importantes como son la fecha de la recopilación y el nombre del recopilador.

El primer folio, sin numerar, contiene la *Tabla*. Luego vienen los folios 1 a 6, impresos *recto-verso*, ocupados hasta el n° 6 r. por la genealogía de los Mansos, dedicada «A DON PEDRO / MANSO DE ZUÑIGA, / PATRIARCA DE LAS IN- / dias, y Presidente del Consejo / Real de Castilla & .» por el Licenciado Valentín de Andosilla Salazar.

El folio 6 v. está en blanco. Faltan los folios 7 a 29 , arrancados o recortados. En ellos se hallaba, a partir del f. 8 según la *Tabla*, una «Descripcion de Galicia, Cuerpos de Sanctos, Linages, Puertos, y cosas espeziales».

En el f. 30 empieza una crónica manuscrita «De los Reyes q. reynaron en España despues del Dilubio hasta el tpo que fue convertida Pamplona por s[t] Cerni obispo de Tolosa Discipulo de Jesuchristo», según reza la *Tabla*. Está dedicada (f. 30) «Al inuictissimo asi bien christianissimo y ese mesmo / serenissimo Don Carlos Rey quarto de Nauarra por la / gracia de Dios Rey de las dos Españas, consagrado Em / perador, felicissimo cesar siempre Augusto. Prologo en / la ansi necesaria como nueba Cronica de los muy Ex / celentes Reyes de Nauarra, por el liçençiado mosen / Diego Remirez Daualos de la Pisçina dirigido». Esta crónica llega hasta el tercio superior del f. 56 v., donde se puede leer: «La resta que falta a esta coronica tiene en vitoria Juan baptista de nanclones / yerno del lic[do] iuan de Vidanya mi hermano que este en gloria escrita de su letra / quien quisiere verla la podra pedir a el».

Faltan los folios 57 a 59, arrancados; quizás estuviesen en blanco, ya que no queda huella en la *Tabla* de su eventual contenido. El f. 60 está en blanco. Viene después un cuadernillo de 15 x 21 cm.: ocho folios sin numerar escritos en latín: «Defensio statuti Toletani a sede Apostolica / sæpe

---

2 Véase I. Padrosa Gorgot, «Biblioteca del Palau de Peralada», separata de *Annals de l'Institut d'Estudis Empordanesos*, 1988.

confirmati, pro his, qui bono et incontaminato ge / nere nati sunt: Autore Didaco Velazquez, in vtroque Iu / re laureato. Opus iterum editum, et multis addita / mentis locupletatum. Antuerpiœ, ex officina Christo / fori Plantini Architypographi Regij. 1575».

En el f. 69 empieza una «Ynstruccion para fundar Cofradia en alibio de los Pobres de la Carcel: refiere la de Genova: Mezina». Esta «Ynstruccion», cuyo título aparece sólo en la Tabla, termina en el f. 75 v.

Del f. 75 v. (y no 76 como señala la *Tabla*) al f. 92 se encuentra una «Suma de la genealogia de los Reyes de España comenzando desde los Godos con algunas concurrencias de cosas que en tiempo de cada vno de ellos vbo, sacada del tratado que Don Alonso de Cartajena Obispo de Burgos escribio en latin de la genealogia de los Reyes de España en tiempo del Rey Don Enrique quarto de Castilla que despues fue traduzido en romançe castellano y comentado por juan Rodriguez de Villafuerte vº de la Ciudad de Salamanca». El f. 92 tiene sólo cuatro renglones escritos en la parte inferior de la plana, dedicados a Felipe el Hermoso, que dan fin a esta genealogía. Los folios 92 v., 93 y 94 están en blanco.

En el f. 95 comienza el «Libro primero de la descripcion de la galera real del Serenissimo señor don Juan de Austria capitan general / de la mar que compuso Juan de Mallara vº de Sevilla.». La *Tabla* apunta: «Descripcion de la Galera Real de el Sʳ Dⁿ Juan de Austria con varias instrucciones para los repartimientos de las Presas» y presenta la «Coronacion del Emperador Carlos V» (f. 130) como si fuera obra independiente de esta *Descripción* que da fin a lo que se puede llamar la primera parte del manuscrito.

Entre los folios 117 y 118, un folio manuscrito *recto-verso* aparece sin foliar. No hay interrupción en el texto : se trata de un error de foliación. El mismo tipo de descuido se reproduce entre los folios 136 y 137. Los folios 152 v.-155 están en blanco (del 153, recortado, sólo queda la cuarta parte inferior), seguidos por un folio en blanco sin numerar.

En el f. 156 empieza la parte propiamente poética del manuscrito, con el «Libro que trata de la ignota y nunca vista victoria de la nabal batalla que el Serenissimo Señor don Juan de Austria tuuo con la armada de Selim gran Turco en el mar de Lepanto año de 1571», por Pedro de Acosta. Las 542 octavas de este largo poema llegan hasta el f. 175 v.

El f. 176 está en blanco; lo sigue un nuevo folio en blanco, este sin numerar. Falta el f. 191, debido a un error de foliación: se pasa del f. 190 al f. 192 sin interrupción del texto. La tercera parte superior del margen exterior de los folios 198 y 199 está desgastada, como roída: los textos correspondientes del *recto* y del *verso* resultan algo estropeados, pero se pueden restituir sin mucha dificultad.

Los folios 207 v.-213 están en blanco. Se notan más adelante señales de mutilación: varios folios han sido arrancados. Una nueva serie de folios en blanco va del f. 231 al f. 237. En el f. 240 v. termina el texto de las poesías con los ocho últimos versos del soneto *Nace la pena mía de sólo amarte* y el anuncio pendiente *Otro soneto*. Arriba de esta página una mano distinta (quizás la que numeró los folios) ha trazado estas palabras: *Desde esta 240 a la de 251*. El folio siguiente, cuyo anverso constituye la cara interior de la segunda tapa, lleva el nº 251 y la sola anotación *Reg 49481* ya señalada. Faltan pues los folios 241 a 250, se puede suponer que en blanco, de esta colección.

La ausencia de portada y la escasez de fechas mencionadas en el manuscrito hacen imposible determinar con exactitud la fecha de su composición. Una primera lectura proporciona sin embargo unos cuantos elementos que permiten tener idea de la época en que fueron escritas o copiadas las *varias materias* que aparecen en él.

La evocación de «Fhilippe primero octuagessimo quarto Rey de los christianos en España y vigessimo secundo Rey de Castilla» (f. 92) con que termina la *Suma de la genealogia de los Reyes de España* fue escrita después de la muerte del malogrado Felipe el Hermoso (1506).

La crónica *De los Reyes que reynaron en España...* está dedicada a «Don Carlos Rey quarto de Navarra, por la gracia de Dios Rey de las dos Españas, consagrado Emperador...» (f. 30). Es posterior pues a febrero de 1530, ya que en aquella fecha fue coronado Carlos Quinto en Bolonia por el papa Clemente VII.

En el f. 197, a empieza una *Elegía a la muerte de Garcilaso de la Vega* forzosamente posterior a la muerte del poeta, ocurrida como es sabido en Niza en octubre de 1536.

El *Pater noster glosado contra el Rey de Francia* Francisco I (f. 180, a) invoca directamente a Paulo III que fue papa de 1534 a 1549 y alude al sitio de Perpiñán por los franceses (1542).

El soneto *Quién eres tú que muerte y sepultado* no puede ser anterior a 1555, ya que está dedicado *a la muerte de Garcilaso de la Vega y Zúñiga*[3] *por su hijo Garcilaso* (f. 238 v., b.).

Otros dos sonetos fueron escritos después de la muerte de Carlos Quinto (1558): *El alma real de gloria rebestida, soneto al emperador Carlos Quinto* (f. 216 v., b) y *Muerte cruel lebanta tu estandarte, soneto a la muerte del Príncipe* (f. 214 v., b).

Sendas composiciones evocan dos aciagos acontecimientos ocurridos en 1568: la muerte de la reina Isabel de la Paz, tercera esposa de Felipe II (el soneto *Mortales, si el humano desuarío*, f. 203 v., a) y la muerte del príncipe don Carlos, hijo de Felipe II (las tres octavas *Nací de abuelos y padre sin segundo*, f. 177, a). El soneto *¿Quién eres tú? que haze tu figura* (f. 204, b), *Epitaphio a la sepultura de don Luis Ponçe de León*, es posterior a 1569, fecha de la muerte del soldado poeta.

La victoria naval de Lepanto (1571) inspiró a Pedro de Acosta las octavas que empiezan al f. 156, a: *La santa liga de Christianos canto.*

Debidamente fechado (1575) aparece el documento titulado *Defensio statuti toletani*, texto en latín que ocupa los ff. 61-68.

A la jornada de la Tercera (1582) corresponden dos sonetos: *¿Qué capitán es este glorioso?* (f. 200, a) y *La presunción del Bárbaro Africano* (f. 203, b).

Por fin señalemos que el poema *En la noche serena* (f. 193 v., b) se titula *Ode in encomium pacis. Al Rey don phelipe 3 nuestro señor siendo Príncipe*: fue escrito pues antes de 1598, año en que fue proclamado rey el tercer Felipe, y copiado después de esta fecha.

Poco significativa sin embargo resulta esta enumeración de fechas, esencialmente por dos razones. Primero, como se puede comprobar, el órden cronológico no corresponde con el órden topográfico de los textos presentes en el manuscrito: estos se copiaron conforme fueron llegando a las manos del copista. Luego, si los acontecimientos históricos, que se pueden fechar con precisión, son por supuesto anteriores a las obras que los celebran, estas pueden ser muy posteriores. De momento sólo podemos concluir que la compilación se terminó a últimos del siglo XVI o principios del XVII. Solo un detenido estudio crítico de los textos, y sobre todo de su autoría, permitirá situarlos en el panorama áureo.

La colección de poesías del manuscrito de Peralada ocupa pues setenta folios útiles, escritos a dos columnas con excepción de los ff. 180-188 escritos a tres y de los ff. 222-226 escritos a cuatro columnas. La letra, que parece de una misma mano, es muy legible, pequeña y esmerada, y las

---

[3] Se trata del segundo hijo del poeta y de su esposa Elena de Zúñiga: «murió, a los veintiséis años, en la defensa de Volpiano, cerca de Turín» (T. Navarro Tomás, en su edición de las *Obras* de Garcilaso, Madrid, Espasa-Calpe, 1958, p. XLVIII.).

tachaduras y enmiendas son excepcionales. Entre las dos columnas del f. 214 se notan unos diez rasgueos de pluma, entre los cuales se puede leer *xarama*; es de suponer que el f. 229 v. se destinó primero a otro uso, ya que lleva las palabras *Piedrazufre / ramiro / ybañes*, escritas en su parte inferior como si encabezaran el mismo folio tomado al revés. Además, siete sonetos de los últimos folios están señalados con la consabida apostilla *Ojo*.

Como ocurre generalmente en las recopilaciones poéticas del Siglo de Oro, muchas poesías del manuscrito de Peralada aparecen sin atribución, concretamente más del 75 %. De los 27 poetas mencionados , 21 están representados por una sola poesía. Con sendos sonetos figuran don Diego de Ábalos y de Rojas, Cayas, Cobarrubias, don Alonso Coloma, el licenciado Hernández de Velasco, Fernando de Herrera, el abad don Antonio Maluenda, el doctor Morales, don Juan, marqués de Peñafiel, Christóual Pinelo, Ramírez, don Juan Vique y Juan de Zaldo. Tres poemas en octavas se atribuyen respectivamente a Pedro de Acosta, a doña Mariana Enríquez y a Siliceo, «obispo que fue de Toledo». Una canción está atribuida a don Juan Fernández de Heredia, un poema en coplas reales a Jorge de Montemayor, una décima al abad Francisco de Salinas, una serie de redondillas al Jurado de Córdoua y otra a Tablares.

A Juan de Alcalá se atribuyen los dos poemas que hizo famosos su contienda con Montemayor. Una serie de cuatro sonetos ostentan el nombre de Diego Vique, un soneto y cuatro glosas el de Siluestre (o Siluestro), siete sonetos el de Figueroa, dos octavas, dos glosas y seis sonetos el de Medina. Pero entre todos sobresale Cristóual Mosquera de Figueroa con 18 poesías atribuidas: siete sonetos, y las demás repartidas entre glosas, coplas reales, octavas y canciones.

El anonimato no logra sin embargo disfrazar la autoría (a veces discutida) de buen número de poesías que figuran también en otros cancioneros o han sido publicadas ya entre las obras de poetas conocidos. Además de varias poesías sin atribución en el manuscrito que son obras de poetas ya representados aquí, como Mosquera de Figueroa[4], baste por ahora citar a Diego Hurtado de Mendoza, Garcilaso y Cetina.

En cuanto a las formas métricas, tampoco es muestra de originalidad el que los metros tradicionales alternen con los metros italianizantes, aunque sí parece significativa la importante proporción de estos en la colección que presentamos.

Bastante rara en efecto resulta la presencia de un único ejemplar de romance en un total de casi trescientas poesías numeradas. De modo parecido, a los cuartetos les corresponde una sola poesía, y una sola copla de arte mayor representa el género. De las redondillas, diez sirven de pie para sendas glosas, mientras que sólo dos poesías están escritas en este metro. Las tres cuartetas presentes en la colección son otros tantos pies de glosas. Tres poesías utilizan las quintillas; por otra parte, dos de estas estrofas no son más que pies de glosas, y una queda aislada. Otro tanto les pasa a cinco tercerillas, mientras una va acompañada de su glosa. Una poesía está escrita en endecasílabos pareados; un pareado octosílabo da lugar a una glosa, y otros dos aparecen aislados. Los endecasílabos sueltos están representados en una sola composición. Tres poesías utilizan las décimas, limitándose dos de ellas a una sola estrofa. En coplas castellanas encontramos una poesía y dos coplas aisladas. Las coplas reales gozan de mayor representación: nueve poesías y cinco coplas aisladas. Las coplas mixtas son de poca aceptación: una sola poesía. Las letras o villancicos son 12 y las glosas alcanzan el número de 25: de ellas cuatro son glosas de oración,

---

[4] Véase Cristóbal Mosquera de Figueroa, *Obras I. Poesías inéditas*. Ed. y pról. de G. Díaz-Plaja. Madrid, RAE, 1955.

una glosa un soneto en liras, y dos glosan otros tantos sonetos en octavas. Las canciones no pasan de cinco.

Entre los representantes de los metros italianos, los tercetos encadenados sirven de metro en 15 poemas (en tercetos sin encadenar sólo consta uno). A las liras les corresponden cinco poesías, amén de la glosa ya señalada. En cuanto a las octavas, además de las dos glosas anteriormente apuntadas, aparecen en tres estrofas sueltas y doce poemas, a los que cabe añadir otras dos piezas a todas luces incompletas.

Pero la forma métrica más numerosa es el soneto, con 166 ejemplares, es decir más del doble de todas las poesías de tipo tradicional contenidas en esta colección, si se descartan las que tan sólo constituyen las cabezas de diecisiete glosas. Presentes ya entre las primeras poesías recopiladas, van menudeando a lo largo del manuscrito hasta formar series más o menos importantes que rematan los 47 sonetos seguidos de los diez últimos folios.

Esta proporción abrumadora de sonetos, junto con la presencia relativamente importante de los demás metros italianizantes, refuerza la impresión que se saca del conjunto: se trata de un florilegio realizado por o para un aficionado a este tipo de poesía cuando la moda de esta estaba ya bien arraigada entre los cultivadores de la poesía española.

En el *Índice topográfico* que sigue, cada poema o fragmento de poema –identificado por el primer verso, o los dos primeros si se trata de una poesía de arte menor– lleva un número de orden (así quedan individualizadas las dos partes de cada glosa, generalmente de dos autores diferentes). A continuación se transcriben los epígrafes si los hay; las contadas atribuciones del manuscrito no se discuten ni se completan por ahora; pero sí se señalan entre corchetes los metros utilizados cuando no aparecen. Por fin se indica la foliación del primer verso. Las grafías, abreviaturas, puntuación y capitalización originales se conservan.

Por el contrario, en el *Índice alfabético de primeros versos*, más conciso, se han modernizado la ortografía, la puntuación, el uso de mayúsculas y la acentuación (inexistente en el manuscrito). El número de folio correspondiente a cada poema remite al índice topográfico para complementar la información. Una edición crítica actualmente en preparación pondrá, en fecha póxima, a disposición del curioso lector los textos poéticos completos del manuscrito.

ÍNDICE TOPOGRÁFICO

1   La santa liga de Christianos canto. Pedro de Acosta. Libro que trata de la ignota y nunca vista victoria de la nabal batalla que el Serenissimo señor don Iuan de Austria tuuo con la armada de Selim gran Turco en el mar de Lepanto año de 1571. [Octavas.] f. 156, a.

2   Naçi de abuelos y padre sin segundo. Octauas a la muerte del principe don carlos, hijo de Felipo segundo. f. 177, a.

3   En el matrimonio son / quatro cosas de escoger. Respuesta que dio vn cauallero a quien le trataua casamj° con vna dama y entendio no ser muy recogida. [Coplas mixtas.] f. 177, a.

4   Justiçia es vn çeptro que el çielo crio. A la justiçia. [Copla de arte mayor.] f. 177, b.

-   Dize el Papa: Yo soy uno solo. Pasquin. [Prosa.] f. 177, b.

5   Immenso Dios a quien es façil cosa. Cançion en loa del Santissimo sacramento. f. 177, b.

6   Auiendo pedro tres vezes negado. Llanto de Sant pedro. [Octavas.] f. 177 v., a.

-   Modo breue de biuir. [Prosa.] f. 179, a.

7 No subjeto Deçiano furioso. Sonetos [*sic*] a s^t Iusto. f. 179 v., b.

8 No menos que Iusto era afiçionado. Otro soneto a s^t Pastor. f.179 v., b.

9 Los de la calle mayor / ofreçemos esta pieça. A s^t Iusto y s^t Pastor. [Redondillas.] f. 179 v., b.

10 Demandando el interes / de Fragoso y de Rincon. Pater noster contra el Rey de Françia. f. 180, a.

11 De la Iudayca nacion / os dire lo que perçibo. El credo glosado por Siliçeo Arçobispo que fue de Toledo. f. 180v., b.

12 De lo mas alto del çielo / vn Arcangel a baxado. Loa de s. Joan baptista. [Romance.] f. 181 v., c.

13 De la Palma naçe vn niño / y de muger vna flor. Letra en loa de St Juan baptista. f. 182, a.

14 Muertos que al mundo viuis / miradnos que no nos veys. Mors vltima linea rerum est. [Quintilla.] f. 182, a.

15 Muertos que por los peccados / soys hechos de graçia ajenos. [Glosa.] f. 182, a.

16 Lo que veys os encomienda / su remedio y v^{ra} emienda. Memorare nouissima tua et in aeternum non peccauis. [Pareado.] f. 182, b.

17 Al tiempo que se le de / no pare en los açidentes. Al Sacramento. [Quintilla.] f. 182, b.

18 El padre eterno os alabe, / q es quien v^{ro} valor supo. A nuestra Señora. [Redondilla]. f. 182, c.

19 Lebantastes tanto el buelo, / Virgen, en ser y grandeza. [Glosa.] f. 182, c.

20 Prision tormentos y muertes / todo le vençes amor. A s^t Iusto y s^t Pastor. [Redondilla]. f. 182, c.

21 Del alto çielo fauor / vino a aquestos dos infantes. Glosa. f. 182 v., a.

22 Ha de ser vna de dos / soledad, o sola vos. [Pareado.] f. 182 v., a.

23 Quando estoy en v^{ra} ausencia / en contemplar me sustento. Glosa del lic^{do} x^oual Mosquera de Figueroa. f. 182 v., a.

24 Quando os vi merezi veros, / que si señora no os viera. [Tercerilla.] f. 182 v., b.

25 Vuestra grande perfecçion / con que days al mundo guerra. Glosa del lic^{do} x^oual mosquera de figueroa, alcalde mayor del adelantamj^o de Burgos. f. 182 v., b.

26 Soys figura de Dios padre / Sancto Ioseph, pues soys vos. Otras [*sic*] a s^t Ioseph del mesmo. [Cuarteta.] f. 182 v., b.

27 El padre os dio su bondad / el dulçe hijo su amor. Glosa. f. 182 v., b.

28 En medio de mis dolores / que el morir tienen en calma. Testamento hecho en vn disfauor de amor por vn valeroso y feliçe enamorado C. que moria por su señora M. [Coplas reales.] f. 182 v., c.

29 En el vergel del oluido / do el amor da por prision. Comunion de amor hecho por el mismo. [Coplas reales.] f. 183, c.

30 Como siempre en penas velo / con ansia de amor rabioso. Hospital de amor compuesto por el mismo. Hei michi quod nullis / amor est medicauilis herbis. [Coplas reales.] f. 183 v., c.

31 Monte fertil lusitano / donde se crian laureles. Epistola que juan de Alcala escriuio a Jorge de Montemayor portugues, y su respuesta, sobre que emendase vn pie de vna copla y lo demas, etc. Joan de Alcala. [Coplas reales.] f. 185 v., b.

32 So palabras de loor / notarme de mal Christiano. Respuesta de Iorge de montemayor. [Coplas reales.] f. 185 v., c.

33 Montaña seca y ñublosa, / llena de quiebras y riscos. Replica de Juan de Alcala. [Coplas reales.] f. 186, a.

34 Mueua sus alas mi canto / y coloquesse en el çielo. A vna monja de dulçissima voz de christoual mosquera de figueroa. [Coplas reales.] f. 186 v., c.

35 Es lo negro mi passion / y aqueste cerco amarillo. Esparsa a vn anillo de Diamante por el mismo alcalde mayor x°ual mosquera de figueroa. [Décima.] f. 187, a.

36 Si mi alma esta dormida / junto a los pies del amor. Al abad francisco de Salinas. Esparsa del mismo. [Décima.] f. 187, a.

37 Alma tan bien adormida / como a los pies del Amor. Respuesta del Abad. [Décima.] f. 187, b.

38 Dezid mi dulçe señora / que premio dais al Amor. A vn galan que le dio vna Dama vn anillo con vna higa y vnas letras vulgares en el que dezian para mi si te oluidare. [Copla real.] f. 187, b.

39 Al muy sin lustre señor / que de ver es marauilla. Carta de don juan fernandez de heredia al almirante de castilla y va escrita en medio pliego por lo ancho, segun lo muestra la postrera copla. Sobre escrito. [Canción.] f. 187 v., a.

40 Dulçe hijo de mi vida / juro por lo que te quiero. Carta que escriuio el jurado de Cordoua a su hijo. [Redondillas.] f. 187 v., b.

41 Presente estaua Dios quando no auia. De la eternidad de Dios. [Octava.] f. 188 v., b.

42 La sacrosanta carne fue rasgada. (Si no fue çiego amor quien te a guiado.) [Tercetos.] f. 189, a.

43 Mirando estays, o padre sempiterno. A la escalera con que baxaron de la cruz a Iesuchristo n°o Redemptor. del mismo. Canção. f. 189 v., a.

44 Asperas cruzes, clauos, passadores. A las tenazas que quitaron los clauos de la s°ma cruz por mano de Nicodemus. por el mismo. Soneto. f. 190 v., a.

45 Como la antiguedad acostumbraua. A la caña y esponja de amargura que se dio en la Cruz a Iesuchristo nuestro señor. f. [Cuartetos.] 190 v., a.

46 El roxo Apolo y las hermanas nueue. Prologo que hizo el liç°do x°ual mosquera de figueroa a la famosa Tragicomedia de Sancta Catherina que se hizo en la compañia de Iesus de Cordoua cuyo autor fue el padre hernando de auila. [Endecasílabos sueltos.] f. 192 v., b.

47 Quisieron los Iayanes arrogantes. Soneto a Sant Christoual del lic°do mosquera de figueroa. f. 193 v., a.

48 Dexame ya fortuna y esperança. Soneto del mismo estando cansado de pretender y determinado de recogerse. f. 193 v., a.

49 Quando se llegue el dia que la pura. Soneto al retrato del lic°do mosquera de figueroa pintado de mano de matheo perez de Aleçio. f. 193 v., b.

50 En la noche serena. Ode in encomium pacis al Rey don Phelipe 3 nuestro señor siendo Principe. [Liras.] f. 193 v., b.

51 Lo que haze la vida. De Marcial. Vitam quae façiunt beatiorem Paraphrasis. Ode. [Liras.] f. 194 v., b.

52 Diuinas lumbres, guias verdaderas. Exhortaçion al Serenissimo Señor Don Iuan de Austria capitan General del mar. es lo vltimo que se ha de poner en la galera real. [Octavas.] f. 195, a.

53 Prinçipe valeroso. Oda Hecha en loor del serenissimo don Iuan de Austria, donde el çielo le ofreçe fauor a tan sancta empresa. [Liras.] f. 195 v., b.

54 Cisnes de Bethis, q en su gran ribera. Elegia primera a la muerte de garçilasso de la vega. [Tercetos.] f. 197, a.

55 Si el alto y poderoso entendimiento. A la muerte de la señora doña Iuana enriquez muger del señor liçençiado Salgado correa juez de la casa de la contrataçion de Seuilla. Elegia segunda. [Tercetos.] f. 197 v., b.

56 Moradoras del mar Ninfas hermosas. Vaticinio de Proteo Dios del mar, de las Deidades de los Gentiles, al Serenissimo dõ Joan de Austria. Christoual mosquera de figueroa. es lo segundo q se ha de poner en la galera real. [Canción.] f. 198 v., b.

57 Tu que con voz diuina, y lyra de oro. A don Alonso perez de Guzman el bueno Duque de Medina Sydonia Christoual Mosquera de Figueroa. [Canción.] f. 199 v., a.

58 Dando prinçipio al dulçe y triste canto. A don Alonso Coloma auiendo començado vna Elegia a la muerte de la Condessa su madre, y no pudo passar adelante. Soneto. f. 200, a.

59 De auerse interrumpido el triste canto. Respuesta de don Alonso Coloma. Soneto. f. 200, a.

60 Que capitan es este glorioso. A la victoria que el primero Marques de Sancta Cruz vuo contra don Antonio que rompio la armada Françesa que yua a la terçera. Soneto. f. 200, b.

61 Ocho çielos y el mobil representa. Soneto al abad Don Antonio de maluenda dignidad en la Santa Iglesia metropolitana de Burgos del licº xºual Mosquera de Figueroa. f. 200, b.

62 Ya de las fieras guerras la aspereza. Al libro de las armas de Hieronymo de carrança. Elogio. [Tercetos.] f. 200, b.

63 O tu que con el alma señoreas. Al Abad francisco de Salinas Cathedratico de Musica en Salamanca. Elegia 6. [Tercetos.] f. 200 v., b.

64 Esta parte immoral que esta comigo. A don Francisco Tello Gouernador y Capitan general que fue de la Prouincia de las Filipinas estando en Napoles. Elegia 7. [Tercetos.] f. 201, b.

65 Çerca de las corrientes de los rios. Elegia 8. [Tercetos.] f. 201 v., b.

66 Soliçitos cuydados enojosos. A don Juan Tellez giron Marques de Peñafiel, que fue Duque de Ossuna. Elegia. [Tercetos.] f. 202, a.

67 En el sossiego de la noche oscura. Soneto a dos hermanas que estauan de noche a vna ventana del mismo. f. 202 v., a.

68 Rendido me vi a ti señora mia. Soneto del mismo. f. 202 v.,a.

69 Quando Dauid su harpa resonaua. Soneto a vna monja q aprendia a tañer del mismo. f. 202 v., a.

70 Luçinda quien mirare tu figura. Soneto a vn retrato de la sᴬ d. francª de çuñiga del mismo. f. 202 v., a.

71 Rayos de eterno sol son tus cabellos. Soneto a doña Juana de Mendoça del mismo. f. 202 v., b.

72 El tiempo que de ti me hallo ausente. Soneto. f. 202 v., b.

73 Soñaua yo señora, si me acuerdo. Soneto que embio el Marques de Peñafiel Don Juan, a xºual Mosquera de figueroa. f. 202 v., b.

74 El tierno amante q durmiendo vela. Respuesta en Soneto De xºual Mosquera de figueroa al Marques de Peñafiel. f. 203, a.

75 Bellerophon el fuerte cauallero. Soneto al señor Pedro de Pineda caualleriço de la orden de Calatraua. f. 203, a.

76 Por vna y otra parte los sagrados. Soneto A la Señora Doña Teresa de Alarcon pidiendole vnos versos del autor que tenia en su poder del mismo. f. 203, a.

77 Espiritu gentil, por quien se alienta. Soneto del Abad don Antonio de Maluenda Dignidad en la sᵗᵃ Iglesia Metropolitana de Burgos en respuesta de vno que le embio el licᵈᵒ xºual Mosquera de Figueroa Alcalde mayor del adelantamjº que lo hallaras doze colunas atras donde se porna este. f. 203, b.

78 La presunçion del Barbaro Africano. Soneto a la victoria que vuo don Aluaro de baçan Marques de Santa Cruz de las islas de los açores jornada de la terçera por xºual Mosquera de figueroa. ponlo con otro para el mismo de colunas treze atras. f. 203, b.

79 Los dones de que al mundo è proueydo. Soneto donde habla Bacho Dios del vino por Christoual Pinelo. f. 203, b.

80 Inuentor de triumphos y victoria. Respuesta de Christoual Mosquera de Figueroa a este soneto. [Soneto.] f. 203 v., a.

81 Vengaos ya del estremo a que è venido. Soneto. [Faltan los últimos cinco versos.] f. 203 v., a.

82 Que jouen delicado. Del libro 1 de Horacio. Ode 5. [Liras.] f. 203 v., a.

83 Mortales si el humano desuario. Soneto a la muerte de la Reyna Doña Ysauel de paz nuestra señora. f. 203 v., b.

84 Alma hermosa que bolando al çielo. Soneto a la misma señora. f. 203 v., b.

85 O clara crueldad de amor ayrado. Soneto al nombre de vna Dama y tiene dos sentidos este soneto. f. 203 v., b.

86 Cesse, q tiempo es ya el lamento mio. Soneto a fernando de Herrera. f. 203 v., b.

87 Si no entendiesse que vn doliente pecho. Soneto en respuesta de xºual Mosquera de figueª. f. 204, a.

88 Si vuiese de escreuir como deuia. Soneto a vna Dama que se le embio vn libro blanco. f. 204, a.

89 Acabesse el dolor que deshazia. Soneto a vn fauor de vna Dama quando la vio. f. 204, a.

90 Siento lo que el turbado marinero. Soneto a la señora Doña Maria de la peña embiandole vn libro. f. 204, b.

91 Do Bethis Rey de Rios eçelente. Soneto a Fernando de Herrera. f. 204, b.

92 Quien eres tu? que haze tu figura. Epitaphio a la sepultura de don Luis Ponçe de Leon. [Soneto.] f. 204, b.

93 Ciudades consagradas y famosas. Soneto al edifiçio de la villa de Benasusa de francº Duarte proueedor general de las armadas y galeras de su Magᵈ en el Reyno de Portugal, fattor y juez offiçial en la casa de la contrataçion de Seuilla. f. 204, b.

94 Luçinda triste nimpha a su Medoro. Epistola de Luçinda a Medoro. [Tercetos.] f. 204 v., a.

95 A mi amada Luçinda su Medoro. Epistola en respuesta de Medoro a Luçinda. [Tercetos.] f. 205, a.

96 Vna cadena llena de prisiones. Soneto a vna cadena de oro de vna señora de la qual pendian diuersas pieças. f. 205 v.,b

97 Dichosas seluas y Diuinas flores. Estançias de doña mariana enriquez a xºual Mosquera de figueroa su hermano estando en el campo. [Octavas.] f. 205 v., b.

98 Qual suele en la florida primauera. Respuesta a doña Mariana Enrriquez hermana del licᵈº Mosquera de figueroa muger de Garçilasso de la vega fajardo. [Octavas.] f. 205 v., b.

99 Guarda Cinthia en tu seno la figura. A vn retrato. estanças. [Octavas.] f. 206, a.

100 Dulçe suspiro de mi tierno pecho. Elegia. [Tercetos.] f. 206, b.

101 Si llorar te hizieron mis razones. Elegia.[Tercetos.] f. 206 v., a.

102 Que ponçoña cruel ausençia fiera. Elegia.[Tercetos.] f. 206 v., b.

103 ... no muera pues a Cinthia es ofreçida. Elegia.[Tercetos. Falta el principio.] f. 207, a.

104 Refrena tus querellas alma mia. Estanças. [Octavas. Incompleto.] f. 207, b.

105 Angelico dotor claro luzero. Sonetos en loor del glorioso dotor santo thomas de aquino. f. 214, a.

146 C. Amor amor. A. que quieres. C. Ay cuytado. Soneto. cabrino y amor. [Falta el verso 13.] f. 218 v., b.

147 Al Illustre dechado de hermosura. Soneto. f. 218 v., b.

148 De piedra de metal de cosa dura. Soneto. f. 219, a.

149 Por medio de las ondas de nereo. Soneto a vna dama que embarcaba apartandose de su galan. f. 219, a.

150 Pastora quando boy adonde suelo. Soneto. f. 219, b.

151 Al pie de vn arrayan q le cubria. Soneto. f. 219, b.

152 Los ojos tristes puestos en el çielo. Soneto. f. 219, b.

153 O dulçe soledad que solamente. Soneto. f. 219 v., a.

154 Extremose en vos tanto la natura. Soneto. f. 219 v., a.

155 Estoy contino en lagrimas bañado. Soneto. f. 219 v., a.

156 Oy dexa todo el bien vn desdichado. Soneto. f. 219 v., b.

157 O cruel pastora q a tu fiel pireno. Soneto. f. 219 v., b.

158 No con aquestas lagrimas que vierte. Soneto. f. 219 v., b.

159 El mas brabo leon vemos domado. Soneto a vna dama llamandola dura. f. 220, a.

160 No fue el amor ladron tan esforzado. Soneto. f. 220, a.

161 Zagala bella en quien el alma mia. Soneto. f. 220, a.

162 Formo naturaleza vna figura. Soneto a dos hermanas. f. 220, b.

163 Las manos q la muerte a tantos dieron. Soneto a la madalena con su glosa. f. 220, b.

164 La fuerza del amor intolerable. [Glosa en octavas, incompleta.] f. 220, b.

165 Q hombre es este? Vn angel demudado. Soneto a la pintura de san Juan baptista. f. 221, a.

166 Que cosa son çelos? mal rabioso. Soneto. f. 221, a.

167 Los que viuis sujetos a la estrella. Soneto. f. 221, a.

168 Al pie vna clara fuente que manaba. Soneto. [Sic. Primer cuarteto incompleto.] f. 221, b.

169 Blancas y hermosas manos q colgado. Soneto. f. 221, b.

170 Remedio inçierto q en el alma cria. Soneto. Cobarrubias. f. 221, b.

171 Bien puede reboluer seguro el çielo. Soneto de figueroa. f. 221 v., a.

172 Verdadera figura trasladada. Otaba de medina a vn retrato de vna dama. f. 221 v., a.

173 Estos mi bien seran pasos contados. Soneto de figueroa. f. 221 v., a.

174 Mi alma y tu beldad se desposaron. Prosigue. [Soneto.] f. 221 v., b.

175 Aquel q las culebras niño y tierno. Soneto. f. 221 v., b.

176 No cubra el duro manto tal belleza. Soneto. f. 221, v., b.

177 Muestrense las penas mias / descubrase la ocasion. Tirseo a bandalina. [Quintillas.] f. 222, a.

178 Angelica mas hermosa / q el prado en la primauera. Tirseo a bandalina. [Quintillas.] f. 222, c.

179 Forzado de su desseo / y rendido a la cadena. Tirseo a Sirena. [Quintillas.] f. 222, d.

180 Crudelissima pastora / mas q piedra helada y fria. Tirseo a Luçindra. [Letra.] f. 222 v., a.

181 Bien podra el amor mudar / los tiempos de otra manera. [Cuarteta.] f. 222 v., c.

182 Como la roca q el viento / y el terrible mar combaten. Glosa de medina. f. 222 v., c.

183 Sufrase quien penas tiene / q tiempo tras tiempo viene. [Pareado.] f. 222 v., d.

184 El plazer y el descontento / no pueden permanezer. [Glosa.] f. 222 v., d.

185 De piedra podran dezir / q son n^{ros} corazones. [Redondilla.] f. 222 v., d.

186 Los q saben q os ame / señora desde la cuna. Glosa de medina. f. 222 v., d.

187 Si la ceniza es memoria / de ser los hombres mortales. A vna dama q dixo a vn caballero q por q no tomaba çeniza. [Copla real.] f. 223, a.

188 Zagala no me agradays / bays y venis del aldea. [Letra.] f. 223, a.

189 Diga el alma lo q siento / en mi triste fantasia. Lamentaçion. [Coplas reales.] f. 223, a.

190 No lloreys bien de mi vida / madre de dios soberano. [Letra.] f. 223 v., d.

191 Vi a menga sus ojos bellos / y sintiendo cautibarme. [Redondilla.] f. 224, a.

192 Venus andaba a buscar / a su hijo el dios cupido. [Glosa.] f. 224, a.

193 Mariquita en sabado çiernes / ay señora pense q era viernes. [Letra.] f. 224, b.

194 Señora yo me desmayo / pensando en vros amores. Coplas de vna dama q pedia el virgo a vn galan. [Coplas reales.] f. 224, c.

195 Duelos os de dios cupido / tan fuera bays de compas. Trato de amor. [Coplas castellanas.] f. 224 v., a.

196 Siempre alcanza lo q quiere / con las damas el atreuido. [Letra.] f. 224 v., b.

197 Fortuna libre y esenta / dime si quieres dezirme. Rueda de fortuna. [Coplas reales.] f. 224 v., c.

198 Ay q el alma se me sale / y si me duele perdella. [Redondilla.] f. 225, d.

199 Hombre de poco sauer / di por q no pensarias. Glosa de Siluestre. f. 225, d.

200 Jesus bueno jesus bueno / quien te aparto de mi. [Redondilla.] f. 225 v., a.

201 Buen jesus buen redemptor / sumo bien suma bondad. Glosa de Siluestre. f. 225 v., a.

202 Justa fue mi perdiçion / de mis males soy contento. [Quintilla.] f. 225 v., b.

203 En la perdiçion primera / de la mançana tan cara. Glosa de Siluestre. f. 225 v., b.

204 Dionos en la tierra vna abe / la voluntad soberana. La auemaria glosada por Siluestre. f. 225 v., c.

205 Silua [sic] por ti morire / y solo quiero de ti. [Letra.] f. 226, a.

206 Soñaba yo que tenia / alegre mi corazon. [Cuarteta.] f. 226, b.

207 No solo amor se contenta / con q yo muriendo viua. [Glosa.] f. 226, b.

208 No me quexo yo de amor / q el amor contento dexa. [Tercerilla.] f. 226, c.

209 O contento quan bien suena / tu nombre y quan poco vales. [Glosa de la redondilla siguiente.] f. 226, c.

210 O contento donde estas / q no te tiene ninguno. [Redondilla.] f. 226, c.

211 Si os pesa de ser querida / yo no puedo no os querer. [Redondilla.] f. 226, c.

212 El thesoro inextimable / de mal subido interese. [Glosa.] f. 226, d.

213 Despues q mal me quisiste / nunca yo me quise bien. [Redondilla.] f. 226, d.

214 Todo mi bien se desbia / mi gloria se lleba el viento. [Glosa.] f. 226, d.

215 Acuerdate amor de mi / pues muero de ti partiendo. [Redondilla.] f. 226 v., a.

216 No puede mi pensamiento / sentir jamas tal dolor. [Glosa.] f. 226 v., a.

217 Carillo ya no ay contento / ya el plazer se me acabo. [Letra.] f. 226 v., b.

218 Aunq todo el mundo azeche / a dos bien enamorados. [Letra.] f. 226 v., b.

219 Los ojos con que mire / quisiera luego sacar. [Letra.] f. 226, v., c.

220 Ay ojuelos engañosos / q riendoos y burlando. [Letra.] f. 226 v., c.

221 Zagala di que haras / quando veas q soy partido. [Redondillas.] f. 226 v., d.

222 Pues dauid siendo quien era / tan grauemente peco. [Letra.] f. 226 v., d.

223 Alma gentil spiritu muy dichoso. Soneto a vna madama. f. 227, a.

224 Dardanio del estrago arrepentido. Soneto de medina. f. 227, a.

225 No largo tiempo no temor de oluido. Soneto de don diego Vique. f. 227, a.

226 Al pie de vn verde llano esta asentado. Soneto del mesmo. f. 227, b.

227 Quien esta aqui durmiendo? vn desdichado. Soneto del mesmo. f. 227, b.

228 Adonde bays amigo? a las montañas. Soneto del mesmo. f. 227, b.

229 Solo lloroso triste y sin consuelo. Soneto. f. 227 v., a.

230 No temo a amor ni a su cruel tormento. Medina glosando este verso q quien no espera bien no ay mal q dañe. [Soneto.] f. 227 v., a.

231 Siempre mi galatea que te veo. Soneto. f. 227 v., a.

232 Tieneme el agua de los ojos çiego. Soneto de medina. f. 227 v., b.

233 Agora que me dexas enlazado. Soneto. Tirsi. f. 227 v., b.

234 Paso en fiero dolor llorando el dia. Soneto. Tirsi. f. 227 v., b.

235 Fiero planeta y duro naçimiento. Tirsi. [Soneto.] f. 228, a.

236 De venenosa adelfa coronado. Soneto de don Juan Vique. f. 228, a.

237 Sobre vna peña que en el mar batia. Soneto. f. 228, a.

238 Adonde bas dardanio? ba a buscarte. Soneto de ramirez. f. 228, b.

239 En esta fuente tirso acostumbraba. Soneto de figueroa. f. 228, b.

240 Ay de quan ricas esperanzas vengo. Soneto del mesmo. f. 228, b.

241 El ser mudable y varia la fortuna. Soneto de cayas. f. 228 v., a.

242 No ay bien ygual a aquel q yo posseo. Soneto de medina. f. 228 v., a.

243 Grande es la fama y el mundo / mas para contar mi llama. [Tercerilla.] f. 228 v., a.

244 Es de tal arte el dolor / q en mi alma tengo puesto. [Tercerilla.] f. 228 v., a.

245 Qual quedar suele aquel q ha contemplado. Soneto del mismo. f. 228 v., a.

246 El mayor bien de mi mal / es ver q muerta la llama. [Tercerilla.] f. 228 v., b.

247 O almas soberanas que la altura. Octaba del mismo. f. 228 v., b.

248 Si ocupe mi pensamiento / en tan soberano extremo. [Tercerilla.] f. 228 v., b.

249 Vos soys la perfeçion de hermosura. Soneto a vna dama. f. 228 v., b.

250 En vn hermoso prado entre las flores. Glosa sobre estabase Marfida contemplando. f. 229, a.

251 Al tiempo que ya el sol esta templado. Soneto. f. 229 v., a.

252 No mas señora ya, que ya se acaba. Soneto. f. 229 v., a.

253 O dulçe soledad oçio sabroso. Soneto. f. 229 v., b.

254 Vengo perdido por la tierra muerto. Soneto de medina a vna dama llamada paz. f. 229 v., b.

255 Ya produze azabache en lugar de oro. Sonetos en alabanza de las fayziones de vna sᴬ. Soneto al cabello. f. 230, a.

256 La ancha frente de tu rostro hermoso. Soneto a la frente. f. 230, a.

257 Lo sereno rasgado grande y zarco. Soneto a las cejas y ojos. f. 230, a.

258 El coralino y el sangriento labio. Soneto a los labios. f. 230, a.

259 Si los nebados dientes de tu boca. Soneto a los dientes. f. 230, b.

260 Mi lengua en alabar tu mano estanca. Soneto a las manos. f. 230, b.

261 En tu discreto pielago me hundo. Soneto a su pico. f. 230, b.

262 Mi tosca pluma con razon pregona. Otro soneto a lo mismo. [Segundo cuarteto incompleto.] f. 230 v., a.

263 Engrandezcate pues mi poesia. Soneto al cuerpo. f. 230 v., a.

264 Quanto te he visto te he beatriz loado. Soneto a lo q encubre con su xerga. f. 230 v., a.

265 Tanto bista bellissima importara. Soneto a la misma sobre q yendo el licᵈᵒ Vidanya su casa la encontro con vn cantaro en la mano y ella por no ser vista fue retirandose hazia tras y cayo haziendo plaza de sus piernas. f. 230 v., b.

266 Bien aya tu melindre plegue a christo. Otro soneto al mismo proposito. f. 230 v., b.

267 Ven los ojos q os ven linda señora. Sonetos [*sic*]. f. 238, a.

268 Es fortuna tan varia, y tan sin tiento. Otro [soneto]. f. 238, a.

269 Señora juro a dios q no me entiendo. Otro [soneto]. f. 238, a.

270 Pues ya os partis acabese la vida. Otro [soneto]. f. 238, b.

271 Quien dize q me aparto esta engañado. Otro [soneto]. f. 238, b.

272 Como el amor su verdadero asiento. Otro [soneto]. f. 238, b.

273 En medio del esgueba entre las flores. Soneto. f. 238 v., a.

274 De mil damas graçiosas vi que vn dia. Otro soneto. f. 238 v., a.

275 Vana esperanza que mi pensamiento. Otro soneto. f. 238 v., a.

276 Pensar me mata y sin el moria. Otro soneto. f. 238 v., b.

277 O sancta venus si mi ingenio y arte. Soneto de don diego de abalos y de rojas. f. 238 v., b.

278 Quien eres tu que muerto y sepultado. Soneto a la muerte de garçilaso de la vega y de zuñiga. Su hijo garçilaso. f. 238 v., b.

279 Apenas la mañana ha demostrado. Otro soneto. f. 239, a.

280 En la falda de vn monte do tenia. Otro soneto. f. 239, a.

281 Oyd de vn mar no oydo el raro quento. Soneto del lic^do hernandez de Velasco. f. 239, a.

282 Estaba el buen torino en vn desierto. Otro soneto. f. 239, a.

283 Diana que entre las nimphas encubria. Soneto de Juan de zaldo a montemayor. f. 239, b.

284 La flor que alegre tronco ha producido. Soneto a vna flor de azaar. f. 239, b.

285 Fingidos gozos de la fantasia. Soneto del doctor morales. f. 239, b.

286 Queriendo el de Criton pintor famoso. Otro soneto. f. 239 v., a.

287 Spiritu diuino y çelebrado. Otro soneto. f. 239 v., a.

288 El sepulchro de Achiles tan famoso. Otro soneto. f. 239 v., a.

289 Dexadme estar o falsas esperanzas. Soneto a las falsas esperanzas. f. 239 v., b.

290 Amor por vida de mi zagala si os cogiese. Soneto al amor Cupido. f. 239 v., b.

291 Aluaro su vida y hado imaginando. Soneto de vn pastor ausente de su dama. f. 239 v., b.

292 Aluaro con el cuento del cayado. Soneto a vn pastor desfauorezido. f. 240, a.

293 Pues tuue corazon para partirme. Soneto a la partida de vn pastor. f. 240, a.

294 Bella zagala, cruel mas que hermosa. Soneto a vna hermosa pastora. f. 240, a.

295 Vn corro de pastoras o carillo. Soneto a vn sarao de pastoras. f. 240, b.

296 O alma que en mi alma puedes tanto. Otro soneto. f. 240, b.

297 Naçe la pena mia de solo amarte. Otro soneto. f. 240, b.

ÍNDICE ALFABÉTICO DE PRIMEROS VERSOS

Al tiempo que se le dé. f. 182, b.
Al tiempo que ya el sol está templado. f. 229 v., a.
Álvaro con el cuento del cayado. f. 240, a.
Álvaro su vida y hado imaginando. f. 239 v., b.
A mi amada Lucinda su Medoro. f. 205, a.
Amor, amor. - ¿Qué quieres? - Ay, cuitado. f. 218 v., b.
Amor, por vida de mi zagala, si os cogiese. f. 239 v., b.
Amor prendió al Señor con tal denuesto. f. 217, a.
Amor tiene a Jesús tan domillado. f. 214, b.
Angélica más hermosa. f. 222, c.
Angélico doctor, claro lucero. f. 214, a.
Apenas la mañana ha demostrado. f. 239, a.
Aquel que las culebras, niño y tierno. f. 221 v., b.
Ásperas cruces, clavos, pasadores. f. 190 v., a
Aunque todo el mundo aceche. f. 226 v., b.
Ay, de cuán ricas esperanzas vengo. f. 228, b.
Ay, ojuelos engañosos. f. 226 v., c.
Ay, que el alma se me sale. f. 225, d.

Belerofón, el fuerte caballero. f. 203, a
Bella zagala, cruel más que hermosa. f. 240, a.
Bien haya tu melindre, plegue a Cristo. f. 230 v., b.
Bien podrá el amor mudar. f. 222 v., c.
Bien puede revolver seguro el cielo. f. 221 v., a.
Blancas y hermosas manos que colgado. f. 221, b.
Buen Jesús, buen Redentor. f. 225 v., a.

Carillo, ya no hay contento. f. 226 v., b.
Cerca de las corrientes de los ríos. f. 201 v., b.
Cese, que tiempo es ya, el lamento mío. f. 203 v., b.
Cisnes de Betis, que en su gran ribera. f. 197, a.
Ciudades consagradas y famosas. f. 204, b.
Como el amor su verdadero asiento. f. 238, b.
Como la Antigüedad acostumbraba. f. 190 v., a.
Como la roca que el viento. f. 222 v., c.
Como siempre en penas velo. f. 183 v., c.
Con angustia que el alma le arrancaba. f. 216 v., b.
Crudelísima pastora. f. 222 v., a.
Cual quedar suele aquel que ha contemplado. f. 228 v., a.
Cual suele en la florida primavera. f. 205 v., b.
Cuando con ojos del entendimiento. f. 216 v., a.
Cuando con ojos del mejor sentido. f. 216, b.
Cuando David su arpa resonaba. f. 202 v., a.
Cuando estoy en vuestra ausencia. f. 182 v., a.
Cuando la caridad se resfriaba. f. 214, a.
Cuando os vi merecí veros. f. 182 v., b.
Cuando se llegue el día que la pura. f. 193 v., b.
Cuanto más voy llegando al postrer día. f. 216 v., a.

Cuanto te he visto te he, Beatriz, loado. f. 230 v., a.

Dando principio al dulce y triste canto. f. 200, a.
Dardanio, del estrago arrepentido. f. 227, a.
De aquel terrible, acervo y gran madero. f. 216 v.
Decid, mi dulce señora. f. 187, b.
¿De dónde venís, Alto? - De la altura. f. 216, a.
¿De dó venís, Cupido, sollozando? f. 218 v., b.
De haberse interrumpido el triste canto. f. 200, a.
Dejadme estar, o falsas esperanzas. 239 v., b.
Déjame ya fortuna y esperanza. f. 193 v., a.
De la judaica nación. f. 180 v., b.
Del alto cielo favor. f. 182 v., a.
De la palma nace un niño. f. 182, a.
De lo más alto del cielo. f. 181 v., c.
Demandando el interés. f. 180, a.
De mil damas graciosas vi que un día. f. 238 v., a.
De piedra, de metal, de cosa dura. f. 219, a.
De piedra podrán decir. f. 222 v., d.
Después que mal me quisiste. f. 226, d.
De venenosa adelfa coronado. f. 228, a.
Diana, que entre las ninfas encubría. f. 239, b.
Dichosas selvas y divinas flores. f. 205 v., b.
Diga el alma lo que siento. f. 223, a.
Dionos en la tierra una ave. f. 225 v., c.
Divinas lumbres, guías verdaderas. f. 195, a.
Do Betis, rey de ríos excelente. f. 204, b.
¿Dó están los claros ojos que colgada. f. 215 v., a.
Duelos os dé Dios, Cupido. f. 224 v., a.
Dulce hijo de mi vida. f. 187 v., b.
Dulce suspiro de mi tierno pecho. f. 206, a.

El alma real de gloria revestida. f. 216 v., b.
El coralino y el sangriento labio. f. 230, a.
El más bravo león vemos domado. f. 220, a.
El mayor bien de mi mal. f. 228 v., b.
El Padre Eterno os alabe. f. 182, c.
El Padre os dio su bondad. f. 182 v., b.
El paso mueve a vuestra voz divina. f. 215, b.
El placer y el descontento. f. 222 v., d.
El príncipe supremo. f. 216 v., a.
El rojo Apolo y las hermanas nueve. f. 192 v., b.
El sepulcro de Aquiles tan famoso. f. 239 v., a.
El ser mudable y varia la fortuna. f. 228 v., a.
El tesoro inestimable. f. 226, d.
El tiempo que de ti me hallo ausente. f. 202 v., b.
El tierno amante que durmiendo vela. f. 203, a.
En el matrimonio son. f. 177, a.
En el sosiego de la noche oscura. f. 202 v., a.
En el vergel del olvido. f. 183, c.
En esta fuente Tirso acostumbraba. f. 228, b.
Engrandézcate pues mi poesía. f. 230 v., a.
En la falda de un monte do tenía. f. 239, a.
En la noche serena. f. 193 v., b.

Justa repulsa de iniquas acusaciones

René ANDIOC

Este título de una obra de Feijoo que elijo para encabezar mi contribución al presente homenaje ni es alarde de erudición facilona o esteticismo arcaizante, ni tampoco tiene que tomarse estrictamente al pie de la letra; por el contrario, la indignación y gravedad que expresa, sin común medida –las más veces– con el tono de las críticas que es mi ánimo rebatir en estas líneas, tienden, por muy paradójico que parezca, a quitarle a la polémica que aquí se entabla y como adelante se verá, una virulencia que resultaría más contraproducente que eficaz para convencer a no pocos contradictores de ciertos dieciochistas (y por ende míos), cuyas ideas me parecen por supuesto –las más veces, repito– perfectamente respetables, si bien las tengo por erróneas. Este loable propósito sufre alguna que otra excepción ante la mala fe palmaria, ajena a la ciencia a que dedicamos nuestro estudio, y que se ha de denunciar sin excesivas contemplaciones, aunque con la debida cortesía, o mejor dicho lo que de ella me quede, y, más que nada, con la objetividad que nos impone, o debería al menos imponernos, la historia literaria.

La primera de estas excepciones concierne a un señor a quien un castellano hecho y derecho calificaría de «muy conocido en su casa», y de «tocado del yugo y las flechas» un semanario satírico francés de ocho páginas, publicado los miércoles, fundado en 1915 por Maurice Maréchal y vendido a ocho francos, pero de cuyo nombre no quiero acordarme por prohibírmelo la deontología, palabra misteriosa frecuentemente utilizada por aquellos mismos que acostumbran a envilecerla. Me refiero a un tal Manuel Arroyo Stephens, que dio a la imprenta en 1980, guardando valientemente el anonimato en la primera tirada, hecha a cuenta de autor como la segunda, un «libelo» intitulado, con toda modestia, *Contra los franceses*[1], y cuya lectura aconsejo a los hipocondriacos tenidos equivocadamente por incurables, *máxime* si ha aparecido una segunda parte con que se nos amenaza en la última de las 46 páginas, y que hasta ahora no he visto, por mis pecados. Por traernos al recuerdo el *Centinela contra franceses* de Capmany (el cual tenía sobrados motivos de arremeter contra el ejército de la burguesía napoleónica, imperialista *avant la lettre*, que pretendía «regenerar» a los españoles colonizándolos), este papelejo nos hace retroceder casi dos siglos, y tal vez más aún; quizá se considere su autor, si me fundo en sus apellidos, último símbolo de la antigua alianza entre los patriotas de la Guerra de la Independencia

---

[1] Artes gráficas Soler, Valencia.

Hommage à Robert Jammes (Anejos de *Criticón*, 1), Toulouse, PUM, 1994, pp. 19-36.

y sus libertadores –por razones exclusivamente humanitarias, *of course*– mandados por Wéllington. Me ceñiré tan sólo a examinar los dos capítulos con que se da fin al inmortal tostón, primero porque en ellos se trata, y es un decir, del siglo XVIII (*Las luces de Voltaire*, y *Un siglo muy francés*), y luego porque en una página modélica se me hace alternar con el «ilustre erudito galo» Marcel Bataillon, aunque a decir verdad, no tengo por qué sentirme orgulloso de ello pues unas líneas antes se hermana a Corneille con ¡Bokassa!, si bien no a éste con el futuro beato Francisco Franco, también notorio filántropo;

> Dejadme reir
> en la verde orilla
> de Guadalquivir,

como pudo decir la más bella niña de nuestro lugar si de su lecho no le sobrara la mitad... Inficionado pues por el «virus gálico», o «gálica pestilencia» (es el «mal francés» del Padre Isla, aunque éste se refería solamente al idioma), incurrí en efecto en la imperdonable torpeza de admitir, después del autor de *Erasmo y España*, maestro de hispanistas, que sin la preocupación moral «*quizá* [no me atrevía a más] no se escribiera *La Celestina* o el *Guzmán de Alfarache*»; sigue burlándose con la misma gracia inimitable, sin temor a la inconsecuencia, de mi disconformidad con la opinión formulada por Guillermo de Torre, según el cual «lo que estorba a las comedias de Moratín y les quita vuelo es la preocupación moralista infiltrada en el arte», y *a renglón seguido* censura la ceguera de los supuestos afrancesados que no supieron ver la utilidad *moral* de los autos sacramentales, siendo así que, según Menéndez y Pelayo, «España era un pueblo no ya de católicos, sino de teólogos» (y aun más que teólogos, diría yo, como lo prueban el balance venatorio del Santo Oficio y la riqueza magnífica de unos tacos y blasfemias no pocas veces intraducibles al idioma gabachino); esta clase de frases lapidarias y amorosamente cinceladas, si bien surten mucho efecto, como de cascabel gordo que son, no explican estrictamente nada, así como tampoco el «odio» que, según Míster Stephens (el cual escribe: «Walter Scot»...) es la causa única de la campaña contra los autos, y nos trae al recuerdo la pobreza de la «argumentación» de un García de la Huerta, el cual sabía sin embargo que el instigador de su prohibición fue precisamente un prelado. En cuanto a tomarse la molestia de buscar de dónde podía proceder tal «odio», no hay que pedirle peras al olmo del arroyo. Ya te decía, lector benévolo, que estábamos en pleno siglo XVIII, aunque no como cree el libelista, y volveremos a hablar más adelante, o por mejor decir, a continuación, de aquel supuesto «odio» al autor de *La vida es sueño*. Digamos antes, para concluir, que como mediocre libelo que es, este papel entraña, ostentándolo por otra parte jubilosamente, un conocimiento elementalísimo, por no decir infantil, del XVIII, que se suple, como suele suceder en cualquier caso semejante, con las invectivas de cajón, tan traídas como llevadas, y dignas de un período (otros dicen una «era») que se inauguró con un millón de muertos, muchos más que los guillotinados durante la «Revolución de 1787» (*sic*), a quienes se ejecutaba «con procesión y todo, en público», actitud vergonzosa que, como es notorio, siempre se negó a adoptar la Santa Inquisición, *ad maiorem Dei gloriam*. Último coletazo, pues, de la moribunda –y que yo creía definitivamente sepultada– «antipatía de franceses y españoles».

Y ya es hora de *explicar*, lo que no hace el Señor Manuel Arroyo (Stephens) *por qué* se «odiaba» a Calderón, y más concretamente, *por qué se escribe* que le odiaban y si le odiaban *efectivamente*.

Sin ninguna excitación patológica, pero con no menor convicción, se estila entre determinados universitarios aureístas franceses encogerse de hombros con alguna compasión –por escrito o de palabra, naturalmente...– ante la supuesta necedad de los neoclásicos que se atrevieron a criticar no solamente parte del teatro de Lope, sino también –*rubesco referens*– del calderoniano. Hace poco, aunque desgraciadamente no recuerdo ya en qué revista, por lo que le pido humildemente perdón al lector, me enteré por enésima vez, gracias a la pluma de una investigadora al parecer principiante, de que, a diferencia de ella, claro está, los pobrecitos no habían sido capaces de saborear las incuestionables bellezas de las obras dramáticas de quien fue tenido, y con razón, por maestro de comediógrafos en su época y, agregaré yo, en el siglo siguiente, lo cual no implica necesariamente una adoración incondicional, que sólo se debe al Padre Eterno. Antes que nada, se me concederá –al menos así me atrevo a esperarlo a finales de 1993– que la Belleza con B mayúscula no existe más que en la mente de los filósofos idealistas, y que en realidad sus criterios, como enseñan la experiencia y la historia, son meramente relativos, pudiendo variar según las épocas y países, los medios sociales e incluso los propios individuos en un mismo grupo (escribo «grupo» y no «clase» para que no me venga otra vez algún chusco con lo de «marxista de baratija» o «elemental»). El contacto brutal de dos civilizaciones (la española y la india, por ejemplo, o la francesa y la africana) es a este respecto muy iluminativo. De ahí resulta que la «universalidad» y «eternidad» de las «obras maestras», sean literarias o de arte, son mera cuestión de tiempo y lugar (esto nada tiene que ver, adviértase, con las unidades neoclásicas...) y equivalen a una gotita de agua en un piélago si se las incluye en el largo desarrollo de la especie humana, digamos desde la Venus auriñacense o los pintores de los bisontes de Altamira hasta hoy, y que los juicios de valor estéticos, lejos de constituir un dogma por naturaleza invariable que permita, como suele ocurrir, un chantaje, por no decir terrorismo, intelectual (recuérdese el cervantino *Retablo de las maravillas*), son, al igual que las obras que valoran o desacreditan, unos meros hechos históricamente definibles que conviene analizar como tales, «et tout le reste est littérature». ¿Quién puede afirmar en efecto que la exquisita sensualidad que todo hombre culto debe hoy día admirar, so pena de ser tenido por beocio, en los traseros (y delanteros) paquidérmicos boterianos, expuestos hace poco en la parisina avenida de los Campos Elíseos, y el sugerente dramatismo abstracto de los últimos mamarrachos intercambiables de Antonio Saura no dejarán tarde o temprano de ser tenidos por tales, volviendo a lo mejor dentro de una o dos o más generaciones a suscitar un inefable placer en nuevos aficionados? O, si se prefiere, ¿quién puede asegurar que de los dos juicios de valor divergentes a que me acabo de referir sólo se debe admitir uno y rechazar el otro, sea el que fuere?

Por otra parte, si la historia presente puede ayudarnos en cierta medida a entender mejor la pretérita, ¿quién no ha leído, *y no pocas veces compartido*, las críticas formuladas actualmente, en nombre de principios morales y de la protección de la juventud, contra determinadas novelas o filmes especializados en la violencia guerrera o el bandolerismo, con derroche de hemoglobina de donde salen salpicados pero airosos los malhechores, o en otras formas menos sangrientas de retozar, por parejas o colectivamente? Es de suponer sin embargo que la oferta responde a una demanda, y que ésta no procede necesariamente de unos espectadores o lectores menos inteligentes y «normales» que sus contrarios (traten de definirme qué es normalidad). Por lo tanto, díganme si a un neoclásico o, por mejor decir, a los neoclásicos, (pues se trata de un fenómeno *colectivo*) que ponen reparos morales a las comedias calderonianas u otras, les había dotado el hado perverso de un cociente intelectual inferior al de todo un catedrático hispanista francés; ¿cuál de ellos tendrá tan poca modestia y sentido común como para considerar que sí, frente a un Jovellanos, un Forner, a los Moratines, a los periodistas del *Memorial Literario* o del *Censor*, y otros muchos? Dejémonos pues los que nos preciamos de historiadores de adoptar con los neoclásicos exactamente la misma actitud que censuramos en ellos con respecto al teatro calderoniano. De ahí procede en parte el soberbio y casi general desconocimiento del XVIII que impera en la Universidad francesa, reforzado en cierta medida por una secuela de la remota actitud eminentemente aristocrática y reaccionaria según la cual no hubo ni hay más siglo español que el de Oro –expresión, la cosa no carece de gracia, inventada por los escritores del siguiente[2]...–, algo así como si se creyera que de la frecuentación asidua de aquella época, innegablemente excepcional, se le había de pegar al especialista, más que al de otra, algun granito de aquel «oro» manejado a diario que le hiciera sobresalir como por milagro entre los demás; una de las consecuencias de dicha ignorancia del XVIII, el cual contiene sin embargo ya en germen los movimientos estéticos, ideológicos y políticos del XIX e incluso del XX, es que en los temarios de las oposiciones a catedrático de segunda enseñanza aparece un autor de la centuria «ilustrada» un año de cada quince, y aún entonces el resultado raya en el desastre; así en 1975, recuerdo por experiencia propia que de entre 720 candidatos, 659 fueron incapaces de alcanzar la media al tratar de comentar un texto relativo a Ramón de la Cruz. ¿Qué se pensaría de un dieciochista que no hubiese ni siquiera saludado los pasos de Lope de Rueda, los entremeses de Cervantes o los de Quiñones de Benavente? Yo sé en cambio lo que debo pensar de un aureísta que cree que el héroe del *Don Alvaro* de Rivas es Don Alvaro de Luna, o que afirma, como el «gran» hispanista C.V. Aubrun, que la *Raquel* de Huerta es un «bello objeto que se entretuvo en crear un artesano para un cliente que no tiene por qué utilizarlo sino contemplándolo», pues «en el teatro no se plantea ningún problema, ninguna respuesta se aguarda» (¿la habría leído?)[3], o que me censura por haber dado a traducir en un examen de final de curso un texto del dificilísimo Gracián, sin darse cuenta de que el tal Gracián se apellidaba también Dantisco y llevaba por nombre de pila Lucas, y no Baltasar, o bien, por no alargar la lista, que declara perentoriamente que el mayor comediógrafo del XVIII fue Bretón de los Herreros. Ya está bien. Nada tiene pues de ridícula la indignación que sienten los neoclásicos viendo representar –porque no sólo las leen, sino que también las *ven*– tantas comedias de capa y espada en las que dos jóvenes amenazan con despanzurrarse por cualquier «noble» motivo, sobre fondo de amor y celos, peleando incluso contra la justicia, o en las que la dama discretea en su casa con el galán estando ausente el padre o hermano mayor, y le esconde en su propio cuarto al llegar inopinadamente el cabeza de familia; recuerden tan sólo los de mi generación, no tan antigua, el escándalo que se armaba cuando durante nuestra juventud descubrían los padres la presencia del novio solo con su amada, y eso que no siempre tenía el lance las consecuencias que nos describe en una deliciosa relación la heroína lopesca de *El acero de Madrid*. Se me dirá que en un escenario de escasas dimensiones ¿dónde se podía esconderle al galán si no fuera en la alcoba de la dama? Por supuesto; pero los espectadores de entonces no eran todos unos historiadores ni unos técnicos, sino también y sobre todo unos consumidores de literatura dramática, y unos espectadores en los que, según temían los moralistas, habían de influir de cualquier manera semejantes lances (al igual que influyen hoy día en la moda o el comportamiento de los jóvenes ciertas películas, no siempre del gusto de los padres), en una época –sigo refiriéndome al XVIII– en que se ponía cada vez más en tela de juicio la autoridad paterna, que la ley se esforzaba, con el escaso éxito que sabemos –al menos los dieciochistas– en fortalecer. Ver a un padre, rey por encima, obligado a arrodillarse ante un hijo rebelde, como en *La vida es sueño*, podía perfectamente suscitar –y carece de importancia lo que a nuestros

---

[2] Véase François Lopez, «Comment l'Espagne éclairée invente le Siècle d'Or», en *Hommage des hispanistes français à Noël Salomon*, Barcelona, Laia, 1979, pp. 517-525.

[3] En su libro sobre teatro español publicado hace varios decenios en la colección *Que sais-je?*, por las Presses Universitaires de France, y, si no me equivoco, no reeditado en la actualidad.

contemporáneos les parezca– la indignación de un realista a machamartillo doblado de cabeza de familia, así como en nuestros días se puede procesar a un autor que «ofenda» a la patria o a la persona del jefe del estado, o cuando menos, prohibir durante un cuarto de siglo la proyección de una película norteamericana de Stanley Kubrick que denuncia la mortífera estupidez de algunos oficiales superiores franceses durante la guerra de 1914; pero no se llegaba entre los neoclásicos a mandar oficialmente matar a un antecesor de Salman Rushdie, ni hubieran incendiado unos «locos de Dios» (y no «de Alá») un teatro en que se representase un *Jesús*, salvando las distancias, «escandaloso» como hoy el de Scorcese, y ¡Dios sabe sin embargo cómo salía entonces vestido al escenario el malhadado héroe cristiano y cómo representaban su papel algunos cómicos de dicción aguardentosa, entre riña y riña en voz baja con la querida vestida de santa!: para tales pecados bastaba con la Inquisición. Si así no ocurría en el Siglo de Oro, explíquen pues *por qué* los aureístas y demás detractores del XVIII, y cíñanse a explicarlo como nosotros tratamos de explicar la actitud –las actitudes– de los contemporáneos de Moratín, sin juzgarlas desde nuestro Olimpo de cartón piedra. Pero no se olvide que en la propia época de Lope y Calderón se escandalizaron también no pocos eclesiásticos y laicos ante lo que veían en los corrales y que a nosotros, naturalmente, nos parece hoy inofensivo: consúltese tan sólo la espléndida colección de «mentecatadas» enunciadas entonces y cuidadosamente recogidas por Cotarelo en su *Bibliografía de las controversias sobre la licitud del teatro en España*; pero esto no suelen mencionarlo a menudo, tal vez por no verse en la precisión de confesar que los «beocios» –otros decían: «malos españoles»– del XVIII tenían antecesores, y muchos; tanto es así que buena parte de los argumentos esgrimidos por los críticos neoclásicos *proceden directamente* de literatos o moralistas de los ciento cincuenta años anteriores.

Tampoco podían sufrir, por motivos que no es del caso enumerar aquí porque los he examinado largo y tendido en otro lugar, un estilo poético, mejor dicho dramático, caracterizado por la abundancia de metáforas a cual más rebuscada que constituían el *nec plus ultra* de la lírica en un género que, según ellos, no la debía admitir; de ahí que el «hipogrifo violento» del principio de *La vida es sueño* causase en ellos tanta risa como el «bélico monte portátil» (entiéndase: tienda de campaña) en *Mazariegos y Monsalves*, de Zamora. Que muchas de esas imágenes no las entendiera ni la décima parte del auditorio, tanto el del XVIII como el de la anterior centuria, al *oir* declamar a los cómicos, en medio de la algazara propia de aquellos tiempos por encima, nada tendría de extraño, y podemos figurarnos lo que recordaría al final de la sesión, e incluso inmediatamente después de recitados, de los dos sonetos por lo demás tan hábilmente compuestos en que los amantes de *También hay duelo en las damas* encarecen la fuerza insuperable de su respectiva pasión amorosa, o de tal o cual parlamento escolástico de un auto[4]. Si algún hispanista francés me puede afirmar que los entendió sin problema no digo oyéndolos sino leyéndolos una sola vez, como si los declamara ante él un cómico, apúntese y confesaré mi error sin vacilar. Fuera de que a nadie se le ocurriría considerar efecto de una supuesta debilidad mental la preferencia de «Juan de Mairena» por «lo que pasa en la calle» a «los eventos consuetudinarios que acontecen en

---

[4] Citemos uno de ellos, sacado de *El pleito matrimonial*, de Calderón:

Mas ser quiero, que es error	al ser que espero tener,
no ser si en mi mano está;	que por ser tengo de hacer,
pues peor no ser será	Juzgando a más pena yo
que siendo, ser lo peor.	dejar ya de ser que no
Y tengo ya tanto amor	ser para dejar de ser.

Así se explican, y no sólo por la necesidad de acortar la representación, las podas que efectúan en el texto de dichas obras los autores, esto es: directores de compañías.

la rúa», de que la frase anterior es equivalente («traducción» según Machado), en «estilo poético», o la de mi amigo Albert Belot, que yo comparto, por «Consejos a los estudiantes que se han de examinar» a «Enunciación en función conativa a los aprendentes en instancia de prueba»[5], según el «dolce stil nuovo» de cierta crítica actual, nieta en línea directa –con perdón– de los predicadores gerundianos y del franciscano Soto Marne.

Ello no excluye que, contra la acostumbrada cantilena (o cantinela), los neoclásicos sintiesen admiración, y no es palabra elegida al azar, por el gran dramaturgo, el cual, dicho sea de pasada, no siempre desataba un entusiasmo general con todas sus obras, ni mucho menos; menudean los ejemplos de tal actitud y yo pregunto por qué, por temor a quién (¿acaso a la posteridad de que formamos parte?) habrían disimulado un total desprecio si lo hubiesen sentido verdaderamente. Más españoles eran en realidad que muchos de los que los censuran, tanto más que a quienes censuro yo es a los franceses... Vengan unos pocos ejemplos iluminativos, combinados a veces, pues así era, según queda dicho, con las salvedades propias de los neoclásicos, y de otros que no lo eran, recordando que no tuvieron los primeros la culpa de que la mayoría del público prefiriese las comedias de magia o las heroico-militares, y más tarde las patéticas, a las del siglo anterior, y que de las preferencias del de esta última época sabemos infinitamente menos de lo que nos enseñan para las del XVIII no sólo la prensa sino también, y no es poca cosa, las entradas diarias, que algunos semiólogos (o semióticos) de vanguardia consideran sin importancia, según se ha de decir en un próximo párrafo:

«El feliz ingenio de don Pedro Calderón de la Barca ejercitó su numen en esta nueva especie de poesía [*los autos*] con general aplauso», escribe Luzán en su *Poética*, poniéndole por encima de todos sus contemporáneos por haber llevado el teatro español «al mayor auge, y casi a la perfección de que era capaz aquel género de comedias», a pesar de no haberse sujetado «a las justas reglas de los antiguos»[6]; Nicolás Fernández de Moratín alaba en 1762 la «prodigiosa afluencia tan natural y abundante del profundo Calderón», y pregunta: «¿qué hombre habrá tan idiota que no admire la facilidad natural y la elegancia sonora del fecundísimo Lope...?»; Calderón, Lope y otros dramaturgos descubrieron, según Sebastián y Latre «un nuevo camino [...] lleno de amenidades y delicias [...], encantos y hermosuras», lamentando que no «hubiesen arreglado su fantasía»; Jovellanos afirma en 1790 que las comedias del dramaturgo áureo «son hoy, a pesar de sus defectos, nuestra delicia», agregando: «Seré siempre el primero a confesar sus bellezas inimitables, la novedad de su invención, la belleza de su estilo, la fluidez y naturalidad de su diálogo, el maravilloso artificio de su enredo, la facilidad de su desenlace, el fuego, el interés, el chiste, las sales cómicas que brillan a cada paso en ellos», lo cual refuerza mi opinión de que los espectadores más aficionados a Calderón en la segunda mitad del XVIII, como lo prueban las recaudaciones de las localidades más caras, procedían de las capas más cultas de la población; pero como muchos contemporáneos, observa en su teatro varios «vicios y defectos que la moral y la política no pueden tolerar», simplemente porque las entonces vigentes en su clase (¡ya solté la voz pecaminosa!) eran distintas. El D. Pedro de *La comedia nueva* moratiniana exclama: «¡Cuánto más valen Calderón, Solís, Rojas, Moreto cuando deliran, que estotros [*los dramaturgos de la década de los ochenta y principios de la siguiente*] cuando quieren hablar en razón!... Aquellos disparates, aquel desarreglo, son hijos del ingenio y no de la estupidez». Menéndez y Pelayo, poco

5 Léase su artículo así intitulado en el número 10 de la joven revista *Marges*, publicada por el Centre de Recherches Ibériques et Latino-Américaines de la Universidad de Perpignan (1993, pp. 11-24).

6 Para ahorrar referencias, remito a mi trabajo *Sur la querelle du théâtre au temps de Leandro Fernández de Moratín*, Burdeos, Bibl. de l'École des Hautes Études Hispaniques, 1970, pp. 140 y ss., y a E. Allison Peers, *Historia del movimiento romántico español*, Madrid, Gredos, 1954, I, pp. 113 y ss.

sospechoso de afecto al neoclasicismo, escribía en su *Historia de las ideas estéticas*[7]: «Se ha presentado a Moratín como enemigo acérrimo del antiguo teatro español. Nada más falso y gratuito [...] Los dramaturgos a quienes en la *Comedia Nueva* se persigue y flagela no son, de ninguna manera, los gloriosos dramaturgos del siglo XVII, ni siquiera sus últimos y débiles imitadores los Cañizares y Zamoras, ni tampoco los poetas populares como don Ramón de la Cruz, sino una turba de vándalos, un enjambre de escritores famélicos y proletarios...», calificación ésta fundada en un juicio de valor que hoy día no se puede aceptar sin reservas; y recuerda que en los *Orígenes del teatro español,* el mismo D. Leandro, ya alejado de las *representaciones* teatrales madrileñas y por lo tanto con mayor serenidad, recomienda a la juventud «la continua lección de nuestros mejores dramáticos antiguos, los cuales, a vueltas de su incorrección y sus defectos, nos ofrecen los únicos excelentes modelos que deben imitarse, cuando la buena crítica sabe elegirlos», sin calificar al Fénix, como hace un anónimo de 1620, de «Lope o lobo carnicero de las almas», sino defendiéndole y ponderando «su exquisita sensibilidad, su ardiente imaginación, su natural afluencia, su oído armónico, su cultura y propiedad en el idioma, su erudición y lectura inmensa de autores antiguos y modernos, su conocimiento práctico de los caracteres y costumbres nacionales», añadiendo que «no corrompió el teatro; se allanó a escribir según el gusto de su tiempo», dando anticipadamente una lección de relativismo a nuestros historiadores contemporáneos de la literatura aureosecular. El juvenil Quintana, en sus neoclásicas *Reglas del drama,* evoca el ingenio de Lope omnipotente y piensa que «Más enérgico y grave, a más altura / se eleva Calderón, y el cetro adquiere / que aún en sus manos vigorosas dura»[8]; incluso el rígido censor Santos Díez González, en sus *Instituciones poéticas,* publicadas en 1793, al año de estrenarse *La comedia nueva,* no puede por menos de alabar el «noble y distinguido ingenio y erudición de Calderón»; y, para dar fin a esta necesaria letanía, sepan que Forner, en sus *Exequias de la lengua castellana*[9], advierte que «no parece sino que la naturaleza, cansada de desperdiciar ingenio en los poetas del siglo de Lope y Calderón, ha retirado la mano, negándole del todo a los del presente. ¿Dónde está –prosigue– aquella fecundidad de imaginación tan pródiga que, pasando los términos de lo conveniente, a modo de río que sale de madre por la abundancia del caudal, hacía a la poesía más poética de lo que debía ser?» Porque tampoco se le ocultaba a ninguno de los neoclásicos la decadencia que afectaba a la literatura de su época, que querían, y consiguieron en parte, detener y superar. Al que quiera más ejemplos le aconsejo una lectura más atenta de los referidos escritores, y verán cómo los que critican, con severidad indudable, *y comprensible para cualquier historiador desprovisto de prejuicios estéticos y capaz de prescindir de sus propias preferencias*, la falta de «ejemplaridad» moral por una parte, y por otra la que llaman «hinchazón» estilística de las comedias áureas, debida generalmente a la combinación de la poesía lírica barroca con la dramática, no por ello dejan de reconocer la deuda contraída con los más preclaros ingenios de aquel siglo.

Sin abandonar el siglo ilustrado, pues sólo versan estas líneas sobre dicha época, si bien, según creo, pueden servir para otras, por muy poco que sea, quisiera referirme ahora a un colega que desgraciadamente no está ya en condiciones de defenderse pues falleció recientemente, y por quien sentí durante largos años el respeto natural que los de mi generación acostumbran, debido a su educación, a tenerles a sus mayores, sean cualesquiera. En la medida en que no siento ya ningún temor supersticioso al más allá y a sus naturales, ni a la muerte –tal vez por haberme

---

[7] Santander, Aldus (C.S.I.C., III), 1940, pp. 424-425.

[8] Véase n. 6.

[9] Madrid, Espasa-Calpe, «Clásicos castellanos», 66, 1956, p. 86.

rozado con ella– , y por sobrevivir a su autor la obra que dejó escrita, no tengo por qué pasar por alto los disparates que profiere contra mí en la versión impresa en 1983 de su tesis doctoral[10], que no es mera copia rigurosa de la mecanografiada en 1955, fecha en que se defendió, y entre las cuales –la precisión es primordial– se sitúan la edición de la mía en francés (1970) y la primera de sus dos traducciones sucesivas al castellano (1976).

Ya me di cuenta en efecto, el mismo día de la defensa de mi propia tesis (1969), de que mi método de investigación suscitaba en Paul Mérimée, entonces miembro del tribunal, un nerviosismo –lo digo sin temor a equivocarme– de raíces ideológicas; me explico: en la Universidad francesa, como en cualquier otra institución, sea o no docente, las personas bien nacidas y decentes, es decir de derechas, pretenden no profesar ninguna ideología, al igual que el pez no tiene conciencia de nadar en su elemento natural que es el agua; pero sáquenlo de dicho elemento y se comporta, *mutatis mutandis*, como un universitario frente a una metodología que le parece oler a chamusquina, y que algunos califican de marxista, infiriendo de ahí que es necesariamente privativa de un rojo con las manos tintas en sangre (pues sabido es que los blancos todos se las guardan meticulosamente limpias y enguantadas) y que anda con la navaja entre dientes clamando (¡no es pequeña hazaña!) que «lo mío es mío y lo tuyo de entrambos», cuando en realidad se trata de una forma de concebir la investigación que ha superado desde hace ya tiempo al marxismo del XIX o de principios del XX, aunque no fuera más que por su constante capacidad para ponerse a sí misma en tela de juicio y asimilar, con prudencia por supuesto, los sucesivos descubrimientos metodológicos de entonces a esta parte, y a la que yo sigo calificando de materialismo histórico, el cual se diferencia, y no es poco, de la ingenua manera de explicar una época a través de la sola conciencia que de ella se formaban sus contemporáneos, y que raras veces era objetiva pues éstos captaban los problemas, los conflictos, de su tiempo *a través* de las formas jurídicas, políticas, morales, religiosas, estéticas, etc., que les eran propias; de ahí por cierto los pareceres a veces radicalmente distintos acerca de los «terroristas» o «patriotas» –recuérdese tan sólo la guerra de la Independencia, por no hablar de otra en la que los «rebeldes» se consideraban «nacionales» en el bando de enfrente, y los partidarios de la legalidad eran tenidos por satélites de Satán entre los militantes de la «cruzada»– y los enfoques encontrados de una misma obra según se la considera como un libro simplemente ameno, o digno de figurar en el catálogo de libros prohibidos de 1559, como el *Lazarillo* para un Jerónimo Zurita o el inquisidor Fernando de Valdés respectivamente, ejemplar o inducente a lascivia, como la *Celestina*, desesperado, o profundamente teológico o incluso mera novela de aventuras con digresiones morales a manera de pegotes, como el *Guzmán* (mal que le pese al erudito Arroyo el del libelo, tan divertido contra la voluntad de su autor)[11]. Dejémonos pues de contentarnos con explicar una época por las ideas en ella dominantes, cuando lo que antes importa es explicar el cómo y porqué de tal predominio en vez de otro; a éste método es al que llamo yo, y disto de ser el único, materialismo histórico, mucho más difícil de poner en práctica que el que consiste en compartir las ilusiones que una época se hace sobre sí misma y considerarlas como datos objetivos. Diré de pasada, aunque no descarto la posibilidad de rebatir más adelante tal «iniqua acusación», que a los dieciochistas que aplican este método al estudio de su época predilecta les llama algún que otro

---

[10] Paul Mérimée, *L'art dramatique en Espagne dans la première moitié du XVIIIe siècle*, France-Ibérie Recherche, Univ. de Toulouse-Le Mirail, 1983.

[11] Se leerá con provecho la ponencia siempre actual de Noël Salomon, «Algunos problemas de sociología de las literaturas de lengua española», en VV.AA., *Creación y público en la literatura española*, Madrid, Castalia, 1974, pp. 15-32.

articulista «críticos» o «censores» de la Ilustración[12], cuando a lo que en realidad se apunta no es la misma Ilustración sino a la descripción ingenua e idílica, o poco falta, que de ella hacen ciertos admiradores suyos obcecados por su propia ideología asimilada a la de sus supuestos, o por mejor decir, todo bien mirado, legítimos antecesores. Contra lo que comúnmente se cree, no hay ninguna incompatibilidad entre la pertenencia a la Universidad y el placer de vendarse los ojos por no ver lo que no se desea ver...

Volviendo a la nueva víctima de mi infernal inquina, recuerdo que en 1975, en el breve prólogo redactado para encabezar la copia de algunos extractos de la tesis mecanografiada que publicaba Merimée para uso de los estudiantes, ya pude sospechar que, como al Montañés de Moncín, en alguna parte le apretaba el zapato por culpa mía o, más concretamente, de mi enfoque, al leer que «nuestros puntos de vista eran diferentes, así como nuestros métodos», si bien «no se oponían nuestras conclusiones». En efecto, en la advertencia preliminar con que se inicia la tesis impresa (repito que en 1983, esto es, trece años después de la mía), estas pocas palabras al parecer inofensivas –término más etimológicamente adecuado no lo hay– se convierten en una diatriba que ocupa exactamente la mitad del texto, honor de que soy indigno, y cuya lectura, como la del libelo de Arroyo, aconsejo a los intelectuales propensos a la depresión, pues da gusto ver cómo trata el autor de hacerme indebidamente partícipe de su «marxismo elemental»: además del «desorden frecuente» de mi trabajo, juicio que por supuesto le es lícito formular en buena democracia, censura el que mi hilo conductor en la búsqueda de las motivaciones de la polémica del teatro haya sido la lucha de las clases (y de ello no me arrepiento) que son «el pueblo y la aristocracia»: eso no lo he escrito nunca, pues, a diferencia del hijo y nieto de ilustres hispanistas, yo no confundo las clases jurídicas, o estamentos, como son la aristocracia, el clero y el estado llano, con las clases sociales, varias de las cuales pueden coexistir en cualquiera de los tres citados estamentos e incluso pertenecer a uno y otro de ellos, cosa que ningún historiador ignora, con excepción de los pocos a quienes el término sigue horrorizando pues limitan sus tareas a copiar y publicar luego «objetivamente» (es el neopositivismo de los timoratos) documentos sin pizca de interpretación crítica (lo cual no significa «malintencionada», sépanlo los denodados o mal disfrazados antimarxistas de baratija). Luego se nos aparecen no sé qué telescopio y una máquina de vapor para demostrarme, al menos así lo entiendo, que las clases son una novedad, cuando no una invención, del siglo XIX; para más inri, los «anacronismos» y «faltas de precisión» en que incurro (no se aduce ninguna cita...) y el «exceso de algunas de mis posiciones» (¡por fin se le escapó la verdadera y vergonzante razón!) restan parte de su credibilidad a mi trabajo «volcánico» aunque, alabado sea Dios, «inteligente».

Pero lo más divertido es que el prospecto que poseo de la tesis merimeana (aprecie el lector tan fino neologismo en una época en que de cada diez palabras lo es una)[13] anuncia con no poca imprudencia, perfectamente explicable, según se verá, que «la sociología del teatro y el examen exhaustivo del repertorio» (aquí, déjenme por favor recobrar el aliento pues me ahoga la risa) completan su cuadro «puntualizado» de la literatura dramática de la primera mitad del siglo. Yo creo más bien que Merimée, al ver ya notablemente superado su método, llamémoslo así, trató de

---

12 Así Antonio Morales Moya, «El carácter moderado del pensamiento ilustrado español», *Ínsula*, nº 504, dic. 1988, p. 9.

13 Más suerte tiene él que yo, pues no poco trabajo le costaría a un crítico (o censor...) dar con uno que pudiera pasar, a partir de mi raro apellido : ¿«andioquesco»? ¿«andioquino»? ¿«andiocuno»? (éste suena desagradablemente a «vacuno», según dijera el maestro de Fray Gerundio), ¿«andioquiano»? (éste, a «villano»), o tal vez, para mayor eufonía, «andiocense», pues, modestia aparte, tiene consonante en «Brocense»...

presentarse, con ingenuidad conmovedora en un anciano, como precursor, *a posteriori*, de los que hemos utilizado sistemáticamente las recaudaciones diarias custodiadas en el Archivo de Villa como *base*, y sólo como base, para nuestros estudios; me refiero, claro está, a John A. Cook, a Donald C. Buck, tanto como a mí, si bien no conviene olvidar al siempre actual Emilio Cotarelo, a pesar de sus muchas equivocaciones cuya responsabilidad no se debe atribuir exclusivamente al *Diario de Madrid*. Cook fue mi verdadero iniciador en este aspecto, pues su obra más conocida[14] me ha enseñado la necesidad de disponer de esa base indiscutiblemente objetiva, y por ende científica, constituida por las recaudaciones (y las tiradas) de las comedias para tratar luego de *interpretar* con un mínimo de riesgo las reacciones de los distintos públicos desde lo alto hasta lo bajo de la escala social; en cuanto a Mérimée, me da la sensación de que para librarse de la enfadosa obligación de citarme y confesar por lo mismo que le llevo una ventaja de varios lustros en la explotación de los datos a que me acabo de referir, advierte que hasta la fecha (¿1955 o 1983?; ambigüedad significativa...), dicha documentación no se ha consultado más que para conocer las listas de las compañías y las reales órdenes. Y el lector distraído que no lea la notita 39, arrinconada bien agazapadita al final de la página 222, podrá pensar que el párrafo tercero del capítulo V, que se reduce a ¡seis páginas! (y eso que se intitula pomposamente «Le répertoire») fue redactado con anterioridad a mis libros. Lo cierto es que a pesar de haber copiado, según pretende, «todas las cuentas de 1708 a 1750 que hoy subsisten», no saca de ellas el más mínimo provecho, renunciando incluso a publicarlas unas páginas más adelante, y con motivo. Estas cosas no sufren improvisación de última hora.

La comezón que siente de criticarme a todo trance le hace cometer algunas graciosas confusiones que vale la pena referir: una de ellas consiste en dar a entender, con los tres puntos suspensivos de cajón, en la nota 88 de la página 75, que merece cuando menos algún escepticismo, tal vez por estrafalaria, mi interpretación de la amplificación y multiplicación de las hazañas en los héroes de Zamora y Cañizares como intento no consciente de compensar el desgaste y degeneración progresiva del concepto de grandeza; pero no se da cuenta de que esta idea procede en línea directa, pues no se trata más que de una cita entrecomillada, cinco citas, mejor dicho, del propio texto de su tesis mecanografiada, con indicación de la procedencia a pie de página, y que el contenido de una de estas citas se halla a unos seis renglones escasos de la llamada de la nota irónica (vengan tres puntos suspensivos vengadores); en otra parte (p. 128, n. 43), me atribuye la expresión «desaparición del héroe», cuando yo me refiero a la «demolición» del mismo, sacando la expresión de *Morales du Grand Siècle*, de Paul Bénichou, libro que suscitó en mí una verdadera iluminación cuando trataba paulatinamente de poner a punto, con no poca dificultad, mi método de trabajo personal: Mérimée debió de leer mi tesis con mediano detenimiento, pues en otra nota (p. 164, 40) me atribuye –a no ser que se exprese mal– una definición «poco exacta» de Romea y Tapia acerca de lo que se entendía por «figurón», lo cual tengo a mucha honra y casi me induce a dar por el pie a mi natural modestia; y no hablemos de alguna que otra advertencia más que ni siquiera él mismo la entendió (aquí sobran los puntos suspensivos).

Para relajar la tensión creada por la anterior argumentación, pero en estrecha relación con el método mío (y, afortunadamente, no exclusivamente mío), referiré una anécdota muy amena, no sólo debido a la personalidad encantadora y urbana del que la protagonizó, sino también porque su epílogo, algo tardío, muestra claramente que dicho método no es tan estrafalario ni obtuso como da a entender Mérimée (con aprobación, ocioso es decirlo, de algunos discípulos suyos de análogo

---

[14] *Neo-classic Drama in Spain*, Dallas, Southern Methodist University Press, 1959.

sectarismo primitivo): en la página 560 de mi tesis, publicada, repito, hace ya un cuarto de siglo, y por lo tanto elaborada cuando los dieciochistas se contaban aún con los dedos de la mano, o poco faltaba, expresaba lo que ni siquiera se puede llamar hipótesis, sino simple intuición, cuyo interés podían o no confirmar unas investigaciones aún por realizar, y era que la constante preocupación de los gobernantes por enaltecer el papel de la madre y esposa postergando el de mujer digamos de carne y hueso, y de carne más que de hueso, podía quizás tener alguna relación, aunque no bastaba para explicar tan compleja decisión, con la adopción oficial de lo que había de ser más tarde el «dogma» de la Inmaculada Concepción, por el que se declaraba exenta del pecado original a la madre de Jesús, quedando ésta ajena a la concupiscencia y a la maldición que cargaban sobre la posteridad de Adán, pues, según escribía Bossuet un siglo antes, tuvo una «carne sin fragilidad, unos sentidos sin rebeldía», gracia que le fue concedida para que fuera «una digna morada del hijo de Dios», de manera que, como decía, se borraba su femineidad en beneficio de su maternidad.

Sabiendo que la mujer representaba para muchos el pecado, el que María, a diferencia del primer hombre, conservara «la integridad, es decir, la sumisión del apetito *sensitivo* al apetito *racional*»[15] correspondía exactamente a la «perfecta casada», digamos, tal como la concebían los reformadores, ideal en el que tanto me detengo en *Sur la querelle du théâtre...* como en *Teatro y sociedad en el Madrid del siglo XVIII*.

Al leer esta frase, completada además prudentemente con una nota en la que yo confesaba la ausencia prácticamente total de documentos en que fundamentar mi idea, exclamó el lamentado Marcelin Défourneaux, con fingida indignación, pues la desmentía la chispa risueña que noté en sus ojos: «Pero ¡si Ud. mezcla incluso a la Virgen en esos asuntos!», lo cual no carecía de cierto humor para quien sabía que era protestante... Yo, sorprendido por estas palabras, traté en vano durante un buen rato de dar con la nota «atenuante» para que constase que andaba con pies de plomo, y, después de terminado el acto, nos reímos los dos comentando el pánico que me había sobrecogido. Y la historia, con su habitual ironía, resolvió tras unos diez años demostrarme que mi intuición no andaba tan descaminada, al menos si me refiero a lo escrito por mi malogrado colega y amigo Joël Saugnieux, de innegable autoridad en lo que a religión dieciochesca se refiere; éste, en una ponencia leída en 1981 y publicada con algunas más en *La época de Fernando VI* por la ovetense Cátedra Feijoo bajo el título «Ilustración católica y religiosidad popular: el culto mariano en la España del siglo XVIII», después de estudiar el conflicto entre la voluntad unificadora de los reformadores ilustrados en esta materia y las creencias y prácticas particulares, y demostrar que el doble fenómeno de represión de la cultura popular durante el XVIII y su resurgir a finales del mismo «sólo se puede explicar teniendo en cuenta la realidad política de entonces», es decir, respectivamente, la forma centralizada del gobierno y las crisis del reinado de Carlos IV, pues «el criterio de ortodoxia siempre es político y religioso a la vez», escribe lo siguiente:

En el siglo XVI como en el XVIII la represión de las formas populares de devoción se acompaña casi siempre de una depreciación de la mujer, considerada como agente de transmisión de dicha religiosidad, y, como consecuencia, de una fuerte represión sexual [...] el culto mariano suele ser un culto a la mujer como virgen y como madre. En este sentido *está relacionado con la represión de la sexualidad y puede considerarse como un culto antifeminista que supone cierta depreciación de la mujer como tal. En el siglo XVIII se elabora una moral que utiliza dicho culto para encerrar a la mujer en su papel de madre. Se comprende pues que la misoginia de los predicadores, su moralismo sexual, se acompañen de una extraordinario devoción a la Virgen*.[16]

---

[15] P. Gabriele Roschini, *Diccionario Mariano*, Barcelona, ed. litúrgica española, 1964, p. 276.
[16] Pp. 294-295.

No hay nada que añadir: éste es legítimo materialismo histórico, perfectamente compatible, como se ve, al menos en los investigadores de no cortos alcances, con las propias creencias religiosas.

Hablemos, para concluir, algo más de metodología. En una ponencia leída hace unos años en el coloquio internacional de Bolonia sobre el teatro español del siglo XVIII (1985)[17], María Grazia Profeti se refiere a una perspectiva clásico-céntrica de la pervivencia del teatro barroco en el XVIII y cree observar, tal vez por haber también ella leído mi tesis «diagonalmente», según solemos decir los galos, una contradicción entre dos afirmaciones mías: una, que «sólo aparecen de vez en cuando unas pocas comedias calderonianas que parecen gozar de una discreta consideración», y otra que tengo que reconocer – yo me paso el tiempo reconociendo lo que me imponen los hechos, no es ninguna novedad, sino mi ocupación diaria – que «es Calderón el comediógrafo a cuyo repertorio se acude con más frecuencia», acusándome de *intentar quitarle valor* a la popularidad del teatro barroco. Yo no intento quitarle nada a nadie, y, por decirlo de una vez por todas y dejar ya las cosas claras, «sepan quantos» que me importa una voz básica del *Diccionario* de Cela que Calderón fuese, para unos ilusos, el ídolo del pueblo del XVIII o que sus comedias, según el propio corregidor Morales, más enterado que nadie, «por muy vistas, ahuyent[asen] a la gente de los teatros», según salta ya a la vista en los primeros decenios de la centuria y podrá comprobarlo el lector en una *Cartelera teatral madrileña del siglo XVIII (1708-1808)*, de próxima aparición, o antes en la lista de comedias representadas de 1708 a 1719 que acaban de dar a luz John Varey y Charles David en el tomo XVI de sus *Fuentes para la historia del teatro en España*. Una cosa es la frecuencia con que se pone una obra en cartel, y otra la mediana acogida que le reserva el público, y esta diferencia, que me parece fundamental, tiene que explicarse por paradójica, en vez de achacarle al que la estudia la responsabilidad de una paradoja que él se limita a constatar precisamente antes de dar con una explicación. Es cierto que no soy lo bastante ingenuo como para considerarme detentador de la Verdad con V mayúscula (y de «vaca»), y de ahí mi costumbre, o manía, de señalar en mis trabajos sucesivos las equivocaciones que me consta haber cometido en los anteriores. Los que en nuestros días acostumbran a mirar con alguna regularidad las emisiones televisivas, al menos en mi tierra, se habrán dado cuenta de que se repiten frecuentemente, a veces cambiando de cadena, unos mismos filmes de dudoso interés por falta de un número suficiente de obras originales, incluso norteamericanas. Reconozco sin embargo que sufren el mismo tratamiento algunas muy apreciadas, pero precisamente lo que permite establecer la diferencia, y esta diferencia es fundamental, es el llamado índice de audiencia, o sea el equivalente al recuento de los concurrentes al teatro. Como quiera que sea, los directores de compañías dieciochescas, como los actuales responsables de los programas de televisión, disponían de lo que se llamaba un caudal de obras, de donde sacaban en caso de necesidad, o sea por carecer provisionalmente de obras originales, las que tenían de repertorio y se sabían de memoria (con alguna ayuda del apuntador) los cómicos, y eran, según perogrullesca deducción, necesariamente las anteriores. Yo tengo la debilidad de pensar que este aspecto, profundamente humano pues nos informa acerca de la mentalidad de las distintas capas de la sociedad del XVIII, tiene al menos tanta importancia para conocerla como el recuento de signos, legisignos, hipersignos, semas, sememas, semantemas, lexemas (no es ninguna dolencia), iconemas, y dentro de poco, a no ser que ya existan, melemas o melodemas, de que están preñados los pre- y post-

---

[17] «Texto literario del siglo XVII, texto espectáculo del XVIII: la intervención censoria como estrategia intertextual», en *Coloquio internacional sobre el teatro español del siglo XVIII (Bolonia, 15-18 de Octubre de 1985)*, Abano Terme, Piovan editore, 1988, pp. 333-350.

textos, intertextos, metatextos, macrotextos, genotextos, paratextos y otros partos de la «moderna» semioterigonza[18], cuyo manejo desemboca finalmente en las mismísimas conclusiones, cuando algo se consigue, a que llegan los dinosaurios de mi calaña; fuera de que así no se entienden mejor las obras pues se parte de unos presupuestos, de una teoría en la que, como en lecho de Procusto, se trata de encajar mal que bien una serie de *fragmentos* textuales, en particular, naturalmente, los que permiten «comprobar» la eficacia de tal aproximación.

Por ello dictamina en primer lugar rotundamente la eminente hispanista italiana que «la oposición comedia áurea / teatro del dieciocho es un falso problema» (paciencia: el *vs.*, en sustitución de la obsoleta barra oblicua, viene poco después) a pesar de que ocupa la polémica las dos terceras partes del siglo, cosa que yo me limito una vez más a *observar* y comentar para tratar de proponer luego una explicación, sin previa exposición de teoría, sin *a priori* ni postulado, sino intentando reconstruir empíricamente, como sugería modesta y atinadamente Noël Salomon en su citado artículo, la base histórica en que deben sentarse mis interpretaciones; «el estudio de la materia observable –escribía éste– y hasta cuantificable, tiene la ventaja de introducirnos en el punto preciso en el cual el hecho literario se inserta en la vida a la par económico-social e ideológico-cultural de los hombres». Advierto además, o por mejor decir repito, contra lo que parece sugerir Profeti, que la cuantificación de los hechos, en este caso las entradas diarias, no es más que una *base*, una mera *base*, objetiva, indiscutible, que me ha de permitir apreciar mejor el por qué de los juicios y tomas de postura de los contemporáneos de las obras examinadas, porque lo esencial no son las entradas, sino los seres pensantes que escriben dichas obras y aquellos a quienes van destinadas, pero cuyo pensamiento, necesariamente subjetivo, pues está inmerso en su historia cotidiana (como el mío, con la diferencia de que yo tengo clara conciencia de ello y me esfuerzo en prescindir de dicha dependencia), puede deformar en parte la realidad; mas sin esos documentos medibles, cuantificables, se corre el riesgo de no disponer de ningún antepecho para contener la imaginación de un historiador, el cual se convierte en panegirista o en denigrador, cuando no en simple cuentista, y esto es contra lo que vengo luchando desde hace treinta y tantos años.

Como era de esperar, en segundo lugar, después de declarar obsoleto el método a que me acabo de referir, Profeti anuncia la gran novedad que lo resuelve todo, mejor dicho que permite enfocar «correctamente» el fenómeno, y es –ya lo sospechará el lector– la estupenda «metodología semiótica». Lo que me hace gracia, es que muchos adeptos de dicha novedad revolucionaria (como son también los últimos polvos de lavar o el cepillo de dientes eléctrico) les enseñan a sus lectores boquiabiertos, con palabras más altisonantes, unas cosas que ya sabemos desde hace decenios y ellos, por lo visto, acaban de descubrir, como el Mediterráneo, y son que una obra teatral no se puede explicar como una novela, que entre el autor, su «personaje», que sólo «existe» por los parlamentos que se le hace declamar, y el espectador, hay un cómico, a veces aconsejado por el director, y que un texto recitado (o incluso cantado) puede sonar de modo distinto según la personalidad, la voz, el estado de salud (se suelen anular funciones por indisposición de uno, a no ser que lo sustituya un compañero improvisadamente), la mímica particular combinada con la tradicional, la indumentaria, muy variable, el aspecto físico del representante, el grado de popularidad, la calidad de la decoración, la fecha, etc., etc., sin contar algunos elementos que se suelen dejar en el tintero semiótico, y son la incomprensión de los actores y del público frente a

---

[18] No tan moderna como se cree: acerca de esa «revancha de los pedantones», léase el excelente artículo de Joseph Pérez, «Actualité de l'humanisme», en *Hommage à Claude Dumas, Histoire et création*, Presses Universitaires de Lille, 1990, pp. 101-112.

algunos pasajes enrevesados del texto áureo o contemporáneo (de ahí varias supresiones e incluso
«morcillas»), las «afecciones meteorológicas» del día, según solían decir, la algazara más o menos
recia del auditorio que no siempre permitía oír la totalidad del texto, en una sala además
constantemente alumbrada, la acústica de tal o cual teatro o escenario, la mayor o menor
comodidad con la que los espectadores (perdón: los «destinatarios») de los distintos sectores
recibían el «mensaje» del «destinador», *e todo lo al*. Pero el caso es que todo ello no pasa de mera
teoría, lo cual se comprende perfectamente para los siglos anteriores al XVIII, sobre los que se
dispone de una documentación mucho más reducida para apreciar el impacto exacto de una obra
en tal o cual circunstancia, mientras que para la decimoctava centuria disponemos de la prensa, de
las censuras civil y gubernamental, de los juicios formulados acerca de cada cómico a petición de
la autoridad de tutela, de un sinnúmero de obras manuscritas que sirvieron para el estreno, con los
arrepentimientos de su autor, las tachaduras, correcciones o modificaciones impuestas por la
autoridad o la necesidad de no exceder el tiempo normal de la función, las didascalias, suyas o del
«metteur en scène», variables según los períodos, la opinión que dejaron escrita no pocos
apuntadores en sus respectivos «papeles», y trescientas cosas más que no es del caso referir aquí
pero que tuvo en cuenta hace más de treinta años, *siempre que le fue posible*, porque le obligaron a
ello, sin que se entrometiera cualquier postulado, los mismos contemporáneos de Moratín y era
lógico e imprescindible proceder de tal forma, el humilde aunque fastidiado firmante de estas
páginas. Además, ¿cómo puede saber Profeti, si no es sólo a nivel teórico, que la «relación que el
destinatario establece con el texto literario, relación que integra el texto espectáculo» es lo que
cambia en el teatro del XVIII comparado con el anterior, si no dispone, para éste, ni de la
centésima parte de la documentación que poseemos los dieciochistas sobre el público cuyas
reacciones tratamos de analizar y explicar? Este es otro descubrimiento de América, coincidente
con el quinto centenario de aquel acontecimiento histórico, y trae al recuerdo la invención de las
clases sociales por los propietarios de máquinas de vapor, según la teoría de Mérimée más arriba
evocada. Yo no veo por qué el espectador del XVIII operaría una «selección de los textos», lo cual
es exacto y además notorio, mientras que el del Siglo de Oro no; ¿por qué redactaron Lope y otros
contemporáneos tantos centenares de comedias de capa y espada si no fue para responder a una
demanda precisa? Y ¿qué sabemos por otra parte del éxito de *La vida es sueño*, de *Peribáñez*, o de
La verdad sospechosa y sobre todo de por qué lo tuvieron, si es que lo tuvieron? Todos hablan de
estas obras como si hubieran suscitado una adhesión unánime: véase acerca de este problema,
como tengo indicado, la *Bibliografía de las controversias...* ya citada, de Cotarelo. En resumidas
cuentas, todo esto no pasa de ser mera teoría, según se verá adelante con mayor claridad.

En efecto, contra lo que se podía esperar después de afirmar Profeti los presupuestos teóricos
de su investigación y, como es lógico, la caducidad del método de que se desvincula y que reduce
a la recolección de las recaudaciones diarias (como si yo no hubiera pasado de este nivel, en cuyo
caso se reducía mi tesis a unas cincuenta páginas...), la semioticista (¿así se dice?) transalpina
«opera», según escribe, sobre textos áureos censurados a mediados del siglo XVIII y «descubre»,
con algún retraso, creo yo, entre las razones de dichas censuras el rechazo de un lenguaje
demasiado recargado (el censor eclesiástico, tan poco grato al joven Moratín, se llamaba Puerta
Palanco, no Palanca), las descripciones ya tan traídas como llevadas del arroyo que corre, y, –cosa
que al parecer ignora Profeti, generalmente acompañadas de una mímica–, la religión, el decoro, la
prudencia política, la verdad histórica, etc. Pero tiene perfecta razón al escribir, aunque tampoco
es nada nuevo, que hace falta evitar la visión clásico-céntrica que equivaldría a decir: «He aquí
cómo el censor procura evitar los errores barrocos» (a no ser que se puntualice: «los que *a sus ojos*
son errores barrocos» o «los *supuestos* errores barrocos»).

Y me pregunto, al terminar la lectura de su artículo, a qué viene la profesión de fe semioticista tenida por única operativa en la introducción, cuando el contenido del artículo lo podía redactar cualquier veterano «misoneísta», mientras la conclusión, trivial si la hay, consta de tres líneas: «El teatro del siglo anterior es, pues, una forma ya lejana, de la cual no se comparten las razones ideológicas, y sobre todo, cuyo *ornatus* retórico puede llegar a parecer francamente fastidioso». Si este método no es el semiótico, de lo cual estoy persuadido ya que se trata de un artículo perfectamente inteligible, ¿a qué viene proclamar lo contrario? Y si lo es, pues yo mismo lo vengo aplicando inconscientemente desde hace más de treinta abriles, como el señor Jordán –no D. Lucas, sino el de Molière– hablaba en prosa sin saberlo.

Antes mencioné la acusación de «censores de la Ilustración», deseosos de «descalificarla», que esgrimen algunos al referirse a los que nos contentamos en realidad con criticar las interpretaciones hagiográficas e ingenuas de la misma, o, por mejor decir, a los que creen a pies juntillas que el lenguaje de los Ilustrados, como cualquier otro, es transparente al pensamiento, sin interposición o «filtro» de ninguna clase. Lo que hacemos nosotros es simplemente confrontar las declaraciones y los hechos, las realizaciones, y resulta que el balance no es tan positivo, incluso teniendo en cuenta todos los obstáculos imaginables, para *unos* españoles como para *otros*. Un humorista llega incluso a escribir con gracia plúmbea que censuramos a los Ilustrados por no haberse anticipado en dos siglos a la Revolución Proletaria de 1917; ríase el que quiera ante esta ocurrencia digna de un Bernard Shaw de escaleras abajo. No niego que haya en la Ilustración una «fundamentación antropológica», como escribe Antonio Morales Moya en el citado número 504 de la revista *Ínsula*, «una idea del hombre, no reducible a las orientaciones productivistas» que le achacamos. Por supuesto; pero yo pregunto: ¿qué es *el* hombre indiferenciado? Una mera abstracción; no es el mismo hombre un Jovellanos o un Cabarrús, reformistas si los hubo, y un destripaterrones andaluz o un obrero de manufactura. Tal afirmación tiene tanto de científica como la tan usual de que la renta media nacional *per cápita* es en tal o cual país la más elevada del mundo, cuando lo único real y verdadero que ocultan estas palabras es que en el referido país la renta más elevada del mundo la detenta una minoría, dejándole unas migajas –aunque compadeciéndola, naturalmente y dándole de vez en cuando alguna limosnita o algún fusilazo según el humor– a una inmensa mayoría abrumada de trabajo o aniquilada en cuanto grupo de presión por el paro. El humanismo ilustrado no concierne en realidad a todos los españoles, sino a los que pertenecen a las capas más avanzadas económica, política y culturalmente y que luchan contra las «preocupaciones», es decir los presupuestos ideológicos del pasado y sus defensores, entre ellos la aristocracia «tradicional» y la Inquisición, poco dispuestos a admitir una *evolución* que permita el advenimiento de la que Jovellanos califica de «clase rica y propietaria», integrada por antiguos o nuevos terratenientes, manufactureros, banqueros y negociantes de alto nivel, etc., llamémosles, si se quiere, alta y media burguesía; pero, por favor, no se nos venga con la «integración de todas las clases sociales en una común tarea de reformismo progresivo»: me da la sensación de estar oyendo un actual discurso electoral, tanto de derechas como de izquierda, dicho sea de pasada; y, guardando las distancias, esto era lo que hacía en cierto modo la mayoría de los Ilustrados al referirse al hombre en general, algo así como los burgueses revolucionarios franceses reivindicaban la libertad e igualdad para todos, sólo que, según dijera un cómico francés fallecido hace poco, pensaban que ellos eran más libres y más iguales que otros... Cítenme en efecto una sola manifestación positiva, una realización práctica, de dicha integración *general*, tanto en España como en Francia. En cambio (y también saco estos ejemplos del artículo de Morales), ¿por qué proponen algunos excluir de dicha «clase» a los que ya no pueden sustentar su nobleza por falta de recursos, convirtiéndoles en personas «útiles al estado», esto es, en trabajadores; ¿por qué querían los Ilustrados «imponerle una disciplina social» al pueblo? ¿por qué se quejan varios moralistas, entre ellos Feijoo, del número a sus ojos demasiado importante de los días festivos, me refiero a los no laborables, si no es, con el piadoso pretexto de redondear los jornales de los «infelices», para aumentar la productividad, a imitación del papa –escribe el benedictino–, gran señor territorial, a cuyos estados no afluían, que yo sepa, miles y miles de inmigrantes atraídos por la vida regalada que gozaban todos sus súbditos? ¿por qué se suelen hacer redadas de mendigos, se encierra a hombres y mujeres en sendos «hospicios», etc., si no es para ocupar esos brazos ociosos, *y en beneficio de quién*? (esto lo llaman beneficencia). Si se quiere «incorporar a la nobleza a la tarea reformista», no es para que realice los deseos meramente verbales de verla volver a instalarse en sus fincas para mayor dicha de sus vasallos, sino para que, desde las ciudades en que vive de sus rentas, tome las medidas convenientes destinadas a pedirles mayor productividad a los administradores asalariados que cuidaban de sus posesiones. Lo que sí se le desea al pueblo, es que se divierta, como escribe Jovellanos, no en el teatro, distracción «perniciosa para él», sino dedicándose a juegos «inocentes»; la pretendida «inocencia» del pueblo que tanto emociona a los reformistas es el equivalente moral a su *inocuidad* social y a su docilidad, de la que no siempre dio ejemplos alentadores (los motines de Esquilache, y no hablo de los numerosos conflictos laborales, poco conocidos o evocados, fueron durante largo tiempo la pesadilla de los gobernantes, los cuales intervenían con mano dura). En pocas palabras, todo muestra que los Ilustrados fueron unos reformistas y por lo mismo supusieron un indudable progreso en la España del XVIII, de que se benefició el siglo siguiente, por lo que su memoria es acreedora al mayor respeto; pero, *debido a las circunstancias histórico-sociales*, en una sociedad determinada, con determinado estado de producción, y en que la propiedad individual era una de los valores más respetables, era inevitable, y es comprensible y por lo mismo de ninguna manera criticable, que ese progreso concerniera exclusivamente a su clase, y no a las laboriosas, de las que dependía la permanencia de su *estatus*. Lo que sí es criticable (no digo «censurable»), en el sentido estricto de la voz, o sea lo que debe examinarse y confrontar a la luz de la *crítica* histórica, son los escritos de la época, y los resultados objetivos en que desembocaron o no desembocaron porque no *podían* desembocar. Sin esta actitud fundamental, no hay historia posible que no sea apología o, precisamente, censura.

Y, como ya es hora de concluir, me referiré por último a un artículo de Javier Varela[19], bastante largo por cierto, publicado en la misma revista, de tendencia análoga, pero que tiene la feliz particularidad de facilitarle al lector (al menos a mí), todos, o casi todos, los argumentos y citas necesarias para demostrar lo contrario de lo que él sustenta.

Varela da inicio a su «demostración» arremetiendo contra los que, como yo, escriben que la «filantropía» ilustrada en dirección al pueblo laborioso no fue al fin y al cabo más que un modo de reforzar la dominación de los pudientes sobre el mismo, y hace aspavientos ante la afirmación del Equipo Madrid[20], (al que yo alabo por su intento desmitificador, quizás alguna que otra vez excesivo, pero saludable) de que fue «como un intento postrero e infructuoso para detener una dinámica social que llevaba en derechura a la revolución». Yo no puedo afirmar si así fue o no fue, simplemente porque no hubo tal revolución, al menos comparable a la francesa; pero, ¿y Cádiz? ¿y la Constitución? ¿y el grito, tan moderno ya, de que «el pueblo unido lo puede todo», haciéndose eco de los acontecimientos revolucionarios franceses? La idea central del trabajo de Varela es que «el discurso ilustrado acerca del pueblo supone su elevación a la inédita condición

---

[19] «La idea de 'pueblo' en la Ilustración española», pp. 12-14.
[20] VV.AA., *Carlos III, Madrid y la Ilustración*, Madrid, Siglo XXI, 1988.

de ciudadano»; ¡caramba, cómo las gasta! Se trata efectivamente de un *discurso*, cuyo sentido profundo debe indagarse una vez más no sólo a la luz de los hechos, cuestión que no se plantea Varela, sino también comparando entre ellos los distintos discursos sobre el tema, y, en un mismo discurso, las contradicciones palmarias que permiten apreciar lo que apenas se oculta tras ese supuesto deseo de dignificación. La mayoría de los textos aducidos presentan al pueblo laborioso como un monstruo, un «caballo desbocado», una «chusma desalmada y feroz», un «río caudaloso que todo lo abate a su paso»; ¿Tendría Feijoo, debelador de las falsas creencias del pueblo «bárbaro», muchos lectores de sus libros, cuyo precio no estaba al alcance de todas las bolsas, entre la inmensa masa de campesinos y obreros de su tiempo? Dejémonos de ilusiones piadosas propias de los moderados modernos que se asimilan a sus antepasados. En 1770, un *administrador de las propiedades extremeñas de Campomanes* (autor, como es sabido, y no por casualidad, de dos discursos complementarios, uno sobre el fomento de la industria popular, otro sobre la educación popular de los artesanos) afirmaba en carta a su amo: «la gente del trabajo de esta país es barbárica y semejante a la que está por descubrir y conquistar»; y Varela comenta con indudable emoción: «Descubrir y conquistar son, a mi juicio, las palabras que mejor definen la tarea de los ilustrados ante la mentalidad popular»: una de dos, o el administrador de Campomanes, que equipara campesinos y *«salvajes»*, y su amo, son unos ilustrados, o no lo son; fuera de que a los «salvajes» ya conquistados, los de América, se les «ilustra» para aprovechar mejor su fuerza de trabajo. Yo me inclinaría a creer, a pesar de que soy un indigno censor de los «amigos del pueblo» dieciochescos, que el referido administrador trataba de justificar ante su corresponsal la dificultad de explotar aún más a los indios extremeños en provecho de su propietario... Lo que nos falta todavía, es en efecto un estudio muy detenido y enjundioso de cuál era la procedencia de las rentas de los más destacados estadistas que se preocuparon por la «dignidad» del pueblo laborioso, y las de sus semejantes, fuesen gobernantes o simplemente de su *clase* (ya que, a diferencia de Mérimée, concede Varela que las había un siglo antes, por lo que le quedo agradecido). Siguen, en las dos largas (y anchas) columnas de la primera página, y también en las demás, otros muchos ejemplos del alto concepto que tenían formado los Ilustrados de aquellos a quienes querían «civilizar», y cuyo trabajo deseaban «dignificar», según escribe el citado estudioso que se desvela por mantener de pie un mito histórico en el que tiene interés. Pero ¿para qué, cómo, y en provecho de quiénes lo deseaban si por otra parte, según el mismo, se les exigía una «disciplina laboral» que correspondía a «la percepción del pueblo como fuerza de trabajo»? «Adscripción *forzosa*», «*obligación* de trabajar», «aspectos *represivos*», «*intensificación*» del trabajo, «*prolongación* de la jornada», «*autocompulsión* al trabajo», «*coacción* estatal», entusiasmo de Foronda ante el espectáculo de un muchacho de cinco años «muy gozoso de empuñar el manubrio de una rueda», nada de espectáculos, contrariamente a lo que se afirma, sino juegos meramente corporales, que «aumentan las fuerzas [...], endurecen las carnes», según el abate de la Gándara (y el propio «Jovino»), «acrecientan las fuerzas corporales de la juventud», al decir de Campomanes. Mero complemento propagandístico de ello, o manera más «política», «diplomática» de decirlo, pero de igual sentido y con idénticos fines, eran los lamentos oficiales ante la miseria del campesino y del obrero, (pero que éstos no oían nunca y pertenecen a los tópicos del lenguaje pétreo de la época), a veces incluso adornados con alguna que otra lágrima, al menos según decían, y por otra parte el vituperio del «egoísmo» de los poseedores... por los mismos poseedores o sus portavoces; pero cítenme un solo ejemplo de mejora, salarial o material, en la suerte de aquéllos. ¡Vaya programa social y civilizador! Y ¿la tan decantada educación? «Para aumentar la productividad era menester la difusión de conocimientos *básicos*: leer, escribir y contar»; una enseñanza, pues, utilitaria y de ninguna manera encaminada a favorecer una reflexión excesiva (y a largo plazo peligrosa) del buen pueblo; por ello no le conviene «al Estado que se dediquen los pobres a las letras, sino que sigan la profesión de sus padres». «Mens sana [es decir «inocente», como ya hemos visto, pues, dice Cabarrús, «los numerosos brazos de los jornaleros *amenazan* a la sociedad entera»] in córpore sano» para producir más. Y muy sintomática me parece la coexistencia contradictoria en un mismo discurso de las declaraciones de amor al pueblo y las propuestas encaminadas a hacerle más libre y feliz con el trabajo. Entiéndanme bien: repito que no censuro a los terratenientes y sus representantes en el gobierno que se las ingeniaban por hacerle bregar aún más al pueblo; dicha actitud, igual que ocurre hoy, estaba implícita en la lógica del sistema, y yo me limito a constatarla, en vez de darle una interpretación edulcorada, o de clamar una indignación igualmente inútil. Bien dice –¡por fin!– Varela que ese pueblo tan mimado por los ilustrados era un «pueblo utópico», al que hubieran querido mantener en la «respetuosa» obediencia a sus superiores. Sí, ese era el pueblo «ideal», como escribe Varela, pero «ideal» *para* los ilustrados, naturalmente. ¿Era muy distinta tal actitud de la de nuestros directores de empresas (y, como antes decía, de sus estadistas), los cuales por una parte lamentan el incremento constante del paro, o, en forma más moderna, claman indignados y resueltos contra él proponiendo una reforma diaria para aniquilarlo, y por otra, no chistan cuando se despide a centenares de obreros porque la nueva maquinaria, como escribía ya el abate Cladera a finales del XVIII, permite «ahorrar brazos», es decir gastos perjudiciales para los beneficios de la empresa? Pero no voy a proseguir, no sea que los que cultivan la ceguera ideológica me acusen de estudiar el pasado con las claves propias para la interpretación del presente.

En la medida en que esta ponencia dista mucho de agotar el tema que la ha suscitado, necesitaría, como el papelejo del señor Arroyo, una segunda parte, a imitación de las comedias de Salvo y Vela o del «injustamente minusvalorado» –¿por quién?– Luciano Efe Comella. Dios mediante, y la Macarena, de quien soy muy devoto (pues sí señor), tiempo habrá quizás para todo; pero démosle antes tiempo al tiempo.

Una integración creativa:
Rafael Barrett en Paraguay

Jean ANDREU
Groupe de Recherche sur l'Amérique Latine, GRAL-CNRS, Toulouse

Ignorado por España como posible miembro de la famosa generación del 98 de la que procede, celebrado como animoso militante entre los círculos del anarquismo hispanoamericano, reconocido a la larga como escritor de primera magnitud por la historiografía literaria paraguaya, Rafael Barrett aparece como una figura problemática de transmigrante social, ideológico y cultural.

Conservó jurídicamente toda su vida la nacionalidad inglesa de su padre; su formación cultural fue fundamentalmente española; su país de adopción que impregna casi toda su obra fue Paraguay. O, dicho de otra manera, la trayectoria vital y creadora de Rafael Barrett representa, a principios del siglo XX, un caso bastante singular de intercambio, de integración y de simbiosis entre un espíritu europeo moderno y una realidad americana tradicional en su vertiente paraguaya.

España: formación y ruptura

El 7 de enero de 1876 nace, cerca de Santander, Rafael Ángel Barrett y Álvarez de Toledo, hijo de un representante comercial inglés y de una descendiente de los duques de Alba.

Poco se sabe de su infancia y adolescencia. A partir de los veinte años, estudia en la Facultad de Ingeniería de Madrid y en la Escuela de Caminos. También pasa varias temporadas en París donde se supone que completó su formación. Todo esto le permitirá, años más tarde, ejercer profesionalmente sus conocimientos en el Paraguay como matemático, como técnico y como agrimensor.

Al heredar de sus padres, Barrett entra a formar parte de los círculos mundanos y aristocráticos de Madrid, donde lleva una vida alborotada hecha de escándalos públicos, de desafíos y de duelos que lo llevan por unos días a la Cárcel Modelo de Madrid y que provocan en él un rechazo rotundo de la «buena sociedad» madrileña y de sus costumbres.

Durante este período traba amistad o se relaciona con Ramón del Valle Inclán, Ramiro de Maeztu, Manuel Bueno, Pío Baroja y Miguel de Unamuno. Aunque prácticamente no haya escrito nada todavía, Barrett pertenece, anímicamente e intelectualmente a la famosa generación española del 98. Las persecuciones y la marginalización que sufre en España lo conducen, en un arrebato de anticonformismo, a romper definitivamente con el ambiente madrileño y a exiliarse a América.

Hommage à Robert Jammes (Anejos de *Criticón*, 1), Toulouse, PUM, 1994, pp. 37-44.

Paraguay: encuentro e integración

En 1903, Barrett llega a América donde va a vivir los siete últimos años de su existencia y escribir la totalidad de su obra.

Al principio, se queda poco más de un año en Buenos Aires donde empieza a ejercer su escritura como periodista en la revista *Ideas* que dirige Manuel Gálvez, en el periódico *El Correo Español* y en el diario *El Tiempo*. En octubre de 1904, viaja a Paraguay como corresponsal de este diario para informar sobre una revolución liberal que había estallado en el mes de agosto. Barrett publica un solo artículo sobre el tema porque después de haber simpatizado con los revolucionarios, ingresa a sus filas como combatiente y entra en Asunción con las tropas triunfantes. A partir de entonces va a vivir continuamente en su nuevo país, salvo breves temporadas en Brasil y en Montevideo al ser episódicamente expulsado de Paraguay por motivos políticos.

Inmediatamente se integra a la vida paraguaya. Ejerce varias profesiones. En 1905 ocupa un puesto de responsabilidad en la Oficina General de Estadística, pero renuncia pronto por su poca afición al trabajo burocrático. A fines de 1905 lo nombran secretario general del Ferrocarril nacional, puesto al que también renuncia para protestar contra el mal trato que la compañía inflige a sus empleados. Por fin, actuará como agrimensor en el interior del país donde descubre la precaria condición del campesinado. Paralelamente, se desempeña como periodista colaborando en varias publicaciones paraguayas como *El Diario*, *Los Sucesos*, *Rojo y Azul*, *El Nacional*. Funda el quincenario *Germinal* que el coronel Jara, el mandamás de turno, clausura en octubre de 1908. También colabora regularmente en *La Razón* de Montevideo.

Estos varios oficios le permiten ampliar rápidamente su conocimiento de la realidad local y establecer un contacto inmediato y directo con los distintos estratos de la sociedad paraguaya. Este contacto y la consiguiente toma de conciencia de la injusticia social van a modificar radicalmente la personalidad de Rafael Barrett.

El que en su juventud madrileña fue un «niño bien», díscolo y anticonformista, de ideas vagamente liberales y republicanas, se convierte ahora en un portavoz arrojado de la clase trabajadora. Pasa de una actitud de rebelión individual a la solidaridad revolucionaria. En los últimos años paraguayos, dedica gran parte de su tiempo a dar conferencias a los obreros, a favorecer la incipiente sindicalización, a arriesgar su vida enfrentando violentamente el autoritarismo y la represión estatal.

Se siente hondamente paraguayo por más que los sectores de la clase dominante se muestren reacios a concederle jurídicamente el derecho a esta nacionalidad.

Barrett reivindica claramente su propia integración a su nueva patria. Lo hace en varios artículos en estos términos exentos de ambigüedad y de línea netamente autobiográfica:

> Hacerse paraguayo ha de valer una realidad, y no una fórmula. Lo que sólo está en el papel no merece la pena de escribirse [...] [El inmigrante con] el choque y el roce de los paraguayos netos desmoronará sus ángulos españoles, ingleses o alemanes, disolverá sus reminiscencias y evaporará sus nostalgias. La lucha pública, al envolverle en los intereses paraguayos, le dará esperanzas y ambiciones paraguayas [...] Quien vino a renovarse se renovará verdaderamente. Entonces la letra confirmará el hecho, y la nacionalización no hallará obstáculos. Será una consagración y no una reforma. (1, *O.C.*, I, p. 103)

> La salvación está en nacionalizar a los inmigrantes, en imponerles generosamente una patria. El único medio de que los extranjeros no se apoderen del Paraguay, es que el Paraguay se apodere de los extranjeros [...] Una nación que cría hijos que huyen de ella por no transigir con la injusticia, ha escrito Ganivet, es más grande por los que se van que por los que se quedan. Pero lo mismo los

trabajadores humildes que los caballeros andantes, abordan el mundo nuevo llenos de vida y sedientos de vivir. (1, *O.C.*, IV, pp. 84-85)

Estas consideraciones generales sobre el concepto de nacionalidad vienen inspiradas por la lucidez y la generosidad del autor y no divergen demasiado de las orientaciones internacionalistas del anarquismo. Pero a la vez se capta muy bien cómo Barrett las está aplicando a su caso personal, cómo las ha interiorizado para encarar un problema vital que le preocupa, íntimamente. Tanto más íntimo cuanto que Barrett ha fundado su familia en Paraguay, en 1906, al casarse con Francisca López Maíz, (sobrina de una figura relevante de la historia paraguaya, el padre Fidel Maíz) con la que tendrá un hijo, Alejandro. Panchita y Alex representan para él una como encarnación de su pasión paraguaya si se considera el amor y la inmensa ternura con que se dirige a ellos en las cartas íntimas que les envía desde la cárcel, desde el exilio o desde algún lugar apartado del país (*cf.* 1, *O.C.*, III, pp. 310-386). Este amor por su familia tiene una intensidad semejante al que Barrett expresa por Paraguay en su obra escrita.

Escritura y testimonio

Aunque haya visitado largamente la Argentina y más brevemente Brasil y Uruguay, las tres cuartas partes de la obra americana de Barrett versan sobre Paraguay. En vida, publicó un solo libro, *Moralidades actuales*, en 1910 y en Montevideo. Los demás libros suyos fueron ediciones póstumas, algunas preparadas por el mismo autor antes de su muerte, otras a cargo de sus amigos y admiradores. Todos ellos recopilan artículos o cuentos, en general muy breves, publicados anteriormente en periódicos o revistas y que había escrito apremiado por la candente actualidad local. Barrett era todo lo contrario de un escritor encerrado en su torre de marfil. Para él, escribir era casi siempre un arma social más. Su literatura es una literatura de la urgencia centrada sobre la realidad paraguaya inmediata. Por eso, y más allá de la aparente fragmentación textual, esta focalización confiere a la obra su unidad y su homogeneidad.

La representación del Paraguay que nos ofrece Barrett es siempre una representación muy concreta, detallada, casi sistemática. Por ejemplo, en los textos que componen *El dolor paraguayo*. Allí se mezclan la ternura y la protesta, el humor y la aguda observación sociológica. Se evoca la vida cotidiana («En el mercado», «Mujeres que pasan», «De paso…»), las creencias populares («Entierros», «El pombero», «Las bestias-oráculos», «La poesía de las piedras»…), los matices del idioma guaraní y la significación del bilingüismo («Guaraní» y *passim*), la violencia individual, social y política («Revólver», «La tortura», «Bajo el terror»…). Y, de paso, la variedad de los paisajes paraguayos, suaves o imponentes, desérticos o pintorescos. Significativamente, cuando el 1° de setiembre de 1910, Barrett sale de Asunción, gravemente enfermo de tuberculosis, en busca de una improbable curación en Francia, la última visión que se lleva de Paraguay es una imagen de serenidad impregnada ya de nostalgia:

Y la ciudad palidece y se esfuma y se va poco a poco. Miro las blancas casitas escalonadas, sembradas, diseminadas hacia lo alto, jugando al escondite entre la tupida vegetación, alegremente invasora, obstinada, inextirpable, que hace del Paraguay entero un enmarañado jardín. ¡Casas queridas, que soñáis a la sombra de las palmeras verdes, casi os conozco una por otra! (1, *O.C.*, III, p. 300)

En estas evocaciones, su mirada sigue siendo en parte la de un europeo, mirada distanciada del observador objetivo. Pero es también la mirada sensual o compasiva del que, con profunda simpatía, adhiere entrañablemente a la realidad evocada.

Sin embargo, el compromiso fundamental de Barrett con Paraguay se sitúa en el campo social. El espectáculo de la miseria del pueblo paraguayo se convierte, al correr de las páginas, en un tema desgarrador, lancinante, casi obsesivo:

En un año de campaña paraguaya, he visto muchas cosas tristes [...] He visto que no se trabaja, que no se puede trabajar porque los cuerpos están enfermos, porque las almas están muertas [...] Sin más ayuda exterior que el veneno del curandero , el rebenque del jefe político, el sable que les arrea al cuartel gubernista o revolucionario [...]

He visto los humildes pies de las madres, pies agrietados y negros y tan heroicos, buscar el sustento a lo largo de las sendas del cansancio y de la angustia [...]

Y he visto a los niños, los niños que mueren por millares bajo el clima más sano del mundo, los niños esqueletos, de vientres monstruosos, los niños arrugados, que no ríen ni lloran, las larvas del silencio.

Y me han mirado los hombres, y las mujeres y los niños, y sus ojos humanos, donde había el hueco de una esperanza, me han dicho que debemos devolverles la esperanza, porque éste es el país más desdichado de la tierra. (1, *O.C.*, I, pp. 76-77)

En cada texto, en casi cada página, se alude a las condiciones de trabajo infrahumanas del campesino o del operario, en los talleres, en los yerbales, en los obrajes; se alude al egoísmo y cinismo de los propietarios, a los desmanes de la represión estatal. Por supuesto, Barrett se rebela contra semejante situación. Su violenta protesta no es únicamente instintiva o sentimental, sino que explica y denuncia la injusticia con hechos precisos, fechas y lugares, documentos, estadísticas. Para argumentar, da a menudo ejemplos de las tensiones sociales y de las luchas obreras en Europa, para equipararlos con la situación paraguaya. No tanto para darlos como modelos sino para señalar las diferencias y las coincidencias, para prevenir los riesgos de fracaso o alentar con los éxitos. Y la protesta de Barrett no es una simple postura verbal, sino que se solidariza con los obreros paraguayos, los moviliza, los incita a la lucha.

He aquí un testimonio de otro español radicado en Paraguay, Viriato Díaz Pérez, hombre culto que con su vasta erudición influyó durante años sobre la vida intelectual paraguaya:

Con Barrett no era facil discutir. Uno tenía creencias, opiniones. El tenía ideas. [...] Últimamente militaba con vehemencia y entusiasmo, en las más caldeadas regiones del socialismo y la protesta; debo ser más exacto: dentro del acratismo habilmente sostenido.

Sí; el gomoso de Madrid, aquí en el Paraguay, sin que se pueda decir cómo, ni por que evoluciones, había devenido apóstol de la masa oprimida. Alentaba a los obreros, les dirigía la palabra y les defendía con toda la energía que le era permitido a quien apenas tenía ya la necesaria para vivir. (1, *O.C.*, IV, pp. 338-339)

Y es cierto que el joven liberal madrileño se ha convertido en Paraguay en anarquista militante. A fines del siglo XIX, y favorecida en gran parte por la inmigración europea, la ideología anarquista se había difundida por América, particularmente en la Argentina y Uruguay, pero también en Brasil, Perú, Bolivia, México... Ahora bien, si las referencias anarquistas de Barrett son indudablemente de origen europeo, se cuida muy bien de no aplicar mecánicamente esta ideología foránea a Paraguay, sino que trata de adaptarla a las circunstancias y particularidades locales. Opta por un anarquismo de convicción y no violento. Su normal anticlericalismo es bastante matizado y rechaza la «clerofobia» dogmática. El internacionalismo doctrinario nunca viene a chocar con el legítimo sentimiento nacional. Dicho con otras palabras, Barrett aclimata sutilmente al Paraguay una prédica revolucionaria, procedente de Europa y que no le era en principio destinada. Trata de preservar la originalidad paraguaya en sus aspectos más positivos, aunque esté íntimamente convencido de que la revolución social en marcha sea ya un hecho incontrastable:

> Admitimos que el Paraguay no padece hoy los excesos del capitalismo. Mañana los padecerá, traídos forzosamente por lo que llamamos democracia, civilización, progreso. El planteo de la cuestión social sería tanto más ventajoso cuanto que es siempre más fácil prevenir que curar. La renovación humana podría ser aquí una evolución, y no una revolución [...]

> Ni el Paraguay, ni el último rincón del globo se sustraen ni se sustraerán a un movimiento humano de la trascendencia de la emancipación económica. Se trata de una ola más alta y más profunda que la extensión del cristianismo en los siglos XV y XVI, que la extensión de la democracia en el siglo XIX. Es el clima social del planeta lo que se transforma. ¡Aunque alcéis en torno muros de diez millas, no detendréis la primavera! (1, *O.C.* II, pp. 254-255)

La adaptación del anarquismo a la que procede Barrett no es únicamente de tipo ideológico, sino que concierne también su escritura para darle la forma más auténtica. Ya señalé en otro estudio que la prédica anarquista en la América de la época solía expresarse en general dentro de los cánones de una retórica algo ampulosa:

> Resulta asombroso comprobar que los escritores anarquistas, tan revolucionarios en cuanto a la visión del mundo, hayan sido tan poco innovadores en lo que concierne a la literatura. Existe un desfasaje impresionante entre el contenido radicalmente subversivo de los textos y la forma convencional que les es dado y que adhiere, en sus grandes líneas, a la retórica tradicional del arte burgués contemporaneo. (3, p. 13)

Esta característica del discurso anarquista usual, de ninguna manera puede aplicarse a Barrett cuya escritura, a pesar de uno que otro descuido, se distingue por su vigor, su nitidez, su agilidad y su intención voluntariamente provocativa. No es un estilo prestado de segunda mano, sino un lenguaje directo cuya única elegancia es la adecuación perfecta entre lo que se dice y la manera de decirlo.

Quedarían todavía varios aspectos de la obra de Barrett (en lo histórico, en lo científico, en lo económico...) para confirmar, si cabe, su estrecha vinculación con Paraguay que se ha cristalizado en él para formar un destino de vida total. Y es así como lo siente Barrett en el momento de abandonar definitivamente el país en su viaje sin regreso a Francia donde muere, en Arcachon, el 17 de diciembre de 1910.

> Sobre el Atlántico. Cada vuelta de nuestras dobles hélices aleja más y más el Paraguay de mi cuerpo, sin poder apartarlo de mi alma. ¡Dulce obsesión de la ausencia! Al hundirse en lontananza, el florido y suave y honesto Paraguay se simplifica sin perder su expresión amable, se encoge, sin dejar de sonreírme, hasta convertirse en una pequeña estrella que me mira... ¡oh, menuda estrella donde amé, sufrí, viví, no te apagarás nunca en el firmamento de mi espíritu! (1, *O.C.*, IV, p. 311)

Frente a la posteridad

El destino de la obra de Barrett fue azaroso como su vida. Durante muchos años quedó marginalizada fuera de los circuitos convencionales de la literatura hispanoamericana, en gran parte por la carga subversiva que la hacía considerar como sulfúrica. En cambio tuvo una inmensa aceptación, durante el mismo período, dentro de los círculos anarquistas semiclandestinos que la reeditaron y la difundieron con admirable perseverancia. Hubo que esperar 1988 para que se publicara en Asunción su obra completa, con lo ya publicado y numerosos textos inéditos. Y fue por iniciativa y valor del editor paraguayo Rafael Peroni, por el impulso del aquel entonces agregado cultural español en Asunción, Francisco Corral, y con el aporte documental del poeta y crítico paraguayo, Miguel Ángel Fernández, uno de los más finos y certeros conocedores de la obra de Barrett.

De todos modos, la fuerte personalidad de Barrett y la calidad de su literatura no dejó a nadie indiferente de los que lo conocieron personalmente o a través de su obra. Ya hemos mencionado al perspicaz hispano-paraguayo Viriato Díaz Pérez. Pero está también el uruguayo José Enrique Rodó que opina que en la obra de Barrett no hay:

> nada de vulgar en la intención ni en la forma, ni en la manifestación de la vasta cultura intelectual, que se percibe en la base, en el sustentáculo de lo escrito, y nunca en apariencia inoportuna u ostentosa. (1, *O.C.*, IV, p. 344)

Está también otro uruguayo, Carlos Vaz Ferreira, que expresa su admiración en estos términos:

> Rafael Barrett ha sido una de las apariciones literarias más simpáticas y más nobles. [...] Hombre bueno, honrado y heroico, huésped de un país extranjero, adoptó su «dolor» y su «yo acuso», si cabe más valiente que el otro; tuvo de todos modos el mérito supremo de que ni siquiera podía ofrecerle, sobre todo en aquel momento, esperanzas ni expectativas de gloria. (1, *O.C.*, IV, p. 345)

Y entre los muchos paraguayos que le rindieron pleitesía a Barrett, distinguiremos las palabras que escribió Augusto Roa Bastos en su penetrante prólogo a *El dolor paraguayo*:

> Rafael Barrett fue un precursor en todos los sentidos. Su extraña a la vez que transparente vida, malograda permaturamente en la plenitud de sus mejores potencias, luego de la también extraña y fulminante «conversión» del dandy europeo al predicador del pensamiento libertario y de las modernas ideas de liberación, en el seno de una sociedad esclavizada social y políticamente, la tornan paradigmática en un contexto lleno de fracturas, asincronías y fallas de todo orden como consecuencia de la dominación y de la dependencia, causas de nuestro atraso y subdesarrollo. Su camino de Damasco fue éste: su contacto con América y con el Paraguay, en particular. (2, p.IX)

Estos testimonios de escritores hispanoamericanos, y algunos más que se podrían añadir, demuestran ampliamente que consideran a Rafael Barrett, este extraño venido de allende de los mares, como uno de los suyos, totalmente.

A la inversa, en España, la asimilación de Rafael Barrett a América es tal, que el anciano Pío Baroja, al escribir sus inciertas memorias por los años 1940, anota lo siguiente acerca de este hombre a quien conoció en su lejana juventud:

> Rafael Barrett fue uno de los pocos hispanoamericanos que me dio una impresión de seriedad. No venía, como la mayoría de sus paisanos, a acreditar un producto como cualquier vendedor de específicos, sino a vivir, si podía, en España. [...]
> Luego lo que he leído de Barrett no me ha gustado gran cosa. Es romántico y quejumbroso. Quizás el hombre valía más que su obra, y tuvo que someterse para vivir en América a un trabajo ingrato y antipático. (1, *O.C.*, IV, p. 372)

En esta especie de retorno a España sobre los claudicantes recuerdos de don Pío, Rafael Barrett se convierte en puro americano, en un rastacuero mucho más tratable que la mayoría de sus congéneres. Dicho sea de paso, se insinua cierto reparo ideológico bastante curioso por parte del autor de *Aurora Roja* que parece reducir a plañidero sentimentaismo lo que en Barrett es sencillez agresiva, anatemización y proclama violenta. Rafael Barrett se esfuma en la memoria de Pío Baroja como se esfuma en la historia de la cultura española, conforme va creciendo en la historia y la cultura de Paraguay, su tierra de promisión.

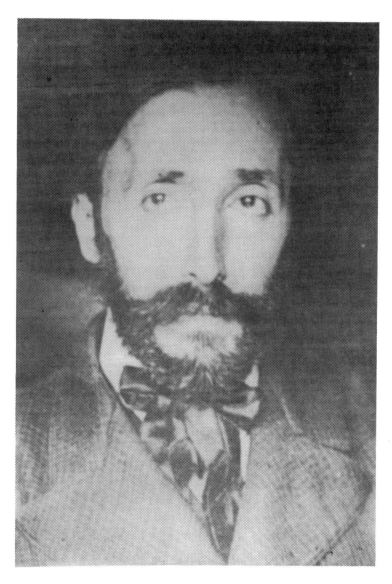

Última fotografía de Rafael Barrett, Montevideo, 6 de setiembre de 1910

Bibliografía

Rafael BARRETT, *Obras completas*. Estudio introductorio de Francisco Corral. Introducción, compilación, bibliografía y notas de Miguel Ángel Fernández. Asunción, R. P. Ediciones, 1988-1990, 4 tomos. 322, 338, 427 y 399 p.

Rafael BARRETT, *El dolor paraguayo*. Prólogo de Augusto Roa Bastos. Compilación y notas de Miguel Ángel Fernández. Cronología de Alberto Sato. Caracas, Biblioteca Ayacucho, 1978. 281 p.

Jean ANDREU, Maurice FRAYSSE, Eva GOLLUSCIO DE MONTOYA, *Anarkos. Literaturas libertarias de América del Sur. 1900.* Buenos Aires, Ed. Corregidor, 1990. 264 p.

Rafael Barrett,
por el artista uruguayo Marcelino Buscasso.

El conceptismo de Góngora:
más divagaciones sobre los «déligos capotuncios»
del romance «Diez años vivió Belerma»

Ignacio ARELLANO AYUSO
Universidad de Navarra-Dartmouth College

1. En el romance gongorino «Diez años vivió Belerma», famoso, conocido y glosado numerosamente[1], doña Alda, viuda del conde Rodulfo, consuela a la pobre Belerma y le recomienda el olvido de Durandarte, para holgarse con unos robustos clérigos de la iglesia de San Dionís. No me ocuparé de ciertos interesantes aspectos del poema, que ha sido comentado en sus dimensiones de crítica, sátira concreta en clave de alusiones coetáneas o mosaico de referencias intertextuales por diversos estudiosos más competentes[2]. Me reduciré, más modestamente, al examen de un pasaje que se viene resistiendo a la interpretación de los lectores y eruditos, y que R. Jammes, en su libro monumental, al comentar el romance, omite, sustituyéndolo por una línea de puntos, buena expresión de la laguna de sentido existente en las actuales circunstancias críticas relativas al poema. Quizá sea posible proponer una explicación mínimamente satisfactoria, estribada en una red de alusiones conceptistas, y recuperar en este homenaje, para don Roberto Jammes, un fragmento de don Luis de Góngora.

---

[1] Ver algunos datos bibliográficos elementales y referecias a imitaciones y glosas en la ed. de Antonio Carreño, *Romances* de Góngora, Madrid, Cátedra, 1982, p. 106.

[2] Ver Dámaso Alonso, «Los pecadillos de don Luis de Góngora», *Revista de Filología Española*, 47, 1964, 215-35, donde recoge algunas anotaciones de Martín de Angulo y Pulgar (a las que no concede mucho crédito) en que se identifican las damas del romance con otras cordobesas de la época (la doña Alda sería máscara de doña María de Guzmán, Belerma de doña Jerónima de Figueroa, la iglesia de san Dionís aludiría a la catedral de Córdoba, etc.); G. Poggi, «Fedeltà e infedeltà al modello letterario nella battaglia amorosa gongorina», en *Codici della transgressività in area ispanica*, Verona, 1980, 117-28, o el propio R. Jammes, *Études sur l'œuvre poétique de don Luis de Góngora*, Bordeaux, 1967, 151-56. En la versión española, *La obra poética de don Luis de Góngora*, Madrid, Castalia, 1987, se comenta el fragmento que nos interesa de este poema en las pp. 127-29.

Hommage à Robert Jammes (Anejos de *Criticón*, 1), Toulouse, PUM, 1994, pp. 45-52.

2. El pasaje, bien conocido es el siguiente:

> La iglesia de San Dionís   de aquestos que andan en mulas
> canónigos tiene muchos,   y tienen algo de mulos,
> delgados, cariaguileños,   destos Alejandros Magnos,
> carihartos y espaldudos.   que no tienen por disgusto
> Escojamos como en peras   por dar en nuestros broqueles
> dos déligos capotuncios   que demos en sus escudos. (Vv. 101-112)

Me interesan ahora especialmente los vv. 105-108; reproduzco los demás para facilitar el examen del contexto, del cual sugiero retener dos detalles: el de la técnica de la derivación caricaturesca y chistosa (*cariaguileño, cariharto, espaldudo*), que forma serie a la que pertenece sin duda el neologismo *capotuncio*; y el de las referencias metafóricas de tipo erótico (juego con *broqueles /escudos*)[3], que marcan el tono de todo el pasaje y que se relacionarían coherentemente con otras que pudieran aparecer en el entorno[4].

3. El primero en ocuparse con cierto detenimiento de esta problemática copla del romance, y en particular de esos misteriosos «déligos», es Dámaso Alonso[5], a quien me permitiré citar por extenso porque plantea las principales dificultades, desde la misma reflexión sobre la fijación textual exacta:

> Dificultad ofrece esa expresión: «déligos capotuncios»; ni hay siquiera seguridad en la acentuación esdrújula de *déligo*. Existió un baile deligo o déligo: véase Cotarelo, *Colección de entremeses,* I, pág. CCXLIII, donde cita un pasaje de la *Pícara Justina,* y otro del *Diablo Cojuelo,* que lo mencionan. Agréguese la cita de un baile *andeligo* en el *Romancero general,* de 1604, fol. 425v., y de un déligo (en el que bailan con el estribillo «¡Déligo, déligo, déligo!») en *Los locos de Valencia,* de Lope [...] Pero este *déligo* o *deligo* baile no hace sentido en el pasaje de Góngora, o en todo caso, solo como alusión de segundo plano [...] Alemany y Selfa en su *Vocabulario de Góngora* hace una hipótesis sugestiva: déligo procedería de *delicus-a* 'destetado-a'. En efecto, esta interpretación conviene muy bien al lugar, pues Góngora hace que doña Alda aconseje a Belerma que, dejando los galanes de espada y daga, elija algún canónigo hecho y derecho, maduro, generoso [...] Lo que no resulta claro es cómo el autor ha elegido o formado esa voz *déligo,* si acaso está en relación con *delicum.* No es *déligo* errata por *clérigo,* pues todas las tradiciones textuales lo dan así (aunque puede haber alguna voluntaria evocación del fonetismo de *clérigo*); si hay algún tipo de relación con el baile, tampoco resulta claro. Nuevas dificultades ofrece *capotuncios,* que parece deformación de *capotudo,* dicho por las capas pluviales o por los manteos.

---

[3] *broquel:* escudo pequeño y redondo que sirve de protección; juega Góngora secundariamente con la modificación de la frase hecha «todo es dar en los broqueles» aplicada a las disputas que se entretienen en lo que poco importa, sin tocar en el punto sustancial del negocio, como señala Covarrubias *(Tesoro de la lengua castellana).* Aquí *broquel* 'sexo femenino, coño', como el *escudo* en el poema anónimo «Cierto galán de luz con doña Flora» (vv. 9-11: «Con el escudo solo, como diestra, / el encuentro del joven esperaba, / mas aflojó la lanza y doblegóse»): ver *Poesía erótica,* ed. P. Alzieu, R. Jammes, Y. Lissorgues, Barcelona, Crítica, 1984, p. 241. Los editores de este volumen remiten a otros textos gongorinos igualmente evidentes: el de «Ensíllenme el asno rucio» («A dar, pues, se parte el bobo / estocadas y reveses / y tajos, orilla el Tajo, / en mil hermosos broqueles») y «Con Marfisa en la estacada» («Con Marfisa en la estacada / entrastes tan mal guarnido, / que su escudo, aunque hendido, / no le rajó vuestra espada»).

[4] Todo el alegato de doña Alda está lleno de intensas alusiones eróticas: a los «armados hombres» (*armados,* 'arrechos'; actualmente suele usarse con los animales, pero no lo desconoce el lenguaje coloquial aplicado a personas: cfr. V. León, *Diccionario de argot español,* Madrid, Alianza, 1980, s. v. *armado*), o a los «sabrosísimos besugos / y turmas en el Carnal, / con su caldillo y su zumo», etc.

[5] Ver «Los pecadillos de don Luis de Góngora», cit., p. 223, n. 18.

La nota de D. Alonso apunta algunas cuestiones que deben ser solucionadas: para empezar sería necesario (a) proponer una explicación global buscando el sentido de todo el pasaje, que no encuentra Alonso; lo cual implica (b) certificar que esos *déligos* son los 'clérigos'; (c) justificar la metáfora de *déligos*, y su aplicación clerical, y, si tal vocablo hace, efectivamente, referencia al baile, (d) explicar la presencia de tal baile en el tejido metafórico del pasaje (para D. Alonso sin sentido) y su función expresiva; y por fin (e) completar la explicación del resto de la copla, que constituye, no se olvide, el contexto en el que precisamente funciona el v. 106.

4. Cuestiones todas que siguen pendientes tras los sucesivos comentarios que les ha dedicado la crítica, que han sido fundamentalmente los de Antonio Carreño y M. Grazia Profeti.

Carreño, en sus notas a la mentada edición de *Romances*, no añade nuevos datos, limitándose, dentro de los objetivos de su edición, a resumir y parafrasear lo expuesto por Dámaso Alonso.

El más reciente artículo de M. Grazia Profeti[6] se plantea de manera específica el examen de la expresión *déligos capotuncios*, «tanto trasparente nel senso generale, quanto misteriosa nelle scelte lessicali». Parte de la nota alonsiana y reexamina los materiales aducidos en ella, rechazando con buen acuerdo las propuestas de Alemany y Selfa en su *Vocabulario*[7], consideradas sugestivas por D. Alonso, pero que no son en realidad, como señala Profeti, más que «una glossa derivata dal senso del frammento»[8].

Recuerda Profeti que *déligos* evoca fonéticamente *clérigos*, y que el déligo era un baile sumamente lascivo, como demuestran algunos textos aducidos por todos los comentaristas de este pasaje (del *Diablo Cojuelo*, de *Los locos de Valencia*...). En esas connotaciones lascivas (que deberemos retener) ve el sentido que no alcanzaba don Dámaso, y que estribaría precisamente en las alusiones a movimientos desenfrenados de evidente significado sexual, ínsitas en el vocablo «più che ricco di senso, applicato per apposizione metonimica a indicare sulla base di una figura di contiguità i compiacenti frati, connotandoli con i movimenti di una danza sfrenata e di evidente richiamo sessuale».

En cuanto a *capotuncios* «rimanda in prima istanza alle cappe dei canonici, ma ne accentua con la desinenza -uncio lo status clericale, richiamando la tonsura, o termini come *nuncio*, o ancora formule latineggianti usate abbondantemente nel lessico burlesco, come *abrenuncio*»[9].

Sin que, a mi juicio, el trabajo de Profeti ofrezca propuestas de explicación completamente satisfactorias[10], pone de relieve, sin embargo, en sus conclusiones, una pista importante: la de las

---

[6] «"Déligos capotuncios": invenzioni linguistiche nella satira di Góngora», *Quaderni di Lingue e Letterature*, 14, 1989, 292-94.

[7] *Vocabulario de las obras de don Luis de Góngora*, Madrid, RAE, 1930.

[8] «Le spiegazioni offerte da Alemany y Selfa sono poco più di una glossa derivata dal senso del frammento, tanto è vero che l´unico luogo attestato ed offerto alle due voci e proprio questo passaggio; a *déligo* il glossario recita: "Déligo, ga (lat. delicus) adj. Destetado, y fig. Hombre maduro, de edad"; a capotuncio "que lleva o viste capa de coro: canónigo". In quest´ultimo caso l´Alemany non nota nemmeno che la dizione corrente dovrebbe essere *capotudos*, di cui *capotuncios* costituirebbe, nella migliore delle ipotesi, e come dice Dámaso Alonso, una "deformazione"» («"Déligos capotuncios": invenzioni linguistiche nella satira di Góngora», 292-93).

[9] «"Déligos capotuncios": invenzioni linguistiche nella satira di Góngora», 294.

[10] La relación de los clérigos con el baile me parece más rica y compleja que solamente la alusión a la obscenidad de sus movimientos (esto valdría para clérigos y no clérigos, y deja desligado el resto de la copla del romance); dicho de otro modo: la red de conexiones ingeniosas, conceptistas, es, a mi entender, mucho más complicada, como intentaré mostrar. Para *capotuncios* veo discutible la relación con las derivaciones que señala Profeti.

dimensiones conceptistas[11] en las que sin duda hay que encuadrar el análisis del texto, que para mis objetivos no se limitará al verso 105, sino a toda la copla del romance, versos 105-108, que es el territorio textual en el que opera la red de conexiones mentales típica del mecanismo de la agudeza.

5. Volvamos, pues, al principio. La fijación textual de los versos 105-108 parece correcta, sin que quepa atribuir a corrupción en la transmisión la existencia de los «déligos capotuncios».

El v. 105 («Escojamos como en peras») no ofrece mayores problemas: es una utilización jocosa de la frase hecha coloquial «escoger como en peras», bien documentada: «Escoger como en peras» lo anota Correas, *Autoridades*, Cejador en su *Fraseología castellana*... Este último[12] anota testimonios de Fray Antonio de Guevara («Desde muy niño os avezastes a beber de todas aguas y aun otras veces a escoger como en peras»), y del *Quijote* (I, 25): «Maravillado estoy [...] de que una mujer tan principal [...] se haya enamorado de un hombre tan soez [...] habiendo en esta casa tantos maestros, tantos presentados y tantos teólogos, en quien vuestra merced pudiera escoger como entre peras».

Propone doña Alda escoger, pues, a su gusto, entre toda la variedad a su alcance (expresada por la recurrencia jocosa al discurso popular) «dos déligos capotuncios» (v. 106). No sería raro que el culto don Luis de Góngora jugase aquí con ingeniosa metonimia, aplicando a los personajes escogidos o escogibles la palabra que nombra la acción de 'escoger', en latín, pues *deligo* 'escojo' es presente de indicativo del verbo latino correspondiente (deligo-ere)[13]. Esta primera asociación posible se acumula a la serie de chistes alusivos que se multiplican en el pasaje, y que veremos a continuación.

Que esos *déligos* representan metafóricamente (previa metonimia jocosa) a los clérigos, es indiscutible: son, ciertamente, los clérigos los que andan en mulas, y los que están en San Dionís. La paronomasia es sin duda uno de los juegos presentes, y el que proporciona la base para la conexión de ambos términos en el plano del significante. En la «letrilla atribuible» «De su esposo Pingarrón» (XX, ed. cit. de Millé de las *Obras completas* de Góngora) ambos términos van unidos obviamente por la cercanía fonética en una enumeración de bailes, todos desgarrados y de poca decencia:

> La Zarabanda a deshora
> entró con Antón Pintado
> y con Antón Colorado
> la Perra Encandiladora
> y la Matadora.
> Déligo, déligo,
> vestidos todos de clérigo.

---

[11] «Dimentichiamo un aspetto fondamentale della poesia del cordovese, su cui di recente Molho ha dovuto richiamare l´attenzione: "Don Luis es, din duda, el maestro del concepto"» («"Déligos capotuncios": invenzioni linguistiche nella satira di Góngora», 294).

[12] Cfr. J. Cejador y Frauca, *Fraseología castellana*, Madrid, Suc. de Rivadeneyra, 1924, 1-2, 295.

[13] Los chistes con latinismos, como recuerda Profeti, no son raros en el estilo jocoso. Recordaré solo el licenciado Repollo de Quevedo, docto «in utroque iure» 'en uno y otro derecho, en los dos derechos' y 'en uno y otro caldo' (*ius-iuris*, 'derecho', 'caldo'). Ver *Poesía original*, ed. J. M. Blecua, Barcelona, Planeta, 1981, núm. 755, v. 112, o el del propio Góngora: «Hanos traído, pues, hoy, / este nieto de pus podos / por lo cumplido de pies / según la regla de Antonio» («Tenemos un doctorando», *Obras completas,* ed. Millé y Giménez, Madrid, Aguilar, 1961, núm. 65, p. 181). Cfr. para los latinismos en la poesía jocosa el capitulillo «El latinajo» en mi *Poesía satirico burlesca de Quevedo*, Pamplona, Eunsa, 1984.

El *déligo*, por otra parte, es baile bien documentado. Algunos testimonios se han mencionado en lo anterior, a través de D. Alonso o Profeti[14]. De su condición desgarrada y a pique de obscenidad dan cuenta las calificaciones que recibe en los diversos textos. En el de *Los locos de Valencia* de Lope[15] se le llama «extraña fantasía»:

> – Déligo, déligo, déligo.
> – ¿Qué es esto, sobrina mía?
> – Qué déligo de candéligo.
> – ¡Oh, qué extraña fantasía!

En el *Romancero general* se le califica de «donaire inquieto»[16]. Parece, pues, razonable pensar que si la paronomasia justifica la relación entre los significantes, en el plano del significado la aplicación de la metáfora del déligo a estos clérigos aficionados a las mujeres se explica por las connotaciones eróticas del movimiento lascivo del baile[17] (como señala Profeti).

Ahora bien, tales connotaciones convienen a cualquier personaje inserto en una actividad como la pretendida por la desvergonzada doña Alda; pero convienen sobre todo (y esto es lo específicamente relacionado con la imagen del clérigo y con el resto de la copla del romance)[18] a los clérigos, porque a estos los caracteriza un tipo de movimiento bamboleante que puede ser asociado jocosamente tanto con el baile como con el coito (el cual a su vez puede ser metaforizado en imagen de baile): es el movimiento provocado por el paso desigual de la mula, vehículo indispensable de los clérigos y tópicamente asociado a su retrato literario aurisecular.

La cadena es como sigue: los clérigos van en mula (es tópico conocido en el XVII); los que montan en mula van moviéndose por los trancos del animal como si estuvieran bailando; una vez que la imagen del baile (que a su vez puede aludir a los movimientos sexuales) está ya instalada, se escoge un baile especial, el déligo, por sus connotaciones eróticas (aplicadas con propiedad a estos clérigos incastos), y por establecer el chiste dilógico con el latín *deligo*, 'escojo' que a su vez se integra en el juego con la frase hecha «escoger como en peras», además de apoyarse en la paronomasia. De esta manera se puede llamar a los clérigos «déligos... [capotuncios]».

Convendrá, para sustentar esta exégesis, documentar los principales detalles de los eslabones sugeridos.

---

[14] Para más textos y sus localizaciones en la *Pícara Justina, Diablo Cojuelo*, cfr. Rodríguez Marín, *Dos mil quinientas voces castizas y bien autorizadas*, Madrid, 1922, p. 113. Ver también el prólogo de Cotarelo a la *Colección de entremeses, bailes, jácaras y mojigangas*, NBAE, vol. 17, Madrid, 1911, loc. cit.

[15] *Los locos de Valencia*, Nueva ed. de la RAE, XII, Madrid, 1930, 433.

[16] Y repárese en el sentido de *inquieto* 'inclinado a la actividad lasciva', que no recogen con precisión los diccionarios, pero que se infiere claramente de la definición de su antónimo «quieto», «se dice también del hombre que no es dado a los vicios, especialmente al de la deshonestidad» (*Diccionario de Autoridades*). Las connotaciones eróticas de ciertos bailes como este déligo o la chacona y zarabanda provocaban las protestas de los moralistas, que los veían en el teatro incitar las pasiones non sanctas del público. Marini escribe a propósito de la chacona: «Cuantos movimientos y gestos pueden provocar a la lascivia, cuanto puede corromper un alma honesta, se representa a los ojos con vivos colores. Ella y él simulan guiños y besos, ondulan sus caderas, encuéntranse sus pechos entornando los ojos, y *parece que danzando, llegan al último éxtasis del amor*» (cit. en *Poesía erótica*, 200, subrayado mío). Los movimientos desgarrados del baile y del ejercicio venéreo se asimilan, pues, en semejantes contextos.

[17] Es una coherencia en doble sentido: el baile del déligo, como lascivo, expresa los movimientos venéreos; y estos pueden verse en metáfora de baile.

[18] Y semejante coherente y estrecha relación específica es lo que distingue al ingenio de Góngora o Quevedo del de sus imitadores de menos capacidades poéticas, como Jacinto Alonso Maluenda, por ejemplo, que suele establecer conexiones mucho más débiles y con menos semas relacionados.

La asociación del clérigo con la mula es uno de los tópicos de la cotidianeidad y de la literatura áurea. Los testimonios serían inacabables: en el *Quijote* se recuerdan las mulas de los canónigos («caminaban no con la flema y reposo de los bueyes, sino como quien iba sobre mulas de canónigos», I, 47); la imprescindible mula posee el clérigo que satiriza Caramanchel en *Don Gil de las calzas verdes* tirsiano[19]; los bonetes y las mulas se asocian indisolublemente en *La fénix de Salamanca*, de Mira de Amescua (v. 341 «de tanto bonete y mula»); otros «tres clérigos a mula» aparecen en el entremés de Salas Barbadillo *El Prado de Madrid*...; ya Alfonso de Valdés[20] recogía el motivo: «solíades traer [...] vuestro bonete y hábito eclesiástico, vuestros mozos y mula reverenda». Etc. Se entiende bien el rasgo que les atribuye doña Alda: «aquestos que andan en mulas».

La idea del movimiento descompasado para el que va a mula (o a caballo) es también constante, y a menudo se expresa metafóricamente, sin que sea desconocida la metáfora de la danza. Don Pablos, en el *Buscón*, cuando sale a la fiesta de gallos, subido en su pobre jamelgo, va «dando vuelcos a un lado y otro, como fariseo en paso»[21], imagen de bamboleo sumamente gráfica, que, con variantes, reitera Quevedo en otros textos, como el *Entremés de los enfadosos*, en el que un jinete se describe[22] comparando su movimiento a los vaivenes de las cruces llevadas en las procesiones:

> cuando a mis solas jineteo,
> y zancajo de fuera, en estribado,
> a lo manga de cruz me zangoteo[23]...

En el poema «Muérome yo de Francisca» *(Poesía original*, cit., núm. 426, vv. 11-12) aparece la imagen de la mareta («Movimiento de las olas del mar cuando empiezan a levantarse con el viento», *DRAE*): «y tu mula por las calles / no te lleve con mareta», desarrollada con más elaboración en el *Sueño de la muerte*[24]:

> Fueron entrando unos médicos a caballo en unas mulas que con gualdrapas negras parecían tumbas con orejas. El paso era divertido, torpe y desigual, de manera que los dueños iban encima en mareta y algunos vaivenes de serradores

Toda esta serie de movimientos, típicos de los jinetes de mulas (y por ende fácilmente asociables a los clérigos, caballeros de mulas) puede connotarse, ciertamente, en sentido erótico. Nótese, por ejemplo, la cercanía de la metáfora de la mareta para ir en mula que usa Quevedo con la que leemos en *La lozana andaluza*[25] para los movimientos del acto sexual: «pareceis barqueta sobre las ondas con mal tiempo»...

Véase, en fin, la metáfora del baile que aporta Jacinto Polo de Medina[26], a propósito de los vaivenes mulares:

---

[19] Ed. I. Arellano, Barcelona, PPU, 1988, v. 437 y ss.: «mula de veintidoseno».

[20] *Diálogo de la cosas ocurridas en Roma,* cit. por M. Herrero, en su ed. de Cervantes, *Viaje del Parnaso,* Madrid, CSIC, 1983, 331.

[21] Quevedo, *Buscón,* ed. D. Ynduráin, Madrid, Cátedra, 1987, 96.

[22] Cfr. *Obra poética,* ed. J. M. Blecua, vol. IV, Madrid, Castalia, 1984, p. 127, vv. 134-37.

[23] *Zangotear*: «mover continua y violentamente una cosa» *(DRAE).*

[24] Cfr. *Sueños,* ed. I. Arellano, Madrid, Cátedra, 1992, 312-313.

[25] Francisco Delicado, *La lozana andaluza,* ed. C. Allaigre, Madrid, Cátedra, 1985, p. 280.

[26] Poema «Daros cuenta de mi vida, / Anfriso, amigo, quisiera»; cito por la edición de *Poesía. Hospital de incurables,* de F. J. Díez de Revenga, Madrid, Cátedra, 1987, p. 137.

De la mula en que partí   En metáfora de danza
«Galera» su nombre era,   la dicha mula me lleva;
que aun por tierra caminando   brincos da por cabriolas
voy condenado a galeras.   y corcovos por floretas.

Creo que los testimonios aportados justifican con claridad la coherente relación establecida entre los clérigos, las mulas, el movimiento y el baile. Es, en fin, explicable que en un contexto como el que nos ocupa, el baile sea precisamente el déligo, por las evidentes connotaciones apuntadas.

Todavía se podría asociar otro tipo de bamboleos con el clérigo, las oscilaciones del manteo, que tampoco son ajenas a la explotación alusiva erótica[27]:

Hay unos bonetazos y manteos
que meten una niña de quince años
en casa entre los negros bamboleos.

Si todos estos movimientos van estrechamente relacionados con la imagen del clérigo, parece que la metáfora del *déligo* usada por Góngora queda perfectamente justificada en el contexto, a pesar de los reparos que mostraba Dámaso Alonso.

El calificativo de *capotuncios*, por su lado, no creo que se relacione con los términos aducidos por Profeti. La derivación en *-uncio* que muestra la palabra base (*capote*, sin duda, alusivo, como señalan los críticos precedentes, a los manteos o capas pluviales –mejor a los manteos[28]– de los clérigos) es un tipo de derivación jocosa no totalmente incógnita, y que el propio Góngora utiliza en otros casos, como en el poema «Vejamen que se dio en Granada a un sobrino del administrador del Hospital Real, que es la casa de los locos»[29], que empieza «Tenemos un doctorando», en el que se burla del joven semidocto, al cual llama, en distintos versos del vejamen «doctorandico», y «doctoranduncio».

Pero las alusiones del pasaje no terminan ahí. Sobre la idea general del erotismo del clérigo[30] se fundamenta el resto de los juegos conceptistas: pues el verso «aquestos que andan en mula» no se limita a constatar el tópico referido de la montura de transporte. Habrá que recordar el sentido de la palabra *mula* en el español aurisecular, que expone con precisión Francisco del Rosal[31]:

---

[27] El texto que sigue es de Lope, *La honra por la mujer,* cit. por R. del Arco Garay en *La sociedad española en las obras dramáticas de Lope,* Madrid, Escelicer, 1924, 291.

[28] «Mantilargos» se llama significativamente a los clérigos en la *Segunda parte de Lazarillo de Tormes* anónima: «alguno de aquellos abades o mantilargos, que se llaman hombres de licencia» (ed. de P. M. Piñero, Madrid, Cátedra, 1988, p. 248).

[29] Ed. de *Obras completas,* de Millé, cit., núm. 65.

[30] En la sátira de la Edad Media se alude frecuentemente a las inclinaciones y a la potencia erótica de los frailes, motivo que se continúa en el Siglo de Oro, atribuido también (aunque algo menos) al clero secular. Algunos textos: «Canónigos, gente gruesa, / que tienen a una cuitada / entre viejas conservada, / como entre paja camuesa» (Góngora, *Obras completas*, ed. Millé, p. 306); «El cura que seglar fue, / y tan seglar se quedó, / y aunque órdenes recibió / hoy tan sin orden se ve, / pues de sus vecinas sé / que perdió la continencia, / no le llamen reverencia, / que se hace paternidad» (id., 322); «Tomá sábana de fraile que no sea quebrado y halda de camisa de clérigo macho [...] y veréis qué hijo hacéis» (*La lozana andaluza,* ed. cit., p. 469); «No perdáis, vida mía, / amor de fraile, / que aunque solo es uno / vale por cuatro» (poemilla del *Cancionero musical de palacio,* cit. en *Poesía erótica,* cit. p. 107); etc.

[31] Francisco del Rosal, *La razón de algunos refranes,* ed. Bussell Thompson, London, Tamesis books, 1976, p. 71. Comp. con J. de Luna, *Segunda parte de Lazarillo de Tormes:* «Mula del diablo, que así llaman en Toledo a las mancebas de los clérigos» (cito a través de Cejador, *Fraseología castellana,* s. v *mula*). Correas recoge: «Mula del diablo. Así llaman a la amiga del clérigo».

Mula del diablo. Llama el vulgo a la amiga del clérigo. Parece haber tenido origen del griego, que llama Mulás a la ramera, y de allí el castellano a las rameras llamó mulas, como el romano lupas y cabras [...] Pero el nombre de mulas diría yo que tuvo principio de lo que dice Pierio Valeriano [...] que el mulo fue hieroglífico del bastardo, y el alemán y el flamenco llama mulo al bastardo, como lo son los mulos, y que significa el ayuntamiento sin fin de procreación, solo por deleite y sin propósito [...] y así dice el refrán que la lujuria y concúbito del eclesiástico es inútil y no puede dar hijo legítimo ni bueno.

Andar en mula, pues, no es una actividad inocente. Tampoco lo es la cualidad de «mulos» que parcialmente se les atribuye. Por un lado, como explica el texto de del Rosal, el mulo es producto de una unión contranatura[32] y su propio ejercicio sexual, como estéril, no puede ser sino indecente e inútil, como el del clérigo. Coincidentes con el mulo en esta característica, también lo son en otra, que se basa en un chiste sobre la potencia sexual de los clérigos (ya aludida), los cuales tienen «algo de mulos», es decir, algo de *machos*, en tanto el 'macho' es expresión de la potencia viril. La equivalencia de *mulo-macho* que posibilita el juego dilógico, es clara: Covarrubias apunta que «Llamamos macho al animal cuadrúpede hijo de caballo y burra y de asno y yegua, y a la hembra de esta especie llamamos mula», y *Autoridades* escribe que macho «por antonomasia se entiende el hijo de caballo y burra u de yegua y asno». Desde principios del siglo XVII, según Corominas[33], tiende a generalizarse *macho* frente a *mulo*.

6. En suma «déligos capotuncios» son los clérigos que por el bamboleo de la mula (y, secundariamente, de los manteos) merecen que se les aplique la metáfora de baile, y que por su apetito sexual se comparan con un baile especialmente lascivo. Apetito sexual que se subraya por su afición a cabalgar[34] en mula ('manceba de clérigo') y por su calidad de 'machos' (mulos).

Estos sólidos e inquietos personajes, en conclusión, dadivosos, además, y de sustancia, son los que recomienda doña Alda para alegrar a Belerma. Clérigos, déligos, capotuncios y machos: todo junto en cuatro versos, plenos de coherente conceptismo e ingenio típicamente gongorino.

---

[32] Bastardo, dice del Rosal, esto es, un híbrido producto de una mezcla antinatural de dos especies. San Isidoro de Sevilla, en sus *Etimologías*, cuando habla del mulo, insiste en este carácter antinatura del animal: «ut mulorum inde nova contra naturam animalia nascerentur [...] adulterina commixtione» (*Etymologiarum*, XII, 1, 57-58, cit. por ed. de J. Oroz Reta y M. A. Marcos Casquero, Madrid, BAC, 1983, II, p. 66).
[33] Ver su *Diccionario crítico etimológico de la lengua castellana*.
[34] No hace falta anotar que la acción de cabalgar tiene aplicación metafórica sexual archiconocida.

De Pereda à Cela

Jacques BEYRIE
Université de Toulouse-Le Mirail

*

Condamné au statut doublement ambigu d'auteur classique et régionaliste où il se voit confiné, J. M. de Pereda semble demeurer à l'écart des voies suivies par le roman contemporain en Espagne. C'est à d'autres qu'il appartint, chacun le sait, de préparer le terrain en ce domaine. Autant d'affirmations que l'examen de certaines résonances, observables sous la plume d'un romancier tel que C. J. Cela, conduit peut-être à nuancer.

*

Tres hijas y un hijo tiene doña Calixta. La mayor de las primeras pasó ya de los treinta abriles, aunque ella, como es de rigor, lo niega a pie juntillo: es rubia, bastante flaca y sobradamente marchita; se llama Pilar, y hace doce años está en relaciones con un teniente de infantería que desde que era alférez espera el empleo de capitán para casarse con ella. La segunda, Trinidad, *Trini* llamada por apocope entre sus amigas y su familia, es trigueña, tambien enjuta, y frisa en los veintisiete. Ésta muda de adoradores con más frecuencia que su hermana: en cinco años ha corrido casi todas las clases de servidores del Estado; últimamente ama desesperadamente a un auxiliar de Aduanas que, por no alcanzarle el mezquino sueldo para cubrir las exigencias de su pasión, negocia más empréstitos que el Gobierno y tiene más ingleses que Gibraltar. La tercera se llama Leonor : es más bonita y más fresca que sus hermanas, de quienes ha conseguido hacerse llamar Leonora. Delira por *Il trovatore*..., y por un escribiente sin sueldo, sólo porque lleva por nombre Manrique.[1]

C'est de *Tipos y paisajes* (1871), présenté en sous-titre comme « Segunda serie de Escenas montañesas », qu'est extrait ce texte à la tonalité fortement caractérisée.

On est sensible dès l'abord à la minutie arithmétique (« treinta abriles... doce años... veintisiete... cinco años... ») et plus encore à la rigueur classificatrice (« Tres y un... la mayor... la segunda... la tercera ») des dénombrements présentés : simple habitude, en fait, contractée à la lecture de ces « physiologies » très à l'honneur au XIXe siècle, où la monographie littéraire s'appliquait à pasticher le ton propre au naturaliste pour décrire les types humains.

---

[1] José María de Pereda, *Tipos y paisajes*, dans *Obras completas*, 8e éd., Madrid, Aguilar, 1964, t. 1, p. 391a.

Hommage à Robert Jammes (Anejos de *Criticón*, 1), Toulouse, PUM, 1994, pp. 53-58.

On observera d'autre part que cette démarche laisse apparaître dans le même temps une certaine prédilection pour le rythme ternaire (« rubia / flaca / marchita » ; « triguena / enjuta / frisa en los veintisiete »), discrète manifestation d'une emprise rhétorique perceptible à d'autres détails. Ainsi est-ce en italiques que sont transcrites des expressions telles que « está en relaciones » ou même l'innocent « Trini ». Pénétré des règles du bon usage, l'auteur prend soin de désigner par le biais d'un artifice typographique ces formes de la langue orale, qui ne sauraient accéder telles quelles au royaume de l'écrit.

Marqué par sa formation littéraire et par les lectures à l'honneur en son temps, l'auteur n'en prend pas moins ses distances avec son entourage et manifeste une redoutable ironie. Présente dans les éléments narratifs apparemment les plus neutres (« pasó ya... bastante... y sobradamente »...), cette ironie s'inspire parfois de points de vue liés à une philosophie de type traditionnel (« aunque ella, como es de rigor, lo niega a pie juntillo ») mais prend souvent pour cible des aspects fortement caractéristiques de l'Espagne du moment. C'est la crise d'une armée aux officiers en écrasant surnombre et, par conséquence directe, la crise de l'institution militaire qui se voient évoquées au travers de la référence à ce lieutenant, contraint d'attendre une hypothétique promotion au grade de capitaine pour subvenir aux besoins de son futur ménage. De même, la constance avec laquelle Trinidad traque « todas las clases de servidores del Estado » renvoie à la « empleomanía » bien connue du siècle précédent, tandis que le « mezquino sueldo » du prétendant et le recours à l'usurier, pour faire face aux « exigencias » de sa condition, sont en claire relation avec les dures réalités de ce « quiero y no puedo », où se résument les contradictions de la classe moyenne du moment. Couronnant le tout, l'allusion aux « empréstitos » multiples négociés par un Gouvernement aux abois renvoie à un autre leitmotiv des journaux de l'époque, tout en suggérant au passage le caractère global de la situation évoquée.

Cette situation sociale et politique propre au xixe siècle se voit caractérisée enfin dans ses aspects idéologiques. Si Trinidad « ama desesperadamente » et se voit prise de « pasión », sa sœur Leonor « delira por *Il trovatore* » et pousse l'identification compulsive jusqu'à se faire appeler « Leonora » en plein pays castillan. Tout l'antiromantisme de Pereda se manifeste, bien entendu, au travers de ces traits caustiques, apportant la dernière touche à ce tableau éminemment *daté*.

*

Passons maintenant à un autre texte, beaucoup plus proche celui-là :

> Las hijas de doña Visi y de don Roque, come ya saben los lectores de «El querubín misionero», son tres: las tres jóvenes, las tres bien parecidas, las tres un poco frescas, un poco ligeras de cascos.
> La mayor se llama Julita, tiene veintidós años y lleva el pelo pintado de rubio. Con la melena suelta y ondulada, parece Jean Harlow.
> La del medio se llama Visitación, como la madre, tiene veinte años y es castaña, con los ojos profundos y soñadores.
> Le pequeña se llama Esperanza. Tiene novio formal, que entra en casa y habla de política con el padre. Esperanza está ya preparando su equipo y acaba de cumplir los diecinueve años.
> Julita, la mayor, anda por aquellas fechas muy enamoriscada de un opositor a Notarías que le tiene sorbida la sesera. El novio se llama Ventura Aguado Sans, y lleva ya siete años, sin contar los de la guerra, presentándose a Notarías sin éxito alguno.[2]

Il s'agit évidemment de la famille Moisés, présentée par C. J. Cela dans *La Colmena*. La lecture des deux textes ne manque pas de faire apparaître un certain nombre de curieuses

---

[2] Camilo José Cela, *La Colmena*, 9e éd., Barcelona/Madrid, Noguer, 1967, p. 144.

correspondances, perceptibles pour certaines d'entre elles au premier regard : même procédé de dénombrement (« la mayor », « la del medio », « la pequeña ») ; même prédominance de prénoms féminins forgés à partir d'attributs de la Vierge (Pilar et Trinidad d'une part, Visitación et Esperanza d'autre part) ; même connotation légèrement ironique, enfin, dans la référence à la structure de ces familles où la succession de trois filles laisse percevoir l'ironie du destin, au travers de l'absence du rejeton mâle souhaité au départ. Aussi bien – simple variante – ce fils existe-t-il dans le texte de Pereda ; mais il s'agit de « un gaznápiro de doce años, destrozón, sucio y díscolo ; hace seis que va a la escuela – est-il précisé ensuite – y todavía no sabe leer »[3].

Pour nous en tenir essentiellement à Julita, évoquée par deux fois dans le texte à la différence de ses sœurs, on observera qu'elle est blonde comme l'était Pilar, mais il s'agit ici de « pelo pintado ». Elle hérite en fait ainsi du tropisme manifesté par les sœurs de Pilar, promptes à s'identifier aux héroïnes romantiques alors à la mode. À ceci près que le cinéma, au travers de la star hollywoodienne (« parece Jean Harlow »), a pris la place de l'opéra de jadis. Cette constance dans le comportement mimétique s'accompagne d'un même rapport au temps : les « doce años » durant lesquels Pilar est restée en « relaciones » avec son lieutenant trouvent leur équivalent direct dans les « siete años, sin contar los de la guerra », consacrés en principe par Ventura Aguado Sans à la préparation de son concours. Simple différence, ici encore, liée aux changements survenus dans l'intervalle, le « cesante » de jadis a fait place à l'« opositor ».

D'autres correspondances peuvent être observées, relatives à l'amour ainsi qu'au langage destiné à l'exprimer. L'énoncé « le tiene sorbida la sesera » ne comporte pas ici d'italiques, comme tel était le cas pour « está en relaciones » dans le texte précédent. Mais si l'expression peut être assumée, à première vue, par le narrateur qui vient de présenter les trois sœurs comme « un poco ligeras de cascos », on est en droit d'y percevoir aussi la manifestation de l'idiolecte d'un personnage (voire d'un ensemble de personnages) porté à exagérer quelque peu l'expression de ses élans. La même phrase précise, en effet, que c'est « un opositor a Notarías que le tiene sorbida la sesera ». Ce qui révèle, tout de même, chez cette charmante écervelée, un rapport assez remarquablement lucide à l'argent.

La même attitude est d'ailleurs observable chez sa sœur cadette, en dépit de ses « ojos profundos y soñadores ». Au bout de « un año de relaciones »[4], celle-ci « acaba de reñir con su novio », étudiant en Médecine : « ahora, desde hace una semana, la chica sale con otro muchacho, también estudiante de Medicina »[5], est-il indiqué dans la suite du texte. Ce qui rappelle curieusement, à nouveau, le comportement de la sœur cadette exposé dans le texte de Pereda, où la jeune fille en mal de « adoradores » présentait, elle aussi, la curieuse faculté de pouvoir connaître indifféremment le vertige de la passion face « a todas las clases de servidores del Estado ».

Reste à dire, et ce n'est pas le moins important, que ces correspondances thématiques s'accompagnent d'autres éléments de ressemblance d'ordre formel. Ainsi Cela nous présente-t-il ici trois véritables *portraits*, cursifs certes, mais qui allient de remarquable manière les éléments de la prosopographie à ceux de l'éthopée. Il est assez curieux de constater combien ce roman, si volontiers qualifié de « behaviorista », reste ici proche des techniques traditionnelles du siècle précédent.

Car ces personnages ne sont pas saisis non plus « de l'extérieur », contrairement à ce qui est affirmé parfois à propos du roman considéré dans son entier. Le narrateur est ici présent dès les

---

[3] J. M. de Pereda, *op. cit.*, p. 391a.
[4] J. C. Cela, *La Colmena, op. cit.*, p. 145.
[5] *Loc. cit.*

premières lignes, par le biais du triple jugement (« bien parecidas » / « un poco frescas » / « un poco ligeras de cascos »), exprimé à propos des trois sœurs. Tellement présent même que sa formulation faussement bienveillante frise l'antiphrase, le benoît « un poco », répété par deux fois, ouvrant à l'évidence des perspectives d'ordre bien différent. Aussi, pour présenter l'expression hyperbolique « le tiene sorbida la sesera » évoquée précédemment, le narrateur recourt-il aux atténuations de sens successives que représente le recours au verbe « enamoriscarse », précédé lui-même de « anda por aquellas fechas ».

Si C. J. Cela, en un mot, reprend un ensemble de thèmes étonnamment proches de ceux de Pereda, il ne se fait pas faute non plus de cultiver l'ironie, si présente dès les premières lignes de l'extrait de *Tipos y paisajes*.

*

Cela dit, le temps a passé, de toute évidence, entre la publication des deux textes. Plus d'italiques accusatrices en particulier, on l'a vu, plus d'excessive prudence dans l'utilisation du langage parlé. Non que C. J. Cela se tienne à l'écart de toute rhétorique. On se souvient du triple jugement relatif aux trois sœurs évoqué ci-dessus, et le même fait se reproduit dans le portrait de Julita (« se llama » / « tiene » / « lleva »), pour s'en tenir à ce seul exemple. Mais cette emprise discrète ne gêne plus l'expression de l'oralité.

Conséquence directe, cette même oralité joue dans le texte de C. J. Cela un rôle considérable et entraîne une structuration différente du texte. Chacun connaît la place tenue par le dialogue dans *La Colmena*, à la typographie particulièrement aérée. La scène de genre dépeinte par Pereda se présente à l'inverse comme une masse compacte, agrémentée d'un unique et très court dialogue.

Ce dialogue isolé a de plus une finalité bien particulière. Il est manifestement destiné à mettre en évidence le caractère insupportable de l'héritier mâle si longtemps attendu, et à placer doña Calixta dans une situation des plus ridicules face à ses invités. Car Pereda a un objectif précis et n'en fait pas mystère : il entend « demostrar »[6] « la infalibilidad del antiguo proverbio que dice : "El buen paño, en el arca se vende" »[7]. Inutile donc, considère l'auteur, de se lancer dans une vie de mondanités et de se répandre dans tous les lieux publics pour trouver un mari à ses filles. Aussi la même expression proverbiale, qui donne son titre à la « escena montañesa » d'où est extrait ce texte, lui fournit-elle également sa conclusion.

Ce faisant, Pereda se comporte ouvertement en moraliste et donne une valeur exemplaire à la « scène », de même qu'aux personnages présentés. C. J. Cela, à vrai dire, n'est pas loin de partager cette attitude : parler de trois jeunes filles « bien parecidas, las tres un poco frescas, un poco ligeras de cascos » implique, en fait, un triple jugement de valeur, esthétique, intellectuel et moral. Mais si l'attitude des deux auteurs ne présente pas, en définitive, de différences considérables sur le fond, la manière de l'exprimer laisse apparaître quelques modalités dissemblables, perceptibles en particulier à travers le statut réservé au narrateur.

Dans les quelques lignes qui précèdent le texte de Pereda, le narrateur se comporte en effet en véritable cicerone et harangue hardiment son auditoire : « Tengo el gusto de presentar a ustedes – commence-t-il – a la señora doña Calixta... »[8]. Après quoi, il se rengorge (« pero yo sé de buena

---

[6] J. M. de Pereda, *op. cit.*, p. 392b., souligné par nous.
[7] *Ibid.*, p. 396b.
[8] *Ibid.*, p. 390a.

tinta », « en mi concepto »)[9] et se prend ensuite à apostropher ses lecteurs, dans les lignes qui précèdent directement le texte analysé : « Sírvales a ustedes de gobierno esta circunstancia especialmente en este instante en que van a ser presentados por mí a la familia de aquella señora »[10]. Une présence aussi affirmée du narrateur ne manque pas d'entraîner divers effets sur la conduite du récit. Ainsi, le voit-on se mettre en scène et faire étalage de son esprit au travers du véritable « mot d'auteur », coupé de l'action proprement dite, que constitue par exemple le trait relatif au soupirant de Trinidad, dont il est dit que « tiene más ingleses que Gibraltar ». De même, la pression exercée sur le texte conduit le narrateur a affubler l'impétueuse et vaniteuse doña Calixta – attachée à faire passer le rude militaire sorti du rang qu'est son mari pour un brillant colonel de l'armée de Cuba – du nom hautement symbolique de « doña Calixta Vendaval y Chumacera de Guerrilla y Somatén »[11].

Ce type de dénomination, chacun le sait, est caractéristique du genre costumbrista : Mesonero Romanos, pour ne citer que lui, en faisait déjà largement usage. Or, contrairement à ce que l'on pourrait supposer à première vue, C. J. Cela ne dédaigne pas d'y recourir. Désigner sous le nom de « Ventura Aguado » l'heureux rejeton d'un riche propriétaire catalan, qui passe son temps à jeter à l'eau l'argent de son père et à briser les rêves que ce dernier nourrissait à son sujet, ne saurait passer pour totalement innocent. Au reste, les interventions du narrateur ne sont pas absentes, elles non plus, du texte de La Colmena : « yo creo que todo eso son habladurías, a mí no me parece ... »[12] peut-on lire dès les deux premières pages du roman. Ce qui veut dire que les observations faites jusqu'ici ne concernent pas seulement les quelques lignes du texte de C. J. Cela soumises à examen, mais entretiennent quelque rapport avec l'œuvre considérée en son ensemble.

À condition, bien entendu, de situer les faits dans leur perspective véritable – « no perdamos la perspectiva, yo ya estoy harta de decirlo »[13], soulignait doña Rosa dès la première ligne – et de prendre en compte la fonction globale dévolue à chaque élément dans l'élaboration du texte. Car si les intrusions du narrateur exitent bel et bien, interdisant, du même fait, de parler de roman totalement « objectiviste » à propos de La Colmena, il n'en est pas moins vrai que ces interventions se font de plus en plus rares au fur et à mesure que l'on progresse dans le récit. Tandis que, à l'inverse, dans la scène de mœurs présentée par Pereda, c'est à chaque page que le narrateur se rappelle à l'attention, à diverses reprises qui plus est.

Ce qui entraîne en définitive un rapport différent au lecteur. Omniprésent, le narrateur du texte de Pereda est porteur de valeurs et de certitudes. Plus habile, le narrateur de La Colmena laisse assurément apparaître sa forte personnalité par instants, mais prend soin le plus souvent de conférer une part d'opacité à ses dires. Ainsi le jugement de valeur précédemment évoqué, relatif aux trois sœurs « bien parecidas [...] un poco frescas, un poco ligeras de cascos », peut-il tout aussi bien prétendre s'inspirer des valeurs habituellement admises par le sens commun. Il relève ainsi de l'ambiguïté déjà observée à propos d'autres formulations. L'ironie, présente dans les deux textes, change de point d'application : au lieu de s'exercer exclusivement aux dépens des personnages de la fable, comme tel était le cas dans « El buen paño, en el arca se vende », elle concerne aussi l'énoncé. Elle contraint dès lors le lecteur à un constant travail de décryptage et de reconstitution – la saisie des éléments chronologiques en est un bon exemple – entraînant, du même fait, une attitude différente à l'égard du texte.

---

[9] Ibid., p. 390b.
[10] Ibid., p. 390b et 391a.
[11] Ibid., p. 390a.
[12] C. J. Cela, op. cit., pp. 21 et 22.
[13] Ibid., p. 21.

*

Cela dit, c'est tout de même un ensemble de convergences assez remarquables que fait apparaître au bout du compte la comparaison de ces deux textes. Convergences d'autant plus surprenantes et dignes d'attention que « El buen paño, en el arca se vende » est extrait de l'un des tous premiers textes publiés par Pereda. Et qu'il ne relève pas du roman mais du simple genre de l'article de mœurs.

Quelques-unes des convergences observées peuvent apparaître comme la simple conséquence de certaines constances structurelles : l'Espagne de l'immédiat après-guerre présente divers stigmates qui peuvent la mettre en rapport avec les dures réalités du siècle précédent. On peut songer aussi au pessimisme existentiel de Cela, habituellement mis en relation avec celui de Baroja, mais assez proche, en définitive, de la conception négative de la nature humaine qu'inspire à Pereda la prise en compte du péché originel. C. J. Cela, en d'autres termes, pouvait retrouver à la lecture de Pereda divers éléments de son univers familier.

Mais les conséquences les plus intéressantes de ces mêmes convergences sont tout de même d'ordre formel. Les personnages mis en scène par C. J. Cela n'évoluent pas et ne révèlent guère de nouvelles virtualités au gré des circonstances. La chose se conçoit d'ailleurs aisément : l'émiettement de l'action, la multiplicité des protagonistes, de même que les ruptures de l'ordre chronologique, ne se prêtent guère à ce genre d'approfondissement. Mais on revient ainsi à la notion de *types*, volontiers jugée, naguère, comme contraire à l'essence (?) du roman. Il est assez piquant d'observer que, dans son éclatante nouveauté, le type de montage réalisé par le « roman collectif » donne forme, en définitive, à des matériaux élaborés parfois dans l'esprit du *costumbrismo* le plus traditionnel.

«Estando el sol echándome sus rayos». Sobre unas octavas atribuidas a San Juan de La Cruz

Alberto BLECUA
Universidad Autónoma de Barcelona

En 1991 publicó el joven y sabio filólogo sevillano Valentín Núñez[1] una descripción de un cancionero manuscrito de poesía sacra –'obras de devoción', en la terminología de la época– que se guarda en la Biblioteca Capitular de las Catedral de Sevilla –conocida como Colombina– en un tomo misceláneo (*Papeles Varios*, sig. 83-3-11). Se trata de una antología compuesta hacia finales del siglo XVI o principios del siglo XVII en un convento carmelita, plausiblemente sevillano[2], con poemas de numerosos anónimos, con algunos pocos de poetas reconocidos como fray Luis de León, Baltasar del Alcázar, Jáuregui o San Juan de la Cruz –que aparece con la denominación «del santo padre fray Juan de la Cruz» y en una ocasión «de nuestro santo padre fray Juan de la Cruz». Están copiadas en el cartapacio casi todas las obras poéticas de Juan de Yepes, pero no en serie sino en grupos de dos o tres composiciones[3]. En el fol. 90-90v, entre unos anónimos *Versos lyricos ['en liras'] de la Resurrección*, ya recogidos por López de Úbeda, y la *Glosa a lo divino* a «Sin arrimo y con arrimo», de San Juan pero sin atribución alguna, se copia un poema desconocido en octavas con el epígrafe de *Otras a una religiosa en oración. Santo padre fray Juan de la Cruz*, que comienza «Echándome tus rayos noche y día». Valentín Núñez, en la introducción a la descripción (p. 106), sugiere que podría ser auténtico, pero en la nota correspondiente al poema (p. 122, n. 214) lo rechaza «por estar escrito en octavas reales» y porque, tras consultar con algún experto sanjuanista, los versos fueron considerados obra de un imitador. Sin embargo, y por fortuna, la duda le llevó a publicar en apéndice ese texto desconocido.

---

[1] «El Manuscrito 83-3-11 de la Biblioteca Capitular y Colombina de Sevilla», *Archivo Hispalense*, nº 226, 1991, pp. 99-155.

[2] Valentín Núñez, tras analizar las atribuciones –en gran parte de autores sevillanos– y los aspectos lingüísticos muy minuciosamente, llega, creo que acertadamente, a esa conclusión (pp. 100-102). Es cancionero de origen, sin duda, carmelita, pues en el fol. 2v. se dice: «La recreación hecha por los hermanos nuestros del conuento de Pastrana no se pone aquí porque faltó lugar para trasladarla».

[3] Los publica V. Núñez en el apéndice. Son la *Noche*, la *Llama*, el *Cántico*, el *Pastorcico*, *Sin arrimo y con arrimo* y *Vivo sin vivir en mí*.

Hommage à Robert Jammes (Anejos de *Criticón*, 1), Toulouse, PUM, 1994, pp. 59-73.

En el mismo 1991 se celebró el cuarto centenario de San Juan de la Cruz y, que yo sepa, nadie ha hecho mención de este poema ni siquiera para refutarlo[4]. Pues bien, creo que estas octavas podrían ser quizá obra primitiva del santo. En todo caso, el texto, un excelente y raro poema místico, es un ejemplo ideal para plantear el problema de las atribuciones y de los criterios que pueden utilizarse. Doy a continuación el texto 'depurado' de las octavas, con algunos errores que sorprenden en un copista que trascribe bastante bien el resto de los poemas de San Juan[5].

Otras a una religiosa en oración. Santo padre fray Juan de la Crux

Echándome tus rayos noche y día,
¡oh soberano sol y amado esposo!,
con sólo ver tu rostro tan hermoso,
me vi dentro del mar de tu alegría.
Llevaste, Amado mío, el alma mía   5
por un modo secreto y amoroso,
porque durmiendo yo sobre tu pecho,
fue allá mi corazón por ti deshecho.

Luego que en ti me vide adormescer
a sueño suelto, dulce y sosegado,   10
sin podértelo nadie defender,
por ti mi corazón fue cautivado;
y cuando disperté, queriendo ver
quien era el que en prisión le habia llevado,
oí que me dijeron dentro [en] mí: 15
«En Dios se entró, está fuera de ti».

Estoy fuera de mí, porque el amor
me tiene de mí mesma enajenada
y muero con la fuerza del dolor,
que verme fuera dél no basta nada;   20
y sepa quien oyere mi clamor
que en casa del que amaba fui llevada,
y tiéneme anegada en su dulzura
y enferma de su amor por darme cura.

Y aunque más quiera yo saber decir   25

---

[4] Recientemente el P. Ismael Bengoechea, «Más sobre *códices* de San Juan de la Cruz, nuevas copias manuscritas de sus poesías», *San Juan de la Cruz*, Año IX, nº 12, 1993/II, pp. 262-266, ha analizado las variantes de los textos auténticos, pero no menciona las octavas atribuidas, supongo que por considerarlas apócrifas.

[5] Modernizo las grafías, acentuación y puntuación, y doy en notas las correcciones. La edición paleográfica puede leerse en el citado artículo de V. Núñez, pp. 131-133. El propio editor ha vuelto a cotejar el texto con el original y ha tenido la gentileza de enviarme los ligeros cambios: v. 11 *sin* por *sim*; v. 70 *este mar* por *esta mar*; v. 71 *inpossible* por *impossible*; v. 73 *abnegarme* por *abrigarme*.

la causa y ocasión de mi prisión,
no puedo enteramente referir
lo que explicar no puede la razón;
mas digo que un dulcísimo morir
un nuevo ser le dio a mi corazón   30
cuando mi Dios, con sola una mirada,
en sí me dejó toda transformada.

  Y habiéndome mirado mi querido,
mostróme de tal suerte su hermosura,
que[6] aquella divinísima figura   35
muy dentro de mi alma se ha esculpido.
Ningún pintor los hombres han tenido
que a pintar acertase tal figura,
cual es la que mi Dios pintó en mi alma,
hallándola más llana que la palma.   40

  Vi retratada en mí la deïdad
del que es mi Dios y padre poderoso,
y el mar de inmensa gloria y majestad
del Verbo, a quien me ha dado por esposo,
y el fuego de divina claridad,   45
que procede de entrambos, amoroso.
Y siendo amor inmenso de los dos,
con ellos juntamente estaba Dios.

  Luego aquella uniïón inseparable
de aquellas dos Personas me ha[7] mostrado   50
por[8] modo tan subido y delicado,
que ignoro cómo es, siendo admirable,
aquel misterio puro y deleitable
con que el Verbo del Padre es engendrado,
y el ser Hijo y tener tal igualdad   55
con su Gloria, Saber y Eternidad.

  Y estando toda absorta el alma mía,
mirando al Padre y Verbo y su hermosura,[9]
miraba aquella llama clara y pura
que, siendo amor, de entrambos procedía;   60
y con la admiración que en sí tenía,

----

[6] En el ms. y.
[7] En el ms. han
[8] En el ms. por un modo.
[9] En el ms. se copia a continuación el verso y *aquella divinísima figura* que es un salto al v. 35, incluido el error de y *por que*.

está palabra [o]y[ó][10] con gran dulzura:
«Este amor es igual a mi deidad,
que tal amor meresce mi bondad».

De tal amor es digna la hermosura   65
que [El] solo es hermosura inaccesible[11]
y El solo en perfeción incomprehensible,
que da perfecto ser a la criatura.
Entróse en mí este mar de gran dulzura
con una fuerza tal, que fue imposible   70
poderle defender la entrada en mí
para anegarme[12] toda dentro en sí.

Y aunque vivo en la tierra, vivo en gloria,
mientras miro a esta imagen soberana;
mirando aquesta ya[13] no puedo curar de cosa humana,   75
que aun de sí no se acuerda mi memoria;
y el mundo me parece todo escoria
y su riqueza inútil y muy vana:
ya no me busque nadie acá en la tierra,
que ya el amor me tiene en la alta sierra.   80

Hago a continuación un parco comentario de las octavas aduciendo las correspondencias con San Juan de la Cruz[14].

Epígrafe

El epígrafe –«Otras a una religiosa en oración»–, no parece el más apropiado. Lo de «Otras» podría referirse a coplas –no a liras, que son las estrofas del poema anterior– y con más verosimilitud a octavas, que figurarían en el arquetipo. Lo de «a una religiosa en oración» podría ser admisible, pero más bien semeja una conjetura impertinente, aunque en una lectura literal podría ser perfectamente correcto, si la voz del protagonista correspondiera como ficción, o realidad –entonces el poema no sería de San Juan–, a una protagonista femenina. El poema tiene una voz femenina porque narra la unión del alma con Dios, el Esposo, en la más pura tradición del *Cantar de los Cantares*, fuente esencial de los versos. Una voz femenina que, además, se desdobla en dos: la del alma y la del corazón del alma. De hecho, la voz de este último es la que se hace oír a lo largo del poema en las octavas II a IX. Por los motivos que en su lugar se explicarán, la voz del 'corazón del alma' resulta ser también femenina.

---

[10] Podría ser también [o]y, pero parece refirse al corazón del alma.

[11] En el ms. *inascesible*.

[12] En el ms. *abnegarme*.

[13] Probablemente *mirando aquesta* es adición de copista, aunque el error podría estar en el otro tramo del verso.

[14] Cito por *Vida y Obras de San Juan de la Cruz*, ed. Crisógono de Jesús, Lucinio del SS. Sacramento y Matías del Niño Jesús, Madrid, BAC, 1955, 3ª ed..

Octava I

Vv. 1-4

> Echándome tus rayos noche y día,
> ¡Oh soberano sol y amado esposo!,
> con sólo ver tu rostro tan hermoso
> me vi dentro del mar de tu alegría.

La octava, de cuya métrica peculiar trataré más adelante, se abre con cuatro versos que presentan en síntesis el tema del matrimonio espiritual y los tres grandes símbolos que lo vertebran: la *luz* –la *llama*–, el *agua*, y la *noche*. Es bien sabido que son los símbolos centrales del mundo místico de San Juan[15] y, desde luego, de la Biblia. Doy unos ejemplos donde Dios –la Trinidad– se presenta como 'sol' y 'luz', y como 'agua', menos frecuente, aunque a veces, aparecen los dos fundidos:

Y así este espíritu de Dios, en cuanto escondido en las venas del alma, está, como agua suave y deleitable, hartando la sed del espíritu de la substancia del alma... Las cuales el alma así las llama, porque no sólo las gusta en sí como aguas de sabiduría, sino también las ejercita en amor de Dios como llamas. (*L*, 2, 8)

...pero es este fuego aquí, como habemos dicho, tan suave, que, con ser fuego inmenso, es como aguas de vida que hartan la sed del espíritu, con el ímpetu que él desea. (*C*, 3, 8)

...vacía y enajena tu espíritu de las creaturas y nadarás en divinas luces, porque Dios no es semejante a ellas. (*Av*, 1, 25)

La causa porque le es necesario al alma, para llegar a la divina unión con Dios, pasar esta Noche oscura de mortificación de apetitos y negación de los gustos en todas las cosas es porque todas las afecciones que tiene en las criaturas son delante de Dios puras tinieblas, de las cuales estando el alma vestida, no tiene capacidad para para ser ilustrada y poseída de la pura y sencilla luz de Dios... (*S1*, 4, 1)

Porque, aunque es verdad que Dios es para el alma tan oscura noche como la fe... ya va Dios ilustrando al alma sobrenaturalmente con el rayo de su divina luz. (S2, 2, 1)

A manera de sol cuando de lleno embiste la mar esclarece hasta los profundos senos y cavernas... así este divino Sol del esposo, convirtiéndose a la Esposa, saca de manera a luz las riquezas del alma, que hasta los ángeles se maravillan de ella. (*C*, 20, 14)

Dios está como el sol sobre las almas para comunicarse con ellas. (*L*, 3, 47)

Pero a todos éstos yo respondo que el *Padre de las lumbres*, cuya mano no es abreviada y con abundancia se difunde sin aceptación de personas do quiera que haya lugar, como el rayo del sol, mostrándose también a ellos en los caminos y vías alegremente... (*L*, 1, 15)

Y de esta manera hace el demonio por poco más que nada grandísimos daños, haciendo al alma perder grandes riquezas, sacándola con un poquito de cebo, como al pez, del golfo de las aguas sencillas del espíritu, donde estaba engolfada y anegada en Dios sin hallar pie ni arrimo. (*L* 3, 64)

---

[15] *Vid.*, en general, Domingo Ynduráin, *Aproximación a San Juan de la Cruz*, Madrid, Cátedra, 1990.

ya bebe en el agua de subida contemplación y sabiduría de Dios. (*C*, 32, 5)

Parece el alma que todo el universo es un mar de amor en que ella está engolfada. (*L*, 2, 10)

Decir que la vía y el camino de Dios por donde el alma va a él es en el mar... es decir que este camino de ir a Dios es tan secreto y oculto para el sentido del alma como lo es para el cuerpo el que se lleva por la mar. (*N2*, 17, 8)

V. 1   Echándome tus rayos noche y día,

El poema se abre con la paradoja, tan grata a San Juan, del sol iluminando y calentando de noche. No parece, sin embargo, que la noche sea aquí sólo la pasiva del sentido y del espíritu, sino, en un grado más avanzado del estado místico, la unión continua con Dios. La construcción *echar rayos* queda clara en el siguiente pasaje:

Es cosa maravillosa que, como el amor nunca está ocioso, sino en continuo movimiento, como la llama, está echando siempre llamaradas acá y allá; y el amor, cuyo oficio es herir para enamorar y deleitar, como en la tal alma está en viva llama, estále arrojando sus heridas como llamaradas ternísimas de delicado amor. (*L*, 1, 8)

Vv. 3-4   con sólo ver tu rostro tan hermoso
            me vi dentro del mar de tu alegría.

Para *rostro* léanse los comentarios a

Muéstrame tu rostro suave... porque tu voz es dulce y tu rostro hermoso. (C, 39, 9)

Mostrándosete en estas vías de sus noticias el mismo Esposo alegremente, con este su rostro lleno de gracias. (*L*, 3, 6)

Vv. 5-8   Llevaste, Amado mío, el alma mía
            por un modo secreto y amoroso,
            porque durmiendo yo sobre tu pecho,
            fue allá mi corazón por ti deshecho.

Comienza aquí el desarrollo del proceso de unión, que en los primeros versos se presenta como el desenlace. A partir del v. 5 el poema, impregnado, sin duda, de intenso lirismo, es esencialmente descriptivo, como corresponde a una estrofa destinada a la propedéutica. En la noche pasiva del espíritu, el Amado 'lleva' –con el matiz de 'roba'– a la Amada «por un modo secreto y amoroso». Verso fundamental porque hace referencia al centro de la doctrina de San Juan: la Teología mística. Sabiduría secreta, irracional, definitiva y gratuita. Doy algunos lugares con *modo* y *secreto*:

para mover Dios al alma y levantarla del fin y extremo de su bajeza al otro fin y extremo de su alteza en su divina unión, halo de hacer ordenadamente y suavemente y al modo de la misma alma. (*S2*, 17, 3)

MISTICA TEOLOGIA, que quiere decir sabiduría escondida y secreta de Dios, en la cual, sin ruido de palabras y sin servicio y ayuda de algún sentido corporal ni espiritual, como en silencio y quietud de la noche, a oscuras de todo lo sensitivo y natural, enseña Dios ocultísima y secretísimamente al alma sin saber ella cómo. (*C*, 39, 12)

Véase, además, todo el comento al verso *por la secreta escala disfrazada* (*N*, 2) y *En la noche dichosa,/ en secreto, que nadie me veía* (*N*, 3).

Vv. 7-8   porque durmiendo yo sobre tu pecho,
              fue allí mi corazón por ti deshecho.

Para este sueño del alma consúltense los comentarios al *Cántico espiritual*, 15, 22. Doy sólo un paralelismo:

> Este sueño espiritual que el alma tiene en el pecho de su Amado, posee y gusta todo el descanso y sosiego y quietud de la pacífica noche, y recibe juntamente en Dios una abisal y oscura inteligencia divina. (*C*, 15, 22)

Se trata del 'corazón del alma', que en la tradición de los místicos del Norte es el *gemüt*, habitualmente traducido por *cor*, que puede moverse hacia el alma exterior o, como en este caso, hacia la interior, hacia la sustancia del alma, esto es Dios[16]. Véanse unos paralelismos:

> por lo cual dice el profeta [(Ps. 72, 21-22 «Porque fue inflamado mi corazón, también mis renes se mudaron juntamente, y yo fui resuelto en nada y no supe»] que *fue resuelto ['disuelto'] en nada y que no supo*... (*C*, 26, 17)

> cuanto más el alma tiene corazón para sí, menos lo tiene para Dios. (*C*, 9, 5)

> Tocada el alma de pavor y dolor de corazón interior... con ansia y gemido salido ya del amor de Dios, comienza a invocar a su amado. (C, 1, 1)

> pues que el alma se ve hecha como un inmenso fuego de amor que nace de aquel punto encendido del corazón del espíritu. (*L*, 2, 11)

Octava II

<blockquote>

   Luego que en ti me vide adormescer
a sueño suelto, dulce y sosegado,   10
sin podértelo nadie defender,
por ti mi corazón fue cautivado;
y cuando disperté, queriendo ver
quien era el que en prisión le habia llevado,
oí que me dijeron dentro [en] mí: 15
«En Dios se entró, está fuera de ti».

</blockquote>

Y así, esta noticia deja al alma, cuando recuerda ['despierta'], con los efectos que hizo en ella sin que ella los sintiese hacer, que son levantamiento de mente a inteligencia celestial y enajenación y abstracción de todas las cosas, y formas y figuras y memorias de ellas... Que por eso la Esposa, que era sabia, también en los Cantares se respondió ella sí misma en esta duda, diciendo: *Ego dormio et*

---

16 Un resumen en L. Cilleruelo, «Literatura espiritual de la Edad Media», en *Historia de la Espiritualidad*, Barcelona, Juan Flors, 1969, pp. 797-798.

cor meum vigilat (5, 2). Como si dijera: Aunque duermo yo, según lo que yo soy naturalmente, cesando de obrar, *mi corazón vela, sobrenaturalmente elevado en noticia sobrenatural.* (*S2*, 14, 11)

Luego que las dos casas del alma se acaban de sosegar... poniéndolas en sueño y silencio acerca de todas las cosas...inmediatamente esta divina sabiduría se une en el alma. (*N2*, 24, 3)

... pues no hay obra mejor ni más necesaria que el amor, así también en los Cantares defiende a la Esposa, conjurando a todas las criaturas del mundo –las cuales se entienden allí por las hijas de Jerusalén– que no impidan a la Esposa el sueño espiritual de amor, ni la hagan velar, ni abrir los ojos a otra cosa hasta que ella quiera (3, 5). (*C*, 29, 1)

El que está enamorado se dice tener el corazón robado o arrobado de aquel a quien ama, porque lo tiene puesto fuera de sí en la cosa amada, y así no tiene corazón para sí sino para aquello que ama. (*C*, 9, 4)

Octava III

> Estoy fuera de mí, porque el amor
> me tiene de mi mesma enajenada
> y muero con la fuerza del dolor,
> que verme fuera dél no basta[17] nada; 20
> y sepa quien oyere mi clamor
> que en casa del que amaba fui llevada,
> y tiéneme anegada en su dulzura
> y enferma de su amor por darme cura.

Para la 'dolencia' o enfermedad de amor[18] véanse los comentarios a «decidle que adolezco, peno y muero» de *C*, 2 y a la copla «Descubre tu presencia/ y máteme tu vista y hermosura;/ mira que la dolencia/ de amor que no se cura/ sino con la presencia y la figura» de *C*, 11. Confróntense también unos pasajes sobre el motivo y la 'enajenación':

La enfermedad de amor no tiene otra cura sino la presencia y figura del Amado... (*C*, 11, 11)

El que de amor adolece / del divino ser tocado... (*Poesía XX*, 21-22)

y así, toda criatura/ enajenada se ve,/ y gusta de un no sé qué... (*Poesía XX*, 33-35)

Estaba tan embebido,/ tan absorto y ajenado (*Poesía V*, 18-19)

Para *clamor* véase el comentario al verso «Salí tras ti clamando y eras ido» de *C*, 1, 5. Un ejemplo:

Es de saber, que este salir espiritualmente se entiende aquí de dos maneras: para ir tras Dios la una, saliendo de todas las cosas, lo cual se hace por aborrecimiento y desprecio dellas; la otra, saliendo de sí misma por olvido de sí, lo cual se hace por el amor de Dios, porque cuando éste toca al alma con las

---

[17] «nada es bastante».
[18] Excelente bibliografía sobre el tema en Aurora Egido, «La enfermedad de amor en el *Persiles*», *Actas del II Coloquio Internacional de la Asociación de Cervantistas*, Barcelona, Anthropos, 1991, pp. 201-244.

veras que se va diciendo aquí, de tal manera la levanta, que no sólo la hace salir de sí misma por olvido de sí, pero aun de sus quicios y modos e inclinaciones naturales la saca clamando a Dios.

Octava IV

Y aunque más quiera yo saber decir 25
la causa y ocasión de mi prisión,
no puedo enteramente referir
lo que explicar no puede la razón;
mas digo que un dulcísimo morir
un nuevo ser le dio a mi corazón 30
cuando mi Dios, con sola una mirada,
en sí me dejó toda transformada.

El motivo de la transformación de la amante en el amado –cf. «amada en el Amado transformada» (N, v. 25)– es, naturalmente, fundamental[19]. Para 'mirada' el comentario a «Cuando tú me mirabas» (C, 32, 2).

Octava V

Y habiéndome mirado mi querido,
mostróme de tal suerte su hermosura,
que aquella divinísima figura 35
muy dentro de mi alma se ha esculpido.
Ningún pintor los hombres han tenido
que a pintar acertase tal figura,
cual es la que mi Dios pintó en mi alma,
hallándola más llana que la palma. 40

La rima hermosura-figura en «con sola su figura/ vestidos los dejó de su hermosura» (C, 5, 3). Más extraña es la repetición de figura en la rima[20]. El motivo del rostro de la amada impreso, sellado o grabado en el alma del amante, bien conocido en la literatura profana, cobra aquí una especial relevancia por desdoblarse en escultura –altorrelieve o bajorrelieve– y en pintura. Algunos paralelos en San Juan:

Y para sólo este efecto bien podrá algunas veces acordarse de aquella imagen y aprehensión que le causó el amor...mayormente cuando es la recordación de algunas figuras, imágenes y sentimientos sobrenaturales que suelen sellarse e imprimirse en el alma, de manera que duran mucho tiempo, y

---

[19] Vid., por ejemplo, Nicholas Perella, The Kiss Sacred and Profane, University of California Press, Berkeley, 1969. Para una historia muy minuciosa del motivo está en prensa el libro de Guillermo Serés, La transformación de los amantes (Barcelona, Crítica), que dedica un extenso capítulo a San Juan. Allí analiza también otros motivos como la enfermedad de amor y la de la 'figura' del amado 'sellada' en el interior del alma.

[20] Podría pensarse en un error por pintura, pero no lo parece.

algunas nunca se quitan del alma. Y estas que allí se sellan en el alma, casi cada vez que el alma advierte en ellas le hacen divinos efectos de amor, suavidad, luz, etc, unas veces más, otras menos, porque para eso se las imprimieron. (*S3*, 13, 6)

De sumo interés es el motivo del alma como *tabula rasa* que se da en los versos 39-40. Como es sabido, toda la mística de San Juan se vendría abajo si no admitiera el principio aristotélico del conocimiento a través de lo sensible. Precisamente, todo el proceso espiritual que se describe en los tratados y, en particular, en la *Noche* tiene como fin eliminar del alma intelectiva, a través de las virtudes teologales, toda huella de conocimiento para, desde la nueva *tabula rasa,* entrar en el centro del alma, en la sustancia divina que allí se aposenta. Unas concordancias:

De manera que el alma que hubiere negado y despedido de sí el gusto de todas las cosas, mortificando su apetito en ellas, podremos decir que está como de noche, a oscuras, lo cual no es otra cosa sino un vacío en ella de todas las cosas.
La causa de esto es porque, como dicen los filósofos, el alma, luego que Dios la infunde en el cuerpo, está como una tabla rasa y lisa en la que no está pintado nada; y si no es lo que por los sentidos va conociendo, de otra parte naturalmente no se le comunica nada. (*S1*, 3, 2-3)

Porque como dicen los filósofos: *Ab obiecto et potentia paritur notitia.* Esto es: del objeto presente y de la potencia nace en el alma la noticia. (*S2*, 3, 2)

Octava VI

<blockquote>
Vi retratada en mí la deïdad
del que es mi Dios y padre poderoso,
y el mar de inmensa gloria y majestad
del Verbo, a quien me ha dado por esposo,
y el fuego de divina claridad,   45
que procede de entrambos, amoroso.
Y siendo amor inmenso de los dos,
con ellos juntamente estaba Dios.
</blockquote>

En ésta y en las octavas siguientes se describe la unión teopática, cuando el místico tiene de forma simple y esencial la intelección del misterio de la Trinidad. Es normal en la tradición mística desde el Pseudo Dionisio, y gratísima a la mística del norte, en particular, Tauler, Ruysbroeck y Herph. San Juan desarrolla el tema en los comentarios a las últimas estrofas del *Cántico* y, sobre todo, en la *Llama* que va dedicada en su totalidad a esta experiencia indescriptible del más alto grado de unión con Dios. La exposición del misterio en estas octavas coincide con la serie de nueve romances que San Juan dedicó al asunto, la primera y más importante de las materias épicas. Sí es interesante resaltar que esa experiencia de visión y unión con la Trinidad que se relata en las octavas fue, al mediar el siglo y hasta casi finales, altamente sospechosa, perseguida en los libros y en las personas y tachada de alumbradismo[21].

------

[21] No se trata de los alumbrados del primer cuarto de siglo –*vid.* Antonio Márquez, *Los alumbrados,* Madrid, Taurus, 1972– sino de los que se movían en círculos muy similares a los de San Juan hacia 1545 y, sobre todo, hacia 1570 y en el primer cuarto del siglo XVII. *Vid.*, para los ataques de Melchor Cano, Juan de la Cruz y otros, a Teodoro Martínez Fernández, *Enrique Herp (Harphius) en las letras españolas,*

Octava VII

Luego aquella unïón inseparable
de aquellas dos Personas me ha mostrado   50
por modo tan subido y delicado,
que ignoro cómo es, siendo admirable,
aquel misterio puro y deleitable
con que el Verbo del Padre es engendrado,
y el ser Hijo y tener tal igualdad   55
con su Gloria, Saber y Eternidad.

Octava VIII

Y estando toda absorta el alma mía,
mirando al Padre y Verbo y su hermosura,
miraba aquella llama clara y pura
que, siendo amor, de entrambos procedía;   60
y con la admiración que en sí tenía,
está palabra [o]y[ó] con gran dulzura:
«Este amor es igual a mi deidad,
que tal amor meresce mi bondad».

Véanse algunas correspondencias de léxico y de contenido:

porque la luz y sabiduría de esta contemplación es muy clara y muy pura. (*N2, 2, 5, 5*)

De esta suerte está el alma absorta en vida divina, ajenada de todo lo que es secular temporal, y apetito natural. (*L, 2, 35*)

y aquí el alma, inmensamente absorta en delicadas llamas, llagada sutilmente de amor en cada una de ellas. (*L, 3, 5*)

Y esto por dos causas: la primera, porque, como actualmente queda absorta y embebida el alma... (*C, 26, 17*)

que, dentro de Dios absorta, / vida de Dios viviría. (*Romance 4*, 165-166)

y así, dice la Esposa en esta canción que, después de haber entrado más adentro en esta Sabiduría divina y trabajos, esto es, más adentro del matrimonio espiritual que ahora posee, que será en la gloria, viendo a Dios cara a cara unida el alma con esta sabiduría divina, que es el Hijo de Dios, conocerá el alma los subidos misterios de Dios y Hombre, que están muy subidos en sabiduría, escondidos en Dios, y que en la noticia de ellos se entrarán, engolfándose e infundiéndose el alma en ellos, y gozarán y gustarán ella y el Esposo el sabor y deleite que causa el conocimiento de ellos y de las virtudes y atributos de Dios... (*C, 37, 2*)

Ávila, El Diario de Ávila, 1973, pp. 115 y ss.; y, para el siglo XVII, a José Ignacio Tellechea, «La mística de San Juan de la Cruz y otras heterodoxias: mística, alumbrados y quietistas», en *Actas del Congreso Internacional Sanjuanista*, Junta de Castilla y León, 1993, II, pp. 347-369.

El nono grado de amor es hacer arder al alma con suavidad. Este grado es el de los perfectos, los cuales arden ya en Dios suavemente. Porque este ardor suave y deleitoso les causa el Espíritu Santo por razón de la unión que tiene con Dios

Y en este encendido grado se ha de entender que habla el alma aquí ya tan transformada y calificada interiormente en fuego de amor, que no sólo está unida en este fuego, sino que hace ya *viva llama en él (L, Pr.).*

Octava IX

De tal amor es digna la hermosura   65
que [El] solo es hermosura inaccesible
y El solo en perfeción incomprehensible,
que da perfecto ser a la criatura.
Entróse en mí este mar de gran dulzura
con una fuerza tal, que fue imposible   70
poderle defender la entrada en mí
para anegarme toda dentro en sí.

Para el «anegamiento» véanse las correspondencias en la Octava I. Para «hermosura», sobre todo, el comentario de *C*, 36, 5.

Octava X

Y aunque vivo en la tierra, vivo en gloria,
mientras miro a esta imagen soberana;
ya no puedo curar de cosa humana,   75
que aun de sí no se acuerda mi memoria;
y el mundo me parece todo escoria
y su riqueza inútil y muy vana:
ya no me busque nadie acá en la tierra,
que ya el amor me tiene en la alta sierra.   80

En esta octava final, que incluye algunos versos admirables, como el 76 o el pareado de cierre, se hallan los dos versos más flojos del poema. Me refiero a los vv. 77-78, que deben entenderse, sin embargo, en un plano alegórico y que se corresponde bien con la negación de la memoria y, por consiguiente, de «las criaturas» –*i. e.* el mundo y sus riquezas– característica del misticismo de San Juan de la Cruz.

Conclusión

En estas octavas, en conclusión, la doctrina de San Juan de la Cruz se manifiesta en el conjunto –tema, símbolos, experiencias místicas personales– y en las partes en una síntesis de 80 versos. Sin ser un especialista en el oscuro universo de su mística –aunque expuesta con bastante claridad en sus comentarios–, no creo que ningún lector, a la vista de los paralelismos y concordancias, pueda dudar de que se trata de un poema que, en apariencia –luego volveré sobre ello–, bebe en las fuentes más profundas de su obra. Precisamente, las octavas son más una exposición doctrinal y didáctica -para frailes y monjas 'perfectos'-, que una explosión de afectos místicos, aunque los hay, como los que se dan en sus grandes poemas. A pesar de su carácter descriptivo, propedéutico, poseen esos versos un tono, una voz, una intensidad y una economía intelectual que no son frecuentes en la multidud de composiciones devotas que llenan los manuscritos e impresos de la época. Buena prueba es la propia recopilación del anónimo carmelita en la que abundan insulsos sonetos, octavas, romances y villancicos dedicados a las fiestas de santos y otros asuntos piadosos. Más piedad que poesía. Y eso que la colección es bastante buena o muy buena.

Hasta aquí la argumentación en favor de la atribución sólo demuestra que el poema nace en el peculiar mundo de la mística sanjuanista. Se alegará que, en efecto, se mueve en la órbita de su obra, pero se aducirá, por el consiguiente, que es obra de un imitador, de un fraile o monja carmelita que conocía a la perfección la doctrina de San Juan a través de sus poemas y sus comentarios. Y es cierto. Símbolos y motivos, como el *desposorio espiritual*, la *llama*, la *noche* fueron aprovechados por los imitadores. El motivo de la *tabula rasa* –en la comparación con la palma de la mano– no parece, desde luego, una ocurrencia fácil en un imitador. Ni tampoco la coherencia estructural y simbólica de la unión teopática. Ni la compleja exposición doctrinal de la Trinidad.

Sin embargo, los profanos, más o menos legos en mística carmelitana, nos movemos también en la historia literaria y no sólo en la de la espiritualidad, que en el caso de nuestros más eximios representantes entran casi de lleno en el río irreversible, heraclíteo, de la tradición literaria. Aduzcamos a continuación, pues, argumentos literarios en defensa de la prioridad cronológica de las octavas en relación a los comentarios de San Juan. En general, los imitadores se refugian en la forma. Resulta extraño que en el caso que nos atañe, si se trata de un imitador, no acuda a la lira, por no citar las otras estrofas y composiciones, como las glosas, los romances y las más extrañas de *El pastorcico* o *La fonte*. Y también es anómalo que no aparezca en las octavas un sólo sintagma del modelo, pues los paralelismos se encuentran en la prosa y se refieren más a la invención que a la elocución. Quien compuso las octavas parece conocer en profundidad la obra en prosa de San Juan; el poema, por lo tanto, plausiblemente tuvo que componerse con posterioridad a la redacción de los tres comentarios. Sus versiones más o menos definitivas se suelen situar entre 1584-1585. Y el de la *Llama*, el texto más cercano a las octavas, es del invierno de 1585[22]. Ocurre, sin embargo, que la poética de esas octavas encaja poco, o nada, con la que se practicaba por aquellos años. Por esas calendas todas las octavas eran ya regulares. A nadie se le ocurriría componerlas con rimas *ABBABACC* ni menos alternándolas a capricho con las regulares *ABABABCC*. En el siglo XVI sólo encuentra don Tomás Navarro Tomás[23] de las primeras un par de ejemplos, y sin alternancia, en dos poemas de don Diego Hurtado de Mendoza. Y menos aún cometería el error sacrílego-poético del uso de la rima oxítona, que prácticamente había desaparecido en la década de los sesenta[24]. El autor de las octavas conoce, quizá, poemas de don Diego y, sobre todo, la *Octava rima* de Boscán, probablemente leída también por el autor del

---

[22] Para la fecha *vid.* la introducción de Cristóbal Cuevas en *Poesías*. *Llama de amor viva*, Madrid, Taurus, 1993, pp. 56-60.

[23] *Métrica Española*, Madrid-Barcelona, Guadarrama, 1974, pp. 206-207.

[24] Sobre el asunto véase el exhaustivo estudio de Francisco Rico, «El destierro del verso agudo», *Homenaje a José Manuel Blecua*, Madrid, Gredos, 1983, pp. 525-551. Hay casos esporádicos de versos agudos, pero, desde luego, no en la proporción del 36%, como ocurre en las octavas. En el *Cantar de los Cantares* atribuido a fray Luis hay 9 casos entre 520 versos.

Cantar de los cantares en octavas atribuido a fray Luis[25]. A Boscán, a Hurtado de Mendoza, a Montemayor, al primer Silvestre, a la traducción del *Cantar de los Cantares* hay que remitir la poética del poema que nos ocupa. Es, en mi opinión, muy poco probable al mediar los ochenta, aunque, en efecto, quienes como nosotros, historiadores de la literatura, trabajamos sobre lo particular, no pongamos la mano en el fuego de lo general no nos vayan a quemar algunas chispas de las excepciones.

Se podrá alegar en contra que la lírica carmelitana se desarrolla en grupos cerrados, alejada de la poética de su tiempo y, por consiguiente, con tendencias arcaizantes. Pero es argumento que, por los testimonios que conocemos, no corresponde a la realidad. Ningún poema autorizado de San Juan compuesto en métrica italiana –a partir, al parecer, de 1577– presenta ya rimas agudas. La octava atribuida a Santa Teresa («Dichoso el corazón enamorado») tampoco. En los cancioneros carmelitanos, como el presente, o el *Libro de romances coplas y villancicos (c. 1590-1609)*[26], abunda el tipo de poesía religiosa habitual en su tiempo, como la de los célebres cancioneros de López de Ubeda, donde se mezclan tradiciones cultas y populares. Es cierto que en el *Libro de romances* del Carmelo vallisoletano se incluye un soneto con cuatro versos agudos, pero se trata de un claro soneto musical cruzado con villancicos de Navidad[27] y, desde luego, de fecha incierta. El otro texto con agudos es conocido. Se copian allí las octavas «Decid, cielos y tierra, decid mares», que en algunas ocasiones se han atribuido a San Juan o a Santa Teresa, y que está inspirado con bastante probabilidad en la paráfrasis en octavas del *Cantar de los Cantares* atribuida a fray Luis de León, en la que aparecen también algunas rimas oxítonas, pero en proporción incomparable[28]. No hay que descartar que el primero tuviera presente también las octavas que estudiamos, como asimismo parecen conocerlas las atribuidas por el P. Gerardo a María de San Alberto que comienzan «Ave sobre las otras eminente», dedicadas a San Juan Evangelista en las que se trata de la Trinidad[29]. Tanto las octavas del *Cantar* como éstas poco tienen que ver en el tono ni en el estilo con las del ms. de la Colombina.

Si se descarta, por razones histórico-literarias, que el poema pueda ser posterior a 1585, habrá que deducir que se trata de un poeta-místico anterior o paralelo a San Juan con el que coincide exactamente en toda una complejísima visión del hombre, del mundo y de Dios, que ha bebido en las mismas fuentes y que ha llegado a las mismas conclusiones sin aparente diferencia. Extraordinaria resulta, por ejemplo, la inclusión en un poema del concepto de *tabula rasa* o la compleja, y a la vez sintética, exposición de la Trinidad. Si el poema no es auténtico, quien puso

---

[25] Sobre la autoría, denegada, de la obra, *vid.* el estupendo estudio del querido maestro Robert Jammes, «Advertencias sobre *Los Cantares del rey Salomón en octava rima* atribuidos a fray Luis de León», *Criticón*, 9, 1980, pp. 5-27.

[26] Ed. Víctor G. de la Concha y Ana Mª Álvarez Pellitero, Salamanca, Consejo General de Castilla y León, 1982, 2 vols.

[27] Es el soneto que comienza «Venid los de Belén y su comarca / veréis la corte toda celestial» (ed. cit, nº 47, p. 39).

[28] La proporción es del 7,2% –11 agudos en 80 versos. El P. Gerardo de San Juan de la Cruz (*Obras*, III, p. 198) publicó una versión más defectuosa que la copiada en el *Libro de romances* (nº 236, pp. 221-223).

[29] Ed. cit., nº 158, pp. 134-135. La fuente, probablemente, es el *Tractatus XX in Ihoannis Evangelium* de Agustín. El P. Gerardo la atribuye a María de San Alberto, pero no hay que hacer demasiado caso de esas atribuciones porque también adjudica a Cecilia del Nacimiento varios sonetos que son de Silvestre, prudentemente eliminados en la edición que de las obras de esta escritora llevó a cabo el P. José M. Díaz Cerón (Madrid, Editorial de Espiritualidad, 1971).

el epígrafe advirtió de inmediato la proximidad espiritual y literaria con la obra de San Juan. Pero, en efecto, pudo equivocarse. Los paralelismos y concordancias que he alegado en el comentario no son prueba de su autoría. El poema se mueve en la órbita sanjuanista, sin duda, pero ésta a su vez se incluye en otra más amplia de la que apenas difiere, salvo en la organización intelectual y en la calidad poética. Me refiero a la *devotio moderna*, en particular a Tauler, Ruysbroeck y Herp y sus descendientes españoles, como Laredo, Osuna y tantos otros. Místicos anónimos que tenían la experiencia trinitaria debieron abundar en la época más propicia para el desarrollo de la espiritualidad interior. Otra cosa es que recibieran la inspiración de las musas poéticas. Por ejemplo, Laredo, gran prosista, es uno de los peores poetas de un siglo en el que componer versos aceptables estaba al alcance de cualquiera. Sin embargo, estas octavas no son de un poeta adocenado. Son obra de un místico-poeta en la más alta categoría de la clasificación de Hatzfeld[30].

Pudo, en efecto, darse esa feliz coyuntura de misticismo y poesía en un anónimo del que no quedan más versos que los de estas octavas. Pero más verosímil es pensar en que se trate de una obra de San Juan, que, por motivos desconocidos, no ha pasado al repertorio canónico. A los argumentos aducidos añadiré que estas anomalías formales en la métrica encajan bien con sus gustos, de tradiciones establecidas o extrañas. Acude a la lira, más en la tradición pastoril que en la de la oda luisiana; al romance, pero con rima aconsonantada, cuando ya triunfaba el asonante; a las glosas, sin ruptura alguna; al cuarteto en *El Pastorcico*, rarísima composición, pero que estaba en su modelo; al extraño pareado endecasílabo y heptasílabo de *La fonte*, donde el poeta no se enteró de que se trataba de un zéjel y no de un pareado. A San Juan, le daba lo mismo. En todos sus poemas se repite con extraordinaria coherencia su concepción del ser humano. Pero en cada metro o género, San Juan, magistral epígono, siguió las poéticas establecidas: en la lira, la de las liras; en el romance, las del romancero cronístico; en las glosas, la intelectual de las glosas; en *El Pastorcico*, la de las glosas en cuartetos o serventesios; en *La fonte*, la paralelística tradicional, hasta manteniendo la no diptongación. Genial en todas por la coherencia de sus temas, como se ha dicho, pero también por la capacidad de plegarse a las diferentes poéticas de cada metro sin perder la voz propia. El San Juan canónico es, desde luego, superior al poeta de estas octavas, que, por cierto, se mueven también en la poética de este metro, de ahí que no responda a la de los poemas conocidos. No se conserva ningún poema primitivo de Juan de Yepes, pero hay noticia de su existencia[31]. Y aunque no la hubiera: su *corpus* poético exige una madura experiencia previa de lector y de práctico. Creo, en conclusión, que estas octavas del cancionero de la Colombina podrían pertenecer a esos textos primitivos desaparecidos. No se incluyeron en el canon. Y quizá por motivos no literarios: por los años en que se debió componer, un poema místico en que se expresaba la visión o unión con la esencia de la Trinidad sin ningún velo alegórico ni comentario podría, como se ha indicado, *sapere haeresim*. En todo caso, estas octavas, sean o no auténticas, por su calidad y por su infrecuente contenido, bien merecen un lugar destacado en la escasa poesía auténticamente mística del siglo XVI.

———

[30] «Problemas fundamentales del misticismo español», en *Estudios literarios sobre mística española*, Madrid, Gredos, 1955, pp. 1-17.

[31] *Vid*. Eulogio de la Virgen del Carmen, *San Juan de la Cruz y sus escritos*, Madrid, Ediciones Cristiandad, 1969, pp. 85 y ss.

Epígrafes curiosos en sonetos del siglo XVI

José Manuel BLECUA
Universidad de Barcelona

El manuscrito 11-1580 de la Biblioteca de Palacio (antes 2-B-10) es un cancionero de la segunda mitad del siglo XVI, cuyo interés no pasó inadvertido a don Ramón Menéndez Pidal, que lo describió sumariamente en su trabajo sobre los «Cartapacios literarios salmantinos»[1]. Consta de 270 folios, 28 x 15 cm., y, según don Ramón, este tomo «fue formado en 1906 con fragmento de una antigua colección en cuatro volúmenes»[2], lo que confirman la diversidad de letras. Encuadernado en pasta, en el lomo pone *Poesías varias / Tomo IV*. Probablemente fue copiado después de 1576, puesto que contiene la angustiada canción de fray Luis de León que comienza «Virgen que el sol más pura», que según diversos manuscritos fue compuesta estando preso en la Inquisición de Valladolid.

El cancionero, como otros muchos de la misma época, es de contenido muy vario, aunque predominan los poemas anónimos, pero también los hay de fray Luis de León, Juan de Almeida, Francisco de Figueroa y Silvestre, más la conocida diatriba de Juan de Alcalá con Jorge de Montemayor, tan copiada como mal editada. Supongo que la curiosidad de don Ramón fue suscitada por la abundancia de romances nuevos de todo tipo, y de algunas canciones y glosas. Por ejemplo, el gran maestro no dejó olvidadas estas seguidillas tan bellas:

> Preso me lo llevan
> a mi lindo amor,
> por enamorado
> que no por traidor.
>   Preso me lo llevan,
> la causa no sé;
> digan lo que deue,
> que yo lo pagaré.[3]

Abundan también los sonetos, tercetos y canciones, lo que no debería sorprendernos dado que la poesía de la Edad de Oro se apoya tanto en lo culto como en lo popular. Pero dentro de la poesía

---

[1] B.R.A.E. 1, 1914, pp. 307-314.

[2] *Ibid.*, p. 314.

[3] *Ibid.*, p. 313.

Hommage à Robert Jammes (Anejos de *Criticón*, 1), Toulouse, PUM, 1994, pp. 75-81.

culta del siglo XVI yo nunca había leído ningún epígrafe tan curioso como los que copio, que se caracterizan en primer lugar por su extensión, y en segundo lugar por su intento de explicar el contenido de los sonetos y los motivos y causas que llevaron al autor a escribirlos. Porque no son del mismo autor, ni tampoco del copista, que no es muy fiel. Son un curioso testimonio útil para el que quiera escribir un ensayo sobre los «rótulos» o epígrafes a los poemas de la Edad de Oro, pues muchos no son del propio autor, como sabemos muy bien en el caso de Quevedo. Y ¿quién puso los epígrafes en los manuscritos gongorinos anteriores al de Chacón? En estos curiosos epígrafes que publico, casi todos con una explicación narrativa, se pueden atisbar recursos hasta de la novela pastoril, lo que no es precisamente una rareza, dada la boga de ese género en la época.

Copio seguidamente los epígrafes, pero no todos los sonetos. He escogido seis o siete simplemente para que el lector compruebe las escasas dotes poéticas de su autor, tan cercano a veces a un prosaismo de aprendiz o de hombre que cuenta las sílabas con los dedos.

Muéstrase en este soneto quanto sea riguroso el ardiente dardo él, [que] quemando desecha, pues dexando el cuerpo sano, llaga el alma qual rayo que, sin romper la blanda cubierta, quema el fuerte azero.

Soneto 1

Asiesta Amor su arco en hora fuerte
   al simple pecho del zagal rendido
   y al paresçer auíasele rompido
   con golpe a quel vastaua a darle muerte.
La flecha que no sola sangre vierte
   no le dexó señal de estar herido,
   pero del gran dolor despauorido
   quedó mortal, y dixo desta suerte:
Ansí, traidor, vos sois más quel sería
   tener por mayor mal en este caso
   no ver el cuerpo roto ni sangriento.
Es sueño, sí; mas no, que no dormía.
   ¡Ay!, ¿qué será? No es nada, pues que siento
   ¿Si es fuego? No; más sí. ¡Ay, que me abraso!   f. 2

No teniendo la comodidad de ver a su Diana, saacoxe [sic] a la ymaginación, que como curioso pintor en la yncompatible tabla del alma, con el delgado pinzel del uiuo yngenio, al natural se la retrata, a pesar de Amor que no consiente todas vezes buscarla por no serle enoxoso.

Soneto 2

Como en tabla de zidro lisa y pura
   Phidias o Zeusis su Pinzel estiende
   y allí esmerarse quiere porque entiende
   allar nueuo contento en su pintura.
Retrátase en mi alma la figura
   de aquella que en amor mi pecho enciende
   y el mesmo muchas bezes me defiende
   ver con mis çiegos ojos su ermosura.
Mas del primer encuentro fue esculpida
   allí do invención no tiene parte
   ni la podrá borrar la mesma muerte.
Por solo este retrato tengo vida,
   Dïana, si Epinado, por no uerte,
   eleuó el pensamiento a contenprarte.   f. 2

A ymitación del Petrarcha en aquel soneto «Ponmi oue 'l sol», etc. Encaresce la firmeza suya en amar, pues lugar, tiempo, edad, estado o qualquier otro acidente no será parte para que oluide a quien tanto ama.

Soneto 3

Ponme, Amor, en leuante o en poniente,
  ponme en septentrión o mediodía,
  ponme en esa región templada o fría,
  en hiermo, en pueblo, a solas o con gente;
ponme en cielo o en tierra o do se siente
  el eterno dolor sin alegría,
  ponme fuera de la alta monarchía
  del mundo si natura lo consiente;
ponme, Amor, triste, alegre, rico u pobre,
  valido, desamado, viuo o muerto,
  dichoso o miserable, mozo o viejo;
ponme ocasión do la razón me sobre
  de oluidar a Dïana, y verás cierto
  que aún a razón no admito el buen consejo.   f. 2v.

Queriendo con la tinta de vna mora poner en qualquier muro o blanca pared el nombre suyo y de su dama y faltándole antes de poderlo acuar, finge auer con su propia sangre suplido lo que la de Píramo y Tisue cumplir no pudo.

Soneto 4

Con mill lazos de amor entretexía.   f. 3

Visto el poco remedio que su mal tiene busca piedad de los unmanos corazones y misericordia en amor, pidiéndole no le lastime más, pues avnque quiera de nueua llaga herirle, está tal que no allará donde hazella.

Soneto 5

Si no espero remedio al mal que siento   f. 3

Después de largo sufrimiento sustentado con esperanza de fauor o verdadero o fingido oyó de quien no quisiera, que el tener conpasión [de] los perdidos de amor era en las damas libiandad, haziendo caso de lo que dizen padesçar y lo contrario ánimo baronil y gentileza.

Soneto 6

No ay tantas gotas de agua en nuestro río   f. 3v.

Alfeo amaua a Madalena, la qual no queriendo reseuir su ofrescido corazón, el vno y el otro le desanparan, Gósalo Melisa, aunque aborrescida de Alfeo, y ent[r]e los dos pasa un diálogo, do con desgracia tanuién lo deja y él tiene por bien el morir y le será forzoso por no querer a Melisa ni ser querido de Madalena.

Soneto 7

Topó Melisa en la menuda arena
  el corazón de Alfeo palpitando
  y dízele: – Cruel, ¿qué andas buscando?
  – No a ti, aunque e perdido a Madalena.
– ¿Cómo, me di? ¡Soltóme la cadena
  y bueluo a aquel que me estará esperando.

– El te aborrece, yo te estoi rogando,
porque no alla en ti ya cosa buena.
Bien podrás ir después, que no me quiere
aquella por quien él viuia y yo muero.
Y yo por no querer ni ser querido.
Pues muerte mala mueras; si muriere
culpa tendrán los dos que me an perdido
y della es tanta quanta más la quiero.   f. 4

Lamentándose que deuajo de hermosura, vmanidad y gentileza se abecinden crueldad, aspereza y desdén, a la muerte ruega sea con él piadosa, dando fin a los afanes de tan áspera uida.

Soneto 8

Diuino rostro, corazón de fiera   f. 4

Sigue el yntento pasado y quiere probar no auer puesto Dios en algunas criaturas veldad para tormento nuestro, antes para que por ellas viniésemos en conosçimiento suyo, y confiesa auer, aunque no determinadamente, deseado el verla menos ermosa a fin de hallarla entonzes más blanda.

Soneto 9

Cruel señora de mi perdimiento   f. 4v.

Soneto 10

Desenfadada y libre Galatea   f. 5

Siluando, erido de una dama por quien le hes mandado tenga encubierta su llaga y secreta, pide a Amor ayuda para que con ençendido pecho pueda a lo menos lamentarse del mal, cuyo remedio por ningún medio se alla.

Soneto 11

Rije mi pluma Amor, manda la mano   f. 5

No pudiendo uisitar a Diana, con sus papeles conbida al pensamiento que de su parte le bea y asigure y de buelta traigan con su fantasía aquella gentilleza y ermosura origen de todos sus trauajos, los quales reduçidos a su prinçipio son al fin tenidos (aunque de suyo malos) y por muy buenos, corrigiéndose de auer pedido de tan preçioso benero metal más subido y mejor.

Soneto 12

Ve donde vas, lixero pensamiento   f. 5v.

Echando culpa a los ojos de lo que el corasçón padesçe, píde les aga llorando conpañía y a[r]repentiéndese de el mal que [le] hizieron procuren no boluer a la presençia de aquella cuya vista, aunque por estonzes suspenda el dolor, lo tiene en ureue de doblar con su ausencia.

Soneto 13

Ojos, llorad haziendo conpañía   f. 6

Ruega a una fuente guarde la figura representada de la pastora Aldina quando en ella se mirare y uisto que a su ausençia será forzosso el de si caresçer, le pide que como falso espejo de alinda [sic] le muestre ynperfetamente su hermosura, pues a de ser causa de mucho daño a quien la ama el conosçerse.

Soneto 14
O fuente clara, de agua cristalina   f. 6

Por metáfora de los ríos que al ancho mar rinden tributo, así dize el autor que ni las continuas lágrimas, tributo ordinario del inhumano amor, pueden acarrear alguna esperanza de alcansar el bien pretendido para expeler el mal que posee, por lo qual viene a conosçer este mal no auer otro remedio si no mudanza, la qual le es tan odiosa que no quiere la cura si a de ser por su mano.

Soneto 15

Mis ojos que continuo están llorando   f. 6

Después de auer pasado en congojoso llanto la triste noche, adormeçido hazia el alva, sueña ver a su Diana[4], y ablando con ella como si despierto estubiera, ya que ella le respondía, fue, de sobresalto, de tan dulze sueño recordado.

Soneto 16

La clara Aurora ya desanparaba
   del anciano Titón el lecho elado
   y el refulgente carro aljofarado
   los dioses y los ombres alunbraua,
quando mis tristes ojos enjugaua
   de el congojoso llanto un desusado
   sueño dulze, sabroso y descansado,
   que el corazón doliente recreaua.
¿Aquesta no es Di[a]na? Ella es, çierto,
   su mesmo andar, su cuerpo y su senblante.
   – Mi alma, ¿dónde vas sola y sin manto?
Realmente pensaua estar despierto
   quando enpeçó a dezirme «O charo amante»;
   mas luego recordé y boluime al llanto.   f. 7

Pasando acaso un galán por deuajo de una ventana vido estar en ella una dama llamada Mariana, que salía de una enfermedad y tenía las sienes apretadas con una venda, la qual finge ser del Amor, y el galán, afiçionado della, pasa un coloquio [con] el niño dios de Amor.

Soneto 17

La benda, el arco y venenosa aljaba   f. 7

Estando desfauoresçido de su dama y oluidado de amor, estando bien abatido y miserable, se uio leuantar a la más alta cumbre y fauorescido descanso que en amor se puede desear por auerse juntado a fauoreselle su Diana, amor, razón tienpo y fortuna.

Soneto 18

¿Qué amante fue de amor tan regalado   f. 7v.

No auiendo jamás gozado algún gusto de amor sin ser sobresaltado [de] muchos pesares y dessabrimientos, declara la poca firmeza y mucha variedad y mudanza de la Fortuna en general y más en particular con él proprio, pues en medio del mayor bien le perseguían tales disgustos que se le aguan y deshazen.

---

4 En el texto: divina.

Soneto 19

Es Fortuna tan baria y tan sin tiento   f. 10

Un hombre fatigado y perseguido por disgustos y disfavores de amor y de su dama, deseando verse ya libre de tan duro tormento y viendo que no lo podía ser por mano del oluido o mudanza llama a la sola poderosa en casos de amor, muerte, la qual es sello y fin de todo.

Soneto 20

Con sollozos profundos y gemidos   f. 10

Fatigado y despechado en ver quan mal agradesçida y pagada le hera su afición se acoje a las lágrimas, consuelo de los que pocos pueden, queriendo tentar este final uado aunque con temor de salir del como de primero para uer si con el continuo llorar ablandara tan dura condiçión como a la que su destino le subjetó.

Soneto 21

Lágrimas tristes de salir cansadas   f. 10v.

Estando con grandes principios y esperanzas para poder tener alguna esperanza de conseguir su deseo (aunque ésta las más vezes falta y no se puede en amor tener) como en el presente la isperiencia que en los árboles mostraua que por frío aire se yela sin llegar al desseado fin y fruto.

Soneto 22

En esta sierra estéril y deshierta   f. 10v.

Confiado un galán en el amor que a su dama tenía dize acontezerán primero todos los inconbinientes que aquí pone, que pueda cauer en él género de mudanza.

Soneto 23

De oliua y berde hiedra coronado,
   quando el rayo del sol es más ardiente,
   bueltos los ojos a vna clara fuente,
   y al pie de vn alto pino recostado,
sin acuerdo de sí ni del ganado,
   que deja de pazer al son que siente,
   ansí soltó la uos süauemente
   de amor un pastor apasionado:
Las ondas crecerán del mar profundo,
   por altas cunbres subirán los ríos,
   sin oja berde nos berá el berano
y escureçerá el sol antes al mundo,
   que aunque refuerçe Amor los males míos
   a Siluia dexe de adorar Siluano.   f. 11

A una monja que estaua en [un] monesterio que se llama Zarçoso, y trae a su semejança la zarsa que se mostró al profeta, que sin poder llegar a ella, la uía estando verde, arder sin quemarse.

Soneto 24

En tierno zarsa berde y espinosa   f. 11v.

Acaso sobre [una] prática comenzada con su dama, quexándose de quan mal con él se hazía, auiendo estado algún tanto contenplatiuo sin parlar, salió con vn sospiro diziendo «Mas donde no aya bentura, todo falta». Las quales palabras le mandó glosar su dama y él haziendo una cifra del nombre de ella y de su propia sangre se la enbió, en el qual encaresçe lo mal que con él lo ha echo, no se lo deuiendo.

Soneto 25

En esta ureue cifra está encerrada   f. 11v.

Estando el autor muy aficionado a vna dama, a la qual ansí por su valor y ser prinçipal, como por auer dejar presto aquella tierra, no le osé descubrir su yntento, mas con vn tierno mirar ni lo dio a entender a nadie. Un día en la cama vacilando con el pensamiento sobre lo que haría de dezirlo o no antes de partirse, acaso entre sí la nonbró, y como si la cama y aposento fueran rationales, le encargó el secreto hasta la buelta que entonzes quiere su fauor publicando a su dama quan atormentado allí le vieron.

Soneto 26

Quedad adios, cabaña muy amada   f. 12

Partido de vn lugar do tubo muy buenos ratos y biniendo do lo pasaua muy al contrario, lamentándose que aun asta los sueños le fatigarían representándole lo que auía sido forzoso dejarlo por las continuas pesadunbres que tenía, dize que solo, mientras se dejaua lleuar de su pensamiento y memoria que o no se lo tenga en quenta o lo tenga bien ocupado con el bien que tubo, que no le añada al mal presente.

Soneto 27

Tan sin piedad me anda fatigando   f. 12v.

En viendo vna bela de zera blanca le enbió este soneto loándola, y encaresçiendo su blancura viene a dezir que se verá en vna mano aún más blanca, pero en estrema elada, la frialdad de la qual hará que a la uela dé aumento su fuego, pues dize que a vn contrario cabe otro, etc. Por la qual razón dize que busca a su dama con mayor heruor porque allí con el desamor della se acendra el amor suyo.

Soneto 28

Vela del que continuo se desuela   f. 12v.

Otro rollo de zera blanca por la qual dize significarse la çinseridad de su pecho en el desearla seruir, sin respecto de otro doblez ninguno, ablando con la zera le dize que pues ba a alumbrar a la luz pura, que es su dama, por lo qual a de ser inuidiado de todos, que en pago de esto le diga quán atormentado le tiene su afiçión y que se acuerde de quán de zera tiene el corazón quando está ardiendo por sus amores.

Soneto 29

Ablande el pobre don la rica mano,
de amorosos despojos y ermosura,
la blanda blanca cera que asegura
pecho çinçero y vn yntento sano.
Y tú, zera, que vas do el soberano
fuego de amor ardiendo en la luz pura
as de lumbrar, haziendo en tal ventura,
arder el mundo de tu envidia en vano,
dirás: «Es pago o suerte sin medida
como ocupar la mano ermosa y fiera;
donde tú biuieras yo estoy muriendo.
Que se acuerde por ti que vn alma y vida,
vn corazón de su querer de zera
colgado de sus ojos muere ardiendo».   f. 13

Énonciation, intentionnalité et responsabilité.
Y a-t-il un auteur dans la salle ?

Christian BOIX
Université de Toulouse-Le Mirail

Préambule

Il paraît bien révolu le temps où l'analyse du discours littéraire se débattait au sein d'une controverse mettant aux prises les tenants d'une écriture-projection des « intentions de l'auteur » et les pourfendeurs de la conscience de soi qui annonçaient la mort imminente et/ou irrémédiable du sujet. À l'ère dite post-moderne, le débat théorique prend des airs consensuels où la transaction remplace avantageusement la polémique dans un contrat sémiotique prudent qui évite de parler de ce qui peut prêter à discussion. Néanmoins, la recherche poursuit son cours sur des bases philosophiques qui engagent toujours une ontologie, laquelle n'est ordinairement guère spécifiée. Pour cette raison, notre but dans cet article sera de reprendre une réflexion autrefois amorcée dans un travail sur l'explication de texte[1], pour situer la relation du sujet à l'écriture dans ses dimensions actuelles à la lumière des recherches sur l'énonciation et pour opérer un questionnement sur les conséquences d'une intentionnalité floue qui évacue les notions d'éthique et d'esthétique dans un pragmatisme utilitaire.

Rechercher dans le discours une forme du sujet qui fasse place à la notion de responsabilité induit peut-être un retour vers des catégories un moment décriées (comme l'auteur ou le style, par exemple), mais il n'est pas sûr d'une part que ces notions n'aient pas continué à fonctionner « sous le manteau » dans toute la recherche contemporaine, et d'autre part que l'on puisse trouver ce que l'on appelle aujourd'hui le *sens du sens* en dehors d'une perspective qui prenne en compte au moins un lieu dépositaire d'un vouloir et d'un agir. Si ce lieu continue à représenter une sorte de foyer organisateur indispensable aux divers modèles de signification que nous proposent les théories qui mettent entre parenthèses la question du sujet, c'est peut-être parce que notre situation actuelle face à l'auteur ou à l'intention ressemble à s'y méprendre à un nihilisme nietzschéen : nous

---

[1] *Cf.* C. Boix, *Théories et pratiques de l'explication de texte*, Dijon, Hispanística XX, Centre d'Études et de Recherches Hispaniques du XXe siècle, Université de Dijon, 1987.

Hommage à Robert Jammes (Anejos de *Criticón*, 1), Toulouse, PUM, 1994, pp. 83-94.

« savons » que nos valeurs les plus chères sont intenables, mais nous semblons incapables d'y renoncer. Cet entêtement (*errare humanum est, perseverare diabolicum*...) devrait maintenant attirer notre attention et nous inciter à revenir sur des préoccupations anciennes à la lumière des acquis nouveaux : le souci d'efficacité épistémologique nous a conduit à des renoncements transitoirement utiles pour accroître notre emprise scientifique sur le monde discursif, mais il n'est pas indéfiniment tenable de se contenter d'une approche qui manipule les objets en renonçant à les habiter. Le sémantisme clos du « tout est langage » ne peut rien dire de l'action humaine en tant qu'elle arrive effectivement dans le monde ; la pensée ne sert à rien si elle ne rejoint pas un faire effectif, lequel fait signe à son tour vers un fond d'être.

C'est donc sur les conditions d'un remembrement de la théorie du discours et de l'expérience qu'en font les sujets qu'il convient maintenant de se pencher.

Si tant est qu'un retour aux sources soit possible dans un domaine qui s'appuie toujours sur de l'antérieur pour créer du nouveau, nous ouvrirons cette partie de notre analyse par quelques remarques sur l'une des oeuvres qui ont véritablement marqué la recherche sur l'énonciation, à savoir les travaux d'Émile Benveniste.

Le premier élément qui frappe l'attention quand on lit les *Problèmes de linguistique générale*[2], c'est que dans un contexte épistémologique qui privilégiait une théorie de la langue en tant que structure, Benveniste introduit une dichotomie fondamentale entre le niveau des signes (phonèmes, morphèmes, mots) et celui de la phrase, création indéfinie, variété sans limite, vie même du langage en action :

> Avec la phrase, on quitte le domaine de la langue comme système de signes, et l'on entre dans un autre univers, celui de la langue comme instrument de communication, dont l'expression est le discours.[3]

Ce premier pas, qui conduit d'une vision statique de valeurs qui ne se laissent déterminer qu'à l'intérieur d'un système qui les organise et les domine vers une vision dynamique pourvue d'une fonction communicationnelle, est sans doute la rupture qui a laissé les traces les plus visibles de l'ambiguïté dans laquelle nous nous mouvons encore. En effet, qui dit communication dit interaction entre sujets : on sort du monde clos des signes pour se déplacer vers celui des agents qui les manipulent – et ce, même si l'unique médiation entre les acteurs du monde reste faite de signes, de constructions sémiotiques et sémantiques. Dès lors on comprend que, parmi les chapitres les plus connus et utilisés de *Problèmes de linguistique générale*, l'on puisse trouver des titres tels que « L'homme dans la langue » ou « De la subjectivité dans le langage ». Il est bien question ici d'un QUI ?, même si par un renversement épistémologique ce sujet devient une sorte d'émergence discursive :

> C'est dans et par le langage que l'homme se constitue comme sujet ; parce que le langage seul fonde en réalité, dans *sa* réalité qui est celle de l'être, le concept d'ego.[4]

On remarquera d'emblée que le premier membre de phrase cité ci-dessus est passible d'une double lecture. Ou bien nous avons une action de forme réfléchie de la part d'un *homme* qui agit sur lui-même en se constituant en sujet dans le langage (locatif) ou par le langage (instrumental) ; ou bien le syntagme « se constitue » est à considérer comme une valeur passive où l'homme serait constitué en sujet *par* un langage alors devenu agent principal. C'est toute l'ambiguïté de la voix moyenne... En fait, l'explication contenue dans le second membre de la phrase tend plutôt à

---

[2] E. Benveniste, *Problèmes de linguistique générale*, Paris, Gallimard, t. I et II, 1966-1974.
[3] E. Benveniste, *op. cit.*, t. I, p. 130.
[4] *Ibid.*, p. 259.

accréditer la seconde hypothèse, mais le doute est constamment maintenu par la facture du passage du livre qui traite de la subjectivité dans le langage :

> La « subjectivité » dont nous traitons ici est la capacité du locuteur à se poser comme « sujet ». Elle se définit, non pas par le sentiment que chacun éprouve d'être lui-même [...], mais comme l'unité psychique qui transcende la totalité des expériences vécues qu'elle assemble, et qui assure la permanence de la conscience. Or nous tenons que cette subjectivité [...] n'est que l'émergence dans l'être d'une propriété fondamentale du langage.[5]

Quoique la notion de *locuteur* appartienne au domaine du langage, la « capacité » rend possible l'idée de compétence nécessaire à l'accomplissement d'un certain acte. Le langage ne pouvant se mettre en action tout seul, soit la question QUI ? ne reçoit pas de réponse, soit ce locuteur aura naturellement tendance à s'anthropomorphiser sous la figure d'une personne qui aura les traits extérieurs de l'auteur du discours tenu.

Ainsi se dégage progressivement un « entre-deux » où l'homme ne peut jamais être atteint séparé du langage, réduit à lui-même : dans une sorte d'interaction irréductible, le sujet et le langage créent une entité composite, psycho-linguistique si l'on veut, qui correspond à l'image que l'on peut se faire de la *personne*. Cependant, cette entité nouvellement définie sur la base d'une précarité liée à chaque moment de production suppose, à défaut de permanence constitutive, une manière d'individualité propre, une action spécifique qui émerge dans la décision d'agir : « L'énonciation suppose la conversion individuelle de la langue en discours »[6].

Pour reprendre les catégories aristotéliciennes, cette force d'engagement dans l'action, l'*énergéia dunamis*, présuppose un fond d'être à la fois puissant et effectif, sur lequel viendra se détacher l'agir humain. Faut-il considérer cette force primitive comme une sorte d'agrégat de poussières sidérales qui prend corps sous certaines conditions de pression et de température ? La question reste totalement ouverte, face à notre incapacité à trouver un fondement, un point de départ premier : à mesure que nous avançons dans nos recherches sur le sujet, nous rencontrons les mêmes difficultés que les physiciens lorsqu'ils tentent de remonter jusqu'aux constituants premiers de la matière. Les atomes se dissolvent dans une immatérialité préoccupante, le fond de l'univers recule vers un néant simplement habité par nos représentations[7].

Eppur si muove..., tous les mots de notre langue qui prétendent se référer à ce curieux phénomène de l'existence du discours sont obligés de convoquer le sème d'action, de présupposer un faire, de par leur suffixe en « -ion » : énonciation, appropriation, conversion, construction, production, persuasion... Il est par conséquent légitime de poser en tout premier lieu la question de l'agent (QUI fait cela ?). De façon à conserver une cohérence aux démarches sémio-linguistiques qui découpent un objet prioritairement langagier, la réponse à la question QUI ? est tenue à distance, ou, en tout cas, assujettie au problème du QUOI ? et du POURQUOI ? Alors que la définition de la subjectivité dans le langage semble suggérer l'idée d'un sujet constitué en tant que tel par la mise en action de ce même langage, certaines explicitations de la notion d'énonciation ouvrent facilement la porte à une faille d'extériorité dans laquelle il est tentant de s'engouffrer : « L'énonciation suppose un locuteur et un auditeur, avec, chez le premier, l'intention d'influencer l'autre de quelque manière », nous dit Benveniste. Si le *locuteur* est un être linguistique, une distribution de signes, comment prêter à une telle entité la disposition psychologique d'une

---

[5] *Ibid.*, p. 260.

[6] *Ibid.*, id.

[7] Pour une très suggestive vulgarisation de ces questions scientifiques fondamentales, on peut consulter avec profit : S. Ortolli , J.-P. Pharabod, *Le cantique des quantiques*, Paris, Livre de Poche, 1991.

intention ? Se désigner comme *locuteur* peut être entendu comme une opération linguistique qui n'engage que l'observance des règles du jeu langagier, alors que se désigner comme *agent* d'une action du monde (influencer l'autre) engage un concept d'une autre nature, celui de la *responsabilité* devant le monde et devant les autres.

Cette hésitation constitutive entre le dehors et le dedans, qui affecte l'analyse de discours, est prolongée par les démarches pragmatiques inspirées de la philosophie analytique. Le sujet présupposé est ici engagé dans un milieu, tributaire de ses interlocuteurs, et tourné vers l'action : il s'agit de répondre à la question « comment on peut faire des choses avec des mots »[8]. La théorie des actes de parole souligne dès le niveau locutoire – par l'appellation d'*acte* – que ce ne sont pas les énoncés qui réfèrent, mais les locuteurs qui font référence. On trouve également dans les perspectives fondées sur l'argumentation des définitions qui pourraient faire songer que les notions de calcul stratégique renvoient à une extériorité ou une antériorité intentionnelle qui soutient la forme même de la mise en discours :

> Dire quelque chose, ce n'est pas seulement faire en sorte que le destinataire le pense, mais aussi faire en sorte qu'une de ses raisons de le penser soit d'avoir reconnu chez le locuteur l'intention de le lui faire penser.[9]

Aurions-nous enfin retrouvé un biais linguistique préservant un contenu mental inaliénable de la personne qui parle ou qui écrit ? À cette interrogation, il faut répondre par la négative en raison d'une différence entre les notions de *locuteur* et d'*auteur*. Le locuteur est une entité qui sourd de l'énoncé, il est présenté par l'énoncé comme son exécuteur, ce en quoi il est radicalement distinct de l'auteur qui, lui, est extérieur à l'énoncé et s'oppose ainsi à la dimension intérieure du premier. Encore une fois, la possible ouverture sur un extérieur a été murée par l'exclusion de cet auteur que l'on mentionne toujours[10] comme un réalité extérieure au modèle, une réalité matérielle dont on ne sait trop que faire parce que sa consistance – corporelle en premier lieu – ne s'accorde pas facilement avec des opérations logiques appartenant au domaine de la pensée systémique. Les êtres de discours (locuteur, énonciateur, narrateur...) obéissent à une cohérence discursive qui engage une *éidétique* (ontologie de la forme), alors que l'on pressent que les êtres tout court entrent dans un réseau de déterminations ontologiques pratiquement infini, ne serait-ce que par leur double capacité à supporter des prédicats physiques et psychiques : pour plagier Paul Ricoeur[11], nous pourrions dire que c'est la même chose qui pèse soixante kilos et qui a telle ou telle pensée. Ainsi le locuteur est-il une forme observable, une corporéité discursive objectivement située parmi d'autres corporéités discursives mises en place dans la suite des énoncés, tout comme notre corps est un corps quelconque, objectivement situable parmi les corps de cinquante ou soixante-dix kilos. Mais le pouvoir d'autodésignation supposé dans et par le langage induit aussi l'idée que la corporéité discursive renvoie à des aspects du soi, à sa manière d'être au monde, à une *personne* qui permettrait de regrouper en compréhension ce qui ne se donne dans le discours qu'en extension. La tentation est alors grande de remonter la chaîne d'inférences, qui mène dans le discours de la manipulation des ensembles signifiants à une figure de locuteur, jusqu'à son terme

---

[8] *Cf.* J-L. Austin, *How to do things with words.* Traduction française : *Quand dire c'est faire*, Paris, Seuil, 1970.

[9] O. Ducrot, *Dire et ne pas dire*, Paris, Hermann, 1991, pp. 11-12.

[10] Oswald Ducrot clarifie les concepts qu'il utilise en séparant soigneusement *auteur*, *locuteur* et *énonciateur*, le premier étant rejeté à l'extérieur et les suivants appartenant au plan du discours.

[11] P. Ricoeur, *Soi-même comme un autre*, Paris, Seuil, 1990.

originel – l'auteur qui a pris la plume – pour que l'être de parole finisse par devenir un Homme, quelqu'un avec qui partager un sentiment d'existence.

Ce passage de l'intériorité à l'extériorité du langage, la réflexion sur les relations qui unissent le dedans et le dehors, est la condition même de la réception d'une oeuvre de fiction : bien entendu l'oeuvre est une stratégie de communication qui a son intériorité systémique, bien entendu les personnages sont des constructions sémiotiques, mais s'ils ne fonctionnaient pour nous lecteurs que sur le registre de la dépendance interne sans « sortir » de leur condition de tigres de papier pour rejoindre notre sentiment d'existence, nous ne leur trouverions pas le moindre intérêt. De la même façon, le refus de considérer cette entité extérieure que l'on peut nommer *auteur* risque à terme de nous enfermer dans une aporie. Si dans un premier temps il était absolument indispensable de le tenir à distance pour avancer dans la connaissance du langage, il faut maintenant revisiter cette notion dans la perspective du lieu mixte de l'intérieur/extérieur, car le problème général de la signification ne relève pas seulement de la sphère logique des concepts, mais aussi de la dimension phénoménologique des vécus de conscience. Sans un garant extérieur qu'il faut bien postuler et reconstruire entre autre sur la base de sa production discursive, le système ne peut fonctionner autrement qu'en tournant en rond. De fait, même si l'on tente de coller aux dimensions strictement textuelles, toute analyse portant sur la signification des textes est obligée de passer par la notion d'un responsable global, extérieur au discours : on assiste souvent, dans la pratique, à une substitution de termes (narrateur pour auteur, par exemple) qui ne change rien aux présupposés réellement engagés par l'exégèse. Cette « déviation » insidieuse est d'ailleurs bien naturelle, car son absence conduirait à une contradiction logique que l'on peut résumer sous la forme d'un « petit » problème mathématique d'ensembles. Imaginons que l'on élabore un livre-registre devant recenser les ouvrages d'une bibliothèque ; si ce livre est celui qui doit porter en son sein tous les ouvrages de la bibliothèque en question, fait-il partie de la biblitohèque et, pour autant, doit-il se mentionner lui-même ? Le problème de l'extériorité nécessaire à tout système pour qu'il puisse fonctionner (alors même que par définition un système est un ensemble de relations internes...) n'est ni nouveau, ni facile à résoudre : mais si nous ne nous demandons pas quel lieu doit occuper l'auteur, nous resterons devant un livre-registre qui se contente de se mentionner lui-même, ce qui, avouons-le, n'est guère satisfaisant.

En dernier lieu, il nous paraît indispensable de dire quelques mots de l'évolution qui se fait jour au sein de l'école de sémiotique. Dans le *Dictionnaire raisonné de la théorie du langage*[12], bible première de l'équipe de Greimas, il est naturel mais significatif que l'entrée « auteur » soit absente : celui-ci est ainsi marqué comme n'appartenant pas à la sphère de la théorie du langage, laquelle n'a pas non plus ici d'extériorité. La définition subséquente de l'*énonciation* pour le même dictionnaire prend néanmoins acte de deux possibilités pour concevoir cette notion et va opter bien entendu pour la seconde :

> [...] l'énonciation se définira de deux manières différentes : soit comme la structure non-linguistique (référentielle) sous-tendue à la communication linguistique, soit comme une instance linguistique, logiquement présupposée par l'existence même de l'énoncé (qui en comporte les traces ou les marques). [...] Selon la première acception le concept d'énonciation aura tendance à se rapprocher de celui d'acte de langage, considéré chaque fois dans sa singularité ; selon la seconde, l'énonciation devra être conçue comme une composante autonome de la théorie du langage, comme une instance qui aménage le passage entre la compétence et la performance (linguistiques) [...]. C'est la seconde définition qui est la nôtre :

---

[12] A. J. Greimas, J. Courtes, *Sémiotique. Dictionnaire raisonné de la théorie du langage*, Paris, Hachette U, 1979.

non contradictoire avec la théorie sémiotique que nous proposons, elle seule permet l'intégration de cette instance dans la conception d'ensemble.[13]

Avec une grande rigueur, Greimas et Courtes reconnaissent que les notions de situation de communication ou de contexte psychosociologique de production (le dehors) ne sont pas écartées en raison de leur caractère fantaisiste ou erroné, mais parce qu'elles sont littéralement impensables (on ne peut pas les penser) dans le système conceptuel de la sémiotique. Ici comme ailleurs, le mode d'observation détermine certains objets et en exclut d'autres, et dans le cadre d'une perspective du tout linguistique – ou tout sémiotique – l'échappée hors de l'univers des signes, le retour au monde après le détour scientifique du langage reste problématique :

> [...] il était nécessaire, en effet, de prévoir des structures de médiation, d'imaginer aussi comment le système social qu'est la langue peut être pris en charge par une instance individuelle, *sans pour autant se disperser dans une infinité de paroles particulières (situées hors de toute saisie scientifique)*[14].

S'il est indéniable que l'on ne saurait prétendre dire quoi que ce soit de fondé à propos de la « parole particulière » sans s'appuyer préalablement sur une conception du langage en tant que système collectif de contraintes – car il n'y a de particulier qu'en regard du général –, cette coupure épistémologique affirmée par la sémiotique va très loin dans ses attendus philosophiques si on la prend au pied de la lettre. À la définition tautologique de l'énonciation va en effet correspondre un « vide ontologique » ouvertement déclaré : en quelque sorte, ce qui échapperait à l'observation scientifique n'existe pas ou bien relève d'un simulacre, être illusoire sans fondement :

> [...] l'énonciation est [...] l'instance de l'instauration du sujet (de l'énonciation). Le lieu qu'on peut appeler l' « ego hic et nunc » est, antérieurement à son articulation, sémiotiquement vide et sémantiquement (en tant que dépôt de sens) trop plein : c'est la projection [...], hors de cette instance, et des actants de l'énoncé et des coordonnées spatio-temporelles, qui constitue le sujet de l'énonciation par ce qu'il n'est pas ; c'est la réjection [...] des mêmes catégories destinées à recouvrir *le lieu imaginaire de l'énonciation, qui confère au sujet le statut illusoire de l'être.*[15]

Le sujet auquel nous aboutissons ici est donc un être illusoire fondé sur un lieu imaginaire... Mais si les mécanismes sémiotiques de débrayage et d'embrayage, de projection et de réjection, sont d'une aide irremplaçable pour nous permettre de reconstruire la figure locale d'un sujet de l'énonciation dans le discours, si ce sujet est effectivement une entité déduite – ou plutôt inférée – à partir de catégories sémio-linguistiques, sommes-nous pour autant obligés de nous priver d'une réflexion sur un Être vers lequel ferait signe le langage ? Pourquoi une telle suspicion systématique vis-à-vis d'une faculté censée être « le propre de l'homme » ? Dès que nous dépassons le cadre local, réduit dans le temps et dans l'espace, de la page ou du bref extrait, les récurrences dans la manière d'être des énoncés dessinent une figure du sujet globalement responsable de ces énonciations multiples. Des *tendances* issues de niveaux de description fort variés – quoiqu'internes au texte – produisent des images d'un *soi* responsable de l'énonciation. Selon l'ampleur du discours considéré, cette voix peut embrasser une stratégie momentanée, *ad hoc*, en fonction d'un but limité poursuivi, elle peut aussi finir par composer une unité rétrospective de la personne, ou encore celle d'une époque, d'un groupe social. Le statut illusoire de l'être ne perd son caractère illusoire qu'en visant un extérieur à partir de l'intérieur. D'ailleurs, avons-nous d'autre moyen de connaissance des autres, de nous-mêmes, de l'homme, que celui que nous fournit le discours ? Il n'est pas de compréhension de soi (et des autres) qui ne soit

---

[13] A. J. Greimas, J. Courtes, *op. cit.*, p. 126 (souligné par nous).

[14] *Ibid., id.* (souligné par nous).

[15] *Ibid.*, p. 127 (souligné par nous).

médiatisée par des signes, des symboles et des textes ; il n'est donc pas déraisonnable de penser que cette même compréhension de soi puisse coïncider avec l'interprétation appliquée à ces termes médiateurs. Si nous n'acceptons pas d'être condamnés à croire à l'existence d'un soi – fût-ce une entité seulement reconnaissable *a posteriori*, médiate –, nous opterons pour un renoncement généralisé qui menace le langage de n'avoir plus aucun appui référentiel ni éthique, langage qui sombrerait alors dans un pur jeu de masques où l'activité humaine se résumerait à des reflets d'illusion sur un fond de néant.

Il reste que l'énonciation pourrait convoquer sans dommage irréversible pour la cohérence de la démarche sémiotique un « entre-deux de la voix », terme métaphorique pour l'instant, où peut se glisser une forme originale entre ipséité et altérité, une sorte d'idée de l'idée revenant à trouver un « mixte » au sein duquel auteur et sujet de l'énonciation se rejoignent dans une *conscience* à la fois intérieure et extérieure, individuelle et collective. De là peut naître une nouvelle forme auctoriale qui, sans se résumer à l'idée que la parole constitue une sorte de matière humorale sécrétée par l'organisme, envisagerait une manière d'être en faisant. L'acte d'écriture ou de langage vise une configuration, une constitution. On remarquera que ces deux derniers termes désignent à la fois un FAIRE (suffixe -ion) et le résultat de cet acte, la manière d'être : de la configuration des ensembles sémio-linguistiques, rien n'empêche que l'on remonte vers une *hexis* (simultanément « manière d'être » et « constitution ») où contenance et contenu soient liés à un *acte de pensée*. L'acte de pensée montre et fait voir, recevant simultanément dans cette tension un contenant et un contenu, une « teneur » qui engage réflexivement l'être et la responsabilité de la personne agent de ce même acte. On n'est plus très loin alors de la possibilité d'envisager une autre notion écartée par le champ de la sémiotique, à savoir le style considéré comme un ensemble de gestes discursifs qui se détachent en un « signalement permanent » des actes de pensée, et par-delà la personne qui en est le siège. Ainsi le jeu des formes devient-il moins illusoire, le sujet ne se bornant pas à une projection de *simulacres* existentiels : bien au contraire, entre les représentations et le sujet se forme une entité qui, par sédimentation, se résout en personne.

> Les traits de notre visage ne sont guère que des gestes devenus, par l'habitude, définitifs [...]. De même nos intonations contiennent notre philosophie de la vie, ce que la personne se dit à tout moment des choses.[16]

La question de l'intentionnalité

Parallèlement aux orientations de l'analyse du discours que nous venons de passer en revue dans un survol rapide, se pose le problème des catégories complexes de l'intention et de l'intentionnalité. Fondés sur un même radical, les deux termes ont tendance à se superposer dans l'usage courant, et leur spécialisation dans l'usage de la critique est généralement lié à une opposition chrono-logique concernant les rapports de présupposition qu'entretiennent le sujet et le discours.

Dans le langage courant, la confusion s'explique assez facilement par un phénomène lexical qui lie de manière à la fois opposée et équivoque trois termes formellement voisins : *intention*, *intentionnalité* et *intentionnel*. Nous reproduirons en premier lieu les définitions données par un dictionnaire courant, *Le Petit Robert* :

---

[16] M. Proust, *À la recherche du temps perdu*, Paris, La Pléiade, t. I, p. 909.

INTENTION : 1. Le fait de se proposer un certain but.
Droit : Volonté consciente de commettre un fait prohibé par la loi (préméditation).
Arrière-pensée, calcul, mobile.
Avoir l'intention de : se proposer, vouloir.
2. Dessein ferme et prémédité (v. décision, désir, volonté, vouloir).
Contrecarrer les intentions de quelqu'un.
3. Le but même qu'on se propose d'atteindre (v. but, objectif, objet, visée).

INTENTIONNALITÉ : *Psycho* : Caractère d'une attitude psychologique intentionnelle, adaptée à un avenir proche, à un projet.

INTENTIONNEL : Qui est fait exprès, avec intention, à dessein (v. conscient, délibéré, prémédité, volontaire, voulu).
Droit : Délit intentionnel (opposé à délit d'imprudence).

Si l'on s'en tient aux notions véhiculées par le vocable *intention*, on relève une conscience, une pleine conscience même (la préméditation), qui accompagne la décision de vouloir atteindre un certain but, ce qui suppose un calcul, une stratégie adaptée au résultat que l'on avait en vue. Ainsi définies, les choses semblent acceptables par la majorité des mortels, elles ne choquent pas notre expérience naïve du vécu. Nous sommes, pour la plupart, convaincus de notre identité : nous avons des souvenirs, des projets, des anticipations, en bref une personnalité qui semble se rassembler en un point de vue cohérent, un centre à partir duquel nous observons le monde. Métaphoriquement, nous pourrions dire que l'*intention* est inséparable de ce sentiment commun d'un sol sur lequel nous nous tenons debout.

Avec l'*intentionnalité* (le dictionnaire range toute une quête philosophique dans la psychologie...) le doute s'insinue. En effet, la volonté, la fermeté de l'intention, qui engageaient directement un sujet cohérent et responsable dans l'action, font place à une *attitude psychologique*, une disposition locale et limitée, face à un avenir ou un but également limités. L'unité générique de l'être se fissure en une myriade de fragments potentiels tendant vers des réalisations ponctuelles. Non seulement « Je est un autre », mais il est, de plus, une infinité possible d'autres, une série illimitée d'attitudes. Dans cette perspective, si l'on veut encore parler du sujet, on ne peut le saisir que dans une reconstruction à partir de tous ces « autres » qui constituent, par réjection ou synthèse, un soi. Mais avec cette particularité que ce personnage composite, éclaté, est une stricte précarité puisqu'on ne peut l'atteindre que par synthèse – et donc par interprétation de l'ensemble de ses attitudes. Le sujet devient obligatoirement une incomplétude, un inachèvement irrémédiable puisque personne ne peut avoir accès simultanément à la totalité de ses attitudes (pas même le principal intéressé) et que seule la mort viendra arrêter la chaîne des modes de tension vers les objets[17] qui le définit pas à pas. Diogène peut continuer à promener sa lanterne dans les rues d'Athènes : trouver un homme n'est pas si facile[18] !

---

[17] Peut-être est-ce pour cette raison que la critique universitaire classique a toujours préféré prendre le « recul de cinquante ans » sur la vie et les œuvres des écrivains. La démarche était cohérente puisqu'elle permettait d'avoir en main la totalité des « attitudes scripturales » d'un auteur définitivement empêché d'y en adjoindre d'autres. Dans cette synthèse d'un tout, on pouvait raisonnablement prétendre atteindre une image vraisemblable de l'auteur.

[18] *Cf.* les travaux de Ducrot, qui mettent en scène un *locuteur* (responsable physique de l'énoncé) et des *énonciateurs*, ces êtres qui sont censés s'exprimer à travers l'énonciation, sans que pour autant on leur attribue des mots précis. Les énonciateurs sont la source des points de vue exprimés. S'il faut renoncer à voir dans le locuteur un personnage unique et égal à lui-même, et qu'il faut donner aux masques de l'énonciateur une part toujours plus grande, il devient difficile de saisir ce qui assure encore l'intégrité de la parole.

Nous avons donc deux perspectives ontologiques radicalement différentes selon qu'on parle d'*intention* ou d'*intentionnalité*, dont on voit mal comment les réconcilier. Mais la langue vient à notre secours en nous proposant le troisième vocable : *intentionnel*. Cet adjectif est précieux car il permet de rester dans une ambiguïté commode. Ce qui se réfère à l'intention est intentionnel, comme le confirme le dictionnaire en reprenant pour la définition d'*intentionnel* tous les équivalents qui étaient proposés sous l'entrée *intention*. Et ce qui se réfère à l'intentionnalité est également intentionnel, d'où la conjonction sous la forme adjectivale de deux positions absolument contradictoires. Bon nombre de théories pragmatiques jouent volontiers de cette ambiguïté en nous proposant des « intentions » rationalisées selon le but qu'elles poursuivent, mais privées de la conscience de soi. Bon nombre de travaux critiques usent de démarches engageant une stricte conception de l'« intentionnalité » reconstructible par le texte et concluent allègrement au talent de l'auteur qui maîtrise à la perfection l'outil langagier.

Si ce flottement se produit et persiste, c'est bien qu'il fait signe vers un tout capable d'embrasser la dimension d'un sens conscient et voulu et celle de la disposition d'esprit perceptible sur la base de la configuration discursive. On a peut-être tendance à séparer deux ensembles par souci épistémologique simplificateur, alors que l'énonciation, l'écriture, le discours, appartiennent au paradigme de la complexité[19]. La « boîte noire » du langage doit être tenue pour ce qu'elle est, à la fois un outil et un medium par lesquels se produit l'expérience d'une révélation : comprendre, c'est ressaisir l'intention globale, disait Merleau-Ponty. Il est donc nécessaire de passer d'une conception qui sépare et divise :

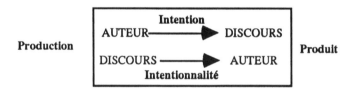

à une perspective capable d'organiser un domaine complexe ne pouvant être ramené sans reste à un ensemble de lois :

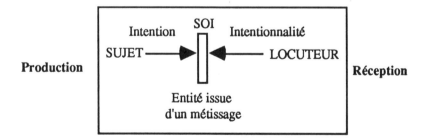

En un mot, le défi qui est maintenant devant nous est celui de trouver le moyen de penser ce qui reste un « no man's land ». Il nous faut trouver des catégories permettant de faire dialoguer ontologie métaphysique et ontologie formelle, revenir sans doute au *discourir* dans sa valeur classique simultanée d'exposition et de raisonnement, de récit et de réflexion. L'idée de ce moyen

---

19 *Cf.* E. Morin, *Introduction à la pensée complexe*, Paris, E.S.F., 1990.

terme est d'ailleurs omniprésente dans la réflexion des linguistes et sémioticiens. On trouve çà et là des réflexions qui convoquent plus ou moins ouvertement l'idée d'un double :

> Ramener l'énonciation à la seule production, c'est, en fin de compte, ne pas comprendre que l'énonciation n'a pas de sens sans une double intention de signification chez les énonciateurs respectifs [locuteur/ récepteur][20].

> Il est sans doute naïf de vouloir attribuer à l'auteur l'ensemble des propriétés qui caractérisent le (ou les) narrateur(s), comme s'ils n'étaient qu'une ombre projetée dans le texte. Mais il est tout aussi injustifié de nier l'existence de l'auteur [...]. Les notions de « projet » et « d'« intention » signifiante ne sont peut-être pas aussi aisément évacuables qu'on le prétend.[21]

> L'étudiant en littérature participe aux énièmes funérailles du sujet humain et se persuade que loin que l'homme maîtrise son langage, c'est le langage qui le maîtrise [...]. Pendant ce temps, son collègue de sciences économiques ou politiques apprend à réduire systématiquement les institutions sociales à des accords volontaires passés entre des consciences individuelles libres.[22]

Les diverses approches du langage ont retrouvé cette bifurcation non surmontée en leur sein. Que l'on songe à la rhétorique, partagée entre la volonté de mettre à jour les conditions d'une parole efficace pour le tribun, et une vocation formaliste à la description du fonctionnement interne du discours ; que l'on songe à la stylistique, hésitant entre un recensement encyclopédique des figures du discours, une adéquation de la pensée aux choses, et une manière de dire qui serait la signature du sujet (Buffon : « Le style, c'est l'homme ») ; que l'on songe enfin à la critique, alternativement biographique, formelle, psychologique, idéologique. Tous les grands secteurs se partageant l'approche globale du discours ont subi ce double impératif de connaître des « systèmes » et de préserver des constructions éthiques et sociales fondées sur le postulat de responsabilité des individus.

Penser le moyen terme

Parce que nous n'avons pas trouvé les *fondements* de la conscience, de l'intention et du sujet, nous renions leur existence. N'est-ce pas faire ce que l'on appelle trivialement « jeter le bébé avec l'eau du bain » ? Même si la quête du fondement de toute chose se perd dans le néant parce que rien ne peut être trouvé qui n'ait émergé de manière dépendante (et que de ce fait rien ne peut être découvert qui ne soit dénué de fondement), notre monde, avec les personnes qui le peuplent, ses objets familiers, ses événements porteurs de qualités, continuera à nous être familier, même si nous découvrons que ce monde n'est pas pré-donné et pré-formé. Nous continuerons à *faire l'expérience* de la conscience, de l'intention et du projet comme si le sujet possédait des fondements ultimes, même si, par ailleurs, nous savons philosophiquement et scientifiquement qu'il n'en a pas. « Savoirs » et *contenus d'expérience* connaissent un progressif divorce à l'époque contemporaine, comme le constatent les politiques et les économistes lorsqu'ils trouvent des citoyens atteints de sinistrose à côté d'indicateurs macro-économiques résolument calés sur le beau fixe... Que la conscience n'ait pas de fondement n'invalide pas obligatoirement la conscience qui persiste à exister tel un fait têtu.

---

[20] A. Culioli, « Sur quelques contradictions en linguistique », *Communications*, n° 20, 1973, p. 86.

[21] C. Kerbrat-Orecchioni : *L'énonciation de la subjectivité dans le langage*, Paris, A. Colin, 1984, p. 177.

[22] J.-P. Dupuy, « Communauté et connaissance commune », dans H. Parret *et al.*, *La communauté en paroles*, Bruxelles, Mardaga, 1991, p. 35.

La domination du monde de la réflexion par les grands systèmes théorétiques a provoqué un renoncement, lequel s'est progressivement mué en une révolution mentale de l'homme vis-à-vis de ses actes. Le vrai s'identifie à la production verbale efficace de la réalité de l'effet : il ne peut plus être la propriété d'une conscience subjective réfléchissante qui voudrait s'abstraire de ce rapport, c'est-à-dire d'une conscience qui existerait en dehors des effets qu'elle obtient par ses actes – discursifs ou autres. Dans ce nouveau cadre, l'action n'est plus un moyen pour une fin déjà déterminée et dont on est certain qu'on doive l'atteindre. L'impression qui domine, c'est qu'il s'agit chaque fois moins de trouver les moyens techniques pour parvenir à des buts préalablement définissables. Par un renversement radical, il s'agirait plutôt de faire varier sans fin les moyens d'action et de figuration, les moyens de penser et de procéder, pour voir ce qui en sort : nous sommes sortis de la pensée stratégique pour embrasser l'ère des synergies, où l'être des choses et des personnes semble toujours en attente de lui-même. Cette évolution est-elle le fruit d'une approche scientifique de l'existence, qui ne nous implique pas dans le grand ordre des raisons de l'univers et de la matière ? Dans la mesure où nous ne nous impliquons pas dans la réflexion (*cf.* le registre « objectif » et impersonnel du discours à vocation scientifique), nous menons peut-être seulement une réflexion partielle parce que le questionnement ne vise qu'à exprimer un point de vue « de nulle part ». Toujours est-il que cette dérive menace à terme de conduire à une irresponsabilité généralisée dans une culture qui récuse la volonté de sujets présents à eux-mêmes.

Quoique non fondable en termes logiques, la conscience de soi est le pari nécessaire à l'effectuation de la volonté : sans cette force dynamique dont la provenance relève de l'impensé, de l'innommé, du pré-thétique comme aurait dit Kant, il n'y aurait qu'attente immobile. En effet, l'intention procède d'une sorte de pré-compréhension de l'univers, un mouvement vers, affectif, corporel, que la forme du langage projette hors de nous-mêmes :

> Je n'ai jamais de pensées, de désirs, de sentiments qui ne soient appropriés à un état physique que je sens, et qui me donnent ce que j'appelle tel sentiment d'existence.[23]

Dans le passage du dedans au dehors par la limite du langage, nous engageons notre responsabilité parce que nous sommes alors en syncrétisme avec les autres. Nous sommes quelqu'un par la manière de vivre langagièrement avec eux. Selon comment est vécue cette communion, nous pouvons être une personne ou un simple personnage. Il y a une « force illocutoire » de l'engagement dans le discours, selon le degré de solidarité avec les autres. Tout langage se repliant sur lui-même me replie sur moi parce qu'il n'est qu'un « débayage actantiel » où l'être est dit sans être communiqué. Le langage est un système, certes, mais il n'a aucune finalité en lui-même. Sa finalité est doublement extérieure : il me fait advenir moi-même pour les autres, et fait advenir les autres pour moi. C'est dans cette double tension que se réalise le sens du sens.

Toute personne qui parle ou écrit projette une intention pré-thétique dans son discours : rejoindre l'autre sur la Terre Promise du sens vrai. Le patient labeur de l'expression n'est que la traversée lente et difficile qui y conduit. Mais peut-être la recherche contemporaine est-elle simplement d'une froide lucidité : si elle préfère parler de faux-sujets et de simulacres, c'est peut-être parce que nous avons oublié que le Verbe et l'Homme ne font qu'un. Lorsque le langage n'a plus d'intention ni de projet, c'est que l'homme a cessé de croire en lui-même (ou vice versa...). L'univers de la raison logique nous a fait faire de grands progrès dans la connaissance, mais nous

---

[23] Maine de Biran, *Essais sur les fondements de la psychologie et ses rapports avec l'étude de la nature*, Paris, éd. Tisserand, Alcan, 1932, p. 80.

en payons le tribut : progressivement le savoir lamine le croire. Nous voyons diminuer notre capacité au rêve et à l'imagination, lesquels consistent précisément à *croire en* (ce n'est pas pareil que *croire à*, *croire en* présuppose l'engagement du sujet et la confiance en l'autre) des choses dont nous « savons » qu'elles n'existent pas.

Après la mort des idéologies, la fin des utopies ? Nous avons le choix. Nous résigner à la triste vérité des systèmes rationnels en notre possession : il n'y a pas d'auteur dans la salle. Affirmer conjointement aux données scientifiques la valeur de nos contenus d'expérience : l'auteur existe même si je ne l'ai jamais rencontré dans la salle.

Pour une étude sur D. Juan de la Sal,
obispo de Bona et une lettre inédite

Henry BONNEVILLE
Université Stendhal - Grenoble

Je t'en veux, mon cher Robert. Je t'en veux parce que depuis une dizaine d'années maintenant, je m'étais condamné à un silence définitif[1]. Je t'en veux donc parce que, aujourd'hui (*¡ mal que me pese !*) tu m'obliges à faire appel de cette condamnation : comment pourrais-je (étant encore en vie) envisager un seul instant d'être absent d'un Hommage préparé par tes amis, avec toute leur affection et leur admiration pour le grand hispaniste que tu es (*¡ mal que te pese !*).

Voici donc ma contribution, très mince, j'en conviens, par le volume, mais énorme par l'amitié : j'*en* suis ; et c'est pour moi l'essentiel. J'ai la faiblesse d'imaginer qu'il en va de même pour toi.

Alors que, cela fait maintenant quelques lustres, je m'attaquais d'abord, avec l'ardeur et l'inconscience du néophyte, à l'étude de la poésie à Séville au Siècle d'Or, puis plus particulièrement à celle d'un certain Dr. Juan de Salinas, il m'arriva, à tout bout de champ et par la force des choses, de trouver sur mon chemin (parce que sur celui de Salinas) l'attachante personnalité de son ami *Don Juan de la Sal, obispo de Bona.*

Attachante et curieuse cette personnalité du monde sévillan du premier quart du XVIIᵉ siècle qui devrait mériter, me semble-t-il, d'être mieux connue et évaluée qu'elle ne l'avait été jusqu'à ce jour. D'où l'idée de lui consacrer un travail approfondi, lorsque mes recherches sur Salinas et mes obligations universitaires m'en laisseraient enfin le loisir. C'était du moins l'intention que j'exprimai, en publiant deux importantes lettres inédites de D. Juan de la Sal, dans un article destiné (est-ce un hasard) à l'*Hommage à Noël Salomon,* un autre de mes très grands amis, notre ami, prématurément disparu en 1977[2]. J'y exprimai également ma reconnaissance pour Doña María Brey de Moñino à qui je devais d'avoir eu accès à un certain nombre de documents de la

---

[1] Les raisons en sont multiples et tu en connais, personnellement, l'essentiel. Elles n'intéressent vraisemblablement personne. Disons, *grosso modo,* à l'espagnole : « los años y desengaños ».

[2] « Dos testimoños inéditos de Don Juan de la Sal, obispo de Bona, sobre la vida en Sevilla (1623 y 1626) », in *Hommage des Hispanistes Français à Noël Salomon,* publiés par les soins de la SHF, Editorial Laia, 1979, p. 109.

bibliothèque de Don Antonio, parmi lesquels figuraient les copies des deux lettres publiées[3]. Les deux documents que je reproduis aujourd'hui ont la même provenance et justifient la même gratitude. Il s'agit encore d'une lettre inédite de D. Juan de la Sal, autographe celle-là, et d'un extrait d'une chronique anonyme concernant sa mort et ses funérailles. Tel est le premier propos, immédiat, de cet article.

L'autre propos ne me paraît pas moins essentiel. Il est d'attirer l'attention d'éventuels curieux ou chercheurs, et tout particulièrement des sévillanistes, sur l'intérêt d'une recherche et d'une étude systématiques, menées dans plusieurs directions sur le personnage, sa personnalité, ses activités, son rôle, ses écrits, connus... ou à découvrir. En quelque sorte, mener à bien le travail auquel il m'a fallu, hélas, renoncer, mais dont je persiste à croire qu'il pourrait s'avérer fructueux et utile.

Il ne fait aucun doute, en effet, que le « saladísimo » D. Juan de la Sal fut une personnalité de tout premier plan à Séville (et au-delà), dans une période qui recouvre les trente premières années du XVIIe siècle. J'ai donné sur lui, dans mon ouvrage sur Juan de Salinas, son grand ami, un certain nombre d'informations, de documents, actes notariés, références bibliographiques et littéraires, qui sont autant de pistes. Je n'y reviendrai pas ici[4]. Encore *Canónigo de Cartagena*, avec vraisemblablement résidence à Murcie, en 1602, il apparaît à Séville (dont il était originaire) comme *Visitador General del Arzobispado* dès 1603, puis *Obispo « in partibus » de Bona*, évêque auxiliaire de Séville, dès 1604[5]. Protégé des Cardinaux archevêques, grand ami du duc de Medina Sidonia, du marquis del Carpio, du comte de Palma, en fait de toute la classe dominante, très proche des jésuites de la Casa Profesa et du Colegio San Hermenegildo, bien connu et écouté à la *Corte*, il joua souvent un rôle important, aussi bien dans les milieux aristocratiques que religieux ou littéraires[6].

Surtout connu, à partir du milieu du XVIIIe siècle, pour ses fameuses lettres au duc de Medina Sidonia sur *Las locuras del Padre Méndez*, publiées pour la première fois en 1848 par Adolfo de Castro, qui l'ont fait considérer, depuis, comme l'un des épistoliers les plus remarquables de son

---

[3] *Ibid.*, p. 109.

[4] Voir Henry Bonneville, *Le poète sévillan Juan de Salinas, vie et œuvre (1562 ?-1643)*, Paris-Grenoble, 1969, p. 6, 39, 212, 221, 223 à 227, 240, 273, 289, 292 à 295, 304, 306, 314 à 316, 348.

[5] Il serait surprenant que ses fonctions de *Visitador General* n'aient pas donné lieu, de la part de cette fine plume, à un certain nombre d'écrits, et il pourrait être intéressant, à ce sujet, de fouiller les archives de l'Archevêché ou de la Cathédrale. C'est ce que je tentai à plusieurs reprises dans les années 60, mais le moins que je puisse dire c'est que je me heurtai, à l'époque, à une mauvaise volonté évidente, surtout à la Cathédrale... Peut-être les choses ont-elles changé depuis ?

[6] Il doit être possible de trouver à Madrid, à l'*Archivo Histórico Nacional*, à la B.N., ou éventuellement dans quelque collection privée, d'autres lettres de D. Juan, adressées à quelque grand de la *Corte* où il avait de *buenas aldabas*. Il existe, par exemple, à la B.N., une longue et intéressante copie d'une lettre, adressée à Don Juan par l'évêque de Gaète, écrite de Naples le 30 juin 1620, qui traite des attaques répétées contre le Duc d'Osuna, alors vice-roi de Naples, et des discussions à la Cour d'Espagne. La copie comporte 12 folios recto verso. Une photocopie fait actuellement partie de l'énorme somme de documents recueillis par mon collègue et ami Louis Barbe, qui a consacré au duc d'Osuna une excellente et volumineuse étude, dont la première partie, qui constituait sa thèse de Doctorat d'Etat, portait sur la période de 1610 à 1616 : Louis Barbe, *Don Pedro Téllez Girón duc d'Osuna, vice-roi de Sicile*, ELLUG, Université Stendhal, Grenoble, 1992. Cet ouvrage passionnant n'a pu, malheureusement, être publié que tronqué de son énorme appareil critique, notes, documents... Misère de la recherche en France ! Espérons que la deuxième partie, sur la vice-royauté de Naples, qui dispose d'un appareil documentaire encore plus impressionnant pourra un jour être connue du public.

temps[7], il est surprenant que, à ma connaissance, aucune étude de ces lettres n'ait été entreprise, aussi bien pour leur valeur *documentaire* que *littéraire* et *stylistique*. Voilà déjà un premier centre d'intérêt, surtout si l'on y ajoute les deux lettres inédites, publiées par mes soins en 1979[8].

De plus, il n'est pas douteux, comme je l'ai déjà avancé, qu'il ait joué un rôle important dans les milieux religieux, en particulier dans les rapports ou les conflits entre jésuites et dominicains ; et il conviendrait de mettre particulièrement en relief son engagement et son influence dans le combat mené à Séville, en particulier dans ce premier quart du XVIIᵉ, en faveur du culte de l'Immaculée Conception, qui y fit grand bruit[9].

Un troisième volet (qui se recoupe avec le précédent) serait incontestablement l'importance et l'influence du bon évêque « in partibus », grand ami de Salinas[10], dans les milieux littéraires et poétiques de Séville. N'oublions pas qu'il fut, pendant tout ce premier quart de siècle, un membre quasi inamovible et très influent de nombreuses *Academias* et de presque toutes les *Justas, certámenes,* etc., de caractère religieux ou non, qui émaillaient la vie sociale et littéraire dans la capitale andalouse[11]. Il conviendrait d'examiner de près les palmarès de ces joutes poétiques pour mieux comprendre, peut-être, les tendances poétiques qui se manifestent alors[12].

Je m'en tiendrai là. *¡ Aprovéchelo quien quisiere !*

La lettre que je publie ici, écrite en 1614 (seize ans avant sa mort), ne manque pas d'intérêt non plus, aussi bien pour la biographie de D. Juan que pour certaines pratiques écclésiastiques, mais je m'abstiendrai de commentaires ; elle parle d'elle-même à qui voudra la lire. Elle présente en outre le mérite d'être autographe[13].

---

[7] Voir H. B., art. cit., pp. 109-111, texte et notes, où je me suis efforcé de récapituler la bibliographie de ces lettres et quelques-unes des appréciations, plus que flatteuses, de quelques érudits, d'Adolfo de Castro à Rodríguez Marín.

[8] *Ibid.,* pp. 112-122.

[9] Pour s'en convaincre, on pourra se référer tout particulièrement au *Vásquez de Leca* de Joaquín Hazañas y la Rúa, Séville, 1918 ; et surtout au volumineux ouvrage de Don Manuel Serrano y Ortega, *Glorias Sevillanas Noticia histórica de la devoción y culto que la muy Noble y muy Leal Ciudad de Sevilla ha profesado a la Inmaculada Concepción...,* Sevilla, 1893.
Cet ouvrage fourmille d'informations sur la participation de D. Juan de la Sal à toutes les cérémonies, processions, joutes, etc., non seulement à titre d'évêque auxiliaire mais aussi comme l'un des membres influents de la Confrérie de *San Pedro ad Vincula* qui fut à la pointe de cette bruyante campagne. Je renvoie aussi, à ce sujet, aux pages 314 à 318 de mon ouvrage sur *Le Poète Sévillan Juan de Salinas,* déjà cité.

[10] Il était aussi le frère d'Isabel Hurtado, mère du poète Juan de Jáuregui. La famille eut quelques démêlés avec des adversaires du poète pour des questions assez floues de *limpieza de sangre.*

[11] Notamment lors du célèbre *Certámen,* organisé par la Compagnie de Jésus pour les fêtes de la béatification d'Ignacio de Loyola (voir H. B., *op. cit.,* pp. 272-277), où Góngora connut la retentissante déconvenue que l'on sait (1610).

[12] Rappelons encore qu'en 1624, de Madrid, Quevedo soumettait à son jugement (« *¿ a quién sino a vos ?* ») ses quatre poèmes sur les oiseaux et les animaux fabuleux, voir H. B., art. cit., p. 111. Il est également significatif que Medrano lui ait dédié un sonnet et une ode, où il lui attribue le nom poétique de *Salicio,* indice qui laisserait entendre que D. Juan aurait aussi taquiné la Muse... ? ; voir Dámaso Alonso y Stephen Reckert, *Vida y obra de Medrano,* t. I, p. 64 et 75 ns, et t. II, p. 125 sonnet XX et p. 225 ode XXIII.

[13] Bibliothèque de D. Antonio Rodríguez Moñino, réf. C. 30-2150 (1), fol. 324 recto verso. Je précise que ce document et celui qui suit ont été transcrits, comme les deux lettres publiées dans mon précédent article de l'*Hommage à Noël Salomon,* par Mademoiselle Gisèle Chaumier, qui fut mon étudiante, il y a maintenant quelques années...

Fol. 324 rto   C 30-2150 (1)

Mi señor

El obispo de Bona sufraganeo del Arçobispo de Se(vill)a digo que de razon y derecho y conforme al asiento que este Reyno de España en materia de espolios tiene hecho con la camara de su Sanctidad puedo siendo yo obispo titular testar libremente como cualquier otro sinple eclesiastico de todos mis bienes por no aver procedido ni ser ningunos dellos de mi obispado de Bona sobre que pueda caer el espolio que la Camara Apostolica recoge de los demas obispos.

Con todo eso temeroso de que este hecho de derecho y facultad no me valiese hice antes de consagrarme como cualquier otro obispo con licencia expresa del Nuncio de su Sanctidad en estos reynos y con todas las circunstancias nescesarias, un ynventario de todos los bienes que tenia que como que como (sic) consta por el y se vera al tienpo de mi muerte montaron mas que los que agora tengo.

Y no contento con esto para mayor siguridad suplique en Roma personalmente en el año pasado de mil y seiscientos y trece y alcance de la Sanctidad del Papa Paulo Quinto facultad anplia para testar y disponer despues de mis dias de todos mis bienes en la forma que a mi me pareciese y esta gracia fue reconocida y registrada en la Camara Apostolica como se podra ver por la copia autentica que presento della juntamente con el ynventario dicho aviendo citado para sacar la dicha copia al subcoletor y fiscal de la Camara nonbrados a este Arçobispado de Sevilla.

Pero no obstantes todos estos pertrechos sobredichos se cierto y la experiencia lo muestra cada dia que no an de ser suficientes ni bastara defenderme de las bexaciones y destroço que los ministros de la Camara en Sevilla an de hacer de mis bienes el dia que yo muriere si desde agora no me valgo del anparo y fabor que espero hallar en Vuestra Alteza porque el subcoletor que es de ordinario un prebendado desta yglesia al punto que sepa que e espirado con mano armada de excomuniones y censuras me secrestara toda mi hacienda tomara todas las llaves de mi casa se encerara con su fiscal abogado y notario de la Camara y los demas que quisiere sin permitir que se halle presente ninguno de mis albaçeas o heredero requirira quantos escritorios cofres y rincones uviere en toda mi casa a titulo de hacer ynventario de mis bienes en nonbre de la Camara Apostolica.

Fol. 324 vta

Asistira a mi almoneda señalara ministros para ella y como dueño de todo rematara y despachara de la manera que quisiere y no alçara mano finalmente si no es pagadas muy grandes costas y sacados por fuerça los percances y salarios que dice un poco mas abajo.

De todo lo qual sesperimenta (sic) y es fuerça que se sigan los perjuicios siguientes lo primero en el escrutinio secreto que hace a solas el subcoletor y los suyos de los bienes y alhajas del difunto se desparecen (sic) sienpre muchas cosas menudas de valor por ser tantas las manos en que andan y ningunas testigos de parte de cuyas son. Lo sigundo estorvase el bueno y brebe despacho de los bienes queriendo asistir y ser dueño del almoneda el subcoletor mandando y resolviendo mucho mas que los albaceas todos juntos. Lo tercero es grande el gasto y costa que se hace sin que ni para que en salarios de guardas notarios y oficiales que pone el subcoletor y en lo que toma para si por premio de su trabajo.

De todos estos tres daños depongo como testigo de vista siendo albacea del Cardenal de Guevara mi señor Arçobispo de Sevilla que sea en gloria que pues sin valerle la facultad anplissima que tenia como Cardenal para testar ni ser poderosos a defenderle sus testamentarios y herederos el prebendado que entonces era subcoletor en este Arçobispado se entro enbargando y secrestando sus bienes hiço visita dellos con solos los suyos espulgo todos los escritorios de que se rehundio un tejo de oro que pesava no pocos centenares de ducados una joya de valor medias de seda toallas y otras piesas menudas de ropa blanca curiosas que el Cardenal tenia en sus escritorios. Desenvolvio a sus solas quantos papeles secretos quedaron que eran muchos y dellos faltaron hartos y eran gran parte dellos de negosios de la ynquisision del tienpo que fue Ynquisidor General en el almoneda estuvo sienpre presente mandando rematar y suspender los remates quando y en quantos queria puso los oficiales y ministros que quiso de su mano y a todos señalo y hiço pagar salarios muy suficientes y aun sobrados y a el se le dieron de contado mil ducados por via de galardon de su trabajo y para el nuncio saco una cruz de diamantes que avia costado ochocientos ducados aunque valia mucho mas en suma en esta bexasion y en redimirla se gastaron mas de siete mill ducados de lo mejor de la hacienda.

Fol. 325 rto

Mas fresco que este es el exenplo del Arçobispo de Granada que a pocos dias que murio afirma su Provisor como testamentario que fue suyo que en el escrutinio secreto del subcoletor y de los suyos se desparecieron (*sic*) dos reloxes pequeños de oro muchas curiosidades menudas de valor de que estavan llenos los escritorios y que en mes y medio que duro esta vexasion hasta que Vuestra Alteza enbio su provision con que se redimio se gastaron veynte y siete mil reales como oy dia consta de los libros.

Es bien verdad que en la hacienda del Arçobispo de Granada por ser espolio del Papa no teniendo licencia de testar parece que uvo causa de entrar el subcoletor y apoderarse de todo pero con el Cardenal de Guevara que tenia facultad anplisima para poder disponer de su hacienda que achaque o que raçon pudieron tener los ministros de la Camara para hacerse con tan gran daño dueños de los bienes de que el Papa y su Camara no sacaron ni podian sacar algun provecho sino que solos ellos a rio buelto salieron con la ganancia que quisieron la qual en haciendas muy gruesas se puede sobrellevar pero la mia que es tan tenue que apenas llegara a dies o doce mil ducados a lo mas y que toda placiendo a Dios se a de enplear para servicio suyo en beneficio de mi anima y socorro de mis pobres criados que mella se hara si el subcoletor y los suyos la manejan malbaratarse a forçosamente la mejor parte della no solamente sin utilidad del Papa y de su Camara sino contra la espresa voluntad y orden de entranbos como lo rezan las bulas y despachos que presento.

Por tanto pido y suplico a V(uest)ra Alteza humilmente que conpadeciendose de mi y atendiendo a las tres causas que tengo como dixe al principio en mi fabor para testar libremente quales no pienso que concuriran en otro obispo me quiera anparar desde luego con una provision de que mis albaceas al tienpo de mi muerte puedan valerse para defensa de mis bienes y que su execusion venga encargada al Señor Regente desta Audiencia que es o fuere que en ello recibire de mano de Vuestra Alteza señaladissimo fabor.

D(octo)r Juan de la Sal
Ob(ispo) de Bona

Le deuxième document, sur la mort et les funérailles de D. Juan de la Sal, est tiré d'un fragment de chronique au jour le jour, d'auteur inconnu, rapportant des événements qui se sont déroulés à Séville l'année 1630, fragment, manifestement arraché d'un *diario*, qui commence le 4 janvier et s'achève le 19 juin[14]. J'ignore s'il a été publié par ailleurs. De toutes façons je ne puis en reproduire ici que le passage qui concerne l'*Obispo de Bona*[15].

Fol. 5 rto   1630

En lunes catorze de henero a las dos de la noche murio el señor Doctor Juan de la Sal obispo de Bona natural de Sevy(ll)a al alba lo truxeron en un coche al colegio de San Luis noviciado de la Conpañia de Jesus donde se mando enterar y a quien dexo por herederos reconociendo obligaciones antiguas de aber sido de la Conpañia muchos años bibio casi ochenta a la tarde se hizo el entiero estava en medio de la capilla de la Iglesia de San Luis en un tumulo cubierto de paños de terciopelo y //

5 vta   1630

damasco carmesi bestido de Pontifical y el sonbrero a los pies al deredor doze cirios en blandones y en blandoncillos belas la yglesia llena de sillas y bancos para la cofradia de la Vincula de San Pedro de donde era Rector asistieron sus sobrinos con lutos y su familia con capuzes en numero de doze criados ubo gran aconpañamiento de caballeros abitos. El Conde de la Tore y el Asistente el Dean don Francisco

---

[14] Bibliothèque de D. Antonio Rodríguez Moñino, réf. C. 30-2150 (2), 12 folios (formant un cahier).

[15] Il va de soi qu'il n'y a pas lieu de publier ici une bibliographie qui, même détaillée, serait forcément incomplète. Une partie des sources bibliographiques et documents peut être aisément trouvée dans mon ouvrage sur Salinas dont une bonne part des ouvrages cités et consultés est valable, notamment les répertoires des joutes littéraires à consulter avec minutie ; de même que les manuels d'histoire ecclésiastique ou des ouvrages sur Séville.

de Monsalve a quien dexo por albacea truxo muchos del cabildo dignidades canonigas y racioneros y la musica hizo el oficio la cofradia de San Pedro que es una gravisima comunidad y de Pontifical el S(eño)r don Luis de Camargo obispo de Centuria dixo la ultima licion y hizo el oficio de la sepultura enterose en un ataud forado por de fuera de raso negro con cintas de seda y oro y clavazon dorada en la capilla del capitulo o de profundis que es excelente pieza muy adornada de pinturas y azulejos y un altar de la Concepcion de N(uest)ra S(eñor)a doblo la tore de la S(ant)a Iglesia con la canpana grande y todas las de la Conpania. //....................

Fol. 6 rto   1630
En martes cinco de febrero se hizieron en el colegio de San Luis las onras del S(eño)r Obispo //

Fol. 6 vta
de Bona Doctor don Juan de la Sal en la capilla mayor se lebanto una tarima cubierta de paños negros y encima la tunba con paño de tela amarilla con dos almohadas de la misma tela y borlas de oro y encima una mitra rica en deredor doze blandones con cirios blancos dixo la misa el Padre (..........................) de Sotomayor preposito de la casa profesa con dos diaconos predico el Padre Andres Lucas doctamente. Asistio la clerecia de la Paroquia de Santa Marina y hizo el oficio la musica de la Santa Iglesia estubieron todos sus criados y sus sobrinos y muchos caballeros el Dean como albacea con el abad de Olibares don Francisco Fernandez Bertran y su hijo del Asistente de Sevy(ll)a y prebendados ubo muchos de la conpañia de todas las casas que tienen fundadas en Sevilla.

Voilà, mon cher Robert, j'espère que tu ne m'en voudras pas, à ton tour, de la modicité de cette contribution : c'était *a la buena de Dios*.

La Révolution française
et la littérature de colportage en Espagne

Jean-François BOTREL
INRP - Université de Rennes 2

Dans un pays comme l'Espagne du XIXᵉ siècle où l'histoire « nationale » tarde à s'écrire et encore plus à être enseignée, la construction d'une identité et d'un imaginaire collectifs a plus qu'ailleurs été dépendante d'histoires fragmentaires ou parrallèles. C'est le cas, notamment, pour la mémoire espagnole de la Révolution française, contruite à partir de l'expérience postérieure de l'invasion napoléonienne mais aussi d'histoires données à lire, de *l'Historia de la Revolución francesa* en 6 volumes de Thiers au plus modeste livret de colportage.

C'est ainsi que parmi les trente et quelque histoires consacrées au temps présent dans la « Bibliothèque bleue » espagnole (Botrel, 1986, 1987), deux titres renvoient plus ou moins directement à l'histoire de la Révolution Française : l'*Historia de Luis XVI Rey de Francia sacada del Cementerio de la Magdalena*[1] et l'*Historia de la revolución francesa (Episodios de 1793 a 1804)*[2].

Le contexte de l'apparition – tardive – de ces deux textes (après le succès de *l'Histoire des Girondins* de Lamartine en Espagne et le regain de la réalité révolutionnaire en 1848 pour la première[3] ; après la Restauration à un moment d'essor du mouvement ouvrier pour la seconde), mais aussi leur permanence jusqu'au début du XXᵉ siècle incitent à se pencher sur la génèse de ces textes composites, élaborés à partir de traductions d'originaux français, et sur toutes les « manipulations » opérées qui peuvent rendre compte des intentions plus ou moins explicites de l'éditeur mais surtout de l'effet et du sens espérés auprès du public cible.

---

[1] Dorénavant citée d'après l'édition de 1851 (Valladolid/ 1851/ Imprenta de Don Dámaso Santarén, 23 p. in 4° (Hemeroteca Municipal de Madrid).

[2] Dorénavant citée d'après l'édition de Barcelona, Papelería y efectos de escritorio del Sucesor de Antonio Bosch, calle del Bou de la Plaza Nueva, núm. 13, 24 p. in 4° (Hemeroteca Municipal de Madrid).

[3] *L'Histoire de la révolution française* de Mignet (1824) est traduite en 1838 après la parution en France de *l'Histoire de la Révolution française* de Thiers (1823-1827) qui connaîtra cinq éditions en espagnol entre 1836 et 1846. *L'Histoire des Girondins* de Lamartine publiée en 1847 paraît en espagnol dans une traduction d'Agustín Morell en 1847 et connaît cinq éditions supplémentaires entre 1847 et 1848, y compris une édition par livraisons.

Hommage à Robert Jammes (Anejos de *Criticón*, 1), Toulouse, PUM, 1994, pp. 101-110.

HISTORIA

DE LUIS XVI,

REY DE FRANCIA.

SACADA DEL CEMENTERIO DE LA MAGDALENA.

VALLADOLID.=1851.

IMPRENTA DE DON DÁMASO SANTAREN.

Le texte publié pour la première fois en 1851 à Valladolid chez Dámaso Santarén renvoie comme cela est fréquemment l'usage pour les histoires de colportage à une source livresque apparemment unique (*Le cimetière de la Madeleine* de J. J. Regnault-Warin paru en 1801) mais en passant par toute une filière de textes intermédiaires qu'il est important de reconstituer, en remontant de 1851 à 1801 pour mieux qualifier le texte qui en résulte.

La source immédiate de l'histoire de colportage est la 5e édition de la traduction espagnole du texte original (Paris, 1833, 4 vols. in 8°). Selon son éditeur V. Salvá au moins 10 000 exemplaires, sans compter l'édition de Bordeaux, ont alors déjà été mis en circulation et achetés et cette nouvelle édition, également disponible à Mexico, se distingue de la précédente par l'adjonction de résumés des vies de Madame Isabelle, de la Duchesse d'Angoulême, de Louis XVII, de Charles X et des Ducs d'Angoulême et de Berry.

Déjà la quatrième édition, celle de 1829, avait introduit l'innovation d'une biographie liminaire de Louis XVI (de sa naissance à 1790) dans le texte de la troisième édition de 1817 qui avait rétabli des passages supprimés « con patriótico objeto » dans l'édition de 1811 parce qu'ils étaient « poco favorables a la acción británica »[4].

Le texte original qui a lui même fait l'objet de plusieurs éditions est en fait un récit romancé des trois dernières années de Louis XVI et de sa famille où le narrateur rapporte une histoire qu'il assure avoir, en onze nuits, recueillie au cimetière parisien de la Madeleine de la bouche d'Edgeworth de Fermont connu dans les Annales révolutionnaires pour avoir assisté le Roi dans ses derniers moments et être dépositaire de beaucoup d'anecdotes secrètes sur l'arrestation, la détention et la mort de Louis. L'auteur, Jean Baptiste Joseph Innocent Philadelphe Regnault-Warin (1771-1844) est plutôt royaliste de l'avis de Salvá, mais « no desconoce las ventajas de los gobiernos fundados en las leyes ni denigra ciegamente a todos los personajes de la república, distinguiendo los escesos que la mancharon de las disposiciones que tanto bien causaron a Francia y de los rasgos con que muchos ciudadanos acreditaron su puro y desinteresado patriotismo »[5].

Voyons si cet équilibre supposé persiste dans l'histoire conçue pour le colportage, après toutes les manipulations que subit le texte à cet effet.

La principale résulte évidemment de la réduction du texte original de quelque 830 000 signes (887 p. in 8°) à 57 000 signes (24 p. in 4°), les onze nuits originales étant condensées en trois chapitres et les discours directs prêtés à la première personne et au présent à l'abbé de Fermont disparaissant ici au profit d'informations synthétiquement rapportées à la troisième personne et au passé, la narration se faisant ainsi moins romanesque et plus historique

Mais la comparaison attentive du texte de colportage avec les originaux fait apparaître que, de toute évidence, le rédacteur du digest a, sans le signaler et pour les besoins de la chronologie de l'histoire de la révolution vs de Louis XVI (très concrètement pour la période allant du 14 juillet 1789 au 10 août 1792), emprunté à une autre source un certain nombre d'éléments des chapitres I et II : il s'agit de l'*Historia de los Girondinos* de Lamartine, « répertoire de toutes les légendes

---

[4] « Mientras sostuvo la Península su desigual lucha con Napoleón todo lo que escitaba contra la nación francesa el odio español contribuía para inflamar el entusiasmo y conseguir vencimiento » affirme V. Salvá en 1833.

[5] Regnault-Warin est en outre l'auteur d'un *Hymne du peuple... chanté à la fête de l'Être suprême le 20 Prairial an II de la République une indivisible populaire et impérissable*, de *Médailles biographiques* consacrées à Espoz y Mina et Pablo Morillo (Paris, 1823) et d'un roman dont seul le titre a quelque chose à voir avec l'Espagne (*Rosario ou les trois espagnoles*, Paris, 1821). Il a également publié une vingtaine de romans dont *La caverne des Strozzi*, 1798 (traduit en espagnol), *Les prisonniers du temple*, 1802, *Le paquebot de Calais*, 1802, *La diligence de Bordeaux*, 1804, *L'homme au masque de fer*, 1804.

révolutionnaires de la mort de Mirabeau à celle de Robespierre ». C'est patent, notamment pour l'évocation de la journée du 20 juin, ainsi qu'en témoigne la confrontation de quelques passages du texte de colportage avec sa source :

Lamartine :
« en brandissant vers la portière du roi un long bâton armé d'un dard de fer » (II, 213)
« chacun de ces assommeurs d'abattoir portait au bout d'un fer de pique un coeur de veau percé de part en part et encore saignant avec cette légende : Cœur d'aristocrate » (II, 201)

livret de colportage :
« tomando en una mano una larga pistola guarnecida de un dardo » (p. 9)
« llevaba en lo alto de una horca un pulmón de becerro, y por debajo mostraba esta inscripción : Corazón de los aristocratas » (p. 9)

Bien que l'ajout soit antérieur (*cf. supra*), on doit voir dans la mise en valeur relative (c'est-à-dire, proportionnellement au reste du texte) de la vie de Louis XVI de sa naissance à 1792 , date à laquelle *Le Cimetière de la Magdeleine* commence, une confirmation de l'approche, l'histoire « extérieure » se construisant à partir de l'individu dont le parcours est parfait parce qu'il est fini ; c'est bien le destin de Louis XVI dans la tourmente révolutionnaire qui est le thème de l'histoire, tout ce qui étant collatéral étant presque systématiquement éliminé dans un récit déjà totalement centré sur Louis XVI et sa famille, comme on sait. C'est ainsi que rien n'est retenu des conspirations successives pour faire évader le Roi et sa famille et que tel détail ou anecdote comme la lettre écrite sur velin avec un encre indélébile contenue dans une bougie devient incompréhensible hors de son contexte ; de même le devenir de Marie Antoinette et surtout du Dauphin, très développé dans l'original, est proportionnellement réduit de la moitié (4 800 signes respectivement, soit 8,42% du texte contre 16 % dans l'original).

La nécessité de reconstruire la narration et parfois même son fil sous forme de synthèses ou d'adjonctions entraîne évidemment un remodelage du texte avec des formulations raccourcies et des phrases liées là où abondaient le détail et la juxtaposition. Ce qui est conservé du texte original n'en prend que plus de relief et peut avoir valeur d'intention : il s'agit essentiellement de la transcription de passages entiers correspondant à des épisodes célèbres comme les journées d'octobre 1790, le 20 juin 1792 ou l'exécution du roi. La confrontation du texte français original avec la traduction retenue pour le livret de colportage pour ce dernier épisode permet de rendre compte de la plupart des procédés évoqués :

Les exécuteurs étaient au nombre de quatre ; deux montés sur l'échafaud apprêtaient l'appareil du supplice et le fer meurtrier ; les deux autres se placèrent aux côtés du roi tandis qu'il montait lui-même. Je le suivais immédiatement. La figure abattue de ces bourreaux, contrastait fortement avec la physionomie sereine de Louis ; il avait le col nu, les cheveux épars et légèrement bouclés, le front calme, le teint un peu animé. Il n'était couvert que d'un simple molleton blanc. Un

Los verdugos eran cuatro ; dos preparaban en el cadalso el aparato del suplicio y el acero matador ; los otros dos se colocaron al lado del rey mientras subía y el abate le seguía inmediato. El semblante abatido de aquellos hombres se contraponía estremadamente a la fisonomía apacible de Luis, que tenía el cuello desnudo, el cabello tendido y algún tanto rizado, la frente serena y la tez un poco encendida, y no llevaba sino un simple chaleco de felpilla blanca. Uno de los

des exécuteurs s'approcha de lui par derrière, réunit ses cheveux dans un ruban, et les lui coupa. Louis s'avança avec vivacité du côté de l'échafaud qui regardait les Tuileries, et s'écria d'une voix sonore : Je meurs innocent... je pardonne à mes ennemis... je désire que mon sang soit utile aux Français et qu'il apaise la colère de Dieu. Il en aurait dit davantage, si un mouvement impératif de Santerre n'eût forcé les tambours à reprendre leur roulement. Le roi se dit encore quelques mots à lui-même, puis ployant un genou devant moi, il me demanda ma dernière bénédiction. Pendant que je lui la donnais, plusieurs voix crièrent aux bourreaux de faire leur devoir. Aussitôt ils s'emparèrent de la victime, et tandis qu'on lui mettait les sangles, j'étendis la main gauche sur lui, et de l'autre lui montrant le ciel ouvert pour le recevoir : Allez, fils de Saint-Louis, lui dis-je, montez au ciel !... J'avais à peine proféré ces paroles, que la hache fatale termina, par une mort glorieuse et fatale à la fois, une vie dès longtemps livrée à l'infortune. Je me prosternai comme anéanti par la douleur, et ne sortis de cette espèce de spasme, qu'en entendant les cris mille fois répétés de Vive la nation ! Vive la république! Je me levai avec précipitation... O spectacle d'horreur et de pitié !... Un jeune homme... le cannibale ! à peine âgé de vingt ans ! avait saisi par les cheveux la tête livide du malheureux Louis... il la montrait au peuple, sur lequel il la secouait pour en faire jaillir du sang... J'en fus couvert de ce sang précieux, et à l'instant même, mes yeux s'étant levés sur ce lamentable objet, je crus le voir brillant de l'auréole des martyrs, tandis que l'ange du seigneur l'ombrageait des palmes de l'immortalité. (T. III, pp. 86-87)

verdugos se le acercó por la espalda, le ató el pelo con una cinta y se lo cortó. Luis se adelantó con denuedo hacia el lado del cadalso que miraba a las Tullerías, y esclamó con voz sonora : « Franceses, yo muero inocente... yo perdono a mis enemigos... deseo que mi sangre redunde en utilidad de la Francia y aplaque el enojo de Dios... » Iba a decir más, cuando una demostración imperiosa de Santerre obligó a los tambores a continuar su redoble. El rey habló todavía algunas palabras con voz baja, y luego doblando la rodilla pidió al abate su última bendición. En tanto que se la echaba, muchos gritaron a los verdugos que cumpliesen con su obligación ; y en seguida se apoderaron de la víctima. Mientras la afianzaban con los ceñidores, el abate, puesta la mano izquierda sobre su espalda y enseñándole con la otra el cielo abierto para recibirle : « id, hijo de San Luis, le dijo, subid al cielo. » Apenas hubo proferido estas palabras, cuando la cuchilla fatal hizo que terminara con una muerte funesta una vida llena por tanto tiempo de trabajos y amarguras. El populacho prorrumpió en desaforados gritos, victoreando a la nación y a la república, y uno de aquellos fanáticos había asido por los cabellos la cabeza cárdena del desdichado Luis, y la iba enseñando al pueblo sacudiéndola para hacer saltar la sangre, con otros horrores que repugna a la humanidad referir. (Pp. 17-18)

On observe le même intérêt pour les propos prêtés aux personnages mais surtout au roi (« *Abrid, abrid ; yo nada tengo que temer de los franceses* » ; « Que puis-je craindre au milieu de mon peuple ? », selon Lamartine ; « *Ven, añadió, tomando la mano de un granadero que estaba a su lado, dame la mano ; pónmela sobre el corazón, y di a ese hombre si late más acelerado que lo regular* » ; « Mon ami...mets ta main là, et vois si mon coeur bat plus vite qu'à l'ordinaire (*Ibid.*), l'emploi de l'italique dans le texte de colportage permettant le plus souvent de détacher la phrase dans le texte).

Le procédé de sélection par focalisation est ainsi constitutif du sens attribué au récit historique, mais aussi d'une conception de l'Histoire dramatisée, avec des acteurs autant que faire se peut présents et donc parlants.

La comparaison des deux séries de textes permet, enfin, de distinguer un certain nombre de commentaires ajoutés qui ont valeur de jugement ou qui renvoient à des présupposés d'ordre idéologique. Les illustrations abondent ; bornons-nous à observer le processus de radicalisation du manichéisme présent dans l'original, à savoir le bon Roi victime des méchants révolutionnaires.

Au-delà de la vision hagiographique de Louis XVI renforcée par la nécessaire schématisation qui accompagne la contraction du texte, particulièrement manifeste dans le chapitre I qui, on le sait, ne doit rien au texte de Regnault-Warin, le contraste voulu entre un souverain « preocupado por el bien del pueblo », manifestant « un amor sin límite por su pueblo » et un peuple ingrat, abusé ou sanguinaire est manifeste : on l'observe à travers des formulations associées au peuple telles que : « tropel de mujeres seducidas por facinerosos », « furor sanguinario », « furioso encono », « tumultuariamente », « asesinatos populares », « tigres sedientos de sangre », « asesinó con ferocidad », toute une série sémantiquement univoque, comme on le voit, dont les éléments sont loin d'être toujours présents dans l'original. La culmination du procédé se produit avec l'apitoiement final sur le tendre Dauphin Louis XVII, martyr du savetier Simon[6].

Le jugement qui en découle ne se contente pas d'être implicite ; il s'accompagne de plaidoyers (pour justifier la fuite de Varennes, par exemple, p. 7), mais aussi d'un verdict sans appel devant l'Histoire : il s'agit d'un « asesinato » (p. 18) et « la Francia tendrá en su historia el borrón de haber guillotinado a aquel Rey magnánimo ». Plus subtil et sans doute plus intéressant pour l'intention, est la leçon destinée au peuple responsable qui apparaît comme étant lui même victime du « tiránico sistema », du « despotismo de una gavilla de verdugos que sentó su trono en un cadalso para mandar en nombre del terror » (p. 18) : le rapprochement *trono/cadalso* ne peut être plus explicite et le peuple d'Espagne se trouve implicitement dissuadé de risquer l'opprobre qui pèse sur un peuple de France abusé et régicide.

Dans un domaine où, comme le rappelle Roger Chartier (1991, 14-15), « le passage d'une forme éditoriale à une autre peut transformer séparément ou à la fois l'assise sociale et culturelle du public, les usages du texte et les interprétations qui en sont possibles », on est frappé, d'une part, par la défictionnalisation, l'applanissement et l'historicisation relative de la (des) source(s)[7], la méta-littérature de Regnault-Warin devenant sous la plume du rédacteur anonyme une méta-histoire, d'autre part, par cette vision de l'histoire généralisée à partir d'une histoire individuelle, dramatisée mais surtout schématisée pour servir une interprétation manichéenne, outrée pour discréditer la Révolution française et ce qui s'ensuivit mais peut-être encore plus les tentations autochtones, tout-à-fait contemporaines celles-là. De ce point de vue, le sens de l'histoire de colportage sinon le ton n'est guère différent de celui de tel ou tel texte de Balmes ou Donoso Cortés...

Le traitement, quelque trente ans plus tard, de la même période par un certain M. B. fournit quelques confirmations sur les procédés mais permet aussi d'observer une certaine évolution.

Une des sources non déclarées est, de toute évidence, l'*Historia de los Girondinos* de Lamartine qui en est alors en Espagne à sa sixième édition. Elle fournit comme le *Cementerio de*

---

6 Le caractère « más altivo » de la « infelice reina » ne lui permet pas d'être incluse dans la catégorie des « bons », l'objectivité étant ainsi respectée.

7 Le signe le plus évident en est la disparition quasi systématique du présent au bénéfice des temps du passé.

la Madalena son lot d'anecdotes ou de phrases célèbres ; on y note la même insistance sur certains épisodes, comme les journées de septembre (p. 14) et la tendance à la complétude fait que la période annoncée (1793-1804) commence de fait en 1789 (le typographe compose 1879, ce qui peut être une indication) et s'achève avec la mort de Napoléon (« con la muerte de Napoleón acabóse el fuego revolucionario encendido en 1789 »), le *continuum* souhaité (Révolution française-Napoléon *vs* Guerre d'indépendance-Révolution espagnole) étant ainsi contradictoirement établi. D'autres traits marquants comme l'abondance des dates et le goût pour les chiffres (*cf.* p. 14, 15 ou 20 ou le détail des votes, p. 12 et surtout 19) donnent l'illusion d'une précision qui s'accommode volontiers d'imprécisions – c'est le moins qu'on puisse dire –, notamment dans la graphie des noms de lieux, il est est vrai assez indifférents à un lecteur espagnol qui par la vertu de la composition à partir d'un manuscrit pourra lire « Longug » au lieu de « Longwy », « Verdia » au lieu de « Verdun », « Valmuy », « Dumonvier », etc. dans un texte non corrigé qui devient parfois totalement énigmatique (*cf.* p. 6). Autant de traits communs au fonds de colportage comme on sait (*cf.* Botrel, 1977).

L'essentiel cependant n'est pas là, mais plutôt dans une certaine évolution de la conception de l'histoire. On observe en effet qu'à une instance narrative maintenant impersonnelle et plurielle correspond une relative parcimonie dans les effets de style (le suspense, par exemple) et que l'information et les explications (on s'attarde ainsi plus volontiers sur le jugement que sur l'éxécution du Roi) prédominent sur les jugements et les sentences. Si on n'évite pas l'apitoiement sur le sort du monarque non plus que quelques appréciations sévères de la Révolution, le protagonisme du peuple à côté de quelques individus se trouve mieux mis en vedette : la force, la violence même d'un peuple mal mené, abusé n'aboutit pas à la même insistance manichéenne et la Révolution de régicide devient autodestructrice (« la Revolución francesa hizo más que Saturno », p. 23), ce qui n'interdit pas, par ailleurs, une vision pour partie enthousiaste de la Révolution française pour son caractère universel (« La revolución francesa ha sido la más grande que registra la historia de todos los siglos [...] aquella trascendental revolución influyó e influye aún, no tan sólo en la marcha de la nación francesa, sino que conmovió más o menos profundamente a todas las naciones europeas, infiltrando su espíritu en todas ellas », est-il écrit dès la première phrase) ainsi que comme résultat d'une volonté populaire.

Les deux vignettes qui accompagnent le texte viennent spectaculairement conforter cette idée, dans les deux scènes illustrées : la prise de la Bastille et la fuite de Varennes. Dans le premier cas, la composition en contre-plongée donne à la masse de la Bastille défendue par quelques rares hommes armés aux créneaux une force de domination et une arrogance qui donne toute sa valeur symbolique à la foule en armes (les emblématiques canons sont avec elle) qui peuple le tiers inférieur et qui porte, en un impensable défi, l'un des siens sur le pont-levis à l'assaut de la forteresse qui ne peut que connaître le sort de la maison déjà en flammes...

En écho à cette première image, la représentation de la fuite de Varennes dans son dénouement (la foule ramenant le Roi à Paris) offre une scène plus naturelle (présence d'un enfant courant et d'un chien au premier plan) mais aussi plus énigmatique (homme caché derrière un arbre) en même temps que des éléments plus signifiants tels que l'identification possible de femmes, le mélange de soldats et de civils sur un fond de piques mais aussi l'expression animée de la liesse populaire (couple dansant une espèce de ... jota) et surtout l'encadrement d'un monarque dont seul le visage apparaît à la portière et rabaisse au niveau de ceux qui se substituent à son pouvoir défaillant.

Avec ces deux traitements de la Révolution française pour la littérature de colportage, on perçoit comment le travail sur le texte, la mise en texte alliée aux effets de la « sublimation » par réduction permet de servir une intention marquée par la conjoncture dans une situation particulièrement intéressante puisque le peuple potentiellement lecteur se trouve être le protagoniste de l'histoire racontée et de plus en plus expliquée. Mais on n'aura garde d'oublier que les deux textes (les deux versions) sont également disponibles à la fin du siècle, même s'il semble que le seconde soit plus demandée que la première, sans connaître pour autant le succès des histoires dont Napoléon est directement ou indirectement le protagoniste.

Ces histoires de colportage ne sont certainement pas les seules à raconter l'histoire de la Révolution Française[8] et un examen des manuels scolaires de la fin du siècle permettrait de vérifier la permanence de cette approche marquée implicitement par la problématique nationale de la révolution[9] : révolution espagnole, libérale, révoltes, soulèvements, etc. dont l'histoire de l'Espagne du XIXe siècle est riche[10].

Que reste-t-il de l'intention première du traducteur du *Cimetière de la Madeleine* qui prétendait, ce faisant, « inflamar el entusiasmo »? Au delà de ces « incidentes que tienen el aire de novela » dans ce roman historique ou cette histoire romancée, il y a sans doute une intention similaire à celle de Lamartine qui prétendait « instruire le peuple par l'exemple d'hommes modérés qui s'ils avaient eu le sens de l'action auraient pu réaliser une révolution pacifique » et qui dans l'édition de 1829 du *Cementerio de la Madalena* est traduite en ces termes : « el objeto de la presente obra es instruirle (al lector) en la parte más memorable de la revolución de Francia que fue el asesinato de Luis XVI y de su esposa e hijo ; de donde puede sacar el saludable escarmiento que el autor se propuso, confirmándose en el horror de las novedades políticas y a los crímenes que les suelen seguir... ».

Constatons néanmoins que dans une même situation de dépendance, avec l'inévitable inertie de visions empruntées, deux stratégies s'expriment, porteuses dans le premier cas d'accentuation de l'option originale et dans le second d'une reconstruction plus équilibrée, la révolution étant dans les deux cas systématiquement associée à la notion de violence et de cruauté, au sang.

---

[8] Il faut évidemment rappeler l'existence de poésies de circonstances, comme « A la muerte de Luis XVI » de Juan Pablo Forner, comme les « Coplones de un frayle español compuestos (...) para desacreditar y hacer odiosa la Revolución francesa », d'une zarzuela comme *La Marsellesa* de 1876 (« Yo quiero ver cien nobles/ colgados de une farol/ racimo que en un día/ vendimie la Nación »), de pièces contre-révolutionnaires comme *Castillos en el aire*, de traductions de romans comme celle du *Chevalier de Maison Rouge* d'A. Dumas ou de *La Bouquetière de Tivoli* de Ponson du Terrail. A une nouvelle édition du *Cementerio de la Madalena* (Valencia, Imp. a cargo de Carlos Verdejo, 1878, 492 p.), s'ajouteront d'autres dérivés du texte matriciel comme *El noventa y tres.Una página de la revolución francesa. Proceso y ejecución de Luis XVI, María Antonieta, Isabel María y triste fin del príncipe Luis* (Madrid, Eduardo Mengíbar editor, 1885) ou *Del trono al cadalso. Memorias del abate Edgewort (sic) de Fermont, confesor de Luis XVI publicadas a principios de este siglo por J . Regnault-Warin* (Barcelona, Imprenta y librería de « La Hormiga de Oro », 1890).

[9] *Cf. La Revolución francesa y su influencia en la educación en España*, Madrid, UNED, 1991.

[10] Jesús A. Martínez Martín (*Lectura y lectores en el Madrid del siglo XIX*, Madrid, 1991, pp. 271-272) remarque la présence dans plus d'un quart des bibliothèques privées madrilènes d'ouvrages sur la révolution espagnole à travers l'*Historia del levantamiento, guerra y revolución de España* du Conde de Toreno (1835-1837) et sur la révolution française, « casi siempre en la óptica de Thiers » bien qu'on trouve aussi l'Histoire de Mignet, celle de Lamartine étant de publication trop tardive pour être encore significativement entrée dans les inventaires après décès. Il est, par ailleurs intéressant de constater que la « revolución » « es título de multitud de publicaciones que denotan la conciencia del ciudadano del siglo de estar inmerso en un proceso de cambios, ahora bien tal concepto se identifica en su sentido político » (*Id.*, p. 338).

La démarche de catharsis proposée au « peuple » à travers la consommation symbolique de la violence débouchant sur le malheur et l'infamie peut être accompagnée de références induites à un autre système de valeurs où la légitime violence s'exprime contre l'envahisseur, le protagonisme du peuple pouvant, en cas de nécessité, prendre des formes institutionnelles que semblent pouvoir offrir une république démocratique ou une monarchie constitutionnelle.

C'est la leçon que tardera à apporter l'Histoire...

Bibliographie

BOTREL, Jean-François (1977), « Aspects de la littérature de colportage en Espagne sous la Restauration », *L'infra-littérature en Espagne au XIXe et XXe siècles*, Grenoble, P.U.G., pp. 103-121.

BOTREL, Jean-François (1986), « Les *historias* de colportage : essai de catalogue d'une Bibliothèque bleue espagnole (1840-1936), *Les productions populaires en Espagne (1850-1920)*, Paris, CNRS, pp. 25-62.

BOTREL, Jean-François (1987), « Les *historias* de colportage et l'histoire du temps présent en Espagne au XIXe siècle », *Volksbuch-Spiegel seiner Zeit ?*, Salzburg, Abakus Verlag, pp. 105-113.

BOTREL, Jean-François (1988), « Un classique du peuple en Espagne au XIXe siècle : le Conde Partinoples », *Mélanges offerts à Maurice Molho*, Vol. II, Paris, Éditions hispaniques, pp. 47-57.

CHARTIER, Roger (1992), « Textes, formes, interprétations », *apud* D. F. Mac Kenzie, *La bibliographie et la sociologie des textes*, Paris.

Poesías castellanas manuscritas en el fondo Ottoboniano de la Biblioteca Apostólica Vaticana

María Teresa CACHO
Universidad de Zaragoza

La riquísima biblioteca que consiguió reunir el cardenal Pietro Ottoboni en el siglo XVII pasó a formar parte de la Biblioteca Vaticana en 1748, cuando fue comprada a los herederos del cardenal por el papa Benedicto XIV. Los fondos manuscritos constan de 3394 códices latinos, 473 griegos y muchos otros en diversas lenguas. Se conserva un inventario, manuscrito latino, en dos volúmenes (*Inventarii/ Codicum manuscriptorum latinorum/ Bibliothecae Vaticanae/ Ottobonianae*) donde aparecen los textos españoles, tanto los latinos como los catalanes y castellanos.

La mayoría de los textos españoles son latinos y de muy diversos temas, desde poemas de Antonio Agustín a las obras de Domingo de Guzmán, Francisco de Vitoria, Melchor Cano, etc, pasando por libros de sermones de Ledesma y Guevara, informes, crónicas y discursos.

Los textos en castellano son, en gran parte, papeles referentes a la historia del siglo XVII: copias de cartas, discursos, resoluciones, relaciones, pareceres, etc., encuadernados junto con diversos impresos sobre los mismos temas, lo que nos demuestra el perfecto conocimiento que de los sucesos españoles contemporáneos tenía el cardenal. Así ocurre en los 3 vols. del ms. 2640 o en los 4 vols. del ms. 2730. Otros manuscritos recogen las relaciones de la curia española con la Santa Sede. Entre los códices en castellano merece destacarse, a pesar de su lamentable estado, el 2054, traducción de la *Etica* de Aristóteles de Alonso de Santa María, a partir de la versión latina hecha por el Aretino[1].

Entre los códices en catalán hay dos muy bellos, góticos, 542 y 845, el primero de doctrina cristiana e himnos marianos y el segundo con *De los nombres y atributos de Dios* y poemas de Raimundo Lulio.

Aunque se encuentran poemas castellanos en seis manuscritos, sólo uno de ellos es un cancionero, pues el resto son misceláneos. El primero (695) recoge textos poéticos variados. Del

---

[1] Menéndez Pelayo en su *Biblioteca de traductores españoles* (Madrid, CSIC, 1953, v. III, p. 101) nos habla de una traducción, publicada en Sevilla en 1497 de forma anónima, que algunos eruditos atribuyeron al obispo de Burgos, Alonso de Cartagena, al igual que de otras dos, una dedicada al marqués de Santillana, de autor desconocido y otra del Príncipe de Viana, que se publicó póstuma en Zaragoza, en 1509.

siglo XV es la recopilación de las *Coplas de Mingo Revulgo* y delos siglos XVI y XVII los restantes textos. El segundo (2419) contiene una obra poética, de doctrina cristiana, de Gonzalo de Chaves. El tercero (2480) y el sexto (3324) contienen un solo poema cada uno, un soneto satírico del siglo XVII y un romance del siglo XV respectivamente. En el cuarto (2730) que trata en gran parte de la muerte de don Rodrigo Calderón, aparecen una serie de poemas atribuídos a don Luis de Góngora. El quinto (2882) es el Cancionero, que se puede datar a finales del siglo XVI por sus características y porque coincide en varios poemas con otros manuscritos datados en las décadas de los ochenta y noventa..

El contenido de este cancionero parece estar recogido para ser cantado pues, como en gran parte de los musicales, no recopila ningún soneto ni hay tampoco atribuciónes. Sólo diez composiciones rinden tributo a los metros italianos: 3 canciones (32, 39, 60) y siete octavas reales (3, 15, 18, 23, 26, 51, 59). El copista distingue únicamente en los títulos las formas *Letrilla, Octava, Romance, Canción* y *Endecha,* que no responden en todos los casos a sus metros. El *Romance* 1, por ejemplo, lo forman 9 sextillas de pie quebrado, auque donde más variedad de metros encontramos es en las *Letrillas,* composición mayoritaria, ya que llevan este título 38 poemas. La mayoría son villancicos con sus coplas, aunque también aparece 1 canción (32), sextillas de pie quebrado (24), redondillas glosadas (8,11), espinelas (52), coplas de nueve versos (31) y las hay también que utilizan metros dodecasílabos.

La temática es básicamente amorosa, con una clara tendencia a la utilización de villancicos tradicionales, como los muy conocidos *Si eres niña y has amor/ ¿qué harás quando mayor?* (20) o *Ten, amor, el arco quedo/ que soy niña y tengo miedo* (33) pero no falta alguna incursión en los temas satíricos y eróticos, tan del gusto del público italiano, como los que comienzan *Caracoles habeis comido* (25), *Un mañoso sacristán* (30), *De la dama que es garduña* (38), *Una buena vieja* (50) o la imitación gongorina *Hauer mil damas hermosas* (6).

A continuación describo los seis manuscritos que contienen poemas, pero no doy la relación de todo el contenido de los misceláneos. Los poemas llevan su atribución, metro y los versos primero, segundo y último:

I

Ms. 695 [Papeles varios]

89 f., 1 hoja de guarda delante y otra detrás. El n° 27 está repetido y foliado *a* y *b*. En blanco los f. 1v., 7, 8, 15-25, 27*a* r., 31v., 32-35, 35v., 36, 37v., los v. de 42 a 56, 56, los v. de 60 a 69, 69-71, los v. de 75 a 82, 85, 86v. y 88v. Es una recopilación moderna de textos sueltos, restaurados, algunos ilegibles, pertenecientes a diversas épocas, con diferentes medidas. Encuadernación moderna en pergamino.

Escrito en diferentes lenguas. Los f. 1-6, 35, 43-72, 76-81 y 84-87 contienen textos latinos y el f. 75r. un poema italiano de Tasso.

Los textos poéticos castellanos pertenecen a diferentes épocas, escrituras y tamaños: f. 9r.-14v. S. XV. 210 x 145 mm.; f. 25r.-31r. S. XVI, 220 x 155 mm. En f. 27*a* v., un papel pegado, en mitad de los versos, que contiene el Soneto «Mucho a la magestad...»; f. 72r.-74v. S. XVI, 200 x 133 mm.; f. 82r.-83v. S. XVI, 155 x 110 mm. Repite los f. 72r-73r; f. 87r.-89v. S. XVI. El 2° poema, a dos columnas, doblado, 265 x 203 mm.

Contenido del manuscrito:

1°) *Satira in jureconsultos valentinos,* Falcone equitis Valentini.

2°) [Poemas en castellano]

3°) *Carmina in laudem gloriosa resurrectionis,* Joan Baptista de Aguilar.

4º) f. 37r. *Compañía dels mestres de Valencia/ que anaren a besar las mans del Rey/ felip nro. Senor lo any 1586.*

[C.] f. 38r. Breu descripció dels mestres que anaren a/ besar las mans a Sa Ma./ Yo, mestre Grau/ daquí... [T.] f. 42r. para dir mal./ fins. La 18 feb. 1586.

5º) *Carmina a Sixtum V in obelisci Vaticani erectione,* Dominici Becerra, Presb. in Ispalen.

6º) *Carmina in laudem Gregorii XIV et Regis Philippi ejusque legati,* Anónimo.

7º) *Sententiae in commendationem operis Redemptionis captivorum.*

8º) [Poemas en castellano]

9º) [Poema de Tasso]

10º) *Carmen Anon. de Podagra.*

11º) [Poema en castellano]

12º) *Exasticon in Laudem Penija.*

13º) [Poemas en castellano]

Contenido poético:

1º) f. 9r. *Las coplas de Minguo Reuulgo.* [32]// Mingo Reuulgo, mingo/ a minguo, reuulgo hao/ f. 14v. in hac lachrymarum valle.

2º) f. 25r. *Lágrimas sobre el estado de/ la Iglesia.* [*Tercetos,* 101] // Oid, eternos cielos, lo que digo/ que a vos se hos pide la venganza dello/...f. 29v. sus palabras el gaullo Hieremías.

3º) f. 29v. *Lamentatión de Hieremías.* [*Sexta rima,* 15]// Como está la ciudad que estaua llena/ de moradores, sola, despoblada/...f. 31r. que mireys quel seglar le da de coçes.

4º) f. 27a v. [*Soneto*] Mucho a la magestad sagrada agrada/ que entienda a quien está el cuydado dado/ ...pues el que fía en bien de tierra hierra.

5º) f. 72r. *De Morillos.* [*Canción,* 4 de 14vv.] // Dexa ya, musa, el amoroso canto/ que todo es vanidad, todo es locura/....f. 73r. guarda no os llame quando esté iujgando.

6º) f. 73v. *Soneto a S. Agustín.* [Con estrambote] // Ennegrecida sierpe, ya saliste/ del manicheo aluergue y te llegaste/... de biuoras y herético bocado.

7º) f. 74r. *Soneto a S. Vicente Ferrer.* // Padre de la ciudad que hijo fuiste/ [...] sobre los [...] /... qué fuiste más, valiente o temeroso?.

8º) f. 74v. *Soneto a S. Bartholomé.* [Con estrambote] // Los doze electos por [...] primeros / hazia la gloria [...]/ ...lo dexa con la pluma y buela al nido.

9º) f. 82r.-83v. *Canción de Morillo, zaragozano, de/ quando se puso fraile.* [Es la misma nº 5, sin variantes]

10º) f. 87r. [*Canción,* 5 de 13vv.] Quam bienauenturado/ aquel puede llamarse/ ... f. 88r. apartó dios la senda a sus amigos.

11º) f. 89r. [*Romance,* 64vv.] El sol con ardientes rayos/ las cumbres más altas toca/...f. 89v. venta, trueco, cambio y compra.

II

Ms. 2419, Parte II. [Papeles varios]

453 f., del 429 al 882, 1 hoja de guarda delante y otra detrás. Numerosos folios en blanco. Colección miscelánea de diversos papeles del siglo XVI. Distintas manos y medidas. Encuadernación moderna en pergamino.

Hay 83 papeles sobre diferentes materias: árboles genealógicos, grabados, cartas, poemas, etc. La vuelta de muchos folios se ha aprovechado para anotar composiciones musicales. Numerosos folios en blanco.

f. 866r.- 881r. Obra ascética en castellano, sin título, de Gonzalo de Chaves. Hace el número 82, está escrito en hojas de 135 x 94 mm., pegadas en folios de 330 x 240 mm. y contiene un prólogo y tres poemas precedidos cada uno de una explicación en prosa:

f. 866r. [*Prólogo*] *Gonçalo de/ Chaues.* /// La voluntad que tengo nro. Sr./ mío Illmo. y Rdmo. de seruir...[t.] f. 681r. del castillo de Mita a los 24 de Enero de 1567. De V.S. Illma y Rdma. affmo./ y mayor criado/ Gonçalo de/ Chaues.

[Poemas:]

1º) f. 869r. [*Octavas*, 22] La fe de su propia esençia/ es del que no vido y cre[e]/ ...f. 876r. y lo bueno yo diré./ Fin.

2º) f. 877r. [*Octavas*, 8] Juzgada por derecho/ en una razón me fundo/ ...f. 879v. para siempre quedarán.

3º) f. 880r. [*Quintillas*, 5] Una cosa hallo y leo/ cierto cossa de notar/ ...f. 881r. le daña más que aprobecha./ Fin.

III

Ms. 2480. Tomo I [Papeles varios]

S. XVII. 359 f. 4 hojas de guarda delante y 1 detrás, 5 hojas con las letras A a E con los índices del contenido. Numerosos folios en blanco. Colección facticia de impresos y manuscritos de distintas manos y medidas. Hojas de guarda, 315 x 220 mm. Encuadernación moderna en pergamino.

Es el primer volumen de una colección de papeles pertenecientes al Cardenal Ottoboni: cartas, bulas, instrucciones, poemas, etc, la mayoría en latín y algunas cosas en italiano. Contiene dos textos españoles: el segundo, f. 345r. es una copia hecha por D. Pedro Fernández del Campo y Ángulo de una carta del Rey a su hermana, fechada en Madrid, 29 de junio de 1664, en la que le recomienda le haga llegar sus noticias a través de D. Pedro de Aragón, embajador ante Su Santidad. El otro, f. 95r.-98v. es una serie de 4 hojas con textos satíricos y un poema. Las hojas miden 213 x 150 mm, pegadas en otras de 315 mm. Están mal encuadernadas antes de la foliación, pues el orden sería: f. 95-98-96-97.

f. 95r. *Índice de los Libros Nueuos por diuersos Auctores, im/presos en Madrid desde diez y siete de Septiembre de 1665.* [Es una sátira contra la camarilla cortesana de la Reina, su confesor, Miguel de Salamanca, el conde de Ayala, etc., que se definen por los falsos títulos de los libros]

f. 98v. *Paschín primero/ después de la/ muerte de/ el Rey.*

f. 96r. *Paschín Segundo/ después de la/ muerte de/ el Rey.*

f. 96v. *Primer Sacramento.*

Contiene el poema siguiente:

1º) f. 96r. *Soneto en Diálogo.* // P. ¿De qué yaces, España, tan postrada?/ R. En la cabeça tengo mil dolores /...R. Ya me ayuda a morir el confesor.

IV

Ms. 2730. Tomo IV.

S. XVII, 216 f., 596 a 812, 1 hoja de guarda delante y otra detrás. Faltan los f. 728 y 746 y se repiten los f. 624 y 805. En blanco 597, 621, 626, 627, 647, 663, 731, 786, 806 y 810. Colección facticia de impresos y manuscritos de distintas manos y medidas. Hojas de guarda, 315 x 225 mm. Encuadernación moderna en pergamino.

Es el cuarto volumen de una colección de papeles pertenecientes al Cardenal Ottoboni sobre asuntos relativos a España. 44 papeles. Los fechados son de 1621 y 1622. Gran parte de los textos tratan de D. Rodrigo Calderón: f. 596 continúa la relación del juicio de D. Rodrigo, iniciada en el f. 588 del tomo III; f. 692-733, relaciones, sentencias, cartas y memoriales, y los poemas de D. Luis de Góngora.; f. 734-736, un impreso con la oración de Manuel Ponce a su muerte. También se encuentran muchos papeles referentes a Felipe III: f. 598-629, con las copias de su testamento, cartas de los duques de Osuna y de Lerma, etc. Aparecen también los impresos de las *Cartas que escribió un caballero desta Corte a un su amigo* [de Andrés de Almansa y Mendoza] f. 630, 670, 684, 712, 747, 770. En f. 763-769 se encuentra el *Elogio de Andrés Almanssa y Mendoça / a la muerte del Conde de Bena/uente y Lerma, mi Señor,* que contiene otro poema. Hay premáticas, cartas, memoriales, avisos, discursos, etc., impresos y manuscritos.

Contiene los poemas siguientes:

a) f. 732r. *De Don Luis de Góngora a la muerte/ de don Rodrigo Calderón.* [Dos columas]

1º) [*Canción*] Sexta la edad, período postrero/ del incierto final, al de una vida/ ...732r.b. Albaro si famoso tal Rodrigo.

2º) f. 732v. *Epitafio* [*Octava*] Debaxo esta piedra dura/ yace aquel que ser señor/... lo cierto es que murió bien.

3º) *Soneto* // Aqueste humilde triste pobre huesa/ cerrada a la impiedad del ignorante /...responde con los hombros y camina.

4º) *A la execución de don Rodrigo Calderón.* [*Soneto*] // Temió la mano que pulsó el azero/ acobardose el golpe azelerado/...ya viues con morir desengañado.

5º) f. 733r. *Otro* // Ser pudiera tu pira leuantada/ de aromáticos leños construída/... más deuerá a su tumba que a su vida.

6º) *Otro* // Este que en la fortuna más subida/ no cupo en sí ni cupo en él la suerte/ ...penas le restituyen a la gloria.

7º) *Décimas* [2] // Aquél mostruo de poder/ del mundo ejemplo ya sombra/...por lo que tubo de cielo.

8º) f. 733v. *Otras* [6] // Ya don Rodrigo acabó/ si con su suerte acabaron/...y al fin la gloria cantaste.

b) f. 679r. [*Décima* de Andrés de Almansa y Mendoza a la muerte del Conde de Benavente]

9º) Esta piedra dura y fría/ el cadáuer noble asconde/...del ser de su prouidençia.

V

Ms. 2882 [Poesías varias]

Fines del s. XVI. 73 f., 1 hoja de guarda delante y otra detrás; delante, 1 hoja con el escudo del cardenal Ottoboni y 20 h. con el índice alfabético de primeros versos. Una mano, salvo, tras el *Finis,* otra que ha añadido el último poema. 197 x 147 mm. Encuadernación moderna en pergamino.

Contiene los poemas siguientes:

1º) f. 1r. *Romançe* [Coplas de pie quebrado, 9] // Estoy en una prisión/ en un fuego y confusión/...f. 2r. sufro y callo.

2º) f. 2v. *Carta en redondillas* [Quintillas, 6] // Del fuego y ardor terrible/ en que estoy vivo abrasado/...f. 3r. padeçer mas no oluidaros.

3º) f. 3v. *Octavas* [2] // En quién podré esperar contentamiento/ ni bien que tan estraño mal conçierte/...y mil muertes viuiendo ansí reçiba.

4º) f. 4r. *Letrilla* [3 coplas, c. *Quien viue muriendo mal puede sufrir*] // Gil, qué haré, que estoy namorado/ de Juana, que nada de mí se le da/...f. 4v. que ella te ruegue y tú quedes vengado.

5º) f. 4v. *Letrilla* [5 coplas, c. *Son tan graçiosos y bellos*] // Los ojos de la morena/ el alma matan de amor/...f. 5v. hacen sabrosa la pena.

6º) f. 5v. *Letrilla* [10 est.] // Hauer mil damas hermosas/ discretas y muy graçiosas/... f. 7r. no puede ser.

7º) f. 7v. *Letrilla* [3 coplas, c. *Por más que me deis pena y tormento*] // Aunque me hagáis, Señora, morir/ hos tengo de amar, querer y seruir/... que aunque podéis hacer y decir/ os tengo....

8º) f. 8r. *Letrilla* // Es amor un no sé qué/ que viene no sé de dónde/...y mata no sé con qué.

9º) f. 8r. [*Glosa* a la anterior] Es amor un vivo fuego/ que viene sin ser sentido/...f. 9r. y mata no sé con qué.

10º) f. 9r. *Letrilla* [3 coplas, c. *A que tes esquiuo pretendes tesoro*] // Çagaleja, por qué me maltratas,/ cautiuas y prendes y nunca rescatas/...f. 9v. que claro se muestra lo mal que me tratas.

11º) f. 9v. *Letrilla* // Ojos negros, quando os vi/ vi todo mi bien y gloria/... mientras el alma esté en mí.

12º) f. 10r. *Glosa* [a la anterior] // El brío, gloria y contento,/ la vista, ser y raçón/...f. 11r. mientras el alma esté en mí.

13º) f. 11r. *Letrilla* [3 coplas, c. *Por qué buscaís a tal hora*] // -Quién llama, quién está allá?/ -Es, Señora. un afligido./...f. 12v. do Vuesa Merced está.

14º) f. 12v. *Letrilla* [6 coplas, c. *Señora, después que os vi*] // Tanto bien como ay en el bien/ tanto bien/...f. 13v. que en piedras hará señal/ tanto mal.

15º) f. 13v. *Octavas* [3] // Maldígote, ausencia triste y larga,/ retrato al viuo de la viua muerte/...f. 14v. que no ay más graue mal que el mal de ausençia.

16º) f. 15r. *Letrilla* [3 coplas, c. *De esperanças me entretengo*] // Con esperanças espero/ que el galardón se me dé/...f. 15v. ques el remedio postrero.

17ª) f. 15v. *Letrilla* [4 coplas, c. *Tu grande hermosura promete fabor*] // Morenita, por qué no me quieres?/ Por verte morir y ver cómo mueres/...f. 16r. por verte morir y ver cómo mueres.

18º) f. 16v. *Octavas* [4] // No me pesa que Amor me haya rendido/ a dura seruidumbre y cruda muerte/...f. 17v. qualquiera que mirare a Galatea.

19º) f. 17v. *Letrilla* [64vv.] // Riñó con Juanilla/ su hermana Miguela/...f. 19v. escucha esta letra.

20º) f. 19v. *Letrilla* [2 coplas, c. *Si al ciego dios te ofreciste*] // Si eres niña y has amor/ qué harás quando mayor?/...f .20r. te entregas con tal dulzor/ qué harás...

21º) f. 20v. *Letrilla* [6 coplas, c. *Quando merecí veros*] // A trueque de miraros/ aunque me aborrezcáis/...f. 22v. tengo de amaros.

22º) f. 22v. *Letrilla* [6 coplas, c. *Quando de puro cansada*] // Quando me diçe mi dama/ que mis desuenturas siente/...f. 23v. por sola su voluntad/ digo verdad.

23º) f. 24r. *Octavas* [4] // Tan alta puso Amor mi fantasía/ que de imbidia de mí tiene jurado/...f. 25r. nueba llama de amor, nuebo deseo.

24º) f. 25r. *Letrilla* // [coplas, 7] Pues que me das a escoger/ fortuna de tu poder/...f. 26v. y no quiero más.

25º) f. 26v. *Letrilla* [3 coplas, c. *Mil remedios conocidos*] // Caracoles hauéis comido/ y mal hos han hecho/...f. 27v. de la vena del pecho.

26º) f. 27v. *Octavas* [4] // Si un verdadero amor amor mereze/ y no tiene otra paga que le yguale/...f. 28v. y ausençia tan terrible y tan amarga.

27º) f. 28v. *Letrilla* [5 coplas, c. *Sufro y callo mi tormento*] // ¡Ay Belisa, que aunque callo/ te están hablando por mí/...f. 30r. los ojos con que te vi.

28º) f. 30r. *Carta* [Décimas, 5] // Tiempo es ya, Señora mía/ de deçiros lo que siento/ ...f. 31v. ni que hos borre de mi pecho.

29º) f. 32r. *Letrilla* [3 coplas, c. *Como si en mi mano*] // Díçeme mi madre/ que oluide al amor/...f. 32v. con el corazón.

30º) f. 32v. *Letrilla* [6 coplas, c. *Un sacristán entonado*] // Un mañoso sacristán/ por no perder ocasión/...f. 34r. y sin balandrán.

31º) f. 34v. *Letra* [6 coplas] // Esto que traygo en el pecho/ no puede ser sino amor/... f. 36r. mas no menguar mi firmeza.

32º) f. 36r. *Letrilla* [16vv.] // Mientras un tiempo en libertad estaua/ yo de Amor me burlaua/...f. 36v. que a ella sugetarme sin quererme.

33º) f. 36v. *Letrilla* [2 coplas, c. *Dícenme, Amor, que has vençido*] // Ten, amor, el arco quedo/ que soy niña y tengo miedo/...f. 37r. atemoriçada quedo/ que soy...

34º) f. 37v. *Carta* [Quintillas, 5] // Después que vuestro se siente/ mi corazón lastimado/ ...f. 38r. toda junta hos la entregara.

35º) f. 38v. *Letrilla* [3 coplas, c. *Disimulad con cordura*] // Coraçón, callá y sufrí/ que quizá tiempo vendrá/...f. 39r. de vos se duela y de mí.

36º) f. 3 *Romance* [16vv.] // El disanto fue Velilla/ a la bayla de su aldea/...f. 40r. cantó al pandero esta letra.

37º) f. 40r. *Letrilla* [5 coplas, c. *Guardado le tube*] // El mi coraçón, madre,/ que robado me le hane/...f. 41r. quel mi coraçón, madre/ que robado...

38º) f. 41r. *Letrilla* [4 coplas, c. *Si la dama es embustera*] // De la dama que es garduña/ guarda la uña/...f. 42r, si pidiere la pecuña/ guarda la...

39º) f. 42r. *Canción* [6 estr.] // Por un verde prado/ de frescas sombras lleno y de mil flores/...f. 43r. adonde Amor le dio tal esperança.

40º) f. 43r. *Letrilla* [4 coplas, c. *Sobre interés estraño*] // Sobre quien más me ofenda,/ amor, fortuna y muerte/...f. 44v. traen contienda.

41º) f. 44v. *Letrilla* [3 coplas, c. *Çelos se llama*] // Ay que tormento,/ Señora, en el alma siento/...f. 45v. de los mayores de amor.

42º) f. 46r. *Romançe* [40vv.] // Con dos mil ginetes moros/ Reduán corre la Vega/... f. 47r. al alma tocan apriesa.

43º) f. 47r. *Letrilla* [4 coplas, c. *Sirve de bajel*] // A la bela y remo/ va mi pensamiento/ ...f. 48r. Dios me dé buen viento.

44º) f. 48v. *Letrilla* [5 coplas, c. *Es un fuego açelerado*] // Díme, si sabes dezillo,/ qué cosa es amor, carillo/...f. 50r. qué cosa es amor, carillo.

45º) f. 50r. *Letrilla* [3 coplas, c. *Pensamiento mío*] // Dura, pensamiento/ que me das contento/...f. 50v. no tellebe el viento/ que me das...

46º) f. 50v. *Letrilla* [3 coplas, c. *Tras tiempo claro y sereno*] // Súfrase quien penas tiene/ que tiempo tras tiempo viene/...f. 51v. vençer al contrario tiene/ que tiempo tras...

47º) f. 51v. *Romance* [24vv. Glosa *Más mereze quien se fía*] // Una pastora hermosa/ más que el sol de claro día/...f. 52v. para fenezer su vida.

48º) f. 52v. *Endechas* [11] // Amor y fortuna/ en la buena suerte/...f. 54r. ser aborrezida.

49º) f. 54v. *Letrilla* [4 coplas, c. *Aunque no sean muy bellas*] // A las moças niñas y mosas/ dios me las guarde/...f. 55v. sin dientes, mocosas y culipoteras/ rabia las mate.

50º) f. 55v. *Letrilla* [80vv. c. *Una buena vieja*] // Golondín, golondón, golondayna/ don golondayna/...f. 57r. muere por hablalla/ golondín...

51º) f. 57v. *Octavas* [4] // Con triste vos la triste istoria canto/ del gran marqués don Álvaro de Luna/...f. 58v. de un golpe de fortuna derribado.

52º) f. 58v. *Letrilla* [Décimas, 4] // Mis bienes son acabados/ mis males se han de acabar/...f. 60r. mil vidas, quánto más vna.

53º) f. 60r. *Letrilla* [3 coplas, c. *Es amor una pasión*] // Amar y no padezer/ no puede ser/...f. 61r. le hagan en qué entender/ no puede ser.

54º) f. 61r. *Romançe* [40vv.] // En su balcón una dama/ que engañó el traydor Vireno/... f. 62r. que en el mar de amor me anego.

55º) f. 62v. *Letrilla* [4 coplas, c. *Aunque tenga atrebimiento*] // Aunque hos quiera/ mis males contar/...f. 63r. no me dan lugar.

56º) f. 63v. *Letrilla* [5 coplas, c. *Dicen que mata y da vida*] // Diçen que el amor es ciego/ y yo no lo niego./...f. 64v. le alcança un palo de çiego/ y yo no lo....

57º) f. 65r. *Romance* [32vv.] // En la villa de Antequera/ Jarifa cautiua estaua/...f. 66r. desta suerte se quejaua.

58º) f. 66r *Carta* [del anterior, quintillas, 11] // La cautiua desdichada/ sobre un tiempo y venturosa/...f. 68r. que tengo y tendré contigo.

59º) f. 68r. *Octauas* [3] // Ausente viuo y temo que oluidado/ de aquella a quien adora el alma mía/...f. 69r. de ausençia y de reçelo combatido.

60º) f. 69r. *Canción* [8 est.] // Sale la Aurora de su fértil manto/ rosas suabes esparciendo y flores/...f. 71r. si no es ¡ay fili! ¡ay Tirsi! ¡ay ardo! ¡ay muero!

61º) f. 71r. *Endechas* [18] // Corazón cansado/ tiempo es que se quente/...f. 73r. ni llorar mis ojos./ Finis.

62º) f. 73r. *Villancico*, 3 coplas, c. *Si en el mal de mi querella*] // Si el remedio de mis males/ es morir/...todo el mal está en viuir.

VI

Ms. 3324. [*Libro de la caza de las aves,* **del Canciller D. Pedro López de Ayala.]**

S. XV, pergamino y papel, 83 hojas, 1 de guarda delante y otra detrás. En blanco h. 3v., 4, 78v., 79-82r. 211 x 140 mm. Encuadernación moderna piel con lomo grabado en oro.

Las hojas 1, 2 y 83 contienen letras y versos y apuntes latinos. En h. 82v. hay un romance. En h. 5r. comienza el *Libro de caza de las aves* del Canciller López de Ayala, sin título, con la dedicatoria de Don Pedro a D. Gonzalo de Mena, obispo de Burgos. El *Libro* consta de 47 capítulos, final incompleto: h. 8r. Capº. primero: estas aues que son llamadas de rapiña//...t. h.78r. et soldán de Babilonia.

Contiene el poema siguiente:

1º) h. 82v. [*Romance*] Atal anda don garcía por una sierra adelante/ saetica doro en mano,en la otra un arco trae.

Çagaleja, por qué me maltratas, V, 10.
Caracoles habeís comido, V, 25.
Como está la ciudad que estaba llena, I, 4.
Con dos mil ginetes moros, V, 43.
Con esperanças espero, V, 16.
Con triste voz la triste istoria canto, V, 51.
Coraçón callá y sufrí, V, 38.
Corazón cansado, V, 61.
Debaxo esta piedra dura, IV, 2.
Deja ya, musa, el amoroso canto, I, 5 y 10.
De la dama que es garduña, V, 38.
Del fuego y ardor terrible, V, 2.
De qué yazes, España, tan postrada, III, 1.
Después que vuestro se siente, V, 34.
Díceme mi madre, V, 29.
Dice que Amor es ciego, V, 56.
Dime, si sabes dezillo, V, 44.
Dura, pensamiento, V, 45.
El brío, gloria y contento, V, 12.
El disanto fue Velilla, V, 36.
El mi corazón, madre, V, 37.
El sol con ardientes rayos, I, 11.
En la villa de Antequera, V, 57.
Ennegrecida sierpe, ya saliste, I, 6.
En quién podré esperar contentamiento, V, 3.
En su balcón una dama, V, 54.
Es amor un no sé qué, V, 8.
Es amor un vivo fuego, V, 9.
Esta piedra dura y fría, IV, 9.
Este que a la fortuna más subida, IV, 6.
Esto que traygo en el pecho, V, 31.
Estoy en una prisión, V, 1.
Gil qué haré que estoy namorado, V, 4.
Haber mil damas hermosas, V, 6.
Juzgada por derecho, II, 2.
La cautiva desdichada, V, 58.
La fe de su propia esencia, II, 1.
Los doze electos por [correr] primeros, I, 8.
Los ojos de mi morena, V, 5.
Maldígote ausençia triste y larga, I, 15.

Mientras un tiempo en libertad estaba, V, 32.
Mingo Revulgo Mingo, I, 1.
Mis bienes son acabados, V, 52.
Morenita, por qué no me quieres, V, 17.
Mucho a la magestad sagrada agrada, I, 3.
No me pesa que amor me haya rendido, V, 18.
Oid eternos cielos lo que digo, I, 2.
Ojos negros, quando os vi, V, 11.
Padre de la ciudad que hijo fuiste, I, 7.
Por un verde prado, V, 39.
Pues que me das a escoger, V, 24.
Quán bienaventurado, I, 9.
Quando me dice mi dama, V, 22.
Quién llama, quién está allá, V, 13.
Riñó con Juanilla, V, 19.
Sale la Aurora de su fértil manto, V, 60.
Ser pudiera tu pira levantada, IV, 5.
Sexta la edad, periodo postrero, IV, 1.
Si el remedio de mis males, V, 62.
Si eres niña y has amor, V, 20.
Si un verdadero amor amor mereze, V, 26.
Sobre quien más me ofenda, V, 40.
Súfrase quien penas tiene, V, 46.
Tan alta puso Amor mi fantasía, V, 23.
Tanto bien como hay en el bien, V, 14.
Temió la mano que pulsó el azero, IV, 4.
Ten, amor, el arco quedo, V, 33.
Tiempo es ya, señira mía, V, 28.
Una buena vieja, V, 50.
Una cosa hallo y leo, II, 3.
Una pastora hermosa, V, 47.
Un mañoso sacristán, V, 30.
Ya don Rodrigo acabó, IV, 8.

Atribuciones:
Almansa y Mendoza, Andrés de, IV. 9.
Chaves, Gonzalo de, II .
Góngora, Luis de, IV. 1-8.
Morillos, I. 5 y 10.

Ms. I : 1ª). Esta copia no aparece catalogada en los repertorios de manuscritos medievales.
4º) Arthur Askins, en *Cancioneiro de Corte e Magnates, Ms. CXIV/2-2 da Biblioteca Pública de Évora* (Berkeley, University of California Press, 1968, pp. 568-9) da una abundante bibliografía

sobre impresos y manuscritos de este poema, a los que se puede añadir el *Cancionero de Pedro de Rojas*, ed. de Labrador, DiFranco y Cacho, Cleveland State University, 1988, p.154 y los ms. de Palacio nº 351, f. 182v. y nº 1580, f. 90v.

5º) y 10º) En *Flores de poetas ilustres de España*, de Pedro Espinosa, Valladolid, 1605, f. 178v. Atribuída a N. Morilla.

8º) En *Vergel de flores divinas* de Juan López de Úbeda, Alcalá, 1582, f. 130v. El título es *A Santiago el menor* y la palabra ilegible en el ms. es *correr*.

10º) En *Rosal de divinos versos*, f. 36. En «Tres cancioneros manuscritos» de Antonio Rodríguez Moñino, *Abaco*, 2, pp. 127-272.

11º) Atribuído a Lope de Vega en el ms. de Palacio nº 1581, atribución que siguen Entrambasaguas y Dámaso Alonso, se encuentra también en el *Romancero General de 1600*, nº 26, en el *Cancionero de 1628*, ed. de José Manuel Blecua, Madrid, 1945, nº 89 y en varios manuscritos de la BNM.

Ms. IV : a) Editadas en parte (y con algunos errores) a partir de este manuscrito, por el P. M. C. Gijón: *Poesías inéditas de Don Luis de Góngora a la muerte de Don Rodrigo Calderón*, Roma, 1931.

2º) Este poema se atribuye a Andrés Almansa y Mendoza en *Romancero de don Rodrigo Calderón*, Ed. de A. Pérez Gómez, Valencia, 1955, p. 151, con la variante *Yace en esta...*

Ms. V : Únicamente 22 poemas no aparecen en otros textos conocidos. Son los números 1, 2, 6, 7, 13, 15, 17, 27, 28, 30, 32, 33, 38, 40, 41, 43, 44, las coplas del 46, 50, 51, 61 y 62. Muchas de estas composiciones aparecen en otros cancioneros conocidos, pero comparte seis con *Poesías varias y recreación de buenos ingenios*, ms. 17556 de la BNM, ed. de Rita Goldberg, Madrid, 1984 (19, 34, 36, 37, 42, 54), cinco con el *Libro romancero de canciones... de Navarrete de Pisa, 1589*, ms. 263 de la B. Classense de Ravenna (19, 20, 22, 23, 29) y cinco con el *Cartapacio de Morán de la Estrella*, ms. 531 de Palacio, ed. por DiFranco, Labrador y Zorita, Madrid, 1989 (11, 12, 14, 18, 60). Para los demás poemas, aparecen las referencias de su localización en *Tabla de los principios de la poesía española*, de José J. Labrador y Ralph A. DiFranco, Cleveland State University, 1993.

Ms. VI : Harold G. Jones da noticia de este manuscrito en «The *Romance* Atal anda don García» *La Corónica*, vol. X, nº 1, 1981, p. 95-98, donde copia el romance, cotejándolo con la versión del *Cancionero de Romances*, Anvers, s.a., de Martín Nucio.

La estilización bufonesca de las Comunidades (Villalobos, Guevara, Francesillo)

Jean CANAVAGGIO
Université de Paris X

Extraña, a primera vista, el que pueda contemplarse desde un enfoque «bufonesco» un acontecimiento que fue todo lo que se quiera, menos una bufonada. Si nos atenemos a la materialidad de los hechos, la guerra de las Comunidades, a casi cinco siglos de distancia, se nos aparece, en efecto, como una tremenda sacudida, un alud de violencias y de muertes que, ineluctablemente, marcó de un reguero de sangre los comienzos del reinado de Carlos V. Si, más bien, tratamos de aclarar el significado de aquella crisis, ésta plantea al historiador múltiples preguntas, como se infiere de los varios intentos de interpretación que ha suscitado. Para los cronistas de los siglos áureos –Mejía, Santa Cruz, Sandoval–, fue una reacción xenófoba contra la camarilla borgoñoflamenca del nuevo rey[1]. En cambio, cuando, en tiempos de Fernando VII, un Martínez de la Rosa pretende ir más allá de este concepto un tanto somero, no vacila en hacer del alzamiento comunero un movimiento precursor de las aspiraciones del liberalismo decimonónico[2]. A la inversa, un Marañón ve en él el sobresalto de un puñado de ciudades oligárquicas, aferradas a sus privilegios, contra la nueva forma del Estado[3]. Para José Antonio Maravall y Joseph Pérez, es todo lo contrario: una primera revolución moderna, frustrada en su intento para asentar sobre nuevas bases las relaciones del trono y de la nación[4]. Por fin, según Juan Ignacio Gutiérrez Nieto, sería una protesta de las capas medias, convertida en movimiento antiseñorial, al radicalizarse en su tentativa para superar sus contradicciones íntimas[5]. No nos corresponde aquí elegir entre las varias

---

[1] Pedro Mejía, *Historia del Emperador Carlos V*, ed. Juan de Mata Carriazo, Colección de Crónicas españolas, t. VII, Madrid, Espasa-Calpe, 1945; Alonso de Santa Cruz, *Crónica del emperador Carlos V*, ed. Beltrán y Rózpide, 5 vol., Madrid, 1920-1925; Prudencio de Sandoval, *Historia de la vida y hechos del emperador Carlos V*, BAE, t. LXXX.

[2] Martínez de la Rosa, *Bosquejo histórico de la guerra de las Comunidades*, en *Obras dramáticas*, ed. J. Sarrailh, Clásicos Castellanos, n° 107, Madrid, 1945.

[3] Gregorio Marañón, *Los castillos en las Comunidades de Castilla*, Madrid, 1957.

[4] José Antonio Maravall, *Las Comunidades de Castilla: una primera revolución moderna*, Madrid, Revista de Occidente, 1957; Joseph Pérez, *La Révolution des «Comunidades» de Castille (1520-1521)*, Bordeaux, Institut d'Etudes Ibériques et Ibéro-américaines, 1972.

[5] Juan Ignacio Gutiérrez Nieto, *Las Comunidades como movimiento antiseñorial*, Barcelona, 1973.

Hommage à Robert Jammes (Anejos de *Criticón*, 1), Toulouse, PUM, 1994, pp. 121-132.

hipótesis propuestas, sino dejar constancia del amplio debate que han originado, así como de las polémicas nacidas de su evidente incompatibilidad.

Tres testigos

Ahora bien, lo que sí comparten quienes han emprendido estas revisiones sucesivas, es un común aprovechamiento del material acumulado por los primeros historiadores del reinado de Carlos V. Este aprovechamiento, cada vez más circunspecto, por cierto, conforme se fue calibrando el valor de sus aportaciones, ha consagrado una visión «primitiva» del movimiento comunero, más allá de las diferencias, nada despreciables, que median entre la actitud comprometida de un Pero Mejía, y el prurito de imparcialidad de un Santa Cruz o un Sandoval. De ahí el interés que reviste, frente a esta visión que podría llamarse oficial u ortodoxa, un acercamiento, distinto, si no contrario, que procede de otro sector contemporáneo del levantamiento: el que integran tres escritores, a los que la llamada literatura del «loco» debe probablemente sus mejores frutos. Estos escritores son: en primer lugar, el médico Francisco de Villalobos, cuyo *Epistolario* había de permanecer inédito hasta finales del siglo XIX[6]; luego, Antonio de Guevara, el famoso autor del *Marco Aurelio* y del *Relox de Príncipes*, que nos ha dejado unos fragmentos dispersos, de distinta índole, sobre el alzamiento comunero, entre los cuales, seis de las *Epístolas familiares*[7]; por fin, don Francesillo de Zúñiga, el famoso bufón del Emperador, cuya *Crónica burlesca* admirable *jest-book* redactado después de 1525, divulgado en copias manuscritas y no publicado hasta 1855, dedica unos cuantos capítulos al episodio[8].

Estos tres escritores ocupan un lugar destacado en la literatura bufonesca: una literatura que, en contra de lo que se podría pensar, no fue nunca de mero entretenimiento, sino que respondió, si bien paradójicamente, a las más nobles preocupaciones del humanismo cristiano. Francisco Villalobos, médico del Emperador Carlos V, representa el entronque de la marginación conversa con la tradición de lo irrisorio adscrita a la medicina seria, con aquella nota ambigua, propia de la estilización bufonesca, que recalca claramente en su profesión de fe:

> Escrivo burlas de veras,   Y con risa simulada,
> Padezco veras burlando,   Dissimulo el llanto cierto,
> y çufro dissimulando   Que, aunque vea al descubierto
> Mil angustias lastimeras,   Vuestra burla tan burlada,
> Que me hieren lastimando;   Lo que siento está cubierto.[9]

Participa también Antonio de Guevara de la estética de la locura, y esto a pesar de los esfuerzos que se han hecho para convertirlo en un alto mentor y un verdadero sabio, ordenando sus ideas políticos morales en un sistema articulado y coherente[10]. Como ha mostrado Márquez Villanueva

---

[6] Francisco López de Villalobos, *Algunas obras del doctor...*, ed. A. M. Fabié, Madrid, 1886.

[7] Antonio de Guevara, *Libro primero de las Epístolas familiares*, ed. J. M. de Cossío, 2 vol., Madrid, 1950-52.

[8] La ed. de la BAE (T. XXXVI, pp. 9-54) debe sustituirse por dos ediciones recientes comentadas: la de Diane Pamp de Avalle-Arce, Barcelona, Crítica, 1981, y la de José Antonio Sánchez Paso, Publicaciones de la Universidad de Salamanca, 1989. De esta última, salvo mención contraria, proceden nuestras citas.

[9] *Algunas obras...*, p. 271. Sobre Villalobos, el estudio más reciente es el de Beth S. Tremallo, *Irony and Self-Knowledge in Francisco López de Villalobos*, New York-London, 1991. Las cartas que refieren el episodio comunero llevan los núm. 7, 10, 11, 12, 13, 15 y 16.

[10] El mayor de estos esfuerzos es el de Augustin Redondo, con su libro *Antonio de Guevara (1480?-1545) et l'Espagne de son temps. De la carrière officielle aux oeuvres politico-morales*, Genève, Droz,

en una serie de estudios iluminadores, este franciscano con alguna raza de confeso abre, con sus epístolas, nuevos cauces al «arte» de las *nuevas de corte*[11]. Por último, Francesillo de Zúñiga, de público origen judío, reivindica abiertamente su vocación truhanesca: no sólo asumiendo, en su vida y muerte trágica, su condición de loco por oficio de la corte imperial, sino desplegando, en su *Crónica burlesca*, un catálogo completo de su singular talento de escritor[12]. Tres testigos de primera fila; tres testimonios al margen de la historiografía oficial; tres evocaciones que revelan una misma perspectiva, un tanto sorprendente para una mentalidad moderna, pero en perfecta concordancia con lo paradójico de la «locura» emblemática. Sin desistir, ni mucho menos, de diferenciar sus respectivas estilizaciones, nos proponemos, en un primer momento, resaltar el enfoque que les es común.

Fragmentarismo

Lo primero que nos llama la atención es que, en los tres casos, nos encontramos frente a una visión trunca, fragmentada, inconexa de la guerra de las Comunidades. No sólo por adoptar Villalobos y Guevara la forma epistolar, sino por limitarse los tres a determinados hechos, incorporados por ellos a una trama discursiva caracterizada por constantes vaivenes y retrocesos: irreductible, por ende, a cualquier ordenación cronológica. En Villalobos, la selección operada no parece proceder de una clara voluntad de estilo; ilustra, más bien, la perspectiva de un testigo ocular que escribe a vuela pluma cartas enviadas a cortesanos de alta estirpe, entresacando acontecimientos presenciados por él, o que pudieron afectarle personalmente: en mayo de 1520, la partida del rey a Alemania, con el fin de recibir la corona imperial; en mayo y junio de 1520, los disturbios que marcaron los comienzos del levantamiento: casas quemadas en Medina del Campo; muerte violenta, en Burgos, del francés Joffre de Cotannes, ligado a la camarilla flamenca del rey; en enero de 1521, los temores de los caballeros «arrinconados (...) en sus barreras»[13], frente a las exigencias de la Santa Junta, a los sermones de los frailes comuneros, a las hazañas bélicas del obispo Acuña; por último, en febrero y marzo, los intentos frustrados del Almirante de Castilla para entablar conversaciones de paz con la Junta.

Por lo que se refiere a Guevara, el procedimiento selectivo es tan obvio como en Villalobos; pero la perspectiva elegida es distinta. A diferencia del médico, redacta sus cartas una vez concluida la guerra: entre marzo de 1521 y marzo de 1522, si hemos de dar fe a las fechas que llevan cuatro de las cinco epístolas; en realidad, varios años más tarde, debido a que muchas de estas fechas, como ha mostrado René Costes, son «garrafalmente inviables»[14]. Además, estas cartas, destinadas inicialmente a los *happy few* de la corte imperial, se pretenden (salvo una que se destina al prior de San Juan) dirigidas a las cabezas del movimiento: dos a Antonio de Acuña; dos a Juan de Padilla y

---

1976. Para un punto de vista distinto, *vid.* las reseñas de F. Márquez Villanueva (*NRFH*, 28, 1979, pp. 334-352), y J. Pérez (*BHi*, 82, 1980, pp. 280-289).

[11] *Vid.*, entre otros, *Planteamiento de la literatura del loco*, Sin Nombre, 10, 1980, pp. 14-15.

[12] *Vid.*, Márquez Villanueva, *Planteamiento*, pp. 9-14; *Literatura bufonesca o del loco*, NRFH, 34, 1985-86, pp. 515-517, y, además de las de las respectivas introducciones de Diane Pamp y José Antonio Sánchez Paso, el artículo de este último, *La sociología literaria de don Francés de Zúñiga*, NRFH, 34, 1985-86, pp. 848-865.

[13] *Algunas obras...*, p. 52.

[14] René Costes, *Antonio de Guevara. Son oeuvre*, Paris, 1926, pp. 138-141. *Vid.* el comentario de F. Már-quez Villaneva, en *Las Comunidades y su reflejo en la obra de Guevara, Actas del V Simposio renacentista*, Toledo, 1980, p. 175, n. 3.

María Pacheco, su mujer; una –el «Razonamiento hecho en Villabráxima»– a la Junta de Ávila[15]. Cada vez –y en esto se separa tanto de Villalobos como de don Francés– el autor de la carta se aplica a refutar los argumentos aducidos por los Comuneros en defensa de su causa, recordando de pasada aquellos sucesos que le sirven para ilustrar su propia tesis. No pretende, pues, ceñirse a una cronología estricta, sino aislar y valorar unos cuantos hechos considerados por él como importantes, conforme va desarrollando su refutación: así es como insiste en los alborotos y disturbios ocurridos en Toledo, Segovia y Medina del Campo, durante la primavera de 1520, relacionándolos, como era de esperar, con la formación, en junio del mismo año, de la Junta de Avila. En cambio, si alude varias veces a las campañas de los jefes comuneros, principalmente Acuña, las reduce a pura anécdota, haciendo resaltar, por contraste, la progresiva recuperación del terreno por los caballeros: valgan, como muestras significativas, el nombramiento, en septiembre de 1520, del Almirante y del Condestable de Castilla como gobernadores, al lado del cardenal Adriano; la entrevista de Villábragima, en noviembre del mismo año, en la cual Guevara dice haber desempeñado un papel a todas luces sospechoso[16]; en diciembre, la toma de Tordesillas; por fin, en las postrimerías del levantamiento, el cerco de la ciudad de Toledo, defendida por María de Padilla. Como se echa de ver, Guevara, igual que Villalobos, pasa por alto acontecimientos militares consignados por la memoria colectiva: la toma de Torrelobatón por Padilla o la derrota del ejército comunero en Villalar.

Por su parte, aunque sustituya el estilo inconexo del epistológrafo por el fluir de una narración continua, Francesillo de Zúñiga dista mucho de seguir, paso a paso, las etapas sucesivas de la rebelión. Por cierto, en el capítulo IV de la *Crónica burlesca*, empieza evocando los acontecimientos de abril a agosto de 1520: alzamiento de las ciudades, violencias e incendio de Medina; pero, de repente, tuerce el curso de su narración con la noticia de la huida y captura de Acuña, ocurrida en Navarra un año después[17]. Luego, al reanudar el hilo de su relato inicial, se salta a pies juntillas varios meses, para centrarse en la campaña del prior de San Juan en la vega de Toledo, sucedida en enero de 1521[18]. Acto seguido, vuelve atrás, destacando un episodio del todo excéntrico: las protestas antifiscales que surgen en Galicia en agosto del año anterior[19]. En el capítulo V, tras señalar la toma de Tordesillas, ocurrida, como ya vimos, en diciembre, se demora en las disensiones entre caballeros, a la hora de proseguir las operaciones militares. Por fin, en el capítulo VI, después de otro salto hacia adelante que nos lleva al regreso del Emperador a Castilla, en julio de 1522, nos hace retroceder hasta abril de 1521, para hablarnos de Villalar.

Anecdotismo

Esta común indiferencia ante lo que sería una narración ordenada, exacta y puntual, evidencia otras preocupaciones que la escueta transcripción de los hechos ocurridos. Quizás, más que nada, el querer abordar el levantamiento comunero como peripecia, mero paréntesis intrascendente: desde un enfoque anecdótico o, para decirlo con frase de Francisco Márquez Villanueva, desde el extremo empequeñecedor del anteojo[20]. Quien se revela el más propenso a deslizarse por semejante

---

15 Estas cartas llevan los nº 47, 48, 49, 51 et 52.

16 *Vid*. J. Pérez, *Le «razonamiento» de Villabráxima*, BHi, 67, 1965, pp. 217-224.

17 Sobre este episodio, *vid*. J. Pérez, *La Révolution...*, p. 354.

18 *Vid*. Pérez, *La Révolution...*, p. 337 y ss.

19 Protestas examinadas por J. Pérez, *La Révolution*, pp. 386-388.

20 Márquez Villanueva, *Tradición literaria y actualidad en «La guarda cuidadosa»*, reed. en *Fuentes literarias cervantinas*, Madrid, Gredos, 1973, p. 96.

pendiente es, sin la menor duda, Francisco de Villalobos. Tras protestar de su incapacidad innata –«otro mejor historiador quisiera yo que buscara v.m. para dalle a entender las cosas de la corte»[21], declara a uno de sus correspondientes– acumula, con evidente fruición, las notas triviales, en un alarde de pintoresquismo que le lleva a valorar el detalle soez. Así, durante los primeros meses del reinado del futuro Carlos V, las tensiones entre castellanos y flamencos se resuelven en una «avenida de cámaras»[22], padecida por las tripas de uno y otro bando, la cual ni siquiera perdona a los consejeros íntimos del monarca: no sin descaro, nuestro médico afirma haber entrado en palacio «por la puerta falsa de Monsiur de Xevres»[23]. Más adelante, si, al iniciarse los primeros disturbios, menciona el incendio de Medina, es porque «se quemaron dos casas a pared y medio» de la suya; y para concretar el impacto del suceso, Villalobos no encuentra mejor indicio que el espanto de su mujer: embarazada en aquel entonces, «estuvo muy cerca de mover lo que tenía en el vientre»[24].

También Guevara se revela aficionado a semejante anecdotismo, aun cuando sus epístolas, destinadas a la imprenta, no encajen realmente en el molde de una correspondencia privada. Prueba de ello su propensión obsesiva a explicar el alzamiento por pequeñeces: las ambiciones personales de las cabezas del movimiento:

> Don Pedro Girón quería a Medina Sidonia; el conde de Salvatierra, mandar las merindades; Fernando de Avalos, vengar sus injurias; Juan de Padilla, ser maestre de Santiago; don Pero Lasso, ser único en Toledo; Quintanilla, mandar a Medina...[25]

Otra muestra de esta tendencia es el sabroso cuento del cura de Mediana, que viene a concluir la primera carta a Acuña:

> Es el caso que en un lugar que se llama Mediana, que está cabe a la Palomera de Ávila, había allí un clérigo vizcaíno medio loco, el cual tomó tanta afección a Juan de Padilla, que al tiempo de echar las fiestas en las iglesias, las echaba en esta manera: «Encomiendo os, hermanos míos, una Avemaría por la Santísima Comunidad, porque nunca caiga; encomiendo os otra Avemaría por Su Magestad el Rey Juan de Padilla, porque Dios le prospere; encomiendo os otra Avemaría por su Alteza de la Reina Nuestra Señora doña María de Padilla, porque Dios la guarde; que a la verdad estos son los reyes verdaderos, que todos los de aquí eran tiránicos». Duraron estas plegarias poco más o menos de tres semanas, después de las cuales pasó por allí Juan de Padilla con gente de guerra, y como los soldados que posaron en casa del clérigo le sonsacasen la manceba, le bebiesen el vino, le matasen las gallinas y le comiesen el tocino, dixo en la iglesia el siguiente domingo: «Ya sabéis, hermanos míos; cómo pasó por aquí Juan de Padilla, y cómo sus soldados no me dexaron gallina, y me comieron un tocino, y me bebieron una tinaja, y me llevaron a mi Cathalina; dígolo, porque de allí adelante no roguéis a Dios por él, sino por el Rey don Carlos, y por la Reyna doña Juana, que son reyes verdaderos, y dad al diablo estos reyes toledanos».[26]

Como se echa de ver, el pintoresquismo del cuento acaba por ofuscar por completo la lección ejemplar que Guevara parecía dispuesto a sacar de aquella desventura simbólica. Significativo, también, de este anecdotismo, es el interés que dedica el franciscano a la figura de Antonio de Acuña. Ya Villalobos había caracterizado, en un escorzo expresivo, el estilo peculiar del terrible obispo, al asediar con sus clérigos una plaza fuerte:

---

[21] *Algunas obras...*, p. 19.
[22] *Algunas obras...*, p. 23.
[23] *Algunas obras...*, *loc. cit.*
[24] *Algunas obras...*, p. 44.
[25] *Epístolas familiares*, nº 47, «Letra para el obispo de Zamora...», ed. cit., p. 295.
[26] *Ibid.*, p. 297.

Dos días ha que no se desarma ni de día ni de noche, y duerme una hora sin más sobre un colchón puesto en el suelo, arrimada la cabeça al almete; corre las más veces cavallero en un cauallo saltador que trae [...]. Es el primero que llega a poner fuego a las puertas [...]. Vestido en pontifical, sale afuera y santigua la fortaleza con su artillería [...] todo ello parece de la librea del infierno.[27]

También Guevara carga algún tanto la mano, aunque desde otra perspectiva, ya que se dirige personalmente al «muy reverendo y bellaco prelado»[28]; las cartas de Acuña quedan convertidas en otros tantos carteles; y, al recibir y leer las del franciscano, se pone a gruñir[29].

Similar tendencia es la que se observa en la *Crónica burlesca*, si bien sistematizada por la narración. Mientras se pasan por alto acontecimientos importantes (así la toma de Torrelobatón por Juan de Padilla), se valoran, en cambio, incidentes de menor monta, como las conversaciones secretas entre Fonseca y el cardenal Adriano después de la quema de Medina, las correrías del prior por la vega de Toledo, la negativa opuesta por los gobernadores a los ofrecimientos del duque de Béjar, el supuesto altercado del Almirante y del Condestable en vísperas de Villalar, o la captura de Antonio de Acuña.

Deformación

Ahora bien, semejante preferencia no se debe a una incapacidad del cronista para sintetizar datos dispersos y ordenarlos en un relato coherente; traduce, al contrario, un propósito deliberado: al sacar al escenario a personajes que resultan ser, muchas veces, actores de segunda fila, promueve don Francesillo un retratismo de claro sesgo caricaturesco. En esto, no hace sino ensanchar el camino abierto por sus predecesores. Ya, en Villalobos, la convivencia entre castellanos y flamencos se dice tan incómoda como las de los caballos con los asnos[30]; el ejército comunero, por el miedo general que infunde, se compara con «una alimaña encantada que traga los hombres vivos»[31]; y en cuanto a la «gente baja y menuda» a la que los frailes comuneros someten en púlpito las cartas de paz del Almirante, «entiende los primores y sutilezas dellas como las ovejas y las vacas entienden los altos versos de la Sibila»[32]. Guevara, por su parte, lleva más adelante la estilización. Antonio de Acuña se le aparece «armado como relox», haciéndole dudar «si lo que veía era sueño, o si se había el obispo don Orpas resucitado»[33]. Y en cuanto a María de Padilla, «muy magnífica y desaconsejada señora»[34], se convierte en una hembra feroz y hechicera, capaz de robar la plata del Sagrario toledano en circunstancias que nos pinta con evidente delectación:

Ha nos caído acá en mucha gracia la manera que tuvistes en el tomarla y saquearla: es a saber que entrastes de rodillas, alçadas las manos, cubierta de negro, hiriendo os los pechos, llorando y sollozando, y dos hachas delante de vos ardiendo. ¡O bienaventurado hurto! ¡O glorioso saco! ¡Oh felice plata!, pues con tanta devoción mereciste ser hurtada de aquellas sancta iglesia.[35]

---

[27] *Algunas obras...*, p. 52.
[28] *Epístolas familiares*, n° 47, p. 292.
[29] *Epístolas familiares*, n° 48, «Letra para el obispo de Zamora...», p. 298.
[30] *Algunas obras...*, p. 19.
[31] *Algunas obras...*, p. 51.
[32] *Algunas obras...*, p. 53.
[33] *Epístolas familiares*, n° 48, p. 301.
[34] *Epístolas familiares*, n° 51, «Letra para doña María de Padilla...», p. 307.
[35] *Ibid.*, p. 323.

Por fin, el espectáculo que le ofrecen los comuneros en Villabrágima es el de un maremágnum de muecas y rumores, de ruidos y gritos: «los unos dellos me contemplaban, otros pateaban, otros oxeaban, otros voceaban, y aun otros me mofaban»[36].

Pero es Francesillo de Zúñiga quien alza el procedimiento a un grado nunca vista hasta entonces: consigue, mediante la animalización a la que suele someter el retratado, un efectismo deshumanizador. Esta técnica se ha calificado, a veces, de esperpéntica; pero, como apunta Márquez Villanueva, procede en realidad de la estética literaria del *disparate*, conforme a los cánones de la expresión fatrásica[37]. Antonio de Fonseca, al decir del rey de Portugal, tendría aspecto de «carnero viejo guardado para casta»[38]; el prior de San Juan, don Antonio de Zúñiga, es «garça demorada en el río de Duratón»[39]; don Pedro de Zúñiga, su tío, «bofes de asadura de buey»[40]; el conde de Haro parece «de casta de alcotanes y sobrino de garça blanca»[41]; el arzobispo de Bari, «águila recién salida del río o roçín con desmayos»[42]; el Condestable de Castilla, «ministril alto extranjero»[43]; el Almirante Fadrique Enríquez, conocido por hombre bajito, «higo cocido en agua de dolientes o mona oservante»; en cuanto se pone armadura, el mismo se convierte en «caxcavel plateado»; «y si por caso en la batalla me perdiere –aconseja– no me busquen hasta que llueva como alfiler»[44]. Ni siquiera el propio cronista se salva de este proceso: una vez armado, don Francés recuerda, irresistiblemente, al «hombrezico de relox de San Martín de Valdeyglesias»[45].

Mundo al revés

La finalidad más obvia de semejante deformación es, como se supone, provocar la risa del lector. A ello concurren los retruécanos, juegos de palabras y demás dichos agudos de que gusta Guevara; las citas paródicas con que Zúñiga salpica su narración, algunas sacadas del refranero, otras, de Job, Aristóteles o Tito Livio, otras más, de la lírica tradicional, como el verso «O castillo de San Servando...» que, al decir del cronista, los caballeros del prior iban cantando mientras huían de Toledo hacia Carmona[46]. A ello también las anécdotas al estilo del cuento del cura de Mediana, o los cuentecillos graciosos que don Francesillo trae a veces por los pelos: del conde de Haro, muy aficionado a chistes, nos dice que, en aquel día muy caluroso en que se volvió a tomar Tordesillas, templó con una frialdad a toda la gente, dando frescor en el real[47].

Sin embargo, hacia otro blanco nos parece apuntar esta sistematización de lo ridículo: algo que podría llamarse, como dijimos antes, una desmitificación de la guerra de las Comunidades. Prueba de ello, ante todo, la extraordinaria confusión que recalcan aquellos testigos que la contemplan con

---

[36] *Epístolas familiares*, nº 52, «Razonamiento hecho en Villabráxima», p. 333.

[37] *Literatura bufonesca*, p. 515.

[38] *Crónica burlesca*, ed. Sánchez Paso, p. 76.

[39] *Ibid., loc.cit.*

[40] *Crónica burlesca*, p. 77.

[41] *Crónica burlesca*, p. 80.

[42] *Crónica burlesca*, p. 78. La ed. de Diane Pamp (p. 83) trae otra lección, quizás más coherente: «anguilla recién sacada del río...».

[43] *Crónica burlesca*, p. 81.

[44] *Ibid., loc. cit.*

[45] *Crónica burlesca*, p. 78.

[46] Así en *Crónica burlesca*, ed. Diane Pamp, p. 83. La lección que recoge la ed. Sánchez Paso (p. 76) es: «O castillo de San Serván, pluguiera a Dios que mi madre nunca tuviera a mí». Parece ser variante de unos versos que figuran en el *Cancionero* de Juan del Encina (1496).

[47] *Crónica burlesca*, ed. Sánchez Paso, p. 80.

ojos desprevenidos. La recalca con fuerza Villalobos, desde el momento en que parte el rey a Alemania, comparando el mecanismo desencadenado por esta partida con el andar de una rueda «que no tiene cabo»[48]. Y, en cuanto se confirma el alzamiento, la visión que se le ofrece es la de un verdadero mundo al revés:

> La república de Spaña anda trastornada, juzgados y sentenciados los juezes, y hechos juezes los juzgados; los señores solos son los vasallos, y las comunidades son los señores. Hay la mayor disensión que nunca se vio, en la mayor conformidad que nunca se oyó; la discordia y la concordia, tan juntas y tan entretexidas, que entre sí no hazen diferencias, los unos hijos de los otros; los más ruynes de los pueblos mandan ahorcar por justicia a la misma justicia, y a los que tienen voz y apellido del Rey...[49]

Otro tanto afirma Guevara, para quien esta «república al revés» ha surgido por culpa exclusiva de los comuneros. Mientras los clérigos a las órdenes de Acuña santiguan con escopeta a los del bando contrario[50], el tundidor Bobadilla, cabeza de los disturbios de Medina y prototipo de la gente del común, se dexa «llamar señoría como si (...) fuese muerto el rey de Castilla»[51]. «Todos confiesan rey y todos apellidan rey –declara el franciscano a los de la Junta– y es el donaire que ninguno guarda la ley, y ninguno sigue al Rey». Y concluye:

> Yo no sé cómo decís que queréis reformar el reyno, pues no obedecéis al Rey, no admitís gobernadores, no consentís Consejo Real, no sufrís chancillerías, no tenéis corregidores, no hay alcalde de Hermandad, no sentencian pleitos, ni se castigan los malos, por manera que a vuestro parescer el no haber en el reino justicia es reformar la justicia.[52]

Más que la validez de las afirmaciones de Guevara, más que la cuestión de saber si pronunció o no efectivamente esta reconvención, lo más llamativo, a nuestro parecer, es la mecánica discursiva del franciscano, aquella acumulación de términos que le lleva, inexorablemente, a trastrocar las perspectivas.

Así se nos explica por qué, en el mundo en el que se enfrentan caballeros y comuneros, no hay, finalmente, más norma, más regla de conducta que la locura. Una locura que, según Villalobos, no perdona a nadie. No perdona, por supuesto, a la gente del común: «los pueblos son los más desatinados locos de atar que hay en el mundo»[53], proclama el médico, concretando, en una imagen sugestiva, la paradoja del alzamiento comunero: «desnudo el villano, con las tripas en las manos, dize que ¡Viva la Comunidad!»[54]. Tampoco perdona a los religiosos que se han unido a la Santa Junta, aquellos frailes «que predican y matan». Tampoco a los que están en la cumbre del edificio, puesto que «los miembros están tan corruptos, que presto llegará el daño a la cabeza»[55]. Guevara, por su parte, no va tan lejos: para él, son los comuneros los que llevan la culpa, ya que no saben lo que siguen y menos lo que pierden, tras haber desencadenado la peor de las guerras: «pueblo contra pueblo, padres contra hijos, tíos contra sobrinos, amigos contra amigos, vecinos contra vecinos y hermanos contra hermanos, peleando más por la opinión que tienen que por la razón que

---

[48] *Algunas obras...*, p. 23.
[49] *Algunas obras...*, p. 47.
[50] *Epístolas familiares*, n° 47, p. 294 («...al tiempo que estaba [el clérigo] para tirarles, los santiguaba con la escopeta y los mataba con la pelota.»)
[51] *Epístolas familiares*, n° 52, p. 326.
[52] *Ibid.*, p. 327.
[53] *Algunas obras...*, p. 57.
[54] *Algunas obras...*, p. 58.
[55] *Algunas obras...*, p. 55.

no tienen»[56]. No extraña, por ende, que, para el franciscano, el loco por antonomasia venga a ser el obispo Acuña, como hombre que no sabe sino fundarse «sobre pasión y no sobre razón»[57].

¿Inversión o subversión?

Surge entonces la cuestión de fondo: la que plantea la *inversión* bufonesca en tanto que posible *subversión*. Puesto que Villalobos, Guevara y Francesillo coinciden en una clara condena del alzamiento comunero, del programa de la Junta, de las violencias de sus adictos, ¿adónde apunta aquella remodelación bufonesca, si no la queremos reducir a pura voluntad de estilo? Probablemente hacia distintos blancos, según la postura que se examine. Por lo que se refiere a Villalobos, su franco compromiso a favor del bando imperial no parece ofrecer dudas: basta contemplar el dolor que le nace de los desmanes comuneros –«gente dañada y desesperada»[58]– y, más concretamente de la desastrada muerte de su amigo Joffre de Cotannes, referida por él en dos ocasiones[59]. Pero, por otro lado, no vacila en echar su verdad en cara a los caballeros: los que huyen a Alemania con el pretexto de acompañar al rey; los que, sin tomar partido, se quedan «arrinconados en sus barreras, sin osar mudarse de su lugar»[60], «como los niños que han meado en la cama»[61]; los que, al estilo del Almirante, mandan cartas más elegantes que las de Séneca a una plebe analfabeta[62]: otras tantas indirectas que son como hojas desgajadas de aquel gran libro soñado por el médico cronista, «que fuere como un espejo en que se pudieren mirar todos los cortesanos»[63]; un libro que no llegó a componer, porque, según decía, «la [...] casa [de mi entendimiento] es tan angosta, que apenas yo puedo caber dentro della para entenderme a mí mesmo...»[64]. ¿Falsa humildad, la de Villalobos? Más bien autodesprecio, muy afín a la ritual *indignitas* del bufón, aunque éste fuese de alto vuelo, como aquel médico chocarrero que afirmaba querer «más tener el orinal en la mano izquierda quel sceptro imperial en la derecha»[65]. Un autodesprecio que se aúna con la mirada sagaz del desengañado, frente a la risa falsa de la corte imperial: de aquel «animal», con sus «dos o tres mil bocas, todas muertas de risa», «que siempre se anda riendo sin haber gana de reír»[66].

Otra finalidad es la que persigue Guevara, la cual se aclara si prescindimos de lo que resulta ser de menor cuantía: los argumentos que pretende esgrimir frente al bando comunero, en defensa de la verdad y en contra de la mentira. Más significativo nos parece ser, primero, el papel relevante que se asigna en el conflicto, fingiendo cartearse con las cabezas del movimiento, después de mediar entre caballeros y comuneros en una entrevista que no tuvo nunca lugar. Sencillamente, porque semejante falsificación nos abre interesantes perspectivas sobre su manera de colocarse entre los

---

[56] *Epístolas familiares*, n° 52, p. 329.
[57] *Epístolas familiares*, n° 47, p. 295.
[58] *Algunas obras...*, p. 52.
[59] *Algunas obras...*, p. 47 y 58. Sobre esta muerte y sus orígenes, *vid.* J. Pérez, *La Révolution...*, p. 132 al 170. Joffre de Cotannes, que llevaba más treinta años en Burgos y estaba casado con una burgalesa, era francés. Tras conseguir un cargo de furriel del rey de Aragón, llegado a la cumbre de su prosperidad, se hizo conceder por la camarilla flamenca del futuro Carlos V la fortaleza de Lara, provocando un notable escándalo, puesto que dicha fortaleza pertenecía a la ciudad de Burgos.
[60] *Algunas obras...*, p. 52.
[61] *Algunas obras...*, p. 47.
[62] *Algunas obras...*, p. 53.
[63] Villalobos, *Curiosidades bibliográficas*, ed. A. de Castro, BAE, XXXVI, p. 449.
[64] *Ibid., loc.cit.*
[65] *Algunas obras...*, p. 110.
[66] *Curiosidades bibliográficas*, p. 454.

dos bandos. Para decirlo con frase de Welsford, viene a encarnar «the voice speaking from without, and not from within the dramatic plot»[67], la voz que va hablando desde fuera, y no desde dentro del espacio de la contienda: a veces, reduciendo a puro juego literario la terrible magnitud de un hecho histórico; otras veces, más allá de lo que podría parecer mero infundio calumnioso, buceando en lo más recóndito de la subsconsciencia política comunera: por ejemplo, cuando denuncia, en la carta a Juan de Padilla, el supuesto «republicanismo» latente en la ideología de los alzados, «especie de ultraverdad –en opinión de Márquez Villanueva– inestimable para el estudioso de hoy»[68].

Entendemos entonces cómo Guevara acaba por asumir y hasta ostentar sin empacho los atributos emblemáticos del «loco» erasmiano: al aceptar el desafío de un «reverendo señor y inquieto obispo»[69]; al proclamarse, como buen franciscano, aficionado a los valores histriónicos, «en vida pecador, en hábito religioso, en oficio predicador y en el saber simple»[70]; al recoger, con evidente fruición, el perfil que traza de él María de Padilla, cuando le llama «frayle irregular, desbocado, atrevido, absoluto y disoluto»[71]; al reivindicar su libertad en el hablar y su osadía en el predicar[72]; o al poner en boca de Acuña, a manera de prosopopeya, el retrato que se complace en bosquejar de sí mismo, acumulando, desde un enfoque claramente bufonesco, las «locuras» que, según él, le achacó el terrible obispo, el día en que le contestó en nombre de la Junta.

> Oído había yo decir que érades atrevido en el hablar, y áspero en el reprehender; mas junto con esto tenía creído que, pues los gobernadores os traían consigo, que teníades buen celo y *no falta de juicio*; mas *pues ellos sufren vuestras locuras*, no es mucho que nosotros suframos vuestras palabras. Dios os ha hecho la costa en no se hallar aquí algún capitán de la guerra, que *según los desatinos que habéis dicho*, primero os quitaran la vida que acabárades la plática, y entonces fuera en nuestra mano pesarnos, mas no remediaros. Cuando otro día hablardes delante de tanta auctoridad y gravedad como son los que están aquí, *habéis de ser en lo que dixerdes muy medido, y en la manera del decir más comedido*, porque vuestra plática más ha sido para escandalizarnos, que para mitigarnos...[73]

Es significativo cotejar este autorretrato con la versión que recoge del mismo la *Crónica del Emperador Carlos V*, de Alonso de Santa Cruz, la cual, como se sabe, incorpora capítulos redactados por el propio Guevara:

> Padre Fray Antonio de Guevara, vos habéis hablado asaz largo y aun con más osadía de lo que convenía a la honestidad de vuestro hábito, y aun a la autoridad de los señores deste Consejo, porque la resolución de toda vuestra plática ha sido hacernos en creyente que los Gobernadores son los que traen la demanda de remediar la república, que nosotros no hacemos sino revolver y tiranizar a Castilla.[74]

Por un lado, el texto de Santa Cruz, mucho más sobrio, elimina todo lo referente a la dimensión bufonesca del predicador. Por otro lado, de la narración elaborada por Guevara y aprovechada por Santa Cruz se desprende otra visión del levantamiento, distinta del que nos proporcionan las *Epístolas familiares*. Al restituirnos, a través de las cartas que se dicen intercambiadas entre las ciudades rebeldes, el punto de vista de los alzados, el cronista contempla

---

[67] E. Welsford, *The Fool. His Social and Literary History*, London, 1935, p. 324.

[68] *Las Comunidades y su reflejo...*, p. 201.

[69] *Epístolas familiares*, nº 48, p. 298.

[70] *Epístolas familiares*, nº 49, p. 309.

[71] *Epístolas familiares*, nº 50, p. 318.

[72] *Epístolas familiares*, nº 52, p. 324.

[73] *Ibid.*, p. 334. Lo subrayado es nuestro.

[74] *Crónica del Emperador Carlos V*, cap. XXVI, ed. cit., t. I, p. 366. Sobre este proceso de incorporación, *vid.* A. Redondo, *Antonio de Guevara...*, p. 303 y ss.

con indudable simpatía las razones que aducen y las aspiraciones que expresan. Si bien, en última instancia, se pronuncia a favor de los gobernadores, la construcción del relato hace que las dos posturas –la de los comuneros y la de los caballeros– se nos aparecen casi equiparadas, generando así un perspectivismo que, según observa Márquez Villanueva, puede calificarse de prenovelesco[75]. Giro paradójico, pues, es el que toma Guevara: río arriba, encaja, sin lugar a dudas, con la tradición erasmiana de los *mundi moriones*; río abajo va desbrozando pistas nuevas: hacia una fragmentación del episodio, convertido en *nuevas de corte*, de claro sesgo periodístico; y hacia una novelización de notable sabor premoderno.

Queda por último el caso de don Francés, cuya *Crónica*, aunque más estrechamente regida por el código de la narración –sin el escapismo que permite la forma epistolar– no se deja, sin embargo, encasillar en moldes predefinidos: no sólo por la capacidad de deshumanización que revela, sino por los horizontes que nos abre, más allá de una inevitable adhesión a las líneas generales de la política imperial, patente en su vituperio anticomunero. Valgan, nada más, tres muestras. En primer lugar, las insinuaciones del autor que los gobernadores, al aplazar las operaciones militares que iban a concluir con Villalar, mirarían antes por lo suyo que por el bien del reino[76]: juicio bastante injusto, en opinión de Diane Pamp, editora de la *Crónica*[77], pero, de hecho, corroborado por las encuestas más recientes que se ha merecido, por parte de Pérez y Gutiérrez Nieto, la actitud temporizadora de la alta aristocracia, nada dispuesta a favorecer, frente a la rebelión, los intereses exclusivos de la Corona[78]. En segundo lugar, la desacralización del bando de los caballeros, iniciada por la sucesión de retratos burlescos de sus prohombres y rematada por una patraña: la supuesta junta de herederos impacientes, surgida después de la derrota comunera y reprimida sin tardar por el Emperador[79]. Parodia evidente de las Comunidades, como observa Diane Pamp[80]; pero también sátira punzante de los nuevos alzados, pronto desanimados por la negativa imperial: «luego deshizieron la junta y liga y que tenían, y cada uno dellos se quisiera ir a su casa, si la toviera»[81]. Por fin, el énfasis puesto por don Francés en el deseo que todos tenían de que Carlos V se dignase perdonar:

> Vinieron [a él] [al llegar a Valladolid] muchos perlados y religiosos de buena vida confiando de hallar misiricordia [*sic*] con justiçia en Su Magestad, y que quisiese perdonar a los pueblos por las alteraciones pasadas, y que lo que a Su Majestad dezían en este tienpo los niños en alta boz era: «*Parce, Domine, parce populo tuo.*» [82]

Afirma el cronista que Su Majestad, «movido a piedad», perdonó «generalmente todas las cosas pasadas, eçebto lo que tocase a terçera persona»[83]. ¿Alarde de lealtad de un converso en busca de un escudo tras el cual defenderse de los detestados nobles? Puede ser. Ahora bien, para quien sabe cuán limitado fue aquel perdón imperial, y cuán dura y rigurosa, en cambio, una represión que duró más de cinco años, pues la última amnistía no se promulgó hasta 1527, la noticia que trae aquí don

---

[75] *Las Comunidades y su reflejo...*, p. 206.
[76] *Crónica burlesca*, p. 80.
[77] *Crónica burlesca*, ed. Diane Pamp, p. 199, n. 170.
[78] *Vid.* J. Pérez, *La Révolution...*, p. 459 y ss.; J. L. Gutiérrez Nieto, *Las Comunidades...*, p. 291 y ss.
[79] *Crónica burlesca*, ed. Sánchez Paso, pp. 83-84.
[80] *Crónica burlesca*, ed. Diane Pamp, p. 203, n. 212.
[81] *Crónica burlesca*, ed. Sánchez Paso, p. 84.
[82] *Ibid., loc. cit.*
[83] *Crónica burlesca*, ed. cit., p. 85.

Francés no puede ser más irónica[84]. Zuñiga, con este último pinchazo, nos permite comprobar, una vez más, algo que puntualiza con razón Francisco Márquez Villanueva: el que la bufonería fue, «antes que nada, un intento de hallar salida a una realidad imposible»[85]. Propósito es éste que nos aclara, por un lado, por qué ni Francesillo, ni Guevara, ni tampoco Villalobos, quisieron hacer historia; y, al mismo tiempo, por qué, a la hora de reexaminar el apasionado debate armado por la historiografía tradicional en torno a las Comunidades, conviene, de vez en cuando, contemplar el alzamiento en el espejo cóncavo que nos ofrece la literatura del loco[86].

---

[84] *Vid.* J. Pérez, *La Révolution...*, pp. 571-634.

[85] *Literatura bufonesca...*, p. 513.

[86] Este trabajo fue leído inicialmente en el seminario sobre literatura bufonesca dictado en agosto de 1992, en la Universidad Internacional Menéndez Pelayo. Agradezco su amable invitación a Francisco Márquez Villanueva, organizador de este seminario, así como a Joseph Pérez y León Sigal sus observaciones a la hora de revisar el texto.

La expulsión de los Moriscos de España (1609). Sentido y alcance de la medida

Luis CARDAILLAC
Universidad de Montpellier

Históricamente en 1609, con la decisión de Felipe III de expulsar a los Moriscos de España, termina una historia gloriosa. Como acaba de escribirlo Míkel de Epalza, «es el desenlace de nueve siglos del Islam de Al-Andalus»[1]. En este sentido va el título del libro de M. A. Enan que se publicó en el Cairo en 1949, *Niháyat Al-Andalus wa tarij al-árab al-mutanasirín*, es decir *Final de Al-Andalus e historia de los árabes cristianizados*[2].

Es cierto que esta fecha representa la brutal interrupción de la convivencia social de los moriscos con los demás españoles y su desaparición como grupo histórico musulmán en la península ibérica. Pero esta eliminación de una minoría por una mayoría no se produce así de repente, sin haber sido precedida por señales anunciadoras. Si es el momento preciso y definitivo de una ruptura social, es también el final de un largo proceso, de una larga etapa histórica. Este hito final de la convivencia ha sido precedido por otros que antes del destierro oficial han sido vividos por los interesados como momentos de tragedia en su historia, ya que se les empujaba así hacia un exilio interior.

1492 es la primera de estas fechas explicativas. Es un momento clave. Con la toma de Granada el poder político musulmán desaparece de la Península. Los musulmanes ya no tienen un Estado refugio y no pueden seguir siendo ciudadanos de pleno derecho de él. Sólo se admite ya el mudejarismo, es decir la pervivencia de musulmanes entre cristianos con un estatuto inferior. Según los acuerdos de Granada, las llamadas «capitulaciones», los vencidos reciben autorización para quedarse en España, conservando su religión y sus formas de vida. Se les concede un estatuto parecido al de dhimmi en el imperio otomano[3].

---

[1] Míkel de Epalza, *Los Moriscos antes y después de la expulsión*, Madrid, Colecciones Mapfre, 1992. Véanse en particular pp. 11-15 y el capítulo V, «Conflictos y expulsión», pp. 119-129.

[2] M. A. Enan, *Niháyat Al-Andalus wa tarij al-árab al-mutanasirim*, El Cairo, 1949.

[3] Sobre 1492, remitimos a los trabajos de Bernard Vincent, y particularmente a su obra *1492 «l'année admirable»*, Paris, Aubier, 1991, así como a diversos artículos, entre los cuales «Grenade, 1492. La fracture», *Qantara*, Paris, I.U.A., 1992, n° 2, p. 15.

Hommage à Robert Jammes (Anejos de *Criticón*, 1), Toulouse, PUM, 1994, pp. 133-136.

Por pronto surgen los conflictos intercomunitarios que muestran a las claras que el tiempo del encuentro se termina y que el de la exclusión empieza. El decreto promulgado el 12 de febrero de 1502, exactamente diez años después de la toma de Granada, ordena la expulsión de todos los musulmanes adultos de la Corona de Castilla. Los soberanos siguen con su política de exclusión frente a las minorías étnicas y religiosas (en efecto, el 31 de marzo de 1492, habían expulsado ya a los judíos españoles).

Aquel año de 1502, principio de una política de intolerancia, va a ser el otro momento decisivo. Los gobernantes se alejan ya de los principios vigentes en la Edad Media. El concepto de unidad se sustituye al antiguo pluralismo e impone nuevas relaciones intercomunitarias. Ya predomina la dialéctica vencedor-vencido, dominante-dominado. Parece que la construcción del Estado moderno tiene que pasar necesariamente por la exclusión de las alteridades, ya que el cemento de esta sociedad vencedora es el de la fe cristiana. En esta perspectiva, el que no participa de este ideal, no sólo comete una impertinencia hacia Dios, sino que amenaza la cohesión del pueblo.

En cuanto a la comunidad morisca, una doble consecuencia va a desprenderse de lo dicho. Se pretende, por una parte, desarraigar el Islam del suelo hispánico: en 1527, después de la conversión de los Moriscos aragoneses el Islam deja de existir oficialmente en España. Por otra parte se inaugura una política de asimilación que corre parejas con las medidas tomadas con el fin de erradicar todas las huellas de la identidad pasada. El neocristiano tiene que abandonar su cultura: ya en 1501, los Reyes mandaron quemar las obras redactadas en árabe, con excepción de los libros de medicina, de filosofía y de las crónicas. En 1511, la medida se extiende a esos libros. Tienen, además, que abandonar progresivamente su lengua, sus vestidos propios y demás rasgos de su cultura.

Al mismo tiempo, la Inquisición vigilaba la rectitud de la fe y el cumplimiento de las prácticas religiosas de los Moriscos. Así se constituyó un cripto-Islam que se mantuvo firme en la intimidad de los hogares, a pesar de las persecuciones.

Durante cerca de un siglo, las relaciones entre los Moriscos y los Cristianos Viejos son muy ambiguas. Los primeros piensan que, aceptado ya el bautismo, el poder los va a dejar vivir una vida tranquila y que podrán seguir practicando el Islam en el secreto de su vida privada; los segundos están persuadidos de que los andaluces que escogieron quedarse en el suelo español eran personas dóciles, asimilables. Hombres de Iglesia y responsables políticos durante varios decenios mantienen firme la esperanza de conversión y asimilación de los Moriscos a la sociedad cristiana.

Pero paulatinamente, los sacerdotes y prelados encargados de la evangelización de los Moriscos, se desaniman: se convencen de la inutilidad de sus esfuerzos y los consejeros del monarca ven a veces en la expulsión la única salida. En 1582, la junta de Lisboa sugiere ya a Felipe II esta solución.

Habrá que esperar una generación más para que Felipe III tome la drástica decisión de expulsar a 300.000 moriscos de España. Sabemos hoy que le movió tanto el afán de buscar la unidad religiosa de sus Estados como el deseo de alejar a unos súbditos considerados como un peligro político, después de su resistencia en la guerra granadina y de sus intentos de alianza con enemigos exteriores. Su preocupación por la seguridad del Estado y por la unidad religiosa fueron los dos fundamentos de la decisión.

Vamos a tratar ahora de estudiar lo que representó la expulsión para los Moriscos y de analizar la dimensión concreta, compleja y humana de este hecho.

En 1502, en el momento de las primeras conversiones, tuvieron los vencidos que escoger entre la fe de sus antepasados y su apego a la tierra que les vio nacer y donde vivieron. Los que se quedaron pensaron –y hemos visto la ambigüedad de su postura– que siguirían viviendo en el suelo de al-Andalus conservando en secreto su fe. Pero el decreto de la expulsión ya no deja la alternativa. Entonces los desterrados hacen de la tierra islámica su nueva patria, una tierra de promisión que oponen a la tierra ingrata que les echó de su seno. Dos textos ilustran este punto de vista.

El primero es el manuscrito S2 de la Real Academia de la Historia de Madrid. Es un texto escrito en Túnez por un Morisco desterrado. Después de una violenta diatriba contra la Inquisición, el autor afirma: «Y a nosotros la divina grandeza nos sacó del poder de faraones y malditos erexes ynquisidores, y, sin abrirse la mar nos hizo a la tierra deseada adonde fuimos bien recibicos y hospedados».

El segundo es un canto aragonés que cantaban los Moriscos aragoneses poco antes de su salida:

> Dicen que nos hemos de ir
> nosotros de aquesta tierra
> y nos hemos de andar
> a aquella buena tierra
> do el oro y la fina plata
> se halla de sierra en sierra.
> Con la yda nos dan guerra
> ¡Vámonos allá todos,
> donde están los muchos moros
> donde todo el bien se encierra!

La expulsión aparece pues como un revelador de la personalidad más íntima de los Moriscos y de su afán de vivir su fe entre sus hermanos de religión.

Pero notemos que estos deseos no quitan el dramatismo de la situación, su dimensión humana. Se cuenta que los exiliados voluntarios de 1502 se llevaron consigo la llave de su casa granadina, señal más que de nostalgia, de un verdadero apego a una tierra querida. Este mismo sentimiento, lo encontramos también entre los desterrados de 1609: la mirada hacia atrás es inevitable en tales circunstancias, hasta el punto de que algunos no pudieron cortar el lazo que los unía a su tierra e intentaron regresar. Punto extremo de una situación que nos muestra la complejidad de la situación.

Para concluir, quisiéramos citar estas palabras sacadas del último libro de Márquez Villanueva, *El problema morisco (desde otras laderas)*, en que enfoca la expulsión de 1609 de este modo:

> Puro y simple genocidio, que es el verdadero sentido de aquel vocablo "expulsión" de metal tan decente y que solemos usar con anestesiada inconsciencia. En medio de tanto eufemismo y de tanta identificación con los criterios oficiales, se pierde de vista la liquidación de un pueblo y de una cultura hispana.[4]

En estas frases Francisco Márquez Villanueva hace hincapié en los dos puntos esenciales de lo que fue la expulsión. Primero, «fue la liquidación de un pueblo» y como lo sigue desarrollando el eminente historiador, «no encontraron éstos ningún Las Casas y nadie vierte hoy una lágrima por su destino». En esta perspectiva, no se pueden separar los aspectos doctrinales y humanos de la expulsión.

---

[4] Francisco Márquez Villanueva, *El problema morisco (deste otras laderas)*, Madrid, Libertarias, 1991, pp. 8-9.

Segundo «fue la liquidación de una cultura hispana». Lo que viene a decir que hubo un Islam peninsular que desapareció con la expulsión. Fue una forma de civilización musulmana que tuvo su originalidad propia respecto al Oriente[5]. En efecto, sabemos todos que además del traslado cultural que se hizo de una península a otra, la arábiga y la hispánica, rápidamente al-Andalus afirmó su personalidad, hasta el punto de que Ibn Hazm de Córdoba en el siglo XI escribió una epístola, *Risala fi fada'il ahl al Andalus*, en que celebraba los méritos de su provincia y hasta proclamaba la superioridad de sus habitantes. En efecto, en la época del califato de Córdoba, luego de los reinos de Taifas, se desarrolló la filosofía con Ibn Tufayl, Ibn bajja, Ibn Ruschd, la literatura, la poesía, las bellas artes, la medicina, la arquitectura, todo lo que constituye la civilización andaluza, una civilización de influencias múltiples y duraderas que enriqueció a España y a toda la Europa cristiana, a partir de Toledo, en los siglos XII y XIII.

En 1609, se produjo pues el descuaje del Islam Ibérico, se cortó una de las ramas maestras constitutivas de la Historia española, poniendo un punto final a la mutisecular coexistencia.

---

[5] Sobre este punto, véanse en particular, de Juan Vernet, *La cultura hispanoárabe en Oriente y Occidente*, Barcelona, Ariel, 1978 y de Luce López-Baralt, *Huellas del Islam en la liberatura española. De Juan Ruiz a Juan Goytisolo*, Madrid, ediciones Hiperión, 1985.

Le sexe sans poésie
La délinquance sexuelle à Cuenca
à l'époque moderne (1542-1616)

Raphaël CARRASCO
Université de Strasbourg II

Le titre bizarre que nous avons choisi pour la présente étude ne renvoie pas seulement par antithèse à un fameux recueil de poèmes érotiques du Siècle d'or à l'élaboration duquel est attaché le nom de l'hispaniste à qui cet hommage est adressé[1]. Notre titre veut aussi, en passant du terrain de l'érotisme à celui de la sexualité, du domaine des représentations à celui des comportements observables dans les sociétés réelles, souligner le poids d'une absence : l'histoire de la sexualité en Espagne est proprement inexistante. Nous en ignorons à peu près tout, y compris pour l'époque la plus prestigieuse, celle de « l'hégémonie espagnole », celle des Cervantès, des Gongora, des Lope de Vega et des Calderon, encore que pour cette période, il est vrai, nous possédions une masse non négligeable de documents décemment édités ainsi que d'études qui, malgré un point de vue volontiers particulier, témoignent néanmoins de la féconde extension du thème, de son intérêt, de son attrait.

Mais tout cela demeure très insuffisant. En dépit de la persistance de ce genre de curiosité, la vie sexuelle des Espagnols du Siècle d'Or est bien loin de nous avoir livré tous ses secrets. Elle a en effet presque toujours été perçue à travers des sources littéraires, abondantes mais à la manipulation délicate[2], et n'a pas encore fait l'objet d'enquêtes systématiques dans les nombreux dépôts d'archives susceptibles de livrer des informations sérielles ou quantifiables. Nous pensons

---

[1] Pierre Alzieu, Robert Jammes, Yvan Lissorgues, *Floresta de poesías eróticas del Siglo de Oro*, Toulouse, 1975 (rééd. à Toulouse en 1984 et à Barcelone en 1985, sous le titre *Poesía erótica del Siglo de Oro*).

[2] Et encore la plupart de ces études souffrent-elles d'un point de vue extrêmement latéral (la mauvaise vie, le cloaque, l'exclusion) et délibérément descriptif. Voir, par exemple, José Deleito y Piñuela, *La mala vida en la España de Felipe IV*, Madrid, 1948 (plusieurs fois réédité depuis cette date, en particulier en livre de poche, chez Alianza, en 1987) ou cet autre ouvrage d'un auteur qui n'a rien de commun avec le premier : Pedro Herrera Puga, *Sociedad y delincuencia en el Siglo de Oro*, Madrid, 1974 (sur l'extraordinaire *Compendio* du P. de León). Mais toute la bibliographie ne se réduit pas à ce genre de productions et outre les travaux des démographes, où il y a beaucoup à prendre, nous pourrions avancer une bonne trentaine de références à des ouvrages, individuels ou collectifs, d'une tenue scientifique remarquable.

Hommage à Robert Jammes (Anejos de *Criticón*, 1), Toulouse, PUM, 1994, pp. 137-149.

bien entendu aux archives ecclésiastiques, si peu explorées encore à l'heure actuelle, mais il en existe d'autres, notariales et criminelles notamment, qui revêtent pour la connaissance d'un sujet comme celui qui nous retient aujourd'hui une importance capitale. C'est avec le secours de ce dernier type de sources que nous allons tenter de soulever un coin de ce voile d'ignorance et de fausse pudeur qui jusqu'à maintenant a préservé de toute atteinte l'intimité de tant d'hommes et de femmes à jamais couchée dans d'innombrables liasses closes aux feuillets jaunis. La matière est fort étendue, l'espace imparti pour la loger, des plus réduits. Que le lecteur veuille bien nous payer d'indulgence et prendre ces lignes pour ce qu'elles sont : une simple introduction descriptive.

I

Alors qu'elles abondent pour l'ancienne couronne d'Aragon, les archives criminelles n'ont que rarement été conservées dans celles de Castille et encore, lorsqu'elles existent, se présentent-elles dans un état si lacunaire et désordonné (avant le XVIIIᵉ siècle) que la peur de s'y perdre et d'y perdre son temps décourage volontiers l'enquêteur le plus obstiné. Une série de hasards a fait que la ville de Cuenca possède, mêlée aux minutes des anciens notaires de la cité, une importante collection de procès criminels provenant du greffe de la justice civile.

Ces affaires, fort variées et encore plus maltraitées par le temps, correspondent à une période longue d'un siècle environ, allant des années 1530 aux années 1640. Parmi ce bon millier de dossiers, en désordre et souvent incomplets, se trouvent 120 procès pour attentats divers en matière de mœurs qui constituent les sources de la présente étude. Le premier date de 1542, le dernier de 1616[3]. La répartition chronologique de notre échantillon est la suivante :

TABLEAU I - Chronologie des délits (tous types confondus)

1542-1546	10	1582-1586	12
1547-1551	8	1587-1591	4
1552-1556	16	1592-1596	14
1557-1561	8	1597-1601	12
1562-1566	5	1602-1606	8
1567-1571	5	1607-1611	6
1572-1576	4	1612-1616	4
1577-1581	2	TOTAL	120

L'on remarquera la dépression, pour ainsi dire, des années 1560-1580. Mais il faut se garder de vouloir tirer trop de conslusions de ce tableau. Les chiffres sont trop faibles et surtout, l'échantillon nous apparaît comme trop incomplet pour en déduire une quelconque périodisantion des moments de tiédeur et des montées de fièvre dans la ville du Júcar. Malheureusement pour nous, rien ne peut nous permettre d'évaluer les lacunes avec exactitude, ni même de détecter pour quelles périodes elles sont les plus importantes.

---

[3] Ces procès sont conservés à l'Archivo Histórico Provincial de Cuenca, dans la section des notaires.

Cuenca avait vers 1540 quelque 8 700 habitants possédant un domicile fixe (clergé régulier exclu)[4]. En 1560, ils étaient 13 000 environ, de même que durant les années 1580, chiffre qui s'était encore un peu accru à la fin du siècle : en 1597 furent recensés 3083 *vecinos*[5]. Mais, et pour le thème qui nous retient aujourd'hui ceci est essentiel, il s'agissait d'une ville « industrielle » (drapière) et exportatrice de laine, tête d'une des grandes *cañadas* de la Mesta, à la population fort mêlée et qui attirait saisonnièrement d'importants afflux de main-d'œuvre extérieure, particulièrement nombreuse au cours des mois de juin et de juillet, époque où la laine était lavée avant d'être exportée. Nous n'allons pas nous étendre sur les caractéristiques d'une telle population. Les rapports liant notre sujet d'investigation et l'existence d'un fort contingent d'hommes jeunes, dépourvus de compagne légale et peu ou point enracinés dans la vie locale, sautent aux yeux.

C'est partant de ces considérations, ainsi que d'autres plus techniques (mais nous n'allons pas ennuyer le lecteur avec l'exposé circonstancié de nos tentatives de vérification) que nous pensons pouvoir avancer que les pertes doivent être estimées à 70 % ou même 80 % du total des procès. En d'autres termes, cela signifie que notre échantillon retient entre le tiers et le cinquième des affaires de mœurs ayant été jugées. C'est peu, mais c'est déjà quelque chose et en tout état de cause, il faut bien se contenter de ce que les archives ont heureusement préservé. Quittons par conséquent sans plus tarder le terrain de la périodisation des flux pour passer à l'analyse typologique des délits qui, elle, va s'avérer infiniment plus féconde.

TABLEAU II - Typologie des délits

Adultère				
- L'un des deux partenaires	24			
- Les deux partenaires	5	36	30,0 %	
- Avec un ecclésiatique	7			
Séduction de jeune fille		26	21,6 %	
Mauvaise vie (bordel, attentats nocturnes, etc.)		21	17,5 %	85,7 %
Concubinage (*amancebamiento*)		20	16,6 %	
Viol		6	5,0 %	
Infractions d'ecclésiastiques (hors rapports avec femme adultère)		4	3,3 %	
Violence conjugale (liée à une question sexuelle)		4	3,3 %	
Inceste		1	0,9 %	
Traite de blanches		1	0,9 %	
« Folklore »		1	0,9 %	
TOTAL		120	100 %	

[4] Le recensement date de 1537. Archivo Municipal de Cuenca, leg. 1498, n° 24 (multiplicateur du feu : 4,5).

[5] Archivo General de Simancas, Expedientes de Hacienda, leg. 89, n° 1 (recensements de 1561 et de 1597) ; leg. 87, n° 1 (recensement de 1586).

Ce tableau appelle plusieurs remarques.

Les délits, on le voit, ont été classés par ordre décroissant d'importance quantitative et non qualitative car du point de vue de la gravité de l'acte, l'adultère était un des moins répréhensibles (nous ne nous posons pas le problème du déshonneur que la chose entraînait pour les femmes impliquées dans ce genre d'affaires) alors que l'*amancebamiento*, mais surtout la séduction de jeunes filles, le viol ou l'inceste l'étaient infiniment plus. De même, parmi les délits que nous avons regroupés sous la rubrique « mauvaise vie » nous avons classé aussi bien des désordres survenant couramment dans les tavernes, dans les auberges ou dans le quartier du bordel (la plupart du temps ils mettaient en scène les classiques acteurs de la vie picaresque, des gens sans honneur) que de très graves attentats perpétrés à l'encontre d'honnêtes épouses, de maisons respectables, délits qui étaient plutôt le fait d'une certaine jeunesse dorée dissolue, des mâles des clans les plus en vue dominant la cité.

On ne s'étonnera pas de constater l'absence de la bigamie. La répression de ce délit incombait en efffet au Saint-Office lequel l'avait pour ainsi dire complètement annexé en Castille dès la fin des années 1540 (antérieurement pour la couronne d'Aragon) non sans avoir dû livrer une rude bataille avec les juridictions épiscopale et civile[6]. C'est donc dans les archives de l'Inquisition de Cuenca qu'on trouve la très importante série de procès correspondants qui attendent encore qu'un historien s'y intéresse.

En revanche, il est plus anormal de ne trouver aucun cas de sodomie, crime qui dans la couronne de Castille échappait entièrement au Saint-Office depuis les années 1510[7]. La sodomie ou *pecado nefando*, qui incluait aussi bien les contacts sexuels avec des animaux (*sodomía bestial*) que l'homosexualité pure et simple ou encore les actes « contre nature » au cours de rapports hétérosexuels, fut extrêmement poursuivie par les juges civils castillans, et avec la plus grande sévérité (l'homosexualité masculine principalement et, pour certains tribunaux, exclusivement)[8]. L'absence totale de procès de ce type dans les fonds conservés à Cuenca ne relève d'aucune explication convaincante, d'autant plus que nous possédons le témoignage d'un jeune homme brûlé pour ce crime à Valence en 1574 montrant, s'il en était besoin, que dans la ville du Júcar les pratiques homosexuelles étaient loin d'être inconnues[9]. Il faut donc déplorer les lacunes des sources mais aussi, constatant l'inexistence de dénonciations dans l'état actuel de nos connaissances, conclure à une forte étanchéité des milieux marginaux où pouvait le plus proliférer le « péché abominable » (travailleurs saisonniers, pauvres, etc.) ainsi qu'à une complicité sans faille, au sein des milieux intégrés, entre maîtres et serviteurs (Église, noblesse) ou entre maîtres-patrons et apprentis (artisanat et commerce).

Enfin, notre dernière remarque concerne le clergé. Les cas répertoriés dans notre tableau impliquant des ecclésiastiques peuvent en effet surprendre dans la mesure où les hommes d'Église ne comparaissaient pas devant des cours séculières. L'Inquisition avait du reste pris en charge la

---

[6] Sur ce transfert de compétences, voir Henry Charles Lea, *Historia de la Inquisición española*, III, Madrid, 1983, pp. 727-739.

[7] Sur la juridiction inquisitoriale en matière de crimes « contre nature » on consultera H. C. Lea, *op. cit.*, pp. 775-784. Voir également, Bartolomé Bennassar, *L'Inquisition espagnole, XVᵉ-XIXᵉ siècle*, Paris, 1979, pp. 339-369 et Raphaël Carrasco, *Inquisición y represión sexual en Valencia*, Barcelone, 1986, pp. 30-65.

[8] On connaît, grâce au *Compendio* du P. de León, S. I., la répression sévillane de l'homosexualité durant les années 1578-1616. Ce texte prodigieux a été édité par Pedro Herrera Puga sous le titre *Grandeza y miseria en Andalucía*, Grenade, 1981 (voir p. 393-600).

[9] Ce témoignage se trouve à l'Archivo Histórico Nacional de Madrid, Inquisición, lib° 913, fol. 64 r°-75 r°.

répression de l'important délit de sollicitation (important par le nombre de cas mais surtout eu égard à la conjoncture contre-réformiste du moment) ainsi que d'autres infractions plus rarement constatées, comme le mariage des prêtres[10]. Aussi ne s'agit-il pas, dans notre statistique, de procès intentés directement à des religieux ou, du moins, de poursuites motivées par un délit strictement sexuel. Dans les cas d'adultère, c'est la femme fautive qui est poursuivie, c'est son procès que nous possédons. Nous avons seulement souligné le fait que le partenaire incriminé est un ecclésiastique, mais il va de soi qu'il ne relevait pas de la justice du corrégidor mais de celle de son évêque. En revanche, dans les autres affaires notées « infractions d'ecclésiatiques », c'est bien cette catégorie de la population qui est visée, mais seulement pour des demandes de réparations découlant d'affaires sexuelles : telle ancienne maîtresse d'un curé qui lui demande une pension pour élever l'enfant qu'il lui a fait, par exemple. Il est cependant une importante exception : le cas du chanoine Pedro Rodríguez del Pozo, responsable des pires désordres nocturnes, que nous retrouverons plus bas. Ce type de causes, qui mobilise souvent de très nombreux témoins, jette une lumière des plus concrètes et des plus intéressantes sur les mœurs cléricales à cette époque cruciale où tout un monde, qu'on appellera pré-tridentin, est probablement en train de disparaître.

Au terme de ces différentes mises au point, force nous est de constater que nos archives ne nous permettent de connaître qu'un éventail fort réduit de pratiques sexuelles illégitimes ou périphériques. Ce sont justement les plus quotidiennes, les plus banales que nous allons saisir, celles qui correspondent aux habitudes physiques et mentales les plus enracinées dans la vie collective. C'est ce qui fait leur intérêt.

Globalement, près de 86 pour cent des procès (et plus de 90 pour cent si nous incluons les viols) concernent deux grandes familles, ou sortes, de pratiques. Nous avons d'un côté l'adultère et le concubinage (46,6 %) autrement dit, la forme d'illégitimité la plus massive, la plus discrète aussi dans la mesure où la femme est consentante et ne porte pas plainte. Nous y reviendrons. De l'autre côté, le groupe de délits incluant la séduction de jeunes filles, la « mauvaise vie » et le viol, remarquablement équilibré par rapport au premier (44,1 % des causes conservées) concerne une sexualité d'exception, pour ainsi dire, marquée par le scandale, par une violence plurielle et volontiers excessive. Elle était riche en répercussions sociales déstabilisatrices mais profondément ancrée (du moins telle est notre impression) dans le *gestus* social du sexe. De la sorte, elle n'était pas primordialement subversive. Cet enracinement des facteurs centrifuges représenta le plus grand obstacle pour l'implantation de la nouvelle discipline des corps passant par une nouvelle criminalisation de cette sorte de violence. C'est alors qu'elle deviendra une des formes majeures de la subversion sociale, une des grandes figures du désordre. Mais l'histoire de ce combat qui débute durant la seconde moitié du XVIe siècle reste à faire.

II

Notre analyse des comportements sexuels illégitimes débutera par un aperçu global de la localisation sociale des acteurs. Celui-ci nous est donné par le tableau III, à partir duquel nous allons mettre en relief les aspects qui nous paraissent mériter la plus grande attention.

---

[10] Sur la sollicitation, voir H. C. Lea, *op. cit.*, pp. 473-519 et, pour Cuenca en particulier, Adelina Sarrión Mora, *Sexualidad y confesión. Los procesos de solicitación en el tribunal de la Inquisición de Cuenca (siglos XVI-XIX)*, thèse soutenue à l'Universidad Autónoma de Madrid en 1993, exemplaire dactylographié.

TABLEAU III - Sociologie

Secteur d'activité	H	F	Total		%
SECTEUR PRIMAIRE					
Hortelano	4	2	6		
Travail de la terre					
Labrador	18	8	26	46	13,2
Pêche	2		2		
Elevage	8	4	12		
SECTEUR SECONDAIRE					
Cuir et textile	42	10	52		
Métal et construction	10	2	12	79	22,7
Autres	7	8	15		
SECTEUR TERTIAIRE					
Commerce	4	2	6		
Alimentation	2	6	8		
Mesonero	6	6	12		
Services				78	22,4
Tabernero	8	2	10		
Transports	2		2		
Domesticité	16	24	40		
Professions libérales					
Médecine	6	2	8		
Notaires	6		6		
Fonctionnaires municipaux	5		5	34	9,8
Libraire	1		1		
Peintres, sculpteurs de retables	7		7		
Finances (Gênois)	7		7		
ELITES					
Haute	13		13		
Eglise				55	15,8
Basse	9		9		
Noblesse et haute bourgeoisie	24	9	33		
FEMMES SANS PROFESSION		31	31	31	9

MARGINALITÉ					
Prostituées et assimilées		18	18		
Ruffians (1 Français)	3		3	25	7,1
Esclaves (noirs)	4		4		
TOTAL	214	134	348	348	100

L'ensemble des 120 procès permet d'isoler 348 personnes directement impliquées dans les pratiques incriminées, soit une moyenne de presque trois intervenants par affaire. On voit que nous sommes loin (comment dirons-nous ?) de l'orgie permanente, mais aussi que la sexualité des marges possède son petit piment de pluralité. Et lorsque nous aurons dit que nos acteurs sont 214 hommes (61,5 %) et 134 femmes, on aura compris que la figure de base réunissait deux hommes et une femme plutôt que le contraire. De là à penser que ces prouesses pouvaient servir d'exutoire pour une certaine homosexualité masculine inavouée il n'y a qu'un pas, que cependant nous nous garderons bien de franchir. Nous citerons en revanche un cas exceptionnel qui ne confirme pas obligatoirement la règle. En mai 1544, Melchor de Cólliga, *pescador*, en compagnie de Juan de Peñalver, *herrero* et de Miguel de Rojas, *tejedor*, emmenèrent sur les rives du Júcar cinq femmes « a merendar » et nous savons qu'au moins l'une d'entre elles, Catalina Alvarez (la seule qui soit identifiée, car c'est son mari qui porte plainte) eut des rapports sexuels avec deux des galants au cours de cette partie de campagne[11]. Mais nous sommes en 1544...

Sexualité relativement plurielle, peut-être, mais certainement sexualité violente. La violence est partout présente, non seulement dans les viols, qui sont atroces, mais dans les figures les plus inattendues de la séduction. Cette violence est principalement le fait des hommes et ne se cantonne pas à la seule sphère du sexuel. Au contraire, elle est première, ou fondatrice, dirons-nous, d'un style de rapports réglant le jeu des solidarités, d'une manière commune de marquer les frontières, la primauté des mâles dans un espace raréfié où la transgression sexuelle, bien qu'elle ne soit pas le seul élément à prendre en compte, joue un rôle essentiel. C'est pourquoi nous omettrons d'entreprendre ici l'analyse de cette réalité plurielle et complexe.

Car nous nous en tiendrons à la seule étude des femmes et laisserons celle des acteurs masculins pour une autre occasion, les limitations d'espace nous contraignant à faire un choix. Elles sont donc 134, soit 38,5 % de notre échantillon. La liste des professions est conforme à ce qu'on pouvait attendre connaissant la ville et l'époque. 31 d'entre elles (23 % de la population féminine) n'ont pas de profession, ce qui ne veut pas dire grand-chose, car les femmes travaillaient de mille manières, sinon qu'elles n'assument pas la responsabilité de compétences rémunérées. Ces dernières, nous les trouvons dans notre liste, pour de petits contingents, et elles sont classiques : les femmes *hortelanas*, *labradoras*, *pastoras*, *tenderas*, *panaderas* ou *especieras*, *mesoneras* ou *taberneras*, *comadres*, figurent dans tous les recensements de population urbaine, dans des proportions comparables aux nôtres. Nous remarquerons néanmoins le poids relatif des métiers du textile, parfaitement en accord avec la vocation drapière de la ville de Cuenca. Le second contingent féminin par ordre de grandeur correspond à la domesticité. Ce fort pourcentage de servantes (18 % des femmes) reflète bien un des traits caractéristiques de la condition des filles du peuple, placées dans des maisons, nobles, bourgeoises, mais aussi d'artisans petits ou moyens, dès leur plus jeune âge (dès 8 ans, mais le plus souvent 12). Il reflète aussi, car il est clairement

---

11 Archivo Histórico Provincial (Cuenca), Protocolos, leg. 2220.

surdéterminé, une autre servitude plus douloureuse, celle d'être la cible préférée de la lubricité des maîtres.

Au troisième rang viennent les prostituées *et assimilées* (13,5 %). En effet, les femmes du « *público* » étaient fort peu nombreuses à Cuenca, semble-t-il. En mars 1571 elles n'étaient que deux[12]. Deux ans plus tard elles étaient trois. C'était à l'évidence insuffisant pour une ville comme la nôtre. Mais il y avait les périphériques, si l'on peut dire, telle María Lucas, de 26 ans, célibataire, qui vivait « de hilar y de hacer costura » en compagnie de sa mère, Ana López de Palacios qui lui servait de maquerelle. C'est ce que nous apprenons grâce au procès intenté contre elle par le corrégidor en février 1597 car elle « vive con mucha libertad y escándalo de los vecinos del barrio donde vive porque entran en su casa a todas horas mucha gente de diferentes hábitos a tratar con la susodicha torpe y deshonestamente »[13]. Les auberges et les tavernes faisaient probablement office d'annexes du bordel dans bien des cas. Plusieurs affaires en témoignent dont celle-ci, qui date de 1603. Le 24 mars de cette année le corrégidor mit en prison Yuste de Castro, *tabernero*, car chez lui « se hacen muchos embustes e bellaquerías ansí de juegos, de comidas desordenadas como de otras maldades » au nombre desquelles est citée l'activité de Petronila de Hergueta (elle a abandonné depuis un an le domicile conjugal) et d'une autre femme mariée (c'est pourquoi son nom n'est pas donné), « mujeres de buen parecer », car « con ellas entran hombres casados y pobres oficiales con muchos hijos y allí gastan sus haciendas »[14].

Nous trouvons quatre veuves seulement et c'est par elles que nous allons commencer. Nous disons seulement car l'idée que les veuves (malgré la tutelle paternelle ou fraternelle qu'elles devaient subir en principe) jouissaient d'une plus grande liberté de mouvement semble bien établie et en conséquence, eu égard à leur grand nombre (elles représentaient 18,1 % des *vecinos* de Cuenca en 1537 et 15,6 % en 1586) et à leur non moins grande pauvreté (60 % en moyenne sont qualifiées de « *pobres* ») l'on pouvait s'attendre à les voir plus présentes sur ce front. L'on en voit de vertueuses, comme celle qui en 1616 sut résister héroïquement aux assauts du plus turbulent séducteur du moment, Andrés del Moral, lequel entra dans sa maison par une fenêtre, « se llegó a ella que estaba asentada en una mesa y allí forcejó con ella procurando alzarla las faldas y tener cuenta carnal con ella, y traía los calzones caídos ». Mais « esta testigo se defendió con una espada »[15]. Il y en a qui eurent moins de chance, telle Isabel de Alarcón qui en mai 1595 a dû quitter son Buenache de la Sierra pour s'installer à Cuenca, fuyant le déshonneur causé par son accouchement alors qu'elle est veuve « y en tal hábito anda »[16]. Tout d'un coup « se publicó por el lugar que Francisco del Pozo la tenía preñada y que el susodicho la había empreñado en el campo, segando la susodicha con el dicho Francisco del Pozo ». Celui-ci ne veut pas entendre parler de mariage. Il paiera l'entretien de l'enfant. Le père de la veuve est conscient que sa fille « por causa de haber parido está deshonrada y no se ha casado ni se casará si no fuese con mucha pérdida de su honor ». Néanmoins il refuse de garder le nouveau-né afin que « no tuviese ocasión el dicho Francisco del Pozo de empreñarla otra vez a su hija ni tuviese cuenta con ella ». Parions qu'une

---

[12] *Ibid.*, leg. 2236, n° 1. L'inspection fut motivée par une affaire criminelle passionnante que nous ne pouvons malheureusement pas rapporter.

[13] *Ibid.*, leg. 2246, n° 1.

[14] *Ibid.*, leg. 2255. Ce procès est un des plus intéressants pour la connaissance de ces milieux ainsi que des thèmes moralisateurs accompagnant les campagnes de répression qui marquèrent la venue du nouveau siècle.

[15] *Ibid.*, leg. 2232, n° 2.

[16] *Ibid.*, leg. 2249.

fois dans la capitale de la province elle finira mal. Mais ce que disait le père de l'infortunée Isabel était sans doute plus vrai à la campagne qu'à la ville, où le passage du temps n'avait fait qu'accentuer la pression du code de l'honneur lié à la sexualité. Où María de Ormallones sut mieux s'y prendre. Car en 1542 cette dernière, alors qu'elle était veuve, avait accouché à Cuenca d'une fillette dont le père était un certain licencié en médecine qui s'était empressé de vider les lieux sitôt la bonne nouvelle parvenue jusqu'à ses oreilles[17]. Il déclarerait pour justifier son refus de payer quoi que ce fût que « por las tres veces que se echó con ella » on n'allait pas lui faire croire que l'enfant était de lui, sans compter que pour ces trois fois « le dio veinte e ocho o veinte e nueve maravedís ». Car le nouveau mari de la veuve, Cristóbal de Orbaneja, le poursuivit afin qu'il remboursât le montant les frais entraînés par « la crianza de la criatura ».

À l'inverse des veuves, les célibataires sont légion (60 %). Rien d'étonnant à cela dans la mesure où, d'une part la virginité des jeunes filles était extrêmement surveillée pour les raisons sociales que chacun connaît et donc toute infraction dans ce domaine était suivie de représailles et d'autre part, la majorité des femmes « libres » était célibataire. C'est la série de procès pour « rompimiento y corrupción » de jeunes filles qui présente le plus grand intérêt. L'on y voit merveilleusement bien fonctionner les mécanismes de solidarité qui protègent les personnes du sexe (ou qui à l'inverse les exposent, lorsqu'elles viennent de la campagne et ne sont pas intégrées à ceux de la ville), l'on y saisit le rôle joué par la circulation des femmes dans les rapports entre les clans, la vitalité de certaines dynamiques de pouvoir. L'on y voit plus, aussi, et autre chose.

Par exemple Isabel de Villanueva, fille de Martín Rubio, paysan de Santa María del Campo, si belle que « se la pedían [a su padre] por mujer para se casar con ella mancebos ricos e hidalgos, sin ninguna dote »[18]. Mais le 20 mai 1554, à onze heures du soir, Pedro de Floresta, âgé de 50 ans, marié et oncle de la jeune fille, « escaló las dichas casas del dicho Martín Rubio y entró en ellas por encima de las paredes y llevó robada a Isabel de Villanueva, siendo doncella virgen, honesta y honrada y recogida... ». Condamné à mort pour enlèvement de vierge et inceste, poursuivi par la Santa Hermandad, il se réfugia avec Isabel dans l'église de son village, El Cañavate où, « como es muy emparentado en la dicha villa, vinieron en su favor más de cien hombres armados a sacarle de la dicha iglesia e aunque los dichos alcaldes de Alcañavate le pudieran prender y sacar de la iglesia e dar favor e ayuda a los dichos alcaldes de hermandad, como eran sus parientes, disimulaban e consentían y le subían comida cuando la pedía». Laissons le séducteur aux prises avec la justice et rapportons plutôt quelques extraits de son long plaidoyer.

Au moment des faits, il logeait chez Martín Rubio car il était « enseñando a tejer mantelería » aux deux filles de ce dernier.

> Bajando un día a almorzar de la cámara do tejían, abajando la escalera abajó una hija del dicho Martín Rubio que se llama Isabela (...) e le echó los brazos a los hombros y este confesante le dijo estad queda y abajaron a almorzar y después, tornados a la cámara do tejían le dijo la dicha Isabel (...) : « Si vos hiciésedes lo que yo querría, teneros ya por quien sois » y este confesante le dijo : « ¿ Para qué os queréis vos echar a perder conmigo, siendo yo viejo y casado e teniendo hijos e mujer, pues yo no puedo gozar de vos ni vos de mí ? » y la dicha Isabel Rubia dijo : « Más preciaría tener de vos un muchacho que del Emperador porque tengo confianza que habéis de matar a vuestra mujer » y est confesante respondió : « Nunca Dios quiera que yo mate mi mujer que es madre de mis hijos e temo que hay Dios en el cielo e infierno para castigar los que mal hacen » (...) e otro día le hizo [ella] caer encima de una cadira e le tomó en su mano su miembro a este confesante e se lo sacó de la bragueta e le dijo que se echase con ella, que le daría dineros e un anillo de plata.

---

[17] *Ibid.*, leg. 2251.
[18] *Ibid.*, leg. 2225.

Il résista à cet assaut, ainsi qu'au suivant où, dit-il, elle « Le sacó arrastrando desnudo de la cama e dio en el suelo con él » et au troisième au cours duquel « tornó a echar mano deste confesante e dio con él en la cama ». Au quatrième il fut vaincu et ne la trouvant pas vierge, elle lui avoua que c'était un « estudiante deudo suyo » qui la « corrompió e hubo su virginidad ». La passion qui les liait désormais prenait un tour des plus scabreux. Pedro de Floresta continue : « Un día, hora de mediodía, estando juntos este confesante e la dicha Isabel Rubia, teniéndola arrimada a un telar donde la susodicha tejía, teniendo que hacer con ella carnalmente, lo vio el dicho Martín Rubio, padre de la dicha Isabel Rubia y lo disimuló y este confesante, como lo vio tan cerca, se apartó de la dicha Isabel Rubia y se atacó la bragueta delante del dicho su padre »[19]. Au vu de toutes les pièces, notre impression est que l'accusé dit pour une bonne part la vérité.

III

Nous tenons, pour finir, à commenter brièvement les trois cas, au caractère exceptionnel, placés à la fin du tableau II (inceste, traite des blanches et « folklore ») ne serait-ce qu'en raison de leur singularité qui les distingue et les rend par définition attrayants. Néanmoins, prenons garde à ne pas mal interpréter le facteur quantitatif : l'unicité de chacune de ces affaires ne leur ôte pas, loin s'en faut, le côté exemplaire, n'en supprime pas, bien au contraire, les aspects révélateurs de l'existence de nombreuses pratiques enfouies, secrètes, difficiles à saisir à travers les archives. Par conséquent, nous n'aurons pas affaire ici (car rien ne nous autorise à l'affirmer) à des pratiques ressortissant à une sexualité d'exception à l'instar de celles que nous avons signalées plus haut. Nous sommes simplement placés devant des cas individuels, uniques, à prendre pour autant de signes révélateurs de réalités encore mal perçues, car mal documentées, en raison certainement de la plus grande résistance qu'elles offrent à toute forme de publicité.

L'inceste est une de celles-là, c'est la raison pour laquelle nous sommes si mal renseignés à son sujet. L'affaire que nous allons évoquer fut jugée à Cuenca en 1570. Elle sanctionne des amours coupables entre frère et sœur ou plus exactement entre demi-frères[20]. Alvaro de Mata, *pastelero*, âgé de 40 ans, et Francisca Hernández, de moins de 25 ans, furent conduits dans les prisons de la ville un soir de la fin du mois de juillet 1569 par le *teniente de corregidor* Diego de Miranda car ils vivaient sous le même toit alors qu'ils étaient célibataires et il les avait trouvés « desnudos en una cama » (c'est la formule stéréotypée d'arrestation des concubins qui devaient être pris la main dans le sac, si l'on veut bien nous passer l'expression). Ils étaient originaires d'Astorga et résidaient à Cuenca depuis un an et demi. Francisca déclara qu'Alvaro de Mata l'avait emmenée de sa *maragatería* natale (où elle était servante chez le corrégidor) « con palabra de casamiento » mais que divers contretemps avaient retardé cette nécessaire normalisation de la situation. En réalité l'affaire de concubinage serait vite abandonnée au profit de l'inceste car de nombreux témoins déposèrent dans ce sens : les prévenus étaient frères parce que c'est ainsi qu'ils s'étaient toujours présentés et comme tels ils se traitaient en public aussi bien qu'en privé. Francisca expliqua alors qu'Alvaro, absent d'Astorga depuis dix-sept ans, s'était présenté un beau jour chez le corrégidor pour la réclamer, disant être son frère et désirant « casarla y remediarla ». C'est alors que, en dépit de la farouche résistance qu'elle ne manqua pas de lui opposer « viniendo por el camino tuvo el dicho Alvaro de Mata acceso carnal con ella » lui disant « que si se quería venir con él, que la

---

[19] *Ibid.* Nous avons modernisé l'orthographe et la morphologie verbale, commo nous l'avons fait pour toutes les autres citations de cet article.

[20] Archivo Histórico Provincial (Cuenca), Protocolos, leg. 2234, n° 1.

trataría bien y lo haría bien con ella ». Tout cela fut nié par le prévenu qui avoua avoir menti sur le degré de parenté afin de pouvoir sortir la fille de la maison du corrégidor afin de l'établir, par pur esprit de charité chrétienne, mais il reconnut le harcèlement sexuel et la proposition de vie commune et d'assistance.

Nous ne suivrons pas davantage le déroulement de ce procès très compliqué, en raison principalement de la difficulté qu'il y eut à établir la parenté des prévenus. Ce qui détermina l'action de la justice, ce furent les plaintes des voisins scandalisés qui de plus en plus nombreux et de plus en plus fort disaient « que tenían que ser quemados » (intéressante extension populaire du modèle de châtiment réservé principalement à l'hérésie). En réalité la hargne du voisinage avait été provoquée par une grave dégradation des rapports entretenus par les concubins incestueux qui conduisit leur relation sur la voie du scandale et donc de l'inadmissible. Francisca était devenue jalouse. Dès lors qu'elle s'était trouvée enceinte, quelque chose avait changé dans l'attitude de son frère qui lui faisait craindre le pire. Elle se mit à le désavouer en public, à lui manquer au respect en même temps qu'elle chassait de la maison les femmes qui venaient trouver son frère (n'oublions pas qu'il avait une boutique chez lui, c'était rue de la Pellejería, mauvais quartier du reste). Les témoins sont à ce sujet très explicites. L'un d'entre eux (le troisième à comparaître, c'est une voisine) résume bien la situation : « Y tratando con ella, si veía entrar algunas mujeres, decía : "¿ Qué tengo yo de deprender, señora, de mi hermano, que mete a las putas en mi casa ? Mas enfín, yo tengo de ser la señora y poseedora de todo y las otras se irán para putas, que esta hacienda de mi hermano para mí es" ». Les biens en question n'étaient pas très abondants, mais méritaient tout de même quelque considération : une maison à Astorga, une vigne moyenne et quinze ruches à Cuenca, plus tout ce qu'il avait occulté : « mucha hacienda en trigo, dinero, ajuar y mucha ropa buena » aux dires de l'alguacil. Il possédait en outre trois livres, dont deux en latin (seul « un Virgilio » est identifié). Il fut condamné à deux cents coups de fouet, six ans de galères (commués par la suite en exil et 50 ducats) et 50 ducats d'amende. Sa demi-sœur, au bannissement perpétuel de la ville de Cuenca et de son district, à cent coups de fouet et à 6 000 maravedís (16 ducats) d'amende. Ils furent fouettés le 16 février 1570 au cours du traditionnel parcours de l'infamie, « sacados de la dicha cárcel y prisión donde estaban, caballeros en sendos asnos de albarda, desnudos en carnes hasta las cinturas y con sendas sogas de esparto a las gargantas que les ataba pies y manos ». Le *pregón* précédant chaque série de coups commençait par ces mots : « Esta es la justicia que manda hacer Su Majestad y el Señor Corregidor... » et finissait ainsi : « Quien tal hizo que tal pague », selon le formulaire en vigueur.

Bien des traits du discours des différents témoins, du climat de cette histoire nous ont convaincu de sa relative banalité, mais nous n'allons pas spéculer à ce propos. Trois facteurs nous paraissent mériter qu'on les souligne. En premier lieu, l'arrière-plan social de ces deux vies ne manque pas d'intérêt. Nous y retrouvons la fille pauvre, orpheline depuis longtemps au moment où se présente son demi-frère, sans protection, privée du bénéfice des solidarités fondamentales dans le cadre urbain typique d'une ville industrielle qui est un pôle d'attraction (les années 1570, le meilleur moment de Cuenca). L'on y voit aussi autre chose : de la lecture du procès se dégage l'impression que les milieux populaires pouvaient tolérer ce genre d'écarts pourvu qu'il ne s'en suivît aucun scandale. Les prévenus vivaient sans se cacher (dans le quartier de la boucherie, à côté de la zone du bordel, certes), recevaient de nombreux amis, étaient de petits commerçants sans histoires. La première fausse note, la grossesse de Francisca, fut très mal accueillie par le voisinage : l'évidence palpable de la copulation incestueuse fut perçue comme une menace. L'exhibitionnisme agressif de la jeune femme, visant la réputation des épouses des artisans du quartier, acheva de mettre le feu aux poudres.

Enfin, notre histoire, mais nous ne l'avons pas fait sentir jusqu'ici, tant il est difficile de transformer en discours historique l'extraordinaire présence des palpitations concrètes du passé que conservent parfois certains documents forts, notre histoire, enfin, est une histoire d'amour. À travers elle est affirmée, dans une absence totale de discours de repentir ou de culpabilisation, avec une étrange positivité, la vitalité de sentiments et de liens de solidarité dont nous avons aujourd'hui perdu la clé, dont nous mesurons mal le dynamisme.

La seconde affaire singulière que nous allons exposer – la traite des blanches – possède une dimension plus généralement sociale. Le 23 mars 1549, le corrégidor de Cuenca, le licencié Villafañe, informé « que Alonso de Mata, padre de las mozas, ha vendido a muchas mozas a moriscos de Valencia y otras partes sin licencia de sus padres o curadores », demande l'ouverture d'un enquête[21]. Les témoins convoqués confirment ces dires, en particulier Luis Valle de Madrid, *caballero* et *regidor*, qui fait une déposition accablante. Il précise en particulier que Mata a remis certaines des jeunes filles qui lui sont confiées à des rouliers (carreteros) du royaume de Valence « que las sacan a reinos extraños donde podrían entregarlas a infieles y ponerlas en partes públicas donde se hagan malas mujeres ». Il se fait payer pour cela (deux réaux par jeune fille, avouera-t-il) en sus de ce qu'il reçoit de chacune afin qu'il trouve à les placer comme domestiques dans quelque maison de la ville ou de la région.

Notre homme était en effet le « padre de los mozos y de las mozas », autrement dit le préposé municipal au placement des orphelins qui se présentaient sans ressources, quittant les villages de la *tierra* où rien ni personne ne les retenait. C'est évidemment pour les filles en priorité qu'était prévu ce service rémunéré par les propres demandeurs, les garçons pouvant circuler sans mettre à tout moment leur honneur en péril[22]. À ces jeunes orphelines (elles avaient entre 10 et 20 ans, parfois un peu plus) venaient s'ajouter d'autres fillettes qui ne l'étaient point mais dont les parents se débarrassaient, pour le dire brutalement, au gré des terribles conjonctures de ce monde précaire. C'est l'une de ces dernières, dont les parents vivaient dans le village de Ribagorda, qui causa la perte d'Alonso de Mata, la mère venant la réclamer alors qu'il l'avait déjà acheminée vers Valence en compagnie de deux morisques.

Cette sinistre affaire, au demeurant fort embrouillée, parle d'elle-même et nous ne la commenterons pas davantage. Au-delà de l'illustration particulière, mais peu surprenante tant ces pratiques sont récurrentes à travers les âges, qu'elle offre de l'incidence de la paupérisation sur la prolifération des formes de l'amour vénal, elle nous livre quelques précieux renseignements à propos de l'existence de réseaux de prostitution organisés sur le fonctionnement desquels nous ne savons rien. Dans le cas présent, d'autres indices épars trouvés dans les procès inquisitoriaux de Valence, nous font croire à la réalité de ce qu'on pourrait appeler une « filière morisque levantine » (elle s'étendrait jusqu'à Carthagène) à débouché oriental.

Notre dernière histoire aurait pu être drôle si elle ne finissait pas dans la tragédie. Dans la nuit du 12 au 13 mars 1583, dans le hameau de la Fresneda, un certain Martín de Torrecilla fut tué d'un coup de soc de charrue qui lui fut porté à la tête par son meilleur ami, Pedro López[23]. Les deux jeunes gens s'étaient retrouvés chez le tisserand Juan de Aparicio, en compagnie d'autres camarades, dans le but de passer une agréable soirée autour d'un bon feu. Alors qu'ils étaient de la

---

[21] *Ibid.*, leg. 2222.

[22] La circulation des jeunes et le monde de la domesticité dans l'Espagne du Siècle d'or n'ont pas encore été bien étudiés. On pourra lire, bien que bâtie sur des sources littéraires, l'étude de Miguel Herrero, *Oficios populares en la sociedad de Lope de Vega*, Madrid, 1977 (mais rédigé pour l'essentiel dans les années 1930), pp. 23-88 et, pour les padres de mozas en part., pp. 49 *sq.*

[23] Archivo Histórico Provincial (Cuenca), Protocolos, leg. 2240, n° 2.

sorte « a la lumbre pasando tiempo y regocijándose en buena conversación », trois des garçons s'assoupirent et deux autres en profitèrent pour leur introduire « la mano por la bragueta » et suggérer pendant cette leste manipulation : « a este bien le pudiera atar la pija y llevarlo a la fuente ». Ils décidèrent de nouer les parties de celui qui semblait le plus profondément endormi, Martín de Torrecilla. C'est Juan de Aparicio qui mena à bien l'opération, donnant ensuite la ficelle à Pedro López, lequel tira trop fort lorsque son ami se réveilla, lui faisant mal. S'ensuivit un échange verbal fort désagréable qui termina sur un défi. Martín de Torrecilla lança à Pedro López « que saliesen afuera », ajoutant : « mas no osaréis, que no seréis hombre para ello, porque si salís os daré de coces ». Une limite dangereuse venait d'être franchie. On était passé du jeu sexuel au défi sur la *valía*, du floklore à l'honneur. L'issue de la « *quistión* » fut fatale à l'offensé. Nous ne saurions dire à quel rituel populaire de jeunesse, à quel type de chahut peut être intégré cet épisode navrant. Chacun aura perçu l'intérêt des connexions symboliques s'y établissant entre « porteur » et « non-porteur », entre exhibitionnisme et castration, sur fond métaphorique bovin bien compréhensible.

Nous nous garderons de conclure. Le montage statistique que nous avons proposé est par endroits trop fragile, notre interprétation trop volontiers outrée, sinon sophistiquée, pour que nous ne désirions pas conseiller au lecteur une prudente expectative. Cette histoire, nous l'avons dit, reste à faire. Demeure la matière concrète venue des archives et les pistes multiples qu'elle peut suggérer. Il y a aussi le plaisir que nous avons pris à ce court voyage et qui, nous l'espérons, sera partagé.

La controversia en torno a las *Soledades*. Un parecer desconocido, y edición crítica de las primeras cartas

Antonio CARREIRA

En su reciente edición de las *Soledades* Robert Jammes dedica un largo apéndice a catalogar los sesenta y seis documentos de que hay noticia como integrantes de la controversia en torno al poema durante el siglo XVII[1]. Hoy queremos contribuir al conjunto publicando un breve parecer anónimo cuyo hallazgo revela, una vez más, que nuestro conocimiento de la literatura áurea es y seguirá siendo precario mientras no se exploren a fondo los manuscritos que duermen en bibliotecas públicas y privadas[2]. Al mismo tiempo pretendemos empezar a satisfacer la necesidad, repetidamente denunciada por Jammes, de depurar textos importantes que hasta ahora han circulado en copias mal transcritas y peor puntuadas, como las de Emilio Orozco y otras que derivan de ella. Por razones de espacio, nos limitaremos a las dos primeras cartas de la polémica, aprovechando variantes de códices desconocidos para establecer el texto crítico posible. Nuestra anotación, estrictamente filológica, no tiene más objeto que justificarlo, y facilitar el trabajo a quien desee hacer pesquisas respecto a sentido y autoría de los documentos.

1

El parecer que sigue se encuentra en un ms. de la Biblioteca Pública Municipal do Porto, descrito con el nº 612 (*olim* 626) en el 6º fascículo (Literatura) del *Catálogo* debido a Eduardo A. Allen (Porto: Imprensa Civilisação, 1893). Se trata de un códice de 220 x 140 mm., cuyo tejuelo reza: *Poesias de Alão*. Consta de 41 + 5 ff. numerados + unos 200 ff. ya sin numerar. Letra del siglo XVII escrita con tinta amarilla. Su colector será, probablemente, el poeta y jurista portugués Christóvão Alão de Moraes, quien compuso en 1650, con dieciocho años, *O Cyclope Namorado*. *Fábula de Polyfemo e Galathea* que Barbosa Machado creía perdida, y cuyas 151 octavas ocupan

---

[1] Madrid, Castalia, 1994, pp. 607-719.

[2] Autoridades como Rodríguez-Moñino, Montesinos y otros cuyas palabras cuesta menos citar que seguir, han insistido en que la escasa tarea desarrollada en España durante la época positivista será sensible en tanto no se complete con el debido rigor. La situación no la van a remediar las modas que convierten de pronto a los filólogos en teóricos de la literatura, cuando no en glosadores de lo que otros han teorizado.

Hommage à Robert Jammes (Anejos de *Criticón*, 1), Toulouse, PUM, 1994, pp. 151-171.

los 41 primeros folios del ms[3]. Diez después, figuran el *Antídoto* de Jáuregui (24 ff.), los *Discursos Apologéticos* de Díaz de Rivas (22 ff.) –copias ambas desconocidas–, y el parecer que vamos a transcribir con foliación aproximada, sin corregir sus lusismos, pero sí acentos y puntuación, al igual que haremos en los demás documentos (nº 1; 3 ff. y medio); siguen la *Carta que un amigo de D. Luis de Góngora...* (nº 2; 1 f. y medio), y la respuesta de Góngora (nº 3; 3 ff. y medio), cuyas variantes se darán luego. Rematan esta sección del ms. poemas gongorinos auténticos y atribuidos, sonetos, romances, décimas y redondillas[4]. Con letra ya distinta, aparece una versión de la primera *Heroida* de Ovidio, una endecha, una ensalada de versos de romance, y otra *Fábula de Polyphemo y Galathea*, anónima, en castellano (53 octavas). Tras algún poema atribuido a Lope de Vega, una *Fábula de Pan y Siringa* (silva, 5 ff.), sonetos cuadrilingües, una *Fábula de Píramo y Tisbe* (silva, 2 ff. y medio), varios romances y otro soneto, cierra el ms. la *Cítara Apolínea* compuesta en 1734, a la edad de veinte años, por Martín Lopes de Moraes Alão, probable descendiente de Cristóbal y, como él, poeta precoz. Del parecer en sí nada se sabía. Robert Jammes, a quien lo comunicamos mientras ultimaba la edición mencionada, sugiere en nota que su autor ha de ser algún joven contertulio de Góngora, siempre deferente y respetuoso ante el poeta, incluso cuando pretende hacer algún reparo, y, a la vez, pedantillo e incapaz de leer las *Soledades* sino a través de un espeso velo de referencias clásicas. Es curioso que, habiéndose transmitido otros documentos de la polémica en varios mss. anteriores, este se nos haya conservado solo en uno portugués y tardío. Otro tanto ocurrió con entremeses atribuidos a Quevedo, y no serán los únicos casos.

Carta de un amigo de D. Luis de Góngora en que da su parecer azerca de las Soledades que le havía remetido para que las viesse

Para que entienda vuesa merced le e servido passando los ojos como me mandó por esta *Soledad* con todo cuidado y affición, quise de propósito (no proponerle, pues no son propriamente objeciones) apuntar algunos escrúpulos que *inter legendum*, o ya por no entenderlos o ya por razonablemente dudarlos, e reparado. Y es por que no arguya vuesa merced que dexar de hazerlo era indicio en mí de ignorarlo.

Primeramente, en la qüestión [que] acerca del nombre que este poema merece se comenzó a ventilar la otra mañana, no quedé mui satisfecho; y para mi entender será menester suponer algunas condiciones, que el Filósofo en sus poéticas enseña necessarias a la épica y heroica[5]. Es, pues, la 1ª que sea una imitación común en la qual ya el poeta ya la persona agena que introduze hablen a vezes, tal el Poeta latino comiença su *Eneida*:

Arma virumque cano,

---

[3] Donde señaló su presencia Vítor Manuel Pires de Aguiar e Silva (*Maneirismo e Barroco na Poesia Lírica Portuguesa*, Coimbra, 1971, p. 458). Más tarde, trató del poema Francis Cerdan: «Un *Polifemo* retrouvé: *O Cíclope Namorado*, de Cristóvão Alão de Morais», en *Mélanges à la mémoire d'André Joucla-Ruau*, Aix-en Provence, 1978, pp. 541-557. Por lo demás, aparte otra mención de J. Ares Montes (*Góngora y la poesía portuguesa del siglo XVII*, Madrid, 1956), no hemos encontrado referencias a Alão en estudiosos como T. Braga, J. de Sena, A. J. Saraiva y O. Lopes. Conste aquí nuestro agradecimiento a Dª Maria Adelaide Meireles, bibliotecaria de Porto, que atendió con exquisita amabilidad nuestras demandas.

[4] De ellos hemos aprovechado datos útiles en *Nuevos poemas atribuidos a Góngora* (Barcelona, Sirmio-Quaderns Crema, 1994).

[5] Aristóteles, *Poética*, 1460A.

y en el 2º *libro* introduze a Eneas, q*ue* describe la destrucción de Troya:

*Infandu*m, *regina, iubes,*

y la reina de Cartago en el 4º *libro:*

Anna soror, q*uae me suspensam insomnia terrent*

[97v] No ai en esta que caluniar la *Soledad*, pues, después de la dedicatoria, assí v*uesa* m*erced* gallardamente se introduze:

Era del año la estación florida[6],

y adelante el pastor guía del peregrino es la agena:

Aquellas que los árboles apenas
dexan ser torres oi[7],

y el viejo serrano en su discurso:

¿Quál tigre, la más fiera...?[8]

Sea la segunda condición q*ue* la heroica imita solo en el lenguaje, a diferencia de los poemas activos, en q*ue* juntos con el lenguaje tienen su lugar la música y la danza; contra esta se puede argüir procedió v*uesa* m*erced* en su poema, en el qual los pastores danzan y vailan a los nobios, siendo ageno de la dignidad épica. Y aunq*ue* se puede responder q*ue* es permittido por modo enarrativo, como al fin del *libro* 1 de la *Eneida* obseruamos q*ue* el músico Iopas cantó a los amantes mientras se brindaban, no satisfaze, pues allí el Poeta solo dize cantó el músico, no empero trae la canción en choros, por ser ación perteneciente a la cómica.

La 3ª condición es q*ue* se guarde una mesma forma de metro en la épica, según ya hizieron los heroicos griegos, latinos y vulgares, y no reparo tanto en esta por ser según el Filósofo condición accidental, la qual podía v*uesa* m*erced* c*on* su autoridad dexar de seguir, y sea la última condición en la qual [98] se deua essencial y necessaria*me*nte guardar en quanto a la persona imitada; la qual, como v*uesa* m*erced* en esto y lo demás perteneciente al arte mejor sabe, ha de ser un varón o heroico príncipe digno por sus hazañas y virtudes de ser imitado y querido. Tal describe Homero un valeroso Achiles; Virgilio, un piadoso Eneas; Lucano, un César invencible; de lo qual infiero no convenir a la *Soledad* nombre de heroica, por hauer sido el intento principal de v*uesa* m*erced* describirnos la vida pastoral, de suerte q*ue* el peregrino y su viage es un camino o medio q*ue* v*uesa* m*erced* elige p*ara* alcançar el principal fin, q*ue* fue imitar, en la 1ª *Soledad*, [la] del ganadero, la del pescador en la 2ª, y assí las demás. Bien entiendo está la respuesta cerca diziendo q*ue* los rotos y mojados paños del peregrino jouen visten un noble y valeroso príncipe, q*ue* en progresso de la obra se dará a conocer. A lo qual respondo q*ue* no basta p*ara* baptizarse con tal nombre, pues vemos q*ue* también la trágica imita héroes, assí q*ue* el énfasis no [está] en esto, mas en seguir por assunto principal las alabanças, hechos y valor de un príncipe, y adornallo de virtudes morales p*ara* afficionar los ánimos. Resta, pues, demos nombre a la *Soledad*, ya q*ue* la excluimos de la épica, y según a mi ver [*sic*] ninguno otro le quadra como el de bucólica, égloga o [98v]

---

[6] *Sol.* I 1.

[7] *Sol.* I 212.

[8] *Sol.* I 366.

pastoral, por la rrazón arriba dicha de lo imitado. Verdad es que siendo especies conprehendidas debaxo de los géneros de poética, las hauemos de reducir a uno de ellos. Para lo qual se supone que, siendo la bucólica poema extrauagante, tal vez se rreduze a la actiua, como la primer égloga de Virgilio:

> Tityre, tu patulae,

y en la tercera:

> Dic mihi, Damoeta.

Tal rreduze a la enarratiua, donde solo el poeta canta como la quarta de el mesmo varón:

> Sicelides Musae, paulo maiora canamus,

i tal a la común, qual la segunda, en que se intruduze el poeta que cuenta los amores de Coridón [y] Alexis:

> Formosum pastor Coridon,

y el mismo Coridón después que habla:

> O crudelis Alexis[9].

Este mismo stilo (?) commún sigue vuesa merced, como digo, en la primera condición, por la qual la dicha *Soledad* deue reduzirse al poema común y épico, no, enpero, llamarse con el nombre de su género, mas de égloga o buccólica, pues aquel deue ser vna imitación de personas graues.

Deszendamos pues a lo particular. [99] Paréceme se podría reparar en algunas lucuciones (a no vsarlas vuesa merced) más festiuas i agudas de lo que pareçe conuenía a la magestuosa i graue de esta obra: tales son algunos juegos de diciziones [sic] qual este de la Phénix:

> Arco alado de el cielo
> no corbo, mas tendido[10],

y más de el Marcial, aquel de la aroma:

> clauo no, espuela sí de el apetito,
> que cuanto en conozello tardó Roma
> fue templado Catón, casta Lucrecia[11],

y de lo satyrico más aquello de el corzo:

> y con razón, que el thálamo desdeña
> la sombra aun de lisonja tan pequeña[12].

Elegantes, por cierto, en su género, mas parece es confundir los stilos, a cuio propósito me acuerdo de vn precepto de Horacio en su *Arte poetica:*

> Versibus exponi tragicis res comica non vult[13],

---

9 *Buc.*, II 6.
10 *Sol.* I 463-4.
11 *Sol.* I 496-8.
12 *Sol.* I 333-4.
13 V. 89.

i luego:

> *singula quaeque locum teneant sortita decenter*[14].

De el mismo modo se podrían notar algunos símiles y translaciones, como llamar *visagras* al estrecho de el mar[15], y aquel[l]a de la *coia peruana* de la segunda *Soledad*[16], reprehendidas de Quintiliano, [99v] si menos al poeta que al orador[17], que se atreue al disir de Oracio, padre de el arte, que llama *capitis nuves* a las canas, i en otro verso que dize:

> *Iuppiter hibernas cana niue conspuet Alpes*[18].

Dexo el intrepuesto orden de dezir, en griego honomatopeia, intruduzido por *vuesa* m*erce*d en nuestro vulgar, i solo hasta aquí prometido [*sic*: permitido] al latino i griego, pues al fin su intento de *vuesa* m*erce*d a sido preficionar nuestra habla, a quien como en otras muchas cosas deue estar agradezida, y rendir el lauro de nueuo conquistador, pues passando el limitado término de el dizir a puesto el *plus ultra* mucho más adelante que nuestros poetas hespañoles. Dexo también la obscuridad de stilo, por ser a lo que ia [*sic*] entiendo en alguna manera essencial al poema graue. Verdad sea que Scalígero en su *Poetica* quiere sea de los effectos a todo poema común la perspicuidad, y Horacio, *Ad Pisonem*, amonestando al prudente poeta la enmienda de los uersos viciosos, dize:

> *Parum claris lucem dare coget*[19].

Mas, con todo, me parece no conuenir al poema ni ser tan obscuro que sea necessario adiuinarlo, ni tan transparente que se haga a todos uulgar. Io [100] confieso que tengo necessidad de dar muchas vueltas a algunos períodos de la *Soledad*, pero ¿qué poeta de inportancia no necesitó de commento? Dexo asimismo la intrudución de diccisiones [*sic*] estrangeras i perigrinas, pues quando no queramos admitir cortedad en nuestra habla, es precepto de el Poeta, i lugar alegado:

> *Et noua fictaque nuper habebunt uerba*
> *si graeco fonte cadant parce detorta*[20].

Allí, en *parce detorta* (dexadas otras interpretaciones), parece no admitir la mucha freqüencia; y si *vuesa* m*erce*d no raras vezes las vsa, puede como rey de el arte introduzir nueuas leies.

Parece disuena algo al oído el poco rebozo de aquel epíteto:

> *de el pie ligero vipartida seña*[21].

Dexo al fin, por no cansar a *vuesa* m*erce*d, de replicar en este lugar algo que en rrazón de escollios a este propósito tengo visto, por entender son infinitos los que en toda Europa, con auentajados méritos, aian doctamente elegido trauajo tan honrroso, y asy

---

14 V. 92.
15 *Sol.* I 473.
16 *Sol.* II 66.
17 *Inst.*, VIII 3, 5.
18 *Sic* en el ms. Horacio (II *Sat.*, V 41) sustituye *Iuppiter* por *Furius* en un verso del poeta Furius Bibaculus, para ridiculizarlo.
19 V. 448.
20 Vv. 52-53.
21 *Sol.* I 1019.

supplico a *vuesa* m*erce*d me perdone si andube atreuido, que el deseo de siruirle y passión que casi desde la cuna tube a sus obras me obligaron a didicarle estos borrones, cuias manos, &c.

2

La primera carta anónima enviada a Góngora, y la respuesta atribuida al poeta, nos han llegado en cinco manuscritos, tres de los cuales se ponen ahora a contribución por vez primera. Pueden agruparse en dos familias bastante contaminadas: α, que comprende tres mss.: el 3811 de la Biblioteca Nacional, transcrito por Paz y Melia (*Paz*)[22]; el nuevo de la Biblioteca Pública Municipal de Porto descrito *supra* (*BP*); y el Barberini Latini 3476, de la Biblioteca Vaticana (*BV*), descubierto y parcialmente publicado por fray M. C. Gijón[23]. Este ms. tiene 59 ff. de 195 x 140 mm., y es «a todas luces posterior a la primera edición de Hoces, año 1633»[24]. Su portada reza: *Obras de don Lvis de Góngora y Argote nvnca ympresas*. El amanuense comete italianismos, pero su letra es clara y armónica. Dado el fondo en que se encuentra, habrá pertenecido al cardenal Francesco Barberini, que vino a España como legado en 1626, y a quien menciona Góngora en dos cartas (119 y 120, ed. J. e I. Millé, Madrid, 1932). Consta de cuatro partes: en la primera recoge distintos poemas, sobre todo satíricos y eróticos, que van desde algunos seguros hasta otros de muy improbable atribución[25]. Del f. 39 al 40v, transcribe estrofas de poemas auténticos bajo este epígrafe: «Obras quitadas de lo impresso por el espurgatorio». En el 41 comienzan «Más obras de don Luis de Góngora y Argote nunca impresas», que son poemas raros, alguno de los cuales coincide con los de *BP*. Y, por último (ff. 53-56), se copian la carta a Góngora y su respuesta. A ello sigue una tabla de primeros versos (ff. 57-59v). La calidad del ms. es irregular: los poemas auténticos son muy próximos a Chacón, hasta el punto en que se puede afirmar que derivan de él o de su antígrafo. Los atribuidos son defectuosos. Y las cartas vuelven a dar un texto bastante fidedigno.

En cuanto a la familia β, comprende dos mss.: el 66 del Duque de Gor, f. 159 (*Gor*), descrito, transcrito y estudiado por Orozco en su libro *En torno a las Soledades* (Granada, 1969), y que hoy para en la biblioteca de don Bartolomé March (R. 6454, sign. 18/10/11)[26]; y otro nuevo del mismo fondo (R. 8242, sign. 17/1/1), que perteneció a D. Juan Iriarte (*Ir*), luego a Sir Thomas Phillipps (1792-1872), en cuya colección llevó el nº 10.783. Se trata de un códice de 220 x 160 mm. titulado *Escritos curiosos. Cartas de varones doctos de España. Papeles originales. Letras y firmas de diferentes eruditos*. Consta de 688 pp. de distinto tamaño y con letras varias de los siglos XVI al XVIII. Algunos cuadernillos están incompletos. De las firmas anunciadas, una pertenece al gongorista Martín Vázquez Siruela; la del P. Mariana falta. Contiene, con letra del siglo XVII, la carta a Góngora (pp. 231-234), la respuesta de este (pp. 234-241), y la que responde a la suya y a

---

22 *Sales Españolas, o agudezas del ingenio nacional (2ª serie)* (Madrid, 1902), pp. 299-307.

23 *Un códice de la Biblioteca Vaticana con poesías de Góngora* (Roma, 1931).

24 D. Alonso, *Góngora y el Polifemo* (Madrid, 1967), 5ª ed., II, p. 105.

25 Nuestro libro cit. en nota 4 reproduce los poemas publicados y omitidos en el opúsculo de fr. Gijón.

26 Aunque no tiene mayor importancia precisarlo, Orozco, en su primer libro, dice siempre que el ms. es el 65 de Gor, lo que repiten quienes hablan de oídas. En *Lope y Góngora frente a frente* (Madrid, 1973), p. 174, rectifica el dato. Sus transcripciones dejan que desear, de forma imprevisible, en los distintos lugares donde se publicaron. Hemos consultado este y otros códices en la Fundación B. March, a la que agradecemos también el permiso para reproducirlos.

la de don Antonio de las Infantas (pp. 243-267). Sigue el peregrino comentario de la estrofa 61 del *Polifemo*, que copiamos en nota (pp. 269-272)[27].

---

[27] «Riesgo corre de quedar opinado por versificador quien interpreta agenos versos, mas si no se aventurasse algo, sería menos estimable esta fineza, y como estoy empeñado en mayores demostraciones, no rehúso esta inferior. He entendido que muchos ingenios nobles difficultan la inteligencia del tercero y quarto verso de la instancia [sic] antepenúltima del *Polyphemo* de don Luys de Góngora, que después de tantos días aún hallan qué dudar en él. Y por reservarle del desacrédito [sic] que se le sigue de no ser intelegible, determiné exponerlos, para que se conosca que el defecto no está en el ingenio del autor. La estancia es esta:

> Viendo el fiero jayán con passo mudo
> correr al mar la fugitiva nieve,
> que a tanta vista el Lybico desnudo
> registra el campo de su adarga breve,
> y el garçón viendo, quantas mover pudo
> furioso trueno, antiguas hayas mueve,
> tal (antes que la opaca nube rompa)
> previene rayo fulminante trompa.

Las dos antecedentes a esta, descrive que el gigante despidió tantas piedras con su honda desde la roca alta en que estava sobre el campo, que Acys y Galathea huyeron por reservarse del peligro, y prosigue que viendo huyr la nimpha al mar desde la altura en que estava, porque el Lybico (que es el Polyphemo) a tanta vista, *id est*, con tanta vista (del modo que vsualmente dezimos ver a tanta luz, para significar con tanta, o con mucha luz) de su adarga breve, que es el admirable ojo de su frente, a quien por hypérbole llama breve adarga, significando su grandeza, como en el verso de la estancia 4, donde dixo *émulo vn ojo del mayor luzero*, y tomándolo expressamente de Virgilio en el lib. 3 de la *Eneyda*, 181 versos antes del fin, donde hablando del mismo Polyphemo escrive:

> *quod torva solum sub fronte latebat*
> *Argolici Clypei aut Phebea lampadis instar*

Assí que le assimila a vna adarga, o pabés, lo qual moderó don Luys con la cortapisa *breve*, o pequeña, que no añadió Virg*ilio*. Dize, pues, que con la mucha vista de su luziente ojo registrava el campo desnudo, que es el mar, a quien llama assí con toda propiedad y primor, según lo qual ha de leerse: *qu'el lybico a tanta vista de su adarga breve registra el campo desnudo*. No ay secreto que más aya desseado alcançar que saber el ánimo con que se determinan tantos hombres de ingenios confiados a publicar que no entienden los escriptos vulgares que los modernos escriven. Porque si es modestia y manifestación de que lo ignoran, es vna viciosa dilig*encia*, que solo sirve de desacreditarlos, y sería mejor acuerdo no tratar las materias que no saben ni hablar en lo que no alcançan ni comprehenden, pues con esto escusarían su desestimación y passaría en silencio su ignorancia. Mas si es ostentar vanam*ente* que está defectuoso o errado lo que no entienden, y quererlo deslustrar por este camino, atribuyendo a los que escriven el defecto y solemnizando su presunción a costa del honor ageno, es vna sobervia desvanecida, muy digna de reprehensión y aborrecim*iento*, porque se atribuyen tanta capacidad y sciencia que juzgan de sí que otros no podrán escrivir de modo que ellos no lo comprehendan, y que sin tener defectos pueda serles occulto, por la profundidad de los conceptos, por la grandeza del lenguaje, por lo remoto de las imitaciones, por la continuación de las figuras rethóricas, por la alusión a las costumbres y antiguas historias, y porque no todos piensan ni discurren igualmente de que se puede resultar ser obscuro y diffícil (aun para los que alçan más que los autores) lo que ellos escrivieron con moderado estudio. Y assí he juzgado siempre por acertado cons*ejo* el que siguen los que miran con veneración lo que no alcançan, y discurren con modestia en lo que entienden, que lo que excede a esto es hazerse odiosos a los que saben y inferiores a los que ignoran y callan» [Sigue transcripción de *Aen.*, III 633-638].

El anónimo aficionado, que bien pudo ser el colector de las cartas, escritas con igual letra, está ufano por haber hallado un lugar de la *Eneida* omitido en los comentarios ya impresos, de Salcedo Coronel (1629 y 1636) y Pellicer (1630), lo que permite dar un *terminus a quo* a este ms. Otra cosa es que acierte en su interpretación del problema. Si bien es verdad que Aquoménides, al relatar el episodio de Ulises y el cíclope, comparaba el ojo de este con una adarga, deja sin explicar por qué había de llamarse Lybico a

Después de intentar en vano diseñar un *stemma* que afine algo más lo dicho respecto a la interrelación de los cinco testimonios directos, hemos establecido un texto crítico con base y grafías de *BV,* adoptando de otros mss. variantes que nos parecieron útiles por diversas razones, algunas de las cuales se desprenden de los fragmentos de la primera carta citados, aunque no al pie de la letra, por don Antonio de las Infantas, quien pudo ver el original, así como de los demás textos de la polémica[28]. En otro lugar defendimos que la fecha correcta de las cartas es la del ms. *Ir,* luego admitida por R. Jammes en la secuencia cronológica de su catálogo[29].

Códices

Familia α:
BV = Barberini Lat. 3476, Bibl. Vaticana.
Paz = 3811, Bibl. Nacional, Madrid.
BP = 612 (*olim* 626), Bibl. Pública Municipal do Porto.

Familia β :
Ir = 17/1/1, Bibl. de la Fundación B. March, Madrid.
Gor = 18/10/11, Bibl. de la Fundación B. March, Madrid.

Testimonio indirecto:
IM = «Carta de don Antonio de las Infantas y Mendoça respondiendo a la que se escrivio a don Luis de Gongora en raçon de las Soledades». Ms. *Gor,* ff. 166-176v.

Polifemo, y tampoco se ocupa de la otra dificultad de la estrofa, vv. 7-8, que es donde confesaron ignorancia los comentaristas contra los que arremete su diatriba. En cualquier caso, esta reflexión, aun pretenciosa y errónea, y el parecer desconocido antes transcrito, nos permiten vislumbrar que la actividad desplegada en torno a la poesía gongorina, a lo largo de todo el siglo XVII, hubo de ser aún mayor de lo que sospechábamos.

[28] Tampoco es del todo seguro que la carta recibida por Góngora haya sido la original, pues en la segunda se le acusa de replicar a cosas que no constaban en la primera. Nada tendría de extraño que llegara a sus manos copia de un anónimo que hubiese rodado previamente por la corte.

[29] Góngora, *Antología poética* (Madrid, Castalia, 1986), p. 340.

Carta que escriuieron a don Luis de Góngora en razón de las Soledades, sin firma.

Vn quaderno de versos desiguales y consonancias erráticas se ha aparecido en esta corte con nombre de *Soledades*, compuestas por *vuesa merced*, y Andrés de Mendoça se ha señalado en esparcir copias dél. Y no sé si por pretendiente de escriuir gracioso, o por otro secreto influxo, se intitula hijo de *vuesa merced*, haziéndose tan señor de su correspondencia, y de la declaración y publicación desta poesía, que por esto y ser ella de tal calidad, justamente están dudosos algunos devotos de *vuesa merced* de que sea suya; y yo, que por tantas obligaciones lo soy en estremo, se lo he querido preguntar, más por desarraygar este error que entre ygnorantes y émulos (que los tiene *vuesa merced*) va cundiendo, que por ser necessario a los sauios y que conozen el estilo apazible en que *vuesa merced* suele escriuir pensamientos superiores y donayres agudos, adelantándose en esto a los poetas más heroycos y más celebrados; causa bastante a que los bienintencionados se lastimen de que Mendoça y algunos cómplices suyos acumulen a *vuesa merced* semejantes *Soledades;* pues es cierto que si las quisiera escriuir en *nuestr* a

Ep. Carta a Don Luys de Gongora por vn amigo en razon de las Soledades *Ir* Carta escrita a don Luis de Gongora en raçon de las Soledades *Gor* Carta que vn amigo de Don Luis de Gongora le escreuio en rason de las Soledades *BP* Carta de un amigo de D. Luis de Gongora que le escrivio acerca de sus Soledades *Paz* **1** consonancias] consonantes *BV* ‖ se] *om. Paz* ‖ aparecido] parecido *BV* **3** copias] coplas *BP, BV* versos *Paz* ‖ dél] de ellas *Paz* **5** declaración y] *om.* α ‖ ser] por *praem. Paz* **6** devotos] amigos *Paz* **7** y] *om. BP, Ir* ‖ obligaciones] razones *BV* ‖ he] *om. Paz* **8** los tiene vuesa merced] v. m. tiene β **9** a] para β, *BP* ‖ y] *om. Gor* ‖ el estilo apazible] la apacibilidad del estilo β, *BP* **10-11** y donayres... heroycos] *om.* α **11** poetas más] *om.* α poemas *Gor* ‖ y] *om. Paz* ‖ a que] para que β **13** es (*om. BP*) cierto que] *om.* β

Ep. *BV* es el único que resalta la anomalía de que la carta carezca de firma, y, junto con *Gor*, no admite que se deba a un amigo. **1** *consonancias:* lectura acreditada, como varias más, por la carta de don Antonio de las Infantas y Mendoza (= *IM*). **3** *copias:* «Algunas veces sinifica el traslado de algún original, y copista, el que saca la copia» (Covarrubias), aunque el término se aplica con mayor frecuencia a las artes plásticas; por ello no se debe desatender la lectura *coplas*, en el tono satírico de las *consonancias erráticas* y los *versos desiguales*. Sin embargo, dado que *coplas* se usaba en el sentido de 'vueltas', redondillas o mudanzas de letrilla, hemos preferido la más neutra de ambas adiáforas. **5** *declaración y:* haplografía de α; se refiere a las *Advertencias* de Almansa. **7** *obligaciones:* «Y yo tan obligado» dice *IM*, frente a *BV*. **8** *desarraygar este error: IM* interpreta «desengañar»; *que los tiene vuesa merced:* las *Advertencias* de Almansa confirman esta var., que trata de contradecir el desafío de aquellas: «... ser ya difícil a sus émulos [de Góngora], si ay quien se atreva a serlo»; *a:* «Vuesa merced dice que no es necesario a los sabios» (*IM*). **9** *el estilo apazible:* «Que ya conocen el estilo apacible del señor don Luis» (*IM*). **10** Nueva haplografía de α; *Ir* ofrece más homogeneidad que *Gor* entre los términos de la comparación. **11** *bastante a:* fórmula más común que *bastante para*; el adjetivo conserva cierto valor verbal. **12** *acumulen:* «es término forense, cuando a un delito le acumulan y juntan otros que el delinqüente ha cometido» (Covarr.). Góngora usará el mismo verbo en su respuesta, lín. 15. **13** *es... que:* haplogr. de β y parcialmente de *BP*, en este caso.

lengua vulgar, ygualan pocos a *vuesa* merced; si en la latina, se auentaja a muchos; y si
en la griega, no se trabaja tanto por entenderla que en lo que *vuesa* merced ha estudiado
no pudiera escriuir *seguro* de censura y cierto de aplauso. Y como ni en estas ni en las
demás lenguas del Calepino no están escriptos los tales soliloquios, y se cree que *vuesa*
merced no ha participado de la gracia de Pentecostés, muchos se han persuadido que ha
alcanzado algún ramalazo de la desdicha de Babel, aun*que* otros entienden que *vuesa*
merced ha inventado esta jerigonça *para* rematar el seso de Mendoça: pues si tuuiera
otro fin no lo hiziera tan dueño destas *Soledades*, teniendo tantos amigos doctos y
cuerdos de quien pudiera *vuesa* merced quedar aduertido, y ellas, enmendadas o
declaradas, ya que de todo ello ay tanta nece*s*idad. Haga *vuesa* merced lo possible por
recoxer estos papeles, como lo van haziendo sus aficionados tanto por remendar la
opinión de *vuesa* merced como compadecidos del juicio de Mendoça. Y sobre esto encargo
a *vuesa* merced la conçiencia, pues pareciéndole que sirue a *vuesa* merced y que él
adquiere famoso renombre, haze lo possible por persuadir que entiende lo que *vuesa*
merced, si lo escriuió, fue para *que* él se desuaneciera, y lo va estando tanto, que ha
escrito y porfía en ello muy copiosos corolarios de su canora y esforçada prosa, diziendo
que disculpa y explica a *vuesa* merced: mire en qué parará quien trae esto en la caueça y
vn ayuno quotidiano en el estómago. Y si esto no, muéuanle a *vuesa* merced dos cosas que

15 por] para *BV, Paz* ‖ en] por *Gor* con *Ir* **16** no] *om. BV* nos *Paz* ‖ estas] esta *BP* **17** del] de *BV* ‖
no están] estan β **18-19** ha alcanzado] le *praem.* β, *BP* le alcanço *Paz* **20** pues] que *Gor* ‖ tuuiera] v. m.
praem. β **21** lo] le β, *BP, Paz* ‖ doctos] tan *praem. BP* **22** vuesa merced quedar] quedar v. m. β **22-23**
o declaradas] *om.* β ‖ ello] *om.* β, *BP, BV* **23** por] para *Ir* **24** remendar] remediar *Paz* ‖ la] su β **25** de
vuesa merced] *om.* β ‖ Y] *om.* β ‖ encargo] encarga *Paz* **27** possible] imposible α ‖ persuadir] parecer
Gor **28** él] *om. BP, BV* ‖ desuaneciera] desvaneciesse β, *Paz* **29** porfía] porfiado *Paz* **31** ayuno
quotidiano] cotidiano ajuno β

15 *por:* «Dice que por serlo no se trabaja tanto por entenderlo» (*IM*). *en:* «Que en lo que ha
estudiado está seguro de censura y cierto de aplauso» (*IM*). **17** *no están escriptos:* aparte de que el
pasaje se presta a la haplografía, el *no* pleonástico tras *ni* es normal en la prosa del siglo XVI
(Keniston, *The Syntax...*, 40.811 y 40.821). *soliloquios:* «No son todos soliloquios, antes égloga
cuya naturaleça introduce varios personajes» (*IM*). **18-19** *ha alcanzado:* verbo activo, sin *le*, en el
sentido usual de 'conseguir', 'llegar la mano hasta la fruta', con sujeto común al verbo anterior, *ha
participado.* **20** *tuuiera:* no es necesario el pronombre que antepone β, dada la or. anterior. **22-23**
o declaradas: cf. lo dicho a lín. 5. **24-25** *la opinión de vuesa merced:* la var. de β mantiene la
ambigüedad del posesivo, que entonces se procuraba evitar. **27** *persuadir:* «Parece que sabe»,
resume *IM*, quizá incrustando en la frase el *pareciéndole* de lín. 26; no obstante, la var. *parecer*
supone dar sentido activo a este verbo, lo que era inusitado.

sus amigos hauemos sentido mucho: vna, que este su comentador no le llame el *señor* don Luis, pues por lo poeta no se juzga este título autorizado. La segunda, por corregir el vicio que introduciría entre muchachos, que procurarán imitar el lenguaje de estos versos, entendiendo que *vuesa merced* habla de veras en ellos. Y caso –no lo permita Dios– que *vuesa merced* por mostrar su agudeza quiera defender que mereze alabanza por inventor de difficultar la construción del romance, no se dexe caer *vuesa merced* en esta tentación, ya que tiene tantos exemplos de mil ingenios altiuos que se han despeñado por no reconoçer su primero disparate. Y pues las invenciones en tanto son buenas en quanto tienen de vtil, honroso y delectable lo que basta para quedar constituidas en razón de bien, dígame *vuesa merced* si ay algo desto en esta su nouedad, por *que* yo convoque amigos que lo publiquen y la defiendan, que no será pequeño seruicio, pues las más importantes siempre en sus principios tienen necessidad de valedores. Dios *guarde* a *vuesa merced*. Madrid, 13 de setiembre 613.

---

32 hauemos] emos β ‖ comentador] contendor *BP* ‖ llame] llama *BV*   33 juzga] llama *BV* ‖ La segunda] lo 2º *Gor*   34 introduciría] se *praem.* β, *BP, Paz* ‖ muchachos] muchos β, *BP, Paz* ‖ procurarán] procuran *Paz*   35 habla] hablo *BV* ‖ de veras en ellos] en ellos de veras β   36 vuesa merced] *om. Ir* ‖ su] v. m. *praem. Ir* ‖ quiera] quiere *Paz*   37 dexe caer] vença β   37-38 en esta (essa *BP*)] desta β   40 honroso] hermoso *BV* ‖ que basta] necesario β   41 de] del *BP, Gor*   42 por] para β, *Paz* ‖ lo publiquen y la (lo *BP, Paz*) defiendan] la defiendan y lo publiquen *Gor*   43 las] los *BV* ‖ en sus principios] *om.* β   43-44 Dios guarde a vuesa merced] *om.* β   44 Madrid] *om. BV* ‖ 13 de] *om. BP, BV* y *Paz* ‖ 613] *om. BV* etª *Paz* de 1615 *Gor* de 617 *BP*

32-33 *que este su comentador no le llame el señor don Luis:* «No le llame señor» (*IM*). Lo problemático es el *no*; Almansa no solo llama a Góngora *el señor don Luis*, sino que lo hace varias veces en alguna página de sus *Advertencias*, cosa que precisamente censura el anónimo, «pues por lo poeta no se juzga este título autorizado». Que los cinco mss. y el epígrafe de *IM* hayan mantenido la negación solo se explica por pérdida de alguna frase como: «... no le llame el señor don Luis [menos de tres veces]», lo que justificaría la réplica de *IM*: «Y si en la hoja a quien tal le dice tres vezes, discúlpale la ley *bis dixit*». **34** *muchachos:* var. confirmada por la respuesta de Góngora, lín. 25-26: «...que renuncie este modo, por que no lo imiten los muchachos». La carta echadiza interpreta *mochuelos*, que puede ser errata por *moch[ach]uelos*. **35** *habla:* «Si vuesa merced habla de veras» (*IM*), aunque *habló* (*BV*) es buena lectura. **40** *vtil, honroso y delectable:* cf. Quevedo: « Si el bien dizen que ha de ser / deleytable, vtil y honesto, / ¿en quién como en ti se junta / todo, ni con tanto extremo?» (*Rom. Gral.*, 2ª parte, f. 85v; ed. Blecua, III, p. 134); López de Úbeda: «Míralo tú; los bienes son en tres maneras: honesto, útil y deleitable» (*Pícara Justina*, II, 2, cap. iv, nº 3, ed. A. Rey Hazas, Madrid, 1977, II, p. 481). **41** *de bien: sic*, en la respuesta de Góngora, lín. 32 y 68. **42** *lo publiquen* («si ay algo desto») y *la defiendan* («esta su nouedad»); lo mismo lee *Gor* haciendo quiasmo.

3

Respuesta de don Luis de Góngora

He tenido opinión que nadie hasta oy me ha quedado a deuer nada; y así me es
fuerza el responder sin sauer a quién. Mas esta mi respuesta, como autos hechos en
rebeldía, Andrés de Mendoça, a quien le toca parte, la notificará por estrados, en el
patio de palacio, puerta de Guadalaxara y corrales de comedias, lonjas de la
bachillería donde le [de]parará a v*uesa* m*erced* el perjuicio que huuiere lugar de
derecho. Y si fue conclusión de la Philosophía que el atreuimiento era vna acción inconsiderada expuesta al peligro, tengo a v*uesa* m*erced* por tan audaz, aunq*ue* desfauorecido
de la fortuna en esta parte, que tendrá ánimo de llegar a las ruedas donde se notificare a
oyr su bien o su mal. Y agradesca v*uesa* m*erced* que, por venir su carta con capa de auiso y
amistad, no corto la pluma en estilo satírico, que yo le escarmentara semejantes osadías,
y creo que en él fuera tan claro como le he parecido escuro en el lírico.

Ep. Carta de D. Luis de Gongora en respuesta de la que le escrivieron *Paz* Respuesta *BV* **1** He tenido
opinión que] *om.* β, *BP*, *BV* ‖ nadie hasta oy (hasta oy nadie *BV*) me ha quedado a deuer nada] nadie me a
quedado a deuer nada hasta oi *BP* **2** el] *om.* β ‖ autos hechos en] antes mis versos hecho sin *Paz* **3** la]
om. Paz ‖ notificará] + esta *Paz* **4** de palacio] del palacio *BV* ‖ y] *om.* α, *Ir* ‖ comedias] la comedia *Gor* ‖
la] *om. Ir, Paz* **5** deparará] depara *Paz* parara *BP*, *BV*, *Ir* pararan *Gor* **6** Y] *om. BP* ‖ conclusión]
condicion *BV* ‖ era] es *BV* **6-7** inconsiderada] *om.* β **7** tengo] que *praem. Gor* ‖ desfauorecido]
desfavorido *Gor* **8** de llegar] a llegar *BV* **8-9** a oyr] oyr *Ir* ‖ o] y *BV* ‖ vuesa merced] *om.* α ‖ con] + la
Paz debajo de β **9-10** y amistad] *om. Gor* **10** escarmentara] castigara β **11** he] ha *BV*, *Gor* ‖ parecido]
aparecido *BP*

1 *He tenido opinión:* frase privativa de *Paz;* su omisión provocaría un comienzo demasiado
agresivo, fuera del tono cauteloso del resto. Con todo, la segunda carta, en respuesta a la presente,
reprocha a Góngora haber comenzado diciendo de sí que es vengativo (ms. *Gor*, f. 183). **2** *autos:*
«usado siempre en plural. Se toma por el proceso, sea civil o criminal, y todo lo contenido en él»
(*Dicc. Auts.*). A los reos que no comparecían por citación judicial en forma se les declaraba
rebeldes. Es de suponer que citaciones y sentencia se pregonasen en lugares públicos. **3** *estrados:*
«usado en plural. Las salas de los consejos y tribunales reales» (*Dicc. Auts.*). Aunque las variantes
no lo apoyan, no se debe excluir que el orig. usara el modo adv. *para estrados.* Según el *Dicc.
Auts.*, *citar para estrados* «en lo forense es emplazar a uno para que comparezca ante el consejo o
tribunal dentro del término que se le ordena, y alegue de su derecho: lo que más comúnmente se
usa en las rebeldías». En tal caso sobraría la coma después de *estrados.* **4-5** *lonjas de la bachillería:*
esta frase ha de entenderse como aposición a la enumeración previa por no ir precedida de
copulativa, lo que permite aceptarla ante el último de sus eslabones (*corrales de comedias*).
bachillería es «locuacidad sin fundamento» (*Dicc. Auts.*), quizá 'chismorreo'. *deparará:* la primera
sílaba se habrá perdido por haplografía en cuatro mss., y la última, en otro. **7-8** Inversión del
topos virgiliano (*Aen.*, X 284). **8** *en esta parte:* locución repetida en lín. 83. *ruedas:* 'corros'. **10**
A pesar de lo dicho, la segunda carta anónima acusa a Góngora de haber proseguido «en hazer
versos con su acostumbrada graciosidad, offendiendo la carta del ausente como si fuera de enemigo»
(ms. *Gor*, f. 181).

Sin duda creyó *vuesa* m*erced* hauerse acauado el caudal de mis letras con essa *Soledad,* que suele ser la vltima partida de los que quiebran: pues crea que a letra vista se pagan en Parnaso, donde tengo razonable crédito. Y no sé en qué fuerças fiado me escriue vna carta, más que ingeniosa, atreuida, pues queriendo cumular mil fragmentos de disparates (como de diferentes dueños, de donde infiero los tiene el papel), no supo organizarlos, pues están más faltos de artículos y conjunciones copulatiuas que carta de viscayno; de donde se colije tener buen resto de ignorancia, pues tanta se traslada del corazón al papel, y hallo ser cierto que *nemo dat plus quam habet.* Y si vno de los defectos que su carta de *vuesa* m*erced* pone en mis *Soledades* es que no articulo ni construio bien el romance, siendo su mismo lenguaje, emos de dar vna de dos: o que él es bueno, o que *vuesa* m*erced* habló acaso. Y aquí entra bien entendámonos a letras; y no he querido sea a coplas, que pienso que con yr esto tan lacónico y rodado no lo ha de entender *vuesa* m*erced*.

13 crea] + v. m. β   14 donde] do β   14-15 me escriue] se atreue a escreuirme β   15 vna] esta *BV* ‖ pues] + que *Ir*   16 los tiene (tuuo *Gor*)] *om. BV*   18 viscayno] vizcaynos *Paz* ‖ colije] ve β , *BP, Paz* 19 que] *om. BP, Paz* quod *BV* ‖ quam habet] &c. *Gor*   20 es] *om. Paz*   21 vna] uno *BV* ‖ él] *om. BV* 22 entra] entre *Paz* ‖ entendámonos] entendamos *Paz*   23 que pienso] porque pienso *Paz*   24 vuesa (a *praem. Paz*) merced] *om. Gor*

13 *Soledad:* el título adopta el singular para permitir el juego de palabras, tanto más cuanto que en ese momento solo la primera está compuesta; *crea:* el añadido de β es redundante, dada la or. anterior. Jammes califica de típicamente gongorino el concepto bancario encerrado en este pasaje. *Cf.* «De dos meses a esta parte no he visto letra ni de carta ni de cambio» (carta 37, ed. Millé, p. 1010); «Ni su letra me fía, mientras faltan las de las pólizas que espero cada estafeta» (carta 43, *ibid.,* p. 1017). *14-15 me escriue:* la var. de β es pleonástica. 16 La om. de *BV* hace distinto sentido: «... de donde infiero el papel no supo organizallos, pues» etc. 18 *viscayno:* ocurre aquí como en las palabras de don Quijote acerca del estilo de 'Avellaneda' (II, 59), que no se ve clara la base de la acusación, al menos en el texto que conocemos del anónimo. *colije:* lect. *diff.* de *BV*. *resto:* otro término bien gongorino («lo que el jugador tiene en la tabla delante de sí consignado», Covarr.), que enlaza con el adagio latino, y con la cita evangélica («ex abundantia cordis os loquitur», Matt. 12: 34) que el segundo corresponsal le devuelve: «Admitir v. m. la carta del soldado en quanto haze en su favor, y, condenando el lenguaje della, confessar v. m. que es el de sus *Soledades,* es condenarlas v. m. mismo, hablando la boca de la abundancia del coraçón, effecto cierto de las acciones repentinas» (ms. *Gor,* ff. 183-183v). 20-21 El propio corresponsal toma pie en esta defensa para hurgar en la herida: «V. m., imputando al ausente que uno de los defectos que en su carta opone a las *Soledades* es que v. m. no articula ni construye bien el romance, y pues en ella no ay palabras tales ni otras de que se pueda colegir, claro es que v. m. se lo conocía y le acusaba su consciencia para responder a esta objeción» (ms. *Gor,* f. 191v). 21 *vna de dos:* «Dando a eskoxer, en paz o por fuerza» (Correas, *Vocab.,* ed. Combet, Lyon, 1967, p. 645). 22 *acaso:* 'al tuntún'. *Cf.* Lope de Vega: «Por hablar con las serranas / acaso, y sin detenerme» (*Dorotea,* ed. Morby, Valencia, 1968, p. 108). 23 «*Entenderse a coplas:* dezirse unos a otros pullas o chufetas» (Covarr.). «Tomarse a koplas, tomaos con él a koplas. Dízese kerer konpetir kien venzerá –o venze– en obras: en razones, dichos i hechos» (Correas, p. 737). Este pasaje pareció especialmente ofensivo al corresponsal: «Tratar al ausente de ignorante, y que no a de entender lo que v. m. escrive ni tiene capacidad para ello, si es grosería v. m. lo jusgue, y también si para decirlo por estos mismos vocablos es necesaria mucha abilidad» (ms. *Gor,* f. 183v).

Dízeme v*uesa* m*erced* por su missiua que renuncie este modo, por que no lo imiten los muchachos, entendiendo que hablo de veras. Caso que fuera error, me holgara de hauer dado principio a algo; pues es mayor gloria empeçar vna ación q*ue* consumarla. Y si me pide conosca mi primero disparate, p*ara* que no me despeñe, reconosca v*uesa* m*erced* el que ha hecho en darme consejo sin pedírselo, pues está condenado por la cordura, y no se precipitará dándolo segunda vez, que entonces me será fuerça averme de valer de pluma más aguda y menos cuerda.

Para quedar vna acción constituida en razón de bien, su carta de v*uesa* m*erced* dize que ha de tener vtil, honroso y delectable. Pregunto yo: ¿han sido vtiles al mundo las poesías y aun las profecías (que *bates* se llama el poeta como el profeta)? Sería error negarlo; pues, dexando mil exemplares aparte, la primera vtilidad en ellas es la educación de qualesquiera estudiantes de estos tiempos; y si la obscuridad y estilo intricado de Ovidio (que en lo *de Ponto* y en lo *de Tristibus* fue tan claro como se saue, y tan obscuro en las *Transformaciones*) da causa a que, vasillando el entendimiento en fuerça de discurso, trabajándole (pues crece con qualquier acto de calor), alcanse lo que así en la letra superficial de sus versos no pudo entender luego, hase de confessar que tiene vtilidad auiuar el ingenio, y esso nació de la obscuridad del poeta. Esso mismo hallará v*uesa* m*erced* en mis *Soledades*, si tiene capacidad p*ara* quitar la corteça y descubrir lo misterioso que encubren.

25 Dízeme vuesa merced (v. m. *om.* β, *BP*) por su missiua que renuncie] Dize por en la suya me sirva de renunciar *Paz* ǁ lo] le β, *Paz* 26 que hablo] hablo *Paz* 27 enpeçar] en *praem. Paz* 28 conosca (reconosca α)... despeñe] *om. Ir* ǁ reconosca] y *praem. BP* 30 averme de valer] valerme *BV* 32 razón de] *om.* β, *Paz* 33 honroso] hermoso *BV* ǁ delectable] deleytable *BP, Ir, Paz* ǁ han sido] fueron β 34 poeta... profeta] profeta... poeta *Paz* ǁ error] horror *BV* 35 negarlo] negar que no β ǁ en ellas es] es en ellas β, *BP, Paz* 36 qualesquiera] qualesquier β, *BP, Paz* ǁ y] *om. BP* ǁ si] *om. Paz* 37 y en lo de] y *Gor* ǁ saue] ve β, *BP, Paz* 39 calor] valor *Paz* sabor *Gor* 40 letra] letura β, *BV, Paz* ǁ pudo] puedo *Ir* ǁ entender] ~, β ~; *BP* 41 auiuar] aviva *Gor* 43 lo] el *BV*

27 En efecto, bastantes obras dejó Góngora inacabadas. 28 *conosca:* lect. privativa de *Gor;* aunque la carta anónima usa *reconoçer,* es más probable que la respuesta contrapusiera los verbos. 30-31 Amenaza recogida jocosamente al fin de la segunda carta: «Muy grande [cuidado] le tengo esperando la respuesta más aguda y menos cuerda que v. m. promete al ausente. Suplico a v. m. me favoresca con ella, que sería lástima se malograse» (ms. *Gor,* f. 195v). 32 *razón de:* así en el anónimo, lín. 41, y aquí, lín. 68. 33 *han sido:* mejor el aspecto continuativo de esta forma que el puntual de la var. 35 *negarlo:* β comete solecismo. 37 *saue:* haplogr. en las variantes. 39 *calor:* «Vale también esfuerzo, ardimiento, ánimo y osadía» (*Dicc. Auts.*). Las variantes no mejoran el sentido. 40 *letra:* lect. privativa de *BP* que conserva la distinción tópica entre espíritu y letra. *luego:* cf. las var. de puntuación. La del texto lo supone adv. de tiempo y no conj. consecutiva, innecesaria en una apódosis. 43 La var. de *BV* revela que *misterioso,* en su versión, es errata por el sustantivo.

De honroso, en dos maneras considero me ha sido honrosa esta poesía: si entendida *para* los doctos, causarme ha autoridad, siendo lanze forçoso venerar que n*ues*tra lengua a costa de mi trabajo aya llegado a la perfeción y alteza de la latina, a quien no he quitado los artículos, como parece a *vuesa* m*erced* y essos señores, sino escusádolos donde no eran necessarios. Y assí, gustar[í]a me dixese en dónde faltan, o qué razón dellas no está corriente en lenguaje heroico (que a de ser diferente del de la prosa, y digno de personas capazes de entenderlo), que holgaré de construírselo, aunq*ue* niego no poder ligar el romance a essas declinaciones, y no doy aquí la razón cómo, porq*ue* espero convençer la pregunta que en esto *vuesa* m*erced* me hiziere. Demás, que honrra me ha causado hazerme obscuro a los ignorantes, que essa es la distinción de los hombres doctos, hablar de manera que a ellos les paresca griego, pues no se han de dar las perlas preciosas a animales de cerda. Y bien dize griego, locución exquisita que viene de *poeses*, verbo de aquella lengua madre de las ciencias, como Andrés de Mendoça en el segundo punto de sus corolarios (que assí los llama *vuesa* m*erced*) trató tan corta como agudam*ente*.

45 causarme ha (ha *om. Gor*)] causarame *BP* ‖ siendo] y *praem. Gor* 46 perfeción] prefection *BP* 47 parece] le *praem.* β, *BP, Paz* ‖ essos] a *praem.* β, *BP, Paz* ‖ escusádolos] escusandolos *BV, Ir* 48 eran] *om.* β, *BV, Paz* ‖ gustaría] querria β gustare *Paz* gustara *BP, BV* ‖ dixese en] dixera en *BP* dixessen β ‖ dellas] de ella *Paz* 49 del] *om. BV, Paz* 50 entenderlo] entendella *BV* ‖ de] *om.* β, *BP, Paz* ‖ construírselo] construirsela *Paz* ‖ no] *om.* β 51 espero] es (*om. Gor*) para β, *BP, Paz* 53 es] *om. Paz* 53-54 de los hombres doctos] *om. Gor* de los ignorantes *Ir* 54 perlas] piedras β, *BP, Paz* 55 animales] los *praem.* β ‖ de cerda] *om. Ir* ‖ dize] dixo *Gor* digo *Ir* dixe *BP, Paz* 56 poeses] poetas *BP, BV* ‖ Mendoça] + trata tan corta como agudamente β 57 sus corolarios] su corolario α ‖ los] le α 57-58 trató... agudamente] *om.* β

45 *para:* se esperaría *por;* tal vez haya que trasladar la coma de *doctos* a *entendida.* 46 *a quien:* el antecedente, aunque algo lejano, es *nuestra lengua.* Góngora ha devuelto la acusación en lín. 17-18. 47 *escusádolos:* lect. *diff.* 48 *eran: BP* podría haber interpolado el verbo para eliminar la braquilogía. *gustaría:* la var. de β aparece en lín. 75; la de *Paz* no respeta la *consecutio temporum.* *dixese:* en todo momento el interlocutor es *vuesa merced,* no el plural impersonal que implica la variante. *dellas:* aunque el antecedente es *esta poesía,* hay que sobreentender las *Soledades,* mencionadas poco antes, por concordancia *ad sensum.* 49 *del:* haplogr. en *BV, Paz.* 50 *de:* régimen usual de *holgar* en el sentido de 'tener gusto en'. *construírselo:* aquí, con su propio sentido gramatical, que presenta el sustantivo en el anónimo: «mereze alabanza por inventor de difficultar la construción del romance» (lín. 36-37). *no poder:* tanto esta lectura como la var. son enigmáticas, pues nada hay en la carta anónima que justifique esta negativa. El pasaje parece dar a entender que sí se puede suplir, de alguna forma, en castellano la flexión casual que permitía los hipérbata del latín. También, que el autor estaba dispuesto a seguir la polémica, lo que se niega al fin de la carta. 51 *espero:* mejora algo el sentido de la var., aunque debería ir seguida de la prep. *a.* 54-55 *perlas preciosas:* el adjetivo no añade gran cosa al sustantivo, pero este es preferible a las var. por ceñirse a la fuente evangélica. 55 *de cerda:* «Bien pudiera v. m. no meter animales de cerda ni otras vozes inmundas en papeles tan graves, pues en ellos vuelve por sí v. m. sobre el caso de su mayor reputación en la facultad que profesa», censura la segunda carta, recordando a Góngora que su letrilla sobre el Esgueva dio lugar a una sátira que lo dejó malparado. *dize:* es dudoso si se refiere al anónimo, lín. 15, o a la respuesta, lín. 54; en este caso habría que adoptar una var. en 1ª persona. 56 *poeses:* lect. confirmada por la 2ª carta. *verbo:* 'palabra'.

De delectable tiene lo que en los dos puntos de arriba queda explicado; pues si deleytar el entendim*ie*nto es darle razones que le concluyan y le midan con su concepto, descubierto lo que está debaxo de esos tropos, por fuerça el entendim*ie*nto ha de quedar convencido, y convencido, satisfecho. Demás que, como el fin del entendimiento es hazer presa en verdades, que por esso no le satisfaze nada si no es la primera verdad, conforme a aquella sentencia de san Augustín: *Inquietum est cor nostrum, donec requiescat in te,* en tanto quedará más deleytado en quanto, obligándole a la especulación por la obscuridad de la obra, fuere hallando debaxo de las sombras de la obscuridad assimilaciones a su concepto. Pienso que queda bastantem*e*nte respondido a lo que constituye una acción en raçón de bien.

Al ramalaço de la desdicha de Babel, aunq*ue* el símil es umilde, quiero descubrir un secreto no entendido de *vuesa* m*erced* al escreuirme: no los confundió Dios a ellos con darles lenguaje confuso, sino en el mismo suyo ellos se confundieron, tomando *tierra* por *agua* y *agua* por *piedra,* que essa fue la grandeza de la sabiduría del que confundió aquel soberuio intento. Yo no embío confusas las *Soledades,* sino la malicia de las voluntades en su mismo lenguage halla confussión por parte del sujeto inficionado con ella.

A la gracia de Pentecostés querría obuiar el responder, que no quiero a *vuesa* m*erced* tan aficionado a las cosas del Testam*e*nto Viejo, y a mí me corren muchas obligaciones de saber poco dél por naturaleza y por oficio. Y assí, solo digo que, si no pa reci ere a

---

59 De] *om. Paz* ‖ delectable] deleytable *BP, Paz* ‖ arriba] atras β   **60** deleytar] del *praem. Ir* delectar *BV* ‖ le midan] se midan *Paz* ‖ concepto] contento *BP, Paz*   **61** lo que está] *om. BV*   **62** y convencido] *om. BV*   **63** es] *om.* β   **63-64** conforme a (*om. Gor*) aquella sentencia de] como dize *Ir*   **64** san] sancto *BP* ‖ est... in te] &c. *Gor*   **65** en quanto] quanto β, *BP, Paz*   **66** fuere] fuera *Paz*   **67** que] *om.* α ‖ bastantemente] medianamente *Paz*   **67-68** Pienso... de bien] *om. BP, BV*   **70** no entendido de vuesa merced al escreuirme] *om. BP, BV*   **70-71** con darles (darle *BV*)] dandoles β   **71** tierra] piedra α, *Gor*   **72-73** de la sabiduría... intento] del milagro β   **73** Yo] y *BV* ‖ confusas las Soledades] las Soledades confussas β ‖ la malicia] las malicias *Paz*   **74** halla] hallan *Paz* ‖ con] *om. Gor* ‖ ella] *om. Gor* ellas *Paz* ello *Ir*   **75** querría] queria *BP, BV* ‖ obuiar] escusar *BP* ‖ el responder] la respuesta *BV*   **76** Viejo] Nuevo *Paz. Nota marginal:* Disparate ageno de erudicion christiana, pues la gracia de Pentecostés en la variedad de las lenguas no toca nada de el Testam*e*nto viejo, por ser beneficio tan proprio de la ley de gracia como cantan hasta los niños y las viejas *Gor*   **77** pareciere] le parece β, *BP, Paz*

---

59 *delectable:* aún hoy se tolera mejor el cultismo en el adjetivo que en el verbo. **60** *concluyan:* «concluyr a uno es convencerle y atarle con razones» (Covarr.). **61** *lo que está:* la om. de *BV* hace menos universal la validez de la definición. La siguiente, del mismo ms., es clara haplogr. **67** No es segura aquí la haplogr. de α, ya que Góngora a veces evita las repeticiones cacofónicas. **71** *tierra:* lect. *singularis* de *Ir,* que marca mejor la idea de confusión. **74** *ella:* lect. más lógica que el plural, que habría de referirse a las voluntades. **75** *obuiar:* cultismo también usado por Lope de Vega. Cf. Fernández Gómez, *Vocabulario.* **76** *Viejo:* lect. acreditada, frente a *Paz,* por la 2ª carta anónima, y por el sentido de la frase que sigue. **76-77** *me corren muchas obligaciones:* Fdez. Gómez cita un ejemplo de Lope donde usa la expresión (*El valiente Juan de Heredia,* II, ed. Acad. N., II, p. 644a). **77** *pareciere:* lect. *diff.*

vuesa merced lo contrario, y a essos discípulos ocultos como Nicodemus, no van en más que vna lengua las *Soledades,* aunque pudiera, quedándome el brazo sano, hazer vna miscelánea de griego, latino y toscano con mi lengua natural, y creo no fuera condenable; que el mundo está satisfecho que los años de estudio que he gastado en varias lenguas han aprouechado algo a mi corto talento. Y porque la alabanza propria siempre fue aborrecida, corto el hilo en esta parte.

Précíome de muy amigo de los míos, y así quisiera responder a *vuesa* merced por Andrés de Mendoça; porque, demás de hauer siempre confessádome por padre (que ese nombre tienen los maestros en las diuinas y humanas letras), le he conocido con agudo ingenio. Y porque creo dél se sabrá bien defender en qualesquiera conversaciones, teniéndole de aquí adelante en mayor estima, solo digo a *vuesa* merced que ya mi edad más está *para* veras que *para* burlas. Procuraré ser amigo de quien lo quisiere ser mío; y quien no, Córdoua y tres mil ducados de renta en mi patinejo, mis fuentes, mi breviario, mi barbero y mi mula harán contrapeso a los émulos que tengo granjeados, más de entender yo sus obras y corregirlas que no de entender ellos las mías. Córdoua y setiembre, 30, de 1613.

---

78 en] *om.* β, *BP* **79** vna lengua] en *praem.* β, *BP* **80** latino] latin *Paz* **81** que los años] que los años *repite Paz* ‖ he] ha *Paz* **82** algo] *om. BV* **83** aborrecida] aborrecido *BV* aborrecible *Paz* **84** de muy] muy *BV* muy de β, *BP, Paz* ‖ a vuesa merced] *om.* β **85** hauer] auerme *Paz* ‖ confessádome] confessado *Paz* **87** bien] *om. BV, Paz* ‖ qualesquiera] qualesquier *Gor* **89** más está] esta mas *BP* ‖ lo] *om. BV* ‖ quisiere] quiera *Paz* **90** en] y *Gor* ‖ patinejo, mis fuentes] portinejo con fuente *BV* **92** yo] *om. Paz* ‖ no de] de no (no *om. BP*) α ‖ ellos las mías] las mias ellos *BP, Paz* **92-93** Córdoua y setiembre] *om. BV* **93** 30 de 1613] *om. BV etc. Paz* 30 de 1617 *BP* del 615 *Gor, que añade la firma.*

---

79 «*I kedarle el brazo sano.* Es dezir ke uno podrá hazer gasto sin menguar la hazienda. Podrálo hazer i kedarle el brazo sano. Metáfora de los ke tiran piedra o dardo, i les keda el brazo sano, porke a vezes suele kebrarse kon el rrodeo i fuerza, o doler i deskonzertarse; tirando sobre brazo i azertando el tiro dizen kedar dulze la mano i deskansado el brazo» (Correas, p. 639. Cf. también p. 705*a*). **82** *algo:* haplogr. de *BV.* **82-83** *Laus propria vilescit.* **84** *de muy:* la falta de preposición en *BV* se explica por haplogr., lo que nos hace restaurarla en su lugar, frente a las var. Cf. «Me precio de buen monacillo de mis amigos» (carta nº 10, ed. Millé, p. 968). **88** *mi edad:* 52 años. **90** *patinejo:* de este doble diminutivo da otro ejemplo el *dicc. Aut.;* Alcalá Venceslada recoge *patiejo* como andalucismo. Confirma esta lect. la 2ª carta anónima; la echadiza menciona el *patio,* sin sufijos. **92** *no:* elemento redundante tras *que* comparativo (Keniston, 6.744). La var. de *BP* se justifica mejor que la de los otros mss. de su familia. **93** *30 de 1613:* gráficamente es más fácil la confusión del 3 con el 5 que entre cualquiera de ellos y el 7. Pero además, una polémica acerca de las *Soledades* que carga las tintas sobre la persona de Almansa, su comentarista y difusor por la corte en 1613, tendría poco sentido en 1615, ninguno en 1617. El anónimo dice del poema que «se ha aparecido en esta corte», lo que solo se puede referir a los meses transcurridos entre junio (cuando escribe su primera carta Pedro de Valencia) y septiembre de 1613.

En el mencionado catálogo de documentos concernientes a las *Soledades* expone R. Jammes sus razones para considerar espuria al menos parte de la respuesta de Góngora al papel anónimo. En síntesis, son cuatro los puntos extraños: 1) que Góngora accediera a contestar a una petición destinada a ponerlo en ridículo. 2) que defienda la poesía difícil porque sirve para avivar el ingenio de los estudiantes. 3) que un clérigo atribuya el Pentecostés al Antiguo Testamento. Y 4) que distinga dos estilos contrapuestos en Ovidio quien presume de poder escribir poemas en latín mezclado con otras lenguas. Los citados reparos hacen suspectos los párrafos cuarto al octavo de la carta, líneas 32 a 83 de nuestra edición, es decir, algo más de la mitad del texto, o su parte canónica, que, a juicio de Jammes, podría haber sido interpolada por algún admirador, entre párrafos esbozados por el poeta.

En favor de tal hipótesis puede aun alegarse la carta escrita por don Antonio de las Infantas, cuyo comienzo, bien leído y puntuado, dice: «De las del *señor* don Luis de Góngora llegó a mis manos una que no sé si llame carta, y la raçón de dificultar si lo es reservo apuntársela a *vuesa merced* llegando la ocasión. Encargué me de responder a ella por no coartar el tiempo al ingenio superior, y que él le gaste en niñerías» (ms. *Gor,* f. 166). De esa forma, el discípulo liberaba al maestro de la tarea, exhibiendo su nombre al final con aire desafiante, por obligar al adversario a dar la cara. Todo ello muy en la línea erudito-caballeresca en que se van a manifestar otros polemistas.

Quedan, sin embargo, algunos elementos que impiden zanjar tan pronto la cuestión. La fecha de la carta de don Antonio parece ser quince días posterior a la de Góngora. Esto favorecería la conjetura de Jammes, si se admite que el poeta guardó el borrador de su carta, aunque fechado, mientras que su amigo despachó la suya a la corte, acaso a nombre del propio Mendoza, por ignorar el del verdadero destinatario. De haberse producido así los hechos, hay que preguntarse si don Antonio escribió su réplica con o sin anuencia de Góngora: por más lógico que sea lo primero, la torpeza con que la lleva a cabo hace pensar en lo segundo, tanto más cuanto que del exordio transcrito parece inferirse que según Góngora no valía la pena de perder el tiempo en contestar. En tal caso no se explica bien la forma cómo el borrador se llegaría después a difundir, y de qué manera se habría efectuado en él la interpolación, pues no es razonable que Góngora lo conservara y dejara copiar si no quería enviarlo; menos aún si conocía la respuesta de don Antonio.

Mejor será, pues, respetar la secuencia tal como se nos presenta: Góngora recibe en Córdoba una carta fechada en Madrid el 13 de septiembre de 1613; termina su réplica el día 30, pero, antes de enviarla a su correveidile, comunica el anónimo a don Antonio de las Infantas, quien, movido por santa indignación, decide responder por su cuenta, tal vez sin conocimiento del poeta, y lo hace el 15 de octubre, enviando su escrito al mismo personaje. La siguiente carta de Madrid, igualmente sin firma, y debida a un supuesto amigo del primer corresponsal, a quien designa como *el soldado,* o *el ausente,* lleva fecha de 16 de enero, y, bien pertrechada con anécdotas de Plutarco, responde por junto a don Luis y a don Antonio, o, para ser exactos, se burla de don Luis por haber «metido obreros» en la faena de replicar al primer papel, a la vez que delata una indiscreción de Almansa y Mendoza, «que no es de los más callados secretarios. Y assí en algunas partes, bien que encargando el secreto a los oyentes, a dicho que, como *vuesa merced* no quedó con satisfacción de su primera respuesta, a hecho la segunda en testa de ferro del *señor* don Antonio; mas no lo creo, porque la carta más parece suya que de *vuesa merced*» (ms. *Gor,* f. 192v). Como se ve, el anónimo corresponsal distingue bien entre el erizado estilo de Góngora, y el más deslavazado de don Antonio, cuyo escrito le llegó más tarde: «El segundo valedor de *vuesa merced* da mayores muestras del conocimiento que tuvo desta flaqueça, pues aviendo recibido *vuesa merced* la carta del ausente y respondido a ella tantos días ha, aora lo haze su merced [*i. e.,* don Antonio] de nuevo» (ms. *Gor*, f. 192). Al mismo tiempo, el autor de esta carta, que no es nada lerdo, pretende involucrar al poeta en la inesperada respuesta del discípulo. El pasaje, hasta aquí mal leído, dice lo siguiente: «*Vuesa merced* me dará licencia para creer que el *señor* don Antonio no se movió a escrivir en virtud solamente suya, que amigos tales no se encubrirían acto que tanta travaçón tiene entre los dos» (ms. *Gor*, f. 192v).

En cuanto a la carta de Góngora, es correcto, a nuestro juicio, distinguir en ella los párrafos iniciales y finales de los centrales, mucho menos ágiles y más pedantes. El tono del comienzo está próximo al de las réplicas en verso, altaneras y humorísticas, que señala Jammes. Sin embargo, aun en clave moderada, la defensa que el poeta hace de sus *Soledades* no es en absoluto desdeñable. Dámaso Alonso, que cita cuatro pasajes precisamente de su parte central, la considera excelente y de validez actual, porque «Góngora... contestó a la acusación de *oscuro* con conceptos tan netos y claros que demuestran cuán meditado tenía el asunto y cuán decidida era su posición... La dificultad de sus poemas es un acicate para la inteligencia y la sensibilidad»[30]. Esto último ha sido objeto de diversos comentarios, que no vamos a acrecentar[31].

Hay, además, unos pasajes de la carta de Góngora que aparecen antes y después de ella: «A subido *nuestra* lengua por el *señor* don Luis a la alteça de la latina», decía Almansa y Mendoza en sus *Advertencias;* «siendo lance forzoso venerar que nuestra lengua a costa de mi trabajo aya llegado a la perfeción y alteça de la latina», escribe el poeta (lín. 45-46). «San Hierónimo, en el prólogo de Job, dando la definición de poesía, dixo que venía de *poeses,* nombre griego que quiere decir locuciones exquisitas» (Almansa); «y bien dize griego, locución exquisita que viene de *poeses,* verbo de aquella lengua madre de las ciencias, como Andrés de Mendoça...» (Góngora, lín. 55-56). La segunda carta de Madrid reprocha socarronamente tal reiteración: «quanto a la lengua griega, buen principio le an dado vuesa merced y sus comentadores declarándonos lo que quiere decir *aforismo,* y el *poeses* tan repetido en sus escritos; que quien esto alcança no lo ignora todo» (ms. *Gor*, f. 186v)[32]. No siendo posible que el poeta haya extraído de las *Advertencias* argumentos para su propia defensa[33], solo cabe pensar o que Almansa los injirió en el texto firmado por don Luis, o que, como dice la segunda carta de Madrid, «antes que saliessen en público las *Soledades* se apercibieron de comento, no enseñando ni repartiendo un papel sin otro» (ms. *Gor*, f. 192). Según esto, varios lugares que cita Almansa en apoyo de sus explicaciones no serían de su minerva, sino que se habrían fraguado en la tertulia cordobesa, y así pudieron luego ser

---

[30] *Góngora y el Polifemo,* ed. cit., I, pp. 134-5.

[31] En especial F. Rico, «El gongorismo de Ovidio», en *Primera cuarentena* (Barcelona, 1982), pp. 107-110 (en la citada *Antología poética* de Góngora, p. 342, alegamos como posible respuesta la explicación de U. Mölk, «Góngora und der dunkle Ovid», *Archiv f. das Studium der neueren Sprachen* CCIII, 1966-67, pp. 415-427), y A. Vilanova, «Góngora y su defensa de la oscuridad como factor estético», *Homenaje a José Manuel Blecua* (Madrid, 1983), pp. 657-672. Recientemente han vuelto sobre ello J. L. Aguirre, «La oscuridad poética defendida por Góngora», *Boletín de la Sociedad Castellonense de Cultura* LXVI (1990), pp. 371-380, y J. Domínguez Caparrós, «Razones para la oscuridad poética», *Rev. de Literatura* nº 108 (1992), pp. 553-573. Algo aparte queda la «Carta inédita de don Juan de Espinosa cerca de la poesía oscura, a don Juan de Arguijo», dada a conocer por M. Cobos en *Con dados de Niebla* 4 (octubre de 1985), pp. 47-50.

[32] Lo curioso es que la misma carta, como la de Góngora, repite, o anticipa, ejemplos usados por el Abad de Rute en su *parecer,* que Jammes fecha hacia enero o febrero de 1614.

[33] En confidencia a su amigo Paravicino se trasluce que no era tan alto el aprecio en que tenía la actividad gaceteril de Mendoza: «Mucho holgaría q*ue* el Carpio y Córdoua vbiesen cumplido con sus obligaçiones en el seruiçio y festejo de Su Magestad. Depáreme Dios un Andrés de Mendoza q*ue* lo refiera sin tantos testimonios de santos» (carta de 20-II-1624, ed. Millé, nº 111; transcrita del autógrafo). La frase, sin embargo, se presta a la interpretación inversa.

reutilizados por el poeta. Por su parte, Alfonso Reyes señaló otra notable coincidencia entre un pasaje de la carta de Góngora (lín. 69-74) y una de las *Epístolas satisfatorias* en que Angulo y Pulgar responde a Cascales[34]. «Las semejanzas verbales no pueden ser mayores», concluye A. Reyes[35]. Y tanto; como que Angulo no hace sino glosar frases de la carta, en versión muy próxima al ms. *Gor,* aunque sin descubrir de dónde le viene el *secreto* de la desdicha de Babel[36]. Las citas similares indican que el arsenal de argumentos era limitado, y que cada cual, en un aprieto, echaba mano de lo que podía.

En resumen, la carta de Góngora es ambigua, porque lo era también la recibida. Empieza con amagos («no corto la pluma en estilo satírico, que yo le escarmentara, semejantes osadías», lín. 10; «no he querido sea a coplas», lín. 22-23; «entonces me será fuerça averme de valer de pluma más aguda y menos cuerda», lín. 30-31), pero acaba por entrar en el juego de su adversario al proponerse demostrar lo que él mismo creía: que las *Soledades* eran poesía útil, honrosa y deleitable. Y lo hace con los argumentos a su alcance, de naturaleza escolástica, únicos que en una discusión de ese tipo tenían validez: de ahí el descenso de estilo, por más que se esmalte con latines implícitos (lín. 7-8, 54-55, 78) y explícitos, o apele al sentido común («está condenado por la cordura», lín. 29). Al mismo tiempo intenta retrucar ciertas ironías del anónimo (la desdicha de Babel, la gracia de Pentecostés), pero en la segunda cometió un lapsus que fue a dar en el dedo malo, con rechifla de su ignoto adversario: «No era fuera de propósito este *memento homo* para no levantar testimonio a la fiesta de Pentecostés haziéndola del Testamento viejo, que me ha pesado porque no falta quien diga que por ser del nuevo se le a olvidado a *vuesa merced*» (ms. *Gor,* f. 184). En el aparato crítico queda constancia de cómo el escriba del ms. *Paz* quiso arreglar el desliz, estropeándolo más todavía al no tener en cuenta el contexto. Sin embargo, a nuestro juicio, el lapsus más grave no fue el de Pentecostés, sino el haber cedido a la tentación de responder a un anónimo. Por mucho que Góngora quisiera, no podía hacerlo en estilo satírico, pues no sabía a quién atacar ni por tanto sus puntos débiles, mientras que sus corresponsales lo tenían bien enfilado: nótese, por ejemplo, la malicia con que la segunda carta de Madrid inserta «la ama» entre las demás «savandijas» que el poeta enumeraba con orgullo al final de su escrito: «sin duda deven ser muy para goçarse el patinejo, la ama y mula, y las demás savandijas en quien libra *vuesa merced* el consuelo del aprieto en que le puso la carta del soldado» (ms. *Gor,* f. 189). Góngora llevaba las de perder, y aun así, supo defenderse muy airosamente, pero pronto hubo de apartarse, asqueado, de la polémica. No es nada probable que haya escrito la segunda carta que se le atribuye, con palos de ciego que alcanzaron a Lope de Vega[37].

«Y si fue conclusión de la Philosophía que el atreuimiento era vna acción inconsiderada expuesta al peligro», reconoceremos que supone audacia, y quizá también poco favor de la fortuna,

---

[34] «El símil de Babel agradezco mucho a v. m., porque aunque le trae para prueba de la confusión que juzga en el estilo de D. Luys, es muy ajustado a mi intento, sabido el secreto del milagro; y es que Dios confundió a los de aquella torre, no con darles lenguaje confuso, sino haziendo que en el mismo suyo ellos se confundiessen, tomando piedra por agua y agua por piedra; y esta fue la grandeza del milagro: que no lo fuera tanto confundirse hablando en lengua que no sabían. Aplico el símil: las *Soledades* de D. Luys y el *Polifemo* no están confusos ni hablan en lenguas diferentes, sino en la suya materna, sino que la embidia o malicia de los que les pesa de su lauro... los ha confundido en la misma suya, por parte del sugeto inficionado» (Granada, Blas Martínez, 1635, ff. 3v-4).

[35] *Obras completas,* VII (México, 1958), p. 109.

[36] No es imposible que el propio ms. *Gor* haya pertenecido al gongorista de Loja, aunque su letra es distinta. El ms. Angulo y Pulgar existente en la Fundación B. March no contiene los documentos de la polémica.

[37] *Cf.* el catálogo de Jammes, nº XVII.

llevar la contraria a Robert Jammes mostrando nuestra convicción de que la carta, restaurada según permite la transmisión textual, es no solo auténtica, sino la que Góngora nunca debería haber escrito. Si se hubiera reído del papel anónimo, como luego hizo del *Antídoto*, tendríamos unas páginas menos de dudosa teoría literaria, pero acaso estarían completas las *Soledades*.

Paradigma doctrinal y transferencia genérica en la literatura espiritual del siglo XVI
(Los *Diálogos espirituales* de Baltasar Catalán)

Pedro M. CÁTEDRA
Universidad de Salamanca

No hay libro, por malo que sea, que no tenga alguna cosa buena.

Y está claro que el interés de los *Diálogos espirituales* de Baltasar Catalán (o Catalá) es otro que el derivado de las pocas novedades que nos ofrece. Sin embargo, de pastas afuera el volumen no carece de interés por lo significativo de su rara y al tiempo localizable vida editorial y por haberse refugiado en los anaqueles de lectores de literatura espiritual en los últimos años cuarenta y primeros cincuenta del siglo XVI. Y es precisamente desde la perspectiva de su difusión y de una posible lectura intencionada por lo que el volumen cobrará sentido de pastas adentro. Constituye, además, un buen documento por observar y sobre el que descansar consideraciones generalizables a propósito de la historia externa (difusión, ambientes y utilización) y de la interna (fuentes, formas, presupuestos) de los libros destinados a la devoción personal en los primeros momentos de la andanada contrarreformista. Desde esta segunda ladera, los *Diálogos* de Baltasar Catalán, con su fondo nada nuevo y con una elaboración algo vergonzante, nos permiten comprobar la supervivencia y la vitalidad de añejas propuestas doctrinales, taraceadas al pie de la letra, pero desencajadas de sus fuentes concretas por medio de la desviación genérica, obligatoria a causa de la modificación de las condiciones humanas y de difusión de las viejas doctrinas. En su flamante estatuto de libro devoto impreso, en forma dialógica y destinado al uso femenino cobran aquellas nuevo sentido. Es, por ello, otro libro que ayudará a desbrozar un poquito más el frondoso árbol de la literatura espiritual del siglo XVI, facilitándonos de paso el reconocimiento de corrientes afines, que maduran en este caso desde una espiritualidad medieval práctica y teórica.

Dejemos apuntada alguna noticia sobre el libro y su autor. Son pocas las que he podido colegir. El primer bibliógrafo que da cuenta de una edición de sus *Diálogos espirituales* es fray José Rodríguez, en tan lacónicos términos como los que le toma Vicente Ximeno[1]. El texto entra

---

[1] «Baltasar Catalá. Natural de Valencia. Generoso. Escrivió: *Dialogos Espirituales*. En Valencia, por Juan Mey. 1549. en 8. He visto Exemplar. No tengo otra noticia» (*Biblioteca Valentina*, Valencia, 1747, 74). Para Ximeno, *Escritores del reyno de Valencia*, Valencia, 1747, I, p. 102).

Hommage à Robert Jammes (Anejos de *Criticón*, 1), Toulouse, PUM, 1994, pp. 173-190.

en la historia literaria moderna de la mano de Pedro Sáinz Rodríguez, quien se conformó primero con señalar en nota su rareza, sin levantar la liebre declarando el paradero del ejemplar que conocía, y luego llegó a publicar el diálogo III². Lo que no ha sido óbice para que el tomito de Catalán pasara con más pena que gloria. Quizá –pensará el lector después de hojear estas páginas– por méritos propios. Pero es lo cierto que, aunque no se trata de una obra maestra del género dialógico renacentista, sí merece un huequecito en la bibliografía de la literatura hispánica, aunque sólo sea por haber sufrido los tórculos en un par de ocasiones, por atestiguar la presencia de corrientes espirituales reformadoras de más de un siglo de vitalidad y por la probabilidad de que sirviera para crear opinión en ambientes, digamos, de espiritualidad efervescente, como el de la Baeza de mediados de siglo.

Refiero ahora las ediciones que conozco:

I. Valencia: Juan Mey, 23-7-1549.

[*Portada, en el interior de una orla arquitectónica:*] DIALOGOS SPI= I rituales nueuamete copue I stos por el magnifico Bal I thasar Catalan generoso: I natural dela noble ciudad I de Valecia: en los quales se I trata varias y diuersas co= I sas de mucha doctrina y I puecho para las aeas. Son I dedicados ala muy noble y I reuereda señora Sor Mada I lena Ferrer, Monja de san= I cta Catelina de Sena.

[*Colofón:*] ¶ Impresso en la muy insigne y leal ciu I dad de Valecia, en casa de Ioa de Mey. I Acabose a veynte y tres dias de I Iulio. Año del nascimiento de I nuestro saluador I Iesu Christo.

8º. 68 fols. Sign. a-h⁸, i⁴. Letra redonda. Ejemplar: Biblioteca Provincial de Toledo, sign. 1/3840(I)³.

II. Baeza: s. i., 2-1-1551.

[*Portada: en el interior de una orla formada por cuatro piezas:*] ¶ Dialogos spi I rituales, nueuamete co I puestos por el magnifi I co Balthasar Catala I generoso, natural d la I noble ciudad de Vale= I cia: enlos qles se tratan I varias y diuersas cosas I d mucha doctrina y p= I uecho para las aias. I Son ddicados ala muy I noble y reuereda seño= I ra Soror Magdalena I Ferrer. Monja d scta I Cathelina de Sena. I [*Fuera de la orla, al pie:*] Jmpresso en Baeça. Año. 155o.

[*Colofón:*] ¶ Fue impresso este presente tratado I enla muy noble y muy leal y anti I gua Ciudad de Baeça. A I dos dias andados del I Año de 1551. I [*crucecita*]

8º. 88 fols. Sign. a-l⁸. Letra gótica. Ejemplar: Cracovia, Biblioteca Jagellona, sign. CIM.O.1263⁴.

De lo declarado en portada se infiere el nombre del autor, que era «generoso, natural de la ciudad de Valencia» y, ya que dedica los *Diálogos* a Magdalena Ferrer, «monja de sancta Cathelina de Siena», deberíamos deducir también alguna relación del autor con la soror o con su

---

2 *Espiritualidad española*, Madrid, 1961, 157n. El diálogo III se publicó en la *Antología de la literatura espiritual española*, II, Madrid, 1983, pp. 647-660. Esta edición parcial, por lo demás con alguna que otra incorrección, ha pasado bastante inadvertida. De justicia es señalar que, a la zaga de Sáinz Rodríguez, ha sido mencionado por I. Rodríguez, «Espirituales españoles (1500-1570)», *Repertorio de Historia de las Ciencias Eclesiásticas en España*, 3, Salamanca, 1971, nº. 98; y por A. Huerga, *Historia de los alumbrados*, II. *Los alumbrados de la Alta Andalucía (1575-1590)*, Madrid, 1979, p. 429n. Por su género, la obra es ya catalogada por J. Gómez, *El diálogo en el Renacimiento español*, Madrid, 1988, p. 218.

3 Me ha brindado la localización de este ejemplar José Luis Canet, a quien agradezco también su ayuda en la busca de noticias sobre Magdalena Ferrer.

4 Ha dado cuenta segura del libro W. Cerezo, «Catálogo de los libros españoles del siglo XVI en la Biblioteca Jagellona de Cracovia», *Criticón*, 47, 1989, nº. 105. Quizá exista algún ejemplar más, como el utilizado por Sáinz Rodríguez para publicar los fragmentos referidos. La descripción de este libro y de los demás que actualmente conocemos y fueron publicados en Baeza figurará en mis cercanos *Estudios sobre el libro en Baeza (siglo XVI)*.

convento, el prestigioso valenciano de monjas dominicas. Pero su autor no pertenecía o no declara pertenecer a ninguna orden religiosa. Ni siquiera es posible saber si era un sacerdote o un laico letraherido. Me inclino por la primera posibilidad, a juzgar por los matices que cobra la relación con la monja en el curso de la «Epístola dedicatoria» que le endereza y encabeza el volumen[5]. Confiésale, por ejemplo, una deuda «por las muchas y largas mercedes que de su larga y liberal mano» ha recibido (ed. II, 2r). Con estilo conceptuoso juega Catalán sobre el sentido del beneficio y la deuda pagada con los diálogos:

> Verdad es que no con poca affrenta le comienço a pagar, porque harta y sobrada affrenta le es al que deve mil o dos mil millares de doblas no traer para principio de paga más de nueve doblas, digo nueve diálogos, y no digo doblas porque son senzillos y no son más que nueve, los quales si digo traerlos con affrenta no menos digo que los llevo con esperança de su humilidad, porque ha sido para todos tan crescida, que pienso no faltará para mí, pues entre todos tengo más nescessidad de ella (3r).

Una relación, en todo caso, que se planteaba en términos espirituales, en la que la monja le tenía dados «muchas mercedes y muy sanctíssimos consejos [...] siempre para bivir spiritualmente y conforme a lo que Dios manda» (3v-4r). Una relación espiritual que no distaría mucho de otras que condicionaron la vida religiosa y social de muchos laicos o religiosos que buscaban en conversaciones de beaterío la perfección de una religiosidad que a veces chocaba con la censura inquisitorial o acababa en la cárcel. En la introducción del primer diálogo se presenta al autor en animada charla con la monja, autorizada por la priora:

> EL AUCTOR. – Días ha, señora, que he desseado tener tanta licencia y espacio para poderos hablar, porque, aunque alguna vez os he hablado, agora, pues el soberano Dios y la muy reverenda señora priora me han hecho merced de darme más larga la licencia, quiero preguntaros dos preguntas [...] (4v).

Quizá el hecho de haber sido publicado el libro segunda vez en Baeza pueda invitarnos a comprobar que Catalán tuviera alguna relación con el grupo de sacerdotes de Juan de Ávila, que, con éste, promovían la imprenta biacense. Sobre su arraigo valenciano yo no recuerdo sino el sustento de la presencia de uno de ellos, el P. Carvajal, en el convento de jesuitas de la ciudad del Turia.

De la misma epístola se puede inferir que estos nueve diálogos constituían la única obra publicada de Baltasar Catalán. Pide, así, protección tópica a la soror contra los posibles adversarios para que «sin miedo ninguno ellos e yo podamos salir a luz» (3r-v). Son nueve los diálogos y de ellos se da cumplida relación a la vuelta de la portada de ambas ediciones. He aquí la relación

Diálogo I. Del amor de Magdalena con Dios [=I].
Diálogo II. De la fee [=VIII].
Diálogo III. En el qual se enseña el peccado mortal tener las condiciones de la fiebre [=III].
Diálogo IV. De la paz [=VI].
Diálogo V. Del temor de Dios [VII].
Diálogo VI. De cinco coronas con las quales es coronado el que vence cinco batallas [=IV].
Diálogo VII. De quatro maneras de muerte [=V].
Diálogo VIII. De la perseverancia en las buenas obras [=IX].
Diálogo IX y último. De la resurrección general [=II].

---

[5] Magdalena Ferrer debía ser bastante joven cuando Catalán le dedica sus diálogos, alcanzó la dignidad de priora entre los años 1575 y 1578 (A. Robles Sierra, *Real Monasterio de Santa Catalina de Siena: proyección y fidelidad*, Valencia, 1992, p. 162).

Ni la primera ni la segunda salida no fueron especialmente afortunada, a juzgar por el estado interno del volumen. Sorprende, así, que el título de la tabla de cada uno de los diálogos no suele coincidir con el que esperaríamos de acuerdo con el contenido y orden (he señalado entre corchetes el diálogo al que, en realidad, pertenece el rótulo). Este desastre de la organización interna y lo que el lector puede leer más abajo sobre la ligera elaboración de las fuentes del texto me lleva a pensar que quizá no fue el propio autor quien cuidó de la edición. Alguien podría concluir, por ende, que quizá tampoco fuera él redactor de la carta dedicatoria. De modo que los textos que tuvo en su poder doña Magdalena Ferrer pudieron ser sólo para uso interno y no estar destinados a la imprenta. O, a lo mejor –por salir de estos enojosos atolladeros editoriales–, llegaran a manos del impresor valenciano unos cuadernillos manuscritos para uso privado que, como barajados y aprovechando el río revuelto del mundo editorial de la literatura religiosa, ven la luz sin demasiados escrúpulos profesionales.

Como poco escrupuloso era el autor para reconocer públicamente sus deudas literarias. Desde este punto de vista y, en cierta medida también, a la vista del tratamiento de la mimesis conversacional, el volumen se deja descomponer en dos secciones. Una coincide con un diálogo primero bastante animado, que sigue al pie de la letra cierta homilía atribuida a Orígenes sobre la Resurrección y el llanto de la Magdalena. La otra está formada por los ocho restantes, de los cuales siete (II, IV-IX) son réplica ramplona de otros tantos *Solemnes sermones* de san Vicente Ferrer que cuidó Simon Berthier a principios del siglo XVI y que constituyen un casi inexcusable apéndice en la mayoría de las ediciones de la tercera parte de los del valenciano; y el que queda (III) plagia otro sermón *de tempore* del mismo predicador.

Ni que decir tiene que la responsabilidad del reconocimiento de esas fuentes es de quien esto rubrica, ya que Catalán las silencia. Su trabajo es el de mero traductor y adobador en nuevos odres genéricos de piezas otrora concebidas como sermones. Trabajo que –haciendo buena la observación de Plinio el Mozo– no deja de tener su miga y, según he dicho, redime a los *Diálogos espirituales* de la categoría de libro a beneficio de inventario, convirtiéndolo en apropiado documento para los cambios, de fondo y forma, que tienen lugar en la literatura espiritual del siglo XVI.

Quizá no haya que esperar el testimonio del diálogo I de Baltasar Catalán para hacernos cargo del éxito de tuvo entre los lectores de literatura espiritual cierta *Homilia de Maria Magdalena* que aparece publicada en una sección varia de las primeras ediciones latinas de la obra de Orígenes. Incluso, el propio Erasmo aceptó con reservas esta pieza en su hermosa edición impresa por Froben[6]. No lo declara, pero abrigo la sospecha de que el de Rotterdam encontraría en alguna de esas piezas pseudo-origenianas aquellos *affectus* que –pese a su admiración por el padre griego– echaba de menos en su obra auténtica[7].

Sea por esos *affectus* retóricos, sea por la piedad intimista, sea por la delicada propuesta sobre la ambigüedad de amor humano y amor divino, la homilía fue incorporada a la literatura espiritual de moderna devoción por Lodulfo de Sajonia en su *Vita Christi*. Una sección se puede leer, en

---

[6] Refiriéndose en general a la sección «De homiliis de diversis», dice: «In his constat quasdam esse non Origenis, sed hominis latini, reliquas a Ruffino impudenter contaminatas» (*Originis Adamantis [...] opera [...] per Des. Erasmum Roterdanum partim versa, partim vigilanter recognita*, Basilea: Froben, 1545, prels.) Citaré la homilía sobre la Magdalena por esta edición, vol. II, pp. 318-232. Naturalmente, esta pieza desaparece de las ediciones más modernas de la obra de Orígenes.

[7] Concretamente en el *Ecclesiastes* (véase mi «El mundo de Nebrija y la predicación», en *Actas del Coloquio Antonio de Nebrija: Edad Media y Renacimiento [Salamanca, noviembre de 1992]*, Salamanca: Universidad, 1994, en prensa).

consecuencia, en la influyente traducción de Ambrosio Montesino[8]. Ecos afluyen aquí y allí por el frondoso árbol de la espiritualidad pasional. Incluso, a ningún historiador de los temas magdalenianos ni de la mística debe pasar inadvertida la elegante traducción de la *Homilía de Orígenes sobre el llanto de la Magdalena, quando vino al sepulchro a buscar a Jesu Christo,* pliego suelto de ocho hojas, en prosa, del que sólo conozco ejemplar impreso en [¿Alcalá?] 1554 y que acaso circuló en otras ediciones. Y no debe ignorarse por el hecho de que se une al bravo río de la devoción magdaleniana, sosegándola en romance con un nuevo sentido que fertilizará forma y fondo de la mística franciscana y carmelitana, al paso que redondeará los perfiles erótico-religiosos para uso de la poesía cada vez más conceptuosa en su andadura, desde las *Justas sevillanas* hasta las que promovía en Roma fray Juan Bru. Quien haga de nuevo un estudio sobre el personaje y el tema de la Magdalena en la literatura española habrá de incorporar esta corriente que remonta a la homilía del Pseudo-Orígenes y que presta tan concretos trazos. Entre ellos, un grado de 'dejamiento', quietismo o abandono contemplativo en el amor de Dios, acompañado del llanto, no en tanto que signo penitencial de arrepentimiento, sino como elemento caracterizador y conductor hasta la unión espiritual y la contemplación directa de Cristo, que cerraría el ciclo con su aparición e iluminación a Magdalena[9].

Por todo esto la transformación que de la homilía hace Baltasar Catalán en forma de coloquio puede sernos indicio de lo que pretende con estos diálogos. Quede dicho que no utiliza esa versión castellana que he citado. Se ciñe al texto latino y lo dispone siguiendo una perentoria mimesis conversacional. La monja y el autor representan un coloquio en el que éste plantea preguntas y la otra las solventa. El monólogo superpuesto del sermón, en el que el predicador se autocuestiona y resuelve las dudas se descompone para configurarse como un diálogo a dos o *sencillo*, como dice Catalán. Es cierto que esto se verá con más claridad cuando se acentúe el andamiaje escolástico del discurso, como el lector podrá percibir en los otros diálogos.

En éste, como en el resto, el original latino se sigue al pie de la letra. Innecesarias más palabras ante lo elocuente del arranque. Dialogan sor Magdalena y el Autor:

A. – [...] ¿Por qué amó Magdalena al Señor sobre todas las cosas y por qué le siguió hasta la muerte, pues sus discípulos huýan y lo dexavan?
M. – La causa, según mi juyzio alcança, es porque estava encendida de un verdadero y

In praesenti solemnitate locuturi auribus vestrae charitatis dilectissimi amor venit ad memoriam, quomodo beata Maria Magdalene, Dominum nostrum super omnia diligendo, discipulis fugientibus, eum ad mortem euntem sequebatur, ac veri amoris igne succensa, nimio ardens

---

8 Me es cómodo citar por la edición que tengo a mano: *La quarta parte del Vita Christi cartuxano,* Sevilla: Cromberger, 1543, fol. 173. La misma sección se respeta, naturalmente, en la traducción de Joan Roiç de Corella, *Lo quart del Cartoixà,* pero, a pesar de sus orígenes, he podido comprobar que Catalán no la utiliza.

9 Así se aprovechan en algunas obras sobre la Magdalena las sugerencias de la homilía, como, por ejemplo, en el *Libro de la vida y conversión de sancta María Magdalena y de la alta perfección a que subió después de convertida* (Barcelona: Pedro Mompezat, 1549), capítulos II y III de la cuarta parte, fols. 98-105r (agradezco la colación a Rafael Ramos). Es posible, sin embargo, que Chaves se beneficie de la selección previa y de algunos comentarios del Cartujano. Para el tema magdaleniano, véase D. L. Catron, *Saint Mary Magdalen in Spanish and Portuguese Literature of the Sixteenth and Seventeenth Centuries,* tesis doctoral de la Universidad de Michigan, 1972 (véase *DAI* 33A [1972], 1676); John K. Walsh y B. B. Thompson, *The Myth of the Magdalen in Early Spanish Literature,* Nueva York, 1986. En un nuevo estudio general está ahora trabajando Lina Anselem.

ardentíssimo fuego de amor, y ansí ardiendo en este crecido fuego de amor y desseo, sin sossiego llorando, lo siguió y estuvo tan continua en el monumento. Y por tanto dize el Evangelista que María estava fuera del monumento llorando.

A. – Ya me avéys dicho, señora, que María estava fuera del monumento y que llorava. Dezidme agora, por vuestra vida, si podéys, por qué estava tan continua. Y dezidme por qué causa llorava. ¿Por ventura aprovechávanos el estar daquella y el llorar? ¿Aprovechávale a ella?

M. – Cierto que el amor le hazía a ella estar y el dolor la forçava a llorar, y estava de continuo mirando si por ventura vería a quien tanto amava [...] (5r-v)

desiderio indesinenter plorans a monumento non recedebat. Maria, enim, ut ait evangelista, stabat ad monumentum foris plorans. Audivimus, fratres, Mariam ad monumentum foris stantem, audivimus et plorantem. Videamus, si possumus, cur staret, videamus et cur ploraret. Prosit nobis et illius stare. Amor faciebat eam stare, et dolor cogebat eam plorare. Stabat et circunspiciebat si forte videret quem diligebat [...]. (P. 318)

Cierto es que en algunos momentos el tema y el estilo del original se presta a más cómodo desarrollo:

A. – ¿Y llorava mucho?

M. – Tanto quanto faltava, tanto más llorava.

A. – Dezidme por qué llorava tanto y tan continua.

M. – Llorava María sin intervalo alguno porque encima de su dolor se le avía añadido otro dolor, de manera que dos grandíssimos dolores en un coraçón traýa, los quales con lágrimas mitigar quería, pero no podía. Y, por tanto, toda puesta en dolor, fallecía con el ánimo y fallecía con el cuerpo.

A. – ¡Válame Dios! ¿Y por qué no buscava algún remedio para consolarse?

M. – Porque no sabía qué hazer se dexava de buscarle. Pero con todo ¿qué podía hazer aquella muger sino llorar?

A. – ¿Cómo? ¿No podía hazer algo con que diminuyr el dolor y el lloro?

M. – No, por cierto.

A. – ¿Y por qué?

M. – Porque tenía un intolerable dolor y no halló ninguno que la consolasse.

A. – ¿Cómo puede ser esto si sant Pedro y san Joán vinieron con ella al monumento?

M. – Verdad es que vinieron, pero quando no hallaron el cuerpo, se fueron y se bolvieron a sí mismos. Y María Magdalena estava fuera del monumento llorando, y casi desesperando esperava y esperando perseverava.

A. – ¿Y por qué se fueron sant Pedro y sant Joán?

Sed non defuit quem ploraret, eoque magis plorabat quo magis ille deerat. Plorabat enim vehementer Maria, quoniam additus erat dolor super dolorem eius, duosque dolores eximios uno gestabat in corde, quos mitigare lachrymis volebat, sed non valebat. Et ideo tota posita in dolore mente et corpore deficiebat et quid ageret ignorabat. Quid enim mulier ista poterat agere nisi plorare, quae et intolerabilem habebat dolorem et nullum inveniebat consolatorem? Petrus quidem et Ioannes venerant cum ea ad monumentum, sed non invento corpore abierunt ad semetipsos. Maria autem stabat ad monumentum foris plorans, et quasi desperando sperans, et sperando perseverans. Petrus et Ioannes timuerunt, et ideo non steterunt. Maria autem non timebat, quia nihil suspicabatur sibi superesse quod timere deberet. Perdiderat enim magistrum suum, quem ita singulariter diligebat, ut praeter ipsum nihil posset diligere, nihil posset sperare. Perdiderat vitam animae suae, et iam sibi melior arbitrabatur fore mori quam vivere, quia forsitan inveniret moriens quem invenire non poterat vivens, sine quo tamen vivere non valebat. Fortis est ut mors dilectio. Quid enim aliud faceret mors in Maria? Facta erat exanimis, facta insensibilis, sentiens non sentiebat, videns non videbat, audiens non audiebat, sed neque ibi erat ubi erat, quia tota ibi erat ubi magister erat, de quo tamen ubi esset nesciebat. (P. 319)

M. – Fuéronse sant Pedro y sant Joán y no estuvieron allí porque temieron.

A. – ¿Y María Magdalena temió?

M. – No temió María Magdalena entonces, porque no sospechava quedar cosa de que deviesse temer.

A. – ¿A quién perdió María Magdalena entonces?

M. – Perdió a su Maestro, al qual singularmente amava, en tanto que después de Aquél ninguna cosa podía querer bien, ni otra ninguna cosa esperar.

A. – ¿Por qué causa o razón?

M. – Porque avía perdido la vida de su alma e ya pensava ser mejor para ella el morir que el bivir, porque muriendo hallaría al que biviendo hallar no podía, sin el qual en verdad no podía bivir.

A. – ¿Cómo? ¿Tan fuerte era el amor de Magdalena?

M. – Era tan fuerte como la muerte su amor. Pero ¿qué más podía fazer la muerte en María Magdalena que estava hecha muerta y hecha insensible, pues sintiendo no sentía, viendo no veýa, oyendo no oýa, y más que no estava do estava?

A. – ¿Pues en dónde estaría?

M. – Estava su pensamiento en su Maestro, del qual no sabía dónde estuviesse, y buscávale y no le hallava. Y por tanto estava junto al monumento, y estava toda llorosa y miserable.

A. – ¿Y qué esperança, qué consejo o qué ánimo estava en María Magdalena para que estuviesse sola junto al sepulchro, aviéndose ydo los discípulos? Ella vino delante dellos y con ellos se bolvió y después dellos quedó. ¿Por qué hizo esto? ¿Sabía, por dicha, más que ellos, o amava más? ¿Por qué no temió como ellos?

M. – En verdad, no otra cosa sabía entonces María Magdalena sino bien amar y dolerse del amado. Olvidado avía el temor; olvidado avía el holgarse, olvidado avía a sí misma; finalmente, olvidado avía todas las cosas y, lo que es de maravillar, que ansí estava olvidada que aún aquél no conoscía (6v-8r).

Cierto es que la mimesis conversacional y el climax que va adquiriendo el diálogo en este punto no se deben al traductor, los destila el original. Pero sí nos podemos interrogar sobre la razón por la que este diálogo encabeza el volumen. Sería suficiente la devoción magdaleniana de la destinataria. Pero quizá convenga prestar atención a esas líneas introductorias, en las que el Autor habla del permiso que la priora le ha concedido para mantener un coloquio pausado con sor Magdalena sobre el llanto que la santa tocaya tuvo a las puertas del sepulcro de Cristo. Sabida es la faceta de predicadora que tiene la Magdalena en las hagiografías más antiguas relacionadas con la compilación de Jacopo da Varazze y con los *Flos sanctorum* afines. Me pregunto si, en cierto modo, Baltasar Catalán no estará engarzando implícitamente esa faceta con el magisterio que ejerce Magdalena Ferrer cuando la coloca en sus diálogos solventando sus dudas. Con lo que no sólo pespuntea un elogio, sino que también reclama la atención del lector hacia un tipo de enseñanza y de divulgación de la teología y de la religiosidad, restringido a los grupos espirituales más o menos organizados. Es la plática espiritual o devota, en la que, por un lado, intervienen personas de distinto sexo y condición, y en la que es, de hecho, posible la práctica de la predicación de los laicos. Otras 'predicadoras' beatas o 'predicadores' laicos que dialogan o dirigen una actividad espiritual traían de cabeza a los canes de la fe y, desde luego, constituyen uno de los episodios más interesantes de la espiritualidad de la primera mitad del siglo XVI. El magisterio de mujeres como sor María de Santo Domingo –por no salir del movido ambiente de la reforma dominicana[10]– es indicio del protagonismo femenino en la difusión de la espiritualidad anterior a la Contrarreforma, en ese caso con inspiración savonaroliana. En determinados ambientes la plática o el diálogo sobre temas religiosos pudo sustituir al sermón, en tanto que

---

[10] Véase, por ejemplo, V. Beltrán de Heredia, *Las corrientes de espiritualidad entre los dominicos de Castilla durante la primera mitad del siglo XVI*, Salamanca, 1941, pp. 6-17.Ténganse en cuenta otros casos de mujeres 'predicadoras', como la visionaria Juana de la Cruz o María de Cazalla.

alimento espiritual restringido a unos cuantos iniciados. Sin llegar a considerar el locutorio de Santa Catalina de Valencia un conventículo para la difusión de novedades, quizá pueda, desde ese punto de vista, justificarse la desviación genérica, modificación que, en el proceso de traducción, se realiza desde un discurso originalmente homilético hasta una disposición terminal dialógica.

Nos interesa también lo que significa la dedicatoria y el primero de los diálogos por lo que a uno de los fenómenos más interesantes de esa difusión se refiere, la justificación protocolaria del libro devoto en la medida que se destina a mujeres religiosas y laicas[11]. Desde el siglo XV, los dominicos venían atendiendo a esta dimensión concretada en el ámbito doméstico de la clase noble. Podríamos recordar, como ejemplo y entre otros muchos, el caso de Juan López de Salamanca y sus relaciones con la Duquesa de Béjar. Conocemos mejor ahora el papel que la participación femenina en la promoción y lectura religiosa ha desempeñado para su conformación con características propias, que, en general, están marcadas por el destino laico de esos textos. Andando el tiempo, el papel de la imprenta es esencial para la configuración, primero, de esa devoción privada y, entrando el siglo XVI, comunitaria[12]. Su producto, el libro, adquiere categoría de maestro para el progreso espiritual y llega a sustituir al predicador.

No es de extrañar, por ello, que el de Catalán vea modificada su forma con relación a sus fuentes y que arraigara una segunda vez en Baeza: sin necesidad de sorprenderle entronques de heterodoxa espiritualidad, que no los tiene, sí se puede cavilar sobre la utilización que del volumen se pudo hacer. Cierto que es, en realidad, un pequeño manual de uso privado y comunitario extensible al terreno temático de las creencias básicas y de la relación individual con Cristo, todo ello en el marco de la piedad cristocéntrica que condiciona estos libros devotos. Cierto que nada de esto puede constituir marca de fábrica en Baeza. Pues, por lo que se refiere a la(s) destinataria(s), da reglas concretas de comportamiento y sirve de modelo para la plática espiritual, imprescindible en los ambientes de la piedad comunitaria. En ello pensaría Catalán cuando traduce estos textos en nueva forma. Pero también lo tendría presente el editor biacense que, a las órdenes del grupo promocional de la universidad y de la espiritualidad avilina y al servicio de los conventos y conventículos donde arraigaba, publica, entre otras, una obra que se puede leer, como muchas de la época, en varias claves y que puede ayudar a configurar un pensamiento religioso contradictorio, de aluvión, mezclando tendencias y escuelas. Ese desbarajuste es lo que presta sustancia a la piedad de círculos como el de Baeza.

Pero, aun reconociendo que sería ligereza imperdonable afirmar que en el volumen de Catalán hay semilla de la espiritualidad que veinte años después sirvió para procesar a los Carleval, Pérez de Valdivia o Hernández, promotores de la imprenta de Baeza, sí se puede asegurar que el que hoy estudio y otros libros a los que dedicaré atención en otro momento sirvieron para ir perfilando el panorama de esa religiosidad «ardiente y expansiva», pero también contradictoria, de la ciudad de

---

[11] En España tenemos pocos estudios al respecto. Puede verse, por ejemplo, para el estudio de un grupo, M. Echániz Sans, *Las mujeres de la orden militar de Santiago en la Edad Media*, Valladolid, 1992, pp. 247-252. Véase, para el panorama italiano, las conclusiones de G. Zarri, «La vita religiosa femminile tra devozione e chiostro: testi devoti in volgare editi tra il 1475 e il 1520», en *I frati minori tra '400 e '500. Atti del XII Convegno Internazionale* (Assisi, 18-20 ottobre, 1984), Nápoles, 1986, pp. 127-168.

[12] Por decirlo con palabras de G. Zarri, «se una delle più significative forme della *devotio* quattrocentesca si era espressa nella religione del principe, nello stretto contatto fra religiosi osservanti e famiglia del Signore, la devozione del pieno Cinquecento trova dapprima una attività promozionale nell'ambito dei monasteri, ma poi esplicarsi quasi esclusivamente all'interno di compagnie e gruppi spirituali che si muovono dentro o ai margini della chiesa istituzionale» («Note su diffusione e circolazione di testi devoti», en *Libri, idee e sentimenti religiosi nel Cinquecento italiano*, ed. de A. Prosperi y A. Biondi, Ferrara, 1987, p. 140).

Baeza, durante ese compás de espera temporal que va de la liquidación de la auténtica herejía alumbrada hasta los brotes en Extremadura y Andalucía de lo que los inquisidores bautizaron con un demasiado general rótulo de «alumbradismo»[13]. Si los *Problemas* de Fermo (1550) pudieron configurar el pintoresco expertizaje del acemilero Francisco Hernández sobre la oración mental; o el *Desposorio espiritual* de Orozco (1553) pudo dar soporte a una práctica 'beateril'; también es dable preguntarse sobre cómo sería acogido a las puertas de la eclosión del llamado alumbradismo baezano lo que de 'dejadismo' o abandono en el amor de Dios pueden destilar aquellas palabras que cierran nuestra última cita del diálogo sobre el llanto de la Magdalena.

Volviendo a la letra de los restantes, si en ese primero apenas alguna palabra es de Baltasar Catalán, en los ocho que siguen letra y voz son de san Vicente Ferrer. A primera vista, esta supervivencia del pensamiento del predicador *de fine mundi* puede resultar chocante. Pero, aparte constatarse en los años 40-50 una tendencia a la recuperación de obras de piedad tradicional, no se puede ignorar la sembradura del valenciano durante los casi dos decenios que anduvo por Europa. Su palabra generó una porción de leidísimos textos en romance y en latín, que hemos de considerar como la materia prima de otra corriente espiritual que engrosa el tortuoso río espiritual del siglo XVI. D. Eugenio Asensio puso de manifiesto en su clásico artículo que, al leer las condenas que Francisco de Hevia fulminaba contra prácticas religiosas populares, nos está sonando a Erasmo lo que el franciscano declara tomar de Vicente Ferrer[14].

Es que, sin entrar en la enojosa delimitación de reformas, aquellas que implican una unitaria propuesta de cambio a todos los niveles de la sociedad acaban sintonizando. La variedad e inestabilidad espiritual del primer siglo XVI en toda Europa hace fermentar programas en principio homólogos por lo que a su ambición y fines se refiere. Y, así, la fértil y adormecida corriente espiritual vicentina se despereza con la ayuda del despertador savonaroliano, franciscano e, incluso, erasmista. No sólo se percibe ello en la medida que su obra reconocida como auténtica sobrevive con éxito[15], sino también a la vista de la apoyatura que prestó a muchas actitudes espirituales nuevas, ora sea, sin tapujos ni esconderites literarios, por medio del mensaje explícito que se selecciona del enramado doctrinal del dominico, ora sea por las circunstancias de la difusión o uso de ese enramado.

Algunos, como Hevia, destilaron un cierto espíritu reformador o de denuncia actual de sus lecturas vicentinas; otros vinculaban el espíritu al mismo acto de editar en romance los sermones del valenciano. Considero, por ello, indicio precioso la publicación en la segunda mitad del siglo XVI de un volumen de gran éxito editorial –verdadero *bestseller* de la literatura popular religiosa– que contenía varios sermones completos, uno de ellos apócrifo, junto con unos fragmentos sobre el Anticristo y el fin del mundo; precioso, digo, en momentos en que esos temas escatológicos no pueden desvincularse de ambientes de inquietante heterodoxia, como los referidos de Baeza, que sustentan un renovado profetismo sobre ingredientes apocalípticos y

---

[13] Para el ambiente del movimiento avilista y sus consecuencias en Baeza, véase el clásico estudio de L. Sala Balust que encabeza su edición de *Obras completas del B. Mtro. Juan de Ávila*, I, Madrid, 1952, pp. 179-181. Para la herejía de los alumbrados, véase A. Márquez, *Los alumbrados: orígenes y filosofía*, Madrid, 1980[2]. Para el rebrote extremeño y andaluz, aparte del libro de A. Huerga citado más arriba, añádase su extracto más concreto para lo que aquí nos interesa *Los alumbrados de Baeza*, Jaén, 1978.

[14] «El erasmismo y las corrientes espirituales afines: conversos, franciscanos, italianizantes», *RFE*, 36, 1952, p. 96. El texto de Hevia puede verse ahora en su *Itinerario de la oración*, ed. M. de Castro, Madrid, 1981, p. 228.

[15] He dedicado algún tiempo al volumen *Sermón, sociedad y literatura en la Edad Media. San Vicente Ferrer en Castilla (1411-1412)*, Valladolid, Junta de Castilla y León, 1994.

referencias al fin del mundo y al nacimiento del Antricristo. Otras afinidades doctrinales con los 'alumbrados' de Baeza podrá reconocer el lector de la carta prologal anónima que encabeza esos *Sermones de san Vicente Ferrer en los quales avisa contra los engaños de los dos Anticristos y amonesta a todos los fieles cristianos que estén aparejados para el Juicio Final.* No es extraño, así, que fray Justiniano Antist, biógrafo del santo, desautorice al calor de los procesos extremeños y andaluces esa colección y la tache de falsa, siendo así que a todas luces remonta a un manuscrito castellano que reelaboraba *reportationes* originales de sermones auténticos[16].

No habrá que dejarse llevar, por tanto, de una idea harto difundida sobre que al valenciano se lo invoca sólo para autorizar paparruchas mesiánicas, como las que, por ejemplo, sorprenden en la *Reprehensión de la república y espejo del ánima* de Gonzalo de Figueroa, de la que conservamos sólo ediciones tardías, aunque circulara ya desde los años cuarenta del siglo XVI[17]. Esta obrita, se arropa, sin embargo, tras ese profetismo pseudo-vicentino para en realidad engarzarlo con un nuevo filón del reformismo religioso revivido en Europa precisamente en los años 40, el que tiene como insignia la denuncia de las graves injusticias sociales del momento al par que un más o menos desaforado utopismo, que caracterizó desde el siglo XV las más importantes propuestas de reforma de la cristiandad, como la que arrostra san Vicente[18].

Hay otros textos que hacen suyas estas bravas y efectivas propuestas y las reconducen por más manso cauce de interiorismo, reducidas a la forma de libro manual de educación religiosa individual. Acaso el lector haya reconocido los abundantes esquejes de los sermones vicentinos en el *Triumphus Christi* de Luis de Tovar, libro que se sustenta sobre la narración de la vida de Cristo, aunando corrientes contemplativas al modo franciscano con los despuntes de la predicación popular, tal como se lee en los sermones castellanos de san Vicente, y con ciertas novedades que habré de dejar para otra ocasión[19].

Pero a principios del siglo XVI la imaginería vicentina para explicar, por ejemplo, la inanidad del saber y la importancia de la fe ciega podía seguir abanderando propuestas reformistas. Es curiosa, verbigracia, la supervivencia de la *similitudo* de las artes liberales divinizadas que san Vicente utiliza en ocasiones varias y que en pleno quemazón de observancia sirve, precisamente, a un franciscano para sustentarla epistolarmente. Contestando a una carta de 28 de junio de 1529, éste escribe una *Epístola muy devota e contemplativa inviada de un devoto padre observante a un amigo suyo.* En ella no sólo se utiliza la *similitudo* e invectiva contra la ciencia humana por la vía de las artes liberales, sino que también se va transcribiendo el texto de san Vicente con levísimas variantes principalmente lingüísticas. Se echan a faltar muy pocos de los razonamientos del original, lo que está expresando bien a las claras la vitalidad de la vieja colección de sermones y lo intercambiable de la reacción contra la educación universitaria, que los franciscanos observantes

---

[16] Naturalmente, con la excepción del sermón sobre el Anticristo que tiene como *thema* «*Ecce est hic iam in ruinam*». Para esta colección y unas propuestas sobre la filiación espiritual del entorno lector, véanse los trabajos de mi discípula Maribel Toro Pascua, «Literatura popular religiosa en el siglo XVI: los sermones impresos de san Vicente Ferrer», *Actas del III Congreso de la A.I.S.O.* (Toulouse, 6-10 de julio, 1993), en prensa; y su edición de los textos a punto de aparecer en Salamanca, La Palma, 1994. Carleval, Hernández y Pérez de Valdivia son acusados en los informes inquisitoriales de sostener doctrinas de raigambre joaquinista y vicentina, a la zaga de ciertas consultoras (véase Huerga, *Los alumbrados de Baeza*, pp. 58-59, 62 y 83).

[17] Véase P. M. Cátedra y C. Vaíllo, «Los pliegos poéticos españoles del siglo XVI de la Biblioteca Universitaria de Barcelona», en *El libro antiguo español*, I, Salamanca, 1993, pp. 103-106.

[18] Véase, para el siglo XVI, C. di Filippo, *Il mestere di scrivere. Lavoro intellettuale e mercato librario a Venezia nel Cinquecento*, Roma, 1988, pp. 215-216. Para san Vicente Ferrer, algunos cuadros bien significativos que transcribo en mi *Sermón, sociedad y literatura...*

[19] Por ejemplo en los fols. 29v-30r de la príncipe de Valladolid: Nicolás de Tierry, 1534.

siguen teniendo viva desde tantos años atrás[20]. En este y en otros casos, las propuestas de reforma del valenciano perviven fuera del contexto homilético, en contenedores genéricos nuevos, pero con fondos idénticos que se homologan con las directrices de la *devotio moderna* o con otras mucho más arriesgadas.

Por ese camino, la aceptación, con desviación genérica, de la doctrina de san Vicente Ferrer en los *Diálogos espirituales* sigue haciendo bueno el parecer de Plinio el Joven. Fuera o no Magdalena Ferrer lejana pariente del san Vicente, está claro que el *generoso* homenajea implícitamente al dominico. Y lo saquea sin el más mínimo rubor. No obstante, y con una sola excepción para el diálogo III, los textos vicentinos que utiliza son los que preparó para la imprenta Simón Berthier, que tienen como característica esencial el haber sido sometidos a una depuración doctrinal. Si es lo cierto que los sermones latinos impresos habían pasado por una criba a conciencia realizada por los dominicos de Toulouse después de la muerte del predicador, y que en esa 'limpieza' cayeron muchos elementos artísticos y de doctrina vitales en el curso de la pronunciacion efectiva del sermón, aún más parece haber depurado el editor francés esos *Solemnes sermones* que romancea Catalán. En vano esperaremos la complementaria escatología vicentina o referencias que nos permitan reconstruir las señales mesiánicas de la predicación del que se presentaba como *legatus a latere Christi*. Resta, sí, un panorama incompleto de cuestiones doctrinales dedicadas a la *cura animarum*. No precisamente aquéllas que se abrían camino con múltiples referencias: sobre la 'religiosidad popular' o creencias tal como las solía reflejar el predicador[21], cuya obra es testimonio impagable; las que se espacian en los usos de las técnicas enriquecedoras del discurso homilético, en tanto que *performance* oral; las que nos localizan el espacio concreto en el que se predica –a pesar de que Berthier lo indica en alguna ocasión–; las que reduplican el carácter conflictivo y polémico de la actividad proselitista, cuando el predicador se refería a las minorías religiosas judías o musulmanas. Más bien nos resta un panorama selecto de cuestiones catequismales de sustancia, algunas de las cuales pueden haber sido expuestas por cualquier predicador en cualquier momento del siglo XV. El editor francés ha limado casi todas aquellas aristas más cortantes y en su alambique ha quedado todo el andamiaje profético y apocalíptico que a principios del siglo XVI tendría sobre aviso, no ya a un obediente hijo de la orden de santo Domingo como Berthier, sino a cualquier lector alertado ya por los cuerpos balanceantes en la horca de Savonarola y sus dos compañeros.

A nadie extrañará, pues, los discretos contenidos doctrinales y el conservadurismo de estos diálogos. Así, en el II, que tiene un falso título «De la fee» y que, según el índice, debía cerrar el volumen, Baltasar Catalán traduce el sermón «De resurrectione generali»[22], con una exposición sobre las razones por las que al fin de los tiempos se resucitará en cuerpo y alma. Este principio básico del símbolo atanasiano se justifica sobre la base del temor de las penas infernales y el deseo de los premios celestiales, junto con la idea de la justicia divina necesaria.

---

[20] Véase Biblioteca Nacional, Ms. 8113, fols. 103 y sigs. No tenemos ninguna evidencia de que esa carta sea del P. Francisco de Medina, a quien atribuye el *Inventario* de manuscritos todas las piezas que contiene.

[21] Para la fluctuación del término y del sentido, véase A. Redondo, «La religion populaire espagnole au XVIe siècle: un terrain d'affrontement?», en *Culturas populares: diferencias, divergencias, conflictos (Actas del Coloquio celebrado en la Casa de Velázquez, los días 30 de noviembre y 1-2 de diciembre de 1983)*, Madrid, 1986, pp. 329-369.

[22] Los *Solemnes sermones* no fueron publicados en el cuerpo de la magna edición valenciana de finales del siglo XVII, patrocinada por el obispo Rocabertí. Utilizo la edición: *Sermonum sancti Vincentii pars tertia, que de sanctis appellari solet: cum septem in orationem dominicam et aliis plerisque sermonibus optimi cuiusque lectione frequentiori longe dignissimis*, Lyon, Jean Moylin, 1528; éste primero, entre los fols. 181r-182r.

La misma doctrina sobre la salvación y la condena ofrece el diálogo IV, titulado falsamente «De la paz» (=VI) y que trata en realidad «De cinco coronas» que se obtienen tras de las cinco batallas que hay que librar contra este mundo. Sigue el sermón del mismo título (fols. 173v-175r). La *similitudo* militar de la vida subyace en los textos del Antiguo Testamento, y se reactiva de la mano de san Pablo, pero san Vicente gustaba de recrearla con toda la imaginería propia del predicador popular. La *similitudo*, en principio, sólo está al servicio del arte de la memoria, para que el predicador retenga su discurso y para que el oyente memorice conceptos abstractos[23]. Todo esto sigue aún vigente en el ámbito de los lectores de Baltasar Catalán:

F[ELICIANO]. – En verdad que es necessario que seamos todos soldados y aun diestros. Pero ¿no sabéys qué he pensado?

PH[ILIPO]. – ¿Qué has pensado? Dímelo.

F. – He pensado que los mochachos que luego después del baptismo mueren que cierto van a paraýso y alcançan la gloria sin victoria de batalla, los quales no tienen el uso del libre alvedrío ni nada desto. Y si estos tales alcançan la gloria, como es çierto que la alcançan, síguese que vuestra opinión es falsa: quiero dezir que no todos alcançan la gloria por victoria de batalla.

PH. – ¡Cómo bives engañado! ¿Y estos mochachos dizes que no alcançan la gloria por victoria de batalla? ¿No sabes tú que la alcançan por victoria de batalla no propia, pero de la passión de Christo?

F. – ¿Cómo es esso? Por cierto, que no lo entiendo si no lo dize más claramente.

PH. – Yo lo diré más claro por una similitud de un rey, el qual tomó una ciudad y ganó una victoria, y entonces el rey e todos sus criados entraron, el qual rey es Christo, porque entró el Viernes Santo en la batalla y ganó la victoria y tomó la ciudad de paraýso, en la qual no sólo entró Christo, pero aún sus soldados (digo los sanctos y los niños) y esta entrada fue por victoria de batalla. Pues agora bien concederás que es verdadera mi opinión.

F. – Sí, por cierto, y no sólo creo que es verdadera, pero sin dubda verdaderíssima. Verdad es que querría mucho saber con qué armas tengo de pelear, porque hasta oy no lo sé.

PH. – Escucha, pues, y oyrás al Apóstol, 6 *Ad Ephesios*, el qual dize: «Tomad las armas de Christo». Y, primeramente, la cadena de la justiçia, dando a cada uno lo que es suyo y

Oportuit etiam eos per victoriam belli gloriam acquirere [...] Arguitur in oppositum de pueris statim post baptismum decedentibus, quia non habuerunt usum liberi arbitrii, nec habuerunt prelium nec victoriam. Ideo videtur predicta doctrina habere exceptionem in ipsis. Respondeo quod etiam illi intrant ac acquirunt gloriam paradisi per victoriam belli no proprii, sed legis Christi. Dic similitudinem de re obsidente civitatem et habentem victoriam, quia tam ipse rex quam etiam coci et victuarii intrant civitatem per victoriam belli. Sic rex Christus in die veneris sancta intravit bellum et habuit victoriam et cepit civitatem paradisi. Que quinque armis operum spiritualium capi potest. De quibus Apostolus, *Ephe*. VI: «Accipite armaturam Dei, etc.». Primo, loricam iusticie; secundo, calciamenta pacis; tertio, scutum fidei; quarto, galeam salutis; quinto, gladium spiritus. (173v-174r)

---

23 Véase sólo C. Delcorno, «L'*ars praedicandi* di Bernardino da Siena», *Atti del Simposio Internazionale Caterino-Bernardiniano*, Siena, 1982, pp. 419-449.

no posseyendo lo ageno; segundariamente,
unos çapatos firmes de paz, no teniendo odio
ni yra con ninguno; terceramente, tomando
el escudo de la fee, creyendo firmemente en
los artículos de nuestra sancta fee cathólica;
quartamente, un bonete fuerte de salud
spiritual del alma; y, último, has de tomar la
espada de una parte y de otra aguda, que es
del spíritu quieto y mansueto, cevándola con
la muela de la oración y obras meritorias.
(31v-32v)

No nos extrañará el uso de tal imaginería si tenemos en cuenta que es un lugar común que
pervive en los textos educativos para laicos desde la más profunda Edad Media y que da frutos en
pleno siglo XVI, como el *Libro de la caballería cristiana* de Alcalá o el menos frecuentado
Armadura y hábito espiritual del santiaguista Diego de Cabranes. Pero también sustenta buena
parte del *Enquiridion* de Erasmo. No son, sin embargo, idénticos procederes el uso mnemotécnico
y el uso alegórico de una imagen. Señal de tiempos modernos es el último; tiempos viejos nos trae
el primero. Y también hay diferencias por lo que al fondo se refiere. En el caso del valenciano, no
nos las habíamos con una guerra individual, sino en cierto modo colectiva, que afectaba a cada
cual según su situación estamental o profesional, y con ello se percibe una idea de miedo y de
represión también colectivos. Pareciera esto alejado de una piedad renovadora e individualista
como la erasmiana.

Y, sin embargo, siguen siendo efectivas las viejas propuestas en pleno siglo XVI. No obstante,
del espíritu de reforma de san Vicente Ferrer quedan elementos que serían plenamente vigentes
para la posteridad, en los que Catalán se explaya. Pues, por ejemplo, de las cinco batallas que hay
que dar la primera es contra el «entendimiento propio», recamando la vitalidad de la fe sobre la
falta de curiosidad: «por simple creencia, diziendo: Señor, yo creo lo que vos dezís, porque no me
podéys engañar y no quiero otra razón philosóphica ni otra experiencia» (34v). Reacción contraria
al intelectualismo que compartirá la observancia franciscana, y, con matices, el movimiento de la
devotio moderna, explayada para todos en el primer libro *De imitatione Christi*, pero que es de
otra categoría de la que sirve para organizar el peculiar conocimiento experimental de los
alumbrados de la primera hornada.

Si no supiéramos la fuente en la que abreva Catalán daríamos otra importancia a esas
afirmaciones, lo que muy bien pudieron hacer los lectores del XVI, lo mismo que a otros puntos
doctrinales contra los que barrenarán los pesquisidores inquisitoriales; como, por ejemplo, la
locura espiritual por Dios con resultados de abandono y de perfección, preconizada, entre otros,
en el clásico que acabo de mencionar, y que a poca costa destilaría de entre sus líneas un complejo
de superioridad espiritual como el que parecían tener los maestros de Baeza. He aquí los textos de
Catalán y de su fuente:

PH[ILIPO]. – Ya empieço a prosseguir
diziendo que la quarta batalla es contra el
mundo (digo contra los mundanos), la
condición de los quales es batallar y pelear
contra aquellos que hazen buena y sancta

Dico quarto quod habetur prelium contra
mundum istum, et habetur victoria per
firmam patientiam, hoc est contra mundanos
quorum conditio est bellare contra illos qui
tenent bonam vitam. Verbi gratia, si aliquis

vida, ansí como agora si ay algún religioso traviesso, ageno de Dios, ninguno le dize nada ni por pensamiento, antes es alabado de todos. Pero bolvamos carta: si se convierte y buelve a Dios, luego le dizen que es loco y que no tiene juyzio.

F[ELICIANO]. – Válame Dios, ¿y que esso hazen? Desse arte con rescelo estarán los que hazen buena vida de no ser medidos de los tales.

PH. – ¡Y con quánto rescelo! En tanto que ay algún estado de hombres y mugeres que por esse temor no osan comenzar a hazer buena vida, de donde el Apóstol, 2 *Ad Thimoteum*, 3, dize: «Todos los que quieren bivir devotamente en Christo Jesú, nuestro Señor, padescerán persecución».

religiosus sit bene ribaldus nullus dicit sibi aliquid, immo commendatur a mundanis. Sed si convertatur ad Deum, dicunt: fatuus est. Dic idem de quolibet statum hominum et mulierum. Et istud est tam forte prelium quod eius timore multi sunt qui non auderent incipere bonam vitam. Unde Apostolus *II Tim.*, III: «Omnes qui pie volunt vivere in Christo Iesu persecutionem patientur». (175r)

Importa poco la procedencia, si, como en este caso, un autor con pocos escrúpulos de originalidad es capaz de vender vino añejo gracias a que lo vierte en odres nuevos. Vale decir, del género sermón al género diálogo. Precisamente, esta reelaboración de la forma, de la que hago en buena parte argumento en estas páginas, la percibimos bien en los pasajes anteriores: se consigue en esencia con un desglose elemental y algo forzado en dos voces del monólogo sermonístico en el que se plantean las dudas o *quaestiones* de raigambre escolástica. Por otro lado, a veces se desarrolla tal o cual sugerencia de amplificación por la vía de la *similitudo*. Los fines pedagógicos de Baltasar Catalán y el índice de atención que requiere del lector se advierte en esto y en el respeto de otros recursos originales que tenían como fin la ilustración del discurso, verbigracia el *exemplum*, que se suele respetar sin la más mínima renovación. En el V, falsamente titulado «Del temor de Dios», continúa con el asunto de los novísimos, inaugurado ya en el II, y trata de la muerte. Es réplica exacta del sermón «De quadruplici morte» (fols. 175v-177r). No tiene, como digo, empacho en transcribir los mismos *exempla*[24]:

D[IONISIO]. – ¿Si es ansí dizes? Mira el exemplo de la hystoria de Barlaam y de Josaphat.

C[ORNELIO]. – ¿Qué? ¿Cuenta alguna cosa allí la hystoria?

D. – Cuéntase allí de un hombre que huyendo cayó y se tuvo a un árbol, el qual estava cercado de dos muros, de los quales el uno era negro y el otro blanco, y el tal, puesto en este peligro, se tiene y juzga por muerto. (46r)

Dic exemplum ex historia Barlaam et Iosaphat de illo qui fugiens cecidit et tenuit se ad arborem que a duobus muribus corrodebatur, quorum unus niger, alter albus. (176r)

---

24 Además de éste, pueden encontrase otros ejemplos: El filósofo que entra en una ciudad pidiendo justicia a voces para que le libren de un acreedor cuya deuda se salda diariamente y, sin embargo, la reclama al día; el acreedor es el estómago (23v). Un obispo convidado por un santo ermitaño doblega su ira y subrepuja la paciencia de éste (27v). Milagro de uno que, después de muerto, aparece a su amigo y le comunica que está en el infierno por haber tomado cada noche un poco de vino para dormir mejor (61v). El mercader rico que cambia todas sus doblas por tesoros y se los hace transportar por un bracero a cambio de un estipendio, el qual las abandona cansado poco antes de llegar a su destino y pretende cobrar la soldada (fol. 81v-82r).

El gracioso desliz en la traducción de este resumidísimo ejemplo, desarrollado con más brillantez y detalles en otras ocasiones[25], no se puede considerar como un error generalizable, pues la versión del humilde latín de los sermones suele ser bastante correcta. No obstante, Catalán omite o incorpora texto de acuerdo con un económico sentido de la adaptación. En este diálogo, por ejemplo, elimina una de las poquísimas citas de Ovidio que encontramos en estos sermones; o silencia al final del diálogo una sensible y tradicional descripción del infierno al estilo dantesco, habitados sus círculos por distintos tipos de pecadores (fol. 177r). En ambos casos, la autocensura de Catalán se rige por la tendencia a la adustez contraria a la sensualidad iconográfica propia de la predicación del miedo, en beneficio de la meditación más interiorizada, pues no creo que, por lo que se refiere a la segunda exclusión, entre sus creencias se incluya una negación del infierno como profesan los primeros alumbrados. O bien, páginas arriba, estima oportuno podar una de las pocas referencias a la polémica antijudaica que se encontraba en estos sermones. Hay reparos para no recordar lo innecesario o bordear la heterodoxia supersticiosa, en un deseo de actualizar los viejos mensajes. En otras ocasiones, en cambio, conviene dejar clara la ortodoxia matizando el mensaje original. En 1549, era apropiada, y aun necesaria, cierta pequeña adición para no dejar dudas sobre el espinoso asunto de la justificación por la fe:

D. – El confiar demasiadamente de la misericordia de Dios, diziendo: Sant Marcos escrive que el que creyere y fuere baptizado será salvo.
C. – ¿Y esso, por ventura, no es verdad?
D. – Sí, válame Dios, verdad es, pero por esso no dexan de damnarse muchos christianos. Y ¿cómo? ¿Jamás has oýdo tú que la fe sin la obra es muerta? Plega a Dios que la décima parte nos salvemos.

Secundus error ipsorum est nimis confidere de misericordia Dei, dicentium Marci ultimo scribitur: «Qui crediderit et baptizatus fuerit salvus erit, etc.» Ideo nullus christianus damnatur. Error est: utinam decima pars salvetur. (176v)

Pero, en general, alguien puede sentirse desilusionado por la falta de más flagrantes compromisos espirituales. En el diálogo VI, por ejemplo, traduce el sermón «De pace» (170v-171v) y nuestra curiosidad no se verá compensada por la más mínima sintonía con otros tratamientos del tema, tal el del erasmismo 'pacifista'. El nuestro y su fuente tenían fines más intrahistóricos y, al tiempo, alegóricos: el viejo predicador del siglo XV se proponía difundir la paz evangélica con el fin de apaciguar las bandosidades reales que asolaban ciudades y campos de la península ibérica; o bien requería a los cristianos para que hicieran la paz con su Rey, pues que lo habían 'traicionado' de múltiples maneras, como, por ejemplo, acudiendo a anticristos hechiceros o adivinos siempre considerados agentes del demonio. Aún buscándola, si Baltasar Catalán respetaba ese cañamazo, imposible era encontrar una mínima sintonía con el evangelismo pacifista moderno, como el de raigambre erasmista. Entre otras cosas, porque en su selección de los sermones el autor de los *Diálogos espirituales* procura dejar intacta esa 'teología' del miedo que los caracteriza. Como en el diálogo VII, sobre el temor de Dios, exacta réplica del sermón sobre el mismo asunto (fols. 171r-173v). Ahí aparece un Dios justiciero, que «conserva y guarda el modo judicial» (65r) y que castiga impasible. Se ve que el nuestro picotea sin el más mínimo deseo de equilibrar los extremos de su doctrina, que va de un cristocentrismo intimista al más puro estilo de

---

25 Véase mi «Los *exempla* de los sermones castellanos de san Vicente Ferrer», en *Ex Libris. Homenaje al Profesor José Fradejas Lebrero*, I, Madrid, 1993, pp. 62-63.

los predicadores *de penitentia* de los siglos XIII y XIV, como Robert Holkot, que, precisamente, perfeccionó para la posteridad el tema de la curia celestial.

Por lo general, Catalán prefiere evitar compromisos más delicados. Aunque tampoco pueda decirse que se inhiba y que corra riesgos por un respeto a marchamartillo del original. Las leves modificaciones que hemos visto nos hacen pensar así. En el diálogo VIII, por ejemplo, trata sobre la fe y elude traducir algunos pasajes de su sermón original (fols. 179r-181r) que por su carácter de disquisición histórica pudieran enseñar el camino de la especulación a lectores poco cultivados que tuvieran como única guía el pequeño libro. Un botón último de muestra:

CIRIACO. – ¿Es necessaria la fee, dígame, señor maestro, para salvarse, porque estoy dubdoso en esto?
EUST[AQUIO]. – Sabe, discípulo muy amado, que es común doctrina y cierta en la sagrada theología que siempre del principio del mundo fue necessario para salvarse tener alguna fee de Dios, sin la qual ninguno ha podido jamás tener la gracia de Dios ni la gloria en el otro mundo. (70v)

Pro declaratione et introductione materie predicande sciendum quod est doctrina communis et certa [in] sancta theologia quod a principio mundi et citra semper fuit necessarium pro salvatione habere aliquam fidem de Deo, sine qua nullus potuit unquam habere hic gratiam Dei nec gloriam in alio mundo. Sed diversimode fides fuit in gentibus. Nam tempore legis nature ab Adam usque ad Moysem suffecit fides explicita quantum potest haberi intellectu naturale sine libris. (179r)

Este cuidado por silenciar pasajes, si no peligrosos, sí demasiado informativos nos demostraría que, en alguna medida, Baltasar Catalán se autocensuraba pensando en su lector implícito. Difícilmente, sin embargo, podría prever el destino de su libro en poder de lectores sensibles a otros intereses. Pues eran tiempos de replanteamientos doctrinales. En los aledaños de la publicación de los cánones definitivos del Concilio de Trento, se pueden constatar en algunos países de Europa cambios de rumbo en la producción del libro religioso. Eso se ve bien en la de Baeza, cuya imprenta empieza a funcionar precisamente en el año de 1549. Los volúmenes que se editan entre 1550 y 1554 no sólo difunden textos nuevos como los de Serafino de Fermo o los de san Francisco de Borja, sino que rescatan una espiritualidad tradicional, completada en ocasiones con el llamado *beneficio de la sangre*, común a ambientes que persiguen una renovación de la vida religiosa a partir de la accesis individual, de la práctica sacramental y con leve propensión en algunos casos hacia la doctrina solafideística[26]. Quienes, por ejemplo, en Baeza programaban la publicación de textos que por algunas de estas tendencias doctrinales pronto pasarían al índice –aunque alguno de esos años escapó a las pesquisas, todo y que adoctrina sobre la iluminación directa, como mostraré en otra ocasión– debieron encontrar que para sus lectores iban a ser útiles las coincidencias entre el meollo vicentino de Catalán y la religiosidad del resto de las publicaciones, como, por añadir un ejemplo más, la de raigambre savonaroliana, representada por la edición de sus dos más difundidas exposiciones sobre los salmos[27].

Para tales sintonías no es óbice el conservadurismo doctrinal. Se ha puesto de manifiesto que, en esa línea de interiorismo, los textos devotos otrora para laicos adquieren una mayor profundidad e, incluso, un grado de disquisición teológica mayor, que contrasta con la minoración

---

26 Es el panorama que presenta G. Zarri para los años 50 de la producción editorial italiana («Note su diffusione e circulazione...», p. 136).

27 Véase, para éstas, M. Bataillon, «Sur la diffusion des œuvres de Savonarola en Espagne et en Portugal (1500-1560)», en *Mélanges de philologie, d'histoire et de littérature offerts à Joseph Vianney*, París, Les Presses Françaises, 1934, pp. 93-103.

de las directrices meramente comportamentales. Se ha comprobado, por ejemplo, una caída editorial de los manuales de pecados, en beneficio del tratamiento de aspectos sacramentales de la confesión[28]. Es cierto que una buena parte de la materia prima de Catalán denota preocupación por la culpa. Sin embargo, su conservadurismo doctrinal hace posible la incorporación de un diálogo como el III, en el que sobre la base de la *similitudo* de las siete fiebres (= siete pecados capitales) se enumeran y califican tales pecados y sus variantes[29]. Sin embargo, la metáfora médica venía abriéndose camino como medio de tratamiento del tema de la culpa desde una perspectiva más individual que colectiva. Incluso, el uso de esa metáfora para desarrollar el factor individual de la culpa pude servir en más de una ocasión como complemento al tratamiento pragmático colectivo del confesional y, por ello, no es extraño que un autor de alguno de estos últimos, como Pedro Ciruelo, lo complete con una reducción al individuo por vía metafórica en su *Hexameron theologal sobre el regimiento medicinal contra la pestilencia* (Alcalá, 1519).

Desde esta perspectiva, quizá quepa interpretar la elección de Baltasar Catalán como un acierto y como un testimonio de cambio en el mundo editorial del libro devoto. Pero estas nuevas tendencias editoriales, como he estado indicando, se nos revelan, al par que por medio de una doctrina tradicional nueva en la medida que sintoniza con las necesidades de sus lectores, por medio también de unos cambios genéricos, que hemos podido percibir en el trabajo del valenciano. Si la opción por un nuevo género para la práctica pastoral, como, por ejemplo, la epístola en vez del sermón, puede transparentar un cambio de fondo en los fines y en los hábitos de la devoción y guía espiritual (estoy pensando, verbigracia, en el significado de las familiares de fray Francisco Ortiz y de Juan de Ávila), mucho más significativo debe parecernos un caso de transferencia genérica como el de Baltasar Catalán. En su conversión del monólogo homilético en plática catequética no tiene por qué despistarnos la conservación de los recursos propios de la predicación popular mendicante – la puesta en práctica, el *exemplum* o la *similitudo* –, pues que es un andamiaje retórico necesario, entre otras cosas, para conseguir el estilo de *sermo humilis* de los librillos espirituales de siempre dedicados a los laicos.

Tampoco debemos dar al uso del diálogo una importancia extravagante; entre otras cosas, aunque sólo fuera porque en la espiritualidad femenina dominicana el género tiene sus clásicos, como la santa de Siena, verdadero *bestseller* durante la primera mitad del XVI. Hay, sin embargo, diálogos y 'diálogos'. Como se ha ido viendo, Catalán no se aparta demasiado del género catequismal, destinado a compilar una serie de verdades básicas para la creencia del cristiano. Y, en este sentido, la aparición en Baeza de una segunda edición de los *Diálogos espirituales* cobra sentido también desde la perspectiva de los intentos del ámbito de Juan de Ávila para promocionar la reforma de los textos más elementales de información cristiana[30].

La propia voluntad de estilo dialógico del valenciano, además, no soportaría un análisis desde la perspectiva de la retórica del diálogo renacentista. Apenas se cuida, si no es en determinados casos, como el coloquio I, de conseguir un mínimo grado de ficción conversacional. Lo que podía esperarse desde el momento en que los interlocutores son dos y en ocho de los nueve diálogos tienen de antemano ajustado su papel de *maestro* y *discípulo*. Este tipo de marbetes pedagógicos en el ámbito espiritual condiciona ya la dirección retórica hacia el diálogo catequético, que se debe diferenciar del diálogo didáctico de ascendencia platónica o ciceroniana en tanto que aquél no

---

[28] G. Zarri, «Note su diffusione...», p. 138.

[29] Un equivalente vicentino muy cercano puede verse en *Opera omnia*, I, parte II, Valencia, 1693, pp. 589-594.

[30] Véase, por ejemplo, la gavilla recogida en el vol. VI de las *Obras completas*, ed. de Francisco Martín Hernández, Madrid, 1970.

implica intercambio de ideas o una colaboración en la delimitación de la doctrina. Baltasar Catalán se demuestra por ello deudor de la literatura de preguntas y respuestas o de *problemas* de uso pedagógico. Hemos visto, por ejemplo, cómo el intercambio de locución está condicionado por las distintas *questiones* que el predicador se formulaba a sí mismo.

Así, el interés de estos *Diálogos espirituales* no estribará en la renovación formal por medio de una correcta militancia retórica o en la elección de un modo de escritura que, tal como se nos elabora, no deja de ser muy añejo, sino más bien en el proceso de desviación genérica que implica el abandono de un género pastoral con destinatarios colectivos y con los elementos propios de la difusión oral, como es el sermón, en beneficio de la catequesis privada y autosuficiente, que sólo se reconduce por el camino de la lectura privada. Gracias a lo cual la doctrina tradicional puede repercutir con un nuevo sentido en sintonía con los tiempos y con determinados ambientes, como Baeza, verdadero laboratorio para la espiritualidad del siglo XVI.

Una regla de economía dramática: las imágenes organizadoras en el teatro de Diego Sánchez Badajoz

Françoise CAZAL
Université de Toulouse-Le Mirail

Los autores de teatro religioso del siglo XVI concebían a menudo su trabajo, animado con intenciones didácticas, como una puesta en imagen de la Sagrada Escritura, es decir de la fuente bíblica misma o del texto normativo del dogma católico. El teatro religioso se inscribe así en la tradición plástica del fresco, de los capiteles, vidrieras o lienzos didácticos que adornan las iglesias, pero con el evidente mayor efectismo conferido, en el teatro mudo primitivo, por la gesticulatoria escénica y por la presencia humana del figurante (desfiles de personajes inspirados en el «ordo prophetarum»), y, en las formas dramáticas elaboradas que son las farsas, por la presencia de un texto que pone el mensaje religioso al alcance incluso de los analfabetos. Dicho texto puede ser el mero trasunto sonoro de la Sagrada Escritura, o complicarse con la adjunción o sustitución a ése de un comentario explicativo

> para que se represente
> con devida explanación
> (*Aucto de la conversión de San Pablo*, LXIII, *Códice de Autos viejos*)

o de un equivalente alegórico del mensaje bíblico (alegorías anunciadoras del auto sacramental).

La confianza en las virtudes didácticas de la puesta en imagen y por lo tanto, de la puesta en escena explica la elección estética privilegiada del teatro como medio de comunicarse con un público ignorante, con ocasión de las festividades esenciales del calendario litúrgico, para recordar los pasajes más provechosos de los textos sagrados. Por ello, no nos sorprenderemos al comprobar que, en medio del amplio muestrario de recursos dramáticos desplegados por un dramaturgo como Diego Sánchez de Badajoz, figure uno cuya frecuencia de empleo hace que podamos considerarlo como una auténtica regla de escritura: el empleo de imágenes simbólicas que llamaremos «organizadoras», porque condensan el significado del texto y establecen un nexo subyacente entre todos los elementos de la farsa; más allá de la clásica función de captación de la atención, se encuentran aquí para poner de relieve de modo anticipado, indirecto y sutil el mensaje didáctico principal. El estudio de algunos ejemplos va a permitirnos analizar mejor la técnica del dramaturgo extremeño en este punto.

La imagen organizadora suele ser, en los casos más frecuentes, una imagen o situación escénica llamativa propuesta desde el principio de la farsa al espectador. Esta ubicación es tan mayoritaria que casi hubiéramos podido llamar esas imágenes «imágenes generadoras», ya que en la farsa, muchas veces, todo parece derivarse de ellas; pero el estudio de la estructura de los textos dramáticos de la *Recopilación en Metro* muestra lo inadecuado de tal denominación, porque son más bien, al contrario, un ejemplo de técnica de composición *a posteriori* por el dramaturgo; en efecto, si intentamos reconstituir el método de composición del cura de Talavera, comprobamos que escogió primero su tema doctrinal en consonancia con el calendario litúrgico y eligió luego la imagen más adaptada para encabezar la obra.

A menudo construidas a base de elementos concretos elementales, tales imágenes organizadoras tienen el impacto de la simplicidad y de la originalidad: en la *Farsa de Salomón*, la que se propone al espectador, en el introito, es la del Pastor que sale al escenario comiéndose unas bellotas y formulando comentarios sobre la carestía imperante. En el fondo, lo que Diego Sánchez le propone así al público es la imagen simbólica del Hombre Despojado (despojado, en un sentido literal, de su relativo bienestar alimentario anterior), reducido a la mayor pobreza y desamparo. Parecido tema introductor tiene ventajas patentes, de tipo técnico primero: los accesorios del «atrezzo» son muy económicos y permiten resolver fácilmente el problema de cómo empezar el discurso de Pastor frente a su público; en segundo lugar, el efecto cómico está garantizado (a partir del tópico de Pastor glotón), y por fin se actualiza eficazmente el mundo real dentro del espacio escénico, al establecerse un contacto afectivo entre el personaje y su público a través de un referente común: el hambre. Pero, más allá de este aprovechamiento de la imagen del Pastor comedor de bellotas, lo esencial es que el hombre despojado que es el Pastor introduce, en su registro burlesco acostumbrado, el tema que va a exponer el personaje principal del cuerpo de la farsa, Salomón, o sea el gran tema del *Vanitas vanitatis* . El Pastor dice:

> El que me oyer y me vier   el mundo y su presunción;
> pescude por llo del cielo   pescudailo a Salomón
> que, mi fe, para en el suelo   con su ciencia y su saber.
> poca cosa es menester;   Aquí habla el Rey Salomón ...
> vanidad es, a mi ver,   (Vv. 129-136)

El dramaturgo sugiere de este modo que el verdadero estado del hombre es el despojamiento, el que nos espera después de la muerte, y del que nos da una idea aproximada y anticipada el despojamiento vivido en el hambre. Todo lo que viene a continuación en la farsa se organiza en una estructura muy coherente y va destinado a denunciar los espejismos que hacen olvidar al hombre la consustancial humildad de su persona, espejismos que son la riqueza y los placeres sensuales, asociados muy netamente, en esta farsa, al tema del dinero (la mujer mala, o «mujer B», se enriqueció prostituyéndose; el Fraile, en la parte entremesil, es castigado porque se abandonó a la vez al pecado de la Carne y al atractivo del dinero). En cuanto a la célebre escena en la que la «mujer A» y la «mujer B» se disputan la posesión del niño, está aquí por ser lo más conocido del personaje de Salomón en la memoria del público, funcionando así como identificador del personaje, y porque, habiendo llegado a ser un ejemplo de justicia universalmente reconocido, viene a corroborar a ojos de todos la rectitud de juicio del famoso rey, en el momento justo para conferirles peso y autoridad a los discursos que profiere en el escenario contra la vanidad de las cosas del mundo. La imagen inicial del Pastor comedor de bellotas es, pues, un primer recordatorio de la condición humana, oculto bajo las bromas del personaje cómico, y eso aunque el público, de momento, no lo capte conscientemente. En este caso particular, la imagen «organizadora» es una imagen generada por el hambre auténtica, dictada por los sucesos coetáneos, a la par que lo es la meditación moral del *Vanitas vanitatis*.

Abandonando esta farsa bíblica prefigurativa, evocaremos un ejemplo sacado de otro gran tipo de farsa en el teatro de Diego Sánchez de Badajoz: las farsas dialogales. En la *Farsa de la Natividad*, el hilo conductor escogido es el tema del saber, bajo la doble manifestación del saber como arte de formular y del saber como suma de conocimientos. En la parte introductora, el problema de los protagonistas es *saber* en qué términos designar a las mujeres en general y a la Virgen en particular. A continuación, el diálogo principal entre el Clérigo y el Fraile consiste en tratar de *saber* cuál fue el mayor gozo de la Virgen: concebir o parir, es decir, determinar teológicamente cuál es el mayor misterio, la Encarnación o la Natividad. Ni el Clérigo ni el Fraile serán vencedores: será la Ciencia, personaje alegórico, quien les ponga de acuerdo merced a una ingeniosa solución. ¿Con qué imagen organizadora se abre, pues, esta farsa? La de Juan Pastor, en el introito, que se muestra más provocador y juguetón de lo que suele ser el Pastor en las otras farsas: empieza aquí el Pastor por un desafío intelectual a los espectadores, proponiéndoles resolver enigmas que van acompañados de sendos juegos escénicos concretos. En el tono burlesco que le pertenece, el Pastor plantea el argumento en términos de saber, introduciendo así el tema central serio de la pieza mediante un planteamiento lúdico algo caricaturesco, pero que respeta, en el fondo, la naturaleza misteriosa del saber religioso.

Dentro de otro género, las farsas de santos, nos fijaremos ahora en el ejemplo de la *Farsa de Sancta Bárbara*, pieza construida según el modelo de los procesos de Paraíso y en la que se aprecian, alternativamente, las muchas obras buenas y las pocas malas de la santa. En dicha farsa, el propósito primero, anecdótico, de Diego Sánchez es ensalzar a la santa, y su intención principal recordarles a los cristianos que sus acciones serán sopesadas en la balanza del Juicio Final y que su deber es, por lo tanto, purificarse cuanto antes. De hecho, es el mensaje que el Pastor expresa en el introito. Pero reflexiones de este cariz no serían más que un artificio introductor banal si no tuvieran la particularidad de formularse a partir de un elemento concreto que forma parte del traje escénico del pastor y está sacado, pues, de los accesorios escénicos habituales: el zurrón, o más bien, en este caso, los zurrones, ya que no son menos de tres. El número inusitado de zurrones sitúa esta primera aparición escénica del Pastor fuera de las acostumbradas normas escénicas y el personaje explicita el sentido de esta imagen inicial organizadora: en primer lugar figura el zurrón en el que caben las buenas acciones (muy pequeño, desde luego); luego, el de los pecados (muy abultado) y, más gordo aún que el zurrón de los pecados propios, figura el de los pecados ajenos, más fácilmente perceptibles. La imagen inicial llamativa no es aquí una acción del Pastor, sino una anomalía en la vestimenta del mismo, o más bien, la focalización en un detalle vestimentario y su potencialización gracias, primero, a la multiplicación de los zurrones, luego gracias al comentario del símbolo. Esta imagen visual organizadora, como en el caso del Pastor comedor de bellotas, es lo primero que se le propone al espectador; es de tipo alegórico, y recibe un comentario explicativo inmediato para darle mayor impacto. Gracias a ella, el tema central del mensaje catequístico de la farsa se trasmite por anticipado.

La imagen inicial organizadora no siempre viene explicitada del modo que acabamos de ver; en otros casos, el espectador es quien debe interpretarla, como sucede con la imagen que encabeza y estructura el introito de la *Farsa Moral*: allí, presenciamos la demostración de la exaltación vanidosa del personaje de Nequiçia, que figura en el escenario bajo la apariencia física del Pastor. Los excesos, fácilmente identificables por el público, del personaje de Nequiçia tendrán su justo castigo a continuación en la farsa; la imagen organizadora es aquí una imagen compleja, difusa, que ilustra sintéticamente una serie de comportamientos amorales que son las actuaciones y declaraciones de Nequiçia. Esta imagen inicial es, por su duración y mayor elaboración escénica, muy distinta de los casos anteriormente aducidos y les exige mayor iniciativa a los receptores; sin embargo, merece el cualificativo de «organizadora» que le atribuimos, porque le deja una impresión global al espectador, la de estar ante el retrato del vicio. Este retrato es un autorretrato narrativo y no una demostración en acción de las características de Nequiçia; este punto cero de desarrollo dramático permite, pues, conservarle la brevedad unitaria de la imagen. Lo que concurre también a que el espectador capte este autorretrato del personaje del mal de modo global es el que Diego Sánchez derive la caracterización de Nequiçia de los habituales rasgos del Pastor, contentándose con ennegrecer su tonalidad habitual: al Pastor le gustan los bailes, a Nequiçia los bailes pecaminosos; el Pastor tiene una gran habilidad manual; eso se transforma en fullería en los juegos de naipes etc. El uso de un tópico literario compartido con su auditorio le permite a Diego Sánchez lograr la percepción unitaria del fragmento.

Vemos cómo se confirma, con los primeros dos ejemplos aducidos, el método de composición de Diego Sánchez, que encontraría la idea de su imagen de «arranque» a partir de la idea principal que quiere exponer; lo que podíamos percibir como un elemento de creación imaginativa escénica espontáneo acarrea en realidad un contenido simbólico relacionado con el contenido principal de la farsa y eso, a veces, a doble nivel. La *Farsa de los Dotores* es buena ilustración de ello; Diego Sánchez pone en escena a los doctores del Templo que tienen a Jesucristo niño delante de ellos y no lo reconocen; el tiempo de la acción interior se sitúa, pues, en el período límite entre la Antigua Ley y la Nueva Ley, cambio de época difícilmente perceptible por los contemporáneos. Diego Sánchez, como de costumbre, construye el introito sobre una imagen que se graba en la memoria del lector: el Pastor fantasea sobre la idea de una sociedad en la que los hombres vivirían desnudos y la sugiere con pintoresquismo a su público. Tal imagen es inspirada por una perspectiva argumental de vuelta hacia atrás, hacia el pasado; proponiéndose el autor evocar a la época del Antiguo Testamento como a una época definitivamente alejada, logrará más eficazmente crear una impresión de alejamiento al dejar curiosear la fantasía del espectador sobre una evocación edénica de desnudez generalizada. Pero eso no es todo, y podemos reconocer un segundo nivel simbólico: la desnudez del hombre hace pensar en el estado de inocencia que precedió al pecado original; y el Nuevo Testamento, gracias al advenimiento de Cristo, corresponde a la posibilidad ofrecida de recobrar la pureza del Paraíso perdido. En esta Farsa, la imagen organizadora manifiesta una peculiaridad, la de tener un elemento simétrico en el entremés final cómico que, después del cuerpo de la farsa, escenifica al diablo vencido, atado y apaleado por el Pastor. Es una prueba más de que los entremeses de Diego Sánchez no son fragmentos destacables, pegados artificialmente después de la parte seria de la farsa; ese diablo malparado resume, en efecto, de modo simplificado y plástico, la consecuencia de la venida de Cristo, que es la derrota del pecado.

La imagen organizadora sintetiza, a veces alejándose bastante del argumento anecdótico expuesto, una idea o un conjunto de impresiones relacionadas con el mensaje central, y se sitúa, en la mayoría de los casos, como dijimos, al principio de la farsa; pero el último ejemplo aducido muestra que la técnica es aplicable, en esencia, a la parte conclusiva, donde surte un efecto de síntesis espectacular y se graba en la memoria de modo eficaz, por ser la última imagen plástica de la obra. Esas imágenes dominantes no pueden, sin embargo, multiplicarse sin tasa porque perderían su eficacia, y Diego Sánchez no se extralimita en el uso que hace de ellas, como tendremos ocasión de comentarlo.

La *Farsa de Tamar* presenta a los espectadores la conducta poco honesta de Tamar con su suegro; teniendo la intención de ser fecundada por un hombre de la misma sangre que su difunto esposo, seduce al anciano, haciéndose pasar por una prostituta ambulante que tiene el rostro tapado; no resulta difícil adivinar que la conversación burlesca del Pastor con el público va a versar sobre las tapadas contemporáneas del dramaturgo; hasta aquí, nada muy original; pero Diego Sánchez se las arregla para proponer, sobre ese tema, una imagen de vigor muy rabelaisiano: según el Pastor, la mujer, al tapar su rostro como se suele tapar el trasero, «su cara hace asiento» (v. 31).

Así, el nexo entre la cara y esta parte del cuerpo, que no sólo se evoca por pertenecer el tema al registro escatológico del Pastor, sino por aproximarse al tema del comercio de la carne, permite relacionar el tapado con el pecado carnal, antes mismo que Tamar lo ilustre por sus retozos en los matorrales en compañía de su suegro.

Hemos visto, hasta ahora, la imagen inicial principal bajo la forma de una actitud del Pastor, de un comentario de éste, o de un elemento de su vestimenta. La *Farsa de Santa Susaña* proporciona un ejemplo de índole distinta, en el que dicha imagen consiste en un juego escénico. Al principio del introito, y antes de la larga digresión sobre la crítica del ocio y de la maledicencia pronunciada por el Pastor, éste se adueña de la atención y de la imaginación de los espectadores proponiéndoles el espectáculo de su mano cerrada sobre la cual les pregunta, en tono de chanza, qué hay dentro. Respuesta: los cinco dedos y la palma. A continuación de esta primera formulación lúdica, el tema de la mano va a reaparecer, de modo más serio, para demostrar que hace falta tener fe, sin tratar de penetrar los misterios de la religión con el entendimiento; en efecto, argumenta el Pastor, al observar la mano ¿quién pudiera decir qué mecanismos le permiten abrirse y cerrarse? Así, en esta Farsa, el misterio fisiológico del funcionamiento de la mano sirve de exponente al misterio del dogma. La mano expuesta físicamente a la observación del espectador es a la vez imagen plástica e imagen simbólica del misterio. El Pastor, buen pedagogo, no se contenta con dar la equivalencia visual de un misterio, se esmera en suscitar una aprehensión confiada de esta noción dogmática, por el procedimiento semi-burlesco de la adivinanza que se combina con la reflexión activa sobre un «misterio de la naturaleza» muy fácil de observar; un mismo juego escénico (el abrir y cerrar la mano) permite un doble aprovechamiento escénico y le confiere toda su fuerza a esta imágen organizadora.

Así, en la exposición de su mensaje didáctico, el dramaturgo extremeño se vale, al lado de la trabada argumentación lógica que le conocemos, de imágenes globales destinadas a impresionar la sensibilidad visual, antes que el intelecto, de sus espectadores. La imagen inicial de la *Farsa del herrero* es otra muestra ejemplar. Esta farsa gremial se abre con el pavor del Pastor ante la fragua del pueblo, a la que toma por el mismo infierno, imagen impresionante que sigue desarrollándose en la parte central de la obra, cuando ocurre una riña entre el Pastor y el herrero, porque aquél llamó «diablo» a éste (tales bromas no impiden que la farsa constituya un acendrado elogio de los herreros, a los que va dedicada). Pudiéramos pensar que Diego Sánchez se contenta con la transformación fantástica de la fragua en peligrosa boca de infierno, para lograr así una apertura sensacionalista en esta breve farsa; sería minusvalorar el perpetuo desvelo didáctico que es el suyo: el final de la pieza consistirá en un elogio de la templanza, a relacionar directamente con esa percepción del infierno a partir de un elemento del paisaje pueblerino cotidiano, la fragua. En este último ejemplo, el efecto estético de captación de la atención se compagina con una preparación a la reflexión moral del final, y todo eso arrebujado en una de las imágenes organizadoras características de nuestro dramaturgo.

A propósito de los ejemplos sucesivamente mencionados, hemos abordado ya la cuestión de la presencia múltiple o única de estas imágenes en un misma pieza. Salvo el caso señalado de doble imagen fuerte en una misma obra, son normalmente únicas.. Las pocas piezas que no ostentan una imagen de este tipo en su introducción la reservan para la conclusión; la *Farsa de la Yglesia* ofrece una escena aleccionadora al espectador: el personaje del moro exige el bautismo, y le bautizan, lo que provoca la desesperación del personaje llamado Sinagoga. A Diego Sánchez le pareció bueno que esta imágen escénica de mucho impacto fuese la única y viniese destacada en conclusión.

En cuanto a la génesis de estas imágenes fuertes, hemos podido comprobar que Diego Sánchez las elabora a partir de elementos escénicos, lo que las diferencia notablemente de otro tipo de imágenes, las imágenes bíblicas, que también ocupan un sitio importante en su teatro. Estas van inspiradas estrechamente la letra del texto sacro y, habiendo perdido para nosotros, lectores modernos, la fuerza de convicción que tenían para el espectador de entonces, resultan bastante sosas. Nos valdremos de dos ejemplos para ilustrar en qué coincide y en qué difiere el empleo de estas dos categorías de imágenes. El dramaturgo organiza dos de sus piezas (entre las más elementales, estructuralmente hablando), alrededor de una escena concisa y fuerte, asimilable parcialmente al procedimiento que enfocamos. Se trata de la *Farsa de San Pedro* (la imagen fuerte es la del pez que lleva una moneda en la boca), y de la *Farsa en que se representa la salutación de Nuestra Señora*, elaborada alrededor del tópico visual sagrado que inspiró tantos lienzos: la Anunciación; para la representación de esta última imagen el cura de Talavera prescinde de toda elaboración dramática sofisticada y no hace más que pintar con palabras en el escenario una clásica escena de Anunciación, reducida a sus elementos dialogales mínimos. En esos dos casos la imagen-escena se encuentra situada en el centro de la pieza y no sufre la competencia de ninguna otra imagen vigorosa como son las imágenes organizadoras que describimos: lo que precede y lo que sigue la escena bíblica no son más que comentarios morales o dogmáticos, esencialmente prefigurativos (la virginidad y humildad de María prefiguran la necesaria humildad y castidad del clero). Podemos preguntarnos si estamos aquí frente a un ejemplo particular o si es la manifestación de una regla general. ¿Significa eso que la imagen bíblica no se puede compaginar con la imagen organizadora, en el espacio reducido de una breve farsa? El caso de la *Farsa de Abraham*, en la que el texto se abre con una imagen organizadora (el eclipse solar) a pesar de estar construido alrededor de una imagen bíblica (el convite del Angel por Abraham), nos impide pensarlo. Si nos interrogamos entonces sobre la razón de la ausencia de imagen organizadora en la *Farsa en que se representa la salutación de Nuestra Señora*, encontramos varios tipos de explicación: el propio título indicaría la reverencia con la que Diego Sánchez considera el fragmento bíblico adaptado; el que se trate de un pasaje conocidísimo, cuyo contenido está en la memoria de todos gracias al *Ave María*, le confiere al núcleo central bíblico de la farsa una presencia tan fuerte que eliminaría toda posible asociación con las imágenes organizadoras sintéticas a las que Diego Sánchez les tenía, sin embargo, tanta afición. Otra hipótesis sería que, tratándose en la *Farsa en que se representa la salutación de Nuestra Señora* de una de las estructuras compositivas más sencillas de la colección y probablemente de una de las farsas más antiguas (sin que asociemos obligatoriamente esos dos criterios), quizás Diego Sánchez no hubiera manejado aún de modo sistemático la técnica de las imágenes organizadoras. A no ser que se trate de otra explicación en relación con el equilibrio compositivo de la farsa: Diego Sánchez mostraría cierta reticencia en el uso de las imágenes organizadoras cuando entrasen en competencia con imágenes bíblicas escenificadas de modo breve y unitario, pero tal incompatibilidad no se produciría cuando el fragmento bíblico diese lugar a una escena más compleja y larga, como en la *Farsa de Abraham*. Además, el mismo ejemplo de la *Farsa de Abraham* no es totalmente convincente, en la medida en que la imagen generadora remite a la esfera de la experiencia vivida por el grupo social, y la otra al área de lo sagrado, lo que diversifica el efecto producido.

Más claramente perceptible que estos sutiles matices de equilibrio interno, la gran característica que parece diferenciar a las imágenes bíblicas engarzadas en las dos farsas citadas de las imágenes organizadoras, aparte del hecho de ubicarse en partes distintas de las farsas, es que nunca son burlescas, mientras que las imágenes que nos interesan en este trabajo son todas, en cierto grado, de índole cómica. Es una razón más para explicar que la presencia de estas imágenes bíblicas tienda a excluir la de las imágenes organizadoras que nos interesan: una evocación que parece directamente sacada de las ilustraciones sagradas de los Beatos conservados en los monasterios medioevos mal se combina con efectos escenográficos chocarreros. Esta misma cuasi-incompatibilidad de un tipo de imágenes con otras permite reconocer la naturaleza festiva de las imágenes organizadoras como una característica fundamental suya. Cómicas o lúdicas, se manifiestan por intermediario del personaje del Pastor, en el registro burlesco que le es propio, o mediante la tradición cómica del entremés final.

Esta doble plasmación tradicional de los elementos burlescos (el Pastor-bobo, el entremés) es probablemente lo que justifica en parte el que las imágenes organizadoras se encuentren mayoritariamente, como ya se ha dicho, al principio de la farsa (el introito es el reino del Pastor burlesco desde Torres Naharro), pero también, en algunos casos, al final, para cerrar el entremés.

No nos extrañaremos que ocurra esto en las piezas de tema profano, en las que la enseñanza de Diego Sánchez versa sólo sobre lo moral y no sobre un doble contenido dogmático y moral, y por consiguiente en las que el mensaje serio ocupa un sitio proporcionalmente inferior al que tiene en las farsas religiosas; no es que el final entremesil sea el privilegio de las farsas profanas: sabemos que es un procedimiento casi constante en su teatro; pero el dramaturgo les dio un peso específico a los finales entremesiles de las dos farsas profanas de su obra gracias a la introducción de una imagen organizadora, o cristalizadora, que resume lo esencial de la obrita y no tiene rival en el introito. Para apreciar debidamente el fenómeno, tengamos presente que esta imagen fuerte es la única de su categoría en la farsa. Quizás también, para compensar esta misma característica de lo profano, Diego Sánchez haya decidido captar el interés de su espectador dándole a dicha imagen la forma de una escena de aparición diabólica: en la *Farsa de la Hechizera* el diablo, convocado por el personaje de la hechizera, trata de agredirla, aunque sin éxito; en la *Farsa de la ventera*, el «enemigo» se lleva rotundamente a la poco honesta ventera hasta el fondo de los infiernos. Estas escenas que, por su brevedad, se concretan en una potente imagen, constituyen por sí solas una lección de moral para el espectador, ahorrándole así al dramaturgo la redacción de un comentario edificante.

Para terminar, es de mucho interés mencionar un caso peculiar de imagen organizadora que accede a la dignidad de mensaje principal. De costumbre, las farsas de Diego Sánchez están construidas para poner de realce la parte central que encierra el mensaje doctrinal. En la *Farsa de Moysén* pasa todo lo contrario. La parte dogmática se sitúa al principio, tomando la forma de una curiosa conferencia entre el Pastor, los representantes del Antiguo Testamento (Elías, Moysén) y el sabio testigo del Nuevo Testamento, Sant Pablo. La farsa se interrumpe brutalmente en el momento en el que se habla del tema de la Eucaristía, «este pan […] / a que somos combidados» (*Farsa de Moysén*, v. 745) para introducir un doble entremés (vv. 177-264) en el que un Negro «paresce de improviso» para divertir al espectador con su jerigonza acostumbrada, antes de desmayarse espectacularmente en el escenario, vencido por el hambre. El Negro sólo logra recobrar el sentido cuando el Pastor, que adivina su mal, le sustenta con pan y vino. La «resurrección» del Negro tiene todas las características de las imágenes que llamamos organizadoras, si exceptuamos su situación anómala. Va seguida de un segundo episodio entremesil basado, esta vez, en el tópico de la riña, y luego se reanuda el hilo de los comentarios catequísticos. Comprobamos que esta muy curiosa escena burlesca, que es una parodia a la vez de la Cena (Pastor = Cristo), de los efectos de la Eucaristía (Negro = cristiano que comulga y así alcanza la verdadera vida) y de la Resurrección (Negro = Cristo) y que resume el mensaje eucarístico de la obra, ocupa la misma posición céntrica que ocupaba la escena de la Anunciación en la *Farsa en la que se representa la salutación de Nuestra Señora*. La ausencia total de elementos concretos pintorescos en el principio y en el final de la farsa autoriza esta concentración de los elementos cómicos en la parte mediana de la misma, en detrimento de la acostumbrada escena bíblica. Tal estructuración de la obra, excepcional en la *Recopilación*, es buena ilustración de la importancia que Diego Sánchez les confería a las imágenes organizadoras, y de la variedad y audacia de sus experimentos escénicos.

Lo que parece caracterizar, en síntesis, las imágenes organizadoras a las que hemos dedicado este breve trabajo, es no sólo su plasticidad, su simplicidad, su situación destacada, el principio de economía que las rige, su naturaleza burlesca, sino también el hecho de supeditarse siempre a unas miras didácticas bajo una aparente fantasía, y, sobre todo, de ser el punto de arraigamiento principal de la farsa, el «punctum» en el cual convergen las miradas. Muchos discursos llenan el teatro de Diego Sánchez de Badajoz, pero casi todos van relacionados directa o indirectamente con una de estas imágenes evocadas. Este deseo de crear un evento escénico, situado temprano en la farsa, que el espectador pueda recordar con predilección después de terminada la representación, participa de las preocupaciones pedagógicas del dramaturgo, pero nos hace pensar también en la técnica del cuento oral popular, y más aún, en la técnica del sermón que el sacerdote elabora a partir de una imagen bíblica inicial. Así es como convergen, en este rasgo de construcción dramática tan utilizado en la *Recopilación en metro*, las huellas de unos procedimientos largamente puestos a prueba en dos tradiciones distintas eficazmente sintetizadas por el dramaturgo extremeño, que las pone al servicio del mensaje doctrinal para que

> no empalague
> de cualquier forma guisado:
> dicho, rezado y cantado,
> por cien mill modos se trague.
> (*Farsa en que se representa la salutación de Nuestra Señora*, vv. 25-29)

Referencias bibliográficas

Recopilación en metro (Sevilla, 1554). Ed. de Seminario dirigida por Frida Weber de Kurlat, Instituto de Filología y Literaturas Hispánicas «Dr. Amado Alonso», Facultad de Filosofía y letras, Universidad de Buenos Aires, 1968.

Colección de autos, farsas y coloquios del siglo XVI. Ed. Leo Rouanet, Georg Olms Verlag, Hildesheim-New York, 1979.

En marge de la querelle antigongorine : Jáuregui défenseur de Paravicino.
Examen de l'*Apología por la verdad* (1625)

Francis CERDAN
Université de Toulouse-Le Mirail

Huit jours après la mort du roi Philippe III, survenue le 31 mars 1621, on organisa, conformément à l'étiquette de la cour des Habsbourg, de pompeuses *Honras Fúnebres* dans l'église de *San Jerónimo el Real*, et l'oraison funèbre fut à la charge du Père Jerónimo Florencia, du Collège Impérial des jésuites de Madrid, qui avait assisté le roi dans sa longue agonie souvent traversée de crises aigües d'angoisse[1]. Mais en même temps, Philippe IV chargea le comte d'Arcos de commander aux différents prédicateurs royaux des *Epitaphes* destinées, au delà de la solennité de la cérémonie des *Honras*, à être réunies en un livre à la mémoire du roi défunt. Répondant à cette commande, Fray Hortensio Paravicino écrivit alors un éloge funèbre de Philippe III ainsi qu'une courte épitaphe rédigée en latin et il fit imprimer, sans attendre plus longtemps, ces deux pièces en un opuscule de 24 pages, sur les presses de Tomás Junti, au mois de mai 1621[2]. Plusieurs autres sermons ou éloges funèbres de Philippe III furent imprimés, en particulier l'oraison qu'avait prêchée le Père Florencia au cours des *Honras* solennelles, mais il semble que le livre projeté n'ait jamais vu le jour.

---

[1] J'ai déjà eu l'occasion de m'intéresser à cette oraison funèbre de Philippe III par le Père Jerónimo Florencia dans mon article *La oración fúnebre del Siglo de Oro, entre sermón evangélico y panegírico poético sobre fondo de teatro*, dans *Criticón* n° 30 (*Las relaciones entre los géneros en el Siglo de Oro*), pp. 79-102 où je faisais une assez rapide mention, pp. 92-95. Plus récemment, je l'ai utilisée dans une communication intitulée *Los afectos del pecador arrepentido a la hora de la muerte. Tensión anímica y expresión poética en el siglo XVII*, présentée au colloque «Muerte, Religiosidad y Cultura Popular» organisé à Saragosse (12-14 décembre 1990) par l'*Institución Fernando el Católico*, dont les actes sont sous presse. Il est intéressant de rapprocher la description de l'agonie du roi que fait Florencia de celle que brosse Andrés de Almansa y Mendoza dans sa *Carta que escriuió un cauallero desta Corte a un su amigo*, publiée par José Simón Díaz dans son ouvrage *Relaciones de los actos públicos celebrados en Madrid (1541-1650)*, Madrid, Instituto de Estudios Madrileños, 1982, pp. 118-121.

[2] Voir la description de cet opuscule et la reproduction des deux frontispices aux pages 14-17 de la *Bibliografía de Fray Hortensio Félix Paravicino y Arteaga* que j'ai publiée et qui constitue le n° 8 de *Criticón*, Toulouse, 1979.

Hommage à Robert Jammes (Anejos de *Criticón*, 1), Toulouse, PUM, 1994, pp. 199-211.

La piété filiale et le goût de l'époque poussèrent Philippe IV à organiser chaque année des cérémonies d'anniversaire pour célébrer la mémoire de son père (comme d'ailleurs de sa mère). C'est ainsi qu'en 1625 Fray Hortensio Paravicino fut chargé du sermon funèbre et qu'il prêcha en présence de la cour réunie dans la chapelle royale. Peu après, le sermon fut imprimé sous le titre de *Panegyrico Funeral* par les soins de Teresa Junti, qui réalisa en même temps une réédition des *Epitafios* de 1621[3]. Cette double publication provoca alors la réaction d'un esprit chagrin qui répandit dans le *mundillo* littéraire de Madrid de nombreuses copies manuscrites d'une *Censura* acérée sur le *Panegyrico Funeral* et sur les *Epitafios* de Paravicino.

Cette *Censura*, semble-t-il, ne fut jamais imprimée, son auteur est resté pour nous un anonyme et son texte n'est pas parvenu jusqu'à nous. À l'époque elle fit quelque bruit et le plus curieux ou le plus inattendu de cette affaire est que don Juan de Jáuregui décida alors de rédiger une réponse détaillée à cette *Censura*. Cela devait lui tenir à cœur, puisqu'il accepta que cette réponse fût imprimée sans plus tarder, «a instancia de Pedro Pablo Bugía, mercader de libros y a su costa», chez l'imprimeur Juan Delgado. Le petit livre parut en décembre 1625, sous le titre d'*Apología por la verdad*[4]. Curieusement, cet opuscule n'a guère intéressé les érudits et ceux qui ont étudié la vie et l'œuvre de Jáuregui se sont contentés d'y faire une rapide allusion, sans trop lui accorder d'importance[5]. Je vais donc essayer ici de combler en partie cette lacune. Il est curieux, en effet, *a priori*, que Jáuregui, qui restait en 1625, malgré l'évolution certaine de sa poésie qu'atteste l'*Orfeo*, un antigongorin notoire, se soit senti concerné par une censure qui atteignait un disciple et un ami très proche de Góngora. Jáuregui a beau protester que son propos n'est pas de prendre la défense du prédicateur et qu'il n'agit qu'au nom de la vérité, il est sûr qu'il apparaît bien comme un champion du trinitaire qui était alors, et sans conteste, la figure de proue de l'éloquence sacrée cultiste.

Essayons de voir d'abord, par une approche externe, les conditions qui entourèrent cette affaire, avant de nous pencher ensuite sur les textes et de les examiner en eux-mêmes pour essayer d'en dégager quelques enseignements.

Il faut essayer, tout d'abord, de préciser quels étaient les liens qui pouvaient exister entre ces deux hommes, le poète andalou et le prédicateur madrilène, âgés respectivement de 42 et de 45 ans en 1625. Nous ne savons ni où ni quand ils se rencontrèrent. Peut-être au cours des premiers séjours à Madrid qu'effectua Jáuregui avant et après son mariage. En tout cas il est sûr que lors des fêtes du *Sagrario* organisées à Tolède en 1616 par le cardinal archevêque Bernardo de Sandoval y Rojas, oncle du duc de Lerma, les deux hommes eurent l'occasion de se connaître et, sans doute, de lier amitié[6].

---

[3] *Ibidem* pp. 27-28.

[4] On pourra voir la description bibliographique détaillée de cet opuscule dans la *Bibliografía Madrileña* de Pérez Pastor, Madrid, 1907, tome III, p. 275 a.

[5] Voir dans la *Biografía y estudio crítico de Jáuregui*, de José Jordán de Urries y Azara, Madrid, 1899, les pages 41-42. Inmaculada Ferrer de Alba, dans son introduction aux œuvres de Jáuregui (Clásicos castellanos n° 182, 1973) lui consacre quelques lignes, pp. XXXVII-XXXVIII. Melchora Romanos, dans l'introduction à son édition du *Discurso poético* (Editora nacional, 1978) n'en dit guère plus. Plus récemment, Juan Matas Caballero, dans son étude *Juan de Jáuregui, poesía y poética* (Sevilla, Diputación provincial de Sevilla, 1990), ne fait que le mentionner.

[6] Sur ces fêtes et les joutes poétiques qui y furent organisées, nous sommes bien renseignés grâce au gros ouvrage que rédigea presque immédiatement le licencié Pedro de Herrera, *Descripción de la capilla de Nª Sª del Sagrario... y relación de la antigüedad de la Sta Imagen con las fiestas de su traslación*, Madrid, Luis Sánchez, 1617. On sait qu'à ces joutes Góngora et ses amis se taillèrent la part belle, Lope et les siens n'y participèrent pas. Paravicino prit une part importante à ces fêtes. Il y prêcha le troisième des

Moins d'un an après, quand Jáuregui confie à l'imprimeur sévillan Francisco de Lyra Varreto ses *Rimas*, Paravicino a déjà lu le livre puisqu'il signe l'une de deux *aprobaciones* (l'autre est de Gutierre de Cetina). A partir de 1619 Jáuregui réside à Madrid et il y a tout lieu de penser que les deux hommes, qu'une commune amitié pour Lope de Vega devait rapprocher, ont eu l'occasion de se fréquenter, en particulier en mai1620, au moment de la *Justa poética* organisée à Madrid pour la béatification de Saint Isidore, sous l'égide de Lope[7]. Au cours de ces joutes, la rivalité entre Lope et Góngora s'exacerba encore, mais déjà Jáuregui cherchait à avoir une position indépendante par rapport aux deux chefs de files[8]. De nouveau, deux ans plus tard, Jáuregui participa aux joutes organisées pour les fêtes de la canonisation du saint patron de Madrid, encore et toujours sous l'égide de Lope[9]. Malgré son amitié pour Góngora, Fray Hortensio Paravicino participa, les deux fois, à l'organisation de ces fêtes et signa une approbation pour la relation des fêtes de 1620. On a souvent souligné la faculté qu'avait Paravicino de savoir cultiver de fidèles amitiés avec des écrivains ou des personnalités de la *Villa y Corte*, non seulement très différents entre eux, mais même encore quand la rivalité ou une profonde inimitié les opposait farouchement. Il n'est pas étonnant que, par-delà les aléas qui secouaient la vie littéraire de Madrid, Fray Hortensio et don Juan aient pu conserver des liens d'amitié et cela expliquerait déjà, malgré ses dénégations, que Jáuregui ait pris la plume pour répondre aux attaques dont était l'objet le prédicateur trinitaire. Mais on est en droit de penser que d'autres raisons ont pu pousser le poète sévillan à entrer en lice pour attaquer le censeur et peut-être qu'il vidait là, en partie au moins, une querelle qui le concernait aussi personnellement.

Il faut dire que les dix années 1615-1625 ont été fertiles en rebondissements. La très active participation de Jáuregui à la polémique qu'engendra la divulgation des *Soledades*, fit de lui une des personnalités les plus en vue dans les rangs des anti-gongoristes. On sait maintenant, de façon presque certaine, qu'il avait commencé la rédaction de son *Antídoto* dès 1614 et qu'il ne se privait pas du plaisir de voir circuler dans Madrid et en Andalousie des copies manuscrites de son pamphlet. Cela le rapprocha de Lope de Vega et de ses amis, à un moment où le *Fénix* était par ailleurs en butte à la querelle des «aristotéliciens», empêtré dans l'affaire de la *Spongia* et de ses démêlés avec Torres Rámila[10]. Mais Jáuregui a toujours fait preuve d'une farouche indépendance

huit sermons de l'octave, celui consacré à la Présentation de la Vierge au Temple, et ce fut son premier sermon imprimé (voir ma *Bibliografía*, pp. 9-13). De plus, c'est lui qui fut chargé de rédiger le *pregón* qui convoquait à ce*certamen,* auquel d'ailleurs il participa en adressant, sous le pseudonyme de «Padre Presentado Fray Juan de Centeño, de la orden de la S^{ma} Trinidad», une composition de *Canciones a la Assumpción de N^a Señora.* Jáuregui, qui avait présenté une composition *Al singular favor que N^a S^a hizo a San Idelfonso, dándole la casulla en la Iglesia de Toledo,* fut largement battu par Góngora, grand triomphateur de ces joutes, qui avait présenté les célèbres octaves *Era la noche, en vez del manto oscuro.*

[7] Non seulement Lope de Vega organisa les joutes, mais il se chargea également d'en rédiger la *relación.* Voir, dans l'édition Sancha, «Justa poética y alabanzas justas, que hizo la insigne Villa de Madrid al Bienaventurado San Isidro en las Fiestas de su beatificación; recopiladas por Lope de Vega Carpio» en *Colección de las Obras sueltas, así en prosa como en verso...,* Madrid, 1777, vol. XI, pp. 337 et *sq.*

[8] Sur cette joute ainsi que sur la suivante, on pourra consulter Emilio Orozco Díaz, *Lope y Góngora frente a frente*, Madrid, Gredos, 1973, pp. 312-354.

[9] C'est encore Lope qui rédigea la *Relación de las Fiestas que la Insigne Villa de Madrid hizo en la Canoniçación de su Bienaventurado Hijo y Patrón San Isidro, con las Comedias que se representaron y los Versos que en la Iusta Poética se escriuieron*, Madrid, Viuda de Alonso Martín, 1622.

[10] Joaquín de Entrambasaguas a fait l'historique détaillé de cette affaire dans son étude *Una guerra literaria del Siglo de Oro. Lope de Vega y los preceptistas aristotélicos*, publiée en version corrigée et augmentée dans les deux premiers volumes de ses *Estudios sobre Lope de Vega*, Madrid, C.S.I.C., 1946.

d'esprit et a toujours revendiqué sa totale liberté dans une évolution qui l'a amené à se situer à l'opposé, aussi bien des «claros», qui se rangeaient derrière Lope de Vega, que des «oscuros», imitateurs de la poésie gongorine. Si, en 1618, la non négligeable *Introducción* a ses *Rimas*, était déjà une profession de foi, le *Discurso poético* de 1624 est un important ouvrage théorique où le poète pose en toute sérénité les postulats de son esthétique poétique et où s'affirme son indépendance vis à vis de Lope de Vega. En même temps que le *Discurso poético* Jáuregui fit imprimer, en 1624, son *Orfeo*, et l'on sait les réactions qui s'ensuivirent. Lope ne put supporter de voir le plus notoire des anti-gongoristes sacrifier aux goûts de la «nouvelle poésie» et, avec la célérité dont il était capable, il écrivit en quelques jours un *Orfeo en lengua castellana*, qui fut imprimé, également en 1624, sous le nom de son disciple Juan Pérez de Montalbán. À partir de là les rapports entre les deux poètes s'envenimèrent[11]. On sait que Jáuregui, maniant à la fois la plus fine ironie et une rigueur d'analyse remarquable, mit à nu les contradictions lopesques et les évidentes incongruités qu'atteste la *Jerusalén* (publiée en 1609, puis rééditée en 1611 et encore en 1619), en rédigeant la savoureuse *Carta del Licenciado Claros de la Plaza al Maestro Lisarte de la Llana*, qui circula rapidement dans Madrid sous forme anonyme et manuscrite[12]. Lope, sans doute piqué au vif, répliqua en écrivant, ou en faisant écrire par un de ses disciples, sous un pseudonyme qu'il avait déjà utilisé au moins une fois, un libelle intitulé *Anti-Jáuregui del Liz. D. Luis de la Carrera al defensor de los poetas castellanos*[13]. Ces deux opuscules où les invectives sarcastiques alternent avec les traits les plus ironiques, peuvent très vraisemblablement être datées des premiers mois de l'année 1625. Et le plus piquant est que très exactement à ce moment là don Juan de Jáuregui fut désigné comme censeur officiel d'une nouvelle œuvre de Lope de Vega, les *Triunfos divinos, con otras Rimas sacras*, où précisément figurait, dans les préliminaires, une apologie de Lope de Vega signée par le même Licencié Luis de la Carrera. Comme le hasard fait parfois bien les choses, le second censeur désigné pour ces *Triunfos* de Lope fut Fray Hortensio Paravicino ! Nous voici ramenés à considérer maintenant avec une nouvelle attention les circonstances qui entourèrent la rédaction par Jáuregui de cette *Apología por la verdad* à la fin du mois de septembre de 1625[14].

---

[11] Sur les relations entre Jáuregui et Lope de Vega on pourra consulter Juan Millé y Giménez, «Jáuregui y Lope» dans ses *Estudios de Literatura Española*, La Plata, 1928, pp. 229-245.

[12] Longtemps inédite, cette *carta* fut publiée, toujours anonyme, par Paz y Mélia, dans ses *Sales españolas o Agudezas del ingenio nacional* (Segunda serie), Madrid, 1890-1902, puis rééditées dans la B.A.E., vol. 176, pp. 295-301 ou dans une édition séparée, Madrid, Sucesores de Rivadeneyra, 1902, pp. 279-296. Beaucoup pensait qu'elle devait avoir été écrite par Torres Rámila, l'auteur de la *Spongia*. C'est seulement en 1925 qu'elle put être clairement attribuée à Jáuregui, comme on le verra à la note suivante.

[13] L'existence de cette invective était connue depuis la publication des *Memorias de la Real Academia Española, t. X. Noticias y documentos relativos a la Historia y Literatura españolas recogidos por don Cristóbal Pérez Pastor, t. I, 1910*, p. 227. C'est Miguel Artigas qui publia l'opuscule (à partir d'une copie de Gallardo, en l'accompagnant d'une présentation : *Un opúsculo inédito de Lope de Vega. El Anti-Jáuregui del Liz. D. Luis de la Carrera*, en el *Boletin de la Real Academia Española*, XII, 1925, pp. 587-605. Il existe aussi une autre édition, réalisée par Julián Zarco Cuevas, à partir d'un manuscrit de la Bibliothèque de l'Escorial, dans *La ciudad de Dios*, 1925, CXLIII, pp. 273-290. Robert Jammes, dans sa récente édition des *Soledades* (Madrid, Castalia, 1994), p. 657, n. 72, met en doute la paternité de Lope, sans toutefois apporter de preuve absolue.

[14] Nous pouvons la dater de façon très précise : au cours mois de septembre 1625. C'est le 8 octobre 1625 que le Vicaire Général de Madrid l'envoie pour censure et approbation au Docteur Paulo de Zamora, Commissaire de l'Inquisition, qui l'examine et signe la censure le 11. L'autre approbation est signée, à Madrid, par don Manuel Sarmiento de Mendoza, chanoine de la cathédrale de Séville, le 27 octobre. La

Voyons d'abord ce que nous dit Jáuregui lui-même. Il prend soin de dire et de répéter qu'il ne connaît pas l'auteur de la censure et que, s'il a décidé d'écrire cette *Apología por la verdad*, ce n'est pas pour défendre le prédicateur attaqué, mais bien au nom de la vérité et de la raison. Pourtant, on sent bien, au ton même qu'il emploie et aux accusations qu'il porte à l'endroit du censeur, qu'une inimitié personnelle est sous-jacente, prête à se manifester, et que c'est avec une satisfaction évidente qu'il le ridiculise et démontre l'inanité des accusations. Mon hypothèse est que l'auteur de la *Censura*, comme très souvent dans de pareilles occasions, était tout à fait identifié, et qu'il s'agissait de quelqu'un en qui Jáuregui voyait un ennemi non seulement de Paravicino mais aussi de lui-même, tout au moins à ce moment-là. Il est sûr, comme nous venons de le voir, qu'en cette fin de 1625, Jáuregui conjugait à la fois l'inimitié des gongoristes et celle des lopistes et qu'il se trouvait au cœur d'une double polémique. Par ailleurs, comme nous allons le voir en étudiant de plus près le contenu de la *Censura*, les attaques portées contre Paravicino ne pouvaient venir que d'un adversaire parlant au nom des anti-cultistes, même si cela se fonde avant tout sur une forte dose d'inimitié personnelle. Et bien que l'amitié qui unissait Lope de Vega et Paravicino, et dont témoignent aussi bien plusieurs compositions poétiques du *Fénix* que de nombreuses déclarations du prédicateur trinitaire, ne semble pas avoir connu d'éclipse, je pense que c'est du côté des lopistes qu'il faudrait chercher l'auteur de cette *Censura*, un homme qui devait être impliqué, de près ou de loin, dans la querelle qui opposait alors Lope de Vega alias «licenciado don Luis de la Carrera» à don Juan de Jáuregui alias «licenciado Claros de la Plaza».

Mais cette énigme «policière» n'est pas le seul, ni même le principal intérêt que présente cette *Apología por la verdad* en réponse à la *Censura*. Elle est d'abord, bien sûr, une pièce versée au procès fait à la prédication cultiste que représentait Paravicino. Nous essaierons de voir la portée de la défense que développe Jáuregui sur ce terrain. Mais de façon plus générale, cette *Apología* permet une fois de plus d'apprécier les dons de polémiste que possédait Jáuregui, son ironie parfois mordante, ou, ce qui a été moins souligné, sa solide formation classique et l'étendue de sa culture y compris dans le domaine religieux.

Soulignons, dès l'abord, la relative longueur de cette *Apología* qui compte, en plus de la lettre de dédicace au comte-duc d'Olivares, 42 folios bien remplis. Pour autant qu'on puisse le supputer, c'est probablement plus long que la *Censura* à laquelle elle répond et que Jáuregui désigne sous le terme de *cuaderno*. Et pourtant il ne manque pas de dire plusieurs fois qu'il ne relève pas certaines accusations ou qu'il ne répond pas à tel autre point :

> También dexaré otras dos notas... (fol. 10)
> Aquí le censura cierta gramática a que no respondo... (fol. 25 v.)

> La acusación a esta plana es sólo palabras: i no he de cansar al oyente respondiendo a todo lo mínimo, basta no dexar cosa alguna donde pueda sentirse sospecha, ni aun por los medianos juyzios (fols. 26 v.-27).

ou encore qu'il passe plus rapidement :

Licencia del Real Consejo est du 26 novembre, la *Fe del corrector*, du 10 décembre et enfin la *Tassa*, une fois le livre imprimé mais non encore relié, est du 12 décembre. Mais dans le corps même de l'ouvrage Jáuregui écrit textuellement, au cours d'une argumentation qui porte sur des correspondances de dates : «como por ejemplo, este día 24 de Setiembre en que yo escrivo esto...» (*Apología* fol. 22). La rédaction a dû être très rapide. Les premiers mots de l'ouvrage font d'ailleurs allusion à la rapidité de l'enchaînement des événements : «Llegó a mis manos un quaderno de muchos que V. m. (sea quien fuere) ha divulgado estos días contra la *Oración* o *Panegyrico*...» (fol. 1).

Desde aquí hasta el fin de la Censura, es lo que se nota, o más injusto, o menos digno de respuesta que lo precedente, i assí dexaré algo sin ella. (fol . 28)

Il y a, quand même, tout au long de cette réponse, une volonté manifeste d'avoir raison jusque dans les moindres détails et un besoin constant de triompher qui ne lésine pas sur les moyens.

Dans l'ensemble, Jáuregui s'en tient à un examen suivi de la *Censura*, se contentant de répondre point par point en s'adressant directement à l'anonyme auteur :

Al Censor del Panegyrico: Llegó a mis manos un quaderno de muchos que V. m. (sea quien fuere) ha divulgado estos días contra la Oración o Panegyrico que se predicó a Su Magestad en honras de su padre. (fol. 1)

et en suivant fidèlement le développement de l'attaque. Les folios 1-8 répondent au *Prólogo* de l'original puis, à partir du folio 8 v., Jáuregui suit les remarques que fait l'anonyme Censeur au sermon de Paravicino, page par page, jusqu'à la fin du folio 37. Les folio 38 à 44 sont consacrés à répondre à la deuxième *Censura*, rédigée contre l'*Epitaphe* (ou *Eloge*) écrite et publiée en 1621 par Paravicino.

Bien entendu cet examen, que nous pouvons qualifier de «linéaire», n'a pas un développement uniforme et Jáuregui s'attarde plus ou moins longuement en fonction de l'importance que revêt à ses yeux l'accusation portée, ou plutôt l'importance de l'erreur qu'il veut corriger. Nous pouvons donc, à travers ce que relève Jáuregui et grâce le plus souvent aux citations qu'il fait, reconstituer en grande partie le contenu de la *Censura* à défaut de sa forme complète.

Ce qui frappe en premier lieu dans cette attaque, c'est l'éparpillement des arguments et leur extrême disparité. Il semble bien que le Censeur ait voulu faire flèche de tout bois et que sa motivation profonde ait été davantage une inimitié personnelle à l'égard de Paravicino qu'un désaccord d'ordre littéraire ou idéologique portant sur la «manière» de prêcher ou le «style» du sermon. On chercherait en vain une cohérence profonde de pensée ou l'organisation cohérente d'un système, en dehors d'une constante volonté de dénigrer et de nuire, ce que, bien entendu, Jáuregui se fera un plaisir de dénoncer. Mais justement, Jáuregui joue lui aussi le même jeu et se plait à ridiculiser son «rival» à tout propos en fourbissant des armes qui lui sont familières déjà, depuis au moins l'*Antídoto* et surtout depuis la *Carta del Licenciado Claros de la Plaza al Maestro Lisarte de la Llana*. Jáuregui, à coup sûr plus doué que son adversaire, fait preuve d'une plus grande cohérence intellectuelle et l'on peut retrouver dans cette *Apología* des échos de ses ouvrages antérieurs.

Comme il est exclu d'adopter ici la même démarche linéaire et d'examiner point par point les réponses que fait Jáuregui, il conviendra tout d'abord de regrouper les principaux chefs d'accusation qu'articule l'anonyme Censeur contre le prédicateur trinitaire, pour mieux examiner le type de défense qu'adopte l'auteur de l'*Apología*. Nous pourrons ainsi ramener à cinq points principaux cette *Censura* :

1- Accusation de plagiat. Paravicino aurait imité de très près trois auteurs contemporains.

2- Abus de la dénomination de «Panégyrique» pour l'oraison funèbre.

3- Erreurs ou défauts dans la façon de s'adresser au roi.

4- Interprétation erronée de l'Ecriture Sainte, en particulier à propos de la Pâque des Hébreux.

5- Censures portant sinon sur le style, du moins sur le texte même du sermon : certains mots sont jugés impropres et certaines expressions sont condamnées comme fautives.

Comme on le voit, ces reproches restent très parcellaires et n'attaquent pas Paravicino en tant que chef d'école ou comme représentant d'une tendance. Même sur le dernier point qui concerne les problèmes de l'expression, où l'on pourrait s'attendre à un procès contre la «nouvelle prédication», jamais n'apparaissent des mots comme *culto* ou son synonyme *crítico*, ni la moindre allusion à la «secte» des «obscurs» sous influence gongorine. A aucun moment le Censeur ne fait à Paravicino le reproche le plus courant qu'ait reçu le trinitaire, celui de la difficulté de son style (qui pourtant revient comme un *leit motiv* dans toutes les dédicaces de Fray Hortensio), pas plus que n'apparaît la mise en cause d'un système de pensée reposant sur le *concepto*, c'est à dire ce qui fait la vraie difficulté de Paravicino. C'est à travers les réponses de Jáuregui que le lecteur retrouvera cet arrière-plan et cette cohérence. Le Censeur, lui, s'en tient le plus souvent, à «l'image de marque» extérieure que donne le prédicateur de lui-même, sa position presque, dirions-nous, «morale», c'est-à-dire la notoriété de sa personnalité qui, si l'on suit les sous-entendus, usurpait sa célébrité et méritait de se voir dénoncée au grand jour. D'emblée Jáuregui dévoile cette position en introduisant, avec une fine ironie, une première citation textuelle qu'il reprendra en conclusion :

> Entra V. m. en su Prólogo con misteriosas preñezes, lamentando el siglo presente, abominando de su ignorancia, i afirmando de sí estas palabras. *Los que tenemos obligación de saber algo, igualmente nos corre de examinar lo que se estima. I después: Sirva esta Censura el oficio de Luz, que es descubrir verdades que ocultan las tinieblas etc.* Sin leer lo interior del papel, desde este principio me llevó luego la curiosidad a ver también el remate, donde hallé estas aclamaciones : *O uerdad hija del tiempo! o Luz hermosa, quanto más alta más divina! o Sabiduría! o Erudición! a ti sola venero: tus secretos adoro, todo vulgo profano aborezco.* Estas prefaciones magníficas, i estas invocaciones misteriosas i venerandas, me persuadieron a esperar milagros, pues en una Corte Española, donde forçosamente concurre la primera erudición del mundo, se ofrecía V. m. a desterrar tinieblas como luz verdadera que alumbra todo ombre, o como Autor del saber cuyo conocimiento dize que se halla obligado, cuyas luzes i misterios arcanos juzga por propios, tan esentos de profanidades. *Vide ergo* (dize Christo) *ne lumen quod in te est tenebræ sint.* (fol. 1)

S'ensuivent deux pages au cours desquelles Jáuregui, tout en continuant à se moquer du Censeur, annonce son propos, non de défendre le prédicateur attaqué, mais de se situer justement sur le terrain de la vérité et de la raison car, dit-il, «algo se ha de aventurar en servicio desta Matrona». Dans ces deux pages, nous y reviendrons, transparaît aussi le véritable propos de Jáuregui de percer à jour l'intention maligne de son adversaire et de dénoncer les manœuvres de quelqu'un qu'il a, semble-t-il, parfaitement identifié.

Le premier point porte donc sur le problème du plagiat. Les trois auteurs mis en avant par le Censeur sont : le Maestro Márquez, le Père Baeza, et le Maestro Páez. La réponse de Jáuregui est significative de sa stratégie :

> El primer cargo pesado que V. m. opone al Autor, es dezir en común, que toda la obra es imitada i trasladada de otros, *que todo su empleo es dos libros vulgares* (dize) *conocidos, manoseados, manchas que no merecen ser labadas en agua del olvido.* Esto no es otra cosa que furor colérico, mui apriesa manifestado: son palabras solas, que no aviendo después de provarse ni con infinita distancia, sirven sólo de mostrar el ánimo, i de que se vea en los umbrales la vehemente pasión de la censura: i para mejor conocerlo importa averiguar esta cláusula. (fol. 2)

Tout d'abord il attaque, ne mâchant pas ses mots («furor colérico», «vehemente pasión de la censura») puis il oppose la rectitude de sa démarche : «importa averiguar esta cláusula». Et là, comme d'habitude, Jáuregui va faire preuve d'une grande rigueur intellectuelle par une claire démonstration de ce qu'il avance. Tout d'abord il reprend le Censeur sur les qualificatifs «vulgares, conocidos i manoseados» qui ne s'appliquent pas proprement à ces trois auteurs, mais c'est là broutille. L'essentiel porte ensuite sur un argument étayé par Horace : c'est le sort des bons auteurs que d'être assidûment fréquentés. Il n'y a donc pas de honte à avoir si l'on se rapproche des auteurs consacrés. Plus loin, dans l'argumentation détaillée sur cette question (fol. 11), il revient là-dessus et développe, avec de nombreux exemples à l'appui, la doctrine de la licité de l'imitation. L'érudition de Jáuregui fait appel ici à Macrobe à propos de Virgile, à Erasme à propos de Saint

Jean Damascène et Saint Grégoire de Naziance, ainsi qu'à la pratique de nombreux Pères de l'Eglise, Saint Ambroise, Saint Basile, Saint Jean Chrisostôme et le Théodorète. La similitude des sujets traités, souligne de plus Jáuregui, justifie la ressemblance des écrits et n'est pas une preuve d'imitation servile.

Au-delà de cette vérité générale, Jáuregui, tout en restant sur le plan des principes, s'en prend à une façon de faire qui prouve, elle, la malhonnêteté de l'auteur de la Censure : on ne doit pas affirmer sans donner des preuves de ce que l'on avance. Or le Censeur s'étend longuement («se dilata seis pliegos») pour accuser Paravicino d'avoir plagié le Père Baeza en transcrivant littéralement «pensamientos, lugares, ponderaciones, cláusulas, i palabras» sans jamais rien citer à l'appui de ses accusations. La reprise de Jáuregui est mordante :

> Cuesta poco el dezirlo assí, mas todavía no sale varato quando se averigua lo contrario: I el primer modo de averiguarlo, es considerar solamente, que si huviera esta conformidad en la imitación, no avía de escusar V. m. (importándole tanto) trasladar en su Nota algunos renglones, del Autor, i del Padre Baeça por muestra de lo que assegura: no traslada una sola palabra, luego bien se entiende aun sin verlo, que ni palabras, ni cláusulas, ni ponderaciones, ni pensamientos son traídos de nadie, sino de los Santos que allí se alegan. Esto se colige aun sin verlo, pero quien lo viere i leyere quedará más assegurado. (fol. 14 v.)

Jáuregui insiste sur le fait que si plusieurs auteurs citent les mêmes autorités et les mêmes Pères de l'Eglise, les similitudes proviennent de la source commune qu'ils utilisent et ces ressemblances ne sont pas une preuve de plagiat, pour conclure, toujours avec la même rigueur vis-à-vis de son adversaire :

> Esta es la verdad de la historia, vista i comprovada; i si V. m. hallara otra cosa, es cierto que la descubriera, trayendo a su nota (como digo) por lo menos algunas *cláusulas o palabras*, donde viéramos la puntualidad con que afirma que imitó el Autor... (fol. 15)

Mais c'est plus loin, dans la reprise de la deuxième *Censura* (celle qui porte sur l'Epitaphe), que Jáuregui triomphe avec le plus de brio. Il prouve, en entrant dans le détail, qu'il était matériellement impossible à Paravicino, dans son *Elogio* rédigé juste après la mort du roi (21 mars 1621) et imprimé au mois de mai, d'imiter un sermon préché ultérieurement et mis sous presse seulement au mois de juillet. Une fois de plus Jáuregui repète que les ressemblances s'expliquent par les mêmes «lugares comunes o alegaciones de santos» et que de toutes façons, la «bonne imitation» est loin d'être condamnable, comme il l'a déjà exposé à propos de l'autre censure, avant de conclure avec force :

> Lo que sólo se pondera en ésta es la fuerça de la calumnia, no la importancia de lo imitado. (fol. 39 v.)

Le second point sur lequel nous nous arrêterons est celui qui concerne les titres donnés par Paravicino : «Panegyrico funeral» et «Panegyrica inscripcion». Comme on le sait, l'Oraison Funèbre, qui eut toujours une grande importance dans la liturgie catholique (et ceci dès les premiers siècles), connut au Siècle d'Or une importance sociale considérable, particulièrement en Espagne. Fray Hortensio, qui s'illustra souvent dans ce genre, avait conscience d'avoir pratiqué l'abandon de la dimension liturgique du «sermon» au profit justement de la portée panégyrique du discours d'exaltation des vertus ou mérites du défunt. L'accusation du Censeur n'est donc pas gratuite et ne porte pas seulement sur l'usage des mots. Il faut voir avec quel soin et quelle précision érudite Jáuregui justifie l'emploi de ces mots, en remontant aux étymons grecs. Au passage il mouche une fois de plus le Censeur qui avait cité Quintilien à travers Celius Rodiginius («Lo que dixere

Quintiliano, en el se ha de buscar i aprender, no en el moderno que le cita» fol. 4), avant de développer son argumentation en s'appuyant sur de nombreuses autorités: Denys d'Halicarnasse, Saint Isidore, Quintilien, Scaliger, Pline, Isocrate, Claudien et Tibulle, Marius Nizolius, Nicetas et Plutarque. Il n'y a pas là étalage gratuit d'érudition, mais bien l'utilisation adéquate d'arguments efficaces. Il en ressort que Jáuregui, bien que laïc, avait une culture étendue, y compris dans le domaine religieux, culture qu'il savait mobiliser le plus naturellement du monde quand il en avait besoin. On pourrait prolonger cette remarque en faisant appel à bien d'autres passages de cette *Apología,* et nous aurons d'ailleurs l'occasion d'y revenir plus loin. Si l'on a pu se moquer des prétentions érudites de Lope de Vega par exemple, il est sûr que les connaissances de Jáuregui dans ce domaine s'imposent comme une évidence, et qu'il est à ranger aux côtés de Quevedo, par exemple, même si les deux hommes, soit par manque d'affinités profondes, soit par pure rivalité, ont entretenu une inimitié certaine.

Le troisième point que nous examinerons regroupe les reproches qu'adresse le Censeur à Paravicino au nom de la bienséance sur certains emplois injustifiés à ses yeux ou mal apropriés, en particulier dans ses adresses au roi. Donnons quelques exemples. Après avoir dit, en s'adressant au roi, «*Vuestra Magestad*», le prédicateur poursuit en parlant de «*los méritos de su padre*» (fol. 7 v.). Le Censeur soutient qu'il aurait fallu dire «*de vuestro padre*». Ailleurs il censure le prédicateur qui n'a pas ajouté la formule consacrée «*Señor nuestro*» après la mention de «*la Magestad de Felipe IV*». Plus loin, Paravicino, parlant toujours du roi, dit «*la Iglesia a quien reina*» (fol. 8). Le Censeur le reprend et prétend que cette maladresse d'expression peut «*inquietar los animos*» et qu'il faudrait dire «*para quien reina*». Ailleurs encore, le prédicateur, qui prêche devant la Cour du haut de la chaire de la Chapelle Royale, déclare : «*Yo digo delante vasallos e hijos*» (fol. 9 v.). Le Censeur condamne ce manquement au *decoro* qui exigeait l'ordre «*hijos/vasallos*».

Dans ce genre de remarques, Jáuregui répond le plus souvent par l'ironie. Par exemple sur l'usage de la deuxième personne du pluriel :

> Al venerable Juan de Mariana por su ancianidad se le oyen sin quexa estas antiguallas que aprendió en su niñez, i es estilo conservado solo en algunas peticiones o memoriales jurídicos: mas en vna Epistola culta, fuera oi desacuerdo quitar al Rey su título de Magestad, y tratarle solo de vos. (fol. 8)

ou alors, laissant entendre que la chose a vraiment peu d'importance, il concède et passe outre:

> fue indecoro nombrar antes vasallos, que hijos; i en esta duda, qual si fuera caso averiguado, i muy grave, lo condena con leyes i parrafos del Digesto. Bien empleada jurispericia, doime por vencido. (fol. 10)

Venons-en au quatrième groupe de censures, celles qui portent sur certains points de fond en matière d'Ecriture Sainte. On peut en relever plusieurs, mais nous en retiendrons deux.

Paravicino, parlant de la clémence de Philippe III et la comparant à celle du Christ, doux et humble de cœur, tout différent du Dieu sévère et justicier de l'Ancien Testament, disait :

> Iamás vieron los enemigos de Dios humanado, acción lustrosa de aparato, o grandeza...(fol. 30 v.)

ce qui lui vaut de la part du Censeur cette sévère réprimande :

> ¿Menester avíoa el Panegyrista templarse, i los milagros que dieron ilustríssima noticia de la divinidad del hijo de Dios? ¿Como? ¿i no era acción de grandeza obedecerle los mares i los vientos? ¿resucitar con una palabra un difunto? No es esse el lenguaje de los Santos; pues aun en el oprobio (aora tan glorioso) de la Cruz le reconocieron por Dios sus enemigos: Vere filius Dei erat iste. (*Ibid.*)

Jáuregui consacre un long développement à répondre à cette diatribe. Il commence par dire clairement que la citation est tronquée et qu'il faut replacer la phrase dans son intégralité. Il annonce qu'il va entrer dans le détail de cet *«asunto no poco dificil»*. En parfait philologue, Jáuregui commence par commenter les deux substantifs *lustre* et *grandeza* rattachés à *accion* et *aparato*, puis il entre dans une démonstration de fond. On reste admiratif devant l'ampleur et la justesse des arguments déployés et surtout des autorités invoquées ou citées : l'Ancien Testament (Genèse, Exode, Nombres, Sagesse, Lévitique, Rois), les quatre Évangiles, des Pères de l'Église (Saint Augustin, Saint Anastase, Saint Gaudence ou l'obscur Théodorien l'Orthodoxe) et, bien entendu, la *Somme* de Saint Thomas d'Aquin. Nous avons là une véritable «dispute» amplement développée (fol. 30 v.- 35) et qui n'hésite pas à «escudriñar mejor las acciones milagrosas de Christo». (*Ibid.*)

Soulignons, une fois de plus, l'étonnante connaissance dont fait preuve Jáuregui de la patristique et de l'Ecriture Sainte dans les moindres détails, sachant, par exemple, éclairer tel passage de Saint Grégoire de Naziance par un rappel de l'étymon grec et une comparaison entre la traduction des Septante et celle de Saint Jérôme dans la Vulgate (fols. 35 v.- 36).

Un autre point qui retient longuement son attention (fols. 17 - 24) est la sortie des Hébreux de la captivité d'Egypte. Paravicino y avait fait allusion en disant :

el día 14 es célebre en los annales diuinos, por aver sucedido en el la Redención Hebrea...

le censeur condamne très sévèrement «por error evidente contra la Escritura, i con palabras tan asperas i escandalosas» comme écrit Jáuregui qui ajoute «que no sé como sean permitidas» avant de citer :

Bien se puede (comiença) exornar con la verdad, que esto es contra la Escritura tan expressamente, que no admite juezes arbitros; i me admira que se predicasse en el púlpito, i se publicasse, dando a la estampa lo que es tan evidente contra el sagrado Texto. Lo primero erró en dezir que la Redención Hebrea fue a catorze; porque esta redención es la salida de Egypto, que fue a quinze. (fol. 17)

Ici encore Jáuregui va déployer des trésors d'érudition pour montrer que c'est bien Paravicino qui a raison, faisant appel à la Bible et à ses commentateurs, Saint Augustin, Flavius Josèphe, Macrobe, le Tostado, Cornelius a Lapide, Fray Luis de León ou Scaliger.

Le dernier point que nous aborderons est peut-être le plus sensible, dans la mesure où il permet d'étudier les réactions de Jáuregui à propos de questions touchant à la forme même de l'expression. C'est par là que l'on serait tenté d'accorder le plus d'importance à cette *Apología por la verdad*, puisque cela permet de faire le rapprochement avec le *Discurso poético* et, d'une façon plus générale, avec les positions de Jáuregui dans le domaine de l'esthétique littéraire. Nous avons déjà vu, rapidement, que la *Censura* était assez pauvre là-dessus et qu'il ne fallait pas y chercher un manifeste organisé, un libelle d'école. Il y a toutefois quelques éléments tout à fait significatifs.

Prenons par exemple (fol. 36 v. - 37) le passage où le Censeur répréhende Paravicino pour l'emploi de *«asombrar»* dans le sens de «faire de l'ombre», dans la phrase «Suelen las nuves del ocaso asombrar el Sol antes que se ponga». Le Censeur s'étonne devant ce qu'il est convenu d'appeler aujourd'hui un «cultisme d'acception» : «hasta aora aviamos entendido que Asombrar era de asombro i no de sombra». Jáuregui développe une argumentation tout à fait intéressante. Non seulement il explique le glissement sémantique qui s'est opéré (fols 36 v. - 37) :

Este genero de ironías con que V. m. se burla, cae bien sobre quien ha dicho un gran disparate. Pues hágole saber, si *hasta aora entendía que asombrar no viene de sombra*, que era engaño pueril: porque Asombrar, i Asombro, i todos los Asombramientos del mundo no tienen otro origen que de la sombra, sin que esto reciba disputa. I assí en propio significado i elegante se dize, que *el árbol asombra el terreno*: bien que el abuso común le aya trasladado al *Espanto*; aquí es *trasladado*, i allí *propio.*

mais encore, abordant le terrain de la poétique, il justifie l'emploi métaphorique qu'en fait Paravicino[15] :

> Mas quando díessemos que *asombrar* fuesse meramente *espantar* i no otra cosa, por qué no cabrá este sentido en nuestra cláusula? siendo tan conforme al intento. *Suelen* (dize) *las nuves del ocaso asombrar el Sol antes que se ponga,* i aplícalo luego al temor que tuvo aquel Rey en su muerte; pues prosigue: *Encarecióse siempre que avía temido Felipo con demasía su muerte,* que es esto sino comparar el asombro de Filipo cercano a su muerte, con el del Sol, a quien espantan las nuves cercano a su ocaso?

C'est encore le langage métaphorique de Fray Hortensio qui est mis en cause dans cette phrase où le prédicateur parle de la guerre des Flandres : «*No pudo Filipo bolver a echar el yugo a los rebeldes; que halló frias las cervizes, descolladas con insolencia no reziente, antes dura*» (fol. 26 v.). Le Censeur se demande à propos de cette phrase : «*¿qué haze aqui frías? no lo adivinará ni Tiresias, porque no ai palabra en toda la clausula que le corresponda*». La réponse de Jáuregui, une fois de plus teintée d'ironie, fait une parfaite «explication de texte» :

> Si V. m. es mal adivino, i corto de vista, no juzgue lo mismo de todos. Yo sin ser Tiresias, veo claramente, i todos sin adivinarlo verán, que esta voz, *frías,* tiene aquí su lugar i sentido, con toda propiedad *i correspondencia,* siguiendo advertidamente su metáfora, en esta manera. Acabado de quitar el yugo al novillo, que aún tiene la cerviz *caliente,* es fácil volvérsele a poner, i fácilmente le tolera, porque no ha olvidado la sugeción: lo qual no sucede passando tiempo, quando la cerviz esta *fría,* i el rostro alto i *descollado*; que entonces ha menester de nuevo domarse. Esto haze, *frías,* i esto dize con acuerdo, i con acertada locución el Autor, como se ve aquí en sus palabras; i no es propio *oficio de luz,* quedarse V. m. tan a escuras en inteligencias tan fáciles : antes si procediera en su censura con ojos abiertos, quizá viera la correspondencia que no halla, i niega poderla adivinar Tiresias. (fol. 16 v.)

Voyons rapidement un dernier exemple de ce «langage poétique» de Paravicino tout à fait intéressant parce qu'on y retrouve une constante de la poétique paravicinienne qui utilise les rayons du soleil et les traits de lumière avec une particulière dilection : «*Estrella que en eternidades manche hermosamente de luz la parte que le toca del cielo*». Le Censeur relève cette phrase pour s'en moquer. Une fois de plus Jáuregui va entrer dans la logique de la poétique de Fray Hortensio et justifier cette «traslación» qui, si l'on y regarde de près, n'est pas tout à fait étrangère à l'esthétique gongorine. Bien d'autres exemples d'expression plus ou moins «poétiques» de Paravicino censurées par l'anonyme Censeur et justifiées par Jáuregui mériteraient d'être relevées, mais nous avons vu l'essentiel.

Il est temps, en effet, de refermer le rapide examen que nous avons fait de cette *Apología por la verdad.*

Je voudrais redire avant de terminer que si, tout compte fait, cet opuscule n'apporte rien de vraiment important sur le fond du débat qui occupa cette période critique qui culmine en 1625, au cours de laquelle Jáuregui a réaffirmé son esthétique littéraire et précisé les caractéristiques de sa conception poétique, cette *Apología* est à tout le moins un témoignage non négligeable sur la personnalité de son auteur.

---

[15] Il est piquant de remarquer que dans l'*Antídoto*, Jáuregui avait reproché à Góngora l'emploi de *asombro* dans le sens de *espanto.*

Tout d'abord, et cela n'a pas été assez souligné par la critique qui s'est occupée de lui, il est sûr que Jáuregui avait une vaste culture, aussi bien religieuse que profane, et qu'il savait mettre sans pédanterie cette culture humaniste au service de ses dons de polémiste. Cette facette du polémiste, que l'on connaît mieux parce qu'elle transparaît déjà dans l'*Antídoto* ou la *Carta,* est tout à fait manifeste dans l'*Apología por la verdad*, où Jáuregui sait parfaitement manier l'humour et l'ironie pour mieux triompher de son adversaire.

Cet adversaire anonyme reste encore pour nous un inconnu, mais il me semble hors de doute que Jáuregui l'avait, lui, parfaitement identifié. Malgré les précautions d'usage («autor que no conozco, ni puso nombre», «sea quien fuere», «Censor amigo, que por nada le daré otro nombre»), il en dit assez pour que nous soyons fixés. Tout dans le ton et dans la façon de prendre à partie ce Censeur grincheux indique bien que Jáuregui savait à qui il s'adressait :

> Su intento de V. m. i su confiança, fue engañar i burlar el discurso de los cortesanos, i el descuido de los más estudiosos, o a lo menos dexarlos en duda. (fol. 28 v.)

Et avant de terminer l'opuscule Jáuregui revient à la charge en dénonçant avec force les mauvaises intentions et les manœuvres de l'adversaire de Paravicino :

> Antes de acabar mis exámenes diré otra vez lo que al principio, que mi asunto no ha sido defender a nadie ni sus obras, sino la razón : ella sola ha movido este rato la pluma, provando que por ninguna causa de las que V.m. alega, consta desmerecer estos papeles: i que assí fue rigor (por no darle más nombre) oponerlas con tal aspereza, procurando desonores públicos a Predicadores de Reyes, que por obediencia, i no antojo, predican e imprimen; i esto sin ser V.m. comissario de expurgatorios, sino haziéndose por su elección juez árbitro desta residencia. A que se junta la burla universal de tantos, que oyeron repicar a fuego con mil campanas, digo con mil traslados de las censuras : i creyendo se abrasaua el mundo, concurrieron todos al incendio, donde muchos aún después de llegados no se desengañaron tan presto. Yo acerté a mirar con cuidado: adverti que era sólo rumor, i que el mismo que atendía al repique, tratava de pegar fuego, trayendo ocultas algunas ascuas, que luego se manifestaron por ciertos humos. Traía también una luz muy pequeña, no cierto *supra candelabrum, ut qui ingrediuntur lumen videant,* sino *sub modio*; i aunque dixo era para alumbrar, era para sólo quemar ; pero no alarguemos historias. (fol 41 v.)

Peut-être un jour sera-t-il possible d'identifier cet anonyme Censeur et de mieux comprendre les raisons qui le poussaient à s'attaquer ainsi à Paravicino. Grâce à la réponse de Jáuregui et aux citations textuelles qu'il fait, nous comprenons mieux l'insistance que mettait Fray Hortensio à mentionner, dans les lettres de dédicace de ses sermons imprimés, les censures et les calomnies dont il était l'objet. Même si en définitive le débat ne s'élève pas bien haut et ne permet pas d'aborder vraiment les questions que l'on peut se poser, au sujet de l'éloquence sacrée et des répercussions qu'a pu avoir la polémique autour de la poétique de Góngora sur la prédication *culta* du premier tiers du XVIIᵉ siècle, cette *Apología por la verdad* de Jáuregui méritait que l'on se penchât un peu sur elle, et mériterait sans doute une édition moderne qui la rende accessible à tous ceux qui s'intéressent à la littérature du Siècle d'Or.

APOLOGIA
POR LA VERDAD.

De don Iuan de Iauregui.

A L EXCELENTISSIMO SEÑOR
Conde Duque de Sanlúcar, &c.

*Impreſſo a inſtancia de Pedro Pablo Bugia mercader
de libros, y a ſu coſta.*

Con Licencia del Supremo Conſejo.

Impreſſo en Madrid, *Por Iuan Delgado.*

Año M. D C. X X V.

Nuevo examen del *Examinador Miser Palomo*. Cuarenta notas al ingenioso entremés de Antonio Hurtado de Mendoza

Claude CHAUCHADIS
Université de Toulouse-Le Mirail

No hay mejor preparación a las anotaciones filológicas de un texto que su traducción a otro idioma, siendo éste un ejercicio que no puede hacerse sin aclarar en lo posible los puntos oscuros y deshacer las ambigüedades. La circunstancia de este trabajo es precisamente la traducción al francés de una selección de entremeses del siglo XVII para una edición del teatro español de aquella época en *La Bibliothèque de la Pléiade*. Dentro de esta selección, *El ingenioso entremés del examinador Miser Palomo* fue la obra que más dificultades de comprensión planteó, presentándose como un verdadero desafío al traductor. Para llevar a bien este trabajo, aproveché la oportunidad que tenemos en Toulouse de reunir en el seno del LESO un grupo de especialistas de textos del Siglo de Oro, al que se añaden periódicamente investigadores españoles invitados, para plantearles unos cuantos problemas que encontré al traducir este texto. Las aclaraciones que así saqué de diferentes consultas, unidas con mis reflexiones personales, forman la base de estas notas filológicas al entremés de Antonio Hurtado de Mendoza. Me es grato ofrecer este trabajo en homenaje al profesor Jammes, porque es simbólico de la cohesión científica que ha sabido suscitar en el equipo fundado por él en esta universidad. Huelga añadir que estas aclaraciones no deben poco a las luces del homenajeado.

El ingenioso entremés del examinador Palomo se estrenó en las fiestas de Lerma ofrecidas por el valido de Felipe III a su rey en octubre de 1617. Esta obrita satírica, concebida como una revista de los parásitos cortesanos, gozó de tal éxito en su tiempo que parece constituir el primer caso de entremés publicado en edición suelta. En efecto, Sancho de Paz, autor de comedias, se encargó de imprimirlo en Valencia en 1618, afirmando, en el prólogo a su edición, que ya lo había representado diecinueve veces, y que se lo habían copiado de oídas pero defectuosamente. En la época moderna, el entremés de Hurtado de Mendoza volvió a llamar la atención de los especialistas del género corto. Emilio Cotarelo y Mori lo publicó en su *Colección de entremeses* (pp. 322-327). Su edición se basa en una segunda edición valenciana de 1620, cotejada con una edición de las *Obras líricas y cómicas* del autor (Madrid, 1728), de la que indica en notas tres variantes. En su *Antología del Entremés* (Aguilar, 1965, pp. 483-503), Felicidad Buendía reproduce fielmente la edición de Cotarelo. Lo mismo hace Javier Huerta Calvo, aunque con algunas erratas propias, en su *Teatro breve de los siglos XVI y XVII* (pp. 139-150). La particularidad de su edición es que va acompañada de doce notas, que se podrían más bien calificar de intertextuales, en la medida en que ponen en relación algunos puntos del entremés con otros textos, pero que no son suficientes para aclarar todas las dificultades del texto. Por fin, gracias a su paso por Toulouse, supe que Estrella Molina Castillo estaba preparando una edición crítica del *Examinador Miser Palomo* dentro del marco de una tesis doctoral. Le agradezco haberme comunicado una copia del texto de su edición, pendiente de publicación, que presenta apreciables variantes en comparación con la edición de Cotarelo. Sin embargo, he podido comprobar que las dificultades que he registrado en el texto publicado por Cotarelo subsisten en el texto preparado por Estrella Molino Castilla y necesitan pues las mismas aclaraciones. Esperando que se publique pronto el trabajo de esta compañera, me referiré aquí a la edición de Cotarelo por ser la referencia actual de todas las ediciones modernas. Ni que decir tiene que, al proponer estas notas, no pretendo agotar las dificultades de comprensión del texto, sino que espero abrir un debate filológico que podría continuar más allá de este homenaje, en particular a través de la *lonja de investigadores* permanentemente abierta a los lectores de nuestra revista *Criticón*.

Abreviaturas de las obras citadas:

Col.   Emilio Cotarelo y Mori. *Colección de entremeses, loas, bailes, jácaras y mojigangas.* Madrid, Bailly / Baillière, 1911, (N.B.A.E., t. XVII).

Iti.   Eugenio Asensio. *Itinerario del entremés desde Lope de Rueda a Quiñones de Benavente,* Madrid, Gredos, 1965.

J.H.C. Javier Huerta Calvo. *Teatro breve de los siglos XVI y XVII*. Madrid, Taurus, 1985.

(Las notas aparecen en el orden del texto, agrupadas por página y columna)

*

P. 322, col. a. *El ingenioso entremés del examinador Miser Palomo.* El título de *Miser* o *Micer* deriva del italiano *messer*, dialectalmente *misser*, pasado al catalán *misser*. En el siglo XVI, se utiliza en castellano para designar a los catalanes e italianos (*Corominas*). La segunda parte del entremés publicada por Cotarelo bajo el título *Segunda parte del entremés de Miser Palomo y médico de espíritu* alude a los orígenes italianos de Palomo.

El nombre de Palomo está cargado de connotaciones variadas. Es un nombre tradicionalmente dado a un personaje bobo. «En la germanía significa necio, o simple. Juan Hidalgo en su vocabulario [...] 'Juan palomo'. Llaman al hombre inútil que no se vale de nadie, ni sirve para nada» (*Aut.*). Por otra parte, Eugenio Asensio afirma que la gordura es inherente a su figura ilustrada en el personaje del refrán a quien celebró Quevedo en su letrilla «yo me soy el rey Palomo; yo me lo guiso y yo me lo como» (*Iti.*, p. 115). Javier Huerta Calvo repite lo mismo: la gordura es proverbial e inherente al nombre del protagonista, en razón del refrán muy del uso todavía, «Ya soy el rey Palomo, yo me lo guiso y yo me lo como» (J.H.C. p. 366). Sin embargo tal comentario parece corto, porque no aclara el sentido del refrán ni indica las connotaciones asociadas al personaje. El refrán aparece en Correas bajo la forma «Yo me soy el rey Palomo, io me lo como», pero sin comentario (*Vocabulario de refranes...*, ed Combet, p. 162). Se encuentra también un «tío Palomo» en la expresión «A lo tío Palomo», citada por Montoto, t. II, p. 245 (Luis Montoto y Rautenstrauch, *Personajes, personas y personillas que corren por las tierras de ambas Castillas*, segunda edición, Sevilla, 1921, 2 vols.), expresión que remite a la expresión «A lo tío Diego» (Montoto: I, p. 246 «Frase muy usada del pueblo andaluz, da a entender que una persona obra con socarronería, afectando sencillez y procediendo con malicia. También decimos en sentido idéntico: *Como quien no quiere la cosa. A lo tonto, a lo tonto*»). Montoto cita igualmente (II, 46) la expresión: «*Juan Palomo y Pedro Palomo, ¡vaya un par de pichones!* Dícese para dar a entender que se desconfía de dos amigos o compañeros a quienes unen las malas artes más que los lazos del afecto, y se confabulan por aquello de *hazme la barba y hacerte he el copete*». Ni Correas, ni Montoto dan pues una explicación del refrán «yo me soy el rey Palomo...» que parece haber sido, entre todos los textos en los que aparece un personaje nombrado el Rey Palomo, el único en haber sido realmente popularizado. Sin embargo, como me le comunicó amablemente Louis Combet, es en el artículo JUAN del *Gran diccionario de refranes de la lengua española* de José María Sbarbi (Madrid, 1922) donde se encuentra la verdadera explicación del refrán. Sbarbi escribe: «*Juan Palomo : yo me lo quiero y yo me lo como...* se aplica a los que por suma destreza, sobra de egoísmo o por cualquier otro motivo, no consienten la ayuda ajena en sus quehaceres o negocios, especialmente si son éstos domésticos». El *Diccionario de la Real Academia* y el de María Moliner recogen definiciones más o menos parecidas, citando sólo la forma *Juan Palomo: yo me lo guiso y yo me lo como*, lo mismo que Rodríguez Marín, *Más de 21 000 refranes castellanos...*, Madrid, 1926, p. 228. Del conjunto de estas observaciones se desprende pues que, más que la gordura, lo que sugiere el nombre de Palomo son rasgos morales como el egocentrismo, la socarronería, la malicia, o la necedad.

322, b. MESONERO: *¿Cómo tan gordo está?* PALOMO: *Soy veraniego.* «veraniego: Se toma también por el que en tiempo de verano está flaco, u enfermo» (*Aut.*). La respuesta de Palomo se puede entender de dos maneras. Si es el verano, deja entender que en invierno engorda todavía más. Si es el invierno, deja suponer que está haciendo reservas en previsión de la enfermedad que le afecta en verano.

322, b. PALOMO: *[...] también comisión traigo / para que no se caiga cosa alguna.* MESONERO: *Parece comisión de la fortuna.* PALOMO: *¿ Chistecico en mesón?* La variante retenida por Estrella Molino *que no se caiga casa ninguna* no aclara el sentido de la agudeza de Palomo. Al calificar la misión de Palomo de «comisión de la fortuna», el mesonero parece sugerir que Palomo es mandado por la fortuna («la buena suerte», «la ventura») para evitar el derrumbamiento de las cosas o de la casa. Pero habrá un segundo sentido jocoso en la expresión, que no conseguimos aclarar, ya que Palomo pregunta a continuación: *¿Chistecico en mesón?*

323, a. PALOMO: *¿Cómo ha nombre?* TOMAJÓN : *Durango.* PALOMO: *Es muy seguro; mas para quien ha de dar, no es bueno el duro.* Además del juego de palabras *Durango - duro*, hay que tener en cuenta la significación de *Durango* en en léxico del marginalismo: «Duro y miserable» (José Luis Hernández. *Léxico del marginalismo en el Siglo de Oro*, Salamanca, 1976, p. 299).

323, a. TOMAJÓN: *Tengo heridas por el filo.* La frase se ha de relacionar con la expresión «herir por los mismos filos»: «Phrase de la esgrima que vale herir al contrario, siguiendo el mismo filo de su espada. Metafóricamente se toma por valerse uno de las mismas razones o acciones de otros, para impugnarle o mortificarle» (*Aut.*). En el contexto, el Tomajón se vale del mismo filo de sus víctimas, lo que ellas consideran su punto fuerte, para vencerlas.

323, a. TOMAJÓN: *Si es vano el tal señor, le digo luego / que desciende del conde Peranzules.* El conde Peranzules es un personaje que pertenece a la tradición cidiana. Per Anzures en el *Poema de* *mío Cid* era un conde del reino de León. Vuelve a aparecer en varios romances y en *Las Mocedades del Cid* de Guillén de Castro como ejemplo de lealtad.

323, a. TOMAJÓN: *que le tiemblan los moros de Getafe*. La ciudad de Getafe, situada a pocas leguas de Madrid era considerada por la gente de la Corte como una ciudad de campesinos. Antonio Hurtado de Mendoza se burla de la rusticidad de sus habitantes en su entremés de *Getafe*. Hubo probablemente moros en Getafe en una época anterior, ya que al lado de Getafe se encuentra la ciudad de Valdemoros. Pero estamos en 1617, y los últimos moriscos fueron expulsados de España en 1609. Es pues completamente irrisorio provocar el temblor de los moros de Getafe.

323, a. TOMAJÓN: *y, aunque sea un indiano en la miseria, le digo que es más pródigo que el hijo*. «miseria» se opone a «pródigo». En este contexto «miseria» no se ha de tomar por «pobreza» sino por «avaricia».

323, a. TOMAJÓN: *echando con primor por el atajo, se lo vengo a pedir por mi trabajo*. El Tomajón construye su réplica en eco al conocido refrán: «no hay atajo sin trabajo».

323, b. PALOMO: *¿Qué nombre?* CABALLERO: *Don Juan Bilches*. PALOMO: *Poca cosa; / mas campando, por mi vida, el Bilches, el Bilches sólo digo, me hace asco*. Proponemos leer, de acuerdo con Estrella Molino, en lugar de «mas campando» «más campanudo», porque Palomo desea que el caballero tenga un nombre más campanudo que el de Bilches. En efecto, aunque Bilches o Vilches es un patrónimo auténtico así como el nombre de una ciudad situada cerca de Jaén, es un nombre que suena a «vil». En un entremés anterior al *Examinador Miser Palomo*, el *entremés famoso del Triunfo de los coches* de Barrionuevo aparece un personaje llamado Bilches y caracterizado como «pobre» (*Col.*, p. 208). Posteriormente, en *Las burlas de Isabel*, atribuido a Quiñones de Benavente, es un sacristán ridículo el que lleva el nombre *Vilches* (*Entremeses* de Quiñones de Benavente, ed. de C. Andrés, Madrid, Cátedra, 1991, p. 199). En *La Jeringa* de Juan Vélez de Guevara, el sacristán protagonista declara llamarse Vilches (*J.H.C.*, p. 269). En el entremés anónimo *Los gorrones* Vilches es un estudiante gorrón (*Col.*, n° 22, p. 88). Todos estos ejemplos manifiestan la asociación frecuente entre el nombre *Vilches* y una situación social despreciable

323, b. CABALLERO: *Conviértale en Hernando de Velasco*. En oposición a Bilches, Velasco es un patrónimo prestigioso. Antonio Hurtado de Mendoza lo recuerda también en su entremés de *Getafe*, en el que don Lucas recuerda su genealogía prestigiosa: «Tengo Castros, Guzmanes y Velascos» (*Col.*, p. 333). Se puede observar sin embargo que Palomo rechaza el nombre Bilches, por su parentesco con «vil», y propone *Velasco* que podría descomponerse en «vel» –no tan lejos de «vil»– y «asco».

323, b. CABALLERO: *Sin que me hiciese mala la cabeza, he ido en las testeras de tres coches / con un conde, un marqués y un casi duque*. En los coches la testera es «el asiento en que se va de frente, a distinción del otro, que llaman los caballos, en que se va de espalda» (*Aut.* que cita precisamente esta frase). Se trata pues de un asiento de honor para este caballero. El primer verso se ha de leer «sin que me hiciese mal a la cabeza» con un juego de palabra con «testera», que sugiere también «cabeza» y «dolor de cabeza», ya que «testerada» es «golpe dado con la cabeza».

323, b. CABALLERO: *y afirmo que pespunta la carrera*. La utilización del verbo «pespuntar» a propósito de la carrera de una mula es curiosa. «pespuntar» es un término de sastre que significa «hacer pespuntes en la ropa o tela». Cuando se sabe que «pespunte» es «labor hecha con aguja de puntos seguidos y unidos, o metiendo la aguja para dar un punto atrás» se puede comprender que esta mula corre con la agilidad del sastre o de la modista que maneja la aguja, pero también se puede pensar en una carrera algo tortuosa con algún paso hacia atrás.

323, b. CABALLERO: *Por sólo un arador, llamé dos médicos.* El «arador» es el «arador de la sarna», acario parásito del hombre.

323, b. CABALLERO: *y porque oí que el duque de Sajonia estaba con catarro: en aquel punto despaché por bayetas a Sevilla.* Varios miembros de la familia protestante de Sajonia se opusieron a las tropas españolas en los siglos XVI y XVII. Es probablemente lo que explica el celo del Caballero, que anticipa la muerte del duque, previniendo las bayetas fúnebres, en cuanto tiene el duque un simple catarro. Se había popularizado la figura del duque de Sajonia en un soneto báquico que empezaba por el verso: «A la salud del duque de Sajonia» sobre el tema: todos los borrachos que beben a la salud de tal o cual grande acaban enfermos. Soneto atribuido à Góngora o Villamediana. Ver: Góngora, *Sonetos,* Madison, The Hispanic Seminary of Medieval Studies, 1981, pp. 616-617.

323, b. PALOMO: *¡Oh, que os falta un palillo en el sombrero / para ser empalado caballero!* Es conocido el tópico del hidalgo que se limpia los dientes con un palillo para dejar suponer que ha comido bien. Se puede comprender que después de esta operación el caballero se coloca el palillo en la cinta del sombrero, lo cual es una manera de ser «empalado», pero no por la parte ordinariamente reservada a este suplicio.

323, b. PALOMO: *¿Don tenéis?* CABALLERO: *¿Cómo don? Guadarnés tengo.* Palomo pregunta al Caballero si tiene la hidalguía manifestada por el tratamiento de «don». Al contestarle que tiene un «guadarnés», es decir «armería», «sitio donde se guardan las sillas y guarniciones de los caballos y mulas» o «sujeto que cuida de las guarniciones, sillas y demás aderezos de la caballeriza» (*Aut.*), el Caballero afirma que posee atributos que señalan una categoría económicamente superior de la nobleza.

324, a. PALOMO: *nombraos.* NECIO: *Yo, don Domingo.* PALOMO: *¡Don Domingo!... / Necio sois de guardar en todas partes; mas pues tan necio sois, llamaos don Martes.* La necedad está en que Domingo lleva un título reservado a los hidalgos. En efecto, Domingo, nombre frecuentemente atribuido al villano bobo de la *comedia,* es poco acorde con el título de don. Lo afirma Suárez de Figueroa: «no suena a propósito don Isidro, como tampoco don Frutos, don Marcos, don Salvador, don Cebrián, don Domingo» (*El Pasajero,* ed. Rodríguez Marín. Madrid, Renacimiento, 1913, p. 36. Cita y nota en *El diablo cojuelo,* ed. Ignacio Arellano y Angel Raimundo Fernández González. Clásicos Castalia, 1988, p. 109, n. 30). Por otra parte, siendo el domingo una fiesta de guardar, Palomo declara que su interlocutor es un necio de guardar, es decir un necio de categoría. En cuanto, al cambio de nombre sugerido, va relacionado con el refrán «En martes, no te cases ni te embarques» que manifiesta que el martes es un día funesto como puede serlo el Necio.

324, b. NECIO: *[...] dije un día / mirando al Escorial: qué insigne fábrica / si tuviera de sitio más un dedo! /* PALOMO: *Es tacha del Alcázar de Toledo.* La observación del Necio es absurda, porque el Escorial está instalado en un sitio tan amplio que no necesita más espacio, sobre todo medido a base de dedos. Hay que tener en cuenta que el Escorial hacía la admiración de los contemporáneos. En su *Tesoro de la lengua* Covarrubias designa el palacio monasterio como «edificio único en toda la cristiandad» y «segundo templo de Salomón». En cambio, el Alcázar de Toledo podía sufrir de algún complejo de inferioridad, dado el espacio restringido en el que estaba construido. Este intercambio de réplicas puede recordar la rivalidad que había entre los dos edificios. Antes de la construcción del Escorial, el Alcázar de Toledo constituía el patrón de la belleza. Les habría sentado mal a los toledanos que Felipe II prefiriera el Escorial al Alcázar de Toledo que su padre Carlos V había reconstruido cuando hizo de Toledo su capital. Sin embargo, Felipe II hizo levantar la fachada sur del Alcázar, la más majestuosa, por Juan de Herrera, uno de los arquitectos del Escorial.

325, a. PALOMO: *Gente de flor, que la examine Mayo.* Por «gente de flor» Palomo designa a los fulleros, ya que «flor» «entre los fulleros significa la trampa y engaño que se hace en el juego» (*Aut.*). Se confía la tarea de examinarlos a Mayo, probablemente porque Mayo es el mes de las flores.

325, a. PALOMO: *[...], paciencia, hermanos, / porque no he de nombrar los escribanos.* Habría que añadir aquí una indicación escénica como «dirigiéndose al público». En efecto esta réplica es un guiño al público en el momento en que se trata de examinar ladrones. Era un tópico denunciar la codicia de los escribanos, pero Palomo, en contra de la esperanza de su público, se niega a desarrollar el tópico. La denegación logra sin embargo su objetivo, el de asimilar implícitamente ladrones y escribanos.

325, b. PALOMO: *Amigo ¿qué dejáis para unas tocas?* Las «tocas» se refieren al velo que las mujeres llevaban en la cabeza y por metonimia a las propias mujeres por las que el enamorado se está perdiendo.

325, b. PALOMO: *Don Marcos os llamaréis, sin replicona; para el marco tenéis gentil persona.* Palomo juega con las palabras *Marcos* y *marco.* Dice al enamorado que su belleza puede enmarcarse en un cuadro. Tal elogio no quita la ironía que consiste en imponer al personaje un nombre que suena a plebeyo o judío. A lo ya dicho más arriba a propósito de don Domingo se puede añadir esta cita de Alarcón : BELTRÁN : *El que sigue es don Marcos/ de Herrera.* Da INES: *Borraldo luego / que don Marcos y don Pablo,/ don Pascual y don Tadeo,/ don Simón, don Gil, don Lucas / que sólo oírlos da miedo,/ ¿ cómo serán si los nombres / se parecen a sus dueños? (El examen de maridos,* v. 1905, *sq.).* Otra pista interpretativa estaría en la relación entre el nombre de Marcos y la condición de cornudo, lo cual no dejaría de ser gracioso para un enamorado. Tal vínculo aparece en el cancionero popular que asocia «ser de la cofradía de San Marcos» y «ser cornudo», pero no conocemos referencias literarias en el Siglo de oro. Ver Angel Iglesias Ovejero, «Iconicidad y parodia: los santos del Panteón burlesco en la literatura y el folklore», *Criticón*, 20, 1982, p. 71.

325, b. PALOMO: *Que el tropo variar es bella cosa.* Palomo adapta y castellaniza un verso famoso del poeta italiano Serafino Aquilano (segunda mitad del siglo XVI): *che per troppo variar natura è bella.*

325, b. PALOMO: *¿Hay flechecita?* ENAMORADO: *Y también corazoncito.* PALOMO: *Amante podéis ser de Carajete.* Evidentemente la flechecita y el corazoncito derivan de la representación del amor figurada por Cupido y su arco, pero es oscura la relación con la expresión «amante de Carajete» de la cual no hay referencia, y en la que sólo se puede ver una connotación sexual derivada de «carajo» (J. H. C., p. 366). Una lectura más satisfactoria sería «amante de carcajete» con la relación entre el carcajete y las flechecitas. *Col.* indica en nota una variante en las *Obras líricas*: «Amante podéis ser de Peralvillo», alusión más fácil de comprender, ya que se refiere a la justicia de Peralvillo, justicia expeditiva que utilizaba flechas en la ejecución de los condenados.

«Peralvillo. Un pago junto a Ciudad Real, adonde la Santa Hermandad haze justicia de los delincuentes que pertenecen a su jurisdición con pena de saeta» (*Covarrubias*).

325, b. PALOMO: *que un cedulón anuncia vicariada*. La palabra «vicariada» no aparece en ningún diccionario. Por el contexto, se puede pensar que el enamorado que manda promesas de matrimonio en forma de «cédulas» no tardará en «pasar por la vicaría» para casarse.

326, a. VALIENTE: *¿Qué flor?* PALOMO: *¿Con quién lo habéis?* VALIENTE: *¿Qué flor pregunto?* PALOMO: *Si por mi lo decís, tinaja, hermano.* VALIENTE: *Dígolo y lo diré por todo el mundo.* PALOMO: *Qué flor, que si hay bostezos de valiente, ¿en qué sois docto, en bota o en garrafa?* Tenemos aquí una serie de preguntas y respuestas bastante enigmáticas. «flor» parece referirse en el contexto, en particular a través de la última réplica citada, a las habilidades del personaje, a su saber, aunque su saber consista en ser «docto» en el conocimiento del vino sugerido por «tinaja», «bota» y «garrafa». Este significado de «flor» puede relacionarse con la expresión «tener por flor»: «Vale tener por costumbre de hacer alguna cosa no buena: como pedir dinero prestado, decir mal de otro, etc.» (*Aut.*). La pregunta del valiente se podría interpretar así: «¿Qué tiene Ud. por flor» y la respuesta sería «tengo por flor (por costumbre) la de la tinaja».

326, a. VALIENTE: *y he reñido cien veces en ayunas*. PALOMO: *¿Qué fuera al fenecer las aceitunas?* Las aceitunas solían servirse de postre. «Al fenecer las aceitunas» se opone pues a «en ayunas».

326, a. VALIENTE: *Maté un león con este dedo*. PALOMO: *¿Albano?* J. H. C. (p. 366) ve aquí una alusión al duque de Alba «de proverbial ferocidad, como todavía recuerdan las madres flamencas a sus pequeños asustándoles, en sustitución del coco, con el noble español». Parece más plausible relacionar el león albano con el perro «albano» o «alano» de ferocidad legendaria como lo señala Covarrubias en la voz «alano»: «Pero los perros alanos sospecho que se han de decir albanos [...] porque nos consta que en Albania se criaban perros ferocísimos, que salían a pelear con los enemigos y eran parte para romper un ejército».

326, a. VALIENTE: *y un tigre de una coz*. PALOMO: *¿no sería Ircano?* «hircano»: «procedente de Hircania, región del Asia antigua», la ferocidad de sus tigres era un tópico.

326, b. VALIENTE: *[...] en católica destreza / pasmo a don Luis Pacheco de Narváez*. Luis Pacheco de Narváez se ilustró como maestro de esgrima del rey Felipe IV y publicó varios libros sobre la destreza.

326, b. PALOMO: *¡oh!, si vos no tenéis la gratis data, / es todo machacar en pueblo frío*. El consejo dado por Palomo al gracioso parece claro: si no tiene gracia, dejará frío a su público. La correspondencia con la expresión «machacar en hierro frío» es obvia. *Col.* indica que en la edición de *obras* precisamente se lee «hierro» en lugar de «pueblo». Lo que no deja de plantear un problema es la significación exacta de *gratis data* que parece ser expresión latina, quizá de origen jurídico, pero sin clara relación con el contexto.

327, a. PALOMO: *no os metáis de repente a los Tristanes*. El nombre de Tristán se dio varias veces a los graciosos de Comedia. Así en la *Celestina* de Fernando de Rojas, en algunas comedias de Lope de Vega, entre las cuales, *El perro del hortelano*, en *Ver y creer* de Juan de Matos Fragoso, en *No hay vida como la honra* de Juan Pérez de Montalbán, etc. Palomo deja suponer que este personaje de comedia es difícil de representar y que el gracioso de farsa que quiere examinarse ha de empezar por personajes más fáciles.

327, a. PALOMO: *tentad primero el vado de estos príncipes; soltaos con calabazas, porque hay muchas.* Se ha de comprender que al hablar de «estos príncipes», Palomo alude al público ante el cual se encuentra, y en particular al que se encontraba en el estreno del entremés en Lerma. Ya que está dando consejos al gracioso que quiere echarse al agua de la representación teatral, le propone someterse primero a la mirada benévola de estos príncipes, que compara con un vado que le impedirá ahogarse. La misma metáfora vale para las «calabazas» que ayudaban a los nadadores principiantes en sus primeros intentos. «Nadar con calabazas: Fuera del sentido recto del nadar: metáphoricamente se dice del que necesita del aviso o favor de otros para algún negocio, o empresa, que sin este socorro, no pudiera lograrse» (*Aut.*).

327, a. PALOMO: *no os canten cuantos silbos, cuantas voces.* Este verso que evoca las protestas del público ante el mal actor viene directamente del primer verso de un romance de Góngora: *Lisonjea a Doña Elvira de Córdoba.* (*Obras Completas*, ed. de Millé y Giménez, Aguilar, 1961, n° 68, 1613, p. 188.)

327, a. PALOMO: *que a Alosillo, a Basurto, a Lastre, a Osorio / no les vino la gracia por abolorio.* «abolorio» tiene el mismo sentido que «abolengo». Es decir que estos personajes, actores de la época que destacaron en el papel de gracioso (J. H. C., p. 367), no han heredado su gracia de sus antepasados, sino que la han conseguido por su trabajo.

327, a. PALOMO: *¿Baile, y mujeres?; pierdan la esperanza, / que no ha de ir lo civil de la mudanza.* Palomo se dirige otra vez directamente al público, negándose a desarrollar uno de los tópicos de los moralistas de su tiempo, el de la vulgaridad (civil: se dice del que es desestimable, mezquino, ruin, y de baxa condición y procederes. *Aut.*) de los bailes (mudanza: Se llama también cierto número de movimientos que se hace en los bailes y danzas arreglado al tañido de los instrumentos. *Aut.*).

327, a. PALOMO: *no tiro yo conceptos de paleta.* Palomo insiste en su negativa a ofrecer al público los tópicos que éste espera. «de paleta: oportunamente, a la mano, a pedir de boca» (*D.R.A.E.*).

327, a. PALOMO: *vaya un baile con tono de Juan López.* Juan López, principal compositor de músicas de baile de teatro con Juan Blas citado antes (*Col.* CCXXVII).

327, a. PALOMO: *o sea por mi amor el excelente / metrópoli de bailes, Benavente.* Alusión a Luis Quiñones de Benavente. Prueba de que en 1617, ya era muy famoso como compositor de entremeses con bailes. En la *Segunda parte del entremés de Miser Palomo y médico de espíritu*, Hurtado de Mendoza hace otro elogio de Benavente (*Col.* LXXV).

Lucano en Quevedo:
«Labios divinos» e «Infernal médula»

Gaetano CHIAPPINI
Universidad de Florencia

1. Algunos juicios objetivos

Para instituir, de una manera, sin duda, singular –como lo merece siempre cualquier juicio de Quevedo– pero no casual, la relación de lectura de Lucano en la obra del gran escritor español, buscamos un acceso indirecto.

Estamos bien seguros, naturalmente, de los términos de dicha relación, es decir, sabemos que tenemos que seguir las dos direcciones del análisis: la lectura quevedesca, o de un autor español del siglo XVII, de un clásico de la literatura latina (y un autor *romano* de la provincia ibérica); y los aspectos elegidos y oportunos desde Lucano hacia Quevedo, en la coincidencia cierta o dialéctica entre aprecio y juicio, y utilización.

Son justamente el ángulo visual muy especial desde donde Quevedo observa y asimila (o menos) a Lucano; y, más bien, el modo mediado y no global –sirve también, desde luego, la discusión abierta– los que nos hacen postular e intentar una particular estrategia crítica menos frontal, pero sí más atenta a los matices y a la presencia crítica de Quevedo respecto a la figura y obra de Lucano.

Y queremos, concretamente, acercarnos a la obra de Quevedo por medio de un texto absolutamente insospechable –porque oblicuo– es decir, el romance *A Don Luis de Góngora*, que empieza con el verso «Poeta de ¡Oh, qué lindico»[1].

Es uno de los muchos documentos de la incomprensión perenne entre los dos grandes y enojados ingenios barrocos, donde se desahoga Quevedo acumulando sus contumelias preferidas sobre su adversario, especialmente yendo a buscarlas en el ámbito de las deyecciones: «poeta de bujarrones», «escoba de la basura / de las ninfas del Parnaso» (con agudo fenómeno de eco «*escoba – ba*sura – Par*na*so» para confirmar en el deslizamiento fónico la contradicción y el

---

[1] Para el texto utilizamos la edición: F. Quevedo y Villegas, *Obras completas*, est. prelim., edición y notas de F. Buendía, Madrid, Aguilar, 1966 (1969 1ª reimpr.), 2 tomos; sigla: *Prosa, Poesía*.

Hommage à Robert Jammes (Anejos de *Criticón*, 1), Toulouse, PUM, 1994, pp. 221-230.

desprecio), «poeta de lo comido», «que siempre apunta a lo bajo»... No hay, seguramente, mayor afrenta, para Góngora y para su figura poética real y simbólica, que mal entender o desfigurar voluntariamente su operación poética que iba, certeramente y con grandísimo sacrificio, hacia la dirección metafórica y simbólica, hacia la abstracción y proyección de los restos del *naufragio*[2] en un universo reconstruido sobre los materiales agraciados y preciosos positivamente substraídos y enajenados respecto a su primitiva y propia función. Y Quevedo sádicamente va a encerrarle en los materiales orgánicos y metabólicos exactamente opuestos: la deyección, la «basura», el fruto de un «ingenio de melecina», también enfermo, de patológico intelecto.

Pero, más que el insulto del apelativo o la atribución viciosa es, propiamente, el hecho de apuntar violentamente y con alusiones tan grotescas como descubiertas, para excluir a Góngora del ámbito de la *mater* Córdoba. Sobre todo, porque se hace coincidir la ciudad española directamente con la Urbe por antonomasia (la «Roma andaluza»...); y con el mismo cosmos. Y la exaltación de la solemne y gloriosa maternidad aísla a Góngora en la desolación brutal e infame escualidez del polo extremo grotesco y humillante.

Nosotros queremos olvidarnos enseguida de la ambigua conclusión quevedesca, aunque modulada con mucha pericia: «[Góngora] sirena de los *rabos*» no puede haber nacido en Córdoba «si no es que se hizo preñado/ algún *arrabal*». El doble sentido vulgar («rabo» – «arrabal») –que comprende también cierto nivel de animalización– es simplemente un compromiso, una manera de no excluir totalmente, pero sí dejar fuera al enemigo odiado del universo fecundo y noble de la *mater*: «no es posible que seas hijo / de ciudad a cuyos partos / debe Roma y todo el mundo / los Sénecas y Lucanos. / Córdoba no te parió» (*Poesía*, p. 445).

De Góngora se dice: «si no es que se hizo preñado / algún arrabal de ti, / y que naciste en el campo». Lo importante, aquí, es alejar al poeta enemigo del templo sagrado y humanísimo de los partos de Córdoba. La ciudad no es nombrada enseguida («ciudad») como para eliminar cualquier contacto posible de Góngora con el olimpo cordobés. Y esto no quiere decir sino que, para Quevedo, entre los muchísimos hijos ilustres de Córdoba se pueden contar a los Sénecas y los Lucanos (muchos Lucanos, muchísimos Lucanos, porque Córdoba es madre prolífica), con la única excepción de Góngora... El cuadro planetario comprende solamente a los pocos elegidos: Córdoba, los Sénecas, Lucano, Roma y el Imperio Romano (el mundo entero). Arrodillados Roma y el Imperio delante de la sagrada maternidad en un mudo y solemne reconocimiento de una deuda universal. Se ve bien el oculto modelo de compensación que le gusta a Quevedo en la natural defensa de la condición *española* de los grandes ingenios de los Sénecas y Lucano...

Se trata, naturalmente, de un modelo muy violento y cruel, en el fondo, insistido, por un lado, para crear la imagen de la *Córdoba-madre*, y, después, para exaltar a los dos insignes hijos según un carácter de sagrada exclusividad.

Esta aureola ampara también el nacionalismo y el patriotismo de Quevedo, siendo los Sénecas y Lucano los hijos elegidos de una madre fecundísima y fuertemente española, delante de quien se inclina por su liberalidad gloriosa todo el mundo romano...

Y Lucano aparece ya en una luz absoluta...

En otra ocasión, hay otro texto importante donde el Imperio romano – aunque de una forma negativa – contribuye a la vistosa imagen de Lucano; y la forma negativa depende de la persona de un representante funesto y déspota, el tirano Nerón, que, con una acción de violencia y de muerte, glorifica al grande poeta.

---

2 *Cfr*. soneto 261, edic. Millé.

Es otro texto de la producción satírica, la *Jocosa defensa de Nerón y del señor rey don Pedro de Castilla*, que ofrece a Quevedo la manera y la oportunidad para ironizar –esta vez– sobre el tirano, cuyo mérito mayor, quizá, sea el de haber hecho famoso al Poeta (y a la Poesía), aunque por medio de un asesinato. Con la irónica inversión de las maldades del tirano[3], Quevedo hace resaltar una oscura controversia de recíprocos celos –entre Lucano y Nerón así como entre los príncipes y sus ambiguos maestros. Pero el homicidio de Lucano lo enuncia Quevedo de una forma fría, seca y acaso terriblemente compensativa: «Quitó a Lucano la vida, / mas no le agravió por eso, / cuando inmortal le acredita / con la gloria de sus versos». Casi la muerte de Lucano, con cinismo helado, no fuera sino un natural tributo pagado por el tirano (y, quizás, por el mismo poeta...) a la inmortalidad de la poesía y esa inmortalidad se debiera a la muerte misma. Aquí se esconde la paradoja quevedesca del «mundo al revés», que hace de la brutalidad del tirano una cualidad obvia y necesaria, en la palabra misma de Lucano muchas veces citada por don Francisco[4].

A propósito de esto, se debe tener presente, que entre las obras más interesantes desde el punto de vista de la subversión de los valores, figura el *Discurso de todos los diablos* (1627), siendo el infierno el espejo «al revés» del mundo, donde los diablos vagan trastornados y sin meta, y Lucifer sólo con muchos esfuerzos puede volver a darles las instrucciones y normas y a llevarlos otra vez a los antiguos criterios, verdaderamente infernales, de juicio y de función. Justamente en el *Discurso*, Quevedo elabora un modelo preciso negativo del *privado* y del consejero y del preceptor del Príncipe, por todos considerados los verdaderos culpables de todas las malversaciones, crueldades y violencias actuadas por el soberano, y que, sin embargo, son del todo *naturales* y propias del oficio de gobierno. Aquí aparece Séneca (*Prosa*, p. 206), maestro y guía de Nerón («yo soy Séneca, español, maestro y privado de Nerón») –y parece que la pertenencia a la patria española sea menos positiva que en otros casos...– a quien bien se adapta el «emblema de la esponja»[5], como revelador de la ambigua naturaleza (con necesaria condena) de los consejeros destinados a recibir honores y riquezas por sus soberanos, como premio por su devoción y complicidad, y a quienes después los mismos príncipes y la gente los considera responsables de los errores y culpas del augusto soberano y los castigan con todo género de violencia. Y con todo esto la Providencia ampara al tirano («Son pasos de la Providencia el guardar al tirano del peligro de la vida, por no venir colmado de las muchas afrentas y desesperación que merecía», p. 207), como si la Providencia misma los substrajera del legítimo odio de la desesperación de sus víctimas. También la conjuración de los Pisones ve a Nerón indemne por la misma razón y, sin embargo, la inmunidad no purifica al Príncipe de sus vicios. El homicidio de Lucano no es sino la continuación de un comportamiento que, evidentemente, no se puede someter a las mismas categorías éticas y de juicio del hombre común: «Aseguróse el príncipe destos [los conjurados], pero no de sus vicios, y luego al punto mandó matar a Lucano porque era mejor poeta que él» (*ibidem*).

---

[3] Cfr. *Poesía*, p.266: a Séneca Nerón le dio la muerte, veamos lo que dice Quevedo a este propósito: «Si a Séneca dio la muerte / siendo su docto maestro,/ hizo lo que una terciana,/ sin culpa pudo haber hecho. / No es mucho que se enfadase/de tantos advertimientos,/ que no hay señor que no quiera / ser en su casa el discreto»: aquí, Quevedo invierte clamorosamente las partes, si el maestro pretendía substituirse al alumno, ser más listo que él, era justicia que se le matara...

[4] Sobre el tema de la protección del tirano, *cfr.* por ejemplo *Prosa*, p. 1528; p. 1723; *Poesía*, p. 982.

[5] Cfr. *Prosa*, pp. 190-207.

No debemos olvidarnos de que nos encontramos en el pleno de aquel *Discurso*, donde los diablos reciben de los hombres el modelo de los delitos y de las ferocidades y quedan pasmados y confusos y escandalizados...

El nombre de Lucano, de todas maneras, viene a situarse en el centro de fuertes sentimientos y contradicciones del mismo Quevedo: hemos visto la ultrajosa, exasperada y obscena polémica con Góngora; la inmortalidad alcanzada con la violencia y la muerte; aquí el providencialismo –¡y, era Lucano un antiprovidencialista!– salva al tirano de la muerte, al tirano que mata a quien quería justicia (y negaba la providencia); y, aun peor, Quevedo repite que la muerte da la inmortalidad porque hace triunfar la mejor poesía de Lucano sobre la peor de Nerón. Contradicciones y paradojas se entrelazan, pues, siempre en Quevedo con el juicio triunfal sobre el poeta cordobés, embestido de luces siniestras de sangre y pasiones políticas y juicios históricos y objetivos.

Parece dibujarse una extraña y oscura vicisitud de esa figura histórica, por sus complejas cuestiones éticas que afectan el principal de los núcleos existenciales de Francisco de Quevedo, por ejemplo, el principio arduo y controvertido de la *realeza*, la fuente de todos los dramáticos problemas de su vida y obra.

Ninguna duda, debemos decir, sobre el valor literario, ninguna valoración del estilo, de la técnica: sí, en cambio, total coincidencia de poética, para una aceptación global de la figura de Lucano. Y el frecuente acudir a citas textuales (muchas veces repetidas hasta constituirse como símbolos) nos permite pensar en un aprecio general de Lucano como imagen de poeta integral, también discutible (y discutido al nivel de ideas y concepciones, también porque pagano y ateo). Y vamos a ver algunos ejemplos de la disputa ideológica o de la conformidad entre Lucano y Quevedo.

2. Ejemplos de valoraciones críticas

Una muestra interesante de consideración crítica puede ser el caso de la *Virtud militante* (1634-1636, publicada en 1651; p. 1305), donde Quevedo se está expansionando sobre el valor ascético del «desprecio» o anulación de sí por la confianza en Dios, quien solo puede restablecer el equilibrio, la justicia y la verdad de la dignidad humana comprometida[6].

Quevedo está hablando de la posible distancia terrena –fuera de la justicia divina, desde luego– entre virtud y premio, según el modelo de la vicisitud dramática de Job, notoriamente el signo de la contradicción humana y del dolor como rescate y sacrificio de lo humano contra el desapego de la ataraxia estoica: «¿Eres virtuoso, y no tienes los premios de la virtud?».

Don Francisco ve bien cómo en el fondo de la conciencia dolorosa de esa no-coincidencia está, más que otra cosa, el deseo de la estimación ajena y el temor que se haya comprometido el buen juicio de parte de los otros: «Dirásme que no te afligen el obispado, la cátedra, la plaza o la presidencia que te niegan; sino el decir que no te la dan por encogido, poco activo e ignorante» (p. 1305).

Y tiene fácilmente razón Quevedo, cuando rechaza con seguridad la necesidad o más bien el valor del juicio público y cuando asoma, preferentemente, el principio opuesto del «desprecio» (según la escuela de San Ignacio), como criterio secreto de la verdad y autenticidad de los valores de la persona. El discurso merecería que se ahondara más en su desarrollo íntimo, porque Quevedo parece oscilar entre la sagacidad política y la necesidad de la humildad, entre la búsqueda de la virtud como esfuerzo primero del hombre y la cordura o oportunidad del *lathe*

---

6 *Cfr.* también el *Magníficat*, *Lc*, I, 46-55.

biosas como defensa de la integridad del individuo, entre la prudencia y la discreción y el desapego y el deber (o la utilidad) de la plena correspondencia ética entre la realización práctica y cumplimiento de su propio «oficio» y el «obrar bien»...: «Bueno es ser presidente o obispo, empero es menester ser buen obispo y buen presidente» (p. 1305);

> de muy pocos hombres han dicho todos que son sabios o buenos. No está la sabiduría ni la bondad en las alabanzas ajenas, sino en las noticias y bondad propia. Cuando siendo sabio no sintieres que te desprecien por necio, entonces te puedes sospechar sabio. El aplauso de la ciencia y de la virtud, antes la contrasta que la celebra. Aquel desprecio que te esconde te defiende. El despreciado es semilla y cosecha de Dios; levántase y fecúndase del estiércol que con su bajeza te fertiliza. El Espíritu Santo dice «que Dios es labrador, que del estiércol levanta al pobre». Del modo pues que el trigo debe al estiércol el colmo de sus espigas, debe el abatido a su desprecio la abundancia de sus frutos. Es el desprecio tan divino bienhechor, que le debemos todo lo que nos quita; que somos los deudores de todo lo que nos niega. No tendrá razón la legumbre de estar malcontenta de la naturaleza porque no le dio en el monte la corpulencia del roble, cuando el rayo, que le abrasa por grande, la perdona por chica. Muchas cosas se defienden por ignoradas, que no pudieran defenderse por fortalecidas. *(Ibidem)*

La cita es larga pero muy provechosa por todo ese atuendo de habilidad dialéctica que Quevedo exhíbe, anclada en su conocimiento perfecto de la alabanza humana, y del desprecio común, que le dan una sabiduría práctica y un principio ventajoso y tranquilizador para la defensa de la propia verdad. El «desprecio», para un hombre como Quevedo tan experto de la vida de corte, tiene más de una garantía contra la más fácilmente visible y manifiesta maldad y lisonja humana –el lado *normal* del comercio humano...

Es más, el principio que Quevedo sugiere es un ejercicio a su vez garantizado por la palabra de Dios y va más allá del empirismo avisado («Suscitans a terra inopem / et de stercore erigens pauperem» (Ps 112, 7)[7]. Y de manera total vale la palabra de Dios, naturalmente, como principio y fin de un proceso de fecundidad y maduración natural: «semilla», «cosecha», «fertiliza», «trigo», «espiga», «abundancia», «frutos», «legumbre», «roble». La figura-clave, pues, de toda la confianza en Dios, para Quevedo, es la certeza del ciclo de la fecundidad natural (entra también el «estiércol» bíblico), donde se juntan la sabiduría humana y la «labranza» divina. Se dibuja así un cuadro naturalístico y espiritual alrededor de la cita que sigue de Lucano (al lado, repito, de la Escritura).

Es evidente, entonces, que el marco insigne proporciona al texto del poeta latino una grandísima responsabilidad dentro del contexto del poeta español del siglo XVII.

Y el texto latino añade un testimonio *antiguo*, de la *tradición* pagana y de su cultura, dentro de una experiencia dramática como el contexto de la obra de Lucano, dedicada a un asunto trágico y duro como la guerra civil y el odio entre dos romanos como César y Pompeyo... Y todo en el contacto con la sabiduría bíblica, la ciencia, la prudencia política humana y la observación tranquila de la vida del campo (en los dos cuadritos «de género» ofrecidos por Quevedo, entre las decepciones y amarguras de sus últimos años...).

Veamos, por fin, después de esta presentación que creemos necesaria, el tono y el carácter de la cita: «Con grandes y doctas palabras exageró Lucano los privilegios y prerrogativas del desprecio en la cabaña pajiza de Amiclas, "cuando tocándola la mano cesárea, no tembló estremecida"»[8].

Con «doctas palabras» y «grandes» alude seguramente Quevedo al doble valor magistral de la sentencia de Lucano, en el sentido político y de construcción de la escena –el virgiliano nocturno

---

[7] *Cfr.* I *Sam*, 2, 1-11.
[8] *Cfr. Pharsalia*, V, vs. 504 y sigs.

del héroe solitario que desprecia a los siervos, se identifica directamente con la Fortuna, y, sin embargo, tiene que pararse delante de una pequeña «cabaña pajiza», la del «pauper Amiclas». La nobleza de la breve escena tiene su admirable contrapunto en la dureza de la contraposición entre el atrevimiento del jefe y la certidumbre del pobre.

El «exageró», sin embargo, se refiere a los «privilegios y prerogativas» del «desprecio» y va a la sucesiva discusión del contenido. Y Quevedo no cita directamente los versos como están en el texto: cita antes el v. 531 y después los vs. 529-530. La primera parte de la cita es: «nullo trepidare tumultu / Caesarea pulsante manu?» – "Cuando tocándola la mano cesárea, no tembló estremecida". En la traducción Quevedo transforma la implícita en explícita por razones idiomáticas; pero «tocándola» es seguramente más ligero que «pulsante», si pensamos que Lucano, en los vs. 519-20, había dicho: «Hace Caesar bis terque quaterque manu quassantia tectum / limina conmouit»: y así se explica mal el no haber tenido un sobresalto Amiclas («tumultu»), y Quevedo traduce la palabra latina con «estremecida», atenuando mucho la fuerza expresiva y el *ruido* interior del pobre Amiclas. También «no tembló» no hace más que subrayar el simple «temor», mientras «trepidare» tiene otro carácter que el recelo agitado y enajenado. Tal vez pensara Quevedo que la «mano cesárea» bastaba por sí sola, aun con un simple toque, a crear (o menos) una situación de también acentuado «temblor»: lo cual no extraña si pensamos en el valor carismático de la realeza para Quevedo...

Acaso, también el «exageró» explica la atenuación efectiva que hace Quevedo del lenguaje de Lucano, con el acercamiento de los sinónimos («no tembló estremecida») y la reducción simbólica de la sonoridad tumultuante del texto latino. Tendremos una prueba en la repetición de la misma cita –pro y contra–; pero se podría ya pensar en una implícita crítica al lenguaje demasiado tenso del poeta latino[9].

No casualmente, entonces, prosiguiendo la cita («¿A qué templos o a qué muros pudo acontecer esto?» corresponde plenamente a «Quibus hoc contingere templis / aut potuit muris»), Quevedo añade un comentario muy significativo: «dice para muy ponderada enseñanza»: aquí, la palabra «exageró» se convierte en una palabra menos grave y normal del contexto narrativo («dice») bien dirigida a su propia finalidad («para»), proporcionada de tono y meditada («muy ponderada»), puesto que el mismo Lucano sabe y quiere proponer su reflexión-pregunta como «enseñanza».

Y es aquí adonde, concretamente, Quevedo convoca al *maestro* Lucano, el de las «doctas palabras», seguramente «grandes» y perfectamente aceptables, también si, acaso, son discutibles los «privilegios y prerrogativas del desprecio» en la «cabaña pajiza».

Es posible que Quevedo haya pensado asumir la escena y el episodio para darles un valor más simbólico, para formular una *sentencia* universal.

Y vamos ahora a una precedente ocasión, en la misma *Virtud militante* (p.1289), donde se da la misma cita, aunque de manera distinta. Y nosotros hemos querido no seguir el mismo orden de Quevedo, porque nos importaba sobre todo mirar enseguida el juicio global, más que orientarnos en la discusión temática, porque el juicio *a posteriori* podía iluminar mejor las lecturas más bien vinculadas al tema y al contenido en general.

Estamos hablando de la cita de V, 527-531: «O vitae tuta facultas / pauperis angustique lares! o munera nondum / intellecta deum! Quibus hoc contingere templis / aut potuit muris nullo

---

    [9] Sobre la polémica entre Quevedo y los Escalígeros, *cfr. Prosa*, p. 489-90; p. 1336; sobre la "ponderación", *cfr. Prosa*, p. 1723; sobre toda la cuestión, *cfr.* R. Lida, *Prosas de Quevedo*, Barcelona, Crítica, 1981 (*Humanismo y polémica*, pp. 71-121).

trepidare tumultu /Caesarea pulsante manu?». Por su parte, Quevedo está hablando de la pobreza en Cristo, pobre y amoroso para con los pobres (a quienes amó como «padres y como discípulos»); a continuación viene la cita de Jenofón, autor griego de los «gentiles», y enseguida Quevedo se preocupa de someterla a evangelización («evangelicemos pues esta vislumbre»); pero antes había dicho, después de haber fijado la doctrina según Cristo, «veamos si de tanto bien comunicó Dios algunas vislumbres a los gentiles». Y Jenofón se limita tan sólo a distinguir las áreas de pertinencia entre Dios y el hombre a propósito del valor y función de la pobreza: «Yo creo que el no tener necesidad de cosa alguna, es cosa propia de Dios; y tener necesidad de cosas pocas, sea propio de aquellos que más se avecinan a Dios» (p. 1289). Quevedo pone una corrección en esta también clara visión de Jenofón, es decir, la visión evangélica que, sintéticamente, hace del hombre, por voluntad de Dios, un «acreedor», por la deuda que Dios asume con quien da todo lo que tiene a los pobres; y de Dios mismo hace un «deudor». Que es siempre lo mismo, puesto que siempre a ganar es el hombre... El centro potencial del discurso es, pues, el pobre, como privilegiado por Dios mismo, el solo, por otra parte, que puede compensar la miseria, también induciendo a los hombres a tener misericordia del pobre, para alcanzar la perfección: así que la pobreza de quien renuncia a las riquezas es don de Dios. Sería interesante poder seguir todas las argumentaciones de Quevedo, pero esto nos llevaría fuera de nuestro asunto más inmediato; hemos querido dar al menos los términos extremos para mostrar la altísima calidad de un tema que ahonda en la más aguda ascética cristiana (sobre el fundamento de la misma palabra de Dios, véase Lc, XIV), sobre la cual los paganos no pueden hablar en el sentido cristiano del sacrificio supremo de la riqueza y en la elección de la pobreza para seguir a Cristo. Y aquí se inserta la cita de Lucano: «No sólo da Dios al pobre y manda que todos le den, sino que la propia pobreza es merced y dádiva de Dios. Alcanzaron esta piadosísima verdad los gentiles [...]». Por cierto, la primera verificación de la cita con el texto del poeta pagano destaca una obvia diferencia importante, de la cual, quizá, Quevedo no parece percatarse. El tema parece coincidir en la «piadosísima verdad» de la riqueza don de Dios; pero el espíritu es diferente, si la renunciación a la riqueza es tan sólo elección cristiana y la aceptación de la pobreza en el caso de Amiclas parece ser el signo de un estoicismo esencial, que es más voluntario despego que reconocimiento de un posible designio providencial. Quevedo sigue por su camino y le basta reconocer las *palabras comunes*, o bien llevar a la perspectiva cristiana el pensamiento del escritor pagano expresado con tales palabras. Por otra parte, verdaderamente muy comunes (quizás, más de lo que se cree), al menos en el sentido de una *sabiduría* que se dibuja sobre el fondo bárbaro y sanguinario de la trágica guerra civil cantada por Lucano sin ahorrar ningún cinismo y crueldad. Sin contar, una vez más, con el antiprovidencialismo de Lucano –eje central de cualquier perspectiva[10].

Antes de ver, de todas formas, el comentario de Lucano hecho por Quevedo, queremos observar la traducción en sus líneas de interpretación. En realidad, Quevedo inserta su valoración («¡Oh privilegio») confirmando el carácter de elección de la condición del pobre, en el sentido luego motivado por «munera» traducido correctamente con «dádivas». Así, «poca hacienda / del pobre seguro» traslada inmediata y concretamente sobre el pobre mismo los efectos de una «tuta facultas», es decir, de una seguridad confiada aún más ya al estar sobrentendido que tal «facultas», puesto que se trata de un pobre, no puede ser que miserable. El cambio no es casual: Quevedo sale de la abstracción y se desplaza directamente sobre la *persona* que, es un decir, goza de aquel especial (y después también discutido) grado de elección. Se pierde «angustique lares», que es la

---

[10] *Cfr*. E. Narducci, *La provvidenza crudele. Lucano e la distruzione dei miti augustei*, Pisa, Giardini, 1979.

llamada precisa a la situación de Amiclas, protagonista real –con César– del episodio al cual se refiere por ahora Lucano sin ninguna voluntad de elaborar una sentencia válida *erga omnes*. Por esto, la cita es un tanto forzada o, al menos, convertida en universal, «piadosísima verdad». Pero aquí se coge ya la voluntad de Quevedo de hacer de Lucano un *maestro*. Sucesivamente, «nondum intellecta» pierde el adverbio; y el verbo en participio pierde en cambio el carácter de conocimiento no sostenido de interpretación y comprensión, para hacerse «no conocidas», que se refiere, más que al ignorante, a quien no reconoce enseguida, inmediatamente, la intervención divina especial en su propia pobreza. Aquí, de una forma distinta que en la traducción ya considerada de la p. 1305, Quevedo parece interpretar mejor el «nullo trepidare tumultu», traduciendo «el no temblar con ruido», aunque «ruido» sea un poco sólo el signo exterior de la agitación destemplada de «tumultu». Pero la traducción va aún más hacia la extracción del texto (y exhibición) de lo que más inmediata y sonoramente se impone a la observación del lector: el «privilegio», el «pobre seguro», el «no conocidas». Aquí, además, parece que «tocando» –conservado también en la sucesiva cita de p. 1305– confirma de una manera plástica el contraste –más evidente, en la mayor fidelidad de la traducción restante– entre el simple toque de la «cesárea mano» y el «temblar con ruido» del «pauper Amiclas». La relación con el texto de Lucano queda más o menos igual en las dos traducciones, pero lo que importa, enseguida, es que la cita ocupa siempre un sitio notable y, cuando se repite, significa que Quevedo la reconoce como muy valiosa. De todas formas, en este caso Quevedo prosigue discutiendo la notación de Lucano, entrando, pues, en el mérito del contenido: «Dádiva de Dios llama el privilegio seguro de la pobreza y de la hacienda miserable. Es empero de advertir que a la pobreza santa y preciosa y a las piedras que se andan los falsificadores tras ellas por enriquecer con el engaño su alquimia, que la contrahace. Tiene la pobreza, como el oro y la hipocresía, su monedero falso» (*ibidem*).

Parece contrastar Quevedo la definición de «dádiva de Dios»; pero su actitud es, más que otra cosa, irónica y al mismo tiempo hondamente avisada de la posible contrahechura de la riqueza, en el caso de que, en lugar de la pobreza real de la «hacienda miserable», haya la miseria moral de quien –«desdichado»– «enriquece de lo que quita a los pobres». «Ninguno es más *pobre* que aquel que *enriquece* de lo que quita a los *pobres*. Es evidencia que es más *pobre* que los *pobres* quien ha menester quitarles su *pobreza* para ser *rico*. Y este *rico* que para serlo hace *pobres* y deshace *pobres*, no sólo es *pobre*, sino la misma *pobreza* pues sólo la *pobreza* hace *pobres*. Éste no sólo es el más *pobre*, sino el más maldito *pobre*» (*ibidem*). Nótese cuántas veces se repite la misma palabra... El discurso, evidentemente, sale fuera del ámbito de Lucano, y esto demuestra cómo la relación con el autor citado se configura como una asunción y apropiación simbólica[11], con asimilación o menos de la temática, del «contenido», más que de otros aspectos de figuras, estilo, etc.

Por esta razón, hemos querido citar todo el fragmento que comenta y alarga la observación sobre el «monedero falso», para mostrar cómo Quevedo, superponiendo las palabras-clave (y repeticiones verbales o sustantivas) acaba por realizar una especie de tautología exasperada, que representa el signo de la *indignatio* y el odio expresados por una verbalización y oratoria casi obsesiva. Tres ejemplos más pueden darnos otra muestra importante de la actitud quevedesca en

---

[11] Para la terminología comparativa *cfr*. O. Macrí, *Varia fortuna del Manzoni in terre iberiche. Con una premessa sul metodo comparatistico*, Ravenna, Longo, 1976; *Il Foscolo negli scrittori italiani del Novecento. Con una conclusione sul metodo comparatistico e una appendice di aggiunte al "Manzoni iberico"*, Ravenna, Longo, 1980; y G. Chiappini, «La metodologia comparatistica di Oreste Macrí», en *Sallentum*, Lecce, n° 3, settembre-dicembre 1981, pp. 33-62.

relación a Lucano, sobre todo porque presentan una cierta contradicción, que hemos perfilado en el título de este estudio preliminar del tema.

El primero, en el *Discurso de todos los diablos* que, como recordamos, presenta el infierno como el anverso positivo del mundo... Está hablando Julián el Apóstata violentamente contra los teóricos de la política y de la doctrina de gobierno, culpables de charlar sobre lo que no saben y nos le toca; y los maestros que quisieran criticar a sus soberanos con la admonición a obedecer a la ley de Dios –el tema de la realeza y moral, realeza y religión. Lo cual Julián contrasta secamente y, antes, propone de hacer callar a todos esos falsos maestros y de dejar hablar solamente a Potino, a quien Lucano, en VIII, 482, define «melior suadere malis et nosse tyrannos». Quevedo dibuja una caricatura bastante grotesca de un personaje que presenta físicamente rasgos de poca confianza y de poca vista, de mucha cara y pocos cabellos o barba, siniestro e inquietador, y que coincide con las cualidades enunciadas por Lucano para Potino «propio para persuadir maldades y mejor para conocer los tiranos». Quevedo le hace decir los vs. 484-495 de VIII. A nosotros nos importa especialmente destacar algunos aspectos de la caricatura que no solamente dibujan al personaje, sino, creemos, se apuntan a su autor: «abriendo la sima de las injurias por boca». Aquí, la caricatura llega a su punto máximo de deformación: la boca se dilata fuertemente hacia el interior y lo hondo, y se transforma en un precipicio, una sima, justamente, adonde parece que todo va a acabar, también el mismo portador, como una fosa infernal; después, el lúcido y cínico consejero de Tolomeo se convierte rápidamente en un perrazo («y ladrando pronunció») que, en una especie de oxímoron, conserva carácter de hombre («pronunció») y de animal («ladrando») construyendo la figura híbrida de un monstruo. Durísimo el juicio sellado en dos tiempos: antes de las palabras de la teoría política y después de ellas –en otro oxímoron pesadísimo: «este veneno razonado», donde el participio parece dilatar, prolongar y filtrar para más crueldad el veneno y transformarlo en palabra y en ejercicio «al revés» de la razón, exquisito destilado pensamiento, razonamiento, palabra de muerte, que da la muerte con sutil y calculada lentitud. Finalmente, después de las abiertas declaraciones de la ciencia política de Potino, el comentario de Quevedo «no hubo fulminado esta postrer ponzoña», que transforma al perrazo en una víbora, cumpliendo así la serie de perífrasis y de oxímoron que, añadidos a la caricatura, dan el cuadro exacto, para Quevedo, de su aprecio del personaje de Lucano. Desde el punto de vista del contenido, es decir, del pensamiento político del cual es portador. El *Discurso* es de 1627. Pasando a la *Hora de todos* de 1635, no falta Quevedo en sacar y citar un fragmento de la misma doctrina potiniana en el centro de una discusión sobre las formas de gobierno vistas por «pueblos y súbditos a señores, príncipes, repúblicas, reyes y monarcas» en el «temor de la soberanía». El problema es dramático, interior a toda la obra quevedesca, con disputa encarnecida, amplificada entre las naciones contra el «arbitrio de los que nos gobiernan mediata o inmediatamente» (p. 277). Y aquí aparece, ocultado y sin nombre, el mismo «literato bermejo» del *Discurso*, que vuelve a repetir, entre varios discursos y pareceres, dos versos de Lucano («Fatis accede Deisque/ Et cole felices, miseros fuge», VIII, vs. 486-487). Es una cuestión resuelta de una manera tajante: se trata de la elección de las personas para cargos militares entre los «bienafortunados» y los «valientes». El pesimismo acerca del hombre y su capacidad opta por la primera categoría con una simple cita y reenvío a Lucano... Pero aquí es siempre confrontación entre la abierta revelación de las finalidades humanas y de la visual viciada, a la cual la *Hora* tiene que superponer la justicia providencial y la revelación de la verdad arrebatadora y capaz de reparar y que trasciende aquel mismo límite y cálculo humano. Dentro de este ámbito Quevedo parece identificarse, durante el discurso del «literato bermejo», con la solución de Lucano, olvidando, en este caso, cualquier visión providencialista.

En otro caso, en una carta del 2.2.1643 al Padre Pedro Pimentel cita otro aspecto de la misma doctrina (*Poesía*, p. 982): «A muertos y echados, con infernal médula dijo Lucano: "Facere omnia saeve / non impune licet, nisi cum facis"» (VIII, 492). Se añade al refrán de sabiduría popular el pensamiento de un consejero de maldades: pero el pueblo en su refrán se limita a tomar nota de una realidad; el consejero lúcido y pragmático de Tolomeo dicta una trágica ley de la necesidad política... De todas formas, es siempre el infierno en tierra («infernal médula»).

Pero volvamos una vez más a una cita de Lucano para la cual tiene Quevedo gran admiración; esta vez tendremos la actitud opuesta, en el juicio de Quevedo. En *Lágrimas de Hieremías castellanas* de 1613 (al comienzo, casi, de la obra quevedesca, no al final de su amarga vida...), elegante de filología exquisita, Quevedo cita una vez más el episodio de Amiclas y de su «pajizo lugar» a propósito de la «pobre Anatot», pequeña patria de Hieremías amenazada de grandes destrucciones. Aquí, la «cabaña pajiza» del «pauper Amiclas» es solamente una digna confirmación de la trágica suerte que no ahorra ni siquiera la «cabaña pajiza» en el caso de una guerra. Y aquí, Quevedo habla de Lucano (*Poesía*, p. 673) de una manera muy diferente –naturalmente, la cita es simplemente un apoyo a la convicción de Quevedo mismo...–: «Así en Lucano, Amiclas, divinamente a este propósito, dijo incomparables palabras dignas de los divinos labios del poeta español».

Se confirma una vez más la actitud polémica y seguramente vinculada al humor (malo y bueno) del gran polígrafo español: lo que más importa, de todas formas, es que las citas de Lucano entran siempre en el medio de cuestiones muy estrechamente y directamente propias del alma, de la vida y del pensamiento de Quevedo, dentro de su poética integral y fuertemente humana.

Lectura de *Polifemo* en «Salvación de la primavera» de Jorge Guillén

Biruté CIPLIJAUSKAITÉ
University of Wisconsin

Preguntándose por la razón que habrá podido tener Góngora para escoger la forma que dio a *Polifemo*, Robert Jammes, en uno de los estudios más sugeridores de este poema, ofrece una clave posible: «c'est que de telles hardiesses s'exprimaient plus facilement par le biais de la fiction mythologique [...]; le recours à la liberté du paganisme rendait plausible ce qui eût été difficilement acceptable dans le cadre du monde contemporain et chrétien»[1]. El poeta que quiere salirse de lo usual necesita inventar velos. Más adelante menciona otra circunstancia que explica lo tardío del nacimiento –y a la vez la perfección– del poema: «il fallait qu'il se sente absolument maître de ses moyens pour que cette tentative fût un coup de maître» (p. 564). A su vez, tres siglos más tarde, preparando su primer *Cántico*, recién llegado a Murcia, separado de su mujer y sus hijos, suspira Jorge Guillén en una carta a Germaine: «Pourquoi est-il impossible de dire, ou d'exprimer, ou de représenter sans laideur ou avilissement ou grossière caricature, en somme, sans obscénité laide, vilaine, ce qui est si agréable, si plaisant, si beau, si justifié, si délirant, si extraordinaire en soi-même?»[2]. La situación no ha mejorado tanto como para permitir un lenguaje llano para tratar de cualquier tema. El deseo de trasponer el goce del acto amoroso a la poesía sin quitarle dignidad ni intensidad se convierte en Guillén en una verdadera obsesión. Como Góngora, lo quiere representar como algo natural; como él, tiene que inventar un modo nuevo de decir las cosas para hacer el poema aceptable. Después de darle vueltas durante diez años, según su propia indicación («Los amantes», de 1926, es una de las primeras tentativas), el 10 de octubre de 1931 se pone a componerlo concretamente bajo el título «Perfecto amor», que luego le parecerá demasiado explícito. Mientras tanto, *Cántico* de 1928 ha sido acogido con entusiasmo y su autor, como Góngora, se ha creado la reputación de poeta difícil, «marmóreo», no siempre descifrable.

---

[1] Robert Jammes, *Études sur l'œuvre poétique de Don Luis de Góngora y Argote*, Bordeaux, Institut d'Études Hispaniques et Ibéro-américaines, 1967, pp. 544-545.

[2] Cito, con el permiso de los herederos, de las cartas inéditas de Jorge Guillén a su primera mujer, Germaine Cahen. Ésta es del 21 febrero 1926.

Hommage à Robert Jammes (Anejos de *Criticón*, 1), Toulouse, PUM, 1994, pp. 231-238.

Algunos lo califican incluso de gongorino[3]. Le empuja hacia este nuevo estilo la misma motivación que indicaba Góngora: «luego hase de confesar que tiene utilidad avivar el ingenio, y eso nació de la obscuridad del poeta» recalcaba el poeta cordobés[4]. Guillén, al comentar la poesía del autor de *Soledades*, expresa una opinión parecida: «El cantar más fácil no es fácil del todo si ha de ser bien gozado»[5]. Tanto el uno como el otro buscan al «buen lector».

Conviene recordar que la familiaridad de Jorge Guillén con Góngora nace de un trato intenso y sostenido: en 1924 decide preparar el doctorado, y como tema para la tesis, que presenta en febrero de 1925, escoge «Notas sobre el *Polifemo* de Góngora». En estos meses hay repetidas referencias al cíclope en su epistolario; confiesa que está «rebosante de Góngora» y a veces ve los acontecimientos coetáneos a través del prisma gongorino. Fruto de esta inmersión es «Bella adrede», donde aparece ya la característica que entrará en muchos de sus poemas amorosos: la yuxtaposición de la naturaleza y la mujer. Se puede ver un eco de Góngora también en su repetida presentación de la mujer como río o fuente: recuerdo de la fusión de Galatea con su reflejo en el agua y, además, símbolo de lo femenino. Hay afinidades en la preferencia por el sustantivo y el participio pasado en los dos poetas. En alguna carta de esta época incluso llega a equiparar a su mujer con Galatea, mientras que se adscribe a sí mismo «pensamientos un poco, no demasiado, en concordancia con los de Polifemo». La presencia de Góngora nunca desaparece: aún en Cambridge, en los años 50-60, tiene un retrato suyo colgando en su estudio.

La configuración del lenguaje del deseo y del amor, en el caso de «Salvación de la primavera», puede tener otras reminiscencias aparte de Góngora. En sus años de París había sido lector asiduo de Mallarmé y Valéry quienes también, en sus grandes poemas, retrocedieron hasta el mundo mitológico y tuvieron que forjar un lenguaje distinto para dar molde al deseo erótico. Al hablar de los problemas que encuentra al escribir «Hérodiade», Mallarmé ha definido el procedimiento que adoptarán varias generaciones de poetas: «J'invente une langue qui doit nécessairement jaillir d'une poétique très nouvelle, que je pourrais définir en ces deux mots: *Peindre non la chose, mais l'effet qu'elle produit*. Le vers ne doit donc pas, là, se composer de mots, mais d'intentions, et toutes les paroles s'effacer devant les sensations»[6]. También *La Jeune Parque* de Valéry está hecha de intenciones. Decir lo que se quiere decir sin enunciarlo, sustituir la realidad por su expresión artística será igualmente el propósito de Guillén. Cuando, tras diez meses de trabajo diario[7], emerge «Salvación de la primavera» en su forma final, se le puede aplicar lo dicho por Jammes sobre *Polifemo*: «il fallait qu'il se sente absolument maître de ses moyens». No ha errado mucho Jaime Gil de Biedma al llamarlo «uno de los mayores poemas de amor en la literatura española de todos los tiempos»[8]. Es precisamente en *Cántico* de 1936, que acoge «Salvación»,

---

[3] Entre otros, Guillermo de Torre, en 1925, y un artículo publicado en La Habana en 1928, aludidos en el epistolario.

[4] Luis de Góngora, «Carta en respuesta de la que le escribieron» (1613?), *Obras completas*, ed. Juan e Isabel Millé y Giménez, Madrid, Aguilar, 1964, p. 896.

[5] Jorge Guillén, *Lenguaje y poesía*, Madrid, Alianza, 2ª ed., 1972, p. 33.

[6] Carta a Henri Cazalis, octubre 1864. Stéphane Mallarmé, *Œuvres complètes*, Paris, Gallimard, Bibliothèque de la Pléiade, 1956, p. 1440.

[7] Recuérdense los suspiros de Mallarmé mientras componía «L'Après-midi d'un Faune»: «Mais si tu savais que de nuits désespérées et de jours de rêverie il faut sacrifier pour arriver à faire des vers originaux [...] et dignes, dans leurs suprêmes mystères, de réjouir l'âme d'un poëte» (a Cazalis, junio 1865, OC, p. 1449).

[8] Jaime Gil de Biedma, *Cántico. El mundo y la poesía de Jorge Guillén*, Barcelona, Seix Barral, 1960, p. 63.

donde aumentan considerablemente los poemas amorosos: según el recuento de Elsa Dehennin, la palabra «amor» aparece sólo 4 veces en el primer *Cántico* frente a 20 en el de 1936[9].

Varios críticos han hecho notar que en *Polifemo* se desarrollan dos temas paralelos: la riqueza del mundo natural que, según Wood y Colin Smith, ocupa el primer plano, y el amor. La estructura del poema subraya esta dualidad: empieza por una descripción de Sicilia; luego enumera los diferentes enamorados de Galatea, y sólo entonces se dedica a presentar los amores de Acis y Galatea. El canto de Polifemo –deseo insatisfecho– y el castigo de Acis se suceden uno tras otro como escenas de una obra dramática o, según Dámaso Alonso, de un ballet. (También Mallarmé quería que su «Après-midi d'un Faune» fuera *scénique*.) En la presentación del tema amoroso en «Salvación de la primavera» se presenta sólo el núcleo como unidad total. Su gran poema no tiene introducción, no enumera amantes, no separa la descripción del lugar y la de los amantes: todo se integra armoniosamente intentando transmitir un solo movimiento que lo abarca todo[10]. Jammes hacía notar que ya en Góngora, en comparación con los poetas tradicionales, el adelanto en la presentación era notable: «l'originalité de Góngora, qui ne se contente plus d'énumérer ou de décrire, mais s'efforce d'aller jusqu'à l'essence poétique des choses» (p. 549). Guillén va mucho más lejos en este campo. Comparando los poemas amorosos de los dos poetas, Dehennin destaca «le dépouillement total, le calme, l'harmonie» en los de Guillén, añadiendo: «On cherchera en vain un poème analogue chez un Góngora rural» (R, p. 220). Pero tampoco Guillén funde los dos temas completamente: entre los amantes y la naturaleza se interpone el cristal. La línea divisoria se hace más tenue: «Por tu carne/La atmósfera reúne/Términos. Hay paisaje». Gil de Biedma lo ha visto muy bien. Hace una distinción interesante entre dos poetas contemporáneos: en *La destrucción o el amor* y *Sombra del paraíso* de Aleixandre la amada es *vista* como paisaje; en *Cántico* es *descrita* en términos de paisaje (p. 60). Es de notar que en «Salvación» desaparece todo detalle ornamental así como toda alusión anecdótica.

Góngora empezaba el poema, tras la sólita dedicatoria, por situar su acción geográficamente: «Donde espumoso el mar siciliano», ofreciendo también una precisión temporal: la canícula de pleno verano. El monólogo del fauno de «L'Après-midi d'un Faune», de Mallarmé, empieza *in medias res*: «Ces nymphes, je les veux perpétuer»[11], sugiriendo, más adelante: «Aimai-je un rêve?» Más tarde sí indica, en un solo verso: «O bords siciliens d'un calme marécage». Lo «déictico» de «Salvación de la primavera» es muy diferente. La primera parte del poema termina con

> Mira como esta hora
> Marcha por esos cielos.

Prevalece la indeterminación. En la segunda parte vuelve «una tarde perpetua» y el paisaje se traspone a la amada:

---

[9] Elsa Dehennin, *Cántico de Jorge Guillén. Une poésie de la clarté*, Bruxelles, Presses Universitaires, 1969, p. 61. Se citará también de su *La Résurgence de Góngora et la génération poétique de 1927*, Paris, Didier, 1962 = R.

[10] Si une la naturaleza y el amor en un solo fenómeno aquí, trata aparte otro aspecto que Colin Smith ve como principal : «The *Polifemo* as a result has a large and serious theme: The world of Nature and man's place in it» («An Approach to Góngora's *Polifemo*», BHS, XLII, 1965, pp. 217-38, p. 220). Guillén se ocupará de ello en « Más allá», situándolo estratégicamente para hacer equilibrio a « Salvación».

[11] Curiosamente, hay cierta afinidad entre los versos que siguen y una de las imágenes más ligeras de *Polifemo* : «Si clair,/Leur incarnat léger, qu'il voltige dans l'air» – «Vagas cortinas de volantes vanos/corrió Favonio lisonjeramente».

¡Qué cerrado equilibrio
Dorado, qué alameda!

Es que quiere elevar lo instantáneo a lo eterno, hacerlo polivalente y «purificarlo» sin quitar lo sensual. Hay que recordar que en los años 20, por atrevidos que se hayan mostrado los vanguardistas, aún era inadmisible un poema que tratara abierta y seriamente, no en tono de burla, de lo erótico. Había que ir dando rodeos para hablar del amor carnal. Así como Góngora, Mallarmé, Valéry recurren a la mitología antigua, Guillén se ve obligado a crear *su* mito, desrealizar la experiencia real. En las conversaciones acerca de su poesía con Anthony Geist y Reginald Ribbans precisa su actitud: «La poesía está en el poema, no en la realidad hermosa»[12]. Es un aspecto que ha estudiado con agudeza Anna Balakian en su último libro sobre la poesía simbolista: la intención de estos poetas era, afirma, evitar el lenguaje cotidiano «in favor of the literary function to transform the real world into a fiction»[13]. Esto les lleva a prescindir de los detalles materiales y tratar de crear/evocar, como Mallarmé, «une fleur absente de tous les bouquets». De aquí la ausencia incluso del nombre de la amada, no sólo en «Salvación», sino también en *La voz a ti debida*, que incorpora la ficción del amor cortés, pero sin adoptar un nombre ficticio.

Tanto en *Polifemo* como en «Salvación» se trata del amor carnal. Dámaso Alonso ha señalado las estrofas 40-42 de *Polifemo* como «el pasaje más sensual de toda la poesía española clásica»[14]. Jammes habla de «une intense volupté»; Lorca se refiere a él como «un poema de erotismo puesto en sus últimos términos»[15]. Cuando Guillén termina «Salvación», la mayoría de los amigos lo saluda como el gran poema erótico de su tiempo y él incluso empieza a dudar si debe publicarlo. También los críticos insisten en ello: «*Salvación de la Primavera* es un puro «Cantar de los Cantares», puro porque no hay nada místico. [...] *Salvación de la Primavera* es un canto erótico, verdaderamente erótico»[16]. El que ha encontrado una definición que curiosamente enlaza algunas consideraciones de Guillén mismo con los procedimientos de Góngora es Colin Smith: «animal simplicity and a Lawrentian purity» (p. 222). (Decía en cierta ocasión Guillén a su mujer que con lo que podría compararse su poema era con *Lady Chatterley's Lover*.) La diferencia entre los dos estriba en que Góngora se queda en lo carnal mientras que Guillén va más allá: según Dehennin, presenta el amor como una experiencia existencial (R, p. 219). El poema sobrepasa el gozo de la unión del instante y habla de la fundación de un ser nuevo, *nosotros*, que tiene ecos de las teorías de Max Scheler estudiadas por Feal Deibe en relación con la poesía de Salinas (que, sin embargo, se encamina hacia lo platónico, mientras que Guillén exclama: «No, no incurriré en el pecado del platonismo» (carta de 1932)[17]. En «Salvación» se trata no sólo de la *jouissance*, sino de encontrar la *verdad* más alta: «realidad por fin real». Lo que se describe no es sólo la acción, sino una transformación –el significado más profundo del acto, que une presente y futuro: «el ser llega a ser», es decir, se logra su esencia imperecedera. Por esto no importan los detalles exteriores.

La presentación de Galatea y del *tú* de «Salvación» no podría ser más diferente. Imágenes tradicionales, aunque intensificadas al introducir a Galatea:

---

[12] En Jorge Guillén, *El poeta ante su obra*, ed. R. Gibbons & A.L. Geist, Madrid, Hiperión, 1979, p. 35.

[13] Anna Balakian, *The Fiction of a Poet. From Mallarmé to the Post-Symbolist Mode*, Princeton, Princeton UP, 1992, p. 16.

[14] Dámaso Alonso, *Góngora y el «Polifemo»*, Madrid, Gredos, 1967, vol. 3, p. 207.

[15] Federico García Lorca, *Conferencias*, ed. C. Maurer, Madrid, Alianza, 1984, vol. 1, p. 118.

[16] Joaquín Casalduero, *«Cántico» de Jorge Guillén y «Aire nuestro»*, Madrid, Gredos, 1974, pp. 113 y 116.

[17] Carlos Feal Deibe, *La poesía de Pedro Salinas*, Madrid, Gredos, 1965, pp. 153-161.

> Son una y otra luminosa estrella
> lucientes ojos de su blanca pluma;
>
> Purpúreas rosas sobre Galatea
> la Alba entre lilios cándidos deshoja.

Guillén empieza a desrealizar desde el primer verso:

> Ajustada a la sola
> Desnudez de tu cuerpo,
> Entre el aire y la luz
> Eres puro elemento.

Aire y luz: la base de *Cántico*, del mismo modo que «el sentimiento amoroso es la raíz de mi poesía»[18]. Lo subraya por medio de aliteraciones y rimas interiores: luz –pura (el único adjetivo de esta estrofa)– desnuda. (Los adjetivos que seguirán en la segunda estrofa tampoco son descriptivos: «continua», «simple».) Guillén eleva el cuerpo, equiparándolo a uno de los elementos cardinales. Lo espiritualiza: en otro poema dirá que el alma acude por el cuerpo.

En la segunda estrofa aparece lo que canta Góngora desde el título: «fábula», término recogido por él de la tradición y creado de nuevo por Guillén (¿o por la amada?; recuérdese el saliniano «la vida es lo que tú tocas»). Fábula creada como mito, aducida como referencia a todo mito, y posible alusión al júbilo de ver que lo que creía apenas posible se cumple: «un émerveillement heureux devant les choses» que Dehennin nota tanto en Góngora como en el poeta vallisoletano (R, p. 209). Pero es aquí mismo donde se puede observar también la diferencia entre Guillén y Góngora así como los grandes maestros franceses: ninguno de éstos intenta transmitir la alegría de la plenitud. Góngora creaba en una época en la que predominaba el desengaño. El canto más conmovedor, más humano es el de Polifemo, que expresa deseo frustrado. El amor de Acis y Galatea es silencioso, se transmite por gestos. Mallarmé y Valéry presentan el deseo casi subconsciente que no llega a cumplirse, expresándolo, tanto en «Hérodiade» como en *La Jeune Parque*, con voz femenina. El poema de Jorge Guillén es la posesión viril; la afirmación jubilosa emana de cada verso. Es verdad que, según varios críticos, a pesar de la muerte de Acis, *Polifemo* representa el triunfo del amor, pero en «Salvación» este triunfo es mucho más claro; ni siquiera permite plantear una duda. Robert Havard ofrece acerca de esta estrofa unos comentarios que merecen atención: «In the second stanza her presence has a rapturous and transforming effect upon reality, 'el mundo vuelve a ser/Fábula irresistible,' which introduces the notion of the *amada* as a medium who leads the subject back to a pristine relationship with reality [...] he enters into a union not simply with the *amada* but with her as an extended being, a being-in-the-world. [...] she catalyses the male subject's experience of the same»[19]. En este caso tendríamos no una adoración con entrega total, sino más bien el concepto de la mujer como instrumento para llegar a la perfección. Algunos críticos jóvenes no han dejado de notarlo y ofrecen lecturas innovadoras de los poemas amorosos de Guillén[20].

En comparación con el suceso objetivado en *Polifemo*, el *yo* hace intrusión con más firmeza en «Salvación», aun sin llegar a ocupar el centro exclusivo (sí acapara la parte activa). En realidad, aparece con dos funciones: como observador y como actante. El primer verso de la segunda parte, «Mi atención, ampliada,/Columbra» hace pensar en una constatación de A. A. Parker con respecto

[18] Jorge Guillén, «Más allá del soliloquio», sel. A. Piedra, en *Poesía*, 17, 1983, pp. 6-28, p. 22.

[19] Robert Havard, *Jorge Guillén. Cántico*, London, Grant & Cutler, 1986, pp. 61 y 65.

[20] Estoy pensando en ponencias como las de Jonathan Mayhew y Martha Lafolette Miller presentadas en la sección dedicada a Jorge Guillén en LA CHISPA en Nueva Orleans en febrero 1993.

a *Polifemo*: «It is highly sensual art, but at the same time it could not be more intellectual»[21]. Guillén no dice «mis ojos», sino «mi atención», implicando que no se trata sencillamente de ver, sino de *mirar* y entender la plena significación de lo que se ve. Comentando *Polifemo*, observaba: «Las afinidades entre el agua, la piel de Galatea y el cristal, afinidades efectivas, han sido descubiertas por los ojos y la razón o, más bien, por los ojos de la razón» (LP, p. 46). A través de «Salvación», los ojos que aprehenden la «realidad por fin real» son ojos mentales.

En los amores de Acis y Galatea el proceso de enamoramiento ocupa más lugar que el acto mismo de la unión, sugerido por un solo adverbio insertado entre los nombres de los amantes –«tálamo de Acis *ya* y de Galatea»– a los cuales se les asignan partes iguales. Galatea, además, escoge de entre innumerables enamorados antes de sucumbir a la pasión de Acis. En «Salvación» la elección ya ha tenido lugar; todo está regido por la seguridad, aunque tampoco se pregone unívocamente. Es la técnica que Balakian señala como usual en su autor: «The linguistic strategies in Guillén's poetry follow closely the pattern of Mallarmé [...] principally, the tactic of substitution of denotations in a consistently sustained interchange» (p. 163).

Una reminiscencia de Góngora a través de «Salvación» es el uso de paralelismo y de la correlación para subrayar la participación igual de los amantes: «¡Amor: ni tú ni yo»; «Si de pronto me ahoga,/Te ciega un horizonte». Leyendo con atención, salta a la vista, sin embargo, que es siempre el *yo* el que dirige la representación: la amada aparece «ajustada», «presa»; «a un poder te sometes»; «la boca aguarda»; «la piel reveladora/Se tiende al embeleso». El *yo* es más activo: «Mi atención... columbra»; «paraíso/Con mi ansiedad completo»; «Me centro y me realizo». Recordando la importancia que Guillén atribuye a la estructura del poema, se podría asumir que esta diferencia es buscada. Ocurre sobre todo al principio. El centro exacto del poema sólo contiene infinitivos acompañados de los sustantivos más esenciales: se trasciende tanto el *yo* como el *tú*, convirtiendo la estrofa, con la ayuda de efectos fónicos, casi en un conjuro:

> ¡Amar, amar, amar,
> Ser más, ser más aún!
> ¡Amar en el amor,
> Refulgir en la luz!

La última parte, IX, representa una especie de letanía, adorando/enumerando las cualidades del *tú*. Fiel a su predilección por estructuras circulares, en la penúltima estrofa re-introduce la fábula en una yuxtaposición casi contradictoria: «fabulosa, precisa», que reconfirma la intención del poema: presentar una experiencia personal, despojándola de lo accidental, transformando lo particular en algo válido para todos: «Universal y mía». Reanuda el círculo en la última estrofa: «la sola desnudez» de la primera es ahora «desnudez/única». Así como Góngora condensaba la parte introductoria en un solo hemistiquio, «Arde la juventud», Guillén resume la esencia de la amada en una sola imagen polisémica: «mi incesante/Primavera profunda», que se reduce a «tú sola» en el verso final.

Es precisamente esta desnudez –desnudez también de la palabra– lo que invita a interpretación múltiple. El acto de amor se iguala al acto creador, ofreciendo posibilidades inagotables: «Todo está siendo cifra/Posible». Con ello, tiende un puente metapoético. En *Polifemo* las alusiones a la creación poética son escasas: invocación de las Piérides, referencia al poder del arte de Orfeo; auto-calificación de la voz de Polifemo –«por dulce, cuando no por mía»–, contradicha por el narrador («su horrenda voz»), aunque sin quitarle la nota moderna perspicazmente puesta de

---

[21] Introducción a la traducción de *Polifemo* por Gilbert F. Cunningham, Alva, 1965, p. 21 (citado por M. J. Woods, *The Poet and the Natural World in the Age of Góngora*, Oxford, Oxford UP, 1978, p. 52).

relieve por Jammes: «plus humain et plus émouvant [...] il devient l'amant malheureux dont les sentiments sont aussi intenses et aussi touchants que ceux des deux autres personnages» (pp. 541 y 542). (La ternura que aparece en *Polifemo*, innovando la figura tradicional, ocupa un lugar importante también en «Salvación»: introduce la parte principal, cuya segunda estrofa, con sus «dos/Personales delicias» también tiene ecos gongorinos.)

En «Salvación de la primavera» el amor se iguala repetidamente a creación. Toda la parte VI se prestaría a una interpretación metapoética: la «cifra posible»; el silencio «que es abajo murmullos» y llegando a ser nombres, funda por la palabra de modo hölderliniano/heideggeriano, pero también aporta intertextualidad («un renaciente cantar de los cantares»[22]).

Dámaso Alonso señala que en sus procedimientos Góngora se apoya en la tradición: «no inventa, recoge, condensa, intensifica»[23]. A la vez, subraya su esfuerzo de crear una lengua poética impersonal y universal: «Porque es que hay que expresar una realidad material irrealmente [...] hay que dejar la representación de cosas muy cercanas» (p. 113). Esto era ya un intento de alejarse de lo anecdótico personal, que más tarde impondrán los simbolistas. Balakian hace hincapié en las afinidades del estilo de Guillén con el de éstos al analizar su procedimiento: «It [reality] is not a given but a confection, something he chisels out of raw materials, his own fiction that makes his poetry self-referential, for it represents *his* moments strung together. [...] The world is a myth for Guillén - his own. [...] His reality is the concrete manifestation of the subjective, and thereby is not representative but transformational» (pp. 175-6). Esto concuerda de un modo casi asombroso con una frase que Guillén escribe a su mujer ya en 1926: «Pero tú sabes qué poco pido yo a la realidad para modelarla a mi gusto». Repite que necesita la realidad, pero no para reproducirla fotográficamente.

Góngora partía de lo observado, ramificando la descripción de cada elemento para llegar a estructuras barrocas de filigrana. En *Polifemo* camufló la representación del acto amoroso creando un marco profuso, que le acarreó el título de «príncipe de tinieblas», disipado sólo por Dámaso Alonso. «L'Après-midi d'un Faune» de Mallarmé también fue criticado por su opacidad. Tuvieron que pasar no tres siglos, sí más de cincuenta años, hasta que otro poeta alzara la voz en su defensa: «La clarté de ce poëme est aveuglante. [...] Tout cela est transparent, dis-je. Mais nul mortel, à moins qu'il ne soit, à ses moments perdus, un dormeur éveillé, c'est-à-dire lui-même poëte, ne saurait apercevoir une seule molécule de cette vibration solaire»[24]. Jorge Guillén, muy meticuloso acerca de su obra poética, solía discutir sus poemas, sus dudas, las variantes, con su mujer. Puesto que de los diez meses en los que trabajó en «Salvación», muchos los pasó separado de la familia, dando clase en Sevilla, arreglando sus papeles en Valladolid, el nacimiento y progresión del poema quedan bien documentados en el epistolario. La discusión más larga viene cuando ya lo tiene terminado. Confirma que su meta no estaba muy apartada de la de Góngora o Mallarmé: quería ofrecer la realidad de la que había surgido como ficción y como lección universal, ofreciendo niveles diferentes de lectura, para que quedara, así como la mujer que lo había inspirado, «universal y mía»:

---

[22] Jorge Guillén, *El argumento de la obra*, Barcelona, Llibres de Sinera, 1969, p. 63. Es interesante el trabajo de Jonathan Mayhew, «Jorge Guillén and the Insufficience of Poetic Language», *PMLA*, 106, oct. 1991, pp. 1146-1155, donde trata de demostrar que Guillén predica la fe en la palabra a la antigua, pero en sus procedimientos se acerca más a los poetas modernos.

[23] Dámaso Alonso, *La lengua poética de Góngora*, Anejo XX de *Revista de Filología Española*, 1950, p. 45.

[24] Francis Jammes, *Leçons poétiques I*, Paris, Mercure de France, 1930, p. 111 (citado en Mallarmé, OC, p. 1464).

... ce poème –qui est, vraiment, pour toi, *avant tout*. Tu vois? Il est clair et précis, et tu en as la clef (!) Ou plutôt toutes les clefs, toutes les vérités et réalités, tous les rêves et les goûts qui l'ont produit et l'expliquent [...] A quien no le interese lo humano y lo poético juntos y fundidos, no le interesará esa *Salvación* por sólo su *Primavera*, y no pasará de la segunda estrofa. Por otra parte, no hay *biografía* [...] En nuestro poema, aunque sea nuestro y personalísimo, todo tiene –o aspira a tener– un valor general, impersonal y como genérico –*el* hombre, *la* mujer, *el* amor– que exluye toda confidencia. O muchas ilusiones me hago, o todo ello no consiste más que en el *nivel* poético. [...] Y como, en fin, ya siento fuera y como un *objeto* independiente esa poesía, ningún escrúpulo de reserva se me ocurre. Pero toda esta perspectiva –que es la impersonal y pública– no impide que haya, además, aparte, otro punto de mira: el privadísimo nuestro.

À propos des noms de la nèfle en espagnol
et dans l'œuvre de Cervantès

Louis COMBET
Université Lumière - Lyon II

Le présent travail se propose d'attirer l'attention sur un point assez mal exploré du lexique espagnol. Ce dont il va être question concerne le modeste fruit du néflier : les noms qui ont servi ou servent à le désigner en Espagne ; la place et l'importance qui leur sont attribuées dans les dictionnaires ; l'usage qu'en ont fait les écrivains et plus particulièrement Cervantès[1].

L'intérêt d'une telle entreprise paraîtra peut-être mineur. On verra qu'elle est moins futile qu'on pourrait le croire. Et puisqu'il sera ici question de mots et de textes, on passera des uns aux autres. Commençons par ces derniers.

C'est la fréquentation du *Vocabulario de Cervantes* (Madrid, 1962) de Carlos Fernández Gómez qui m'a permis de découvrir, presque par hasard, que Cervantès avait utilisé dans ses écrits deux termes différents, *níspero* et *níspola*, pour désigner le fruit qui fait l'objet de ces réflexions. La première de ces formes apparaît dans un passage du *Quichotte* où Sancho Panza raconte à un aubergiste la vie simple qu'il mène en compagnie de son maître (II, 59) :

> ... ahí nos tendemos en mitad de un prado y nos hartamos de bellotas o de *nísperos*. (Édit. en 10 vols. de Rodríguez Marín, Madrid, 1944-48, t. VIII, p. 19.)

---

[1] L'arbre auquel on se réfère ici est le néflier européen commun (le *mespilus germanica* ou *néflier d'Allemagne* des botanistes), abondant autrefois mais que l'agriculture moderne est en train de faire disparaître, au point que les jeunes générations actuelles ignorent parfois son existence. Son fruit reste dur et âpre jusqu'à la fin de l'automne, puis devient moelleux et délicieux. Autrefois, dans les campagnes, on plaçait les nèfles mûres sur un lit de paille et on les exposait aux premières gelées pour les faire mieux blettir. C'est ce qu'explique Gonzalo Correas, *Vocabulario de refranes y frases proverbiales* (1627), édit. Combet, Bordeaux, 1967, dans son commentaire du *refrán* « Este malo es bueno, este bueno es malo : *El vizkaíno dize esto de las niéspuras o servas. Son fruta ke kuando se arruga i pareze se va a podrezer está en sazón de komerse, i no la tiene kuando está freska i hermosa* » (p. 152).

Hommage à Robert Jammes (Anejos de *Criticón*, 1), Toulouse, PUM, 1994, pp. 239-248.

Mais c'est le mot *níspola* qui figure à l'acte III de *La entretenida*, dans une réplique du valet Torrente, à propos d'une rivalité amoureuse qui l'oppose à un autre serviteur nommé Ocaña :

> *Muñoz*. - Es Ocaña apitonado
> y sabe mucho de esgrima.
> *Torrente*. - En este caso y en otros,
> ¿mondo yo, por dicha, *níspolas*? (*Comedias y entremeses*, t. III, dans *Obras completas de Miguel de Cervantes*, édit. Schevill et Bonilla, p. 100.)

Et l'on complétera les indications de ce passage par un autre texte (non cité par C. Fernández Gómez), tiré également du théâtre cervantin, plus précisément de l'*entremés* du *Rufián viudo*, dans lequel une prostituée, la Pizpita, apostrophe une rivale en ces termes :

> *Pizpita*. - ¡Por vida de los huesos de mi abuela,
> doña Maribobales, *mondaníspolas*,
> que no la aparecio en un feluz morisco![2] (*Comedias y entremeses*, t. IV, dans *ibid.*, édit. cit., p. 29.)

Trois passages, donc, et deux désignations différentes du fruit. Passons rapidement sur la citation du *Quichotte* où apparaît NÍSPERO[3], forme que les lexicographes anciens considèrent manifestement comme prédominante – c'est souvent la seule qu'ils recueillent, ou parfois ses variantes NIÉSPERO, ÑÍSPERO. Elle est recensée dans les recueils d'Antonio de Nebrija, Alonso de Palencia, C. de las Casas, R. Percivale, J. Palet, S. de Covarrubias, César Oudin, Lorenzo Franciosini[4], et dans les compilations des parémiologues – Pedro Vallés, Hernán Núñez, Gonzalo Correas[5] –, et c'est elle qui figure quasi exclusivement dans les textes littéraires du Siècle d'Or. Il

---

[2] L'expression *no mondar níspolas* (le plus souvent, *no mondar níspero*) a été, sauf erreur, définie pour la première fois par G. Correas, *Vocabulario de refranes...*, *op. cit.*, p. 157, où elle apparaît sous la forme interrogative « I io, ¿mondo ñísperos? I fulano, ¿monda ñísperos? *Kuando no meten a uno en kuenta i deve ser kontado, por ser tan dino o más ke otros* ». Elle signifie que la personne qui l'emploie ou à laquelle on l'applique ne doit pas être tenue pour quantité négligeable et que son avis doit être pris en considération. *Cf.*, en français, la locution populaire *pour des prunes* « pour rien » (« travailler, parler, etc., pour des prunes »).

[3] Les termes indiqués ici en majuscules correspondent à un article des dictionnaires cités dans le cours de ce travail.

[4] Il semble difficile d'imaginer que les lexicographes *espagnols* que l'on vient de citer n'aient connu, pour désigner la nèfle, que le terme *níspero*. Pourtant la variété dialectale concernant le nom de ce fruit devait être au moins aussi grande qu'aujourd'hui. Voir, par exemple, le *Tesoro de las dos lenguas española y francesa* (1607), Lyon, 1675, de César Oudin, dans lequel figurent, outre *níspero*, les variantes *niéspero*, *niéspera* et *niéspola* ; et également le *Vocabolario (sic) español e italiano* (1620), Venezia, 1776 (Segunda Parte) de Lorenzo Franciosini, où sont recensés *niéspera*, *níspero* et *níspera*. Il est surprenant que ce soit chez des auteurs étrangers que l'on trouve cette (relative) abondance de termes. Peut-être les humanistes espagnols s'intéressaient-ils moins aux mots (surtout quand il s'agissait de termes familiers ou vulgaires) qu'aux proverbes ou aux locutions? Quoi qu'il en soit, on aimerait connaître les sources, orales ou livresques, des recueils de Franciosini et de César Oudin. En ce qui concerne ce dernier, on trouve une piste intéressante dans un article de Robert Verdonk, « La dette de César Oudin envers le *Recueil* de H. Hornkens et ses conséquences pour la lexicographie espagnole au XVIIe siècle » (*Linguistique hispanique*, Actes du IVe colloque de linguistique hispanique, Limoges 30 et 31 mars 1990, publiés sous la direction de Gilles Luquet, *Pulim*. Presses de l'Université de Limoges et du Limousin), pp. 9-23. Robert Verdonk y montre que le *Recueil de dictionnaires françoys, espaignols et latins* (Bruxelles, 1599) de H. Hornkens constitue la source principale du *Diccionario muy copioso* de J. Palet et du *Tesoro de las dos lenguas* de C. Oudin, et que ce dernier a exploité le *Recueil de dictionnaires* directement dans certains cas et à travers J. Palet dans d'autres.

[5] Dans le *Vocabulario de refranes...*, *op. cit.*, de G. Correas, on trouve deux fois la forme *níspero*, sous ses formes anciennes ou dialectales *niéspero*, *ñíspero* (*vid.* le *refrán* « ¿Kieres un buen bokado? El

en va autrement pour la forme NÍSPOLA, pratiquement absente des œuvres littéraires du XVIe siècle et du XVIIe, et ignorée, à de rares exceptions près, par la quasi-totalité des lexicographes de l'époque[6]. Et il faudra attendre le XVIIIe siècle pour qu'elle fasse son entrée officielle dans le *Diccionario de la lengua castellana* (1726-1739), édité par la Real Academia Española et dit communément *Diccionario de Autoridades* (en abrégé ici *Autorid.*). Citons les deux articles concernés[7] :

NÍSPERO. f. m. Árbol espinoso, cuyo tronco casi siempre es torcido (...). El fruto es como une manzanita (...). Llámase como el árbol, y también le llaman Néspera, Niéspera, y Níspola. (...)

NÍSPOLA. Véase Níspero.

Outre l'intérêt documentaire, c'est là bien marquer que *níspola* constitue une variante de la forme prédominante *níspero*, fruit (opinion confirmée par J. Corominas, *Diccionario crítico etimológico de la lengua castellana*, Berne, Francke, 1954, art. NÍSPERO). Pourtant cet effort de clarification des premiers académiciens espagnols n'allait pas tarder à se trouver contrarié par certaines initiatives malheureuses de leurs successeurs. En 1780, en effet, la Real Academia Española publie une nouvelle édition de son *Diccionario...*, profondément remaniée par rapport à *Autorid*. Entre autres différences, la plus spectaculaire est la suppression des citations qui cautionnaient la validité des articles et des acceptions de l'édition de 1726-1739. Ce nouveau dictionnaire, dit communément *Diccionario de la Academia* (en abrégé ici, *Dicc. Acad.*), constitue de fait un ouvrage nouveau. Ses rééditions seront nombreuses. On se référera à celles de 1956, 1970, 1984, 1992[8], en accordant une attention spéciale aux deux premières, particulièrement significatives pour ce qui est des anomalies examinées dans cette étude.

---

niéspero despestañado », p. 287, et la locution « I io, ¿mondo níspero? », p. 157). On y trouve également une autre variante, *niéspura* (cit. *supra*, note 1), d'abord écrite *niéspuera* par le copiste du ms. original, puis corrigée de la main de Correas lui-même. Sauf erreur, on ne trouve nulle part ailleurs mention de ces deux formes, d'un intérêt particulier pour le présent travail puisqu'il pourrait s'agir de variantes anciennes de la forme *níspora*, dont il sera question plus loin.

Notons aussi que L. Martínez Kleiser, *Refranero general ideológico español*, Madrid, 1953, mentionne un certain nombre de *refranes* concernant la nèfle (numéros 33 995 ; 65 076-083). Dans tous, c'est uniquement le mot *níspero* qui est employé. Figurent dans cette liste tous les *refranes* de Correas que l'on vient de citer. Les autres, tirés de différents recueils de F. Rodríguez Marín, semblent plus modernes et, faut-il le dire, assez peu authentiques. Pour aucun d'entre eux, même pour ceux qui proviennent de Correas, n'est indiquée une quelconque provenance.

[6] À ma connaissance, la forme *níspola* n'apparaît, sous la variante *ñíspola*, que dans un texte d'Alejo Venegas, *Tránsito de la muerte*, Alcalá, 1565, fol. 143 : « no tenemos en mucho que aya ñíspolas en la villa de Liria (*prov. de Valencia*, L. C.), porque en estos lugares es benigna para estas frutas » (cité par F. Rodríguez Marín, *Dos mil quinientas voces castizas...*, Madrid, 1922, p. 265) (il se pourrait cependant que le vocable *niespla* qui figure dans le *Corbacho*, II, 3, de l'Arcipreste de Talavera, édit. Mario Penna, Torino, p. 92, constitue une variante syncopée de *niéspola*). Pour ce qui est de la lexicographie du Siècle d'Or, j'ai seulement trouvé la trace de cette appellation dans deux ouvrages : le *Thesaurus puerilis* (1580, 1ère édit. en catalan ; 1615, 1ère édit. en castillan) d'Onofre Pou, qui recense NÍSPOLA (fruit), p. 77, et NÍSPERO (arbre), p. 70 (je cite selon l'édit. de Barcelona, 1684) ; et le *Tesoro de las dos lenguas... (op. cit.*, édit. cit.) de César Oudin, qui consigne NIÉSPOLA « Neffle » (voir ci-dessus, note 4).

[7] Je cite selon la réédition photographique de l'Editorial Gredos, en modernisant l'accentuation écrite.

[8] Respectivement, les 18e, 19e, 20e et 21e. Rappelons qu'en ce qui concerne le compte dans l'ordre des éditions du *Dicc. Acad.*, l'habitude a été prise de considérer comme première celle de 1780, et non *Autorid.*, pourtant première de fait.

À en juger, en effet, par les indications fournies par le *Dicc. Acad.* (1956), l'espagnol disposerait ou aurait disposé de plusieurs termes pour désigner la nèfle[9] :

MÍSPERO. (Del ant. *niéspero*, del lat. *mespilus* y *mespilum*.) m. Al., Burg. y Logroño. NÍSPERO, 1ª y 2ª aceps.

NÉSPILO. (Del lat. *mespilus* y *-um*.) m. ant. NÍSPOLA.

NIÉSPERA. (Del lat. *mespilus*.) f. NÍSPOLA.

NIÉSPOLA. (Del lat. *mespilus*.) f. Ar. NÍSPOLA.

NÍSPERO. (De *niéspera*.) m. Árbol de la familia de la rosáceas, de unos tres metros de altura, con tronco tortuoso, delgado y de ramas abiertas y algo espinosas ; hojas pecioladas, grandes, elípticas, duras, enteras y dentadas en la mitad superior, verdes por la haz y lanuginosas por el envés ; flores blancas, axilares y casi sentadas, y *por fruto la níspola* (*c'est moi qui souligne*, L. C.). Es espontáneo, pero también se le cultiva. // 2. Níspola. // 3. *Amér.* Chico zapote. //*del Japón.* Arbusto siempre verde, de la familia de las rosáceas (...).[10]

NÍSPOLA. (De *niéspola*) f. Fruto del níspero. Es aovado, amarillento, rojizo, de unos tres centímetros de diámetro, coronado por las lacinias del cáliz, duro y acerbo cuando se desprende del árbol ; blando, pulposo, dulce y comestible cuando está pasado.[11]

On retiendra surtout de cette liste les deux derniers articles. Que nous disent-ils en ce qui concerne le statut lexical des termes *níspero* et *níspola* ? Essentiellement, 1) que c'est *níspero* qui sert communément à désigner le néflier ; 2) que le fruit de cet arbre peut recevoir la même appellation ; 3) que ce fruit est appelé aussi *níspola* ; 4) que ce dernier vocable est le plus courant en espagnol puisque c'est à l'article *NÍSPOLA que figure la description détaillée du dit fruit* et que renvoient les articles NÉSPILO, NIÉSPERA et NIÉSPOLA.

Conclusions surprenantes, dans la mesure où elles vont à l'encontre des enseignements que peuvent nous fournir sur ce point les documents des siècles passés (tant lexicographiques que littéraires ou techniques) mais aussi l'observation de la langue parlée aujourd'hui en Espagne (*vid. infra*). Ces contradictions sont tellement évidentes que l'on peut s'étonner que la Real Academia Española ait tardé aussi longtemps pour entreprendre de les résoudre.

Il a fallu, en effet, attendre 1970 et la publication de la 19ᵉ édition du *Dicc. Acad.* pour voir la situation évoluer sur le point qui nous occupe. Par exemple, les art. NÉSPILO, NIÉSPERA et NIÉSPOLA ne renvoient plus désormais à NÍSPOLA, mais à NÍSPERO. De même, on considérera comme positive la rédaction de la deuxième acception de l'article NÍSPERO, qui, dans les éditions précédentes, renvoyait à NÍSPOLA, mais qui indique à présent : « Níspero, fruto ». Malheureusement, les Académiciens *n'ont toujours pas jugé bon de placer après cette indication la description complète du fruit.* Celle-ci continue à figurer à l'article NÍSPOLA (dans les mêmes

---

9 À l'exception de NÍSPERO, ne figurent dans cette liste que les articles qui concernent directement le fruit.

10 Dans cet article NÍSPERO, je cite pour simple information les acceptions 2 et 3. Le néflier du Japon, importé d'Extrême-Orient, a des caractères assez différents de ceux des vieilles espèces européennes. Son fruit, fade et douceâtre, semble apprécié dans certains pays.

11 Afin de ne pas trop allonger cette recherche, il n'y sera guère question de problèmes étymologiques. Il y aurait pourtant à dire sur le sujet. On pourrait, en effet, s'étonner du manque de rigueur de certaines des indications qui figurent entre parenthèses après l'intitulé des articles de cette liste. Par exemple, peut-on affirmer que MÍSPERO vient de NIÉSPERO, alors qu'on cite à la suite les étymons communs des deux termes (lat. class. MESPILUS et MESPILUM) ? De même, ne faudrait-il pas préciser que, si les formes NÉSPILO, NIÉSPERA, NIÉSPOLA, descendent bien de l'étymon MESPILUS, c'est à travers les formes vulgaires latines MESPIRA, NESPIRUM et NESPILA (signalées par Joan Corominas, *Dicc. crít. etim. de la lengua castellana*, édit. cit., art. NÍSPERO) ? Et pourquoi se contenter d'indiquer, après les intitulés NÍSPERO et NÍSPOLA, les formes antérieures de ces termes et non les étymons latins, en accord avec la démarche adoptée aux articles précédents ?

termes que précédemment). Disposition qui brouille le message positif des modifications que l'on vient de voir. En conséquence de quoi, 1) l'usager trop confiant du *Dicc. Acad.* continuera à penser que NÍSPOLA constitue la forme prédominante de l'appellation du fruit[12] ; 2) les auteurs de dictionnaires, qui depuis deux siècles ont reproduit routinièrement les articles incriminés[13], seront incités à persister dans cette attitude. D'autant que les observations que l'on vient de faire à propos de l'édition de 1970 restent valables pour les éditions suivantes (1984, 1992), qui reproduisent à quelques détails près le texte de la 19e.

Constatation faite, nous pouvons revenir au point de départ : aux deux textes cervantins où le mot *níspola* apparaît en tant que partie intégrante d'une locution, *no mondar níspolas*[14], que l'on retrouve, sous sa forme canonique *no mondar nísperos*, dans les écrits d'un grand nombre d'écrivains du Siècle d'Or (parmi les plus grands, Lope de Vega, Tirso de Molina, Rojas, Zorrilla, Quevedo, Suárez de Figueroa, Jerónimo de Alcalá) et dans le *Vocabulario de refranes, op. cit.*, de Gonzalo Correas (*vid. supra*, note 2)[15]. On examinera plus loin ses implications socio-culturelles et leurs conséquences dans les deux textes de Cervantès cités ci-dessus. Pour l'heure, il convient de s'interroger sur la provenance géographique du mot *níspola*. Pourquoi l'auteur du *Quichotte* l'a-t-il adopté ? Parmi les explications envisageables, vient naturellement à l'esprit celle d'un emprunt lexical. Probablement à un idiome roman : langue étrangère ou simple dialecte hispanique.

On écartera la première de ces suggestions. Sans hésitation pour le portugais *nêspera*. Avec quelque regret pour le quasi-homonyme italien *nespola*. On sait l'attachement, voire la passion, que Cervantès éprouvait envers l'Italie, la « dulce región maravillosa » dont parle le berger Lauso dans *La Galatea*[16]. Mais on voit mal l'auteur du *Quichotte* chercher ailleurs, sur un point aussi familier, ce qu'il avait sous la main. Les parlers régionaux espagnols lui offraient des solutions plus immédiates. Là-dessus, les travaux des lexicologues modernes nous offrent des indications précieuses. On y constate que, depuis les origines de l'espagnol et déjà à l'époque romaine, ont existé en Espagne deux modèles lexicaux de la désignation de la nèfle : grossièrement, les formes

---

[12] L'auteur de ces lignes se compte au nombre de ces victimes (*vid.* son édition du *Voc. de refranes* de Correas, *op. cit*, p. 152, note 259 ; p. 387, note 73).

[13] Deux exceptions notables : J. Corominas, *op. cit.*, art. NÍSPERO, se contente sagement de renvoyer à *Autorid.* (« *Aut.* cita la forma *níspola* como nombre del fruto ») ; María Moliner, *Diccionario de uso del español*, Madrid, Gredos, 1966, indique simplement à NÍSPOLA : « Níspero (fruto) », renvoyant de la sorte à l'art. NÍSPERO, où figurent la description de l'arbre et celle du fruit.

[14] Sur cette locution, *vid. supra.*, note 2.

[15] Le grammairiens d'autrefois considéraient ce type d'expressions comme des « phrases proverbiales », ce qui explique qu'on les trouve souvent recensées dans des recueils de proverbes (par exemple, dans le *Vocabulario de refranes y frases proverbiales* de Correas). Aujourd'hui on parlerait plutôt de *locutions*, définies selon la nature de la partie du discours qu'elles signifient (dans *no mondar nísperos*, on aurait une locution verbale ; dans *mondanísperos*, une locution adjective). Pour plus de précisions sur l'usage de *no mondar nísperos* (et variantes), *vid.* Schevill et Bonilla, dans *Obras completas de Miguel de Cervantes*, *op. cit.*, t. III, p. 100 (note à *La entretenida*) ; W. L. Fichter, dans son édition de Lope de Vega, *El castigo del discreto*, New York, 1925, p. 100, note ; Carmen Fontecha, *Glosario de voces comentadas en ediciones de textos clásicos*, Madrid, 1941, p. 252 ; J. Alonso Hernández, *Léxico del marginalismo del Siglo de Oro*, Universidad de Salamanca, 1977, p. 536-537 ; Ma. Isabel López Bascuñana, dans son édition de C. Suárez de Figueroa, *El pasajero*, 2 vols., Barcelona, 1988, p. 230, note.

[16] Sur l'amour de Cervantès pour l'Italie, *vid.* L. Combet, « Le centre et la périphérie, ou la Méditerranée dans l'œuvre de Cervantès », *La péninsule ibérique et l'Amérique latine en relation avec le monde méditerranéen*, Actes du XIe congrès national de la Société des Hispanistes français de l'Enseignement Supérieur, Université de Lyon II, 1976, pp. 23-27.

en -ERO/-ERA et celles en -OLA/-ORA (J. Corominas, *op. cit.*, préfère parler de formes en -R- et de formes en -L-) ; et que ces dernières, aujourd'hui minoritaires, restent plus ou moins en usage (souvent en concurrence avec la forme dominante) dans deux zones géographiques assez bien délimitées : l'une, en forme de bande de territoire qui s'étire le long du versant sud des Pyrénées ; l'autre, plus compacte, au sud-est de la péninsule. La première de ces aires correspond, plus ou moins partiellement, aux régions et provinces d'Alava, Burgos, Navarre, la Rioja, Huesca, Saragosse et, pour une très faible partie, Lérida. La deuxième recouvre majoritairement les régions et provinces de Murcie, Albacete, Almería, Grenade ; elle est minoritaire à Jaén et très faiblement représentée dans la province d'Alicante[17].

Pour ce qui concerne la zone « pyrénéenne » ou nordique, les références sont particulièrement abondantes. Citons les principales : J. Cejador, *Voc. de Cervantes*, Madrid, 1906, signale *níspola* et *niéspola* comme formes aragonaises ; J. Pardo Asso, *Nuevo dicc. etim. aragonés*, Zaragoza, 1938, enregistre *niéspola* (fruit) et *niespolera* (arbre) ; J. Corominas, *op. cit.* art. cit., localise dans le Haut Aragon *niéspola, niézpola* et *niáspola* ; Manuel Alvar, *El habla del campo de Jaca*, Salamanca, 1948, signale l'existence de *nispolera* et *nisporera* dans cette région ; V. García de Diego, *Diccionario etimológico español e hispánico*, enregistre *mízpola* et *mízpora* (nav.), *miéspola* (cast. ant.), *niéspora* (arag.), *níspela* (pyrén.) ; Rafael Andolz, *Dicc. aragonés*, Zaragoza, 2ª edición, 1984, relève *niázpola, niéspola, niézpola, nízpola* dans les provinces de Huesca et de Zaragoza ; Antoni Ma. Alcover y Francesc de B. Moll, *Diccionari català-valencià-balear*, Palma de Mallorca, 1985, font apparaître *níspola* (Lérida)... Et si l'on ajoute à cela que les résultats des enquêtes lexicographiques que j'ai pu effectuer dans les provinces et régions citées confirment, au moins partiellement, les relevés ci-dessus[18], on en conclura qu'aujourd'hui, et plus encore sans doute au XVIe siècle et au XVIIe, la forme *níspola* (et ses variantes) a été et reste plus ou moins en usage dans cette zone (en concurrence, souvent, avec la forme canonique *níspero*). Pour autant, peut-on imaginer que Cervantès ait emprunté ce terme aux parlers de ces contrées, pour lesquelles

---

[17] Cette situation est le résultat d'une longue évolution depuis la période latine. Mais l'on peut supposer que, dans ce domaine, les cartes ont été brouillées très tôt, avec la conquête arabe, la reconquête chrétienne et les divers déplacements de populations qui en ont été la conséquence. Il se peut qu'aux époques anciennes la forme en -OLA/-ORA ait occupé un territoire beaucoup plus vaste que celui qu'elle occupe aujourd'hui (la variante judéo-espagnole *míspola*, signalée par Corominas, *op. cit.*, art. cit., pourrait constituer une indication allant dans ce sens). Quoi qu'il en soit, le découpage en zones -ERO/-ERA et en zones -OLA/-ORA constitue une simplification justifiable seulement pour des raisons expositives. Les enquêtes lexicales dont il sera question plus loin nous ont révélé la complexité du problème, et leurs résultats ont été parfois inattendus. On a pu constater, par exemple, que les formes en M- (étymologiques) étaient bien vivantes, dans les campagnes mais aussi dans les grandes villes et même à Madrid. Et que d'autres, non signalées par les lexicographes, étaient en usage dans certaines contrées : par exemple, un paysan des environs de Saragosse, aux souvenirs incertains, hésitait entre *miéspero, niéspero, niéspera* et ... *miésfero* (curiosité lexicale où le M- étymologique voisine avec le -F- caractéristique de la forme retenue dans le français moderne *nèfle*).

[18] Le caractère limité de ces enquêtes doit inciter à la prudence. On ne détaillera pas ici les problèmes soulevés par l'organisation de telles entreprises. Signalons simplement qu'aux difficultés pratiques (manque de temps, de moyens matériels et financiers, impossibilité d'obtenir certaines collaborations, indifférence de certains organismes) viennent s'ajouter celles qui naissent du manque de rigueur des réponses des personnes interrogées. Beaucoup d'entre elles ont plus ou moins oublié le ou les noms du fruit tels qu'ils les ont entendus dans leur enfance ; d'autres affirment ignorer jusqu'à l'existence du dit fruit – c'est souvent le cas pour les jeunes générations. Et à ces problèmes viennent s'ajouter ceux que l'on peut qualifier de socio-culturels, et qui tiennent à la différence de mode de vie ou de résidence (ville ou campagne), de niveau de culture, etc.

il ne semble guère avoir éprouvé une attirance particulière ? La chose semble improbable, et c'est ailleurs qu'il faut se tourner.

Vers l'Andalousie, naturellement, où l'auteur du *Quichotte* a passé de longues années, souvent difficiles mais sans doute parfois agréables puisqu'il a gardé de ce séjour tant de souvenirs heureux dont témoignent ses écrits[19]. Or le terme *níspola* et son quasi-homonyme *níspora* sont largement représentés dans le parler courant de l'Andalousie orientale et des provinces de Murcie et d'Albacete. J. Corominas (*op. cit.* art. cit.) et V. García de Diego (*R.F.E.*, III, 302 ; *Dicc. etim. esp. e hisp., op. cit.*) attestent l'usage de *níspora* dans la région de Grenade. Quant à *níspola*, l'existence du terme dans la province de Murcie est authentifiée par un commentaire de F. Rodríguez Marín au *refrán* « Por San Lucas, la *níspola* se despeluca. *Dicen en tierras de Murcia* » (*Más de 21 000 refranes...*, Madrid, 1926, p. 332)[20]. Curieusement, toutefois, ni l'un ni l'autre de ces vocables ne figurent *en tant qu'articles* dans les recueils des deux lexicographes qui font autorité dans le domaine de la dialectologie de ces régions : A. Alcalá Venceslada, *Vocabulario andaluz*, Madrid, 1951, consigne seulement NÍSPORO, avec ce commentaire : « m. níspola, fruto del níspero » ; tandis que J. García Soriano, *Vocabulario del dialecto murciano*, (*op. cit.*), se contente de répertorier NISPOLERO « m. Árbol que produce la níspola ». Définitions qui gagneraient à être complétées, dans la mesure où, dans ces deux ouvrages, les explications étant données en castillan officiel, on peut soupçonner leurs auteurs de s'être inspirés des définitions du *Dicc. Acad.*, qui, comme on l'a vu, présente NÍSPOLA comme le terme *castillan* dominant. Supposons toutefois que ces deux érudits ne pouvaient ignorer la spécificité de l'usage des formes NÍSPORA/NÍSPOLA dans les provinces de l'est andalou et de la province de Murcie (spécificité qu'ils auraient pu déduire d'une comparaison avec l'usage dominant dans l'Andalousie occidentale et, *a fortiori*, en Castille). Là-dessus, les recherches de certains lexicographes modernes fournissent des informations déterminantes. Pour ce qui concerne l'Andalousie, on citera ici les remarquables enquêtes de José Ignacio García Gutiérrez[21], qui permettent d'aboutir aux conclusions suivantes : 1) la forme

---

[19] Les biographes de Cervantès ont tous mis l'accent sur les rapports privilégiés de l'écrivain et de l'Andalousie (*vid.*, entre autres, Jean Canavaggio, *Cervantès*, Paris, Éditions Mazarine, 1986). On peut consulter là-dessus F. Rodríguez Marín, « Cervantes en Andalucía », *Estudios cervantinos*, Madrid, 1947, pp. 79-92 ; Louis Combet, « Cervantès et l'Andalousie » (article à paraître dans *L'ouvrier, l'Espagne et la Bourgogne*, Hommage à Pierre Ponsot, sous presse).

[20] On peut toutefois douter que ce *refrán*, que F. Rodríguez Marín donne sans indication de sources, soit véritablement originaire de Murcie. On ne le trouve mentionné ni par J. García Soriano (*Vocabulario del dialecto murciano*, Madrid, 1962), ni par Alberto Sevilla (*Sabiduría popular murciana*, Murcia, 1926). La raison de cette absence est simple : il s'agit probablement d'un proverbe italien, mentionné comme tel par Hernán Núñez, *Refranes o proverbios en romance...* (Salamanca, 1555), sous la forme : « Da sant Luca, le nespole se espeluca. *El Italiano. Desde sant Lucas los niésperos se abren* » (p. 29). À peu près à la même époque, le parémiologue italien Orlando Pescetti le citait dans ses *Proverbi italiani* (Verona, 1598) sous la forme : « *Da sant Luca, le nespole si spelucca* ». Plus tard, au XIXe siècle, le poète italien Giuseppe Giusti le recueillera sous la forme « *San Luca (18 ottobre) la merenda nella buca e la nespola si spiluca* » (cité dans Giusti, Giuseppe e Capponi, Gino, *Dizionario dei Proverbi italiani*, Milano, Veronelli, 1956). Il est intéressant de constater que la première partie du proverbe de Giusti figurait aussi chez Hernán Núñez, p. 29 : « Da sant Luca, mete la man in buca. *El Italiano. Desde sant Luca, mete la mano en la boca* ».Une autre singularité : le terme *despelucar*, utilisé par F. Rodríguez Marín dans son adaptation du proverbe italien, est souvent cité comme un andalousisme (M. Moliner, Alcalá Venceslada) ou un mexicanisme (Malaret, Martín Alonso), avec le sens de « despeluzar ». Une précision : pour l'influence du recueil d'Hernán Núñez sur la parémiologie italienne, on peut consulter Hervé Gonin, *Los refranes o proverbios de Hernán Núñez. Edición crítica*, Thèse de troisième cycle, inédite, Université de Lyon II, 5 vols., 1976, t. I, pp. 789-841.

níspero est exclusivement en usage dans les provinces de Huelva, Cadix, Malaga et Séville, et quasi exclusive dans la province d'Almería (où l'on relève sporadiquement la forme *níspero*) ; tandis qu'à Grenade elle est fortement concurrencée par la variante *níspora*, et très sporadiquement par *níspero* ; 3) la province de Jaén, province de transition, possède la particularité de se partager entre *níspero* et *níspola*, avec une nette prédominance de la première de ces formes ; 4) la forme *níspolo* existe épisodiquement à Cordoue, Grenade et Almería.

On le voit, les formes en -OLA (-ORA) sont bien présentes aujourd'hui en Andalousie, et elles devaient l'être au moins autant à l'époque de Cervantès. On ne s'étonnera donc pas que ce dernier ait eu connaissance de ces régionalismes. Mais pourquoi a-t-il placé l'un d'entre eux (et, d'ailleurs, celui qu'on attendrait le moins, puisque ni l'action du *Rufián viudo* ni encore moins celle de *La entretenida* ne semblent se dérouler dans des zones géographiques où prédomine *níspola*) dans la bouche de la Pizpita et dans celle de Torrente ? Le procédé est exceptionnel dans ses écrits (lorsque Cervantès y fait parler des Andalous, c'est plutôt dans un castillan commun et assez peu marqué dialectalement). Faisons pourtant quelques remarques sur les trois textes cités plus haut, dans lesquels figure le nom du fruit qui nous occupe : 1) les mots *níspero* (1 occurrence) et *níspola* (2 occurrences) y font partie respectivement d'un échange interlocutif ; 2) les locuteurs sont des gens de condition modeste ou basse, voire infâme ; 3) dans le texte du *Quichotte* il s'agit de Sancho Panza, un paysan castillan, fruste mais honnête, qui entre au service d'un petit noble de village à l'esprit dérangé ; tandis que dans le *Rufián viudo* et *La entretenida* on a affaire à des types citadins : une prostituée, un valet déluré et passablement fripon ; 4) c'est le terme *níspero* qu'emploie Sancho, alors que Torrente et la Pizpita utilisent celui de *níspola* ; 5) la phrase de Sancho où figure *níspero* est purement dénotative, alors que dans la bouche de Torrente et de la Pizpita *níspola* fait partie, comme on l'a vu, d'une *locution*, c'est-à-dire d'une métaphore expressive dont la signification résulte d'une convention entre les membres de la communauté sociale dans laquelle elle est en usage. Or cette locution, *no mondar nísperos* sous sa forme canonique, pourrait avoir emporté une connotation picaresque (J. Alonso Hernández la recueille dans son *Léxico del marginalismo del Siglo de Oro, op. cit.*, pp. 536-537 – un indice assez ténu, il est vrai, puisque les contextes littéraires dans lesquels elle figure au XVIe siècle et au XVIIe ne confirment guère cette inscription). Si tel était le cas, il faudrait prendre en compte le fait que les deux pièces de Cervantès où elle apparaît se déroulent, à des degrés divers, dans un contexte social qui a quelque chose à voir avec la gueuserie. Pour le *Rufián viudo*, la démonstration serait superflue. Les choses sont moins simples avec *La entretenida* : l'action principale de cette *comedia*, qui met en scène les amours de personnages de haut rang, a pour cadre non plus les bas-fonds de Séville ou de tout autre endroit de l'Andalousie (haut lieu de la vie picaresque) mais un palais de Madrid. Pourtant, sous cette noble apparence, se cache un décor moins reluisant : celui où évolue le petit monde des serviteurs. Or on sait qu'au XVIe siècle et au XVIIe (et aux époques précédentes) l'univers de la pègre et celui de la domesticité des riches demeures entretenaient parfois des rapports plus ou moins étroits. Cette accointance se laisse deviner dans *La entretenida* : en particulier en ce qui concerne la représentation des amours des valets et des servantes. C'est dans ce microcosme socio-culturel, repoussoir des fastes palatins, que s'inscrit, par exemple, la rivalité qui oppose, et parfois rapproche, Torrente et Ocaña, tous deux amoureux de la *fregona* Cristina. Ces deux personnages hauts en couleur, fanfarons et couards, menteurs et portés sur le vin, empruntent nombre de leurs traits au type du *valentón* traditionnel, bien représenté dans la littérature célestinesque et celle qu'il est convenu de

---

[21] José Ignacio García Gutiérrez, *Léxico de los vegetales en Andalucía*, Tesis doctoral (inédita), 1986. (Universidad de Córdoba, Departamento de Lengua)

nommer picaresque (c'est surtout chez Ocaña que ces caractères sont le plus visibles). Et il n'est pas jusqu'à leur langage qui ne trahisse parfois cette appartenance. Dès la première réplique, le ton est donné, à travers l'usage « marqué » des allocutifs :

> *Ocaña.* - Mi *sora* Cristina, demos.
> *Cristina.* - ¿Qué hemos de dar, mi *so* Ocaña?
> *Ocaña.* - Dar en dulce, no en (h)uraña,
> ni en tan amargos estremos.
> *Cristina.* - ¿Querría el *sor* que anduviesse
> de pa y vereda contino? (...) (Édit. cit., pp. 5-6.)

Nous sommes de la sorte introduits à d'autres scènes ou éléments qui, dans le cours de la *comedia* et toutes proportions gardées, renvoient à *La Celestina*, au *Buscón*, au *Guzmán de Alfarache*, ou simplement à certains *entremeses* ou nouvelles « exemplaires » de Cervantès lui-même[22]. Ce sont là des indices intéressants, mais il serait imprudent d'en tirer des conclusions définitives. D'autant que des contrastes du même ordre apparaissent si l'on tente maintenant d'établir l'existence d'un rapport entre l'Andalousie et la présence du mot *níspola* dans la bouche de Torrente et de la Pizpita. Dans le cas du *Rufián viudo*, encore une fois, tout paraît simple : la comparaison a souvent été faite entre l'univers de Trampagos, le rufian veuf, et celui de la cour des miracles de Séville où règne Monipodio, le tout-puissant « parrain » de la pègre de l'endroit (*Rinconete y Cortadillo*), et certains spécialistes ne semblent guère douter que l'action du *Rufián viudo* a pour lieu la grande métropole andalouse[23]. Mais on est loin de ces tranquilles certitudes en ce qui concerne le cas du valet Torrente et, en l'occurrence, il faut se contenter du fragile recours aux hypothèses : se demander, par exemple, si ce pittoresque *gracioso* ne serait pas originaire d'Andalousie ; ou s'il ne pourrait pas y avoir séjourné durant son existence de *capigorrón* ou *capigorrista* : c'est par ces termes qu'il est parfois désigné dans la *comedia* (édit. cit., acte I, p. 14, 22 ; acte III, p. 111), et l'on sait qu'ils étaient appliqués aux étudiants pauvres et quémandeurs et aux vagabonds mendiants[24]. Malheureusement, le fait que l'on ne trouve dans les écrits cervantins que *deux* occurrences du vocable *níspola* (et de la locution où il figure) exclut toute possibilité de recoupements, et il faut abandonner l'espoir de voir résolues ces petites énigmes. Rien n'est simple dans l'œuvre de Cervantès.

---

[22] Voir par ex., dans *La entretenida*, Acte I, édit. cit. p. 10, l'expression « *Andallo, mi vida, andallo* », qui, selon Schevill et Bonilla, *ibid.*, p. 231, était également le nom d'une danse que l'on exécutait sur le même air que la *zarabanda* ; Acte II, pp. 40-42, la diatribe de Cristina contre les maîtresses de maison, qui renvoie à celle d'Areúsa dans *La Celestina* (noveno auto) ; p. 46, l'emploi du terme *borgoñón*, probabl. argot. « mendiant » ; Acte III, p. 82, l'expression *rufos recatados* (*i. e.* « rufianes cobardes »), par laquelle Cristina désigne Torrente et Ocaña ; p. 90, l'usage de *sor, so*, « tratamientos » par lesquels Torrente et Ocaña se désignent mutuellement.

[23] J. Hazañas de la Rúa, *Los rufianes de Cervantes*, Sevilla, 1906, p. 17, affirme que toute l'action du *Rufián viudo* se déroule à Séville. C'est également l'avis de F. Rodríguez Marín, « Cervantes en Andalucía », art. cit., dans *Estudios cervantinos, op. cit.*, p. 90.

[24] Informations intéressantes, certes, mais qui ne suffisent pas à justifier une origine andalouse de Torrente. D'autant moins qu'au cours d'un échange de répliques aigre-douces entre Torrente et Cristina, celle-ci traite le *capigorrón* d'« indianazo gascón » (on sait que Torrente avait imaginé de faire passer son maître Cardenio, un étudiant pauvre, pour un riche *indiano* de retour au pays) ; à quoi Torrente répond : «... soy criado perulés / aunque tiro a borgoñón » (Acte III, ed. cit., p. 46). On négligera le terme de *borgoñón*, certainement employé ici dans l'acception argotique de « mendiant » (*vid.* ci-dessus, note 22). Le qualificatif de *gascón* est, en l'occurrence, plus suggestif : il pourrait indiquer que Cristina perçoit Torrente comme un étranger, peut-être un Français. Mais nous voici loin de l'Andalousie.

Il faut conclure. Et puisqu'il a été beaucoup question ici de lexicographie, revenons au dictionnaire. Un mot, *níspola*, quasiment absent des œuvres des grands auteurs et des lexiques du Siècle d'Or, fait son apparition dans les écrits de Cervantès, en alternance avec la forme canonique *níspero*. Plus d'un siècle plus tard, le dictionnaire *de Autoridades* accueille NÍSPOLA en tant que variante de cette dernière forme. Encore quelques décennies, et la Real Academia Española accorde à NÍSPOLA le statut de forme canonique (*Dicc. Acad.*). Pourquoi cette promotion, que rien ne semble justifier ? Le prestige de Cervantès a-t-il joué en la circonstance ? On est tenté de le croire mais, là encore, les preuves font défaut. Ce qui est sûr, c'est que cette anomalie va persister jusqu'à nos jours, avec les conséquences que l'on sait. Pourtant la Real Academia Española présentera en 1970, dans la 19ᵉ édition du *Dicc. Acad.*, un certain nombre de rectifications intéressantes, mais qui ne modifient pas l'erreur fondamentale : la définition et la description du fruit continuent à figurer à l'article NÍSPOLA, dans lequel, circonstance aggravante, aucune mention n'est faite de l'origine provinciale du terme. Les éditions suivantes (1984, 1992) reconduisent, pour l'essentiel, cette situation.

Dans ces conditions, on suggérera aux Académiciens de mener à terme leur effort de mise à jour des articles NÍSPERO et NÍSPOLA, en plaçant la description du fruit à l'article NÍSPERO, 2ᵉ acception, et non plus à l'article NÍSPOLA, et en précisant, après le titre de ce dernier article, que *níspola* est une variante de la forme canonique NÍSPERO, et qu'elle a été et reste toujours en usage dans plusieurs provinces et régions d'Espagne.

À table avec Guzmán
Ethnologie du repas picaresque

Pedro CORDOBA
Université de Toulouse-le-Mirail
Centre d'études universitaires de Madrid

Son père est mort, sa mère trop vieille (déjà) pour faire le trottoir. Un jour donc, Guzmán s'en va sur la grand route. Devenir picaro, c'est d'abord cela : quitter le cocon d'enfance, s'en aller sur les chemins. Devenir chrétien, c'est aussi cela ou, du moins, ça l'était..., du temps du Christ justement : quitter père et mère, suivre Dieu sur les chemins. Sans doute les chemins d'hier n'étaient-ils pas les chemins d'aujourd'hui. Aujourd'hui, c'est vendredi, il fait chaud à Séville, le texte le dit plusieurs fois. Vendredi, jour néfaste entre tous, jour de douleur pour le peuple chrétien : car tout vendredi répète (rappelle) la Passion.

Les auberges et les jours

Le Christ meurt vendredi. Samedi, il est mort. Dimanche : il ressuscite. Rite de passage. En trois temps, suivant la structure dégagée par Van Gennep : séparation, liminarité, agrégation. On meurt, on est mort, on ressuscite. Mourir à l'ancien pour re-naître au nouveau, c'est la structure du rite, celle de la conversion aussi ou celle de la Passion. Faut-il passer par la chute pour atteindre la rédemption ? La liturgie de Pâques le dit : *Oh felix culpa!*... Guzmán va commencer par le péché, comme il se doit. La rédemption viendra plus tard, beaucoup plus tard, et il prendra alors la plume : autobiographie d'un picaro repenti, c'est cela le *Guzmán de Alfarache*. Autobiographie d'un convers ? Peut-être. Mais tout chrétien n'est-il pas nouveau chrétien, dépouille du vieil homme, avènement de l'homme nouveau ? Si telle était bien l'une des leçons – paulinienne – du *Guzmán,* il ne devait pas y avoir grand monde en Espagne, à cette époque-là, pour l'entendre. Ecrire le *Guzmán* ou prêcher dans le désert.

Il y a donc le grand cycle, celui du péché et de la rédemption. Mais il y a aussi des petits cycles dans le grand, des rites de passage successifs, les uns après les autres, toujours sur le mode ternaire, si monotone : séparation - liminarité - agrégation, séparation - liminarité - agrégation... Guzmán doit mourir à ce qu'il était pour devenir picaro, puis mourir à cette mort pour tenir enfin

Hommage à Robert Jammes (Anejos de *Criticón*, 1), Toulouse, PUM, 1994, pp. 249-261.

la promesse de son nom : Gutman, Guzmán el Bueno (c'est un pléonasme), homme de bien. Cela, c'est le grand cycle, qui dure toute une vie : l'ensemble du roman. Mais il y a d'abord un petit cycle au début, une première boucle, un premier passage. Car on ne naît pas picaro, on le devient. Quand il quitte Séville, ce vendredi-là, Guzmán n'est pas encore un picaro. Quand il arrive à Madrid, trois auberges plus tard, il l'est devenu. Que s'est-il passé entre temps ? Comment s'est fait le passage ? Quels rites a-t-il fallu accomplir ?

Monique Joly a patiemment travaillé ces chapitres, notre lecture lui doit beaucoup. Elle a bien compris le mécanisme ternaire des auberges, mais moins bien celui des trois jours : vendredi, samedi, dimanche. Car, contrairement à ce qu'on pourrait croire, il n'y a pas une auberge par jour, la série des jours et celle des auberges ne se recoupent pas. Guzmán ne trouve pas d'auberge le vendredi, il dort à la belle étoile, le ventre creux. Le samedi, en revanche, il y en a deux, respectivement tenues par une femme hideuse et un grugeur fort avenant. Et le dimanche, Guzmán prend encore un repas à la deuxième auberge – où il se fait aussi voler sa cape – et ce n'est que le soir qu'il arrive enfin, affamé et fourbu, à la troisième auberge. Il y a un décalage des auberges et des jours, glissement des deux séries l'une sur l'autre qui est essentiel, croyons-nous, à la compréhension de l'épisode. Car il était absolument indispensable, nous le verrons, qu'il y eût deux auberges différentes le deuxième jour, pendant la période liminaire, celle où le novice est déjà mort au passé, mais n'a pas encore accompli le rite d'agrégation qui l'intègrera à sa nouvelle vie. La période liminaire est la plus importante, celle qui sanctionne le passage, celle où le passage, au sens propre, a lieu. Mais comment parler d'un pur passage, de ce qui n'a d'attaches ni dans un monde ni dans l'autre, simple évanescence, éclipse du connu : ni chair ni poisson, ni figue ni raisin ? C'est pendant la période liminaire que le novice subit le traitement le plus cruel, le plus sauvage, celui qui doit le marquer à tout jamais. Il est alors reclus dans une grotte, dans une hutte séparée des autres ou, au contraire, lâché dans la forêt, seul au milieu des bêtes et des dieux. Dans tout les cas un espace sacré, *templum* disjoint du monde habituel, en marge du quotidien. Les deux auberges du samedi sont un tel espace. Elles correspondent au temps du milieu, temps de l'entre-temps, temps de la transformation, où la vieille loi ne joue plus et la nouvelle, pas encore. Où il n'y a plus d'ordre du tout, plus de règles, plus de lois, où les choses ne sont pas ce qu'elles devraient être, où rien ne ressemble à rien, où les formes sont changement de forme : métamorphose. Faut-il s'étonner de ce que, dans ces auberges, Guzmán mange des œufs qui ne sont plus des œufs et pas encore du poulet, du mulet déguisé en génisse ? Espace du déguisement.

Deux cuisines

Monique Joly a su trouver les références folkloriques des deux repas du samedi, les bourles du repas trompeur. Mais il ne suffit pas de déceler l'arrière-fond de contes, proverbes et anecdotes plus ou moins facétieuses qui servent de matière à l'épisode. Encore faut-il montrer comment ce matériel folklorique, une fois défolklorisé et mis à fonctionner dans un autre circuit, prend un nouveau sens, obéit à une autre logique, qui est celle du texte où il s'inscrit. La progression entre l'une et l'autre bourle – repas du midi, repas du soir – est essentielle, Monique Joly l'a très bien vu. Entre l'une et l'autre, il y a progrès de Guzmán. *Bilsdungroman*. Nous ne voulons pas dire autre chose quand nous parlons de rite d'initiation. Mais cet apprentissage n'est qu'un des aspects de la question. Il est lui-même rendu possible par la nature des opérations qui ont lieu. L'apprentissssage est la conséquence du rite, son effet le plus évident. C'est donc sur l'étape liminaire elle-même, sur son contenu concret, qu'il faut d'abord s'interroger. Qu'y a-t-il de commun entre ces deux repas, au-delà de la forme même de la bourle : tromperie sur la marchandise ? L'analyse ne sera complète que lorsqu'on dépassera le niveau formel pour atteindre le contenu. Le structuralisme est le contraire du formalisme, Lévi-Strauss n'a pas cessé de le répéter. Car il s'agit d'une logique du concret : topologie des qualités sensibles.

Le motif du repas trompeur appartient au folklore. Mais le contenu même de ce repas y a subi un codage qu'il convient d'analyser. La nature des mets n'est pas anodine, un sens s'y trouve plié. Or ce sens déjà codé dans le folklore ne disparaît pas dans le roman : il continue de nourrir le symbolisme du texte, mais il subit un deuxième codage qui en virtualise certains pans et en actualise d'autres, suivant les lignes de force qui sont propres au nouveau support qui l'accueille. Le sens des mythes est purement virtuel : il dépend de la position des éléments dans la structure, car ces éléments sont en eux-mêmes vides de sens et ils le reçoivent par détermination réciproque, dans le rapport différentiel qui les unit. Or tout mythe est lié à l'ensemble des autres sur cette terre de la mythologie dont la rondeur implique qu'on revienne au point de départ lorsqu'on en a, une première fois, achevé le tour. Et c'est précisément pourquoi le sens des mythes, tel qu'il se dévoile au regard ethnologique, est virtuel : il circule à l'intérieur d'un Tout qui jamais ne s'actualise en tant que tel. Il ne s'en actualise que des fragments, ceci ou cela suivant les époques, dans un contexte historique particulier, dans un environnement social et culturel précis. Et aussi dans une configuration narrative singulière, suivant la disposition des éléments dans tel ou tel agencement. Ce n'est plus la structure, c'est l'actualisation de la structure : ce mythe-ci, ce conte-là. Or on n'a jamais affaire qu'à des actualisations de structure, le Tout reste virtuel, seulement accessible au regard éloigné du savant. Il y a donc un double travail d'interprétation, suivant deux directions opposées. Il faut d'abord remonter de l'ensemble des récits actuels jusqu'au Tout virtuel qui leur donne un sens latent, et puis il faut redescendre de cette structure à tel ou tel récit pour voir quels paquets de sens s'y actualisent, quels *quanta* sombrent dans l'oubli ou restent dans l'ombre, quels autres sont sélectionnés et entrent alors dans une configuration particulière, un codage concret. La culture est une telle machine à sélectionner les débris d'un vieux mythe pour en fabriquer un neuf. C'est ce que Lévi-Strauss appelle le bricolage et qu'on pourrait aussi rapprocher de la cuisine : la culture ou l'art d'accommoder les restes.

Il y a donc la cuisine folklorique et la cuisine littéraire. Deux cuisines différentes qui ont chacune leurs recettes et leurs secrets. Dans le folklore, les contes se pensent entre eux dans le Tout virtuel de la structure, un conte ou un proverbe ne signifient rien indépendamment de l'ensemble de leurs variantes et des séries étoilées qu'ils constituent dans le renvoi incessant d'un motif à un autre, dans leurs multiples embranchements. Premier codage symbolique. Mais le texte littéraire opère un deuxième codage qui obéit, lui aussi, à la loi de la détermination réciproque et des rapports de voisinage. Que si les œufs couvés et le mulet voisinent dans un texte, ce n'est pas le folklore de l'œuf et celui de l'âne qui sont mobilisés dans leur ensemble. Ne s'en actualisent que certains éléments, ceux qui sont compatibles entre eux et compatibles aussi avec les autres éléments du schéma narratif où maintenant ils fonctionnent. Ici : le sexe des officiants – une femme d'abord, un homme ensuite –, un temps et un espace liminaires, propres au rite de passage, l'apprentissage qui doit en résulter.

La bifurcation de Lazare

Reprenons donc les choses au début. Vendredi, on (le Christ) meurt. Guzmán quitte Séville, s'arrête à la *Ermita de San Lázaro*. Le nom n'est pas choisi au hasard. Il renvoie au Lazare de l'Evangile. Et, bien sûr, à Lazarillo, création géniale de l'Anonyme de 1554, qui posa d'emblée le picarisme comme structure. Mais on n'a pas assez souligné que le nom du premier picaro dérive, lui aussi du Lazare évangélique à un moment où ce dernier, pour des raisons hsitoriques concrètes, bifurque de lui-même. Lazare était à la fois pauvre et lépreux. Or, lorsque s'écrit le *Lazarillo*, le lépreux se dissipe peu à peu dans les brumes du passé médiéval, tandis que le pauvre subit, à son corps défendant, une étrange mutation. A Saint-Lazare désormais, s'opère une bifurcation entre le lépreux et le pauvre. Et c'est de cette bifurcation que naît le picaro. On comprend donc que ce petit sanctuaire hors les murs – *analogon* spatial des auberges dans les étapes postérieures du rite – corresponde à la phase de séparation. Non seulement entre la vie antérieure de Guzmán et celle qui l'attend une fois le rite accompli, mais, beaucoup plus profondément, entre deux traitements succesifs de la pauvreté.

Il faut relire les pages superbes que Foucault consacra naguère à ce thème : comment dans les anciens lazarets, désormais vides à cause du reflux de la lèpre, on commença d'entasser toute une population flottante de mendiants et de vagabonds, lorsque les valeurs du commerce et du travail prirent le pas sur les anciennes conceptions chrétiennes du pauvre, toujours susceptible, pour un esprit médiéval, d'être le Christ lui-même, venu éprouver la foi des croyants. Le pauvre, soudain, cesse d'être une icône du Christ, il devient un oisif, qui préfère l'errance au travail. C'est encore l'une des leçons du *Guzmán* – l'une des plus ignobles sans doute. Sous couvert d'organiser la charité, Alemán et le groupe de Cristobal Pérez de Herrrera sont partie prenante de ce vaste mou-vement d'enfermement des pauvres qui fait alors tâche d'huile en Europe. Ce qui meurt à Saint-Lazare ce vendredi-là, ce n'est pas seulement Guzmán, c'est vraiment le Christ lui-même à nouveau crucifié, c'est aussi le pauvre médiéval, qui se trouve désormais face à cette alternative : ou les travaux forcés à vie, ou la délinquance des gueux. Fausse alternative d'ailleurs, car la police veille au grain et tel qui commence picaro se retrouve forçat. Ce sera précisément là, on le sait, le destin de Guzmán. Et c'est rivé à son banc de galérien qu'il se convertira, découvrant alors ce nouveau visage du Christ que la bourgeoisie commerçante (et Mateo Alemán) veulent nous présenter comme le vrai. Le Christ des marchands, la boutique devenue Temple, le comble de l'ignominie.

Les œufs couvés et le mulet

Mais cela, c'est pour plus tard. Guzmán n'en est qu'au tout début de ses aventures. Vendredi, on (le Christ) meurt, on ne mange pas. Le jeûne fait partie de l'étape de séparation, celle où l'on se déprend de son passé. Il aurait bien voulu pourtant, si ça avait été possible, se mettre un *pastel* sous la dent. Mais vendredi on fait maigre : pas de chair. Samedi : les œufs et les abats. Dimanche : la viande. Le rituel alimentaire chrétien est respecté, bien sûr. Mais ce n'est pas là l'essentiel. Car le vrai problème c'est : que font ensemble les œufs couvés et les abats du mulet, précisément le même jour, un samedi ? Après le vendredi, avant le dimanche. C'est-à-dire au milieu, pendant la période liminaire, après la mort et avant la résurrection, au moment où tout ce que l'on peut dire, comme Monsieur de Valdemar dans la nouvelle de Poe, ce sont ces mots si étranges – et si évidents pourtant : « Et maintenant, maintenant...je suis mort » ?

Il ne suffit pas de constater la bourle : tromperie sur la marchandise, x au lieu de y. Cela, c'est le niveau formel, et non le niveau structural où nous entendons nous situer. Poser la question structurale c'est se demander dans quel rapport différentiel entrent *les œufs couvés et le mulet*. Pourquoi ces bourles-là et pas d'autres : le vinaigre pour le vin par exemple, ou le chat pour le lapin ? Et pourquoi deux bourles et pas une, ou trois ? Monique Joly a excellemment montré comment, dans le folklore du repas trompeur, la victime est l'étranger, Biscayen ou Anglais, dont les contes se chargent de dénoncer l'incurable sottise. Rien de tel ici. Nous ne sommes pas dans le folklore des peuples et des nations, mais dans celui des rites de passage. Si l'on ne veut pas en rester au formalisme proppien, il faut voir quelles configurations de sens ici s'actualisent, dans un nouvel agencement concret des éléments.

Faisons, pour manque de place, l'économie d'une moitié de la démarche : celle qui nous mènerait jusqu'au Tout virtuel des thèmes de l'œuf et de l'âne à partir de l'ensemble des rites et récits où ils figurent. Retenons-en la partie ici concernée. Il y a une seule zone où les deux motifs se recoupent par rapport à un troisième, actualisant ainsi un champ sémantique précis où la structure s'effectue. Ce troisième motif est on ne peut plus central dans notre culture : c'est celui de la Passion. Quête des œufs, œufs peints et décorés qu'on offre aux enfants, jeux de l'œuf roulé, œuf du Vendredi saint qui ne pourrit pas ou dont le jaune se transforme en diamant, etc : le folklore des œufs est orienté vers un moment calendaire précis, celui de la Semaine sainte. Et, par ailleurs, l'âne de Bethléem, celui de la Fuite en Egypte et celui de l'Entrée triomphale à Jérusalem associent, par trois fois, la figure de l'âne et celle de Jésus. C'est au point que Juifs et Païens accusèrent les premiers chrétiens d'être des *asinarii*, des adorateurs de l'Ane ou onolâtres. On sait que le premier témoignage iconographique de la Passion est celui d'un graffiti anti-chrétien qui montre un certain Alexamène envoyant l'*osculum* de dévotion à un onocéphale, homme àtête d'âne crucifié sur un *tau*.

Mais, nous dira-t-on, le texte ne parle pas des œufs en général ni vraiment de l'âne. Ce que mange Guzmán, ce sont des œufs couvés et du mulet. Précisément. Il y a là une restriction du champ sémantique, qui nous permet d'approcher au plus près le sens structural de l'épisode. Car la vraie question est, répétons-le : qu'y a-t-il de commun entre des œufs couvés et un mulet ? Mais aussi la contrepartie : qu'y a-t-il de différent pour qu'un seul repas ne suffise pas, qu'il en faille deux pour clore l'étape liminaire du rite ? On voit comment le texte utilise le motif folklorique à ses propres fins. Dans les contes une seule duperie suffit à dénoncer la balourdise de l'autre, Biscayen ou Anglais. S'il en faut deux ici, c'est que le motif fonctionne dans un schéma qui implique trois séries de ressemblances et de différences. Il y a d'une part le jeu de ressemblances et de différences entre l'œuf et l'œuf couvé, et entre la génisse et le mulet : chacune de ces séries suffit à déterminer le sens du conte folklorique. Mais il y a ici, en plus, la ressemblance et la différence entre l'œuf couvé et le mulet. La structure est alors complètement déterminée, le sens concret du repas picaresque devient évident.

Le tabou de l'hybride

Or il n'y a pas une mais deux raisons pour lesquelles œufs couvés et mulet peuvent entrer dans un rapport différentiel de détermination réciproque. Il faut, pour comprendre ici la logique du texte, faire intervenir deux nouveaux éléments : la notion d'hybridation et celle de stérilité. Un œuf couvé est d'abord un mixte d'œuf et de poussin, un mulet un mixte d'âne et de jument. C'est cela qui les rend impropres à la consommation, et non une quelconque répugnance naturelle, partagée par l'ensemble des hommes. Car les œufs couvés sont un des délices de la cuisine du sud-est asiatique et, s'il faut en croire Hérodote, Aristophane et Pline, la viande d'âne – et *a fortiori* de mulet – était un mets fort apprécié par les Perses, les Grecs et les Romains. Que si ces plats sont donc pour nous objet d'un tabou alimentaire, c'est bien évidemment, comme toujours lorsqu'il s'agit d'un tabou, pour des raisons culturelles et uniquement pour cela. Nous ne mangeons pas d'œufs couvés ni de mulet pour le même motif que Juifs et Musulmans refusent de manger du cochon. Exactement pour le même motif : parce qu'il s'agit d'hybrides. Mary Douglas a examiné exhaustivement la liste des prohibitions du Lévitique et en a exhibé la logique profonde : sont interdits à la consommation tous les animaux qui apparaissent comme des hybrides, mixtes de deux espèces (aux yeux des anciens Juifs, bien sûr, pas à ceux de Linné ou de Buffon). C'est ainsi que le cochon est interdit parce qu'il s'agit d'un non-ruminant qui a les pieds fourchus – or les bêtes à pied fourchu ruminent. Ou que le poisson sans écailles est interdit parce que les poissons entrent dans la catégorie des animaux couverts d'écailles, etc., etc. On ne comprend pas qu'après la lumineuse démonstration de Mary Douglas, on continue de proférer autant de sottises sur le tabou du cochon, sous prétexte d'en offrir des raisons plus « raisonnables » : écologiques, hygiéniques, politiques ou autres – nos mythes à nous. La seule raison du tabou est d'être tabou. Or est tabou ce qui dérange un système de classifications : l'exception, le monstre.

Et puis, bien sûr, il y a les aléas de l'histoire, l'écume des événements. Choses si peu importantes, si simples à expliquer, qu'on se demande pourquoi on s'obstine parfois à en faire tout un plat. Il arrive que les Chrétiens ont besoin de se distinguer des Juifs : les théologiens décrètent alors que le temps de la Loi est fini, que nous sommes entrés dans celui de la Grâce et qu'on peut, désormais, manger du cochon. La logique des anciennes prohibitions s'effondre donc par pans entiers, il n'en subsiste que des vestiges, d'autant plus vigoureux qu'on ne peut plus en fournir raison aucune. On mange du cochon – principal enjeu de la bataille alimentaire entre Juifs et Chrétiens – mais on ne mange pas de mulet ou d'âne, sans savoir que, dans un cas, c'est l'ancien tabou sur les hybrides qui, miraculeusement, survit à la Grâce et que, dans l'autre, le « naturel dégoût » tient à ce que chez nous on ne mange d'habitude le Christ que sous la forme d'hostie et qu'on a oublié que, pendant de longs siècles, l'âne en fut une icône privilégié. Puis ces tabous là eux-mêmes tombent parfois en désuétude. À la fin du siècle dernier, on débitait force mulets dans les boucheries parisiennes et leur chair était alors jugée plus savoureuse que celle du cheval, animal noble s'il en fut. Aléas de l'histoire, écume des événements.

Nul réalisme donc dans cet épisode du Guzmán, mais une magistrale utilisation des structures mythiques qui affleurent dans le folklore européen. Même la référence à la loi interdisant l'élevage des mulets en Andalousie ne constitue pas un « détail réaliste ». Car qu'est ce qu'une précision historique qui se rapporte à une loi promulguée en plein Moyen-Age et abrogée seulement en 1869 ? Une loi qu'on retrouve en Extrémadure, à Murcie, mais aussi dans notre beau pays de France, une loi qu'on est constamment obligé de rappeler ici ou là parce qu'elle n'a jamais été respectée tellement elle est irrationnelle, contraire à l'intérêt pratique. D'autant plus irrationnelle d'ailleurs que son but explicite est de maintenir la pureté de la race chevaline et qu'on se demande comment les mulets, qui sont stériles, pourraient bien la menacer. Loin donc que la référence à la loi interdisant l'élevage des mulets vienne contrer la logique du folklore (elle ne s'oppose qu'au chronotope du conte en tant que genre), c'est la pensée mythique, telle qu'elle s'exprime dans le folklore, qui permet d'expliquer l'existence de la loi. « Tu n'accoupleras pas le bétail de deux espèces », disait le Lévitique. Et c'est bien le tabou de l'hybride qui, pendant des siècles et des siècles, a taraudé l'esprit des législateurs.

L'onocéphale et l'œuf de Pâques

Il pourrait sembler qu'on est fort loin de la Passion, période calendaire où nous pensons qu'il faut ancrer le rite de passage de Guzmán. Il n'en est rien. Le mulet du roman a été sacrifié par l'aubergiste un vendredi : la référence à la Crucifixion est on ne peut plus transparente. D'autant plus que, lorsque le héros découvre la dépouille de l'animal, cette dernière est écartelée en forme de croix. Mais, nous dira-t-on encore, en retournant l'objection précédente, c'est sous forme d'âne que le Christ est parodiquement crucifié, pas sous celle de mulet. Eh bien non. Le Christ du célèbre graffiti du Palatin n'est pas un âne mais un onocéphale, c'est-à-dire un... "mulet" au sens du XVIᵉ, où le mot s'emploie de façon générique pour tous les hybrides (d'où « mulâtre » pour désigner les « hybrides » humains). Ce Christ est donc un monstre, un hybride né d'une copulation bestiale. Le témoignage de Tertullien le confirme. Ce jour-là à Carthage, un infâme Juif parcourut la ville avec un panonceau où était peinte la figure d'un homme portant un livre sous le bras, affublé d'oreilles d'âne et laissant voir sous sa toge le pied fourchu de l'animal. Au dessous, cette légende : *Deus christianorum onokoetes* (le Dieu des Chrétiens engendré par accouplement avec un âne). Ce Christ onochoète est donc bien, comme l'onocéphale du Palatin, un hybride : plus monstrueux encore que le mulet sacrifié par l'aubergiste, il est, lui aussi, un Fils de l'Ane.

Faut-il voir ici une intention sacrilège, une reprise par Alemán de la vieille calomnie juive contre le Christ ? Nous ne le croyons pas. L'épisode du mulet pousse ses racines dans le folklore chrétien lui-même, celui, par exemple, des célèbres Fêtes de l'Ane, dont le joyeux cortège subvertissait, une fois l'an, l'ordre liturgique de l'office : non pas blasphématoire ou sacrilège, ni survivance d'on ne sait quels rites païens, mais curieux mélange de sérieux et de grotesque, de ferveur religieuse et de débordements carnavalesques, qui caractérisait la foi médiévale et que nous avons tant de mal à comprendre aujourd'hui. C'est la symbolique générale de la Mort et de la Résurrection qui informe ce passage du *Guzmán* et, pour le reste, c'est le folklore qui, à l'insu sans doute de l'auteur, a imposé sa propre logique. Il y a donc parallélisme ou analogie entre le sacrifice du mulet et la Passion du Christ, sans qu'il faille imaginer une volonté narquoise de les superposer.

Et pourtant tout indique qu'il faut situer l'épisode peu après Pâques. Cette année-là à Séville, le climat était détraqué, anormalement chaud et sec. Ce n'est donc ni l'hiver ni l'été, parce qu'une telle chaleur est impossible dans un cas et redondante dans l'autre. Ecartons aussi l'automne, qui n'est guère favorable à la ponte des œufs ni à la naissance des mulets et où le régime des pluies n'a pas d'impact sur les récoltes. Reste donc le printemps. *En abril aguas mil*, dit le proverbe. C'est quand les eaux ne sont pas au rendez-vous qu'il y a à craindre pour les futures moissons. Après Carême, nécessairement puisqu'on mange des œufs et des abats le samedi, de la viande le dimanche. Après le Vendredi saint aussi, puisque Guzmán rencontre ce soir-là un cortège nuptial mais avant mai, puisque c'est un mois interdit au mariage – *bodas mayales, bodas mortales*. Le rite de passage du *Guzmán* constitue donc une reprise parodique de la Semaine Sainte, à l'octave ou un peu plus tard.

En el tiempo de la granada, la gallina no pone nada. Por Santa Catalina vende tus gallinas, por San Sebastian vuélvelas a comprar. Enero ya es huevero. Por San Antón toda ave pon. Abril hueveril. Le cycle de l'œuf, tel qu'il s'exprime dans les proverbes, confirme notre hypothèse et explique aussi son association rituelle à la date de Pâques. Pénurie de novembre, démarrage de janvier, abondance d'avril : on commence à disposer d'un surplus d'œufs au moment de Carême, juste quand l'interdit religieux en empêche la consommation. D'où la débauche rituelle et festive de Pâques : que faire d'un œuf qu'on n'a pas mangé frais et qui n'a pas non plus été bien couvé ? Inéluctablement il pourrit – àmoins qu'une aubergiste indélicate le serve à un nigaud. Curieux destin celui de l'œuf pris, comme a montré Jean-Pierre Albert, dans un triangle stérilité-maturation-putréfaction selon le dosage du chaud et du froid, du sec et de l'humide en ce temps fantasque du printemps.

Or les thèmes du chaud et du sec dominent ce passage. Chaleur et sécheresse excessives, *Août en Carême* comme dit Lévi-Strauss en parlant des années « boiteuses ». Là encore, c'est la logique symbolique qui prévaut et non pas une volonté réaliste : les tentatives pour fixer la « vraie date » du départ de Guzmán ont peu d'intérêt. Ce qui compte, ce n'est pas le souvenir qu'Alémán ait pu garder de la disette de 1557 ni, non plus, une éventuelle référence au temps qu'il faisait quand il rédigeait son œuvre. Car on ne voit pas ce qu'une telle précision apporterait au sens du passage. Le moment de l'année importe plus que l'année. Ce sont les saisons, en effet, qui sont investies d'une valeur symbolique et non pas telle ou telle année. Ce qui compte, c'est le désaccord entre un printemps qui est synonyme de renouveau de la vie et l'asphyxie caniculaire qu'on y souffre. Car ce télescopage d'août et d'avril – mois fortement investis de symbolisme par le narrateur lui-même – fait écho, dans la série des saisons, à la structure des repas trompeurs. Il y a duperie sur le climat, comme il y a duperie sur la marchandise. La chaleur d'août en avril, c'est comme les œufs couvés à la place des œufs ou le mulet à la place de la génisse. Un temps truqué, un monde piégé, où les choses ne sont pas ce qu'elles devraient être, comme il se doit dans les rites de passage.

Le thème de la stérilité est ici particulièrement important car il met « en résonance » la série des saisons et celle des repas. La stérilité du climat, c'est un mixte de chaud et de sec. Celle des repas tient à la nature des mets consommés. Mi-œuf mi-poulet, l'œuf couvé est stérile par échec de la gestation. Mi-âne mi-jument, le mulet est naturellement stérile. C'est le mythème de la stérilité des hybrides qui apparaît ici. Et qui nous permet enfin de comprendre en quoi consiste au juste ce repas. Car telle est la question à laquelle nous devons maintenant très concrètement répondre : comment devient-on picaro ?

La maman, la putain, le juif et le voleur

Le picaro est un fils de pute. C'est un fils de voleur aussi. C'est, très exactement, le fils d'une pute et d'un voleur. Or peut-on être un fils de pute ? La question paraît futile, elle ne l'est pas. Car un fils de pute, ça ne devrait pas exister, c'est une aberration, une erreur de la nature : à vrai dire, un monstre.

Depuis Aristote, et jusqu'à une date extrêmement récente, on a cru que les prostituées étaient stériles. C'était encore l'opinion la plus répandue parmi les médecins et hygiénistes du siècle dernier. Il commençait certes à s'élever alors quelques voix pour proposer des explications différentes au taux de natalité, anormalement bas en ce milieu par rapport à l'intensité de l'activité copulatoire. Mais seuls quelques originaux à contre-courant parlaient de moyens contraceptifs, d'avortements répétés ou d'infections suivies d'adnexites. Ils avaient contre eux la voix unanime de la Faculté qui, depuis le Moyen Age, s'en tenait à la thèse de la stérilité. Car les explications ne manquaient pas pour rendre compte d'un phénomène aussi paradoxal et étrange.

Et tout d'abord, la chaleur. Car, par rapport aux hommes, qui sont chauds et secs, les femmes sont naturellement froides et humides. Or les prostituées, chaudes et humides, sont à la fois trop femmes et pas assez. Plus humide que la moyenne, leur utérus laisse glisser la semence. Ou trop chaud, il peut la brûler. Quoi qu'il en soit, la prostituée est stérile : sa climatologie interne n'est pas favorable au développement de l'embryon. Elle est détraquée, comme est détraqué le climat de Séville au moment du départ de Guzmán.

Plus curieuse est la théorie des deux orgasmes féminins. Le premier serait dû au brutal passage du froid naturel à la chaleur apportée par l'homme, le deuxième à une émission spermatique proprement féminine. Or ces filles, déjà torrides avant l'acte, ne peuvent que manquer le premier. A moins que, selon une autre version, ce ne soit le deuxième qui fasse défaut. En tout cas leur plaisir est incomplet, ou inexistant, et c'est pour cela qu'elles n'engendrent rien. L'idée sous-jacente – encore vivace aujourd'hui – est que sans orgasme il n'y a pas fécondation. Or, indépendamment même des altérations climatiques de leur utérus, il y a une raison fondamentale qui s'oppose au plaisir de la prostituée : c'est qu'elle fait ça pour de l'argent. Au point que c'est par exception à cette règle qu'elles sont, de temps en temps, fécondes. Il y a fils de pute à chaque fois que la mère a éprouvé du plaisir. C'est très rare, mais cela arrive parfois : le fils de pute est par excellence un fils du plaisir, ce plaisir qui, normalement, est aux putes refusé. Mais c'est une exception, un monstre, qui vient contredire la stérilité naturelle des putains.

Or ce rapport entre la stérilité et l'argent est capital. Car l'argent est le maillon, jusqu'ici manquant, qui permet de faire tenir ensemble les pièces du puzzle. C'est, dirait Deleuze, l'objet = X qui circule entre les séries de la structure picaresque, comme la couronne de *Falstaff* ou le mouchoir d'*Othello*. Il occupe la « case vide », comme le *mana* selon Lévi-Strauss : équivalent général ou joker, dont l'autre face est le picaro lui-même, parasite circulant entre toutes les séries sociales.

Or si les putes n'éprouvent pas de plaisir c'est parce qu'elles font, comme on dit, commerce de leur corps. A l'instar des usuriers, ce sont des voleuses, elles vendent ce qui ne leur appartient pas : le temps dans un cas, le corps dans l'autre. Le travail de Le Goff sur la figure de l'usurier ne laisse aucun doute. C'est le voleur par antonomase, puisqu'il vole Dieu : jour et nuit, sans respecter dimanches et fêtes, le temps travaille pour lui. Or le temps appartient à Dieu, et l'argent est naturellement infécond : *nummus non parit nummus*. Et l'usurier veut que son argent engendre de l'argent « comme un cheval engendre un cheval ou un âne un âne ». Cette remarque d'un théologien montre bien en quoi le péché d'usure est contre nature. Faut-il s'étonner que le profit qu'on en retire soit lui-même monstrueux, comme le croisement des espèces asine et chevaline, qui produit les mulets ? Quand on s'obstine à rendre fécond ce qui est stérile, il naît un monstre. Or la pute aussi, en monnayant son corps, en tire un profit illégitime, elle rend féconde sa stérilité. Faux-métiers où l'on ne produit rien et dont on tire un produit frauduleux. Tératologie économique, qui correspond à une fécondité non naturelle.

Peut-on, en ces circonstances, imaginer monstre plus inconcevable que le fils d'une pute et d'un usurier juif ? Surtout si cet usurier, de surcroît sodomite comme tous ceux de sa race, est lui-même un hybride androgyne – stérile donc, comme tous les hybrides ? Si le picaro est un tel monstre, on comprend qu'il n'ait aucune place dans la société des hommes, qu'il soit réduit à en hanter les marges. Mais on ne naît pas picaro, on le devient. Être le fils d'une pute et d'un usurier est condition nécessaire pour devenir picaro. Ce n'est pas condition suffisante. Encore faut-il que le monstre assume sa monstruosité, qu'il incorpore sa maudite ascendance.

Père et mère mangeras

Les œufs couvés sont servis par une femme, les abats du mulet par un homme. Cette pseudo-nourriture, mêmement hybride et stérile, se distingue néanmoins par les sexes auxquels elle renvoie : univers féminin dans un cas, masculin dans l'autre. Couvé, choyé par sa maman, Guzmán s'attendrit à midi au souvenir des œufs qu'elle lui cuisinait. Et, pris de nausées comme une femme enceinte, il vomit son déjeuner, ce produit d'un avortement. Or quand il découvre qu'il a mangé du mulet, c'est au fait que nous sommes tous Fils de l'Ane qu'il pense. « Casi era comer de mis propias carnes, por la parte que a todos toca la de su padre ». Peut-on dire plus clairement qu'il se mange lui-même, d'abord sous l'espèce de la mère, puis sous celle du père, consommant ainsi son héritage ? On comprend, dès lors, pourquoi il fallait deux repas trompeurs et non pas un ou trois : c'est parce que chacun naît de la conjonction de deux autres, différents par le sexe. Tout rite de passage répète une naissance. La phase de mort symbolique y est aussi celle de la gestation puisqu'il faut, le lendemain, renaître : gestation par ingestion, comme il arrive si souvent dans les mythes et les rites. Tous les détails prennent sens désormais. Même les plus insignifiants comme le fait qu'il y ait aussi des œufs au dîner : une omelette de cervelle de mulet, c'est exactement cela qu'il mange. Or nous ne savions que faire de cette superposition des œufs et du mulet et c'est pourquoi nous ne l'avions pas évoquée jusqu'ici. Mais tout est clair, dès qu'on se rappelle que le père ainsi dévoré était lui-même double, homme et femme, comme ce monstre de Ravenne qui lui sert d'emblème. Désormais seul au monde, mais ayant assumé son identité de monstre, Guzmán peut commencer sa carrière.

Il lui reste cependant à s'intégrer au monde qui va devenir le sien. C'est le sens de la dernière phase du rite, qui a lieu dimanche. Nous serons très bref, car les choses maintenant sont tout à fait claires. Après avoir mangé la chair du mulet, Guzmán découvre la peau de l'animal, ce qui confirme ses soupçons. Puis il se bat avec l'aubergiste qui lui a volé sa cape, le dénonce aux archers, et passe à son tour du côté des trompeurs à partir du soir, quand il arrive à la troisième auberge. Là encore les moindres détails prennent sens. Ainsi la mystérieuse disparition de la cape, qui ne sera jamais éclaircie dans le roman. Comment ne pas y voir une métaphore de la protection maternelle et, plus concrètement, de la membrane amniotique dont il se dépouille en (re)naissant ? D'autant plus qu'elle est aussitôt remplacée par une canne, phallus dérisoire du picaro, version roturière de l'épée. Un psychanalyste dirait qu'il a, pendant ces trois jours, traversé l'Oedipe. Mais les psychanalystes ne font que traduire en leur langage ce que mythes et rites disent, depuis toujours, dans le leur.

Cette lecture, aventureuse et risquée, laissera peut-être sceptique. C'est cependant la première qui, à notre connaissance, essaie de tenir compte de *tous* les éléments de l'épisode et d'exhiber une logique qui, sans contredire celle du folklore, en réinscrit autrement le sens, conformément aux lignes de force de la nouvelle structure où il s'actualise : celle du picarisme. Sans doute est-ce l'ingestion du couple parental qui, par ce qu'elle a de révulsif, devrait susciter le plus de réticences. Et il est vrai que cette interprétation est tributaire de références ethnologiques dont l'auteur, à coup sûr, ne disposait pas. Mais ce dernier n'a pas le monopole du sens, qui constamment se réécrit dans les successives lectures d'un texte. Que si l'on trouve la nôtre trop « moderne », on veuille bien se rappeler que c'est la même qu'en fit, à l'époque, le plus perspicace et le plus haineux de ses lecteurs. Car c'est sans aucun fard ni métaphore que, dans le *Buscón*, le jeune Pablos dévore son père dans une monstrueuse et diabolique parodie du rite eucharistique – celle-là même qui, à notre avis, se trouve en filigrane dans le rite de passage du *Guzmán*. Poussant la logique du picarisme à l'extrême limite de ses possibilités jusqu'à la faire culbuter sur place, Quevedo raconte comment après l'exécution de l'usurier juif, le bourreau – qui est son propre frère – en débite le corps et le vend par quartiers à un boucher qui, derechef, le transforme en chair à pâté. Et c'est ce *pastel* qu'ingurgite le picaro : le même, rappelons-nous, dont Guzmán fut privé le premier soir sous le portail de Saint-Lazare, à la bifurcation des chemins.

BIBLIOGRAPHIE

Nous avons dû nous résoudre, pour des raisons de place, à supprimer toutes les notes à un texte qui en aurait exigé des dizaines. Nous espérons que ces quelques références bibliographiques – réduites au minimum – pourront, dans une certaine mesure, suppléer leur absence.

ALBERT Jean-Pierre, « Les œufs du Vendredi saint dans le folklore français », *Ethnologie française*, XIV, 1984, 1, pp. 29-44.

CABROL dom Fernand et LECLERCQ dom Henri, *Dictionnaire d'archéologie chrétienne et de liturgie*, Tome I, 2, Paris, Letouzey et Ané, 1924, s.v. « Ane ».

DELEUZE Gilles, « À quoi reconnait-on le structuralisme ? » *in* François CHATELET, *La philosophie au XXᵉ siècle*, Paris, Hachette, 1973 (rééd. Marabout, 1979, pp. 293-320).

CLEMENT Félix, « Drame liturgique : l'âne au Moyen Age », *Annales archéologiques*, vol. XV, 1855, pp. 372-386 et vol. XVI, 1856, pp. 26-38.

DEONNA Walter, « *Laus Asini*. L'âne, le serpent, l'eau et l'immortalité », *Revue belge de Philologie et d'Histoire*, XXXIV, Bruxelles, 1956, pp. 5-6, 337-364, 623-658.

DOUGLAS Mary, *Purity and danger*, Londres, Routledge & Kegan Paul Ltd, 1967.

DU CANGE, *Glossarium mediae et infimae latinitas*, s.v. « Festum (Asinorum) ».

DUVERNAY-BOLENS Jacqueline, « Un trickster chez les naturalistes : la notion d'hybride », *Ethnologie française*, XXIII, 1993, 1, pp. 145-152.

FABRE-VASSAS Claudine, « Juifs et chrétiens autour du cochon », *in Identité alimentaire et altérité culturelle*, Neuchâtel, 1986, pp. 59-83.

FOUCAULT Michel, *Histoire de la folie à l'âge classique*, Paris, Plon, 1961.

HEERS Jacques, *Fêtes des fous et Carnavals*, Paris, Fayard, 1983, pp. 136-189.

JACQUART Danielle, THOMASSET Claude, *Sexualité et savoir médical au Moyen Age*, Paris, P.U.F., 1985, pp. 36-37 et 260-261.

JOLY Monique, *La bourle et son interprétation*, Lille, Atelier de reproduction des thèses, 1986, pp. 355-362 et 487-523.

JOLY, « Onofagia y antropofagia », *in* José Luis ALONSO (ed), *Literatura y folklore : problemas de intertextualidad*, Salamanca, 1983.

LAHARIE Muriel, *La folie au Moyen Age*, Paris, Le Léopard d'Or, 1991, pp. 277-288.

LAQUEUR Thomas W., « El mal social, el vicio solitario y servir el té », *in*

FEHER Michel, NADDAFF Ramona et TAZI Nadia, *Fragments for a History of the Human Body*, Urzone Inc. New-York, 1989 (trad. esp., Madrid, Taurus, 1990, tome III, pp. 334-342).

LE GOFF Jacques, *La bourse et la vie*, Paris, Hachette, 1986.

TERTULLIEN, *Ad nationes*, I, 14, in MIGNE, *Patrologie Latine*, t. 1, col. 651.

TURNER Victor (ed), *The ritual process, structure and antistructure*, London, Routledge and Kegan Paul, 1969.

VAN GENNEP Arnold , *Manuel de folklore français contemporain*, Tome I, 3, Paris, A. et J. Picard, 1947, pp. 1320-1355.

VAN GENNEP Arnold, *Les rites de passage*, Paris, E. Nourry, 1909.

Fig. 1 *Alaxamène adore son Dieu* (Graffiti du Palatin)

Fig. 2. À propos de la cape de Guzmán : Enfant couvert de la membrane amniotique (né coiffé)
in Ulises ALDROVANDI, *Monstrorum Historia*, Bologne, 1642.
(On ne manquera pas de réfléchir sur la notion de *réalisme de la représentation* telle qu'elle se
trouve illustrée à l'époque dans un ouvrage « scientifique ».)

Hibridismo y convergencia de formas en los *Diálogos de apacible entretenimiento* de G. Lucas de Hidalgo

Angelina COSTA
Universidad de Córdoba

Si tuviéramos que definir la forma literaria del diálogo por una sola característica, no dudaríamos en destacar su permeabilidad[1]. En los Siglos de Oro y, sobre todo, durante el siglo XVI, etapa en la que se componen la mayoría de los diálogos, esta esencia proteica permitió que el diálogo acogiera en su amplio seno una gama de variadas posibilidades. En forma de diálogo pudieron escribirse tratados filosóficos, religiosos, científicos, retóricos, satíricos, narrativos, etc. En realidad, con este carácter versátil, el diálogo comparte el hibridismo genérico del que participan muchas manifestaciones literarias de los siglos áureos, aunque tal vez sea en el *corpus* del diálogo donde más se evidencia la confluencia de distintas variedades genéricas[2].

Es necesario partir, por tanto, de que la realización formal del diálogo es absolutamente libre y su materialización temática será tan variada como nos permita la más amplia concepción de la fluctuabilidad intergenérica en la época.

Por este camino de la libre configuración del diálogo como género marcharán las líneas que siguen. Acoto con este fin un tipo de diálogo, el diálogo llamado «misceláneo», aquel que, de los muchos tipos posibles, discurre con menos bridas.

En efecto, en esta clase de diálogos predomina, más que en cualquier otra, la impureza del género, pues participa de la indefinición de límites de los diálogos y de las misceláneas[3], surgidos

---

[1] *Vid.* sobre este aspecto A. Prieto, «Nota sobre la permeabilidad del diálogo renacentista», en *Estudios sobre el Siglo de Oro. Homenaje al profesor Francisco Ynduráin*, Madrid, Editora Nacional, 1984, pp. 367-381, que amplió después en *La prosa española del siglo XVI*, I, Madrid, Cátedra, 1986, especialmente pp. 99-217. La bibliografía sobre el diálogo renacentista ha crecido extraordinariamente en los últimos años; *vid.* el completo estado de la cuestión que Lía Schwartz expone en *Ínsula*, 542, febrero 1992, pp. 1-2 y 27-28, número en el que se incluyen también artículos de destacados especialistas. Como estudios de conjunto, *cf.* los trabajos de Jacqueline Ferreras Savoye, *Les dialogues espagnols du XVIᵉ siècle ou l'expression littéraire d'une nouvelle conscience*, Paris, Didier Érudition, 1985 y de Jesús Gómez, *El diálogo en el Renacimiento español*, Madrid, Cátedra, 1988.

[2] *Cf.* J. Lara Garrido, «Confluencia de estructuras y sumarización de funciones en el diálogo renacentista (Un estudio sobre los Diálogos de la vida del soldado de Núñez de Alba)», *Analecta Malacitana*, III, 2, 1980, pp. 185-241.

[3] Véanse, entre otros, los trabajos de Asunción Rallo, *Misceláneas del Siglo de Oro*, Barcelona, Planeta, 1983 y «Las misceláneas : conformación y desarrollo de un género renecentista», *Edad de Oro*, III, 1984, pp. 159-179, y Antonio Prieto, *La prosa...*, *op. cit.*, pp. 219-263.

Hommage à Robert Jammes (Anejos de *Criticón*, 1), Toulouse, PUM, 1994, pp. 263-272.

ambos para la literatura española durante el Renacimiento y que, como nacidos en esta época, responden «al sentido de *satura,* de mezcla que anima» este tiempo[4].

Estos diálogos misceláneos no son una mera confluencia de ciertas constantes de los dos géneros que les dan nombre. Su resultado no puede ser la suma de algunos de sus rasgos comunes, sencillamente porque ya son difíciles de perfilar éstos como géneros independientes y porque no existió una preceptiva teórica en la época que pudiera encerrarlos en unos límites normativos capaces de coaccionar su esencial libertad. Precisamente, esta ausencia de barreras es, en mi opinión, el mejor campo abonado para sembrar no sólo las plantas propias del diálogo y de las misceláneas sino las que crecen en otros campos genéricos, aquejados también de condicionamientos teóricos. Un ejemplo demostrativo de esta amplitud o de esta falta de hitos fronterizos lo hallamos en la narrativa de ficción, tan suelta de ataduras como aquéllos. Por esto, ciertas modalidades narrativas, como la picaresca, aportan a algunos de los diálogos misceláneos el subjetivismo de la narración en primera persona[5]. Esta corriente formalmente autobiográfica que, como es sabido, no es privativa de la picaresca, proporciona en muchos casos las dosis de credibilidad en lo narrrado que tanto se habían echado de menos cuando se enjuiciaban los viejos libros de caballerías. La búsqueda de la verosimilitud se hizo más acuciante según se viven las últimas décadas del siglo XVI y se avanza en la centuria siguiente. La declaración de «hechos verdaderos», de «sucesos ciertos» vividos por el narrador o por persona de su entera confianza es tan común que la forma autobiográfica supone, sobre todo, un recurso más que añadir a esta configuración verista que impregna muchos géneros literarios de la época. La autobiografía, pues, insiste en hacernos creer lo contado, y si quien lo cuenta adopta el diálogo como vehículo de expresión de sus experiencias, la credibilidad en el esquema propuesto crece.

Además, estos diálogos misceláneos cumplen con la doble función del hecho literario: el *docere* y el *delectare* horaciano que tanto preocupaba a teóricos y creadores. El diálogo, en su manifestación más clásica, hace hincapié en lo didáctico mientras que la miscelánea se inclina más hacia la divulgación y el entretenimiento.

De hecho, este diálogo misceláneo proviene de la relajación del diálogo didáctico hacia maneras compositivas más flexibles en las que el proceso lógico argumentativo y el mismo desarrollo discursivo abandonan la rigidez de la lógica y del orden retórico para dar cabida a diferentes aspectos circunstanciales. Éste será el portillo por el que entrarán otras formas dialécticas como las dramáticas y novelescas e, incluso, las no estrictamente dialógicas, que en el tipo de diálogo misceláneo que nos ocupa contribuirán aún más a un hibridismo genérico conscientemente buscado.

Precisamente será sobre la base de estos diálogos didácticos más abiertos y relajados que Jesús Gómez llama *diálogos circunstanciales* –porque en ellos «se imponen las circunstancias concretas de cada diálogo [...] sobre el proceso general de argumentación lógica»[6]–, donde se sitúen unos interlocutores que expresarán, no tanto una verdadera doctrina, como una opinión matizada por sus circunstancias personales.

En efecto, la abstracta argumentación lógica –esencial en la mayoría de las manifestaciones dialécticas clásicas– deja de ser imprescindible en cuanto irrumpen en los diálogos circunstancias

---

[4] Antonio Prieto, *ibid.*, p. 101.

[5] Existe abundante bibliografía sobre este tema, como muestra menciono sólo algún trabajo panorámico como el de Randolph D. Pope, *La autobiografía española hasta Torres de Villarroel*, P. Lang Franfurt, Herbert Lang Bern, 1974. Sobre la autobiografía en la novela picaresca, *vid.* J. V. Ricapito, *Bibliografía razonada y anotada de las obras maestras de la picaresca española*, Madrid, Castalia, 1980.

[6] *Op. cit.*, p. 63.

donde los interlocutores se colocan en situaciones concretas temporales y espaciales que convierten el texto dialogado en algo mucho más cercano a lo que podría ser una conversación real[7]. No obstante, las diferencias entre diálogo y conversación están debidamente marcadas y la distancia no es otra que la que hay entre un texto que transcriba una conversación realmente mantenida y otro texto que sólo tome como soporte el discurso conversacional, dotándolo de los recursos necesarios, para que adquiera la apariencia de la auténtica conversación pero restando de ésta la improvisación, el desorden, los anacolutos, las pausas y tiempos muertos, etc.

Está claro que el fin pretendido al imitar los recursos expresivos de la conversación corriente es el de acercar el diálogo didáctico a un mayor número de lectores por lo que, para ser consecuentes, sus autores no se olvidan de que la lengua de los interlocutores debe estar a la altura literaria que le es estilísticamente consustancial. Intentan, por consiguiente, esconder la erudición y la retórica bajo una capa de familiaridad coloquial sin perder de vista el decoro que el género precisa.

Un recorrido por la historia del diálogo y por sus más importantes cultivadores: Platón, Cicerón y Luciano y después Erasmo, nos proporciona unas claves interpretativas para este tipo de diálogo impuro. Casi nada le debe a los platónicos, muy poco a los ciceronianos, pero sí a ciertas modificaciones que Luciano y después Erasmo imponen a los paradigmas de los primeros. Tal vez la más relevante sea la incorporación de elementos humorísticos y satíricos, de acuerdo en muchos aspectos con las convenciones de la sátira menipea de las que es partícipe este diálogo circunstancial en el que lo doctrinal se contamina de lo literario[8]. Estos diálogos se construyen según los moldes de «las sátiras lucianescas, que *deleitan aprovechando*» porque «la crítica de ideas y doctrinas extratextuales no se articula en el desarrollo lógico y persuasivo de un argumento abstracto, sino que motiva el desenmascaramiento de figuras de escarnio, que representan los *vitia* de los hombres»[9].

Pese a su apariencia, este subgrupo del diálogo doctrinal, no es tan homogéneo ya que no todos los textos dialogados que incorporan elementos satíricos pueden adscribirse sin pestañear a una misma y única modalidad genérica. Tal vez, dentro de la fluctuabilidad intergenérica del diálogo, sea el llamado misceláneo en el que se detecta –como venimos diciendo– un hibridismo más evidente.

Pero, si distinguir el diálogo de otros géneros supone, sin duda, una labor ardua, mayor dificultad entraña ubicar este tipo de diálogos misceláneos tan cercanamente emparentados con formas dramáticas y narrativas. En realidad, en sentido lato, cualquier obra literaria puede escribirse total o parcialmente «a la manera de diálogo» y, de este modo, beneficiarse de aquellos valores pragmáticos que se derivan de toda forma dialogada y que de modo general, remiten a los personajes de ficción cuya voz sustituye a la del narrador. Así, el enunciado de un pensamiento, las referencias sociales –con frecuencia deducidas de los distintos niveles lingüísticos– y, en fin, la caracterización de los interlocutores, se transmiten sin la voz intermediaria del narrador, al menos de una manera explícita, pues, como ya hemos apuntado, el narrador consigue un acercamiento espacial y temporal a los personajes[10].

---

[7] *Vid.* A. Vian, «La ficción conversacional en el diálogo renacentista», *Edad de Oro*, VII, 1988, pp. 175-186, y J. Gómez, *op. cit.*, pp. 77- 85.

[8] *Cf.* J. Gómez, *op. cit.*, pp. 113-115 y J. Ferreras, «Didactismo y arte literario en el diálogo humanístico del siglo XVI», *Criticón*, 58, 1993, pp. 95-102.

[9] Esta es la opinión de Lía Schwartz, expuesta en *Ínsula*, cit., p. 28, y más ampliamente, en «Golden Age Satire: Transformations of Genre», *MLN*, 104, 1989, pp. 260-282.

[10] Para una exposición teórica general sobre éstos y otros aspectos, *vid.* el reciente estudio de M. C. Bobes Naves, *El diálogo. Estudio pragmático, lingüístico y literario*, Madrid, Gredos, 1992, especialmente, pp. 151-330.

La elección de la forma dialogada tiene, como vemos, ventajas indudables pero tal vez la más destacable sea la de su efectividad, sobre todo por su economía expresiva. Precisamente esta razón había sido esgrimida por Cervantes para emplear la forma dialogada en su *Coloquio de los perros*: «El coloquio traigo en el seno; púselo en forma de coloquio por ahorrar de *dijo Cipión, respondió Berganza,* que suele alargar la escritura»[11], es decir, sin el engorro de los continuos *verba dicendi*. Además, esta forma dialogada le ha permitido reproducir «casi por las mismas palabras que había oído [...] sin buscar colores retóricas para adornarlo, ni qué añadir ni quitar para hacerle gustoso»[12]. Para Cervantes la forma dialogada acentúa la verosimilitud hasta el punto de que permite al más incrédulo de los receptores admitir incluso que dos perros pueden hablar[13].

Lo hasta aquí expuesto no clarifica una situación enriquecedoramente confusa. Precisamente esta indefinición es la que mejor define a este heterogéneo *corpus* de obras en las que se incluyen las misceláneas dialogadas. El «género mixto» pasará por ser el mejor de todos porque en su valoración se hallan implícitos los fundamentos de una estética dominada por la variedad[14]. La bandera de la variedad ondeará en la literatura áurea insuflada por vientos acumulados desde Aristóteles, Horacio, Quintiliano, Marcial, etc. En fin, como resume Aurora Egido, «la variedad aparece además como argumento en la dialéctica de la admiración, en la teoría de los géneros y en las discusiones sobre la poética de la poesía y de la prosa»[15]. Pero no es éste el momento de extenderme sobre algo que ya traté en otro lugar[16].

Sin duda es la prosa de ficción la que se convierte, desde sus primeras manifestaciones, en el marco más flexible para que en su seno se alternen y quepan las formas literarias más variadas. De este modo, los libros de pastores, como la *Diana* de Montemayor y sus descendientes, incluida la *Galatea* de Cervantes, toman como base un hilo argumental que se ve enriquecido por la interpolación de las más diversas variedades genéricas, algunas en forma dialogada. Así un libro de difícil clasificación, aunque cercano a la modalidad llamada «bizantina», «griega» o «de aventuras», como es la *Selva de aventuras* (1565) de Jerónimo de Contreras, intercala varios diálogos sin que, de acuerdo con los gustos de la época, sufriera su resultado compositivo menoscabo alguno. La lista podría extenderse y de hecho, en las últimas décadas del siglo XVI y durante el XVII, abundan las obras que acogen esta variedad genérica[17].

---

[11] Cito por la ed. de J. B. Avalle-Arce, *Novelas Ejemplares*, vol. III, Madrid, Castalia, 1982, p. 238.

[12] *Ibid.*

[13] Un apunte interesante sobre este aspecto puede verse en B. W. Ife, *Lectura y ficción en el Siglo de Oro*, Barcelona, Crítica, 1991, especialmente, pp. 39-44, (trad. esp. de J. Ainaud del original *Reading and Fiction in Golden-Age Spain*, Cambridge, 1985).

[14] Al recurso retórico de la 'variedad' se le han dedicado estudios desde diversos puntos de vista, difíciles de sintetizar aquí. *Vid.*, no obstante, los de Aurora Egido: «La 'hidra bocal'. Sobre la palabra poética en el Barroco», *Edad de Oro*, VI, 1987, pp. 79-183, y «La varietà nell'Agudeza di Baltasar Gracián», en *Baltasar Gracián. Dal Barocco al Postmoderno, Aesthetica pre-print*, 18, 1987, pp. 25-39; versión española en Syntaxis, 16-17, 1988, pp. 49-61; reimpresos ambos en *Fronteras de la poesía en el Barroco*, Barcelona, Crítica, 1990, pp. 9-55 y pp. 241-258 respectivamente.

[15] La variedad en la Agudeza de Gracián, art. cit. por *Fronteras de la poesía en el Barroco, op. cit.*, p. 243.

[16] «La variedad como estética barroca en las fábulas mitológicas de Villamediana», *Glosa*, 2. In memoriam Ana Gil (1991), pp. 65-80.

[17] La lista sería interminable y en ella deben incluirse algunas obras de Torquemada, como el *Jardín de flores curiosas,* de Guevara, o la mismísima *Silva de varia lección* de Pedro de Mexía, paradigma de las misceláneas. Valga también como botón de muestra, por su gran ifluencia en estas primeras décadas del XVII, el *Peregrino en su patria* (1604) de Lope, donde incorpora autos sacramentales y las más diversas modalidades genéricas.

Bastaría para explicar mejor el fenómeno observar el proceder compositivo de Cervantes en el *Quijot*e de 1605, donde no duda en intercalar episodios que sólo guardan una débil relación con la historia principal sustentada por el binomio protagonista, a diferencia de cómo opera en la segunda parte, en el *Quijote* de 1615, donde no sólo lleva a cabo un procedimiento distinto sino que reflexiona sobre el cambio efectuado en la estructura y toma decisiones al respecto: ya no interpolará historias que no puedan enlazarse con las aventuras de los héroes principales[18].

Pero estos senderos me apartarían también a mí del camino principal, para seguir aquella «escritura desatada» a la que aludía también Cervantes en el *Quijote*[19]. Retomemos, pues, el hilo, recordando de entre las muchas misceláneas dialogadas del mismo corte que se publican en los Siglos de Oro, un olvidado texto: los *Diálogos de apacible entretenimiento* de Gaspar Lucas de Hidalgo.

Esta interesante obra, que casi ha pasado desapercibida para la crítica, se publica en 1605 el mismo año que el *Quijote*. El libro parece que gozó de gran popularidad en su tiempo[20] y, aunque no gustara a Menéndez Pelayo que lo enjuicia severamente[21], conserva hoy cierto valor, acrecentado incluso por el hecho de que, articulado como una miscelánea, acoge en su forma dialógica manifestaciones narrativas y dramáticas[22].

Desde luego, Gaspar Lucas de Hidalgo está decidido a no dar al lector gato por liebre: será una obra para el «apacible entretenimiento»[23], intención enunciada en el título y confirmada en el prólogo:

> Docto consejo y advertencia santa de santos y doctos varones es entreponer el gozo y el recreo a los trabajos del mundo [...] Trabajos ha de haber [...] y pues los ha de haber, también es necesario el alivio para esta carga tan pesada [...] y, por otra parte se van descuidando en acudir con los alivios, determiné de suplir alguna parte deste descuido, ofreciendo al ánimo fatigado este rato de apacible entretenimiento, que por ser materia de placer [...] le llamé *Diálogos de apacible entretenimiento*. Confieso que la materia es de pasatiempo, mas no por eso debe ser juzgada por inútil. Porque ¿quién hay que, puesto en el teatro desta vida, no se canse de ver representar sus melancólicas tragedias, sin que entre jornada y jornada le diviertan con el entremés de un placer y honesto pasatiempo? Reciba pues el cuerdo lector este juguete, pues sabe que a su tiempo y en su tanto importan las burlas como las veras.[24]

---

[18] Sobre esta cuestión existe una abundante bibliografía; *vid.* los estudios de E. Orozco, ahora recogidos –con magnífica introducción y notas actualizadas– por J. Lara Garrido en *Cervantes y la novela del Barroco*, Granada, Universidad, 1992, especialmente las pp. 41-262, y los de E. C. Riley : su ya clásico, *Teoría de la novela en Cervantes*, Madrid, Taurus, 1966, y, el más reciente, *Introducción al Quijote*, Barcelona, Crítica, 1990, por mencionar sólo los más conocidos.

[19] Concretamente en el citado y analizado capítulo 47 de la primera parte. Para éste y otros muchos aspectos más, *vid.* J. Blasco, «La compartida responsabilidad de la 'escritura desatada' del *Quijote*», *Criticón*, 46, 1989, pp. 41-62.

[20] *Vid.* M. Fernández Nieto, «Función de los géneros dramáticos en novelas y misceláneas», *Criticón*, 30, 1985, pp. 154 y 166.

[21] *Orígenes de la Novela*, Madrid, CSIC, 1962, vol. III, cap. 9, pp. 181 y ss.

[22] También A. Prieto llamó la atención sobre esta obra, como muestra del hibridismo genérico del diálogo, en «Nota sobre la permeabilidad del diálogo renacentista», cit., pp. 367-381, y en *La prosa española en el siglo XVI, op. cit.*, pp. 99-114. En otro sentido, se ocupa del texto de Lucas de Hidalgo M. Chevalier, *Quevedo y su tiempo: la agudeza verbal*, Barcelona, Crítica, 1992, pp. 109-110.

[23] Otras muchas obras de esta época advierten también en sus prólogos que su intención es principalmente la de «entretener». Recordemos los del *Patrañuelo* de Timoneda o las *Noches de invierno* de Eslava por citar sólo dos ejemplos.

[24] Gaspar Lucas de Hidalgo, *Diálogos/ de apaci/ ble entretenimien/ to, que contiene unas/ Carnestolendas de Castilla. Dividido en/ las tres noches, del Domingo, Lunes,/ y Martes de Antruexo*, Barcelona, Cornuellas,

Algunas expresiones de Lucas Hidalgo parecen indicar que «la forma de presentación de los interlocutores y el texto pertenecen con más propiedad al teatro que a la novela»[25]. Sin embargo, en mi opinión, ésta sería una prueba más del hibridismo genérico de la obra y no creo, en cambio, que su autor tuviera intención de representarla, pese a su evidente disposición dramática. Es obra, como otras del mismo corte, para «entretener», como se advierte con frecuencia en sus prólogos, y adopta esta forma dialogada porque facilita la lectura en solitario y en voz alta. El mismo motivo pretextado: unas fiestas de carnaval, en esta obra de Lucas de Hidalgo, unas noches frías, como en las *Noches de invierno* de Eslava, la realización de un viaje[26], como en el *Viaje entretenido* de Rojas y *El Pasajero* de Suárez de Figueroa, o cualquier otra excusa sirve como soporte para entrelazar variedades genéricas muy diversas. Basta que se «finja» que un grupo de personas, para sobrellevar una circunstacia adversa o para celebrar un acontecimiento festivo, decida pasar el tiempo del mejor modo posible para que se ponga el mecanismo en marcha. No hay que olvidar que entre las normas de cortesanía, se tienen muy en cuenta el saber contar cuentos, historias, chistes y cualquier tipo de 'agudezas'. Se valoraba no sólo la capacidad de invención, la novedad o el ingenio sino además cómo se narraban estos cuentos que debían relatarse con gracia[27]. Los tratadistas extienden «esta exigencia de la vida de corte a unos grupos más amplios»[28], por ejemplo a los hombres cultos[29].

Lucas de Hidalgo está, pues, en la línea de estos ejercicios de entretenimiento y de cortesanía: las Carnestolendas deben celebrarse como es costumbre hacerlo en aquella ciudad, Burgos, según las personas de su condición, es decir como «la gente honrada y recogida», que «suelen convocarse unos a otros en sus propias casas y con discretas y alegres conversaciones pasan las noches antes y después de cena» (p. 280), tal y como informa una de las interlocutoras del diálogo[30]. Los

---

1605 (B.N. R/10464). Cito por la edición incluida en la BAE, XXXVI, p. 279, y, de ahora en adelante, en el texto.

[25] M. Fernández Nieto, art. cit., pp. 154-155, se hace eco de la valoración que hizo sobre la obra Menéndez Pelayo en *Orígenes de la Novela, op. cit.*, p. 181. En nota, Fernández Nieto insiste en el aspecto teatral de estos *Diálogos de apacible entretenimiento*, tanto por su distribución como por la entrada de los distintos personajes, n. 7, p. 155.

[26] El «viaje» es uno de los pretextos más comunes en estas obras misceláneas ya que la movilidad de los personajes permite una observación de los lugares a los que se llega o por los que se pasa, que fácilmente se convierten en motivo de conversación o dan pie para reflexiones históricas, costumbristas, morales, etc. Como es sabido, el recurso del «viaje» no es privativo de este tipo de obras y hasta podemos afirmar que de las distintas modalidades narrativas de la época : caballerías, picaresca y, por supuesto, bizantina, casi todas –las sentimentales y pastoriles son más estáticas– toman el «viaje» como motivo estructural recurrente. Abundan los estudios sobre el tema abordados desde diversas ópticas interpretativas.

[27] Así lo aconsejan, por ejemplo, Castiglione en el *Cortesano*, y sus continuadores: Gracián Dantisco en el *Galateo español*, Luis de Milán en el *El Cortesano*. Es habitual en los tratados de urbanidad de la época, recomendar que las damas y caballeros de la corte supieran incorporar a su conversación cuantos elementos hicieran más amena su charla. El arte de contar se había convertido en algo considerado como de buen tono ; *vid.* A. Blecua, prólogo a su edición de *Las seiscientas apotegmas de Juan Rufo*, Madrid, Espasa-Calpe, 1972, p. XXIV.

[28] Véase M. Chevalier, *Quevedo y su tiempo : la agudeza verbal, op. cit.*, pp. 11-24; la cita en p. 13.

[29] Así se aconseja en el *Scholástico*, en el *Galateo español*, en las *Epístolas familiares* de Guevara y en la *Miscelánea* de Zapata, entre otras obras.

[30] Concretamente Doña Petronila, esposa de Fabricio. El motivo de arranque, es decir, celebrar el Carnaval conversando, no es nuevo. Como asunto dramático ya estaba en las *Églogas* de Juan del Encina, por ejemplo. Estos mismos *Diálogos* de Lucas Hidalgo, parecen ser el modelo inmediato de unas «Justas poéticas» incluidas en el *Deleytar aprovechando* de Tirso igualmente distribuidos en los tres días de Carnaval y cuyos interlocutores son también matrimonios. La divergencia estriba sobre todo en que «las

papeles se reparten de manera que los personajes también manifiesten, por su situación social sobre todo, distintos puntos de vista. Un matrimonio, formado por Doña Petronila y Fabricio desea reunir en su casa durante las noches de carnaval a otro matrimonio amigo, Don Diego y Doña Margarita a los que se les une Castañeda, criado de un noble de la ciudad que cumple la función del «gracioso» de la comedia y de quien se dice que viene «hecho una sal» (p. 281).

Ya desde el comienzo los personajes muestran su ingenio con los juegos de palabras como los expresados por Doña Petronila: «Pues en materia de usos, por lo que tienen de rueca, yo, como mujer, os diré los husos con que por acá hilamos el cerro de los Antruejos» (p. 280). O más adelante, cuando recibe al matrimonio invitado con estas palabras: «Sean vuesas mercedes tan bien venidos como son bien avenidos» (p. 281).

Muy pronto les vienen a la memoria los primeros cuentos, algunos cuyo tono picante se justifica por los días festivos en que se narran, igual que los que se burlan de predicadores y asuntos religiosos. Entre chistes y cuentecillos se halla ocasión de leer unos *gallos*[31] de Salamanca, comentados por Fabricio quien, como «criado en universidades» (p. 279), se siente no sólo capaz de rescatarlos de su escritorio donde los guarda, también de informarnos de todos su pormenores «porque toda la sal destas cosas consiste en conocer las personas de quien se hace mención» (p. 283). Por esto pide a Don Diego que lea los *gallos* –quien lo hace «muy galanamente» (p. 286)– mientras él va «declarando, cuando se ofrezca, algunas circunstancias con que se entiendan mejor las cosas que se dicen de unos y de otros» (p. 283)[32].

Como si la lectura de los *gallos* salmantinos hubiera dado también pie a los contertulios para organizar sus burlas, a partir del capítulo III, los asuntos están prefijados por Lucas Hidalgo siguiendo las pautas del arte de motejar[33]. Así, en los siguientes capítulos de este «Diálogo primero», que como hemos apuntado transcurre durante la noche del domingo de Carnestolendas, se hacen burlas de los borrachos, de los judíos y, con especial saña, de unos criados que ponen la mesa tan feos que son comparados con diablos. La hiperbólica comparación sirve, además de para desgranar un chiste detrás de otro, para recitar unos versos jocosos acompañados por una guitarra.

---

intenciones de ambos autores difieren radicalmente: mientras Tirso desea cristianizar el carnaval, Lucas Hidalgo se nutre de su vertiente más irrisoria y escatológica», como observa J. M. Oltra, en «La miscelánea en *Deleytar aprovechando*. Reflejo de una coyuntura tirsiana», *Criticón*, 30, 1985, p. 137.

[31] Entre los muchos tipos de discursos que proliferan a partir del Renacimiento para celebrar los motivos más diversos, se cuenta el de la costumbre universitaria de recitar gallos. Algunos han sido estudiados por A. Egido, «De ludo vitando. Gallos áulicos en la Universidad de Salamanca», *El Crotalón*. Anuario de Filología Española, I, 1984, pp. 609-648, y «Un vejamen de 1598 de la Universidad de Granada», en *Homenaje al profesor Antonio Gallego Morell*, I, Granada, Universidad, pp. 445-460. *Vid.* también el estudio general de F. Layna Ranz, «Ceremonias burlescas estudiantiles (siglos XVI y XVII): I. Gallos», *Criticón*, 1991, pp. 141-162; demuestra que, mientras en todas las ceremonias de graduación en «escuelas y universidades había vejámenes; en las de teología había vejámenes y gallos», p. 147. Cree que los incluidos por Lucas de Hidalgo son los únicos impresos en la época, p. 157.

[32] Según G. Lucas de Hidalgo se dijeron estos gallos ante los reyes Felipe III y Margarita de Austria durante su visita a Salamanca. El pie obligado para la 'glosa' no podía ser otro que éste : «El Rey viene a Salamanca» (p. 284).Véanse las documentadas consideraciones históricas sobre estos gallos de F. Layna Ranz, art. cit., pp. 157-161

[33] El «motejar» es una forma de ingenio difícil de definir, vid. M. Joly, *La bourle et son interprétation*, Lille, Université III, 1982, pp. 236-240, y M. Chevalier, *op. cit.*, pp. 25-63. En su opinión, muchos de los relatos incluidos en los *Diálogos de apacible entretenimiento*, « forman un breviario del arte de motejar », *op. cit.*, p. 110

También los cristianos nuevos y la desconfianza que éstos provocaban en la sociedad de su tiempo por conservar a hurtadillas algunas de sus costumbres y ritos son motivo de burla, como en otros muchos textos de la época, en un momento especialmente sensibilizado por este asunto[34].

En el capítulo IV de este «Diálogo primero», aparece un interesante pasaje que denomina el autor «historia fantástica», sobre el «Gigante imaginado» y la «Imposible doncella».

El «Diálogo segundo» transcurre en la noche del lunes con los mismos interlocutores. Predominan en este «Diálogo» las historias y los chistes escatológicos que se justifican también por las fiestas en que son contados. Se repasa también en son de burla a los roñosos y se busca la ocasión para describir una *invención* que los roperos de Salamanca hicieron para celebrar la visita de los reyes a la ciudad[35]. Consistió en una especie de procesión en la que participaban figuras que representaban las partes del mundo, la Guerra, la Victoria y la Paz, además del Gran Turco y la ciudad de Salamanca. También este solemne cortejo da pie para los chistes y las anécdotas, entre ellas una que se refiere a un tal «racionero de la melecina» que se desarrolla por extenso en el capítulo siguiente. Es un cuento escatológico que continúa con interpolaciones y el añadido de otros casos semejantes del mismo corte.

Más adelante, tampoco faltan las menciones a las infidelidades de los esposos y, por tanto, a los cornudos y cornudas. Como vemos, el repaso a los tipos que tradicionalmente son objeto de burlas es bastante completo. El mismo tono se sigue en el «Diálogo tercero», el celebrado durante la noche del martes, último día de Carnaval, también con los mismos personajes. En este caso las pullas se dirigen a las viejas por su vicio de beber «porque no hay mosca que ansí se vaya tras un melero, como una vieja tras una bota o jarro» (p. 303), y también se describe una máscara de dieciocho figuras que cantaban y danzaban y adornaban sus disfraces con «letras» alusivas a la ocasión.

Pero tal vez una de las partes más curiosas sea la que «trata de las excelencias de las bubas» (p. 305), que tanto molestó a Menéndez Pelayo por su tono bufonesco y que, para el ilustre crítico, «puede considerarse como una especie de entremés o farsa»[36], interesante observación que ratificaría aún más el hibridismo genérico.

La extraña e ingeniosa defensa de las bubas la lleva a cabo Don Diego, desde el comienzo calificado de galán por lo que habla como hombre de mundo. Este discurso a favor de las bubas se expone cumpliendo los requisitos de la argumentación lógica del diálogo e incluso al final, aunque el tono sea burlesco, se logra el fin de la *propositio*, es decir modificar, por medio de la *probatio* la creencia u opinión de la que se partía al comienzo. Así como también adapta su exposición a las normas retóricas[37]. El mismo Castañeda, la voz del «gracioso», califica el discurso como pieza de la oratoria:

---

34 Recuérdese que, aunque los judíos sufrieron el decreto de expulsión en marzo de 1492, muchos se quedaron y fueron obligados a convertirse sin que la mayoría de ellos diera muestras de ser buenos cristianos. Mucha más virulencia tenía en estos años de comienzos del siglo XVII el problema morisco, grupo étnico que tras ser víctima de su sublevación de las Alpujarras, sufrió destierros hasta que fue definitivamente expulsado en el otoño de 1609. Sobre este asunto, que tanto preocupó a los españoles de entonces, existe una abundante bibliografía.

35 Muy posiblemente se refiera a la misma visita en la que se dieron los gallos universitarios que se relatan en el «Diálogo primero». Aquí se especifica la fecha en la que entraron en la ciudad: julio de 1600.

36 También señala que este pasaje es «una repetición de la grotesca escena que pasó entre el doctor Villalobos y el conde de Benavente, y que aquel físico entreverado de juglar perpetuó, para solaz del Duque de Alba, en el libro de sus *Problemas*», *op. cit.*, III, p. 181.

37 Un resumen sobre este tipo de argumentación puede leerse en J. Gómez, *op. cit.*, pp. 43-63.

Castañeda. ¡Oh cuerpo de Dios conmigo, qué oración habéis dejado salir del estómago del ingenio! Tráiganme aquí a Demóstenes, que yo le haré conocer que está borracho. Venga Cicerón, que aquí le leerán la cartilla. Límpiese Quintiliano las narices con sus doce libros de retórica; que viviendo en el mundo don Diego, ni faltará elocuencia, ni las bubas andarán sin honra. (Pp. 306-307)

Tras una serie de consideraciones costumbristas –la mayoría de ellas referidas a la comida– aliñadas con algunos chistes picantes, Lucas de Hidalgo traslada a sus *Diálogos de apacible entretenimiento* uno de los motivos recurrentes en estas obras en las que cabe de todo y, por supuesto también, el trillado debate desde los tiempos medievales sobre la mujer. También este párrafo se estructura con los elementos retóricos comunes a estos debates. Hacer referencia a la condición femenina se convierte en tópico en muchas obras dramáticas, en la prosa científica y de ficción y en las diferentes variedades poéticas[38].

Estos textos de carácter misceláneo reservan casi siempre un espacio para recordar las posturas a favor y en contra de la mujer, por otra parte, muy propicio como *occasio disputationis*, ya que caben en este motivo la sátira, el chiste fácil, las dosis más o menos evidentes de moralidad y todos los elementos que habían configurado tradicionalmente el tópico.

En estos *Diálogos* de Lucas de Hidalgo, el peso de la discusión lo llevan Doña Margarita y Fabricio, aunque, antes de entrar en materia, en el capítulo IV, los comentarios intencionados de Doña Petronila y la réplica que recibe del resto de los contertulios preparan el ambiente para que el debate se lleve a cabo. El asunto se centra en un lugar común de estas controversias: la honra femenina y cómo ésta se ve amenazada por los hombres que son quienes precisamente se la exigen como virtud más importante. Fabricio responde a esta idea, expuesta por Doña Margarita, con estas palabras:

[...] Y para que nos entendamos, habéis de saber que para todas cuantas cosas hacemos y dejamos de hacer los humanos, el más fuerte motivo que tenemos es el apetito de la honra y reputación con las gentes. [...] Esta reputación y honra no está de una propia manera situada en el hombre y en la mujer; porque el hombre puede fundar la honra en muchos y diversos títulos y la mujer en uno solo [...] porque ni ellas son menester para letras, ni para jugar las armas ni salir con ellas al enemigo, ni para gobierno que pase de remedar unas mantillas a sus criaturas y dar unas sopillas a los gatos de casa; y si más hacen, es meterse en la jurisdicción de sus maridos y dueños. De modo que sólo pueden conservar reputación y honra en la virtud. (P. 309)

Esta honestidad estriba, por supuesto, en «ser prenda de un solo dueño, de aquí es que tanto será una mujer tenida por virtuosa, y por consiguiente por honrada, en cuanto tuviere de honesta y fiel a su dueño» (p. 309). Al fin y al cabo –sigue argumentando Fabricio– «cada cosa se ha de medir con su fin» y no cabe la menor duda de que

[...] el fin para que se dio la mujer a la naturaleza humana fue para compañera del hombre, de tal manera, que el varón sea su dueño y su cabeza; y como la naturaleza aborrece en cualquiera cosa más de un dueño

---

[38] Generalmente las dos corrientes contrapuestas, a favor y en contra de las mujeres, arrancan de la visión que sobre ellas tuvo la Edad Media y que a su vez mira a los clásicos, a Ovidio y a Juvenal, sobre todo. Las dos tendencias pueden confluir en un mismo autor como prueba Boccaccio, el modelo más imitado: su obra, el panfleto misógino el *Corbaccio* convive con su erudita y enciclopédica *De mulieribus claris*, vertida muy pronto al castellano y de enorme repercusión en España donde abundan los títulos que anuncian estas posturas. El Humanismo y el Renacimiento propician una exaltación de la mujer que no siempre es unánime; recuérdense los *Diálogos de mujeres* de C. Castillejo, citados como ejemplo de la misoginia española del XVI. Sin embargo, ya se percibe en la actitud de Castillejo, un cambio hacia un antifeminismo más sutil e intencionado, de inspiración erasmiana. Esta corriente, aunque rehabilita el papel de la mujer, no deja de criticar sus vicios tradicionales; *vid.* la esclarecedora introducción de R. Reyes Cano: *Diálogos de mujeres*, Madrid, Castalia, 1986, pp. 27-44.

y más de una cabeza, así parece derecho natural que la mujer sea prenda de solo un dueño y miembro de sola una cabeza (p. 309),

mientras que ocurre justamente lo contrario con el otro sexo:

> [...] Pero el hombre no va por este camino; porque, como no fue el fin para que le criaron el ser marido de una mujer, ni solo para ser compañero della en orden a la propagación de los hijos; sino otras muchas cosas [...] De suerte que, lo que sacamos en limpio de todo este discurso es, que la honra toda de un hombre estriba, no en sola una cosa, sino en muchas, y cualquiera una dellas le basta; pero el honor de la mujer sólo está colgado de la honestidad y fidelidad a sus dueños. (Pp. 309-310)

Toda esta argumentación sobre la debilidad o fortaleza de la mujer respecto a la salvaguarda de su virtud se adscribe a la línea seguida en otros muchos debates de corte semejante. No falta ni la apelación a la *auctoritas* ni la inclusión de los ejemplos apropiados[39].

El resto de la obra transcurre por cauces semejantes de chistes, burlas e historietas hasta que en el capítulo V del «Diálogo tercero», entre varios cuentecillos y juegos de palabras, para despedir la reunión en la última noche, se le pide a Castañeda que diga algo «de repente» acompañándose de una guitarra. Mientras que se hace de rogar y prepara el instrumento, todavía tienen los interlocutores ganas de seguir motejando y de contar historietas. Por fin puede «arrojar versos de repente», bastante malos por cierto y así se lo hacen ver los contertulios del improvisado poeta. Para mejorar el resultado, se le pide que diga unos versos alusivos al martes de Carnestolendas en los que repasa todos los tópicos relacionados con estas fechas. Acaba con estos versos, dirigidos, cortésmente a las damas compañeras de tertulia:

> Finalmente, hoy es el día   Y entre todas las que excepto,
> En que más de una Lucrecia   Vosotros sois las primeras,
> Deja el hierro matador   Petronila y Margarita.
> Y toma el de su flaqueza.   Hembras por naturaleza,
> Mas no hay regla tan común   Y por vuestra gran virtud,
> Que alguna excepción no tenga;   Prudentes, nobles y honestas. (P. 316)

Este último poema de Castañeda sí parece bien a los que escuchan, que lo consideran «elegante» y un «buen dejo» para acabar la conversación al filo de la medianoche, cuando ya entra el miércoles de ceniza, principio de la Cuaresma. Con pena se despiden y quedan emplazados para volverse a reunir «para las noches de Navidad, que son a propósito para formar segunda parte de nuestra conversación, con el favor del cielo» (p. 316).

En resumen, estos *Diálogos de apacible entretenimiento* de Gaspar Lucas de Hidalgo, son, como dice Chevalier gráficamente, una auténtica «olla podrida»[40] en la que se cuecen los más variados ingredientes. Precisamente la variedad de elementos es, como hemos visto, la esencia de estas obras misceláneas, muchas de ellas articuladas, por las razones que he apuntado en esta líneas, en forma de diálogo que por su ductilidad resulta una de las que mejor se adaptan a la permeabilidad genérica.

---

[39] Por citar tan sólo otras dos obras, también misceláneas dialogadas y publicadas en los primeros años del XVII, que se hacen eco de este asunto y con los mismos ingredientes, mencionaré el *Viaje entretenido* de Agustín de Rojas y *El Pasajero* de Suárez de Figueroa. También las numerosas colecciones de novelas que se publican en esta época, como las de María de Zayas, Pérez de Montalbán, Salas Barbadillo, Castillo Solórzano, etc., reflejan con frecuencia la visión de la mujer que se tenía en los Siglos de Oro.

[40] M. Chevalier, *op. cit.*, p. 110.

Le personnage de 'El Señor' dans *Terra Nostra* de Carlos Fuentes

Jacqueline COVO
CREATHIS - Lille III

Le lecteur du roman proliférant, *Terra Nostra*, publié en 1975 par Carlos Fuentes[1] est bientôt intrigué de rencontrer dans une œuvre de fiction – qui en revendique la liberté d'invention en s'ouvrant sur un Paris prodigieux, le 14 juillet 1999 – un certain nombre de personnages apparentés à des figures attestées par la science historique ; parmi elles se détache le personnage central, pivot autour duquel se met en mouvement tout l'univers romanesque, Felipe, 'El Señor'.

S'ajoute ainsi, au plaisir du lecteur d'entrer dans un monde imaginaire illimité, l'activité ludique qui résulte de la rencontre entre personnage historique et personnage fictionnel[2]. Du point de vue de l'analyse, *Terra Nostra* est une mine, où le chercheur peut débusquer les traits référentiels qui ont servi de matériau à la construction de cette figure romanesque, étudier les procédés divers – choix, rejets, fusion, élaboration – qui aboutissent à une « synthèse symbolique » de l'Espagne du XVIe siècle[3]. Toutefois, une telle confrontation entre référentiel historique et construction narrative n'échappe à la seule érudition que si elle est mise en rapport avec le processus créateur de l'œuvre et, au-delà, avec la vision du monde de son auteur, qui lui donnent un sens[4].

Aussi pourrait-il être fructueux d'aborder *Terra Nostra* en y recherchant comment s'intègre le personnage de 'El Señor' à l'univers romanesque de Carlos Fuentes ; quels éléments de sa propre lecture du monde et de son imaginaire a-t-il perçus dans l'histoire référentielle sur laquelle il s'appuie, et mis en œuvre dans un ouvrage de fiction.

*

---

[1] Chez Joaquín Mortiz ; nous citons ici l'édition de Seix Barral, Barcelone, 1985.

[2] *Cf.* Ingrid Simson, *Realidad y ficción en « Terra Nostra » de Carlos Fuentes*, Franfurt am Main, Vervuert Verlag, 1989.

[3] Alexis Márquez Rodríguez, « Aproximación preliminar a *Terra Nostra* : la ficción como reinterpretación de la historia », dans *La obra de Carlos Fuentes : una visión múltiple*, ed. Ana María Hernández de López, Madrid, ed. Pliegos, 1988, pp. 183-192.

[4] *La construction du personnage historique*, éd. Jacqueline Covo, Presses Universitaires de Lille, 1991.

Hommage à Robert Jammes (Anejos de *Criticón*, 1), Toulouse, PUM, 1994, pp. 273-280.

S'agissant de l'œuvre d'un écrivain mexicain, et de Carlos Fuentes en particulier, la présence d'un personnage emprunté à l'histoire de l'Espagne, qui tient nombre de ses traits de Philippe II, mais aussi de Charles Quint et d'autres Habsbourgs, peut surprendre. Mais *Terra Nostra* s'affirme comme l'un des éléments du vaste courant de la réflexion mexicaine sur l'identité, comme en témoigne notamment l'interrogation récurrente dans l'œuvre : «quién soy yo ?» (pp. 50, 67, etc.)

Si Fuentes, à la suite de Octavio Paz, a d'abord recherché les racines de la nation mexicaine au Mexique même, y compris dans ses résurgences préhispaniques (*La región más transparente, Cambio de piel, Todos los gatos son pardos, Agua quemada...*) ses composantes européennes s'y sont aussi fait place (*Una familia lejana*). Dans le même temps, le Mexique officiel revalorisait l'apport hispanique dans son histoire, y compris la période coloniale, à laquelle, dorénavant, de nouveaux manuels scolaires font une place accrue, à la mesure, sans doute, des liens économiques et culturels que l'Amérique latine établit avec l'ancienne métropole. Le titre même de l'œuvre, *Terra Nostra*, dans sa totalité ambitieuse, le possessif collectif et l'emploi de la langue latine fondatrice, invite à cet élargissement de la réflexion identitaire qui se fait explicite dans les dernières pages du roman : «... tierra de las vísperas, Hispania, Terra Nostra» (p. 761).

La structure ternaire de l'œuvre, qui fait voyager le lecteur de l'une à l'autre rive de l'Atlantique – *El viejo mundo, El mundo nuevo, El otro mundo* – corrobore l'ampleur du terreau qu'a entrepris de fouiller Carlos Fuentes, au nom de la mémoire collective dont il s'est fait délibérément le chantre. Si la partie intitulée *El mundo nuevo* – dont les indices référentiels renvoient à la patrie de l'auteur – occupe significativement le centre du roman, l'espace-temps de l'ensemble, non moins significativement, recouvre tout son héritage latin, de l'Empire de Tibère au Valle de los Caídos et au Paris de l'exil latino-américain, et de l'aube de l'ère chrétienne au 31 décembre 1999. Ce vaste soubassement historique génère un espace-temps plus circonscrit, où prend place la partie substantielle du récit, explicitement limité chronologiquement : « 1492, 1521 (...), 1598 » (p. 567) ; le repère qu'est la date de la conquête de la Nouvelle-Espagne s'encadre ainsi entre celle de l'arrivée des Espagnols au Nouveau Monde et celle de la mort de Philippe II. Ces bornes chronologiques placent donc le lecteur à la croisée des deux mondes et à la charnière du Moyen Âge et des Temps Modernes.

Tout en refusant de fournir des clefs onomastiques, toponymiques ou chronologiques précises, en brouillant au contraire les pistes par sa liberté d'invention, l'auteur a pris soin de disséminer des indices suffisants pour que le lecteur averti se croit autorisé à identifier un certain nombre de données, sans que jamais une historicité étroite ferme la porte à l'imaginaire ; «su victoria contra los herejes de Flandes» (p. 90) pourrait bien être la chute de Saint-Quentin assiégée par Philippe II en 1557 : elle a, en effet, déterminé la construction de ce palais-mausolée-temple (p. 170) qui, dans la sévérité et la symétrie de son architecture, la forme du gril où Saint Laurent a connu le supplice (p. 99), la crypte destinée aux restes des ancêtres de 'El Señor' (p. 105), ou la disposition de la chambre qui lui permet de suivre la messe de son lit (p. 97), ressemble à s'y méprendre à l'Escurial de Philippe II (p. 99, etc.)[5], cependant jamais nommé. Le lecteur peut, de même, « reconnaître » d'autres épisodes de l'histoire de l'Espagne, dont certains se déroulèrent aussi sous le règne de Philippe II (la bataille de Lépante, pp. 249-250, l'Invincible Armada, p. 651) tandis que d'autres comme les *Comunidades* (pp. 633-655) ou la conquête du Nouveau Monde débordent des limites de cette période. Il semble que, dans une histoire réinventée du XVIe siècle espagnol, fondateur de l'Amérique hispanique, Fuentes s'est intéressé certes à un moment de foisonnement

---

[5] Marta Portal, « El Escurial y la playa », *Alfil, Revista cultural del IFAL*, México, n° 6, mayo de 1990, pp. 49-53.

intellectuel dont rendent compte les divers personnages chargés de références culturelles, mais aussi à une période de transition, où «España ya no cabe en España» (p. 327), une période où les puissances d'argent vont se substituer au pouvoir absolu, même si elles ont encore besoin d'une figure visible du pouvoir pour maintenir en lisière utopies et révoltes : «el mundo fuera de los alcázares ha cambiado y Usted no se ha dado cuenta» (p. 319), dit à 'El Señor' son homme de confiance, Guzmán, à la fois *valido* et double de 'El Señor', et qui, lui-même, est l'incarnation de ce changement de société, où peut-être l'auteur a vu des similitudes avec le Mexique post-révolutionnaire de ses premiers romans. Cette Espagne de l'aube des Temps Modernes fait en tout cas partie de cet héritage revendiqué par Fuentes, qui fait dire à l'un de ses personnages : «…jamás aceptó un pasado que no alimentara al presente, o un presente que no comprendiese el pasado» (p. 27).

Les préoccupations propres au romancier doivent, pour faire vivre le récit et créer le plaisir de la fiction, s'incarner dans des personnages, lesquels prennent aussi en charge les conflits qui assurent la dynamique narrative ; le personnage historique, sans être soumis à aucune « fidélité » à des faits avérés, qui restreindrait la liberté du créateur, doit cependant pouvoir être « reconnu » du lecteur[6], pour assurer à l'Histoire dont il témoigne la fonction que lui assigne l'auteur. S'est donc posé à Carlos Fuentes le problème du choix et de l'élaboration d'un personnage historique de référence, capable de focaliser tout ce que l'écrivain inclut dans l'héritage historique, idéologique, culturel qu'il revendique, en même temps que les thèmes et motifs propres à son univers personnel.

Sans doute une première difficulté résidait-elle dans les limites chronologiques restreintes, au regard de cet héritage, que fixait le choix d'une figure historique définie – 42 ans, par exemple, pour le règne de Philippe II, vainqueur de Saint Quentin, constructeur de l'Escurial et artisan de la Contre-Réforme – par rapport à l'ampleur de champ qu'exigeait le projet de l'écrivain. Mais Fuentes ne s'est pas laissé prendre au piège du respect à un personnage référentiel, et a su tirer parti de la liberté totale dont dispose le créateur pour manipuler le réel. Un premier procédé, classique, est le recours à l'évocation des ancêtres, qui ouvre une perspective rétrospective : les références à Pedro el Católico, qui mata une révolte des Grands comme Charles Quint, et à Jaime el Conquistador qui réprima les hérétiques comme Philippe II (p. 59) renvoient à la fin du XIIe siècle. Le procédé est parfaitement cohérent avec la fonction de mausolée de l'espace du protagoniste et avec l'acheminement des trente cercueils jusqu'à la crypte (p. 183) qui, lui, se réfère à Philippe II. Par ailleurs, si 'El Señor' se prénomme Felipe comme Philippe II, ce prénom est aussi celui de son père dans la fiction, et les attributs de ce dernier – «fue llamado y era el hermoso» (p. 77) –, sa mort et ses déambulations post mortem conduites par la reine folle, sa veuve, renvoient non au père – Charles Quint – mais au grand-père – Philippe le Beau – de la figure historique. Or, la similitude de prénom et la dénomination commune, 'El Señor', établissent une continuité, voire une confusion entre les deux personnages, notamment dans l'épisode de jeunesse, narré par 'El Señor' à Guzmán : «'El Señor', que Dios tenga en su gloria, fue mi padre, y mi nombre de juventud fue Felipe» (p. 144).

Ainsi, non seulement l'espace temporel référentiel recule d'autant plus qu'il saute par-dessus le règne de Charles Quint, mais encore l'épisode de la répression des utopies millénaristes par l'action conjuguée du jeune Felipe le fils, et de 'El Señor' son père, fonde une permanence du pouvoir, de l'ordre, du statu quo, réprimant les aspirations au changement et à la liberté, comme

---

6 Philippe Hamon, « Pour un statut sémiologique du personnage », dans R. Barthes *et al.*, *Poétique du récit*, Paris, Le Seuil, 1977, pp. 115- 180.- p. 122.

plus loin, de façon prospective, le fait la figure de double de 'El Señor', qui évoque indubitablement Franco (p. 747). En outre, le morbide est un autre trait qui assure la continuité entre les cercueils des ancêtres traversant la Castille, le cortège funèbre du père et la figure noire et immobile de 'El Señor'.

Mais l'amplitude du champ temporel est assuré, surtout, par le caractère composite de la figure de 'El Señor', qu'ont relevé les critiques[7] : si bien des traits qui construisent la figure du protagoniste évoquent le Philippe II de l'historiographie, certaines références historiques comme les *Comunidades*[8] se réfèrent à Charles Quint, et les caractéristiques physiques récurrentes – profil prognate, hémophilie, dégénérescence (pp. 42, 109, 115, 153, 170...) – renvoient à l'ensemble des Habsbourgs. Il n'est pas jusqu'aux scènes de chasse, substitut dégradé de la guerre, à l'importance du chien, Bocanegra, qui peuvent appeler dans l'esprit du lecteur, le monde de la cour représenté par Velasquez. La figure synthétique de 'El Señor' semble ainsi agglutiner autour d'un noyau immobile et noir, à l'image des représentations conventionnelles de Philippe II à la fin de sa vie, des traits complémentaires qui élargissent la profondeur de champ, pour représenter une Espagne symbolique ; c'est aussi ce qu'évoque, à la fin du roman, l'étrange tableau que des restaurateurs, nos contemporains, mettent à jour sous un autre tableau dont le lecteur sait qu'il fascinait 'El Señor', et qui présente des points communs avec le tableau du Greco, *El sueño de Felipe II*, conservé à l'Escurial :

> Era un extraño y vasto retrato de corte. Y esa corte sólo podía ser la de España ; y no una sola corte, sino todas, siglos reunidos en una sola galería de piedra gris, bajo una bóveda de tormentosas sombras. En primer término, un rey arrodillado, con aire de intensa melancolía, un breviario entre las manos, un fino sabueso echado a su lado, un rey vestido de luto, un rostro de sensualidad reprimida, delgado perfil ascético, gruesos labios entreabiertos, señalado prognatismo [...] y en el espacio de la derecha [...] un enorme monstruo con la boca abierta [...] devorando cuerpos. (Pp. 727-728)

Il est également significatif de la fonction identitaire de la mémoire historique – thème cher à Fuentes – que les restaurateurs d'un passé révolu soient aussi des membres de la guérilla qui, dans les montagnes de Vera-Cruz, tentent de résister à une invasion nord-américaine.

*

Les figures historiques, choisies pour servir de matériau de base à la construction de personnages de fiction, doivent pouvoir catalyser, non seulement l'héritage identitaire, mais aussi les préoccupations qui constituent l'univers du romancier, et que l'on peut retrouver d'une œuvre à l'autre.

Dès ses premiers romans, Carlos Fuentes s'intéresse aux figures de pouvoir : Federico Robles de *La Región más transparente* (1958) puis surtout Artemio Cruz de *La muerte de Artemio Cruz* (1962) proposent une ascension comparable vers le pouvoir, et la dynamique narrative de ces romans s'organise autour de la dialectique entre désir secret refoulé et ambition de pouvoir triomphante et aliénante. Le centre de gravité de *Terra Nostra* s'est déplacé, élargi, pour se structurer autour des conflits entre pouvoir et liberté, immobilisme et utopies[9] ; mais il n'en reste

---

[7] I. Simson, *op. cit.*, pp. 82-85.

[8] Dans l'essai qu'il a publié parallèlement au roman, *Cervantes o la crítica de la lectura*, México, Cuadernos de Joaquin Mortiz, 1976, Fuentes voit dans les *Comunidades* l'écrasement de tendances pluralistes et démocratiques lourd de conséquences pour l'avenir politique de l'Amérique hispanique (p. 53).

[9] Fernando García Núñez, « Herejías cristianas y superposición en *Terra Nostra* », *Cuadernos Americanos de México*, ed. Libros de México, n° 5, sept.-oct. 1980, pp. 94-110, p. 105.

pas moins que la figure de 'El Señor' intègre les contradictions profondes de Federico Robles et Artemio Cruz. Peut-être est-ce là l'une des raisons qui, entre plusieurs modèles potentiels, ont pu faire pencher la balance du côté de Philippe II : la retraite de Charles Quint à Yuste pouvait ouvrir des possibilités narratives, mais les représentations traditionnelles moins tourmentées – et, par ailleurs, le caractère plus européen qu'hispanique – de l'Empereur ont peut-être contribué à donner la préférence au modèle Philippe II : ses représentations se prêtaient à l'expression du dilemme, de l'angoisse, du doute sur le pouvoir même qui caractérisent le personnage littéraire (pp. 212-213).

'El Señor', issu d'une lignée de rois, n'a pas eu, bien entendu, à gravir les échelons de l'échelle sociale comme l'ont fait, grâce à la Révolution mexicaine, Federico Robles et Artemio Cruz. D'emblée le personnage apparaît dans le roman, dans une scène de chasse, comme une incarnation du pouvoir répressif face à la poussée de révolte des veneurs, par l'intermédiaire de son instrument – son double aussi – Guzmán (p. 39), et comme une figure de prédation (p. 47). Mais dans le même temps le texte manifeste que 'El Señor' se soumet à contre-cœur à l'obligation qui impose au représentant du pouvoir «hazañas recordadas por vistas» (p. 39), la chasse à défaut de la guerre, à l'air libre – c'est-à-dire exposé aux regards – alors que ses goûts personnels vont à la réclusion devant les autels et à la méditation (*loc. cit.*). En outre, 'El Señor' a dû fournir à son père la preuve de ses capacités à assumer le pouvoir, en refoulant – comme Artemio Cruz – ses propensions naturelles, son instinct vital de jeune homme, les valeurs de l'amour et de l'amitié, peut-être même ses convictions intimes ; il a ainsi contribué à détruire tout un pan de sa personnalité, en trahissant et en conduisant au château de son père, pour y être massacrée au nom de l'ordre et de l'autorité, la horde millénariste, et avec elle toutes les aspirations à la liberté et à l'utopie (pp. 131-134 et 144).

Mieux encore, on retrouve dans *Terra Nostra*, de façon récurrente quoique moins centrale, la problématique mise en œuvre dans *La muerte de Artemio Cruz* des alternatives, de l'homme placé devant des choix essentiels, de l'impossibilité de revenir en arrière pour changer le cours des choses et subordonner, cette fois, la volonté de pouvoir à la force vitale, le devoir politique au devoir moral : «.. todos hemos soñado con una segunda oportunidad para revivir nuestras vidas, una segunda oportunidad, escoger de nuevo...» (p. 778). Comme Artemio Cruz sur son lit de mort, 'El Señor' s'interroge : «... recuerdo, días enteros, regresan a mí... Guzmán... volverías a vivir un día de tu vida, uno solo, para actuar de manera distinta a como actuaste entonces ?» (p. 109).

Et à l'image de son ascension vers le pouvoir absolu – vers une Espagne centralisée – que lui renvoie Guzmán, 'El Señor' oppose la journée décisive de sa jeunesse, celle où il aurait pu agir autrement, écouter la promesse millénariste, choisir la liberté, le départ pour un autre monde, meilleur, l'amour de la jeune Celestina (pp. 112-144) ; mais l'escalier aux 33 marches, qui devrait permettre l'accès des cercueils des ancêtres à la crypte, et qui matérialise le temps, ne peut en remonter le cours ; chaque marche gravie ne montre à 'El Señor', dans le miroir qu'il tient à la main – comme Artemio Cruz sur son lit de mort – que les métamorphoses successives qui mènent à la mort et à la réintégration à la matière (pp. 155 *sq.*).

*

Le modèle historique, incarnation du pouvoir absolu et centralisé, choisi par Fuentes est ainsi reconstruit de manière à détruire toute certitude, à se charger d'ambiguïté[10]. Le personnage littéraire se trouve alors au cœur d'un réseau de dualités, également présent dans d'autres romans. D'emblée, l'ouverture de *Terra Nostra*, dans un Paris imaginaire d'un futur imaginaire, pose les éléments de ce système : d'une part, devant Saint-Sulpice, les corps nus, l'odeur de chair brûlée, la fumée, « Nuit et brouillard » (p. 21) ; d'autre part, sur les quais de la Seine, les femmes de tous âges, accouchant : «...un orden implacable privaba en Saint-Sulpice y no había allí bien alguno ; un desorden espantoso reinaba en el Quai Voltaire y no podía haber allí mal alguno, a menos que la vida hubiese adoptado las facciones de la muerte, y la muerte el semblante de la vida» (p. 30).

Les termes du système sont explicites : ordre/désordre, mal/bien, mort/vie ; on les retrouve tout au long de *Terra Nostra*, particulièrement mis en œuvre par le personnage de 'El Señor'.

Le projet même de Felipe, la construction d'un palais-mausolée-temple, plus qu'un acte de piété, apparaît comme une première tentative de restauration d'un ordre menacé : lors de sa victoire sur les hérétiques, ses soldats mercenaires profanèrent brutalement une cathédrale, de leur sang, leurs beuveries et leurs excréments ; la forme de pierre figée, austère, parfaitement symétrique et inaltérable (p. 62, 257...) est la tentative de 'El Señor' pour anéantir de tels débordements de la vie. Face au désordre des instincts, des désirs de changement, des pensées subversives, du pluralisme, 'El Señor' tente de construire un monde immobile : «no quiero que el mundo cambie» (p. 161) – en revanche l'artiste et l'homme nouveau savent bien que le changement est la loi de l'univers (pp. 239 et 267). Le personnage peut ainsi se charger de la mission historique de ses modèles, et tout particulièrement de l'artisan de la Contre-Réforme – répression des forces sociales, extermination des hérétiques[11], implantation au Nouveau Monde de l'immobilisme espagnol :

> Señor : construya el infierno en el nuevo mundo ; levante su necrópolis sobre los templos paganos ; congele a España fuera de España ; su triunfo será doble. (P. 511)

Mais la force du personnage littéraire provient de ses propres contradictions : significativement né dans une latrine (p.75), il doit combattre ses instincts et tendances profondes, matérialisées par le tableau prétenduement venu d'Orvieto, et qui, plus que par son thème religieux, le fascine par son esthétique révolutionnaire et ses métamorphoses, capables de représenter l'homme dans le temps et l'espace[12], c'est-à-dire le monde et la vie, dans leur désordre. C'est donc le souverain organisateur de l'État, champion de la foi et défenseur du catholicisme, que le romancier a choisi pour lui faire exprimer inquiétudes et doutes, y compris sur l'existence de Dieu (p. 195).

Si la réflexion éthique n'est pas au cœur de l'angoisse de 'El Señor', elle trouve sa place dans ses tensions entre les aspirations au changement et l'obsession d'immobilisme ; mis dans l'obligation d'assumer son choix de jeunesse – le sacrifice des utopies à l'ordre et au pouvoir – le personnage littéraire découvre une justification désespérée, qui range aussi parmi les hétérodoxes, comme le note Guzmán, ce champion de l'orthodoxie : le Mal prépare la venue du Bien : «para que el cielo mismo exista, este mi mundo actual no debe cambiar, pues sólo de su infinito horror puede nacer, por contraste, la infinita bondad del cielo» (p. 161).

---

[10] Fuentes note, dans *Cervantes o la crítica de la lectura*, *op. cit.*, que Philippe II fut appelé « El Prudente » pour ses difficultés à prendre des décisions (p. 63).

[11] Fuentes consacre aux hétérodoxes le chapitre III de son essai cité, *Cervantes o la crítica de la lectura*, pp. 22-26.

[12] *Id.*, p. 27.

Le monde immobile, ordonné, cruel souhaité par 'El Señor' est donc un univers de mort, à l'image de ce mausolée qui lui sert de palais, dont l'édification a transformé en désert aride le verger de son enfance (p. 37) et où tout plaisir des sens est refusé. Le modèle du roi nécrophile se prêtait à l'élaboration d'un thème récurrent chez Fuentes – rappelons encore une fois *La muerte de Artemio Cruz*. *Terra Nostra* multiplie aussi les images de corps malade et pourrissant, de décomposition, de stérilité : 'El Señor' refuse de perpétuer la vie dans un héritier (p. 213) et sa chasse aux hérétiques s'exerce de préférence contre la secte des « Adamites », pour laquelle l'accouplement charnel et la procréation sont sacrés (p. 93). Mais le jeu des contradictions intervient à nouveau dans la narration : dans le tableau d'Orvieto où s'abîme 'El Señor', les hommes nus qui se présentent de dos au spectateur pour écouter religieusement un Christ sans auréole, se révèlent en se retournant, de très charnels Adamites : «... y los hombres desnudos tenían los miembros viriles enormes y erectos, cabezones, pulsantes de sangre y semen, rojos y brillantes, y los testículos tensos, peludos, irisados de placeres...» (p. 160)

Si la contemplation de ce tableau par 'El Señor' retarde la construction du mausolée, de la crypte et de son escalier, c'est sans doute moins la ferveur religieuse qui en est la cause que le combat entre les forces de mort et les forces de vie ; Guzmán, double de Felipe, se fait l'allié de ces dernières en convoquant sur le lit aux draps noirs de son maître endormi les plus organiques et animales des manifestations de la vie :

> soltó entonces a Herreruelo, que se fue directamente al hoyo negro de la perra [...] se le montó y comenzó a follarla sobre la cama del Señor ; y convocó Guzmán a Blandil sobre la misma cama, le sirvió la mezcla de estiércol de hombre y leche de cabra y el perro comenzó a orinar sobre el lecho mientras Herreruelo y la Preciada fornicaban trabados como un monstruo de dos cabezas y ocho patas y la Hermitaña, por fin, paría en el lecho del amo, un cachorrillo tras otro... (P. 149)

Et 'El Señor' qui, dans sa jeunesse, a vu 'El Señor' son père violer la jeune Celestina enlevée à son fiancé, qui entretient son amour platonique pour la reine Isabel en refusant de consommer son mariage – privant ainsi cette femme vitale de satisfactions sexuelles légitimes – ne résiste pas aux tentations charnelles que lui présente son favori, sous la forme d'Inés, la jeune nonne. Impuissant à construire un ordre sur le désordre, à brider les aspirations au Bien que représentent les utopies, le personnage littéraire ne peut, non plus, détruire les forces de la vie, toujours renaissantes :

> niegas la vida, asolando una fértil llanura y esclavizando los brazos que de ella se sustentan a fin de construir una morada para la muerte, y la vida sólo se fortalece, encontrando mil motivos para afirmarse cuando así es agredida. (P. 264)

Ainsi, le personnage référentiel, centralisateur, répressif et nécrophile, se prêtait-il à une élaboration littéraire qui puisse intégrer les obsessions du romancier.

*

Un autre aspect du modèle historique pouvait permettre à Carlos Fuentes d'intégrer à son roman un élément essentiel de ses préoccupations : Philippe II, roi-administrateur, fondateur d'une bureaucratie, homme de cabinet, pouvait devenir un personnage littéraire où s'exprime la fonction de l'écriture : «me has hecho escribir tu confesión para que los hechos que allí cuentas existan, pues para ti sólo lo escrito existe y no habrá más constancia que la de un papel» (p. 146).

Le personnage de 'El Señor' acquiert la dimension intellectuelle de l'écrivain pour prendre en charge, parmi ses inquiétudes, une réflexion sur l'inaccessibilité du référent, la force de l'écrit et par conséquent la responsabilité de l'écriture : l'écrit ne peut plus être soumis à vérification et devient vérité en soi, réalité permanente, mais cependant réalité multiple et relative :

> a ti nunca se te acerca un demonio que te dice, no fue así, no fue sólo así, pudo ser así pero también de mil maneras diferentes, depende de quién lo cuenta, depende de quién lo vio y cómo lo vio ; imagina por un instante, Guzmán, que todos pudiesen ofrecer sus plurales y contradictorias versiones de lo ocurrido y aun de lo no ocurrido ; todos, te digo, así los señores como los siervos, los cuerdos como los locos, los doctores como los herejes, ¿qué sucedería, Guzmán ? (P. 194)

La problématique du pouvoir et celle de l'écrit sont donc liées : le pouvoir se fonde sur le privilège du texte unique, norme inaltérable qui s'impose à la prolifération des idées, sans lequel il n'y aurait pas de légitimité et les royaumes seraient ingouvernables (*loc. cit.*). Mais 'El Señor' ne peut faire triompher ce texte unique : les représentations iconographiques de Fray Juliàn – auteur secret du tableau d'Orvieto –, les écrits de Miguel-de-la-vie, le Chroniqueur manchot, les manuscrits portés à travers le temps et l'espace par la bouteille verte scellée qui traverse tout le roman, ne cessent de transmettre la mémoire des hommes, leurs aspirations au changement et la réalité poétique. Et une merveilleuse invention – qui est aussi trouvaille métaphorique – multiplie sans cesse les capacités de diffusion du changement : les livres ne sont plus des exemplaires uniques, enfermés dans une bibliothèque, réservés au seul regard de 'El Señor' :

> en Barcelona vimos sus aventuras reproducidas en papel, por centenares y a veces miles de ejemplares, gracias a un extraño invento llegado de Alemania, que es como coneja de libros, pues metes un papel por una boca y por la otra salen diez, o cien, o mil, o un millón, con los mismos caracteres... —¿ Los libros se reproducen ? [...] Entonces, mísero de mí, la realidad es de todos, pues sólo lo escrito es real. (P. 610)[13]

'El Señor', comme Josué, voudrait arrêter le soleil, mais la science, l'art, la poésie sont le mouvement, la vie toujours renouvelée et triomphante.

*

Nous rejoignons la problématique centrale dans *Terra Nostra* : montrer le combat renouvelé entre immobilisme et utopie, monolithisme et pluralité, répression et liberté, combat livré sur les deux rives de l'Océan, et que l'héritage espagnol a perpétué dans le nouveau monde. Le personnage littéraire de 'El Señor', engagé dans les forces de l'ordre, du mal et de la mort, n'est cependant pas un personnage manichéen, puisque ses instincts réprimés pouvaient le pousser vers le désordre, le bien et la vie ; il est ainsi, plus qu'un acteur dans le combat – et un actant dans la narration – un pivot autour duquel s'organise, avec le réseau d'antagonismes, toute l'œuvre.

L'auteur, qui s'est assigné une mission de mémorialiste, qui a inventé une fiction imprégnée de l'histoire des hommes, a emprunté, pour ce faire, des matériaux divers, aptes à servir son propos ; l'imagination, l'invention poétique a produit la transubstantiation : si 'El Señor' emprunte ses traits à des modèles historiques que le lecteur peut « reconnaître », ce sont moins ces traits référentiels qui importent que la réalité poétique créée. Comme Miguel le Chroniqueur, son personnage, l'auteur a mis dans son roman beaucoup plus que ses ingrédients en créant, à partir du réel historique, une réalité verbale (pp. 243-244).

---

13 *Id.*, p. 33.

Los poemas de tema mitológico en *El cisne andaluz*, de Gonzalo Enríquez de Arana (1661-1738)

Antonio CRUZ CASADO
I. B. «Marqués de Comares», Lucena

Introducción

Desde que, a mediados del siglo XIX, el Marqués de Valmar, Leopoldo Augusto de Cueto, rechazó la poesía de Gonzalo Enríquez de Arana con unos términos que podríamos calificar de denigratorios, la pesada losa del olvido ha sepultado una extensa producción literaria inédita a la que, sin apenas consideración posterior, se le ha colgado desde entonces, en ocasionales menciones, el sambenito de gongorista. Cueto incluye a Enríquez de Arana entre los poetas de la «extrema decadencia lírica» barroca que siguen la tendencia gongorina sin originalidad ni interés o, en expresión del autor, «el estilo encrespado y oscuro de Góngora». A su lado figuran Zamora, Cañizares y Bances Candamo y otros poetas del Barroco tardío. Comenta el crítico que las composiciones que enjuicia «demuestran soltura y abundancia, pero son por extremo triviales y conceptuosas», añadiendo a continuación que «las poesías de Enríquez Arana, con ser tan malas, no eran de las peores que andaban en auge por aquellos tiempos»[1]. Solamente salva aquellas composiciones en las que el autor recuerda su doliente estado de persona impedida de manos y pies, puesto que considera que en ellas «acierta con acentos naturales, que expresan con sinceridad las amarguras de su infortunio». Y con todo, cuando se realiza una somera aproximación y acercamiento directo a la obra del desgraciado poeta montillano[2] encontramos que la pretendida filiación

---

[1] Leopoldo Augusto de Cueto, *Poetas líricos del siglo XVIII*, [1869], Madrid, Atlas, 1952, BAE, tomo 61, p. XX.

[2] Me he ocupado de este escritor en los trabajos siguientes: «Poemillas de pasión en el barroco tardío (Una muestra de la poesía religiosa de Gonzalo Enríquez de Arana y Puerto)», *Torralbo*, [Lucena], 1992, pp. 78-87; «Un escritor montillano en el olvido: Don Gonzalo Enríquez de Arana y Puerto», *Nuestro Ambiente* [Montilla], núm. 168, julio, 1992, pp. 87-89; «Gonzalo Enríquez de Arana, un escritor andaluz del barroco tardío», *Actas del XI Congreso de la Asociación Internacional de Hispanistas*, Irvine, Universidad de California Irvine, (en prensa); «Gonzalo Enríquez de Arana (1661-1738) y su obra teatral en el Barroco tardío», comunicación en el III Congreso Internacional de la Asociación Internacional Siglo de Oro, organizado por la Universidad de Toulouse-Le Mirail, Francia, 6-10 de julio de 1993; Gonzalo Enríquez de Arana y Puerto, *El cisne andaluz (Selección)*, ed. Antonio Cruz Casado, Montilla, 1993 (en prensa).

Hommage à Robert Jammes (Anejos de *Criticón*, 1), Toulouse, PUM, 1994, pp. 281-297.

culterana es una más de las ideas recibidas que deben someterse a depuración y estudio. No hay un rechazo específico de la poesía de tendencia culta en la amplísima colección de versos de Arana, cuyo número se acerca a las cuatro mil quinientas composiciones, pero tampoco existe una vinculación forzosa con el poeta cordobés y sus seguidores, de tal manera que el barroquismo que se aprecia en gran parte de sus poemas puede relacionarse no tanto con Góngora como con Quevedo, con quien comparte igualmente, de la misma forma que con los restantes escritores ligados al llamado conceptismo, la tendencia satírica o el ideal de brevedad. De esta forma, encontramos en Arana la defensa de la última idea señalada, en el terceto final de uno de los sonetos dedicados al cruel rey de Tracia, Diomedes, narración adecuada, según el sentir del poeta, para contarla al lado del brasero, con una finalidad ejemplar, que es el sentido que tiene en el texto el término *castigo*:

> Y a su castigo yo, porque os agraden
> sus ficciones, que cuentos y novelas
> tan breves deben ser que a nadie enfaden.

Si bien Arana menciona en alguna ocasión a Góngora, equiparado a Quevedo, con motivo de la muerte de Bances, único escritor al que, junto con Calderón, dedica un poema, lo cierto es que la época de nuestro poeta está ya bastante lejana de la de Góngora, lo que no es óbice, sin embargo, para que algún escritor del mismo período, como José León y Mansilla, perciba aún claramente el influjo de las *Soledades*[3] y las imite en la *Tercera soledad*.

En nuestra época, una de las escasas menciones de Gonzalo Enríquez de Arana ha sido debida a José María de Cossío, al estudiar los poemas mitológicos españoles. Para el crítico santanderino las composiciones del poeta andaluz no son completamente deleznables «como podría hacer creer el juicio desdeñoso del Marqués de Valmar»[4], sino que las considera en cierto sentido positivas al carecer de rasgos excesivamente recargados, considerados de mal gusto: «Su facilidad y abundancia es muy superior a su interés poético, pero su frecuente trivialidad está compensada por la ausencia de rasgos de pésimo gusto, que eran habituales entre los poetas de su tiempo»[5]. Sin embargo, Cossío cita y reproduce versos únicamente de tres poemas mitológicos de Arana, los titulados «A los mentidos amores del tirano y fabuloso Júpiter en solicitud de la hermosa Calisto», «A la fábula de Andrómeda y Perseo» y «A la fábula de Progne y Filomela», todos ellos localizados en el primer volumen de *El cisne andaluz*, el único que, al parecer, conoció, de los dos que componen su obra manuscrita, en tanto que la producción mitológica del montillano es excepcionalmente amplia, de tal manera que el género mitológico abarca unas cien composiciones dedicadas de manera exclusiva a la cuestión, número que podría ampliarse si tenemos en cuenta menciones y referencias míticas aplicadas a muy diversos aspectos.

Llama la atención la gran variedad de motivos que se presentan en los poemas mitológicos de Arana, procedentes en su mayor parte del amplio fondo mitológico clásico, muchos de los cuales se pueden documentar con facilidad en las *Metamorfosis*, de Ovidio; no son, sin embargo, grandes mitos o teogonías las que nuestro escritor prefiere, sino más bien las historias secundarias y trágicas de los enamorados más conocidos (Apolo y Dafne, Píramo y Tisbe, Hero y Leandro, Jasón y Medea, Andrómeda y Perseo, Orfeo y Eurídice, etc.), todas ellas narradas de forma objetiva, con marcado desapasionamiento la mayoría de las ocasiones, a veces incluso con cierto

---

[3] *Cf.* Antonio Cruz Casado, «Secuelas de las *Soledades*: del Barroco tardío al 27», *Boletín de la Real Academia de Córdoba*, 125, julio-diciembre, 1993, pp. 183-194.

[4] José María de Cossío, *Fábulas mitológicas en España*, Madrid, Espasa Calpe, 1952, p. 677.

[5] *Ibid.*

desdén no disimulado, como se ve, por ejemplo, en la sangrienta historia de Progne y Filomela, fríamente expuesta, que termina con una reflexión de marcado carácter despectivo, debido quizás a la falta de moralidad que se advierte en los actos de sus protagonistas:

> Este fue el fin que tuvo
> todo aqueste embeleco,
> esta fábula toda,
> todo este embuste, y acabóse el cuento.

Tampoco es frecuente el empleo de rasgos caricaturescos y de marcado matiz irónico en el tratamiento de los mitos, en la línea de algunos conocidos poemas de Quevedo[6] o de la versión gongorina de Píramo y Tisbe, pero también puede documentarse este acercamiento, aunque la degradación mítica procede fundamentalmente de la asimilación, cuando no de la identificación, de un personaje grotesco con un personaje mitológico, con el que tiene en realidad escasas afinidades, tal como puede verse en el soneto titulado «A la fantástica presumpción de un Narciso pobre», cuyo protagonista es el contrapunto de la belleza y de la elegancia. Los cuartetos de esta composición, en los que se encuentran marcadas resonancias quevedianas al igual que en el resto del poema, presentan el interés añadido de mencionar a don Quijote como ejemplificación de personaje estrafalario y desaliñado:

> Allí va paseando un don Quijote,
> un don Pelón tan ancho como un carro,
> pues de hombre pierniabierto y de bizarro
> toda la calle va de bote en bote.
> Siempre trae un vestido al estricote
> descubriendo por partes su desgarro
> y muy puesto en dos asas, como tarro,
> va metido en la sombra de un capote».

Junto a estas aproximaciones, se ofrecen diversas narraciones personalizadas en boca de los mismos protagonistas del mito, que se quejan normalmente o evocan los episodios más salientes de su historia; son composiciones que el poeta titula con frecuencia «recitativos», y en las que se aprecia cierta nota de frescura o de espontaneidad, detalle que potencia igualmente la flexible forma métrica de estos poemas. Suelen ser también personajes secundarios de la tradición mitológica los que nos hacen llegar sus querellas, sus recuerdos o sus miedos, mediante esta visión subjetiva de su historia; de esta forma encontramos, entre otros, a Argos, Polifemo, Alfeo, Inaco, Io o Medea. Con frecuencia, la mitología se encuentra utilizada con un carácter moralizante y ejemplar, a lo que no es ajena cierta tradición mitológica que pretendía encontrar encerrada en los mitos una serie de consejos, advertencias o directrices de orden moral, cuando no ideas muy cercanas al cristianismo. Como se sabe, ya en la Edad Media se realizan determinadas versiones de Ovidio moralizado, hecho que, junto con los bestiarios de la misma época, impregna esta parcela de la cultura clásica de contenidos fácilmente asumibles por el público de la Contrarre-

---

6 Pensemos, por ejemplo, en los conocidos sonetos que empiezan «Bermejazo platero de las cumbres» y «Tras vos, un alquimista va corriendo», números 536 y 537 respectivamente de la edición de Blecua, Francisco de Quevedo, *Poesía original completa*, ed. José Manuel Blecua, Barcelona, Planeta, 1981, pp. 562-563. Para la interpretación de estos sonetos cfr. Ignacio Arellano, *Poesía satírico burlesca de Quevedo*, Pamplona, Eunsa, 1984, pp. 403-407; y para el contexto previo de las obras literarias de contenido alquímico cfr. el estudio y edición de una de ellas en Antonio Cruz Casado, «Las *Octavas*, de Luis de Centellas. (Poesía y Alquimia en el Siglo de Oro)», *Manojuelo de Estudios Literarios ofrecidos a José Manuel Blecua Teijeiro*, *Nueva Revista de Enseñanzas Medias*, Madrid, 1983, pp. 73-83.

forma. En el fondo de todo ello puede percibirse la idea de que la mayor parte de las historias que nos legó la antigüedad admiten una interpretación simbólica, tal como indica, por ejemplo, Barahona de Soto en sus *Diálogos de la Montería* a propósito de Homero: «de suerte que todo lo que Homero escribió es un ejemplo de la vida humana, y aun que en deleitosas fábulas escondió misteriosamente todo lo que en cada suerte de hombres es lícito y necesario»[7]. Sin embargo, algunos escritores de nuestro Siglo de Oro siguieron pensando que en los relatos mitológicos hay una marcada ausencia de moralidad, de lo que se hace eco Lope de Vega al afirmar, en la dedicatoria al Maestro Alonso Sánchez de su comedia *El desconfiado*: «Ríense muchos de los libros de caballerías, señor maestro, pues por la misma serían algunos de la antigüedad tan vanos e infructuosos como el *Asno de oro*, de Apuleyo, el *Metamorfoseos*, de Ovidio, y los *Apólogos* del moral filósofo; pero penetrando los corazones de aquella corteza, se hallan todas las partes de la filosofía, es a saber: natural, racional y moral»[8]. En el ámbito hispánico se busca este aspecto docente y doctrinal, normalmente de carácter simbólico, en diversos manuales o recopilaciones de mitología, como ocurre en la *Filosofía secreta* (1585), de Juan Pérez de Moya, cuya pauta pudo tener en cuenta Enríquez de Arana, aunque no lo menciona nunca en su obra. Por eso, no es de extrañar el empleo moralizante que este escritor realiza con alguna frecuencia, tal como se ve en el poema de Midas, «Moralidad sobre la fábula del avariento y villano Midas, rey de los frigios», o en muchos otros, entre los que se encuentra el soneto «A la fábula de Jacinto, muerto involuntariamente por Apolo», cuyos tercetos son claramente admonitorios:

> Murió en flor, vive en flor; porque ejercite
> a la justa querella el dolor grave
> de su desgracia eterno el ¡ay! repite.
> Quéjese eternamente el que no sabe
> ser más que flor sin fruto que acredite
> el noble ser que en lo mortal no cabe.

En alguna ocasión se pretende buscar una explicación interna, es decir, deducida de la misma historia mitológica, para una conocida representación de determinado personaje, tal como había hecho Pérez de Moya en diversos lugares de su obra, entre los que se encuentran los referidos a Apolo: por qué lo pintan sin barba, por qué le dedican el cantar bucólico, por qué le sacrifican las saetas, etc. Este último caso aparece luego en un soneto de Arana, que podemos considerar etiológico en relación al conocido hecho atribuido al dios matador de la serpiente Pitón, en el que se concluye:

> Mató a Pitón con el flechado acero
> y a su madre vengó, y por esto sólo
> le pintaban en traje de flechero.

Sin embargo, y esto nos parece lo más frecuente, la referencia mitológica debe considerarse como una forma específica de adorno de la expresión literaria, puesto que aparece introducida en las más variadas circunstancias, ya en un poema a la muerte de la madre, ya en una loa de carácter mitológico, como *El perdido mejorado*, en la que el autor pretende ante todo realizar una encendida alabanza del primogénito del Marqués de Priego, equiparado al hermoso Ganimedes, ya

---

[7] [Luis Barahona de Soto], *Diálogos de la Montería*, ed. Francisco R. de Uhagón, Madrid, Sociedad de Bibliófilos Españoles, 1890, p. 3. La cita mencionada está en forma interrogativa en el original, aunque viene confirmada afirmativamente por la expresión que sigue: «yo le dije que sí».

[8] Lope de Vega, *El desconfiado*, *Trecena parte de las comedias...*, Madrid, Viuda de Alonso Martín, 1620, f. 106 v.

al tratar de encarecer la belleza de algún hecho, como sucede, por ejemplo, en el soneto titulado «A la acepción de cierta flor de mano de una señora», cuyos cuartetos son claramente perifrásticos y alusivos al amanecer mitológico:

> No más bella en la vaga región fría
> de los rayos del sol la precursora
> sale, a ser de sus luces impresora,
> dando la vuelta al tórculo del día,
> como salió a lucir doña Lucía,
> hecha una perfección, cuando la Aurora
> los pensiles del Céfiro, de Flora
> y de Príapo baña de alegría.

Lista de poemas mitológicos

En la relación siguiente de poemas mitológicos, que hemos reducido a las cien composiciones más representativas y puras desde el punto de vista del tema que nos ocupa, los textos aparecen ordenados por los personajes relevantes que se mencionan en el título, entre los que hemos incorporado igualmente personajes de la *Eneida*, y, en ocasiones, hemos incluido también los que se refieren a algunos elementos de carácter mitológico, como hierbas o árboles, a los que Arana dedica diversos poemas.

El número que aparece en primer lugar se refiere al que lleva en la edición completa de toda la obra que hemos preparado, y que quizás nunca vea la luz porque supera los cinco mil folios; sigue inmediatamente la indicación I o II, correspondiente a la primera o a la segunda parte de *El cisne andaluz*, localizadas respectivamente en la Biblioteca Nacional de Madrid y en la Biblioteca de la Real Academia de la Historia; a continuación se señala el libro en el que se incluye el texto, puesto que cada una de las partes está a su vez dividida en seis libros, e inmediatamente el título, terminando con la indicación de los folios correspondientes al manuscrito original donde se encuentra el poema, para lo que hay que tener en cuenta, en una eventual localización y confrontación, que la numeración actual de los folios de los dos volúmenes no es correcta, sino que se ha producido en la paginación la omisión o el salto de algunos folios, de tal manera que, si se confrontara nuestra indicación con el manuscrito original, habría que buscar el texto deseado un folio o dos más adelante, según los casos. Se señala por último, a continuación del título y del folio del ms. original, el número de versos que tiene cada composición, excepto en los esquemas métricos de carácter fijo, como el soneto (14 versos, cuando no lleva estrambote, recurso que no se emplea en estos sonetos mitológicos) o la décima (10 versos).

ABSIRTO
   482, II, 3, «Al río hecho de la sangre del príncipe Absirto, muerto por su hermana Medea. Soneto», f. 151 v.

ACTEÓN
   60, II, 1, «A la fábula de Diana y Acteón, vuelto en ciervo por haberla enamorado. Epigrama», f. 32 r., 8 versos.
   306, II, 2, «A la fábula de Acteón y Diana. Romance», f. 107 r.-v., 68 versos.

ALCIDES (véase también HÉRCULES)
   460, II, 3, «A la desesperación y frenética muerte del invicto Alcides. Soneto», f. 145 r.

ALFEO
818, II, 5, «A la fábula del río Alfeo. Recitativo», f. 238 v., 28 versos.

Amaranto
395, II, 3, «Al uso del apio y del amaranto por la gentilidad. Soneto», f. 126 v.

ANDRÓMEDA
661, I, 5, «A la fábula de Andrómeda y Perseo. Romance», ff. 231 v.232 v. 132 versos.
812, II, 5, «A la fábula de Andrómeda. Tono», f. 237 v., 28 versos.

ANFIÓN
436, II, 3, «A la atractiva música de Anfión. Soneto», f. 138 v.

ANQUISES
770, II, 5, «A uno de los juegos con que Eneas celebró el funeral de su padre Anquises. Romance», f. 227 r.-v., 118 versos.

ANTEROS
486, II 3, «Probando que estaría más bien la palma de amor en Anteros que en Cupido. Soneto», f. 152 v.

Apio
395, II, 3, «Al uso del apio y del amaranto por la gentilidad. Soneto», f. 126 v.

APOLO (véase también FEBO).
122, I, 2, «Loa. El perdido mejorado». ff. 63 r.-74 v. 982 versos.
923, I, 5, «A la fábula del dios Apolo y de la sierpe Pitón. Soneto», f. 272 v.
57, II, 1, «A la competencia en la música de Apolo y de un ruiseñor, del arte con lo natural. Soneto», f. 32 r.
58, II, 1, «A la fábula de Jacinto, muerto involuntariamente por Apolo. Soneto», f. 32 v.
87, II, 1, «A la fábula de Dafne y Apolo. Soneto», f. 39 r.-v.
504, II, 3, «A Laocoonte, sacerdote de Apolo Timbreo, muerto con sus dos hijos en el troyano incendio. Soneto», f. 157 v.

AQUILES
400, II, 3, «A la muerte de Aquiles, de Paris, Héctor y Troilo en el sitio de Troya. Soneto», f. 128 v.
405, II, 3, «A la preferencia de Ulises al capitán Ayax sobre las armas del difunto Aquiles. Octava», f. 129 v.

ARACNES
717, II, 4, «A la fábula de Aracnes. Romance», f. 209 r.-v., 28 versos.

ARGOS
705, II, 4, «En nombre del fabuloso ganadero Argos. Recitativo», f. 207 r., 28 versos.

ARIÓN
435, II, 3, «Al salvamento de Arión en su naufragio por el dulce atractivo de sus armoniosos números. Soneto», f. 138 r.-v.

ATALANTA
930, I, 5, «A la fábula de Hipomenes y Atalanta. Recitativo», f. 273 r., 28 versos.

AURORA
497, II, 3, «A la pérdida de Clito por la Aurora. Octava», f. 155 v.

AYAX
405, II, 3, «A la preferencia de Ulises al capitán Ayax sobre las armas del difunto Aquiles. Octava», f. 129 v.

BELIDES
920, I, 5, «A la infelicidad de las viricidas y fabulosas Belides. Soneto», f. 271 r.- v.

BELONA
397, II, 3, «A las gentílicas diosas de la paz y de la guerra. Romance heroico», f. 127 v., 28 versos.

BIBLIS
479, II, 3, «A la hermosa Biblis transformada en fuente. Soneto», f. 150 v.

BITIAS
1060, II, 5, «A las Bitias, unas mujeres enamoradas de la Scitia. Epigrama», f. 261 v. m. d.[9], 8 versos.

BRIAREO
490, II, 3, «Al triunfo del gigante Briareo contra los dioses. Octava», f. 153 v.

CALISTO
690, I, 5, «A los mentidos amores del tirano y fabuloso Júpiter en solicitud de la hermosa Calisto. Tono», f. 241 r., 28 versos.

CERES
428, I, 4, «A Ceres, diosa de las mieses. Soneto», f. 181 r.

CENTAUROS
489, II, 3, «A la pendencia de los hijos de Ixión y de la nube, llamados Centauros, contra los lapitas en la boda de Piritoo. Soneto», F. 153 v.

CIGNO
725, II, 4, «A la fábula de Cigno, capitán de los ligures, transformado en cisne. Romance heroico», f. 211 r.-v., 56 versos.

CIPARISO
396, II, 3, «A la fábula de Cipariso en ciprés transformado. Romance heroico», ff. 126 v. -127 r., 32 versos.

CLICIE
394, II, 3 «A la fábula de la ninfa Clicie y de la infanta Leucotoe. Soneto», f. 126 r.-v.

CLITO
497, II, 3, «A la pérdida de Clito por la Aurora. Octava», f. 155 v.

CUPIDO
347, II, 3, «Al exceso del diosecillo del amor en sus empresas, siguiendo el metro del antecedente. Tono», f. 119 r., 20 versos. 486, II 3, «Probando que estaría más bien la palma de amor en Anteros que en Cupido. Soneto», f. 152 v.

---

[9] La abreviatura m. d. quiere decir «margen derecho», puesto que en los folios se utiliza para escribir la caja central y también los márgenes.

DAFNE
679, I, 5, «A la fuga de Dafne en desprecio de Febo. Tono», ff. 238 v., 16 versos.
87, II, 1, «A la fábula de Dafne y Apolo. Soneto», f. 39 r.-v.

DEUCALIÓN
66, II, 1, «A un pintor habiendo pintado a los dos fabulosos antípodas Faetón y Deucalión en un mismo lienzo. Décimas», f. 34 v. 20 versos.

DIANA
60, II, 1, «A la fábula de Diana y Acteón, vuelto en ciervo por haberla enamorado. Epigrama», f. 32 r., 8 versos.
306, II, 2, «A la fábula de Acteón y Diana. Romance», f. 107 r.-v., 68 versos.

DIOMEDES
925, I, 5, «A la pena del talión ejecutada contra mi sentir en el rey cruel de Tracia, Diomedes. Soneto», f. 272 v.
49, II, 1, «A Diomedes, rey de Tracia, devorado de sus mismos caballos, por haberles enseñado a comer carne humana. Epigrama», f. 30 v., 8 versos.

EACO
664, I, 5, «Sintiendo la mala administración de justicia de estos tiempos, sobre el motivo de fingir la gentilidad a Eaco, Minos y Radamanto por jueces del infierno. Soneto», f. 234 r.-v.

ELARA
919, I, 5, «A la condenación del soberbio y fabuloso Ticio, hijo de Júpiter y de la ninfa Elara. Soneto», f. 271 r.

ENDIMIÓN
297, II, 2, «A los fabulosos amores de Endimión y de la Luna. Romance heroico», ff. 102 v.- 103 v., 72 versos.

ENEAS
770, II, 5, «A uno de los juegos con que Eneas celebró el funeral de su padre Anquises. Romance», f. 227 r.-v., 118 versos.
797, II, 5, «A la sangrienta disputa que en amores de Lavinia tuvo Eneas con Turno. Romance», f. 233 r., 56 versos.

EPIMENIDES
922, I, 5, «Al sueño del poeta y pastor Epimenides. Soneto», ff. 271 v. - 272 r.

EURÍDICE
498, II, 3, «A Orfeo, cuando sacó a su querida Eurídice de los calabozos del Erebo. Soneto», f. 156 r.

EUROPA
505, II, 3, «A Europa, de quien tomó nombre nuestra región. Octava», f. 157 v.

FAETÓN
66, II, 1, «A un pintor habiendo pintado a los dos fabulosos antípodas Faetón y Deucalión en un mismo lienzo. Décimas», f. 34 v. 20 versos.

FEBO (ver también APOLO).
679, I, 5, «A la fuga de Dafne en desprecio de Febo. Tono», ff. 238 v., 16 versos.

FILOMELA

672, I, 5, «A la fábula de Progne y Filomela. Endecasílabos», ff. 235 v.- 236 v., 80 versos.

FLEGIAS

826, II, 5, «A la condenación del temerario y mentido Flegias. Soneto», ff. 240 v.-241 r.

FLORA

122, I, 2, «Loa. El perdido mejorado». ff. 63 r.-74 v. 982 versos.

680, I, 5, «A la visita de Juno a Flora. Tono», f. 238 v., 20 versos.

FURIAS

931, I, 5, «A la generación fabulosa y endiablado ejercicio de las tres furias del infierno. Soneto», f. 273 r.

GANIMEDES

122, I, 2, «Loa. El perdido mejorado». ff. 63 r.-74 v. 982 versos.

GRACIAS, LAS

853, II, 5, «A las tres gracias de la gentilidad. Décima», f. 245 r.

HÉCTOR

400, II, 3, «A la muerte de Aquiles, de Paris, Héctor y Troilo en el sitio de Troya. Soneto», f. 128 v.

HÉRCULES (ver también ALCIDES)

458, II, 3, «A la hazaña de Hércules en vencer a los pigmeos. Soneto», f. 144 v.

459, II, 3, «Al invencible Hércules solamente vencido por amores. Soneto», f. 144 v.- 145 r.

755, II, 4, «Al robo fabuloso que hizo Hércules de las manzanas de oro. Romance», f. 219 r., 56 versos.

HERO

661, II, 4, «Al trágico amor de Leandro y Hero. Romance», f. 193 r.-v., 76 versos.

HIPOMENES

930, I, 5, «A la fábula de Hipomenes y Atalanta. Recitativo», f. 273 r., 28 versos.

INACO

753, I, 5, «En nombre de la fabulosa Io, hija de Inaco. Recitativo», f. 256 v. 32 versos.

IO

753, I, 5, «En nombre de la fabulosa Io, hija de Inaco. Recitativo», f. 256 v. 32 versos.

INO

1408, II, 6, «A la fábula de Palemón y de su madre Ino. Décima», f. 290 v.

IRO

642, II, 4, «Al desprecio y muerte de Iro. Décima», f. 168 r.

IXIÓN

940, I, 5, «A la pena cruel del ingrato y fabuloso Ixión. Soneto», f. 274 v.

489, II, 3, «A la pendencia de los hijos de Ixión y de la nube, llamados Centauros, contra los lapitas en la boda de Piritoo. Soneto», f. 153 v.

JACINTO

58, II, 1, «A la fábula de Jacinto, muerto involuntariamente por Apolo. Soneto», f. 32 v.

JASÓN

716, I, 5, «Al repudio o divorcio de Medea por Jasón. Recitativo», ff. 245 v. - 246 r., 35 versos.

JUNO

663, I, 5, «En nombre del troyano Paris delante de Juno, Palas y Venus, sobre el juicio de preferir a ésta en la dádiva de la manzana de oro, llamada de la discordia. Soneto», f. 234 r.

680, I, 5, «A la visita de Juno a Flora. Tono», f. 238 v., 20 versos.

161, II, 1, «A la injusta conspiración de Juno y de Palas contra Paris, sobre la manzana de la discordia. Romance», ff. 48 r.- 49 r. 72 versos.

JÚPITER

690, I, 5, «A los mentidos amores del tirano y fabuloso Júpiter en solicitud de la hermosa Calisto. Tono», f. 241 r., 28 versos.

919, I, 5, «A la condenación del soberbio y fabuloso Ticio, hijo de Júpiter y de la ninfa Elara. Soneto», f. 271 r.

522, II, 3, «A la estatua admirable de Júpiter Olimpio, tercera maravilla. Soneto», f. 162 r.-v.

LADAS[10]

1664, I, 6, «A la fabulosa ligereza del correo Ladas. Décima», f. 309 v.

LAOCOONTE

504, II, 3, «A Laocoonte, sacerdote de Apolo Timbreo, muerto con sus dos hijos en el troyano incendio. Soneto», f. 157 v.

LAODAMIA

88, II, 1, «A Laodamia ante la sombra del difunto Protesilao, su muy amado consorte. Soneto», f. 39 v.

LEANDRO

661, II, 4, «Al trágico amor de Leandro y Hero. Romance», f. 193 r.-v., 76 versos.

LEDA

713, I, 5, «Al fabuloso nacimiento de los hijos de Leda. Octava», f. 245 v.

LEUCOTOE

394, II, 3 «A la fábula de la ninfa Clicie y de la infanta Leucotoe. Soneto», f. 126 r.-v.

LICAÓN

926, I, 5, «Contándole a un bebedo[r] la fábula del rey Licaón. Octava», f. 272 v.

LUNA, LA (véase también DIANA)

297, II, 2, «A los fabulosos amores de Endimión y de la Luna. Romance heroico», ff. 102 v.- 103 v., 72 versos.

MEDEA

716, I, 5, «Al repudio o divorcio de Medea por Jasón. Recitativo», ff. 245 v. - 246 r., 35 versos.

482, II, 3, «Al río hecho de la sangre del príncipe Absirto, muerto por su hermana Medea. Soneto», f. 151 v.

---

[10] Correo de Alejandro Magno, deificado, según Arana.

MIDAS

1349, II, 6, «Moralidad sobre la fábula del avariento y villano Midas, rey de los frigios. Soneto», f. 368 v.

MINOS

664, I, 5, «Sintiendo la mala administración de justicia de estos tiempos, sobre el motivo de fingir la gentilidad a Eaco, Minos y Radamanto por jueces del infierno. Soneto», f. 234 r.-v.

MINOTAURO

610, II, 4, «Al laberinto de Creta, feudo de Atenas, muerte del Minotauro y triunfo de Teseo. Soneto», f. 278 r.

748, II, 4, «Al vencimiento del fabuloso Minotauro y del laberinto de Creta por el invicto Teseo. Romance heroico», ff. 216 r.-217 r., 68 versos.

MUSAS

122, I, 2, «Loa. El perdido mejorado». ff. 63 r.-74 v. 982 versos.

317, I, 3, «Refiriendo el número, nombres y ejercicios de las musas. Décima», f. 163 r.

249, II, 2, «Dando razón de la ficción poética de ser las musas nueve. Endecha endecasílaba», f. 85 r., 4 versos.

1417, II, 6, «A los nombres de las nueve musas fabuladas por los poetas. Décima», f. 291 r.

NARCISO

513, I, 4, «A la fábula de Narciso. Tono», ff. 201 v.-202 r., 35 versos.

73, II, 1, «A la fábula de Narciso. Décima», f. 36 v.

474, II, 2, «A la fantástica presumpción de un Narciso pobre. Soneto», f. 149 r.

NÍOBE

953, I, 6, «Al llanto de Níobe. Redondilla», f. 275 v.

756, II, 4, «A la fabulosa transformación de Níobe en peñasco. Octavas», f. 219 v., 24 versos.

OCÉANO

483, II, 3, «Al mar Océano, origen y centro de las aguas. Octava», f. 151 v.

817, II, 5, «A la boda fabulosa del dios Océano con la hermosa ninfa Panfolige. Décima», f. 238 r.

829, II, 5, «A la mentida boda del Océano con Panfolige. Recitativo», f. 241 v., 28 versos.

ORFEO

498, II, 3, «A Orfeo, cuando sacó a su querida Eurídice de los calabozos del Erebo. Soneto», f. 156 r.

815, II, 5, «A la fábula de Orfeo. Tono», f. 238 r., 28 versos.

PALANTE

604, II, 4, «A los estragos de la ambición y amor en las muertes de Turno y Palante. Soneto», f. 176 r.-v.

PALAS

663, I, 5, «En nombre del troyano Paris delante de Juno, Palas y Venus, sobre el juicio de preferir ésta en la dádiva de la manzana de oro, llamada de la discordia. Soneto», f. 234 r.

161, II, 1, «A la injusta conspiración de Juno y de Palas contra Paris, sobre la manzana de la discordia. Romance», ff. 48 r.- 49 r. 72 versos.

PALEMÓN

1408, II, 6, «A la fábula de Palemón y de su madre Ino. Décima», f. 290 v.

PANFOLIGE

817, II, 5, «A la boda fabulosa del dios Océano con la hermosa ninfa Panfolige. Décima», f. 238 r.

829, II, 5, «A la mentida boda del Océano con Panfolige. Recitativo», f. 241 v., 28 versos.

PARIS

663, I, 5, «En nombre del troyano Paris delante de Juno, Palas y Venus, sobre el juicio de preferir a ésta en la dádiva de la manzana de oro, llamada de la discordia. Soneto», f. 234 r.

161, II, 1, «A la injusta conspiración de Juno y de Palas contra Paris, sobre la manzana de la discordia. Romance», ff. 48 r.- 49 r. 72 versos.

220, II, 2, «A los perniciosos amores de Paris. Recitativo», f. 73 v., 28 versos.

400, II, 3, «A la muerte de Aquiles, de Paris, Héctor y Troilo en el sitio de Troya. Soneto», f. 128 v.

656, II, 4, «Al juicio de Paris. Romance», ff. 190 r.- 191 r., 94 versos.

704, II, 4, «A los estragos causados por la manzana de la discordia. Tono», f. 206 v., 20 versos.

PARNASO

1286, I, 6, «A una yedra, que es la yerba de que coronaban a los habitadores antiguos del Parnaso. Décima», f. 291 v.

PAZ, LA

397, II, 3, «A las gentílicas diosas de la paz y de la guerra. Romance heroico», f. 127 v., 28 versos.

PENEO

481, II, 3, «A la causa de correr por Tesalia el río Peneo. Soneto», f. 151 r.

PERSEO

661, I, 5, «A la fábula de Andrómeda y Perseo. Romance», ff. 231 v.-232 v. 132 versos.

PÍRAMO

660, II, 4, «Al trágico amor de Píramo y Tisbe. Romance», ff. 192 v.-193 r., 76 versos.

PIRENE

480, II, 3, «A la infausta Pirene en fuente transformada. Soneto», ff. 130 v.- 151 r.

PIRITOO

489, II, 3, «A la pendencia de los hijos de Ixión y de la nube, llamados Centauros, contra los lapitas en la boda de Piritoo. Soneto», F. 153 v.

PITÓN

923, I, 5, «A la fábula del dios Apolo y de la sierpe Pitón. Soneto», f. 272 v.

POLIFEMO

155, II, 1, «Al enamorado Polifemo. Tono», f. 47 v., 20 versos. 798, II, 5, «En nombre del soberbio y amante Polifemo. Romance heroico», f. 233 v., 28 versos.

PROGNE

672, I, 5, «A la fábula de Progne y Filomela. Endecasílabos», ff. 235 v.- 236 v., 80 versos.

PROMETEO

932, I, 5, «Al castigo del atrevido y fabuloso Prometeo. Soneto», ff. 273 v. - 274 r.

825, II, 5, «A la fábula de las penas y eterno descanso de Prometeo. Soneto», f. 240 v.

URANIA
   122, I, 2, «Loa. El perdido mejorado». ff. 63 r.-74 v. 982 versos.

VENUS
   663, I, 5, «En nombre del troyano Paris delante de Juno, Palas y Venus, sobre el juicio de preferir a ésta en la dádiva de la manzana de oro, llamada de la discordia. Soneto», f. 234 r.

VULCANO
   1281, I, 6, «A una ficción de los poetas de la gentilidad. Epigrama», f. 291 r. m. i., 8 versos.

YEDRA
   1286, I, 6, «A una yedra, que es la yerba de que coronaban a los habitadores antiguos del Parnaso. Décima», f. 291 v.

Algunos ejemplos.

Los criterios de edición en la forzosamente breve selección que hemos realizado son los usuales en la reproducción de textos del Siglo de Oro[11], aunque en esta ocasión hemos eliminado las notas explicativas para no hacer excesivamente larga nuestra aportación. No se han eludido los que pueden admitir una comparación temática con los de Góngora, entre los que están el romance de Píramo y Tisbe y el de Polifemo, aunque curiosamente donde se encuentran más rasgos afines a la expresión gongorina no es en éstos, salvo el detalle de la ironía, típica del romance de Píramo y Tisbe, y sin embargo, no tan marcada como en el de don Luis, sino en algunos otros, de los que puede ser ejemplo el romance de Andrómeda y Perseo, algunas de cuyas construcciones, como la de los versos:

> Ambos se miran y a entrambos
> el mirar hace que admiren
> poco día en muchas luces,
> mucho Marte en pocas lides,

recuerdan estructuras y recursos retóricos parecidos a los utilizados en el «Romance de Angélica y Medoro», de Góngora:

> Las venas con poca sangre,
> los ojos con mucha noche
> le halló en el campo aquella
> vida y muerte de los hombres.[12]

Sirvan, pues, los versos que siguen como sencilla ofrenda andaluza, cordobesa por partida doble, tanto por el autor antiguo como por el crítico moderno, al profesor Robert Jammes, gran estudioso del mejor de nuestro poetas andaluces.

---

[11] Tengo en cuenta en lo posible, entre otras aportaciones más antiguas, el libro de Alberto Blecua, *Manual de crítica textual*, Madrid, Castalia, 1983, el volumen colectivo *La edición de textos (Actas del I Congreso Internacional de Hispanistas del Siglo de Oro)*, ed. Pablo Jauralde, Dolores Nogueras y Alfonso Rey, London, Tamesis Books, 1990, y el artículo de Jesús Cañedo e Ignacio Arellano, «Observaciones provisionales sobre la edición y anotación de textos del Siglo de Oro», en Jesús Cañedo-Ignacio Arellano, eds., *Edición y anotación de textos del Siglo de Oro*, Pamplona, Eunsa, 1987, Anejos de *Rilce*, núm. 4, pp. 339-355.

[12] Luis de Góngora y Argote, *Obras completas*, ed. Juan e Isabel Millé Giménez, Madrid, Aguilar, 1972, 6ª ed., p. 142.

I. A la fábula de Andrómeda y Perseo.

Romance.

Noble engaste de una roca
a la margen de Anfitrite
vierte Andrómeda sus luces,
perlas que el nácar despide.
5   Atada está la hermosura
de quien nadie se vio libre,
que quien fue prisión de tantos
bien es que a prisión se humille.
[f. 232 r. a.] Nunca más hermoso Febo
10   cuando a Tauro el cuello oprime,
hurtando perlas al alba,
dando a la aurora rubíes.
Nunca la triforme diosa,
cuando sus cóncavos hinche,
15   se corona de más astros
y de más rayos se viste.
Nunca más bella su frente
muestra a los verdes abriles
la esmaltada primavera
20   entre rosas y alhelíes.
Nunca en la vaga región
más lucido se ve el Iris,
del Eolo y de Neptuno
sosegando encuentros viles.
25   Nunca en sí mismos los astros,
de la noche al manto horrible
sobrepuesto de diamantes,
vieron beldad más sublime,
que la que, hija de Cefeo,
30   ligada a un risco consigue,
siendo aun al cielo más bello
su bulto agravio apacible.
En dulce lluvia anegados,
tempestad de luz despiden
35   sus ojos, que como soles
no es mucho en cristales brillen.
Suspira al cielo y aqueste
de diamante se resiste,
que a veces el cielo es sordo
40   [f. 232 r. b.] a la voz de un infelice.
Clama a las ninfas, no la oyen;
que a quien ciega envidia rige
mal se duele a rendimientos,
poco a dolores se rinde.
45   Calla a sus voces la playa,
solo el eco la repite
suspiros, con que más llora,
llantos, con que más se aflige.
Agradecida la tierra
50   de que riegue sus matices,

para que besen sus plantas
labios produce en jazmines.
Todo el vulgo de las flores
con su dulce llanto ríe,
55   que el llanto de un triste es risa
si es necio el que le percibe.
A la orilla del Caistro
no así canta o llora el cisne,
que si aquél ajenas penas,
60   éste penas proprias gime.
Pidiendo licencia al llanto,
intercadentes remite
no sé si a los aires voces
o a los dioses quejas tristes.
65   — ¿Por qué causa, dice, oh cielos,
sois a mi ruego invencibles?
¿Cuándo cerráis vuestras puertas
a clamores femeniles?
Mas ya sé que es la hermosura
70   quien tanto mal me apercibe,
[f. 232 v. a.] que es la hermosura en mujeres
de la suerte infausta Sirte.
Que es Casiopea mi madre,
quien con las ninfas compite,
75   ¿y hay ley que contra mí sola
duras venganzas fulmine?
Mas no me admiro que ley
que de envidia trae su origen
vibre castigos que venguen
80   y venganzas que castiguen.
Dijo, cuando fiero un monstruo,
foca crüel, vil esfinge,
en alas de la hambre a Tetis
la flexible espalda mide.
85   Mira Andrómeda a la fiera
y en vez de llorar se ríe,
que es bien hurtarse al pavor
cuando el peligro más inste.
Tan veloz el dragón vuela
90   adonde Andrómeda asiste
que aun no quebranta del agua
las elevadas cervices.
El risco siente su impulso,
ella más audaz persiste,
95   sobra al risco lo que falta
a la ninfa de sensible.
Hasta las aves parleras
su infeliz fortuna gimen;
callad, que si el daño es claro
100   no es el remedio imposible.

Callad, que quien antes llora
[f. 232 v. b.] comienza ya a arrepentirse,
que hay peligros que presentes
fuerzas dan, bríos permiten.
105   Sobre la arena la bestia
la escamosa planta imprime,
cuando ya su alado acero
Perseo en el viento esgrime.
Dando riendas al Pegaso
110   del monstruo el paso reprime,
que hay quien al hado persiga
cuando el hado más persigue.
Mírale Andrómeda y ya
por gozo el temor decide,
115   y sus ya pasadas ansias
por digno glorioso timbre.

Ambos se miran y a entrambos
el mirar hace que admiren
poco día en muchas luces,
120   mucho Marte en pocas lides.
Llega ya el héroe gallardo,
vence, y liberta a la virgen,
y unánimes se consagran
en eterno lazo firme.
125   Hasta que dejando el suelo
quieren los dioses que animen
claras lucientes antorchas,
en que su gloria eternicen.
Astros en el firmamento
130   lucen, que a hazañas insignes
no basta el orbe o la fama,
sólo un cielo las describe.

II. Al trágico amor de Píramo y Tisbe.

Romance.

[f. 192 v. b] No bien el alba quería
con rasgos de opaca lumbre
en los campos de la noche
el día pintar de estuque,
5   cuando a tiento Tisbe sale
de entre riscos y acebuches,
que enmarañados la dieron
un rato asilo en sus buques.
Camina con lentos pasos,
10   del sobresalto hecha ayunque,
que a quien sigue la desgracia
no es mucho que todo asuste.
Llega al sitio donde el hado
a mayor pesar la induce,
15   pues revolcado en su sangre
muerto a Píramo descubre.
Ve allí el cendal que deshizo
la fiera, que hambrienta ruge,
y de verle así el estrago
20   fatal de su amante arguye.
De su dorado cabello
quítase los vanos bucles,
pues siendo hechizos de amor
ya el dolor les juzga embustes.
25   Levanta el grito, no encuentra
hombre alguno que la escuche,
que en el infeliz es siempre
cualquier diligencia inútil.
Alza las manos al cielo,
30   éste tampoco la acude,
que nunca él abre sus puertas
[f. 193 r. a] si no llaman las virtudes.

Exclama a los elementos,
no halla en ellos quien la ayude,
35   que los decretos del cielo
no hay nadie que les anule.
Queréllase al dios de amor,
hácese sordo este numen,
demás de ser ciego, y ella
40   suspira y le redarguye.
Maldice al velo, a la selva
y al león, para que juzguen
fue impiedad no darla muerte,
porque ella se la procure.
45   Quéjase de su destino,
pidiéndole que consulte
su dolor al alto Jove,
porque sus ansias no culpe.
Ve al espejo de sus ojos,
50   que le han empañado nubes,
porque si en él se miraba
ya en él su horror especule.
Mira el carmín de sus labios,
de quien en requiebros dulces
55   libaba el néctar de amor,
deshojado ya y sin lustre.
Siente que al coral vertido
licencioso pie le inculque,
siendo en la gran Babilonia
60   sangre de lo más ilustre.
Llora a su dueño ya muerto
por su causa y se confunde,
[f. 193 r. b] quisiera ella darle vida,
ve que no puede y se aturde.

65 Conoce fue atrevimiento
su mucha prisa y discurre
que, pues pecó de atrevida,
no es bien que se quede impune.
Dase con el mismo acero
70 que descuadernó el volumen

de su Adonis, porque una ansia
a ambos Filenos sepulte.
Invoca a los dioses manes,
suplícales que la ayuden,
75 muere en fin y sus amores
Píramo y Tisbe concluyen.

III. [f. 233 v.] En nombre del soberbio y amante Polifemo.

Romance heroico.

Hermosa Galatea, a quien yo adoro,
hijo soy de Neptuno y tan gigante
como humilde el pastor a quien tú adoras;
mira si es Polifemo como es Acis.
5 Un ojo solo tengo y ése en frente
aunque en vista no hay nadie que me iguale,
ni menos en pujanza, pues los riscos
para mí son de lana al levantarles.
Si gusto, puesto en pie, de alzar la mano,
10 llego con ella al centro de las aves
y de éstas cojo aquéllas que han de hacerme
el plato cuando quiero regalarme.
Pastor soy, como el tuyo, mas tan rico
de ovejas que los ríos y los valles
15 suelen quedar con ellas agotados
y apurados de yerbas y cristales.
Un pino con sus ramas y raíces
es mi cayado, y tal que, a no sobrarme
ardor, con él a veces bien pudiera
20 de las estrellas mismas alcanzarle.
Con todo este poder ingrata mía
sin libertad me tiene tu donaire,
y así, págame bien, que, si me quieres,
dueño te haré de cuanto tú gustares.
25 Pero, si no se enmienda tu locura,
y con nada mi amor te satisface,
haré que ese pastor por quien me dejas
muera, y con eso tus desdenes pague.

Un poeta del amor y los amores de un poeta: Diego de Silva y Mendoza, conde de Salinas (1564-1630)

Trevor J. DADSON
Universidad de Birmingham

Quereros para mí no es desamarme;
quererme para vos todo, es quererme;
justamente daré en aborrecerme
si usurpo algo de amaros por amarme.

Vengan los imposibles a ayudarme,
pues no han podido ni podrán vencerme;
del amor propio pueden defenderme,
pero el que os tengo no podrán quitarme.

Cuanto más amo, menos de vos quiero,
y aunque excedo en razón los más quejosos,
mucho debo a mi misma desventura.

Amor desconfiado es verdadero:
ser amado se deje a los dichosos,
que para amar no es menester ventura.[1]

Este hermoso soneto, enmarcado plenamente dentro de la tradición del amor cortés, con ecos de Garcilaso, de Camões, y de la poesía cancioneril del siglo XV[2], fue escrito por Diego de Silva y Mendoza probablemente a principios del siglo XVII, cuando tenía entre treinta y cuarenta años de edad[3].

---

[1] Texto del soneto en T. J. Dadson, «Hacia una edición crítica de la poesía del Conde de Salinas», en J. Cañedo y I. Arellano (eds.), *Edición y anotación de textos del Siglo de Oro*, Pamplona, Anejos de RILCE 4, 1987, pp. 65-66.

[2] Sobre los antecedentes del poema, véase Dadson, «Hacia una edición crítica», pp. 65-66, y «El conde de Salinas y la poesía cancioneril», en M. Criado de Val (ed.), *Literatura Hispánica. Reyes Católicos y Descubrimiento*, Barcelona, PPU, 1989, pp. 270-278.

[3] Para la fecha del soneto, véase Dadson, «Hacia una edición crítica», pp. 51-52.

Para los que todavía se obstinan en considerar la poesía como posible fuente de datos biográficos en vez de la ficción que es, el caso de Diego de Silva debía servirles de ejemplo del abismo que hay entre poesía –literatura, ficción– y biografía –historia, hechos reales. Pues este exquisito poeta de amor distó mucho en la vida real de conformarse con la descripción de amante cortés, entregado, altruista, que nos ofrece en los cuartetos de este soneto. Casado tres veces entre 1577 y 1600, y amancebado luego durante muchos años con una dama de honor de la reina, doña Leonor Pimentel, consideró el amor como puro negocio. Aunque dijo acerca de las capitulaciones para su segundo matrimonio con doña Ana de Sarmiento, condesa de Salinas, que no quería «hacer de lo que ha de ser estimación mercancía», también, en la misma carta, contó que estaba esperando las provisiones de guerra y otras pretensiones que tenía en la corte, y «si me tocare algo no me he de excusar diciendo que quiero tratar de casarme»[4]. En otras palabras, el matrimonio era un negocio más, y no necesariamente de los mejores. Ahora bien, sí que podemos decir que el último terceto del soneto se acerca algo a la situación de nuestro hombre, quien no disfrutó, que se diga, de mucha ventura en sus amores. Ningún matrimonio duró más de cuatro años, y cada uno le trajo un sinfín de problemas familiares y legales[5].

De los tres el más conflictivo fue sin duda ninguna el primero capitulado con doña Luisa de Cárdenas Carrillo y Albornoz, rica heredera y sobrina del duque de Maqueda. Era ella uno de los mejores partidos de la corte: los mayorazgos de que gozaba doña Luisa, y que heredaría al alcanzar la mayoría de edad, tenían una renta anual de treinta mil ducados; además, era miembro de una importante familia noble de Castilla (su padre, don Bernardino de Cárdenas, muerto en la batalla de Lepanto, había sido alcalde mayor de los hijosdalgo de Castilla), y tal matrimonio daría entrada en la nobleza castellana a la relativamente nueva nobleza de la familia del príncipe de Éboli, padre de Diego. Desafortunadamente, fue un matrimonio urdido, no en el cielo, sino en la mente ambiciosa y desenfrenada de doña Ana de Mendoza y de la Cerda, princesa de Éboli. De hecho, Diego fue el último de tres hijos de los Éboli al que querían casar con Luisa de Cárdenas. El primero fue el mayor, Rodrigo, duque de Pastrana, nacido en 1562, a quien sus padres intentaron casar con doña Luisa por el año de 1567. No se llevó a cabo el matrimonio «por justas causas que les movieron»[6]. Fueran las que fueran las «justas causas», el príncipe de Éboli prosiguió con sus planes de casar a uno de sus hijos con esta rica heredera, y hacia 1571 se hicieron capitulaciones matrimoniales entre ella y su tercer hijo Ruy Gómez de Silva. Por la muy tierna edad de los novios no se hizo más por el momento que firmar las capitulaciones (diciembre de 1571) y esperar.

Sin embargo, Éboli no estuvo inactivo en los años siguientes. Si él quería que un hijo suyo se casase con doña Luisa era por una razón solamente: la gran riqueza de la novia. Pero esta riqueza era por el momento más una ficción que una realidad. Su padre, al morir, había dejado deudas que se estimaban en unos noventa mil ducados, y estas deudas tenían a la familia en un apuro, especialmente a la abuela de Luisa y madre del deudor, doña Mencia de Carrillo. Éboli se

---

[4] Archivo Histórico de Protocolos, Zaragoza [AHPZ]: Casa Ducal de Híjar, Sala 3ª, legajo 24-34, con fecha de agosto de 1591. Para mayor facilidad de lectura, he modernizado todas las citas de los documentos utilizados.

[5] Por razones de espacio sólo voy a tratar en este artículo de los tres matrimonios, dejando para otra ocasión su «relación sentimental» con Leonor de Pimentel.

[6] AHPZ: Híjar, 1ª-389-4, fol. 2r. Este legajo, de donde he sacado la mayor parte de los datos concernientes al primer matrimonio de Diego de Silva, es un impreso titulado «Memorial del hecho de los pleytos que don Diego de Silua y Mendoça... trataua con don Rodrigo de Silva y Mendoça Duque de Pastrana su hermano. En Madrid, Por Iuan Gonçalez. Año M.DC.XXXI».

comprometió a pagar las deudas de don Bernardino a cambio del goce de las rentas del mayorazgo que había heredado Luisa. Este acuerdo con la madre y abuela de Luisa se confirmó el 21 de febrero de 1572, pero es razonable pensar que Éboli dudase de la efectividad de estos compromisos una vez que Luisa adquiriese la mayoría de edad. ¿Quién le garantizaba que ella no se echaría atrás, dejándole sin posibilidad de recuperar sus noventa mil ducados? Necesitaba algo más sólido, algo que le diese el seguro control de estas rentas. Así es que en marzo de 1573 llegó a un complicado y maquiavélico acuerdo con doña Mencia de Carrillo. Ella se comprometía a conseguirle para Éboli la tutela y curaduría de sus nietas (entre ellas Luisa) que había sido discernida a la madre de ellas[7]. Bien contento podía quedarse Éboli del negocio que acababa de hacer: durante el período de la tutela y curaduría de las nietas de doña Mencia, tenía tiempo de sobra para recuperar de la herencia de Bernardino de Cárdenas sus noventa mil ducados. Pero como nada es perfecto en esta vida, le sobrevino una desgracia que no pudo haber previsto –su propia muerte, acaecida cuatro meses más tarde, el 29 de julio de 1573. Ahora esta delicada negociación pasaba a manos de la princesa de Éboli –bajo cualquier concepto, una mujer singular y con un carácter extremadamente imprevisible– y ella tenía otros planes para el futuro de sus hijos.

La princesa sentía un enorme afecto por su segundo hijo Diego –firmaba sus cartas a él «Tu madre, que te quiere más que a sí»[8]–, y para finales de septiembre de 1573 decidió cambiar a los novios, sustituyendo a Ruy Gómez por Diego[9]. Entre 1573 y 1577 las difíciles negociaciones entre las dos partes siguieron su curso, con pleitos entre las dos madres, apelaciones ante el Consejo Real, y la insistente negativa de Luisa de Cárdenas de casarse antes de que le hubieran restituido su herencia. De hecho, Luisa escribió al Consejo Real pidiendo que la volvieran a la tutela de su madre y prometiendo devolver lo que hubiera pagado Ruy Gómez de Silva[10]. Su enfado con la familia de los Éboli llegó a tal extremo que al parecer dijo que «aunque le corten la cabeza no se casará con hijo de la princesa»[11]. Por estas fechas, Luisa estaba confinada en el Monasterio de la Concepción, de donde quería salir, idea apoyada por su pariente el duque de Maqueda, quien la visitaba y le entregaba recados en la iglesia. El Consejo, desestimando su pretensión de salir del monasterio, le advirtió al duque que no fuera allí más. En cuanto a la pretensión de Inés de Zúñiga, madre de Luisa, de recuperar la curaduría de su hija y la administración de sus bienes, el Consejo se mostró más favorable: en auto fechado en Madrid a 16 de marzo de 1574, mandó que a Inés de Zúñiga se le restituyesen «todos los bienes y mayorazgos que quedaron por fin y muerte de don Bernardino de Cárdenas su marido para que los cobre, rija y administre como tal curadora»[12]. A la vez, ella tenía que devolver a la princesa de Éboli todo lo que habían pagado ella y Éboli para solventar las deudas de Bernardino de Cárdenas. A pesar de las protestas de Ana de Mendoza, que veía desaparecer el pingüe negocio urdido por su marido, el auto fue confirmado el 8 de junio de 1574. El 15 de octubre se pusieron de acuerdo sobre las cuentas, e Inés de Zúñiga acordó pagar a la princesa la cantidad de 17.242.015 maravedíes (unos 46.100 ducados).

Después de todos estos avatares –cambio de novios, pleitos entre las dos familias, protestas de Luisa–, el 17 de junio de 1577 se firmaron las últimas capitulaciones matrimoniales entre Diego

[7] Archivo Histórico Nacional, Madrid [AHN]: Osuna, 2263-5, fol. 3r s.n.

[8] AHPZ: Híjar, 1ª-389-4, fol. 29v.

[9] Capitulaciones matrimoniales con fecha de 27-IX-1573; AHN: Osuna, 2029-18.

[10] AHN: Osuna, 2263-6,2, fol. 1r s.n.

[11] AHN: Osuna, 2263-6,2, fol. 1r s.n.

[12] AHN: Osuna, 2263-6,2, fol. 2r s.n.

de Silva y Mendoza y Luisa de Cárdenas. Quizás fuese decisiva, como afirma Gaillard[13], la adquisición en 1575 del ducado de Francavila por parte de Diego para que Luisa le mirase con buenos ojos y suprimiese algunas de sus dudas acerca de una alianza con la familia de Ana de Mendoza. Puesto que los novios eran muy jóvenes –Diego aún no había cumplido trece años– la boda se hizo en dos partes: la primera fue el desposorio de palabras de presente con fuerza de matrimonio, que se celebró el día de San Juan, 24 de junio de 1577[14]; la segunda eran la velación y bendición eclesiástica que recibirían dentro de cuatro años o, si quisieran, cuando Diego había alcanzado la edad de catorce años. Durante este tiempo los novios se comprometieron a vivir en la casa de la princesa, quien les daría ocho mil ducados cada año para alimentos y gastos, «para que el matrimonio viniese en efecto»[15]. Este dinero se sacaría de los frutos de la Encomienda de Herrera que pertenecía a Diego desde 1571. Al mismo tiempo, a la princesa le fueron dados poderes para sacar tres mil ducados de las rentas de los estados y mayorazgos de Luisa de Cárdenas para su ayuda.

De lo que no cabe duda es el gran interés de la Éboli en que este matrimonio se efectuase y tuviese éxito. Para ello gastó enormes sumas en dineros, joyas, tapices y muebles destinados para la joven pareja, que ella entregó durante el mes de junio de 1577. En efecto, Ana de Mendoza gastó tanto dinero y hacienda en Diego y Luisa en un esfuerzo, que resultó ser a la postre inútil, por preservar el matrimonio, que sus otros hijos, en especial el mayor Rodrigo, apelaron al rey Felipe II para que quitara a la princesa la administración de sus estados y mayorazgos, lo que éste hizo a principios de 1583. Algunos cálculos de lo que gastó en su hijo favorito Diego llegan a la nada despreciable suma de 23.525.515 maravedíes (aproximadamente unos 62.894 ducados). Le satisfacía cualquier gusto: gran número de criados (secretario, camarero, caballerizo, tres gentilhombres de cámara, dos maestresalas, dos gentilhombres de sala, diez o doce pajes, mozos de cámara, lacayos[16], que costaban en salarios unos 20.000 ducados al año; caballos; vestidos lujosos; cincuenta ducados cada mes que pasaba en Pastrana; la paga de sus deudos en el juego[17]; fiestas de juegos de cañas y sortija en Pastrana; «una carroza para el Conde, que la Reina no la tenía mejor, porque estaba toda sembrada de piedras, y piezas de oro, y que había costado mucho dinero»[18]; banquetes, «llevando a su casa muchos caballeros algunos días, como lo hacen los Grandes de Castilla, con mucha ostentación»[19]. Dos regalos de la princesa destacan en particular por ser tan inapropiados dado el desenlace de este matrimonio: «un espejo de plata con molduras, y las chapas talladas, y en la una una figura de la Prudencia», y «un bufete pequeño de plata cincelado con una historia de Orfeo en medio, y unas virtudes a los cantos»[20]. Una criada de la princesa resume todo muy bien y con una visión que diríamos moderna del asunto: «la Princesa gastó con el Conde de Salinas mucha cantidad en mucha suma, ansí en joyas y preseas, y aderezos de casa, y vestidos al Conde y a doña Luisa, y criados y criadas, y salarios que les dio muy excesivos que entiende... que todo lo susodicho causa la perdición de la casa de la Princesa, por

---

[13] C. Gaillard, *Le Portugal sous Philippe III d'Espagne. L'action de Diego de Silva y Mendoza*, Grenoble, Université de Grenoble, 1982, pp. 37-39.

[14] AHPZ: Híjar, 1ª-389-4, fol. 17r.

[15] AHPZ: Híjar, 1ª-389-4, fol. 23v.

[16] AHPZ: Híjar, 1ª-389-4, fol. 54v. En una ocasión fue multado por el Consejo de las Órdenes precisamente por tener demasiados lacayos.

[17] AHPZ: Híjar, 1ª-389-4, fol. 46r.

[18] AHPZ: Híjar, 1ª-389-4, fol. 48v.

[19] AHPZ: Híjar, 1ª-389-4, fol. 54r

[20] AHPZ: Híjar, 1ª-389-5, fols. 36v-37r.

ser como fueron gastos superfluos»[21]. Como diría años más tarde su hermano menor, Ruy Gómez, «desde aquel tiempo a esta parte, nunca vio... la casa de la dicha su madre tan lucida, ni tan abundante como entonces»[22]. En suma, una ostentación de nuevo rico y de chico joven, incontrolado y totalmente consentido por una madre que se volcaba todo su afecto hacia él.

Hemos dicho que fueron esfuerzos inútiles, puesto que a la larga no hicieron que prosperara este matrimonio que tantos disgustos había dado a las dos partes. Aunque Diego y Luisa, una vez cumplido éste los catorce años, contrajeron nuevo matrimonio «in facie Ecclesie» y «estuvieron y cohabitaron juntos mucho tiempo»[23], hacia finales de 1579 Luisa pidió a Roma la nulidad, alegando que se había casado contra su voluntad: «la susodicha nunca estuvo en voluntad segura, ni declarada en el dicho matrimonio, antes siempre dio a entender, que lo había de deshacer, y que no había prestado consentimiento para ello»[24]. En palabras de Gregorio Marañón, «Francavila, a pesar de su mocedad, dio a su mujer tan mala vida que ésta huyó de la casa y por nada del mundo quería volver a ver ni a su marido ni a su suegra. De don Diego decía que «no la hablaba ni la quería ver el rostro y la amenazaba con una daga o cuchillo»»[25]. Sorprendentemente, dada esta visión del novio, Diego recurrió la apelación, y según él propio reconoció, «antes hizo todas las diligencias posibles para perseverar en el matrimonio»[26]. El pleito matrimonial duró unos diez años, hasta que el 8 de junio de 1590 fue declarado nulo.

Durante estos años Diego de Silva no cesó en sus intentos de detener el asunto. En 1583, aprovechando la llegada de Pedro Palomino a Pastrana para administrar la hacienda de su madre, Diego se fue a Madrid para estar más cerca de la corte del rey y proseguir mejor su pleito. Cuando en 1585 la corte se trasladó a Monzón donde se celebraban las Cortes de Aragón, Diego fue también. Tampoco descuidó la necesidad de tener un aliado en la Curia papal, pues el Cardenal Ascanio Colonna representó allí sus intereses con afición, manteniéndole bien informado del progreso del pleito. Colonna le animaba constantemente a viajar a Roma para mejor defender su causa: «Yo soy de opinión que para la brevedad y buen suceso del negocio de V.S. que convendría mucho que V.S. se llegase a Roma»[27]. Un año más tarde parecía como si Diego de Silva le hubiera hecho caso, pues escribe Colonna, «por la esperanza que me dais de vuestra venida con las primeras galeras, que con estar tan mal con los viajes que hacen por acá por haberme traído de allá, no veo la hora de saber ayan desembarcado a vuestra ilustrísima persona que Dios me guarde como yo le he menester»[28]. Colonna siempre mantenía la esperanza de que Diego se decantara finalmente por viajar a Roma, cosa que no hizo, y trataba de infundirle ánimos sobre la marcha de su causa: «algunos cardenales os responden y corresponderán siempre todos los que fueren mis

[21] AHPZ: Híjar, 1ª-389-4, fol. 148v.

[22] AHPZ: Híjar, 1ª-389-4, fol. 45r.

[23] AHPZ : Híjar, 1ª-389-4, fol. 28v.

[24] AHPZ : Híjar, 1ª-389-4, fol. 55v. En una carta con fecha de 21-XI-1579 Antonio Pazos, presidente del Consejo de Castilla, informa al rey sobre el descontento de doña Luisa, «la gran necesydad que en aquella casa pasaba de todas las cosas, que ni tenia tapiz, ny ropa con que abrigarse, ni aun un brasero de carbon a que calentarse; que en aquella casa no habia orden ny concierto ni persona que tubiesse della cuidado, porque todos eran muchachos, y rapaceria sin cabeza a quien tener respetto» (*CODOIN*, vol. 56, p. 240).

[25] G. Marañón, *Antonio Pérez (El hombre, el drama, la época)*, 2 vols., Madrid, 1948, I, 185. Marañón reproduce en parte las palabras de Luisa de Cárdenas, citadas por Antonio Pazos en carta al rey, con fecha de 27-III-1580.

[26] AHPZ: Híjar, 1ª-389-4, fol. 24v.

[27] AHPZ: Híjar, 1ª-379-54, con fecha de 16-VI-1587.

[28] AHPZ: Híjar, 1ª-379-54, con fecha de 27-X-1588, contestando a una carta de 16-X-1588.

amigos»[29]. Un año más tarde, le escribe más desanimado: el pleito va muy lento, la Fortuna no es fiable, y lo que es peor, «tenéis aquí un gran contrario que basta a deciros que es francés para entender que lo es y lo poco que podré con él, y creyendo hacer de podérosle echar a Francia con el legado trueca Fortuna las suertes y obra que Serafino se quede y que Blanquete se vaya que es su contrario y el que mejor aquí sentía de vuestra justicia»[30]. De modo insospechado, el pleito matrimonial de Diego de Silva se había encontrado envuelto en la guerra entre España y Francia sobre la Liga Católica. Una última carta del Cardenal Colonna con fecha de 23 de febrero de 1590 revela que el asunto va ya tan mal para Diego que no espera un desenlace feliz. Razón tenía, pues poco después llegó el veredicto final, con tres votos a favor de Luisa y uno a favor de Diego. Su matrimonio se había quedado disuelto.

Puede sorprender que Diego de Silva mostrara tanto ahínco e interés en querer preservar y defender un matrimonio que desde el principio se había revelado tan conflictivo, pero el peso de la valiosa herencia de Luisa de Cárdenas no se puede subestimar. Para un segundón con pocas perspectivas de alcanzar un título nobiliario y con él unos ricos estados y mayorazgos, el fracaso de su matrimonio con doña Luisa fue un mal trago. Pero parece que Diego de Silva se acostumbró bastante rápido al resultado negativo de su pleito, pues unos dieciocho meses después de haber recibido el veredicto de la Sagrada Rota, Diego estaba embarcado en otra aventura matrimonial, esta vez con la hija mayor de los condes de Salinas, doña Ana de Sarmiento de Villandrando y de la Cerda, V condesa de Salinas y Ribadeo. Con este matrimonio, don Diego adquirió el título de conde de Salinas, con el cual ha pasado a la historia de la literatura castellana.

Como sería de esperar, este matrimonio tampoco estuvo sin sus problemas. El padre de doña Ana, Rodrigo Sarmiento, IV conde de Salinas, había muerto en mayo de 1580, dejando a una viuda y a tres hijas menores de edad, pero sin dejarles de qué vivir, pues todo estaba o hipotecado o endeudado. Por tanto, Diego de Silva y Mendoza se encontraba en una situación totalmente opuesta a la que se enfrentaba en 1577 cuando se casó por primera vez. Entonces la novia era rica heredera y él un segundo hijo con pocas perspectivas; ahora la novia era la que no tenía perspectivas a no ser las de heredar el condado de Salinas y Ribadeo, por otra parte cargado de deudas y censos. ¿Por qué entonces quería casarse Diego con semejante novia? Y no solamente una novia pobre, sino también una suegra y dos cuñadas sin un duro entre sí. No era precisamente lo que se dice un buen partido. Y las capitulaciones matrimoniales dejan muy claro que Diego tenía que hacerse cargo de toda la familia: «se había de obligar y se obligó desde luego de dar 50 mil ducados a la dicha condesa doña Antonia de Ulloa para ayuda del casamiento de sus dos hijas doña Marina y doña Magdalena Sarmiento... y para esto la había de dar poder en cabeza propia para cobrar cinco mil ducados en cada año de su Encomienda de Herrera de la Orden de Alcántara; también le obligó a darla dos mil ducados cada año para alimentos para las dichas sus hijas, con la condición de que en casándose éstas los gozare para sí la dicha doña Antonia de Ulloa»[31]. Leyendo estas capitulaciones, uno tiene la fuerte sensación de que Diego fue víctima de asalto y robo: la que llevaba la voz cantante en las negociaciones parecía sin duda alguna la condesa doña Antonia, y no Diego de Silva, aparentemente el que debería haber tenido las mejores cartas.

Sin embargo, en la realidad la posición de Diego no era tan fuerte como podía parecer. Tenía para entonces 27 años, un matrimonio fracasado a cuestas, un ducado (el de Francavila, en Italia)

---

[29] AHPZ: Híjar, 1ª-379-54, con fecha de 27-X-1588.
[30] AHPZ: Híjar, 1ª-379-54, con fecha de 28-IX-1589.
[31] AHPZ: Híjar, 1ª-236-1,11.

que le pertenecía solamente en nombre, pues carecía de los recursos económicos y legales para poder apoderarse de él y sus rentas, y finalmente a una madre exiliada y encarcelada en su palacio de Pastrana, a causa de sus turbias y nada claras relaciones con Antonio Pérez. Es más que probable que fuese esta última causa la que le motivó a Diego de Silva a contraer matrimonio bajo condiciones tan adversas. Entre 1573 (muerte del príncipe de Éboli) y 1592 (muerte de la desterrada princesa), la familia Éboli vivió bajo cierta sospecha, especialmente cuando las intrigas de la princesa afloraron a la superficie en 1579 –precisamente cuando Luisa de Cárdenas, hábil conocedora de un barco que se va a pique, empezaba a quejarse de su situación en la casa de la princesa e iniciaba la demanda de nulidad matrimonial con Diego[32]. La desgracia y destierro de la princesa de Éboli hacía que pocas familias aristocráticas quisiesen tener que ver con un hijo suyo. En estas circunstancias, doña Ana Sarmiento representaba tal vez su mejor oportunidad. Carecería de rentas y dinero, pero no carecía de títulos, y la falta de recursos económicos se podía remediar con el tiempo y con un marido dispuesto a trabajar su herencia y aprovechar hasta la última gota los recursos en potencia de sus estados. Como le subrayaba la princesa de Éboli en una carta mandada desde Pastrana, «Tengo por cosa sin duda, que si haces ahí todo lo que se puede, que valdrá más que muchos estados buenos todos juntos. En Aragón suelen echar muchas puercas de estas ordinarias en los bosques, y hay tantos javalíes, que es cosa extraña. En Ribadeo, pues es puerto, también podrás hacer muchas cosas»[33].

La princesa de Éboli, desde luego, miró con muy buenos ojos este nuevo enlace de su favorito; según algunos «fue por orden de la dicha Princesa doña Ana de Mendoça, la cual prestó su asenso y consentimiento para ello»[34]. Según, sin embargo, el propio Diego, la instigadora de todo fue la condesa viuda de Salinas, Antonia de Ulloa, quien «había puesto los ojos en mí para casarme con su hija»[35]. En unos apuntes más personales y reveledores de agosto de 1591, dice lo siguiente: «me vi tan lejos de hablar en ella [la materia de su matrimonio] como lo estoy de poderla merecer. Fui llamado y aun las cartas dicen que escogido con lo cual entendí que no había dificultad por allanar»[36]. Detalle de mucho interés es aquel de que él firmó las capitulaciones en blanco «para que se pusieren como las supiese imaginar la parte no queriendo hacer de lo que ha de ser estimación mercancía ni hablar en tanto más cuanto mandáronme que tratase de este negocio como de cosa hecha»[37]. Cuesta creer que persona tan meticulosa y desconfiada como Diego de Silva y Mendoza firmara algo tan importante como unas capitulaciones matrimoniales en blanco, sin haberlas visto y dejando que su futura suegra llenase los huecos del documento, pero así parece que lo hizo. Más tarde llegaría a arrepentirse de semejante ingenuidad, especialmente del apartado que le comprometía a dotar a las otras hijas de la condesa en cincuenta mil ducados.

Aunque la condesa viuda de Salinas y la propia princesa de Éboli estuvieran de acuerdo con el matrimonio, aun hubo problemas. La duquesa de Béjar, tía de la novia, estuvo implacablemente opuesta al enlace e intentó pararlo yendo al Escorial a apelar al rey. La posición de la Emperatriz María tampoco estuvo muy clara, pues parece quería casarlo «de su mano con doña Juana de

---

[32] En una carta de 27-III-1580, Antonio Pazos escribió de nuevo al rey sobre el caso de Luisa de Cárdenas: «Dijome que la aflicion suya se habia doblado; despues declaró no querer ir a Santorcaz con su suegra» (*CODOIN*, vol. 56, pp. 297-298). La princesa de Éboli fue transferida de la torre de Pinto a la fortaleza de Santorcaz a principios de 1580.

[33] AHPZ: Híjar, 1ª-389-4, fol. 30r.

[34] AHPZ: Híjar, 1ª-389-4, fol. 29r.

[35] AHPZ: Híjar, 3ª-24-34 ; carta al rey, con fecha de 18-X-1591.

[36] AHPZ: Híjar, 3ª-24-34 ; en una versión primitiva, luego tachada, dice «no había dificultad por allanar ni de mi persona ni de mi hacienda y así se me dio a entender ... no siendo yo el que movía la plática».

[37] AHPZ: Híjar, 3ª-24-34 ; fecha de agosto de 1591.

Toledo y para esto me han ofrecido cuanto se pide para estotro y algo más»[38]. Y finalmente, como hemos comentado ya, el propio Diego estaba más que dispuesto a abandonar el proyecto matrimonial si antes le salía alguna merced o pretensión en la corte.

A pesar de tanto escollo, se celebró el matrimonio de Diego de Silva y Ana Sarmiento el 13 de noviembre de 1591, en el pueblo de Odón, cerca de Madrid. La princesa doña Ana le escribió inmediatamente dándole la enhorabuena: «solo diré mi contentamiento, que éste quiero que lo sepa Dios y todo el mundo, y con cuanta voluntad y bendición mía te has casado, y cuán de estimar es la merced que nuestro Señor nos ha hecho: al fin obra suya»[39]. Su alegría por la noticia y su temor de que fracasara este nuevo matrimonio por algún desliz de su hijo en el pasado le llevaron a la siguiente y sorprendente declaración: «y si tuvieres algún fruto vivo de hijo, de las verduras pasadas, me le envía acá, sin que tu mujer lo sepa, y no me la enojes ni disgustes, ni aun con el pensamiento, en traer a la memoria tales cosas»[40]. Que se sepa, no le había quedado a Diego de Silva ningún hijo ilegítimo de sus años de «soltero descasado», pero alguna razón tendría la princesa por pensar que pudiera haber tenido. Ella sentía mucho no poderles dar nada de regalo y tenía muchas ganas de ver a su nueva nuera, pero reconociendo lo difícil que era –«si estas puertas se hubiesen de abrir, y ella hubiese de venir»[41]– se limita a darle unos consejos: «y tú, hijo, sabe conocer la merced que Dios te ha hecho, y pasea menos, a lo menos no pasees por la calle de doña Luisa, ni parte sospechosa, ni visites cosa que lo sea, ni hables en cosas de ella»[42]. Por lo visto, entonces, incluso después de la anulación de su matrimonio con Luisa de Cárdenas, Diego seguía embelesado con ella; además, corría gran riesgo, a los ojos de su madre, de dañar su nueva alianza con la condesa de Salinas. Estaría encerrada en su palacio de Pastrana, pero está claro que la princesa de Éboli seguía muy de cerca los acontecimientos exteriores, a la vez que conocía demasiado bien a su hijo favorito.

A pesar de los augurios poco propicios para un feliz matrimonio, esto es precisamente lo que Diego de Silva y Ana Sarmiento parecen haber tenido, el poco tiempo que duró el enlace. En 1592 les nació un hijo a quien pusieron el nombre de Pedro, pero su felicidad familiar duró poco, pues en octubre de 1595 la condesa murió inesperada y repentinamente, tan repentinamente que no le dio tiempo siquiera a ordenar su testamento –«murió ab intestato»–, lo que sugiere que no muriera de parto (algo tan común entonces) sino de algo como la peste, que empezaba por aquellos años a azotar Castilla. La condesa murió en Madrid y fue llevada en cortejo fúnebre al Monasterio de Benevivere, cerca de Carrión de los Condes, panteón de los condes de Salinas. Allí fue enterrada el 27 de octubre, a las tres y media de la tarde, «puesta en un ataud a la mano derecha del altar mayor»[43]. No parece, por el acta de entrega de cuerpo, que Salinas acompañara el cuerpo de su mujer[44], pero esto no quiere decir que no sintiera su muerte; sólo un mes después de tan triste acontecimiento, Diego se refería a «mi muy cara y amada mujer doña Ana Sarmiento... difunta que está en el cielo»[45], y parece que quería fundar un memorial en su nombre en la iglesia de Santa María la Mayor de Villarrubia[46].

---

38 AHPZ: Híjar, 3ª-24-34.
39 AHPZ: Híjar, 1ª-389-4, fol. 29v.
40 AHPZ: Híjar, 1ª-389-4, fol. 29v.
41 AHPZ: Híjar, 1ª-389-4, fol. 30v.
42 AHPZ: Híjar, 1ª-389-4, fol. 29v.
43 AHPZ: Híjar, 4ª-276, cita de Bartolomé de la Vega, secretario del conde.
44 AHPZ: Híjar, 4ª-95.
45 AHPZ: Híjar, 1ª-379-63.
46 Información tomada de AHPZ: Híjar, 4ª-95.

Para gran admiración de sus contemporáneos, unos seis meses después de la muerte de doña Ana, el 14 de abril de 1596, Diego de Silva firmaba ante testigos una cédula de promesa de futuro matrimonio con su cuñada, doña Marina Sarmiento. Para poder celebrar el matrimonio, tuvieron que pedir dispensa a Roma, ya que el enlace estaba prohibido por ser parentesco de primer grado. Durante los tres años siguientes trabajaron en redactar un memorial para mandar al Papa y en constituir un partido de apoyo a sus pretensiones en Roma; otra vez Diego se valió de los servicios y méritos del Cardenal Ascanio Colonna[47]. La tarea de redactar el memorial le fue confiada a Luis de Castilla, amigo y pariente de la familia y en aquella sazón canónigo y arcediano de Cuenca[48].

Aunque este matrimonio tampoco fue un camino de rosas, como en seguida veremos, no cabe duda de que fue todo un éxito para las artimañas y estratagemas de Diego de Silva. A la muerte de la condesa doña Ana, Diego tenía viviendo con él y a sus expensas en sus casas de Madrid y Valladolid a su suegra, a sus dos cuñadas (Marina y Magdalena), y a una hermana de su suegra (doña Aldonza de Ulloa). Él propiamente no disponía ya de nada: era solamente conde consorte, pues los estados y mayorazgos de Salinas y Ribadeo habían pertenecido a su mujer. Muerta ella, habían pasado a su hijo Pedro, de tres años poco más o menos. El problema ahora radicaba en que Pedro era un niño enfermizo y delicado. Si él fuera a morir, lo que se esperaba a diario, entonces todo pasaría a su cuñada Marina Sarmiento y Diego quedaría sin nada, sin ninguna posibilidad de pagar sus deudas, sin título ni rentas. A la vez, volvían a atormentarle aquellas capitulaciones matrimoniales que había firmado en blanco en 1591, en que se había obligado a dotar a las hijas de la condesa doña Antonia en la cantidad de 50.000 ducados. Como decía por entonces el conde, «era cruel cosa, y muy desollada, que faltándole su hijo hubiese de pagar él de sus bienes los dichos 50 mil ducados para los dichos dotes, y quedarse sin el estado»[49].

Parece que Diego y Antonia de Ulloa se pusieron de acuerdo sobre la mejor manera de proteger los intereses de ambas partes, y ésa era el matrimonio de Diego y Marina. Antonia de Ulloa sabía de sobras que su yerno no tenía de qué dotar a sus hijas restantes; sin dote sería bien difícil si no imposible casarlas con algún título digno de su rango; Diego bien podía echarlas de su casa, y ¿qué haría ella entonces con dos hijas solteras que cuidar? Casándose con Marina Diego se ahorraba los 50.000 ducados, pues «se le prometieron en dote con ella, los mismos cincuenta mil ducados que él había prometido»[50]. Es decir, todo se quedaba en casa: él le daba en dote a Marina los 50.000 ducados prometidos (que ciertamente no tenía), y ella se los pasaba inmediatamente a él como su dote. Todos contentos. Ahora, para la opinión pública, que empezaba a murmurar, había que cubrir todo con un velo más aceptable, así que leemos, en palabras del arzobispo de Burgos, don Alonso Manrique, «que la Condesa doña Antonia de Ulloa deseó mucho que el dicho Conde se casase con la Condesa doña Marina, y le dijo... lo deseaba con tantas veras, por haber visto que la Condesa doña Ana su hija el tiempo que fue casada con el dicho Conde, había vivido con mucho contento y descanso, y sido muy estimada de su marido, que esperaba sería lo propio de la Condesa doña Marina su hija, y que no tenía esta seguridad de otra persona alguna, pues no

---

47 Véase AHPZ: Híjar, 1ª-19-3, fol. 22r: «Diego de Santoya ... fue el primero que escribió a Roma sobre esta dispensación al Cardenal Ascanio Colona». Este legajo, de donde han procedido la mayor parte de los datos sobre el tercer matrimonio de Diego de Silva, es un impreso titulado «Memorial del pleyto de la Condesa de Villalonso doña Madalena Sarmiento de Vlloa con El Conde de Salinas don Diego de Silva».

48 ¿Sería éste el mismo que había traído a España a El Greco en 1577, para trabajar en el retablo de Santo Domingo el Antiguo de Toledo, encargo del padre de don Luis?

49 AHPZ: Híjar, 1ª-19-3, fol. 43v.

50 AHPZ: Híjar, 2ª-63-36.

los conocía ni había tratado como al Conde»[51]. Tal vez hubiese algo de verdad en esta afirmación. ¿Y qué de la novia? ¿Qué pensaba ella de este arreglo? Según algunos, estaba muy contenta con la idea de casarse con su cuñado: «tenía tanto gusto de que el dicho matrimonio se efectuase, que ella fue quien hizo más instancia, para que se concluyese, y sentía con grandes demostraciones la dilación de la dispensación: y escribía a Roma sobre que se procurase despachar con brevedad... siempre se mostró contentísima de casar con el dicho Conde»[52].

Para este matrimonio no se hicieron en principio capitulaciones matrimoniales. Todo fue llevado a cabo en el mayor secreto, y ni siquiera se fiaron de escribano, por si la gente se enterara de lo que trababan. Efectivamente, las circunstancias no estaban para ir pregonando «el negocio». Antonia de Ulloa y sus hijas seguían viviendo con Diego, lo que ya estaba dando de qué hablar entre la gente: «publicándose en la Corte, que trata el Duque casarse con la dicha doña Marina, sus deudos de ella han murmurado de que viviesen todos juntos en una casa, y a una mesa, dando a entender algunas personas, por las vías y medios que han querido, lo que podía pasar entre ellos, y porque sucede tantas veces, parecerá que es verosímil»[53]. De seguir así los rumores, difícilmente encontrarían maridos Marina y Magdalena. Como razonaba Diego de Silva en el borrador del memorial que se mandó a Roma, «y visto que de estar juntos se murmura y de apartarse se ha de divulgar más la causa... parece que la dispensación remedia y ataja todos los inconvenientes, pues demás de cesar los referidos se ve que su Santidad, habiendo precedido cópula, no dispensará, conformándose con el Santo Concilio de Trento... siguiéndose el matrimonio se refuerza el deudo, acábase el escándalo, quiétanse los deudos, cesan las pesadumbres, y pleitos»[54]. La única manera entonces de atajar los rumores era casándose Diego y Marina.

El arcediano Luis de Castilla ultimó los detalles del memorial y el arzobispo Alonso Manrique, primo lejano de la familia Sarmiento, fue el encargado de llevarlo a Roma y presentarlo ante la Santa Sede. Los apuntes de Salinas para el memorial llevan fecha de 1598, lo que sugiere que éste no fue terminado hasta poco antes de concederse la dispensa. Alguna idea del apremio en que se encontraba Salinas y los deseos que tenía de que todo se solucionara bien sin contradicciones en Roma, nos viene de estos apuntes, que terminan con unos ejemplos de casos «aparentemente» similares, escritos de puño y letra por el propio Salinas. Como son casos tan singulares los que aduce, citaré dos de los más graciosos: 1) «Rafael Tribulcio casó con una señora de la casa de Fiesco y habiéndola muerto se dispensó para que se casase con su cuñada; fue después del Concilio; sucedió en Génova; no se sabe el año pero será fácil y tanto más a quien por no ser parte lo preguntare sin recato»; 2) «con el Adelantado de Castilla, que hoy vive, se dispensó para que se casase con su sobrina, y desposada con él se metió monja y tornóse a dispensar para que se casase con hermana de la misma absolviéndola del voto de religión que había hecho, de manera que consanguinidad y afinidad y voto de religión se dispensó y todo fue después del Concilio»[55]. Aparte de lo realmente singular de estos ejemplos (apunta otros de Portugal y Nápoles), es interesante constatar el peso que ya estaba teniendo el Concilio de Trento y sus deliberaciones en la mente de la gente. Sus autores se habrían halagado mucho de saber la importancia que se le concedía tan pocos años después de terminado.

---

[51] AHPZ: Híjar, 1ª-19-3, fol. 36v.
[52] AHPZ: Híjar, 1ª-19-3, fol. 38r.
[53] AHPZ: Híjar, 1ª-19-3, fol. 9r-v.
[54] AHPZ: Híjar, 4ª-303.
[55] AHPZ: Híjar, 4ª-303.

No sabemos cuánto tiempo estuvo en duda la petición de Salinas, pero sí sabemos que cuando llegó a manos del Pontífice, Clemente VIII, éste sólo tardó diez días en dar la dispensa[56]. Entretanto, había tenido que sortear y rechazar las reclamaciones que habían puesto al matrimonio la duquesa de Béjar y doña Leonor Manrique, tías de Marina Sarmiento, quienes afirmaban que a doña Marina la habían presionado para que aceptara casarse con su cuñado. Diego de Silva hizo saber al Papa el odio que le tenía la duquesa de Béjar (quien, recordemos, se había opuesto a su primer matrimonio con una Sarmiento), y el Papa hizo caso omiso de su negativa.

La dispensa, que les costó unos 1.476.000 maravedíes, fue concedida de forma graciosa el 25 de enero de 1599; el 19 de febrero el Nuncio, el Patriarca Alexis, comunicó la noticia a Salinas y le concedió licencia para velar en cuaresma[57]. Pocos días después Diego de Silva llevó a su suegra, a la hermana de ella, y a sus dos cuñadas con todos sus criados a las casas del Conde de Casarrubios en Arroyomolinos, un pueblo pequeño entre Navalcarnero y Fuenlabrada, donde pensaban celebrar el matrimonio. Una vez allí, hacia el 24 de febrero, Salinas mandó a su criado Diego Sánchez de Palomares con una copia de la dispensa al Vicario para que les despachara licencia para casar. Todo parecía listo y dispuesto para poner fin a un largo período de espera que había durado algo más de tres años y que había levantado diversos rumores y suspicacias. Sin embargo, lo peor aún no había empezado. El 27 de febrero Luis de Castilla, el otrora fiel memorialista, pero ahora trabajando a favor de los intereses de Magdalena Sarmiento (apoyada por su tía Leonor Manrique), puso en marcha una peligrosa bomba de relojería cuando decidió sacar el tema de las capitulaciones matrimoniales que no se habían hecho. Por propia iniciativa hizo un borrador de capitulaciones que presentó en Arroyomolinos a Antonia Ulloa y Diego de Silva.

Luis de Castilla actuó muy inteligentemente y con mucha cautela. El borrador que les dio no contenía nada de gran importancia: resolvía algunos puntos dudosos, sugería maneras de hipotecar alguna parte de los estados de Salinas para aumento de dote. Antonia y Ulloa y Diego de Silva no vacilaron en firmar en el margen, después de haber apuntado alguna duda suya. Entretanto, Castilla había vuelto a Madrid a esperar instrucciones. El conde por su parte decidió ir a la capital a consultar con el marqués de Malagón y con su letrado el Licenciado Gonzalo de Berrio: «vino el dicho Conde a esta Corte del dicho lugar de Arroyomolinos por la posta una tarde, que era ya noche, y [Diego Sánchez de Palomares] le acompañó en algunas visitas que hizo hasta que aquella misma noche se volvió al dicho lugar de Arroyomolinos, para lo cual le tenían caballos de posta en la puente Segoviana, y serían las once de la noche»[58]. Salinas dejó con Palomares el borrador de Castilla con las notas marginales firmadas por él y Antonia de Ulloa, para que se lo diese al mismo Castilla el día siguiente.

De ahí a pocos días llegaron las capitulaciones ya redactadas en forma legal, pero bien distintas a las que Salinas y su suegra habían acordado unos días antes. Si lo que quería Luis de Castilla era sembrar la duda, confusión, discordia e inquina entre Antonia de Ulloa y su yerno no podía haber escogido mejor camino. Insinúa a ésta que Salinas ha salido muy bien del negocio puesto que no ha tenido que poner nada de su parte, y que su otra hija Magdalena se ha quedado completamente desamparada, sin posibilidad de casarse al no corresponderle ahora nada de dote. Sugiere que Salinas le asigne 13.000 ducados en dote, sabiendo de sobras que el conde no tiene de qué dotarla, aunque hubiera querido. No extraña por tanto que Salinas le acusara de haber estado «buscando

---

[56] AHPZ: Híjar, 1ª-19-8, fol. 12r.

[57] AHPZ: Híjar, 4ª-303.

[58] AHPZ: Híjar, 1ª-19-3, fol. 27r.

sombras que causasen equivocaciones y escureciendo la verdad» y que «tuvo desbaratado el casamiento en Arroyo de Molinos con novedades y dudas todas»[59]. Otros fueron más lejos y le acusaron abiertamente de haber querido hacer naufragar el matrimonio: «el mover nuevas condiciones y dudas después de venida la dispensación, fue traza del dicho don Luis y nació de él, y del deseo que tenía de que las partes se desaviniesen y el matrimonio se desbaratase, como lo tuvo casi desbaratado en el lugar de Arroyomolinos, por particular inclinación y respeto que tenía a la utilidad y aprovechamiento de la dicha Condesa de Villalonso»[60].

En Arroyomolinos el ambiente se puso tenso. Antonia de Ulloa empezaba a dudar de si hacía bien en casar a su hija Marina con Salinas sin haber podido atarle a ninguna capitulación matrimonial, y la situación de Magdalena le remordía la conciencia. Por su parte, Marina Sarmiento y Aldonza de Ulloa intentaron convencer a Antonia de que Salinas no iba a cambiar de opinión y que era mejor conformarse con el acuerdo anterior; si no, no habría matrimonio. Los criados se dieron cuenta del ambiente de discordia por las voces y gritos que se oían y por los lloros de la condesa y sus hijas. Las nuevas capitulaciones habían tenido el efecto de enfadar sobremanera a Salinas. Dijo a doña Antonia, desde la cama «donde a la sazón estaba», que «No quiero que el Duque del Infantado, y todos mis deudos se rían de mí, como de las primeras capitulaciones que hice cuando me casé con la Condesa doña Ana»[61]. Desesperada por las dilaciones (la boda se había aplazado ya varias veces), doña Marina esperó un día a que su madre no estuviese en la casa para llamar al mayordomo Juan Catalán, y en presencia de su tía doña Aldonza «con muchas lágrimas le rogó mucho pidiese a su madre, que pues había ya venido la dispensación, se casasen, en conformidad de lo que se había concertado, y se hiciese de la manera que el Conde quería, contentándose de que se estuviese por lo tratado: porque de no lo hacer, se seguirían muchos inconvenientes, por las muchas murmuraciones que había»[62]. Juan Catalán fue a ver a la condesa en sus aposentos y le hizo ver lo inútil que era querer que Salinas firmara nuevas capitulaciones; al cabo de un rato salió y dijo al capellán que se vistiese. Doña Antonia pasó al cuarto del conde que aún estaba en la cama (eran las diez de la mañana) y presumiblemente hizo un último intento de hacerle cambiar de opinión. De allí fue al cuarto de su hija y «con mucho enfado y llorando» le dijo: «Ea, señora vestíos, que hoy os habéis de casar»[63]. Doña Marina se afligió mucho de ver el disgusto que traía su madre y en este estado se vistió para su boda. Poco después fueron desposados y velados los nuevos condes de Salinas. No sabemos exactamente cuándo tuvo lugar esta ceremonia que se nos antoja bastante triste, pero suponemos que sería a mitades de marzo de 1599, pues el 15 de este mes el rey, Felipe III, dio su permiso desde Valencia para que se casaran Diego y Marina, permiso necesario al ser Diego Comendador de Herrera de la Orden de Alcántara[64].

Después de tantos disgustos, Diego y Marina sin duda esperaban disfrutar de una larga estabilidad emocional, pero tampoco iba a ser esta vez. Unos tres meses y medio después de la boda murió el pequeño conde, don Pedro; luego Marina, VII condesa de Salinas, embarazada, se puso enferma. Dio luz prematuramente hacia principios de marzo de 1600 a un hijo, Rodrigo, pero ella murió poco después, probablemente de sobreparto como era tan frecuente entonces. El 28 de

---

[59] AHPZ: Híjar, 4ª-95.

[60] AHPZ: Híjar, 1ª-19-3, fol. 38v; Madalena Sarmiento se casó con el conde de Villalonso en 1608.

[61] AHPZ: Híjar, 1ª-19-3, fol. 29r.

[62] AHPZ: Híjar, 1ª-19-3, fol. 29r.

[63] AHPZ: Híjar, 1ª-19-3, fol. 29v.

[64] AHPZ: Híjar, 4ª-303. Nótese que el permiso de Felipe II para el primer matrimonio de Diego llegó cuatro días después del acontecimiento, el 28 de junio de 1577 (AHPZ: Híjar, 1ª-383-1).

marzo dictó su testamento y última voluntad, y el día 30, Jueves Santo, murió. Fue enterrada en el Convento de Benevivere el 7 de abril al lado de su hermana Ana delante del altar mayor. En el corto espacio de cinco años más o menos, Salinas había enviudado dos veces, enterrado a un hijo y quedado encargado de otro, un bebé tampoco muy fuerte de salud: «se cree no vivirá» fue el comentario lacónico del cronista Luis Cabrera de Córdoba el 8 de abril de 1600[65].

A raíz de este análisis de los tres matrimonios de Diego de Silva y Mendoza, creo que podemos establecer que entre el poeta del amor y el poeta enamorado hay un abismo bien grande. La poesía amorosa de Salinas responde a una tradición –la cancioneril– y una retórica bien definidas, que poco o nada tienen que ver con su vida real. Alguien tal vez se sentirá atraído por la idea de que la melancolía y la tristeza que se advierten en sus versos provienen de la «indudable» tristeza de su vida matrimonial, y que representan un escape de la realidad que le circundaba. La proposición no carece de atractivo, y no tenemos por qué pensar que no sintiera la muerte de sus dos mujeres Sarmiento, pero sería, en mi opinión, un error de grandes dimensiones confundir la ficción con la realidad y atribuir la melancolía de la poesía de Salinas a unos hechos reales. El matrimonio para Diego de Silva, como para todos sus contemporáneos, era sin duda ninguna un negocio como cualquier otro. Mediante él, consiguió un título de nobleza y unos estados y mayorazgos que con el transcurso del tiempo y el trabajo de un hombre con espíritu emprendedor le rentaban unos 30.000 ducados al año y le permitieron lanzarse a una carrera política que llegó a igualarse a la de su padre, el príncipe de Éboli. A fin de cuentas, ¿qué más podía esperar de la vida un hijo segundón a finales del siglo XVI?

---

[65] L. Cabrera de Córdoba, *Relaciones de las cosas sucedidas en la Corte de España desde 1599 hasta 1614*, Madrid, Imprenta J. Martín Alegría, 1857, p. 64, Aviso de 8-IV-1600.

Poesía y oralidad en los Siglos de Oro

Michelle DÉBAX
Université de Toulouse-Le Mirail

Bien es sabido que las tres vías de difusión, impresa, manuscrita y oral, existían simultáneamente en los siglos XVI y XVII y que, tal vez, el orden en que acaban de enunciarse sea exactamente el inverso del que correspondería a la importancia relativa, por lo menos cuantitativa, de estas vías. Sería satisfactorio adscribir a cada una de ellas cierto tipo de poesía y cierto tipo de público y poder deslindar claramente sus áreas respectivas. Pero dista mucho de ser así, ya que las tres se entremezclan, se cruzan, se influyen mutuamente: un romance por ejemplo, que pertenecería en un principio al área de la oralidad, puede estamparse en letra de molde (en *Cancioneros* o en pliegos) y un soneto, fruto exquisito de la inventiva de un poeta, se difunde por repetirse de memoria en un círculo más o menos amplio, hasta que alguien lo apunte en un cuadernillo. Sólo se aducen estos casos extremos que, por supuesto, nada tienen que ver uno con otro para señalar la dificultad de separar y de compaginar tipos de poemas y tipos de difusión.

Este es un primer problema, pero no es el único, ni mucho menos, y, más que dibujar un mapa con territorios deslindados, lo que intentaremos aquí es una incursión «in terra incognita» con el riesgo de perdernos, de errar, de no llegar a ningún sitio seguro, abriendo sólo algunas pistas.

«Terra incognita» es por razones obvias todo lo que atañe a la oralidad en siglos pasados, antes de que los modernos medios audiovisuales permitieran la difusión diferida de la voz (y de la imagen). Nunca conoceremos directamente lo que fue la poesía cantada o recitada ante un auditorio pendiente de la voz y de la actuación del (o de los) cantante(s) o del (o de los) recitante(s).

Y, sin embargo, al principio apuntamos la primacía probable de la vía oral en la difusión de la poesía, lo que puede parecer una paradoja e incluso un absurdo. Efectivamente, si algo podemos decir, imaginar, reconstruir de lo que pudo ser la difusión oral de la poesía, es por lo que se vislumbra de ella a través de los textos escritos. Un romance o un villancico cantados en el siglo XVI o XVII no dejan constancia de su existencia sino en la medida en que, en algún momento, alguien los apuntó por escrito: *verba volant, scripta manent*. El escrito es el único testimonio fehaciente.

Para salir de este círculo aparentemente vicioso, cabe distinguir dos etapas distintas; la de la transmisión y la de la archivación. Es seguro que desde nuestro siglo XX, tenemos que recurrir al archivo escrito para conocer textos que circularon oralmente, y también las condiciones de su

Hommage à Robert Jammes (Anejos de *Criticón*, 1), Toulouse, PUM, 1994, pp. 313-320.

circulación y, en este terreno, es imprescindible el escrito. Pero esto no impide que en su momento, precisamente circularan y se conocieran y se transmitieran oralmente éstos y otros textos perdidos para siempre. Otro testimonio oblicuo de esta difusión oral, lo constituyen las supervivencias actuales, cada vez más ruinosas de algunas categorías de poesía, como romances o cancioncillas, que perduran en la tradición oral, aunque muy cambiados respecto a lo que fueron en el siglo de oro.

Cabe subrayar pues que las vías de acceso a toda manifestación oral no pueden ser sino indirectas e inseguras. Vamos a recorrer brevemente algunas de ellas.

Estos últimos años, muchos estudios han puesto el énfasis en la supervivencia en los siglos de oro de la difusión oral de la literatura. La imprenta no acabó de la noche a la mañana con las prácticas de la Edad Media, época en que los textos de toda índole se leían en voz alta y circulaban de boca en boca. *Mutatis mutandis*, se puede comparar el cambio que representó la imprenta con el cambio que vivimos en este siglo, por la invasión arrolladora de los medios audiovisuales, que coexisten con los libros y la prensa, arrinconándolos poco a poco. En los siglos XVI y XVII, toda clase de literatura se oía más que se leía, tanto más cuanto que eran pocos los que sabían leer, como subraya Maxime Chevalier[1]. Así es como se puede entender la difusión de la materia del *Lazarillo* a pesar de la escasez de ediciones y, según palabras de M. Chevalier: «conviene apuntar que parte de la materia novelesca circuló en forma oral en la España de los Austrias»[2].

Esto lo corrobora Margit Frenk[3], que recoge gran número de citas que ponen en correlación «leer» y «oir», «lector» y «oidor», es decir que los textos se leían en voz alta, se oían y se memorizaban. Daré solo un botón de muestra, sacado del *Quijote*, donde, al acabar el capítulo 25, se lee: «comenzó a dezir lo que oirá y verá el que le oyere o viere el capítulo siguiente». Si así se difundía la materia narrativa ¿qué sería de la poesía desde siempre aliada al canto y a la música?

Ahora bien, lo que quisiera apuntar aquí brevemente, más que el ámbito y las circunstancias de esta difusión oral (lo que es más bien un planteamiento de tipo sociológico), es la repercusión de este tipo de difusión en los textos mismos. El recorrido irá de lo más externo a lo más profundo que afecta al mismo texto. Por otra parte, cabe señalar que la interferencia entre oralidad y escritura no se da en dirección única de lo oral hacia lo escrito, es decir apuntándose lo que circulaba oralmente, sino de lo escrito a lo oral, difundiéndose por vía oral lo que se compuso en un principio por escrito.

Pertenecería a esta última categoría la poesía culta o letrada compuesta por literatos, según moldes italianizantes en el siglo XVI, o conceptistas en el siglo XVII. Por las pocas ediciones que de las obras de los grandes poetas se realizaron y por la influencia que tuvieron las mismas, se puede deducir que su vía de difusión no fue sólo el libro. Se memorizaban, se repetían y para servir de rodrigón a la memoria, se apuntaban a veces en manuscritos, expuestos a los avatares del olvido. Así es como Rodríguez Moñino advierte:

> Se olvida con demasiada frecuencia que la obra corta muchas veces no pasa de copia a copia sino del recuerdo al papel, de la memoria a la pluma.[4]

---

[1] Maxime Chevalier, *Lectura y lectores en el Siglo de Oro*, Madrid, Turner, 1976, p. 20.

[2] Maxime Chevalier, *op. cit.* p. 46.

[3] Margit Frenk, «Lectores y oidores. La difusión oral de la literatura en el Siglo de Oro», *Actas del séptimo congreso de la Asociación Internacional de Hispanistas*, Roma, Bulzoni, 1982, pp. 101-123.

[4] Antonio Rodríguez Moñino, *Poesía y Cancioneros (siglo XVI). Discurso leido ante la Real Academia Española, el día 20 de octubre de 1968 en su recepción pública*, Madrid, 1968, p. 26.

Y aduce el ejemplo de un soneto de Góngora, apuntado en un manuscrito de principios del XVII, al que le faltan nada menos que los seis últimos versos con esta nota del copista: «los tercetos no me acuerdo». Rodríguez Moñino comenta:

> «No me acuerdo» es decir, estoy copiando en estas hojas unos poemas de memoria, a veces doy el texto aproximado, «corríjalo vuesa señoría» [*ésta es una acotación a otro poema del mismo manuscrito*], ahora se me olvidan los tercetos de este soneto[5].

Este ejemplo muestra a las claras cómo se conocían y se difundían los poemas, amén de manifestar los problemas textuales y de atribución que conlleva esta práctica. Es, si se quiere, el grado más externo: sólo la difusión es oral y el pasar el poema al escrito en unos folios obedece al afán de ayudar a la memoria y de transmitirlo a otra persona, que a su vez lo aprenderá de memoria tal vez. Ni que decir tiene que esta difusión no pasa de los círculos letrados, ya que si un poema de Góngora o de Lope llega a un público más amplio, es que en algo se ha contagiado de las características de la poesía destinada al canto, como veremos más adelante. También cabe apuntar que, hasta en el caso, aludido antes, de difusión aleatoria por la memoria, este proceso no deja de repercutir en el texto tal como se ha apuntado y conservado con fallos, yerros y reelaboraciones, a veces.

Un paso más en la influencia de la difusión oral sobre la misma elaboración de los textos se da con aquéllos que se compusieron *ad hoc* para un auditorio determinado. Me refiero a los poemas compuestos para justas, certámenes, vejámenes, Academias, «literatura efímera» como la califica Aurora Egido, en el título de un estudio suyo sobre oralidad y escritura en los certámenes y academias de los siglos de oro[6]. Insiste precisamente en su carácter circunstancial por una parte, pero también en que está «escrita con el pensamiento puesto en el auditorio al que va dirigida y ante el que va a ser recitada, cantada o leída»[7]. Varios puntos pueden destacarse respecto al tema que nos ocupa. Los auditorios restringidos y selectos, cuando el acto se ciñe al ámbito de la Academia o de la Universidad, pueden ampliarse cuando se trata de ceremonias y actos públicos. «La poesía se hace pública en las justas que, cuando son abiertas, ofrece a un amplísimo auditorio la oferta de voces y música en la palestra» según dice A. Egido[8].

Esto significa que un público urbano variopinto oye poesía, esa poesía de circunstancia, que forma parte del espectáculo con la música, la escenografía y la actuación de los participantes y que es arte entre otras en estas fiestas colectivas. Esta poesía artesanal y ocasional pasó raras veces a la estampa, ni siquiera quedan muchos testimonios manuscritos, ya que «la voz en las justas no era letra manuscrita sino para, dicha y cantada y escenificada como en el drama, y su impresión, si la hay, es posterior y accidental»[9]. Es cierto que tampoco se han perdido así muchas obras dignas de perpetuación, ya que su función y su interés acaban en el acto mismo de su ejecución, dentro del marco de las ceremonias que las motivaron. En este caso, aunque se trate a veces de poesía compuesta según las modas literarias vigentes, a veces también improvisada según técnicas aprendidas, la difusión oral es su razón de ser. Se podría aplicar a esta clase de poesía lo que dice M. Frenk de la poesía devota del poeta novohispano Fernán González de Eslava, que ella acaba de reeditar:

---

[5] Antonio Rodríguez Moñino, *op. cit.*, p. 29.

[6] Aurora Egido, «Literatura efímera: oralidad y escritura en los certámenes y academias de los siglos de oro», *Edad de Oro*, VII, Madrid, Ediciones de la Universidad Autónoma, 1988, pp. 69-87.

[7] Aurora Egido, *op. cit.*, p. 79.

[8] Aurora Egido, *op. cit.*, p. 79.

[9] Aurora Egido, *op. cit.*, p. 84.

Era poesía escrita para ser cantada o recitada en una determinada ocasión; *poesía de circunstancia* y además fundamentalmente, *poesía para una música*; sin la circunstancia y sin la música, esa poesía *no es* (los subrayados son de la autora)[10]

Ahora bien, estos poemas, o composiciones versificadas, eran obra de los literatos de turno, con la participación ocasional de grandes poetas como la del mismo Góngora, en una celebración de la parroquia de San Andrés en Córdoba[11]; pero otra clase de poesía, como bien se sabe, se adscribe a la vía oral, y es la llamada poesía «popular», aunque el término «popular» sea ambiguo y sea preferible el rótulo pidaliano «tradicional». El problema no es únicamente de denominación, ya que lo que está en juego es la índole misma de esta poesía. Digamos que en este caso más que de difusión, se trata de transmisión oral, lo que no deja de influir profundamente en su misma forma de ser, aunque caben muchos matices y muchas interferencias entre poesía nuevamente compuesta con vistas a la difusión oral y poesía acuñada por la transmisión oral. Vamos a apuntar someramente algunos de los problemas que se plantean a este respecto.

De larga tradición oral, que se remontaba por lo menos al siglo XV y, a veces, a siglos anteriores, era la poesía cantada y conocida de todos, la poesía lírica de las breves cancioncillas y la poesía narrativa o lírico-narrativa de los romances. Recordaremos sólo de paso y brevemente que la existencia de esta poesía rebasa los siglos de oro, se cantaba antes y se cantó después, pero también se siguió cantando en esos siglos. Lo que interesaría destacar aquí es lo que supuso la etapa áurea en el proceso multisecular de esta poesía tradicional, con la dificultad de desenmarañar la red de interferencias e interrelaciones entre lo oral y lo escrito.

Primero, y ante todo, conviene insistir en la permanencia y la vigencia de la transmisión oral para muchas canciones que se conocían sólo por haberlas oído, se repetían, se cambiaban más o menos, según se tratara de breves villancicos o de romances largos. Esta vida ininterrumpida la podemos comprobar por dos series de pruebas.

Las primeras las constituyen las múltiples citas ocasionales que no tienen, ni mucho menos, como meta recoger lo que se venía cantando sino utilizarlo para fines propios. Así desde Nebrija hasta Covarrubias, se insertan versos conocidos para ejemplificar un punto que se expone. Por ejemplo, Nebrija deja constancia de que se cantaba *Lanzarote y el ciervo del pie blanco* en dos versiones con asonancia distinta (en a/a y en i/a), ya que lo cita una vez para ilustrar la rima asonante, y otra vez para dar ejemplo del «tetrámetro iámbico» o «pie de romances», es decir el verso de dieciseis sílabas. En los dos casos lo llama «romance antiguo», atestiguando de paso su arraigo en la tradición[12]. Y desde la *Celestina* hasta el *Quijote*, desde la más triste canción que tañe y canta Sempronio a petición de Calisto: «Mira Nero de Tarpeya / a Roma cómo se ardía;/ Gritos dan niños y viejos / y el de nada se dolía», hasta el labrador, camino de su labranza que don Quijote y Sancho oyen cantar: «Mala la hubistes, franceses,/ en esa de Roncesvalles» (cap.9, 2nda parte), se pueden recoger cantidad de citas y testimonios de la pervivencia y popularidad de esta poesía cantada. También se valieron de ella los dramaturgos, Gil Vicente sobre todo entre los primeros y muchos del siglo XVII, que recurren a cantarcillos, sea como adorno musical, sea como ilustración dramática.

En cuanto a la segunda serie de pruebas indirectas, nos la da la supervivencia en la tradición oral de romances y canciones cuya existencia tradicional consta en el siglo de oro. Correas, por

---

[10] Fernán González de Eslava, *Villancicos, romances, ensaladas y otras canciones devotas*, ed. de Margit Frenk, México, El Colegio de México, 1989, p. 69.

[11] Aurora Egido, *op. cit.*, p. 85 y nota 58.

[12] Antonio de Nebrija, *Gramática de la lengua castellana*, ed. de Antonio Quilis, Madrid, Editora Nacional, 1980, p. 148 y p. 154.

ejemplo, recoge muchos cantarcillos que nadie más ha apuntado, y que siguen (o seguían) cantándose. Así éste que cita Margit Frenk: «A segar son idos / tres con una hoz; / mientras uno siega / holgavan los dos», tal como lo da Correas y «A segar, segadores,/ tres con una hoz,/ mientras el uno siega / descansan los dos», tal como se canta(ba) en la provincia de Madrid[13].

En el campo de los romances, se oyen hoy (o, mejor dicho, se oían ayer) versiones y versos distintos de los que se estamparon en el siglo XVI y que atestiguan su permanencia por vía oral, al margen de las versiones recogidas por la imprenta o arregladas para ella. Diego Catalán lo ha demostrado, con pruebas textuales, en el caso del romance de *Espinelo,* editado (y arreglado) por Timoneda:

> La publicación del romance reducido a texto no impidió que   continuara existiendo en la memoria de las gentes y se propagara por vía oral en los siglos XVI, XVII, XVIII, XIX y XX, hasta hacer posible que en nuestro siglo los exploradores de la tradición lo hayan recogido de memorias populares...[14]

Este ejemplo, con su alusión a la edición del romance, nos lleva al segundo aspecto de la relevancia del siglo de oro en la poesía de transmisión oral, que es en general el que más se enfatiza y se tiene en cuenta. Es la época de la archivación, ya que lo que se venía cantando pasó a editarse tanto en *Cancioneros* como en pliegos.

Se podrían destacar algunas directrices para enfocar esta ingente producción impresa, y no confundirla, sin más, con la poesía de transmisión oral. Es cierto, para empezar, que sin ella nos serían desconocidos gran cantidad de poemas, como ocurre con versos sueltos de romances citados por casualidad en obras diversas o en las *Ensaladas:* si no tenemos una versión impresa completa estamos *in albis.* Tal es el caso del romance de *Alexandre* del cual se conserva sólo un fragmento en el *Cancionero musical de Palacio*: «Morir se quiere Alexandre / de dolor de coraçón», y unas escasas reliquias entre los sefardíes de Oriente.

Pero al lado de esta función obvia de archivo, conviene matizar mucho el reflejo que lo que se transcribió puede dar de lo que se cantaba. Efectivamente no se publicaron tantos y tantos pliegos, no se recogieron tantos cantarcillos para dar fe de lo que se venía transmitiendo oralmente, sino por otros motivos, diversos según las épocas, pero muy distintos de los de folkloristas modernos.

Esta poesía, cuando se puso de moda desde finales del siglo XV en los círculos cortesanos, servía de base para alardes de ingenio de los poetas que la glosaban o la contrahacían, o de los músicos que arreglaban la melodía en polifonía (y así quedó consignada en libros de música). Luego, cuando se editaron pliegos y cancioneros que recogían sólo versiones de romances, sin perifollos añadidos, era porque correspondían a una boga entre un público de letrados y medio letrados. Pero, no por eso eran transcripciones fieles de versiones orales (los editores, desde Martín Nucio, declaran emmendar lo que está imperfecto), y, por otra parte, se creó una tradición impresa que retomaba y repetía los mismos textos ya estampados con pocas variantes. Es lo que ha estudiado y ejemplificado en muchos estudios Giuseppe di Stefano[15]. Lo importante parece ser en este caso que la difusión escrita, hasta si toma textos de la tradición oral y los destina después a una difusión oral, los fija, convirtiéndolos en textos cerrados. El paso a la imprenta no es mero recurso técnico para satisfacer un público que gustaba de ese tipo de poesía, sino que cambia o frena su modo de ser, de vivir en variantes.

---

[13] Margit Frenk Alatorre, *Estudios sobre lírica antigua*, Madrid, Castalia, 1978, p. 108.

[14] Diego Catalán, «El romancero medieval», *El comentario de textos, 4. La poesía medieval*, Madrid, Castalia, 1983, p. 470.

[15] Giuseppe Di Stefano, «La difusión impresa del romancero antiguo en el siglo XVI», *RDTP*, XXXIII, 1977, pp. 373-411.

En segundo lugar, la aceptación de esta poesía hizo que se incrementara el patrimonio existente con composiciones nuevas hechas a imitación de las que existían. Merecería una exposición aparte este tema de las imitaciones e influjos de la poesía de transmisión oral en la poesía nuevamente compuesta, ya que es complejo y no se puede globalizar ni se pueden generalizar las características de estas interferencias. Sólo daré un ejemplo en el campo del Romancero. Lorenzo de Sepúlveda en el prólogo a sus *Romances nuevamente sacados de historias antiguas de la crónica de España*, después de insistir en lo «nuevo» de la materia, dice «a un su amigo» que «va puesto en estilo que vuestra merced lee. Digo en metro castellano, y en tono de romances viejos que es lo que agora se usa»[16]. Que lograra Sepúlveda «ese tono de romances viejos» nos resulta un poco dudoso, pero la intención es clara y la motivación también. Añadiré que alude a los que van a leer [¿en voz alta?] sus romances pero también «a los que cantarlos quisieren», dejando constancia de la difusión prevista.

Y cuando, en las últimas décadas del siglo XVI, cundieron los romances nuevos, tan artificiosos y distintos de los romances viejos, casi el solo punto común que tienen aquéllos con éstos últimos, además de unas pocas coincidencias temáticas y del verso octosílabo, es que también se divulgaban por el canto y la repetición oral. Pruebas de ello son su anonimato –una vez lanzados, no se sabe muchas veces quién los compuso– y también las variantes que los afectan por el hecho mismo de su rodar de boca en boca. Y algunos –pocos, a decir verdad– han permanecido en la tradición oral. Así los romances lopescos de Zaide, reelaborados por la tradición marroquí, o los de la muerte del rey Felipe, o bien han contaminado viejas versiones, como las *Quejas de Jimena* que empiezan por «Delante del rey León doña Ximena una tarde/ demandando iba justicia por la muerte de su padre», versos sacados de un romance nuevo del *Romancero General*[17].

En cuanto a la lírica de tipo popular, los luminosos estudios de Margit Frenk exponen la gran valoración que se hizo de ella, la «dignificación». M. Frenk distingue dos etapas: 1450-1580 y 1580-1650, diversas en su modo de apreciarla y utilizarla, pero el trasvase entre lo culto y lo popular fue constante. A veces, la poesía culta, sobre todo la poesía cancioneril, dejó las huellas de su estilo en las canciones adoptadas por el pueblo, como en esta copla moderna:

> Ni contigo ni sin ti
> tienen mis males remedio:
> contigo, porque me matas,
> y sin ti, porque me muero.[18]

A la inversa, fenómeno muy frecuente, se hicieron glosas cultas tomando como base un estribillo tradicional, y muchas recreaciones imitativas hacen muy difícil, a veces, distinguir lo «popular» de lo «popularizante», como recalca M. Frenk.

De todas estas observaciones muy someras y demasiado esquemáticas y reductoras frente a une realidad muy compleja, se puede sin embargo sacar la conclusión de que los textos perpetuados por la vía oral, en muchos casos, sirvieron de modelo y dieron la pauta. En esa medida, paradójicamente, hasta se podría decir que el modo de transmisión oral tiene la primacía, no tanto por antecedencia cronológica ni genética sino por ser el aliciente y la savia nutritiva de gran cantidad de la poesía de los siglos de oro. Ésta, muchas veces originada en una tradición oral ya

---

[16] Antonio Rodríguez Moñino, *La Silva de Romancero de Barcelona, 1561. Contribución al estudio bibliográfico del romancero español del siglo XVI*, Salamanca, Universidad de Salamanca, 1969, p. 299 para el prólogo de Sepúlveda.

[17] Paul Bénichou, *Romancero judeo-español de Marruecos*, Madrid, Castalia, 1968, p. 32.

[18] Margit Frenk Alatorre, *op. cit.*, nota 13, p. 247.

plasmada, volvió a ella enriqueciéndola con textos y motivos nuevos y se difundió por la vía oral del canto y de la recitación (aunque mediara el soporte de los pliegos) en amplios sectores.

Conviene, para terminar, recalcar la especifidad de la poética *sui generis* que moldea los poemas pasados por el filtro de la transmisión oral, cualquiera que sea su origen primero: es en ese aspecto quizá, más que en el temático, en el que difieren más de los poemas compuestos y difundidos por la escritura.

En primer lugar es inútil, imposible muchas veces e improcedente tratar de remontarse a este origen, ya que el poema, al transmitirse oralmente va cambiando, según lo va entendiendo y memorizando cada uno que lo repite. Esta «vida en variantes», expresión acuñada por Menéndez Pidal para los romances tradicionales, señala precisamente la índole voluble de esta poesía que se actualiza en cada momento, en cada grupo social, en cada generación con el juego constante de variantes e invariantes. Este proceso lo han analizado Diego Catalán y sus colaboradores del Seminario Menéndez Pidal[19]. También las canciones líricas presentan variantes, de menos monta por ser más breves.

Por otra parte, difieren mucho estos poemas tradicionales en el concepto de autoría. Son anónimos, no son obra ni propiedad de nadie, borrándose en cierta medida la heterogeneidad emisor/receptor, ya que pueden volverse emisores los sucesivos receptores. Esto conlleva que no sea la idiosincrasia de un poeta la que se expresa en ellos (el dolor por la muerte de Isabel Freyre, en la *Égloga* I de Garcilaso, pongamos por caso) sino un sujeto colectivo, con las valoraciones propias de un grupo, de una época, generalizables y adoptables por todos, ya que carecen de rasgos particularizantes. Se puede expresar el dolor de cualquiera con estos versos recogidos por Narváez:

Ardé, corazon, ardé
Que no os puedo yo valer.

Quebrántanse las peñas,
con picos y açadones,
quebrántase mi coraçón
con penas y dolores.[20]

En cuanto a los cambios a los que hemos aludido, no se hacen al azar ni según la invención individual, sino siguiendo modos de sentir y apreciar las situaciones compartibles por una comunidad. En el plano de la expresión (del «discurso») retoman también modelos y giros estilísticos consabidos. Estas características de la(s) escuela(s) poética(s) orale(s) tampoco se consignan en preceptivas *a priori*, más bien se dan *a posteriori* como el resultado del modo de producción oral.

Efectivamente, estos textos orales se moldean no tanto para la voz como por la voz, con los recursos estilísticos consabidos de paralelismos y repeticiones, de palabras o de esquemas rítmicos (y musicales), con fórmulas e imágenes sobrecargadas de connotaciones simbólicas, con el particular encanto de sugerir más de lo que dicen.

Más allá de la mera perpetuación por la memoria, ayudada por la música a la que van unidos, estos poemas establecen una comunicación poética de otra índole que la de los textos cultos. Bastante se ha enfatizado estos últimos años la especifidad de la oralidad que pone en juego una forma de percibir y de entender, una forma de crear, dentro de moldes conocidos, de apelar al destinatario muy distinta de la de la escritura y tan compleja como ésta. Efectivamente, cabe

---

[19] Diego Catalán *et alii, Catálogo general del Romancero pan-hispánico, 1 A. Teoría general y metodología,* Madrid, Seminario Menéndez Pidal, 1984.

[20] Margit Frenk Alatorre, *Lírica española de tipo popular,* Madrid, Cátedra, 1983, p. 150.

recordar todos los factores de la «performance» (o ejecución) de los que el escrito no puede dar cuenta: no sólo la música sino la actuación misma del ejecutante, la expectativa y participación de los oyentes, la ceremonia comunitaria que representa, todo lo cual conforma la «obra» en términos de Zumthor, cuando el escrito sólo consigna el «texto» a secas[21]. Pero si no participamos de esa experiencia colectiva y nos es difícil entender desde fuera todos los mecanismos de la poética oral, nos queda por lo menos la fruición del misterio abierto por tantos versos y por el verso que mejor define esta poética: «Yo no digo esta canción sino a quien conmigo va».

---

[21] Paul Zumthor, *Introduction à la poésie orale*, Paris, Seuil, 1983; *La lettre et la voix. De la littérature médiévale*, Paris, Seuil, 1987. Véase también: Walter J. Ong, *Oralidad y escritura. Tecnologías de la palabra*, México, Fondo de cultura económica, 1987.

Nation, constitution et régénération.
État des lieux et perspectives

Jean-Antoine DIAZ
Université Paul Valéry - Montpellier III

En 1902, Joaquím Costa, président de la Section des Sciences Historiques de l'Ateneo de Madrid, publie le Mémoire que, l'année précédente, il avait adressé à divers intellectuels et hommes politiques espagnols afin de mener auprès d'eux une enquête sur la situation du pays. À la suite, il présente au public un résumé commenté des contributions parvenues. Si donc il doit être considéré comme l'auteur de ces deux textes désormais célèbres sous le titre de *Oligarquía y caciquismo como la forma actual de gobierno en España : urgencia y modo de cambiarla*[1], il n'en reste pas moins que le second peut être étudié comme un débat ouvert dans l'opinion éclairée sur les problèmes nationaux.

Nous nous proposons plus précisément d'y analyser la relation qui s'établit entre nation et régénération puisqu'après le désastre national de 1898 à Cuba face aux États-Unis, deviennent évidents la décadence, le retard et la crise que traverse l'Espagne dans le même temps où s'affirme la volonté de rénovation dans les classes moyennes[2]. Il n'est plus question pour elles de se satisfaire de l'artifice politique du système canoviste, mais de faire le procès du libéralisme de façade et de la corruption qu'il signifie. Le problème national se trouve donc posé en termes nouveaux, en termes concrets et documentés sur le plan de la méthode qui se veut positive[3] et,

---

[1] Joaquím Costa, *Oligarquía y caciquismo, Obras*, Zaragoza, Guara, 1982. Nous renverrons, cependant, à l'anthologie présentée par Pérez de la Dehesa, plus accessible, *Oligarquía y caciquismo*, Madrid, Alianza, 1984 (5ᵉ édition). Nous noterons P. de la D.

[2] En 1900 avait été constituée la « Unión Nacional » regroupant la « Liga de Productores » et la « Asamblea de las Cámaras de Comercio ». Dans la « Unión Nacional » se recruteront les tenants du régénérationnisme. Rappelons que la « Unión Nacional » ne constituait pas un parti politique à proprement parler.

[3] Positive dans le sens où l'enquête fournit des faits issus de l'observation, faits qui doivent permettre de connaître la situation de l'Espagne, les maux dont elle souffre et, par conséquent, d'œuvrer à sa guérison, c'est-à-dire à sa régénération. Positive dans la mesure où Costa n'accorde signification qu'à ces faits. Dans son *Cours de philosophie positive*, Auguste Comte avait parlé de physique sociale.

Hommage à Robert Jammes (Anejos de *Criticón*, 1), Toulouse, PUM, 1994, pp. 321-329.

d'autre part, en termes de relève du libéralisme sur le plan politique. Voyons comment se développe la pensée de Joaquím Costa sur ces deux plans et comment l'un conditionne l'autre.

Suivant donc une méthode positive, Costa commence par une observation, un constat qui est le suivant : la constitution qui régit effectivement, dans les faits, la vie nationale de l'Espagne à l'aube du XXᵉ siècle constitue un obstacle pour le renouveau du pays. En outre, cette constitution ne fait qu'achever la ruine de la nation. Le souci premier de Costa est clairement celui d'un patriote affecté dans son orgueil national[4] puisqu'il s'agit pour lui de combler le retard que l'Espagne a accumulé par rapport à l'Europe, de tirer le pays de l'ornière du sous-développement économique, culturel et politique que, pour lui, symbolise l'Afrique[5].

Fort de ce constat, Costa pose alors le problème auquel il se propose d'apporter une solution : quelle est cette constitution effective qui, pour son malheur, règle la vie nationale ? Autrement dit : quel est le mal dont souffre le pays ? Quel est l'obstacle au renouveau et au progrès qu'il faut liquider ? Nous apercevons d'ores et déjà que, positive, la démarche de Costa est celle d'un médecin[6] qui cherche à dresser un diagnostic pour pouvoir ensuite extirper le mal à l'aide du traitement adéquat. Voyons quel est le tableau qu'établit notre clinicien.

Costa commence par observer et dénoncer un mal politique qui est l'absence de souveraineté populaire, l'absence de démocratie ou plus précisément de ce qu'il appelle « self-government ». Formule qui fait davantage penser à une forme de démocratie directe ou de populisme qu'à un système représentatif[7]. Ainsi, Costa explique que les révolutions libérales du XIXᵉ siècle et notamment celle de 1868, ont été inutiles. Cette dernière, en effet, n'a pas détrôné le cacique. Critiquant l'œuvre des libéraux du XIXᵉ siècle, comme le feront après lui les régénérationnistes jusqu'à Ortega y Gasset, Costa ne reprend pas à son compte les exigences ou si l'on veut, les idéaux du libéralisme. Ceci, dans la mesure où il préfère opposer une Espagne officielle à une Espagne réelle. La première, correspondant à l'État de droits instauré par la constitution de 1876, est dénoncée comme pure fiction, apparence, « puro papel pintado ». La seconde, qui évoque les pratiques effectivement observées, se trouve épinglée comme règne de l'arbitraire et de la corruption. Costa, comme le fera noter Azaña[8], tend à lier parlementarisme et caciquisme ou, si l'on veut, à commettre un amalgame.

---

[4] Costa évoque l'écart qui s'est creusé entre l'Europe et l'Espagne au détriment de celle-ci : « España separada de Europa por toda la distancia de una edad histórica », P. de la D., p. 20. Tout comme il évoque le risque que court le pays de devenir la Turquie ou la Chine de l'Europe, soit une colonie qui ne pourra regarder sans honte l'exemplaire Japon. Le mot d'ordre de Costa ici n'est autre que : « España con honra », P. de D., p. 33.

[5] On sait quelle valeur symbolique les intellectuels espagnols de l'époque tireront de la situation géographique intermédiaire de l'Espagne ; notamment Unamuno, Ganivet, Ortega.

[6] Costa nous apparaît ici comme un possible héritier de Claude Bernard, auteur de *Introduction à la médecine expérimentale* (1865). D'autre part, on sait quelle influence a pu avoir le positivisme alors, y compris auprès d'intellectuels espagnols proches du krausisme comme Costa. Voir J. L. Abellán, *Historia crítica del pensamiento español*, Madrid, Espasa-Calpe, 1988, t. 5, I, p. 80, 467. Abellán nous rappelle que le positivisme fut introduit en Espagne par des médecins.

[7] Citons à ce sujet Costa lui-même qui, à la même époque, déclarait : « Obliguemos a los hombres públicos a retirarse a la vida privada para que el pueblo pueda salir a la vida pública », Discurso en los Juegos Florales de Salamanca (1901), P. de la D., p. 216.

[8] Manuel Azaña, *Caciquismo y democracia, Obras completas*, éd. Juan Marichal, México, Oasis, 1966-1968, I, 473. Azaña explique, par ailleurs, qu'en Espagne, le système parlementaire n'a jamais pu fonctionner nor-malement. « El problema español », dans V. Serrano y G. San Luciano, *Azaña*, Madrid, Edascal, 1991, p. 10.

Costa reproche aux libéraux du siècle écoulé d'avoir lutté, obnubilés par la revendication de la liberté, ce qui les aurait amenés à ignorer les grands problèmes concrets[9] : enseignement, développement de la science, politique agricole, irrigation, lois sociales, statut d'autonomie pour Cuba et Porto Rico. Cette position de Costa, si elle présente l'avantage de critiquer une illusion – celle d'une certaine réthorique parlementaire qui prend les belles phrases et les grands principes pour des faits – n'en présente pas moins le danger d'un certain mépris du parlementarisme et de la politique en général au bénéfice d'une technocratie ; le risque, en outre, de confondre les faits et le droit[10]. Une telle pente est confirmée, à notre sens, lorsque Costa déclare le peuple espagnol « menor de edad »[11] et reproche aux libéraux du XIXe siècle de ne pas avoir exercé une véritable tutelle.

Se trouve alors posée la délicate question de l'élite. Délicate dans le sens où, de la communication entre élite et peuple dépend le caractère démocratique du projet de Costa[12]. À ce sujet, il est certain que Costa évoque d'une part la nécessité de protéger le peuple contre le cacique et de l'éduquer pour le préparer à l'exercice de sa souveraineté[13] (c'est là le versant progressiste du régénérationnisme de Costa) ; mais, d'autre part, l'échec ou les difficultés rencontrés par cette pédagogie sociale héritée des krausistes pourront très bien donner lieu à une dérive technocratique et autoritaire. C'est que le peuple n'est pas pensé comme souverain en droit mais comme devant le devenir sous la houlette de l'élite. Costa cite l'exemple de l'intelligentsia russe.

Le risque d'une dérive élitiste est d'autant plus grand que la revendication de la liberté et donc des droits se trouve ici non seulement critiquée pour son idéalisme, mais, en outre, suspectée pour son ignorance de ce qui apparaît essentiel à Costa : les faits ici et maintenant[14]. Le piège qui s'ouvre alors devant Costa serait de dissocier la conquête de la liberté, des droits, la politique démocratique de la véritable solution des grands problèmes nationaux[15].

---

[9] Se trouve ici clairement annoncée la critique de l'idéalisme, de la « réthorique » qu'Ortega y Gasset placera au fondement de sa démarche intellectuelle et philosophique avec le mot d'ordre : « ¡Salvémonos en las cosas! », *¿Qué es filosofía?*, ed. Garagorri, Madrid, Alianza, 1988, p. 180.

[10] Ortega y Gasset suivra cette pente costienne qui le mènera à un historicisme absolu. *Historia como sistema*, ed. Garagorri, Madrid, Alianza, 1981. L'hyperpositivisme d'inspiration nietzschéenne avait déjà conduit un Pompeyo Gener à tout réduire à la catégorie du mouvement sous le primat de l'intensité, de l'extase vitale et du sentiment tragique.

[11] *Oligarquía y caciquismo*, P. de la D., Madrid, Alianza, 1984, p. 22. Costa apparaît ici comme l'héritier du doctrinarisme des libéraux modérés du XIXe siècle, soit d'un esprit conservateur repris par Cánovas lui-même. Dans son introduction, Gil Novales parle de « dictadura tutelar » en reprenant le qualificatif de Costa. *Oligarquía y caciquismo*, Zaragoza, Guara, 1982.

[12] Costa définit l'élite ou « aristocracia natural » comme l'ensemble des « hombres de bien » mais il ne pose pas le problème de savoir qui détermine ce bien.

[13] La pédagogie sociale est ainsi, chez Costa, une instance pré-politique, une sorte de propédeutique à la chose publique. Azaña, critique de Costa, considérera l'exercice de la citoyenneté comme la meilleure des écoles, celle qui lie politique et raison : « hacer obra de justicia social, difundiendo la cultura y el bienestar por la práctica de la democracia pura », « El problema español », *Azaña, op. cit.*, p. 4.

[14] Dans ce domaine également, Costa est un précurseur d'Ortega y Gasset et de son rejet des « calendas griegas ». En 1901, Costa déclare : « Ganemos el tiempo perdido desterrando la palabra mañana del diccionario de la regeneración », *Discurso en los Juegos Florales de Salamanca*, P. de la D., p. 216.

[15] Azaña, pourtant très critique à l'égard du régime de la restauration, ne se départira jamais de ces « viejas libertades » et d'une défense du parlementarisme : « Es incalculable el daño que esta posición crítica, adoptada muchas veces por pretensiones de elegancia intelectual, ha causado a la libertad, y en qué medida ha preparado el terreno para las intromisiones de la fuerza en la vida pública », *Apelación a la república, O.C.*, I, 556.

Pour Costa, Sagasta serait un otage illusionné du régime canoviste. Ce qui revient à poser aussi le problème de ce qui a pu s'appeler le « posibilismo » de Castelar[16]. En effet, fallait-il rejeter le parlementarisme et les droits proclamés au nom d'une pratique corrompue ou bien se revendiquer de ces mêmes principes démocratiques pour critiquer et réformer la vie publique espagnole[17] ? Telle est, à notre sens, l'une des grandes questions posées aux intellectuels espagnols au début du siècle.

Bien sûr, la critique que Costa adresse au régime conçu par Cánovas Del Castillo revient à déplorer l'absence d'une véritable vie politique représentative fondée sur l'existence d'authentiques partis politiques, d'un vrai parlement. Cette critique signifiant la dénonciation de l'oligarchie et du clientélisme politique. La vertu du discours de Costa est donc ici de dénoncer des faits, des pratiques condamnables, mais sa faiblesse, si l'on peut dire, consiste à ne pas affirmer comme fondamentales les valeurs de la démocratie sur lesquelles ne peut que prendre appui sa diatribe. Ce que faisait clairement Azcárate dans sa contribution à la célèbre « Información » où, de plus, il mettait en garde contre toute solution chirurgicale au caciquisme[18]. Azcárate, cité par Costa, pointait au contraire, dans le parlementarisme de la restauration, une contradiction « entre la teoría y la práctica »[19].

De là découle, à notre sens, le malentendu que commet Costa. Malentendu qui consiste à déclarer que le caciquisme lié à l'oligarchie est la véritable constitution de l'État espagnol alors qu'il s'agirait, puisque référence il y a aux principes de 1868, de le dénoncer comme manquement, négation de la règle instituée, c'est-à-dire la démocratie libérale[20]. Comment fonder, dans ces conditions, la critique et la dénonciation si le fait délictueux se trouve confondu avec la règle, le droit en somme ? En fait, Costa établit que, dans l'Espagne de la Restauration, l'abus c'est la règle[21]. La conséquence pratique de ce malentendu est que Costa propose non pas de réformer la pratique politique au nom du droit institué mais de changer ce droit, à savoir la constitution, en signalant que se trouve à l'ordre du jour : « un problema constitucional de cambio de forma de gobierno »[22]. Il va même jusqu'à dire qu'il ne faut pas prendre les lois au sérieux, qu'il est inutile

---

[16] Il s'agissait de postuler la possibilité de la démocratie dans le cadre de la monarchie restaurée par Cánovas et le « partido alfonsino ». Ce possibilisme déboucha en 1912 dans le « partido reformista » de Melquíades Álvarez où militèrent des intellectuels de la génération de 1914 comme Azaña, Américo Castro et Ortega y Gasset. Voir Carlos Seco Serrano, *Alfonso XIII y la crisis de la Restauración*, Barcelona, Ariel, 1969, p. 98.

[17] Déjà dans le cadre de cette enquête lancée par Costa, des libéraux proches de la Institución Libre de Enseñanza comme Altamira, Buyla, Posada, Sela avaient exprimé leurs réserves dans un exposé commun : « lo que hace la incompatibilidad del régimen parlamentario con la política que se necesita, no es lo que de parlamentario tiene, sino la clase de personas que manejan el Gobierno y el Parlamento », cité par M. Tuñón de Lara, « La "modernidad" de Manuel Azaña », dans V. Serrano y San Luciano, *Azaña, op. cit.*, p. 232.

[18] « Yo soy de los que no han perdido la fe en el régimen parlamentario. Con ser tan repugnantes todas esas corruptelas que se denuncian y envolver una verdadera burla social a la cabeza, en el medio y en el fin, sigo creyendo que no constituyen vicios esenciales que afecten a la esencia del régimen ; que existen remedios para ellas, y por tanto para el caciquismo », *ibid.* Tuñón de Lara signale très justement le lien intellectuel et politique qui existe entre Azcárate et Azaña. Lien que celui-ci revendique d'ailleurs, « El problema español », *Azaña, op. cit.*, p. 4.

[19] *Oligarquía y caciquismo*, P. de la D., p. 24 et 25.

[20] Rappelons à ce sujet qu'en 1890, sous un gouvernement libéral, est institué le suffrage universel masculin.

[21] Ortega y Gasset en 1914, reprendra à son compte cette confusion en parlant de « uso » et de « abuso ». *Vieja y nueva política, O.C.*, I., p. 274. Il faudrait parler d'un « costismo » chez Ortega au sens donné à ce terme par Tierno Galván, *Costa y el regeneracionismo*, Barcelona, Barna, 1961, pp. 9-10.

[22] *Oligarquía y caciquismo*, P. de la D., p. 26.

de s'en réclamer pour défendre et garantir des droits : « Nos enseña en segundo lugar, que mientras esa revolución no se haga, que mientras soportemos la actual forma de gobierno, será inútil que tomemos las leyes en serio... »[23].

Le double avantage que Costa aperçoit dans sa méthode positive qui consiste à considérer le caciquisme lié à l'oligarchie comme la véritable constitution, nous apparaît de la sorte comme un double inconvénient : la confusion du droit et du fait d'abord, et ensuite la sous-estimation des valeurs démocratiques proclamées – quoique bafouées – par le régime en place. Ainsi, pour Costa, il s'agirait de refaire la révolution libérale et singulièrement celle de 1868. Ce qui ne l'empêche pas de dénoncer très justement l'inégalité devant la loi qu'entraînent les abus et les privilèges de l'oligarchie tout comme le manque d'intégration de la grande majorité des Espagnols dans la vie nationale qui en découle. Costa dénonce ce qu'il appelle une « caricatura de nación »[24]. Ici, nation signifie souveraineté du peuple.

Non moins justement, Costa suggère que l'absence d'égalité devant la loi et de considération d'un intérêt général se trouve à l'origine de l'inexistence d'une véritable communauté nationale. L'oligarchie en tant que classe jouissant de privilèges n'est pas une composante de la nation. Elle ne saurait constituer une classe dirigeante au sein d'une nation qu'elle exploite. D'une part, Costa lie donc intimement État de droits et vie nationale mais, de l'autre, il propose non pas d'obliger les privilégiés[25] à se soumettre à la loi commune instituée mais, citant un député libéral de 1821[26], de les exclure de la communauté nationale après les avoir privés de leurs biens. Ici, nation ne signifie pas intégration de tous les Espagnols sans exclusive par le droit et la démocratie[27].

Mais, pour mener à bien une telle révolution rédemptrice (messianisme), constate Costa, il n'y a pas d'élite pour guider le peuple. Les meilleurs se trouvent exclus du pouvoir par l'oligarchie des médiocres et, d'autre part, la masse apparaît amorphe et soumise, tel un troupeau, au cacique[28]. Bien sûr, Costa parle de mobiliser le peuple pour renverser l'oligarchie. Bien sûr, il fait dépendre la régénération du pays d'un sursaut révolutionnaire qui, seul, permettra la conquête de la dignité, des droits, d'une vie nationale intégrée par la démocratie. Une régénération qui signifie participation effective de l'Espagne à la civilisation de l'Europe contemporaine. Bien sûr, Costa fait dépendre la régénération du pays de la souveraineté nationale et celle-ci de celle du peuple. Mais dans le même temps, il fait dépendre l'existence d'une constitution démocratique en Espagne, non de l'exercice des droits par tous et chacun mais de la liquidation des caciques de tout rang.

Ainsi, Costa tend, quoi qu'il en dise, à faire du peuple un ange exterminateur porteur de guerre civile, une force entre les mains d'une élite qui, comme lui-même, éclairerait la masse sur les enjeux. De plus, en introduisant la notion d'élite et plus précisément de « aristocracia natural », Costa aboutit, nous semble-t-il, à un paradoxe : celui de revendiquer une vie nationale

---

[23] *Ibid.*, p. 27.

[24] *Ibid.*

[25] L'exemple que cite Costa est celui de la conscription que les privilégiés éludèrent pour ne pas aller combattre à Cuba.

[26] Le Valencien Ciscar qui, aux Cortés de 1821, proposa de chasser du pays les privilégiés qui n'avaient pas participé à la guerre d'indépendance contre Napoléon. *Oligarquía y caciquismo*, P. de la D., p. 30.

[27] Costa cite lui-même la Constitution de 1812 : « La Nación es libre, entendiendo por Nación la reunión de todos los españoles de ambos hemisferios... », *Oligarquía y caciquismo*, P. de la D., p. 17. S'il tient compte de ce principe pour dénoncer un déni de souveraineté nationale, il l'oublie lorsqu'il propose de régénérer la nation en extirpant de son sein le corps étranger que serait l'oligarchie et ses servants.

[28] Nous apercevons ici le lien qui s'établit entre populisme et élitisme. Le thème du troupeau, cher à Nietzsche, sera repris par Ortega y Gasset dans sa sociologie et sa philosophie de l'histoire, fondées toutes deux sur le rapport entre élite et masse.

démocratique tout en ne mettant pas au premier plan les droits et la représentativité. Car enfin, cette élite ne saurait, dans un cadre démocratique, prétendre à la légitimité que si elle est choisie par le peuple. Pour Costa, pouvons-nous dire, ce ne sont pas les droits qui sont naturels, mais l'élite face à la masse[29]. Ou plutôt, il convient de dire qu'élite et masses sont, pour lui, les faits, la vitalité, et à ce titre, seuls légitimes.

Costa est représentatif de cette élite qui adresse un appel[30] au peuple pour nettoyer les écuries d'Augias de la vie nationale sans mettre au fondement de la politique la référence aux droits, aux valeurs de la démocratie. C'est là le signe d'un certain populisme qui, au fait du caciquisme lié à l'oligarchie, tend à opposer un autre fait : celui du peuple mobilisé par l'élite au-delà ou en deçà de la politique[31]. Chez Costa, la politique, entendue comme l'affaire de tous et de chacun, n'est pas conçue comme la référence fondamentale d'une rationalisation de la vie nationale. L'exercice des droits institués comme le gage de la constitution d'un peuple de citoyens est seconde par rapport à la bonne santé du pays. La nation se trouve identifiée au peuple[32] et le peuple, ce sont les forces vives[33] que l'élite doit orienter. La pensée de Costa est ici conservatrice dans la mesure où, se substituant à l'oligarchie, l'élite régénérationniste considère le peuple comme une matière ou énergie à modeler[34].

D'ailleurs Costa n'accède pas vraiment à la sphère du politique[35]; il s'agit plutôt pour lui de réformer, de sauver, tel un médecin, la nation de la décadence, de la honte et d'éviter la perte de l'intégrité et de la souveraineté. Au fond, la référence de Costa c'est la grandeur de l'Espagne et non un projet national démocratiquement élaboré et appliqué. Il s'agit, pour la nation espagnole, de retrouver sa grandeur, le modèle européen[36] n'apparaissant ici que comme un instrument pour cette renaissance. Il est scandalisé par les abus du caciquisme lié à l'oligarchie qu'il dénonce mais, dans le même temps, il n'évoque le parlementarisme libéral que comme fiction, voire comme concession faite, à faire, à l'esprit de l'époque[37]. Au fond, pour Costa, la régénération du pays

---

[29] On sait quel rôle essentiel réservera Ortega y Gasset à cette différence pour « vertébrer » la nation dès *España invertebrada* (1921). Costa avait déjà parlé de l'Espagne comme d'une « nación por constituir » dans *Reconstitución y europeización de España*, programme présenté le 13 novembre 1898 à Barbastro (Huesca), éd. de Sebastián Martín, Retortillo y Braquer, Madrid, Instituto de Estudios de Administración local, 1981.

[30] Appel caractéristique des intellectuels de l'époque, si l'on en croit Álvaro de Albornoz : « A veces dirigen al pueblo llamamientos retóricos... », *El temperamento español*, Barcelona, S.A., cité par Abellán, *op. cit.*, 5, III, pp. 110-111.

[31] Nous revenons ici au thème de la pédagogie sociale si cher aux intellectuels régénérationnistes qui, paradoxalement, reprennent à leur compte l'idée conservatrice d'un peuple mineur politiquement.

[32] Costa nous semble procéder à un pur renversement par rapport à la pensée de Cánovas del Castillo qui avait identifié la nation espagnole et la monarchie. Costa cite Cánovas, *Olig. y caciq.*, P. de la D., p. 18. À juste titre, Azaña reprocha aux membres de la génération de 1898 de n'avoir aucun sens de l'État. *Tres generaciones del Ateneo, O.C.*, I, 633.

[33] « El honor y la seguridad de la Nación no se hallan hoy en manos de los soldados : están en manos de los que eran (...). De esas escuelas saldrán los soldados, de esas forjas saldrán los cañones, de esos montes bajarán los novios (...) y el asta sagrada que ha de desplegar al viento la bandera rejuvenecida de la patria », *Discurso en los Juegos Florales de Salamanca*, P. de la D., pp. 217-218.

[34] Ce sera la conception ortéguienne de l'histoire, du rôle de l'élite dans l'histoire, génération après génération. *Una interpretación de la Historia Universal*, ed. Garagorri, Madrid, Alianza, 1984.

[35] Ortega vit juste lorsqu'il écrivit : « ... Costa se saturó de atmósfera historicista, de los dogmas románticos (...) pensaba que cada pueblo tiene su misión histórica, su carácter metafísico irrompible y su absoluta justificación », J. Ortega y Gasset, « Observaciones », *O.C.*, Alianza, 1987, I, 167.

[36] Costa parle de « el patrón europeo », *Olig. y caciq.*, P. de la D., p. 38.

[37] *Ibid.* Il s'agit de forger une sorte d'Union sacrée autour des forces vives de la nation, à savoir les producteurs.

serait plutôt la tâche d'un Parti national[38] et d'une élite menant une révolution depuis le pouvoir que celle de tous les Espagnols considérés comme citoyens participant, à travers des partis et des représentants, à la gestion de la chose publique. Nous dirons que Costa n'a pas une vision contractuelle de la nation, il tend à la considérer comme un corps malade dont il faut promouvoir la guérison. Sa vision est organiciste au fond, liée qu'elle est à un vitalisme[39] plus soucieux de regain national que de raison communicationnelle[40]. D'ailleurs, il propose comme solution aux maux du pays un néolibéralisme organique qu'il s'agirait d'imposer avec une « mano de hierro »[41]. L'élite, le chef providentiel, se substitue au libre débat et à la prise de conscience d'un peuple et ce pour imposer finalement son ordre[42].

La nation c'est donc, pour Costa, un corps dont il faut extraire, de manière mécanique, la tumeur du caciquisme lié à l'oligarchie. Un corps dont les intérêts vitaux ne sauraient être défendus que par un Parti national et l'exercice d'une démocratie directe (« self-government ») qui tend en fait à dépolitiser les problèmes locaux, à séparer administration des affaires locales et politiques suivant le mot d'ordre : « Separar en absoluto la administración local de todo lo que sea política general de la nación... »[43]. Si Costa propose, ce faisant, une intéressante mesure de décentralisation de certaines compétences, il n'en tend pas moins à présenter l'instance locale comme une simple instance de saine gestion des intérêts régionaux bien entendus. La rationalisation de la vie nationale, autant dire la régénération, semble être avant tout une affaire de bonne administration et non une question politique[44]. Le souci premier de Costa c'est le maintien et l'essor de la nation espagnole. Sa position relève d'un nationalisme conservateur et son souci technocratique rejette sur les marges la politique démocratique, ouvrant ainsi la voie à l'autoritarisme des élites, des chefs. Il se réfère constamment à la place de l'Espagne dans le monde, à sa décadence précipitée par les Anglo-Saxons et, d'autre part, à l'exemple à suivre : celui du Japon, bien sûr.

Pour cela même, il fait état d'un processus de dénationalisation dans certaines régions d'Espagne comme l'Aragon ou la Catalogne et présente la régénération du pays comme la solution pour sauvegarder l'intégrité de la nation, mais aussi, pour en faire à nouveau une puissance. En un mot, pour que les Espagnols restent attachés à leur nationalité, il faut que leur pays puisse signifier pour eux progrès, bien-être, culture, respect des droits. Il fallait éviter que les Aragonais ne s'offrissent à la France, tout comme les Portoricains venaient de s'offrir aux États-Unis[45]. De même en politique extérieure, la régénération apparaît comme le moyen pour l'Espagne de

---

[38] La voie se trouve ici tracée pour toutes les stratégies d'union sacrée, du général Primo de Rivera à Ortega y Gasset. Stratégies repoussées clairement par Azaña.

[39] Vitalisme très présent dans la génération de 1898. Sur les cas de Baroja, Azorín et Maeztu, voir J. C. Mainer, *La Edad de Plata*, Madrid, Cátedra, pp. 32-35.

[40] Liaison communicationnelle qui doit s'entendre au sens d'Azaña comme raison pratique dans une postérité kantienne. À propos de la publicité, Azaña écrivit : « La difícil virtud de llamar a las cosas por sus nombres », *El valor de la sanción, O.C.*, I, p. 103.

[41] *Olig. caciq.*, P. de la D., p. 44.

[42] Se trouve préfigurée ici la conception orteguienne du chef qui est fondamentalement chef de guerre. *Una interpretación de la Historia Universal*, ed. Garagorri, Madrid, Alianza, 1984. Costa cite l'exemple de l'intelligentsia russe qui se substitue au peuple déficient, *Olig. caciq.*, P. de la D., p. 37.

[43] *Ibid*, p. 44.

[44] Ce qui faisait parler Azaña d'« empirisme organisateur » à propos du régénérationnisme. Il ajoutait à propos de Costa : « Quisiera dejar de ser conservador y no puede », *¡Todavía el 98 !, O.C.*, I, p. 557.

[45] Ce qui aurait constitué, soit dit en passant, un processus inverse à celui de la guerre d'indépendance contre les troupes de Napoléon et les « afrancesados » tant célébrée par le populisme de Costa.

retrouver la puissance et d'échapper à la main mise des pays développés d'Europe. En un mot, la régénération doit mettre fin au déclin et à la menace pour le pays de se retrouver transformé en colonie des différentes puissances européennes[46].

L'attitude de Costa, de son propre aveu, est celle du médecin qui observe son malade – l'Espagne – avec la rigueur propre de la clinique pour émettre le bon diagnostic et administrer le traitement qui rendra la vitalité. Le peuple est considéré comme l'instrument de la thérapie – ou mieux, de la chirurgie – puisqu'il s'agit d'extirper la tumeur du caciquisme. Il y a dans ce sens, chez Costa, un populisme qui se double d'un vitalisme. C'est à la partie saine et laborieuse qu'il revient de répondre à l'appel de l'élite ou « aristocracia natural »[47] pour affirmer la vitalité nationale indépendamment des droits et de l'exercice de la démocratie. Cette attitude qui consiste à mettre au fondement du renouveau la continuité de la nation, sa grandeur et non le libre débat démocratique, est révélatrice d'une position conservatrice. Son vitalisme, son populisme, sont essentiellement conservateurs, tout comme l'est son nationalisme régénérationniste qui pose avant tout le problème du retard espagnol, de l'orgueil national et non celui des droits.

Nous avons là le fameux paradoxe espagnol dénoncé par Manuel Azaña[48]. Paradoxe consistant à prôner la réforme et le renouveau sur la base d'une problématique marquée par le souci de la continuité, c'est-à-dire le passé glorieux, et non par la liberté, c'est-à-dire un futur élaboré et construit par tous et chacun des Espagnols. Paradoxe d'une pensée critique potentiellement réformiste voire révolutionnaire, le régénérationnisme, qui ne s'appuie pas sur une raison politique.

Ainsi, la régénération chez Costa, mais aussi plus tard chez Ortega y Gasset, se trouve liée à la nation conçue, d'un point de vue holiste[49], comme un organisme, un tout auquel doivent se soumettre les parties. La nation n'est pas ici fondamentalement un peuple de citoyens qui concourent, dans le débat, à l'intérêt général. Conformément à la pensée romantique, la régénération chez Costa est liée à une affirmation du caractère national dans l'histoire et non à des valeurs universelles : la liberté, le contrat. Le mot d'ordre de Costa est d'ailleurs : « Europeización pero sin desespañolizar »[50]. Soit adopter les valeurs et les pratiques des puissances européennes, comme l'avait fait le Japon, pour éviter d'être la Chine de l'Occident. Le souci est bien nationaliste organiciste et non pas juridico-politique. C'est celui qui amène Costa à opposer une Espagne réelle et une Espagne officielle, une Espagne naissante à une Espagne morte, les bons Espagnols (le peuple et l'élite) aux mauvais Espagnols (oligarchie et caciques) dans une logique chirurgicale, c'est-à-dire d'affrontement, de guerre civile.

D'ailleurs, comme Azaña le commentera[51], l'application du programme régénérationniste ne suppose pas l'instauration d'une vie démocratique en Espagne. Comme l'on sait, le dictateur Primo de Rivera et son « continuateur » Franco construiront routes et barrages, veilleront à un certain équipement du pays, à son industrialisation. Le dictateur pourra ainsi incarner le chirurgien de fer

---

[46] Costa évoque notamment la possibilité de voir la vie nationale se dérouler désormais en langue anglaise. *Discurso en los Juegos Florales de Salamanca*, P. de la D., p. 215.

[47] Costa fait référence à Aristote. L'ombre d'une cosmologie, d'un ordre de nature, plane donc sur la pensée du régénérationniste.

[48] « Paradoja hispánica » : ce concept, Azaña le propose dès « El problema español » (1911). Facsímil en V. A. Serrano *et al.*, *Azaña*, Madrid, Edascal, 1980, p. 13.

[49] Louis Dumont, *Essais sur l'individualisme*, Paris, Seuil, 1983.

[50] « Europeización pero sin desespañolizar », *Olig. y caciq.* ; *Obras*, Zaragoza, Guara, 1982, t. IV, p. 206.

[51] « El cirujano de hierro », ¡ *Todavía el 98 !*, O.C., .I, p. 560.

providentiel invoqué ensuite par un Costa désespéré par la passivité du peuple et les pesanteurs du système politique de la Restauration.

En conclusion, nous dirons que le malentendu commis par Costa consiste à parler de l'existence d'un régime africain en Espagne alors qu'était instituée une monarchie parlementaire, c'est-à-dire prendre des pratiques abusives pour la règle établie[52]. Ce qui revenait à désarmer tout projet politique fondamentalement démocratique en érigeant le fait au rang du droit. La démarche positive de Costa le conduit à opposer le fait de la vitalité du peuple et de l'élite naturelle au fait du caciquisme étouffant. Son nationalisme allie ainsi positivisme, vitalisme et populisme. Sa critique régénérationniste est pertinente et généreuse mais elle n'est pas formulée fondamentalement au nom du droit. Son propos est en fait pré-politique[53], ce qui explique qu'il puisse opposer deux Espagnes et ce au nom de la souveraineté populaire. La nation se trouve réduite aux forces considérées comme vives et la politique représentative n'est pas conçue comme essentiel facteur d'intégration des Espagnols.

D'autre part, il faut noter que cette pensée régénérationniste de Costa est conservatrice parce qu'il s'agit pour lui, avant tout, de « reconstitución » de l'Espagne[54], de retrouver la grandeur d'une puissance coloniale[55]. Régénérationniste, la pensée de Costa relève davantage d'un nationalisme technocratique que du libéralisme démocratique. La nation est un organisme et la régénération est la condition de sa bonne santé. Le renouveau ne se trouve pas ici fondamentalement lié à la pratique historique d'un peuple de citoyens.

C'est que Costa tend à opposer la société civile à l'État libéral, le droit à la politique, il tend à diviser la nation. Il exclut toute vision contractuelle de la nation. Pour Costa, la constitution du pays ce sont les faits cliniquement observés et non pas une déclaration des droits et des devoirs. Elle signifie l'empire des faits.

---

[52] Costa explique : « Son la misma regla », P. de la D., p. 26.

[53] Ce que Costa explicite d'ailleurs en souscrivant à la thèse de Flórez Estrada : « antes de establecer las reformas políticas es indispensable fijar las bases sociales », *Colectivismo agrario*, ed. Pérez de la Dehesa, Madrid, Alianza, 1984, p. 56.

[54] « Reconstitución y europeización de España » est le titre d'un discours de Costa prononcé en 1898.

[55] Costa considère qu'avec Cuba, Porto Rico, les Philippines, l'Espagne a perdu la moitié au moins de son territoire national.

Una fuente italiana de *Las firmezas de Isabela* de Góngora

Laura DOLFI
Universidad de Génova

> Nunca en vano
> fue el esperar.
> (Góngora, son. 380)

Aunque referencias a la obra de Ludovico Ariosto, y sobre todo a temas y a personajes del *Orlando Furioso,* se encuentran a menudo en la poesía de Luis de Góngora[1], el nombre del poeta italiano aparece sólo una vez[2] y precisamente en el acto I de la comedia *Las firmezas de Isabela.* La cita del v. 169 del *Orlando Furioso* («¡Oh gran bontà di cavaglieri erranti!»[3]) por parte del criado Tadeo (representante de un medio social humilde), y que levanta el asombrado comentario del mercader Fabio:

> Verso es del Ariosto.
> ¿Y qué sientes tú de él, jarro de mosto? (vv. 389-390),

constituye sin duda un sobrentendido homenaje a Ariosto y a la fortuna de su poema épico. Además, la analogía y contraste de la situación (Ruggero puede confiar al enemigo Ferraú la búsqueda de su amada Angélica, Fabio no debería confiar al amigo Marcelo su hermana Violante) subraya intencionada e irónicamente la falta de 'caballería' de los protagonistas de la comedia (Marcelo traiciona a su huésped, Fabio tolera con demasiada «paciencia» los amores de su hermana):

---

[1] Es harto conocida la derivación del son. *Cual de Ganges marfil, o cual de Paro* de «Qual avorio di Gange», o del rom. *En un pastoral albergue* del *Orlando furioso* (canto XIX, estrofas 16-37), etc. Por otra parte, la influencia de Ariosto sobre Góngora la destacaron ya Francisco Fernández de Córdoba, Pellicer, Salcedo Coronel.

[2] Si no se considera el son. atribuido LVI («Hermano Lope, bórrame el soné-/ de versos de Ariosto y Garcilá», vv. 1-2).

[3] *Las firmezas de Isabela,* v. 388. Nótese la variante introducida con respecto al «Oh gran bontà de cavallieri antiqui» de Ariosto, *Orlando furioso*, canto I, estrófa 22.

Hommage à Robert Jammes (Anejos de *Criticón*, 1), Toulouse, PUM, 1994, pp. 331-342.

TADEO   Pensar que era de Guido Cavalcanti,
            que este autor tiene versos muy pacientes[4]. (Vv. 391-392)

Por otra parte, el criado había destacado ya, con otra cita, o mejor con la *correctio* del comienzo del *Orlando furioso*[5], la postura de los jóvenes, implicados ambos en enredos y ficciones amorosas:

            [se hablaba] no en armas [...],
            sino en damas y en amores. (Vv. 306-307)

Y si los comentaristas italianos se habían preocupado de destacar el valor ejemplar o alegórico de los personajes del *Furioso*[6], con una técnica parecida, aunque con finalidades distintas, otro protagonista de la comedia, Lelio, eligirá a los héroes de Ariosto como términos absolutos de comparación o identificación. Sus nombres, extrapolados de todo contexto épico y de su historia (sobrentendida por su misma notoriedad), se trasforman, como ya los personajes de la biblia, del mito, de la antigüedad, etc., en modelos, en síntesis y expresión de su característica.

El joven mercader afirmará pues su voluntad de averiguar la fidelidad de la prometida con una sucesión de antonomasias que opone a la pareja ejemplar Fiordiligi-Brandimarte[7], la no deseada Isabella-Zerbino[8]:

            En Sevilla Brandimarte
            quiero ser de Flordelís
            antes, hijo, que en Toledo
            ser, de Isabela, Cervín. (Vv. 2470-73)

Y del mismo modo, atribuyendo al personaje escogido una función no ya descriptivo-ejemplar sino escénica, otro criado, el de Octavio, anunciará la entrada de Violante disfrazada como una Bradamante guerrera:

            [...] Ahí fuera
            de crestas y de penachos
            una Bradamante armada,
            digo una dama embozada
            llega con ciertos despachos. (Vv. 3417-21)[9]

---

[4] «Pacientes» juega con la acepción aludida y la de «duros», «de acentuación defectuosa» (*cf.* D. Alonso, «Notas sobre el italianismo de Góngora», en *Obras completas*, VI, *Góngora y el gongorismo,* Madrid, Gredos, 1982, p. 339).

[5] *Cf.* «Le donne, i cavalier, l'arme, gli amori, / le cortesie, le audaci imprese io canto» (*Orlando Furioso*, I, vv. 1-2).

[6] Piénsese, por ejemplo, en las *Bellezze del Furioso* por Orazio Toscanella (Venezia, Franceschi 1574) y en la *Allegoria sopra il Furioso* de Gioseffo Bononome (in *Orlando Furioso*, Venezia, Franceschi 1584) que ven en Carlomagno el defensor de la fe, en Oliviero el cuñado perfecto, en Isabella y Fiordiligi el ejemplo de fidelidad en la desdicha, etc.

[7] Fiordiligi sigue buscando al amado Brandimarte (que intenta alcanzar a Orlando enloquecido), y, después de haberlo encontrado y vuelto a perder más veces, no sobrevive ante su muerte en un combate.

[8] Nótese que la Isabela de Ariosto no es infiel, sino sólo sospechosa de infidelidad por parte de su amante. El sentido de la afirmación de Lelio en cambio es claro: no quiere ser marido cornudo (ciervo) de Isabela. El juego sémico se funda en la paronomasia Zerbino/Cervín-ciervo y en el coincidir del nombre Isabela.

[9] La antonomasia anticipa la acción. Violante, convencida de que Marcelo quiere casarse con Isabela, se finge la granadina Livia y, con amenazas, reclama su derecho a las bodas; Bradamante, disfrazada de guerrero, busca a su amante Ruggiero y, pensando haber sido traicionada, lo desafía. Añádase a este parecido temático el de los trajes: al «armada de crestas y penachos» de Violante corresponde el «bianco pennoncello [...] per cimiero» de Bradamante (*Orlando furioso*, I, 40).

Sin embargo la presencia de Ariosto en esta comedia no se limita a las citas mencionadas de versos o héroes[10], sino que incluso implica su enredo. A los textos dramáticos españoles que han influido en *Las firmezas de Isabela*[11] hay, en efecto, que añadir otro: *I Suppositi*[12]. No tenemos muchas noticias sobre la difusión de esta pieza en España[13], pero es muy probable que Góngora, buen conocedor de la cultura[14] y de la lengua italianas[15], pensara en ella al escribir su obra[16].

Varios son los puntos de contacto entre las dos obras. Ambas tienen como protagonista a una joven pareja cuyo amor, escondido, es obstaculizado por un pretendiente oficial a las bodas y por un segundo pretendiente, que se añade poco después. El joven enamorado es hijo de un mercader aunque, para vivir junto a la mujer amada, ha cambiado nombre e identidad y se ha hecho criado del padre de ella. El siervo fiel, que lo ha acompañado a la ciudad donde ha conocido a su

---

[10] Añádase que, en los poemas de Góngora, la utilización de los nombres de los héroes del *Furioso* (Flordelís, Brandimarte, Rugero, Medoro, etc.) se matiza según una variada progresión retórica: desde la transformación en antonomasia (déc. *¿Qué cantaremos ahora*: «por lo gallardo Rugeros», «por lo lindo Medoros»,...), a la equiparación sinonímica (rom. *Tendiendo sus blancos paños* «guardándole a su Medoro» (o sea 'enamorado') y a la reducción a una función adjetival (rom. *Al tronco de un verde mirto*: «esperanzas Brandamantes», «cuidados Rugeros»).

[11] *El mercader amante* de Gaspar de Aguilar y *Lo fingido verdadero* de Lope de Vega. Remito, para la primera, a Robert Jammes, *Études sur l'œuvre poétique de don Luis de Góngora y Argote*, Univ. de Burdeos, 1967, pp. 438-40 y, para la segunda, a L. Dolfi, *Il teatro di Góngora*, «Comedia de las Firmezas de Isabela», Pisa, 1983, vol. I, pp. 277-312.

[12] El título de la comedia remite ya a su contenido: «El nome è Li Suppositi, perché di supposizioni è tutta piena» (*Prologo a I suppositi*, en Ludovico Ariosto, *Commedie*, Milano, Mondadori, 1974¹, vol. IV, p. 197). R. Jammes señala por primera vez la existencia de esta fuente: «el viejo Galeazo (padre de Camilo) ha llegado a casa de Octavio, pero su hijo, para poder llevar a cabo la serie de pruebas a las que somete a Isabela, niega ser su hijo, y afirma que el hijo de Galeazo es Marcelo (es una escena de farsa, inspirada en la comedia del Ariosto *I suppositi*)», cf. «Las didascalias en el teatro de Góngora», en *Le livre et l'édition dans le monde hispanique, XVe-XXe siècles*, Anejo de la Rev. *Tigre*, 1992, p. 153.

[13] *I Suppositi* de Ariosto se representaron en Valladolid en 1548, durante varios días y con una fastuosa puesta en escena, con motivo de las bodas de la infanta doña María, hija de Carlos V, con el archiduque Maximiliano (no sabemos cuál de las dos versiones de la comedia se representó, ya que tanto la versión en prosa, como la siguiente en verso fueron muy difundidas). Además el humanista y poeta Juan Pérez (Petreyo) escribió una imitación latina de esta comedia para el teatro escolar (*Suppositi*, Toledo, 1574). *Cf.*, para más datos, O. Arróniz, *La influencia italiana en la comedia española*, Madrid, Gredos, 1969, pp. 203-6 y *Teatros y escenarios del siglo de Oro*, Madrid, Gredos, 1977, p. 27. Por otra parte, como es sabido, el teatro de Ariosto influyó sobre diferentes autores españoles; ya Fernández de Moratín señaló, por ejemplo, el parecido entre *Il Negromante* de Ariosto y la *Comedia Cornelia* de Timoneda (en sus *Orígenes del teatro español*, BAE, II, p. 201b; véase, para una confrontación directa de los dos textos, Arróniz, *La influencia italiana...*, cit., pp. 138-142).

[14] Piénsese en la derivación de unos versos de Góngora de otros de Minturno, Sannazaro, Bernardo y Torquato Tasso, Groto, Della Casa, Tansillo, etc. y en la cita, en *Las firmezas de Isabela*, de Cavalcanti (v. 391), Petrarca (v. 1186), Teofilo Folengo (v. 2423).

[15] *Cf.*: «pudiera [...] hacer una miscelánea de griego, latín y toscano, con mi lengua natural» (*Carta de don Luis de Góngora, en respuesta de la que le escribieron*, p. 898 de la ed. de las *Obras completas* por Millé). Véanse, además, las palabras italianas que aparecen en la comedia *El doctor Carlino* (vv. 621-22, 748, 752, 756, 776), en el soneto «Grandes, más que elefantes y que abades» (v. 4), etc. Con respecto al *Orlando Furioso*, Dámaso Alonso afirma que, a pesar de las muchas traducciones españolas del poema épico «es indudable que [Góngora] leyó el original italiano» («Notas sobre el italianismo de Góngora», cit., p. 351).

[16] Es interesante observar que también las otras piezas teatrales de Góngora tienen una fuente italiana: *El doctor Carlino* (el *Decamerone* de Boccaccio, VII, 1), la *Comedia venatoria* (el *Aminta* de Tasso). *Cf.* R. Jammes, *Études sur l'œuvre poétique de Don Luis de Góngora y Argote*, Univ. de Burdeos, 1967, pp. 520, 438-40 y, para un cotejo detallado, las notas de mi edición: Góngora, *Teatro completo*, Madrid, Cátedra, 1993.

enamorada (y donde se desarrolla la acción), es cómplice de su engaño: finge otra identidad y se traslada a vivir a una casa vecina. Esta ficción ya se ha puesto en marcha desde hace algún tiempo[17] antes de que empiece la comedia. Al padre de la mujer le toca elegir cuál de los dos pretendientes le parece más conveniente; ella, en cambio, está decidida a ser firme en su amor. Entretanto, un criado se ofrece, sin darlo a conocer, como servidor de los dos pretendientes y aprovecha esta situación favorable para descubrir y contar al uno los planes del otro. De improviso llega a la ciudad el padre del joven enamorado (quien no sabe nada de la nueva, humilde y fingida identidad de su hijo), va a la casa donde espera recibir acogida, pero se encuentra ante un usurpador y ante repetidas negaciones de identidad a las que reacciona con acusaciones, enojo, quejas. Uno de los presentes llama a un testigo para que aclare la enredada situación, pero éste, también implicado en la ficción, al verse descubierto, niega su verdadera identidad. El viejo decide entonces dirigirse a algún conocido. El enredo se enmaraña cada vez más, hasta que se descubre que el joven enamorado no es un criado, sino un hombre rico, y que ya no hay obstáculos al matrimonio de los protagonistas, puesto que uno de los dos pretendientes ha sido eliminado (era un rival fingido) y el otro se ha resignado ante los hechos.

Por supuesto, al lado de este enredo-base común, se insertan en sendas comedias elementos diferentes: la historia de Carino raptado por los turcos cuando era pequeño y cuya identidad se descubre en las últimas escenas (*I suppositi*)[18], el amor clandestino de Marcelo y Violante, sus consiguientes celos y peleas (*Las firmezas de Isabela*), etc.[19]. Y distintas son, también, las modalidades utilizadas para presentar al espectador los pormenores de la acción: la narración de los antecedentes, por ejemplo, es explícita y llana en *I suppositi*, mientras que en *Las firmezas* se reconstruye por aplazadas e indirectas alusiones[20]; asimismo es evidente que Góngora valora la ficción de Ariosto en sentido espectacular e hiperbólico[21]. Una vez aclaradas estas discrepancias y otras inevitables, lo que nos interesa destacar aquí es la fundamental correspondencia de personajes y papeles, que se puede expresar sintéticamente con el siguiente esquema[22]:

---

[17] Después de dos años en *I suppositi* (cfr. el monólogo de Dulippo, I, 2ª, r. 195; 3ª, v. 373), después de unos meses en *Las firmezas de Isabela* (*cf.* los vv. 2259, 2285, 2318, 2333, 2402). Remito en esta nota y en las siguientes, para *Las firmezas de Isabela*, a mi edición (Góngora, *Teatro completo*, Madrid, Cátedra, pp. 59-232) y, para Ariosto, a las dos redacciones, en prosa (1509) y en verso (1532) que publica Angela Casella en su edición crítica (L. Ariosto, *Commedie*, cit., pp. 195-257, 259-356. Indico acto y escena de la segunda redacción sólo cuando diferente).

[18] *Cf.* la escena 5ª del acto V (rs. 92-145; V, 6ª, vv. 1895-1947). El tema, como es sabido, deriva de la comedia latina.

[19] Tampoco aparecen las malignas mentiras de Dulippo (II, 3ª, rs. 84-135; 4ª, vv. 826-68), los reproches de Pasifilo y de Damone a la criada que divulga el deshonor de su ama (III, 4ª, rs.47-58; 6ª, vv. 1153-65 y V, 6ª, rs. 1-16; 7ª, vv. 1958-74), el encierro de Dulippo por parte de Damone ultrajado (III, 3ª, rs. 18-24; 4ª, vv. 1527-40), el miedo de Filogono que al ver al falso Erostrato teme por la vida de su hijo (IV, 8ª, rs. 26-28; 7ª, vv. 1576-79) después de haber temido por su salud (IV, 3ª, rs. 80-83; vv. 1360-63), etc. En *I suppositi*, además, es el criado Dulippo el que organiza los engaños, mientras que en *Las firmezas* Tadeo se limita a ayudar a su amo a pesar de desaprobar sus ficciones.

[20] Del mismo modo Ariosto explica explícitamente la ficción llevada a cabo (I, 1ª, rs. 76-98; vv. 132-55) y la doble actividad servil de Pasifilo (I, 2ª, rs. 150-52; vv. 323-27) aludidas sintéticamente en *Las firmezas* (vv. 2288-91).

[21] Las simulaciones, los disfraces, las negaciones con sus consiguientes equívocos, celos y enojos se multiplican hasta transformar el engaño en un divertido juego teatral que implica a todos los personajes, ora como actores, ora como espectadores.

[22] El nombre en cursiva indica la identidad declarada, pero fingida.

- enamorada:	Polinesta	Isabela
- enamorado:	*Dulippo*	*Camilo*
- pretendiente-obstáculo:	Cleandro	Fabio
- otro pretendiente:	*Erostrato*	Lelio
- padre de la enamorada:	Damone	Octavio
- padre del enamorado:	Filogono	Galeazo
- criado del enamorado:	Dulippo	Tadeo
- criada de la enamorada:	ama	Laureta
- criado del pret.-obst.:	Pasifilo	Tadeo
- criado del pret.:	Pasifilo	Tadeo
- usurpador:	Senese	Marcelo.

En efecto, a la Polinesta de *I suppositi* corresponde perfectamente la Isabela de *Las firmezas,* puesto que la primera quiere al criado *Dulippo*, como la segunda al cajero *Camilo*. Además el paralelismo entre los dos varones lo confirma el hecho de que los dos (si bien por razones distintas[23]) han dejado su ciudad nativa (Catania / Sevilla) para ir a otra (Ferrara / Toledo), donde han conocido a una mujer y se han enamorado[24], y por la que simulan ser otra persona[25]. Sin embargo la protagonista de Ariosto conoce la ficción de su enamorado (ha consentido a su amor sabiéndolo rico, aunque aparentemente pobre), Isabela, en cambio, desconoce la verdadera identidad de *Camilo,* puesto que el objetivo del joven es esconderle su riqueza para ponerla a prueba.

Análogamente el viejo abogado Cleandro[26] (pretendiente de Polinesta) equivale al joven mercader Lelio[27] (pretendiente de Isabela). Hay que destacar empero que los papeles de enamorado y de prometido, que en la comedia de Ariosto se atribuyen a dos personajes diferentes (*Dulippo* y Cleandro), en *Las firmezas* se reúnen en un único personaje, Camilo-Lelio, a la vez enamorado y prometido disfrazado. Hay que observar de todos modos que *Dulippo* recupera indirectamente el papel de pretendiente por medio de su criado quien, al asumir su nombre (*Erostrato*)[28], pide la mano de Polinesta. Así, en *Las firmezas de Isabela,* al prometido Lelio se añade el pretendiente Fabio; en *I suppositi, Erostrato* sucede a Cleandro como segundo pretendiente; estos nuevos cortejadores viven cerca de la casa de la mujer amada[29] y tienen por

---

[23] *Dulippo*-Erostrato ha ido a Ferrara para estudiar derecho; *Camilo*-Lelio ha ido a Toledo para averiguar la firmeza de su prometida, a la que todavía no conoce.

[24] *Dulippo* encuentra a Polinesta en la calle principal y se enamora de ella locamente (lo cuenta Polinesta a su ama de leche, I, 1ª, rs. 79-80; vv. 136-137); Camilo conoce a Isabela en su casa y se enamora inmediatamente de ella (lo cuenta *Camilo* a su criado Tadeo, vv. 2294-2305).

[25] *Dulippo* es Erostrato, rico hijo del mercader Filogono y *Camilo* es Lelio, rico hijo del mercader Galeazo.

[26] El tópico del casamiento con un viejo no aparece en *Las firmezas de Isabela.* Góngora utiliza este tema, en cambio, en *El doctor Carlino*: Tristán quiere casarse con Leonora e intenta esconder su vejez. Lo mismo hace Cleandro (I, 2ª, rs. 10-15; vv. 180-86).

[27] Nótese que en Góngora la profesión mercantil se multiplica: Lelio es mercader tal como lo son su padre Galeazo, el vecino y rival Fabio, Octavio (padre de Isabela) y Emilio (padre de Fabio).

[28] Mientras que en *Las firmezas de Isabela* Lelio utiliza un nombre nuevo (*Camilo*) para su ficción, en Ariosto la situación se complica por el intercambio de los nombres entre amo y criado: Erostrato se convierte en *Dulippo* y Dulippo en *Erostrato*.

[29] No se olvide que también los criados del enamorado viven cerca de la casa de la mujer: Dulippo por ser el fingido *Erostrato* que pretende a Polinesta; Tadeo, por haberse hecho criado de Fabio (se lo ha pedido *Camilo* para controlar los planes de su rival).

criado al criado del primer pretendiente[30]. A este paralelismo, que se funda en la sucesión cronológica del enredo (Cleandro y Lelio: primer pretendiente; *Erostrato* y Fabio: segundo pretendiente), se opone otro, más sustancial, fundado en la función de obstáculo para el enamorado y que asocia *Erostrato* a Lelio y Cleandro a Fabio. La presencia de los dos primeros, en efecto, impide las bodas deseadas, sólo aparentemente, puesto que Lelio es el mismo enamorado (*Camilo*) y *Erostrato* está controlado por *Dulippo*[31]; los otros dos, en cambio, constituyen el verdadero obstáculo que será neutralizado sólo por los acontecimientos y la agnición final[32].

Asimismo, existe un claro paralelismo entre Damone y Octavio, respectivamente padres de Polinesta y de Isabela, ambos preocupados por elegir un matrimonio ventajoso y honrado[33]; entre Filogono y Galeazo, el uno padre de Erostrato y el otro de Camilo[34]; entre el ama de leche y Laureta, confidentes y colaboradoras la primera de Polinesta y la segunda de Isabela[35]. Más compleja es, en cambio, la figura del criado[36], ya que si en *I suppositi*, Pasifilo sirve a Cleandro y a *Erostrato,* en *Las firmezas* Tadeo sirve, no sólo a Fabio y a Lelio, sino también a Camilo (por la identificación enamorado-prometido que éste ha realizado). Es decir que, mientras que en la comedia de Ariosto se distingue entre el siervo fiel (Dulippo), que colabora con su amo en los

---

[30] Pasifilo sirve a Cleandro desde hace doce años y a *Erostrato* sólo desde el momento en el que adopta su disfraz; Tadeo sirve a *Camilo*-Lelio desde hace mucho y a Fabio sólo a partir de que su amo decide disfrazarse.

[31] Sea *Erostrato,* sea Lelio se apoyan en un *alter ego*, sin embargo *Dulippo* utiliza a *Erostrato* (criado fiel) para contrastar los avances de Cleandro; *Camilo* se vale de su *alter ego* (Lelio) para probar la fidelidad de Isabela y llega incluso a facilitar la boda de su rival Fabio. Al final de la comedia, por supuesto, *Erostrato* deja su papel de pretendiente y vuelve a ser criado, así como Lelio, convencido ya de la constancia de Isabela, declara su verdadera identidad y deja de luchar entre sus dos papeles (prometido-Lelio y amante-*Camilo*).

[32] No hay por parte de los pretendientes renuncia alguna a las bodas, sino resignación ante la imposibilidad de realizar su deseo y sustitución del objetivo perseguido. Así, el viejo Cleandro, que ha vuelto a encontrar al hijo que creía perdido, declara que no está interesado en casarse puesto que ya tiene heredero (V, 9ª, rs. 32-41; 11ª, vv. 2137-48); Fabio, que ha visto fracasar su plan por la llegada del verdadero prometido, decide casarse con la hermana de su amigo Marcelo (vv. 3530-33).

[33] Damone, por ser avaro, no ha elegido todavía entre los dos pretendientes y espera a quien le ofrece la dote más alta; Octavio, en cambio, aunque considera ventajosas las bodas con Fabio, es fiel a la palabra dada al padre de Lelio. Sin embargo es *Camilo* quien (para ponerlo a prueba) intenta convencerle de que elija a los «vecinos ducados» de Fabio (v. 878) antes que a los «ducados extranjeros» de Lelio (v. 880).

[34] Filogono llega a Ferrara, porque está preocupado por su hijo: ha sabido por unos conciudadanos que sus estudios han sido provechosos, pero, puesto que no han conseguido verlo, teme por su salud. Galeazo llega a Toledo porque la ausencia de su hijo lo preocupa: teme que se pongan en duda los acuerdos matrimoniales concertados con Galeazo.

[35] Falta por completo en Laureta aquella componente celestinesca que caracteriza al ama de Polinesta. Mientras, en efecto, la joven cuenta que ha sido su ama quien, alabando la «bellezza», los «gentili/nobili costumi» de *Dulippo* y el grandísimo amor que éste le tenía, la hizo enamorar (I, 1ª, rs. 26-31; vv. 75-82), *Camilo* ha conseguido enamorar a Isabela por sus naturales virtudes («mi legalidad, mi fe, mi deseo de acudir/ al gusto de padre y hija», vv. 2314-16). Curiosamente, en ambas comedias, repiten estos datos (como exposición de los antecedentes) Polinesta a su ama y *Camilo* a Tadeo.

[36] Me limito a los personajes fundamentales en el desarrollo del enredo, sin considerar Carione, criado de Cleandro; Caprino, criado de *Erostrato*, Lizio, criado de Filogono, etc. a los que podrían corresponder otros criados de Fabio, Marcelo, Galeazo, etc.

engaños, y el parásito (Pasifilo), que persigue exclusivamente su provecho[37], en la de Góngora se reúnen en el mismo criado (Tadeo) la lealtad y la humorística obsesión por la comida[38].

El esquema de correspondencias hasta ahora descrito varía ligeramente en el desenlace al incluirse más ficciones de identidad. El papel del «otro pretendiente», como sabemos, lo ha personificado en *I suppositi* el criado Dulippo que se ha fingido *Erostrato*; en *Las firmezas*, puesto que Lelio no puede ser personificado ni por Camilo (que todos conocen como cajero[39]), ni por Tadeo (que es oficialmente criado de Fabio), se recurre a un tercer personaje (Marcelo). De esta manera se sustituye, en el III acto, la equivalencia *Erostrato* (fingido) / Lelio (verdadero) por la de *Erostrato* (fingido) / *Marcelo* (fingido). Y si la necesidad de personificar al pretendiente aparece como terminante en ambas comedias, diferente es el espacio que se concede a esta ficción: en *I suppositi* el fingido Erostrato representa su papel durante toda la comedia e interviene a menudo en el diálogo, en *Las firmezas* el fingido Lelio aparece sólo en las últimas escenas. De todas maneras el mecanismo del disfraz y de las negaciones reproduce perfectamente (con la sola sustitución padre / hijo) el de la comedia de Ariosto.

Paralelo es también el papel del 'usurpador', puesto que para facilitar las bodas, Ariosto finge la llegada de Filogono (personificado por el Senese) y Góngora la de Lelio (personificado por Marcelo)[40]. Además, en ambos casos se elige, para la ficción, un personaje desconocido por los demás: el Senese está escondido en casa de *Erostrato* para salvarse del resentimiento de los vecinos de Ferrara, Marcelo se refugia en casa de Fabio para sustraerse a la persecución de la justicia[41].

La aventura del viejo Filogono, que al llegar a Ferrara no recibe hospitalidad en casa de *Erostrato* porque otro viejo (el *Senese*) se ha presentado poco antes con su nombre, tiene su equivalente en la historia de Galeazo que, al llegar a casa de Octavio[42] se encuentra ante un joven (Marcelo) que, sin serlo, declara ser su hijo Lelio: en ambos casos el viejo tiene que enfrentarse a una sustitución de persona que lo implica directamente. El pequeño desfase ocasionado por la

---

[37] Pasifilo, que no tiene nada que ver con el engaño, decide servir a dos amos (Cleandro y *Erostrato*) para conseguir más dinero, comidas, etc. y cuenta pormenores de la historia al uno o al otro indiferentemente; bien distinto es, en cambio, el objetivo de Tadeo que, como sabemos, es criado de *Camilo* y sirve a Fabio sólo para descubrir sus planes. Mientras en *I suppositi* ambos pretendientes desconocen la doble actividad del criado, en *Las firmezas* es sólo Fabio el engañado.

[38] Piénsese, por ejemplo, en el largo elenco de platos que Tadeo espera comer durante los festejos de las bodas (vv. 2832-46).

[39] Mientras que *Camilo* representa en la escena exclusivamente su papel de enamorado (puesto que no puede personificar el del prometido sin descubrir su ficción), Erostrato puede actuar sin problemas como *Dulippo* y su criado Dulippo como *Erostrato* (siendo dos personas distintas).

[40] El viejo y fingido Filogono tendrá que avalar la dote prometida por *Erostrato* permitiendo a *Dulippo* igualar a Cleandro y ser elegido como esposo; el fingido Lelio deberá llevarse a Isabela, permitiendo a *Camilo* comprobar la fidelidad de su prometida. Sin embargo mientras el Senese acepta su papel fingido por miedo sin conocer el objetivo real de *Erostrato*, Marcelo conoce bien los planes de Fabio (aunque ignora los de *Camilo*) y consiente por amistad. Vale precisar que la ficción, en *Las firmezas*, tiene un doble objetivo, el ya mencionado de *Camilo* (favorecer las bodas con el fingido Lelio para poner a prueba a Isabela) y el de Fabio (favorecer las bodas con el fingido Lelio para sustituirse al esposo: ya fuera de Toledo, Marcelo le entregará Isabela para que se case con ella). De todos modos, tanto *Erostrato*, como Fabio (segundos pretendientes) piensan utilizar esta ficción para obstaculizar las bodas de Polinesta/Isabela con el prometido oficial.

[41] Si la persecución que afecta al Senese (o sea el rencor de Ferrara en contra de Siena) es un invento de *Erostrato*, la que afecta a Marcelo es verdadera: lo buscan por haber matado a un joven en un duelo.

[42] El falso Filogono ha llegado a casa de *Erostrato* cuatro/dos horas antes del verdadero (IV, 4ª, rs. 21; vv. 1390-91); el falso Lelio ha llegado a casa de Octavio poco antes de Galeazo (vv. 2750, 2930-31).

diferente actitud del personaje, ora pasiva (Filogono ve negada su identidad), ora activa (Galeazo niega la identidad del falso Lelio), se ve compensada, en *Las firmezas,* mediante la duplicación del engaño que ofrece la posibilidad de otro paralelismo integrador. En efecto, después de Galeazo, llega a Toledo el viejo Emilio quien (como Filogono en Ferrara) espera alojarse en casa de Fabio; sin embargo éste niega que él sea Emilio[43]. Por otra parte, la actitud de Galeazo equivale a la segunda negación de Filogono que, cuando ve aparecer a *Erostrato,* desmiente que éste sea su hijo (IV, 7ª). Además, como Filogono reconoce en el que se declara su hijo a su criado (VI, 7ª), Galeazo reconoce en el que se declara criado de Octavio a su hijo; por lo tanto en las dos comedias el testigo que debería aclarar las dudas[44] continúa la ficción, negando la verdadera identidad de su amo (en *I suppositi* el criado Dulippo niega a Filogono[45]; en *Las firmezas,* Tadeo y Donato niegan a Galeazo y Emilio); asimismo el Ferrarese y Octavio, son espectadores del engaño organizado por sus fiadores: *Erostrato* y *Camilo*[46].

La desaprobación ante la pobreza del amante[47], la carta que anuncia la llegada del viejo padre[48], las informaciones ofrecidas al usurpador[49], el rechazo de la prueba de identidad[50], el preferir el convento a un matrimonio no deseado[51], el ser el criado quien descubre la ficción

---

[43] Falta en este caso la presencia de un directo *alter ego*: Filogono ve negada su identidad porque otro hombre utiliza su nombre, mientras que Emilio ve desmentida su identidad porque los jóvenes han decidido seguir en su juego de negaciones («Negad, y corra por vos/ lo que ha corrido por mí», vv. 3096-97).

[44] *Erostrato,* puesto que es el único que conoce a Filogono (por ser su hijo); *Camilo,* puesto que es el único que conoce al prometido (por ser sevillano como él). La ficción en efecto juega con el hecho de que nadie conoce a Filogono, como nadie conoce a Lelio. Nótese que son respectivamente el Ferrarese y Octavio los que llaman a escena al testigo.

[45] A quien corresponde el falso criado *Camilo* que niega ser hijo de Galeazo.

[46] Mientras el Ferrarese, ante las protestas de Filogono, sigue convencido de que *Dulippo* es Erostrato (lo conoce como tal desde hace tiempo. IV, 4ª, rs. 4749; vv. 1414-16 y 7ª, rs. 46-48; vv. 1525-27), Octavio ante las afirmaciones contradictorias en seguida se inclina a creer la versión de los viejos (vv. 3040-49, etc.).

[47] Como el ama de leche se duele de que Polinesta haya elegido entre sus pretendientes a un criado (I, 1ª, rs. 21-25; vv. 70-74), así Laureta le reprocha a Isabela que se haya enamorado de un cajero (vv. 1088-91).

[48] Aunque en *I suppostiti* es una mentira: *Erostrato* afirma haber recibido una carta de su padre (que anuncia su llegada para firmar los acuerdos de dote) sólo para dar más fuerza a su contratación (II, 1ª, rs. 55-57; vv. 481-86). Paralelamente, Galeazo anuncia su llegada para confirmar los compromisos de boda adquiridos con Octavio (vv. 827-33; añádase que también Emilio anuncia su llegada al hijo enviándole una carta, vv. 1526-27).

[49] *Erostrato* pone al tanto el Senese del nombre y ocupación de su padre, de su ciudad de nacimiento, etc. (II, 1ª, rs. 171-73; vv. 620-26) para que pueda contestar a las preguntas sin levantar sospechas; *Camilo* le da a Marcelo «señas» de sus padres y «razón [...] de la casa y la hacienda» (vv. 2414-16) para que, si lo descubren, pueda defender su fingida identidad.

[50] Cleandro ofrece datos para demonstrar que Dulippo es su hijo, pero no le creen (V, 5ª, rs. 130-40; 6ª, vv. 1933-42); Marcelo ofrece datos para demonstrar que es Lelio, pero Galeazo lo desmiente (vv. 2991-93). Nótese aquí, al lado del parecido del recurso (la cita del nombre de la madre, la acusación de no decir verdades sino de contar sólo con cierta información, etc.), la diferencia en la sustancia: Dulippo es realmente hijo de Cleandro y los pormenores biográficos ofrecidos por éste son pruebas verdaderas; Marcelo no es hijo de Galeazo y los pormenores que ofrece se los ha contado *Camilo* para dar más credibilidad a su engaño.

[51] *Cf.* «Mi farei bene inanzi monaca» (I, 1ª, rs. 110-11) «Io mi farei ben mille volte monaca,/ Piú tosto che pigliarlo [Cleandro]», vv. 168-69 y «Monasterios hay [...]/ y aceros labra Toledo/ adonde profesar puedo/ o morir como discreta,/ antes que la mano dé/ al que espero sevillano [Lelio]/ y que le niegue la mano/ al que le he dado la fe [Camilo]» (vv. 2123-30), etc.

actuada[52], la resignación de los padres a las bodas[53] y las finales disculpas generales[54] son algunos motivos más que comparten las dos comedias. Y no faltan inevitables coincidencias en el diálogo, como inerte consecuencia del parecido temático; piénsese, por ejemplo, en la llamada a escena del testigo que intenta escaparse:

FERRARESE	Ecco, ecco che io lo vedo là... Ma dove è ritornato?
	Aspettami qui, che io lo chiamerò. O Erostrato, o
	Erostrato; tu non odi? O Erostrato, torna in qua! (IV, 6ª, rs. 31-34)
	[Eccovel là. Ma dove va? Aspettatemi,
	ch'io vo' dir che siete qui. Erostrato,
	Erostrato, o Erostrato, volgetevi, vv. 1484-6],
OCTAVIO	¿Dónde estás, Camilo? ¡Hola!,
	tú que abonado le has,
	¿dónde huyes, dónde estás? (vv. 3014-16);
EROSTRATO	Io non mi posso insomma nascondere: bisogna fare un
	buon animo; altrimenti... (IV, 7ª, rs. 1-2)
	[Io non mi posso, in somma, piú nascondere./ Bisogna far un buon
	viso, un bon animo;/ Altramente..., vv. 1486-88],
CAMILO	Si dar pudiera un desguince,
	me fuera, que esta experiencia
	peca contra la obediencia (vv. 3926-28);

en las protestas del viejo ante las mentiras:

FILOGONO	Io credo che tu mi dileggi (IV, 4ª, r.24)
	[Vedi che bestia!/ Vuol dileggiarmi, vv.1393-94],
GALEAZO	¿Hacéisme tiros?
	¿Burláis de mí? (vv.2956-57);
FILOGONO	Io non so ch'io mi creda, se non che tu sia pazzo e
	colui imbriaco, né sappia che si dica (IV, 4ª, rs. 44-46)
	[Non so ch'io m'abbia a credere,/ Se non che tu sia
	pazzo e quell'altro ebrio, vv. 1410-11],
GALEAZO [...]	si he perdido la vista,
	que no he perdido el juïcio (vv. 2999-301);
FILOGONO	[...] sei un baro et uno cattivissimo uomo (IV, 5ª, rs.22-23)
	[sei un barro e un pessimo/ Uomo, vv. 1433-34],
GALEAZO	Veo un galán

---

[52] Así como Pasifilo descubre a los demás que Dulippo es Erostrato y que Erostrato es Dulippo e hijo de Cleandro (V, 7ª, rs. 36-40; 8ª, vv. 2052-55), Tadeo descubre que Isabela se ha casado con Camilo-Lelio (vv. 3488-89).

[53] En efecto, Damone, al haber comprobado que Dulippo, como afirma su hija, no es un criado sino un joven noble y rico, no tiene motivos para oponerse a las bodas (V, 9ª, rs. 42-47; 11ª, vv. 2149-57). Del mismo modo Octavio, al descubrir que Camilo no es un simple cajero, sino el rico mercader, consiente sin dudarlo un instante en otorgarle la mano de su hija (*Las firmezas,* vv. 3507-10). Paralelo es también el consentimiento por parte del padre del joven: Filogono, feliz de haber finalmente encontrado a su hijo, confirma el compromiso que éste ha adquirido con Polinesta (V, 9ª, rs. 27-31; 11ª, vv. 2132-35); Galeazo, feliz de que acaben los embustes y de que su hijo finalmente se reconozca como tal, confirma el compromiso con Isabela (v. 3526).

[54] En *I suppositi* el viejo fingido se disculpa con Filogono por haberle engañado, Filogono se disculpa con él por haberle ofendido y Cleando se disculpa con Pasifilo por haberle considerado desagradecido. En *Las firmezas de Isabela* Lelio se disculpa con Octavio por haberle engañado, Octavio se disculpa con él por su error y Marcelo se disculpa con Fabio por su falta de cautela.

con menos barbas que engaños (vv. 2960-61);

en el anuncio de la llegada inesperada del deudo:

FERRARESE   O Erostrato, Filogono, il padre tuo, è venuto fino di
            Sicilia per vederti (IV, 7ª, rs. 3-4)
            [O Erostrato, Filogono,
            Vostro padre è venuto di Sicilia, vv. 1489-90],
GALEAZO   ¡Cuánto huelgo de saber
            que mi hijo haya venido (vv. 2942-43);

en el saludo o en las preguntas dirigidas al recién llegado:

SENESE   Mi dimandi tu, gentiluomo? (IV, 5ª, r. 51)
            [Mi domandate gentiluomo?, v.1419]
MARCELO   Seáis, señor, bien llegado (v. 2947)
OCTAVIO   ¿Qué mandáis, señor? (v. 3104)[55];

FILOGONO   Vorrei intendere donde tu sia (IV, 5ª, r.2)
            [Intendere/ Vorrei donde voi siate?, vv. 1419-20]
GALEAZO [...] ¿En qué fundas, pues, el ser
            mi hijo ? (vv. 2962-63)[56],

en el desconcierto ante la fingida identidad:

FERRARESE   Par che tu non lo connosca: vedilo che vien qui.
            Filogono, eccoti el tuo figliolo Erostrato (IV, 7ª, rs. 11-12)
            [Eccovelo, vedetelo:/ Par che nol cognosciate.
            Ecco, Filogono,/ Eccvi il caro figliuol vostro Erostrato, vv. 1495-97],
OCTAVIO   Ved cual le tiene el deseo
            ¿No le veis ahí [vuestro hijo]?
            Lo que ciega un regocijo (vv. 2951-53);

FILOGONO   Erostrato questo? Mio figliolo non è cosí fatto (IV, 7ª, rs. 13-14)
            [Erostrato codesto? Non è Erostrato
            Mio figliuol cosí fatto, vv. 1498-99],
MARCELO   ¿No me conocéis, señor?
GALEAZO   No, si no es para serviros (vv. 2954-55)[57];

EROSTRATO   Chi è questo uomo da bene? (IV, 7ª, r.15)
            [Chi è quest'uomo?, v. 1501],
OCTAVIO   [...] ¿quién es este gentilhombre? (v. 3035);

FILOGONO   Par che tu non mi connosca! (IV, 7ª, r.21)
            [Non mi cognosci tu?, v. 1505],
GALEAZO   ¿Quién soy yo? (v. 3210)[58];

---

55 Véase también el «No sois vos [...]» que Emilio dirige a Fabio (v. 3110).

56 A las muchas preguntas y respuestas de *I suppositi* («FILOGONO Di che terra? [E di che cittade?] SENESE Di Catania [Di Catanea/]. FILOGONO Come è el tuo nome? [Il nome vostro?] SENESE Filogono [Mi chiamo Filogono/]. FILOGONO Che essercizio è il tuo? [E che essercizio fate?] SENESE Mercatante [Il mio essercizio/ è mercatante]. FILOGONO Che mercanzia hai tu menata qui ? [E che mercanzia aveteci/ Voi arrecata?] SENESE Nessuna [Nessuna]», etc.: IV, 5ª, rs. 4-11; vv. 1419-25) corresponde el largo relato de Marcelo («eres mi padre,/ que en Estefania, mi madre, me hubiste [...]/ Tus casas son principales/ en la calle de Bayona;/ de renta sobre la almona/ tienes quince mil reales;/dos casas en Caldescobas/ [...]/ gran trato con Marcelino/ en Cazalla y en Jerez/[...], etc.: vv. 2963-2989).

57 Véase la duplicación: «EMILIO Conocéis a Emilio? FABIO Digo/ que no me buscáis a mí» (vv. 3108-9).

58 Véase la duplicación: «Emilio [...] ¿Quién soy yo?» (v. 3372).

LIZIO	[...] Un altro Erostrato,
	Figliuol d'un altro Filogon debbe essere (IV, 4ª, vv. 1408-9)
EROSTRATO	In cambio me avete voi tolti veramente, che io non ho
	questo nome (IV, 7ª, rs. 27-28)
	[Gentiluom, voi m'avete preso in cambio, v. 1508],
MARCELO	[...] / Padre mío, otro será
	vuestro Marcelo (vv. 3150-51);

en las quejas por la falta de respeto del criado:

FILOGONO	Ah fuggitivo! ah ribaldo! ah traditore! A questo modo si
	accetta il patron suo? (IV, 7ª, rs. 53-54)
	[Ah, fuggitivo, ah pessimo
	Ribaldo! A questo, a questo modo perfido,
	Si raccoglie il padron?, vv. 1532-34],
EMILIO	¡Que mi criado me ultraja
	y que mi hijo lo vea! (vv. 3384-85);

en la resolución de pedir ayuda a dos o tres conocidos:

FILOGONO	Qui voglio [...] sùbito si mandi a Catania [...] e
	facciasi venire dua o tre di fé degni, li quali di
	Filogono e di Erostrato vera cognizione abbiano; e
	stiano al giudizio loro, se io sono o se pure
	quell'altro è Filogono; e cosí s'egli è Erostrato, o pur
	s'egli è Dulippo mio servo, quest'altro audacissimo
	ribaldo (V, 5ª, rs. 7-14)
	[Io voglio [...]/ [...]
	facciasi/ Dua uomini venire o tre di credito,
	Che Dulippo, Filogono et Erostrato
	Conoschino; e quei dichin se Filogono
	Son io, o colui; e cosí ancor se Erostrato
	O pur Dulippo è questo servo perfido,
	V, 6ª, vv. 1817-24],
GALEAZO	No pienso dejar mesón,
	aunque soy viejo y es tarde,
	sin buscar a dos o tres
	que me abonen (vv. 3068-71)[59].

Aunque es indudable que el mecanismo del equívoco y de la fingida identidad se encuentra ya en el teatro latino (piénsese en los *Menechmi*[60] y en los *Captivi* de Plauto, en el *Eunuchus* de

[59] Añádase, en *Las firmezas*, la duplicación de este recurso: también Emilio piensa acudir en ayuda de un conocido para que atestigüe su identidad («De sus granadinas canas [de Fabricio]/implorar quiero el auxilio,/para que abonen a Emilio/con aquestas tres Susanas», vv. 3169-74). Hay que observar, además, que mientras en *Las firmezas* Galeazo y Emilio vuelven a entrar en escena en seguida con sus criados para que confirmen su identidad (y el juego de las negaciones vuelve a empezar), en *I suppositi* este elemento del enredo no se desarrolla, ya que la acción se dirige más bien hacia la agnición final (se descubre que Dulippo es el hijo de Cleandro y que Dulippo es Erostrato).

[60] En esta comedia aparece ya el recurso cómico de las muchas negaciones de identidad: Menecmo niega conocer al cocinero Cilindro (II, 2ª), al amante Erozia (II, 3ª), al parásito (III, 2ª), a su mujer y a su suegro (V, 1ª), al criado Messenione (V, 8ª), etc. Pero, aunque el juego de equívocos es parecido, falta aquí la conciencia del engaño: la confusión nace de la existencia de dos gemelos (uno raptado cuando era pequeño) y la negación corresponde a un verdadero desconocimiento. De todos modos éste es un recurso que aparece más veces en los teatros latino e italiano, y casi siempre fundado en la existencia de dos gemelos y de una agnición final; recuérdese, por ejemplo, la doble ficción de identidad y los diálogos en lengua española en *La*

Terencio[61], etc.[62]) o en los cuentos de Boccaccio[63], no es a estas piezas que hay que acudir para encontrar las fuentes de *Las firmezas*. Sólo en *I suppositi,* en efecto, encontramos no ya ciertos indicios diseminados a lo largo de la obra, sino un conjunto de bien organizadas correspondencias temático-estructurales; en Ariosto el juego de las negaciones, además, no surge de la existencia de un doble verdadero, sino, como en Góngora, de una bien intencionada voluntad de fingimiento que afecta a la relación padre-hijo[64], se sirve de la complicidad de un testigo también mentiroso y utiliza un disfraz para conseguir las bodas de los protagonistas. No parece una casualidad, pues, que el nombre del poeta italiano, sus versos y personajes se mencionen en ésta, y no en otras comedias de don Luis[65], constituyendo casi un intento premeditado del autor de aludir a la fuente utilizada y de guiar al lector / espectador hacia su descubrimiento.

---

trappolaria de Della Porta (1596): Arsenio niega su identidad delante de su padre fingiendo ser su gemelo Lelio; Filesia finge ser Eufragia, pero la madre de Arsenio la desmiente; etc.

[61] Es el mismo Ariosto el que menciona estas comedias como fuentes: «E vi confessa in questo l'Autore avere a Plauto e Terenzio seguitato [...] da lo *Eunuco* di Terenzio e da li *Captivi* di Plauto ha parte de lo argumento de li suoi *Suppositi* transunto, ma sì modestamente però che Terenzio e Plauto medesimi, risapendolo, non l'arebbono a male, e di poetica imitazione, pi presto, che di furto, li darebbero nome» (*Prologo,* rs. 17-18, 27-32). En efecto, en la primera encontramos a una niña raptada y a un joven (Cherea) que, para entrar en la casa de una muchacha de la que se ha enamorado, se disfraza de criado (eunuco), en la segunda, un hijo raptado y el trueque de los papeles entre amo y criado. Nótese que, en los *Captivi,* la ficción de identidad y las consiguientes negaciones del criado ante Aristofonte (III, 4ª), tienen como objetivo liberar a Filocrate de su condición de preso.

[62] Piénsese, entre los muchos ejemplos, en el *Anphitruo* de Plauto, donde la presencia de un doble del amo y del criado ocasiona sorpresa, equívocos, preguntas, enojo; sin embargo aquí la existencia de dos dobles la justifica la intervención divina: Júpiter se hace Anfitrione para gozar a Alcmena y Mercurio se hace Sosia para ayudarle en su ficción.

[63] El recurso del enamorado que se finge criado para vivir con la mujer amada vuelve a aparecer en el *Decamerone,* VII, 7. Como hemos señalado en la nota 16, Góngora se ha inspirado en uno de los cuentos del *Decamerone* para un episodio de *El Doctor Carlino.*

[64] Las negaciones entre padre e hijo que encontramos en Ariosto, vuelven a aparecer en *Los engañados* de Lope de Rueda (el padre se dirige a su hijo que niega ser tal), pero aquí la negación corresponde a la verdad del personaje (no hay engaño, sino equívoco: Fabricio no sabe que tiene una hermana gemela y su padre Verginio no sabe que tiene delante al hijo perdido cuando era pequeño).

[65] Sólo aparece una referencia aislada en *El doctor Carlino* (al valeroso Mandricardo, v. 1579) y ninguna en la *Comedia Venatoria.*

Sobre intrigas y configuraciones en la novela latinoamericana contemporánea: el caso de José Donoso

Claude DUMAS
Universidad de Lille III

El novelista chileno José Donoso es «ante todo un hombre de ideas, un hombre con una cosmovisión muy definida...»[1]. Lo afirma la crítica actual y la lectura de sus obras parece corroborarlo de manera obvia; aunque no de manera directa para el lector, pues Donoso pertenece a esta generación de novelistas que ya no dicen las cosas claras y en primer grado, sino a través de figuras y símbolos narrados según técnicas particulares en que la puesta en intrigas se ve compleja, elaborada, original, personal: digamos que aparece finalmente subordinada y como dominada por la voluntad o acto de configuración o sea, según definición simplificada nuestra, la organización general y particular del relato.

En este libro confuso y barro que es la *Historia personal del «Boom»* (1972), el mismo Donoso define los criterios anteriores, insalvables en la época, de la novela escrita por los «padres», un Rómulo Gallegos con su *Doña Bárbara*, un Ricardo Güiraldes con su *Don Segundo Sombra*, por ejemplo, la de los llamados criollistas o costumbristas o realistas, los cuales narraban de una manera llana y sencilla las realidades nacionales, de su propio pueblo; en las reglas para hacer novelas en aquel tiempo había, desde luego, lo prohibido y lo imprescindible, lo que Donoso define como sigue:

> Cualquier actitud que acusara resabios de algo que pudiera tildarse de «esteticista» era un anatema. Las indagaciones formales estaban prohibidas. Tanto la arquitectura de la novela (digamos: la configuración –el «digamos» es nuestro–) como el idioma debían ser simples, planos, descoloridos, sobrios y pobres. Nuestro rico idioma hispanoamericano, naturalmente barroco, proteico, exuberante... se encontró como planchado por los requerimientos de la novela utilitaria... quedaba desterrado lo fantástico, lo personal, los escritores raros, marginales, que «abusaban» del idioma, de la forma.[2]

---

[1] Donald L. Shaw, *Nueva narrativa hispanoamericana*, ediciones Cátedra, Madrid, 1981, p. 147.

[2] José Donoso, *Historia personal del «Boom»*, Sudamericana-Planeta, 1983.

Hommage à Robert Jammes (Anejos de *Criticón*, 1), Toulouse, PUM, 1994, pp. 343-349.

No se pueden sintetizar de manera más clara y significativa los diversos criterios que privaban en la novela latinoamericana hasta los años sesenta. Estos criterios, que eran además la vara para medir la calidad literaria de entonces, según la feliz expresión de Donoso, fueron, al fin y al cabo, añade, los que más trabas pusieron a la novela.

Ahora bien: será bien fácil mostrar cómo la obra novelística de José Donoso, escrita desde finales de los años sesenta hasta los ochenta y en adelante, se han liberado de dichas trabas, acudiendo, por ejemplo, para su elección y su disposición de intrigas, justamente, al esteticismo formal, a lo fantástico, a lo personal, a lo barroco natural del idioma –Donoso es un buen ejemplo–, amén de otros «abusos» y marginalidades suyas y muy suyas que sitúan sus novelas a mil leguas de las anteriormente citadas.

Lo interesante en las diversas obras de Donoso es que no las escribe así como así, en un aire inmóvil, intentando reproducir una realidad histórico-geográfico-social, sino como una obra de arte creada, como una coreografía, en la cual su mayor preocupación es, en último análisis, encontrarse a sí mismo. Además, para que nadie confunda nada, el mismo aclara a menudo sus íntimas cogitaciones como creador dirigiéndose al lector, el cual es un elemento más en la trama de la puesta en intriga. En esta perspectiva, una de sus creaciones más características es la copiosa novela *Casa de campo*[3], publicada en 1978. La intriga principal se organiza en un país indeterminado –hubieran puesto el grito en el cielo los criollistas–, en torno a la historia de la opulenta familia de los Ventura, cuya riqueza estriba en la posesión de unas minas de oro y de su explotación a través de la explotación de los nativos de la región. De esta intriga principal compleja y multiforme de por sí, salen, como cohetes de colores en un día de fiesta, mil y una intrigas secundarias que transforman pronto la novela en un cuento fantástico, barroco, o una ópera bufonesca, con telón, candilejas y todo, a veces dramática, yendo a menudo a la par ambas tonalidades. Así las cosas, ya no puede realmente amedrentarse el sorprendido lector, ya que en su caminar por el relato, y bastante tempranamente, ha sido puesto al tanto por el autor de que todo esto no es más que una pura creación personal, una forma de arte que no quiere emparentarse de ninguna manera con lo real. En cuanto a sus personajes, declara él sin ambages haberlos «planteado como seres a-psicológicos, inverosímiles, artificiales» (ed. citada, p. 492). Añade que no ha podido evitar de ligarse pasionalmente con su mundo circundante y que, casi concluída la novela, le está costando terriblemente esta despedida; situación conflictiva que consiste por el autor en no querer desprenderse de ellos –sus personajes– sin terminar sus historias, «olvidando –habla el autor– que no tienen más historias que la que yo quiera darles en vez de conformarme con terminar esta historia que, de alguna manera, que no acabaré nunca de entender, es sin duda la mía» (p. 492).

Palabras son de una confesión personal y literaria, y además respuesta a una pregunta que se le puede hacer a cualquier autor, y en primer lugar, la de a qué fin escribe por ejemplo el novelista. Por otra parte, el nuestro se pregunta sobre las reacciones de sus lectores «en el momento de bajar el telón y apagar las luces», las luces de este gran teatro que acaba de crear.

También le interesa saber si éstos habrán sido capaces de recoger, es decir, de «creer», sin necesidad de apelar a paralelos en su propia experiencia; «si han sido, sobre todo, capaces de establecer une relación pasional, paralela a la mía, entre ellos y las figuraciones de este espacio de mi fantasía del que me está costando tanto trabajo desligarme» (p. 493).

Palabras claras y terminantes. Las figuras y los personajes que viven y transitan en las creaciones literarias de Donoso son como fantasmas de su propia personalidad y su historia es al mismo tiempo la suya, o al contrario, la suya se insinúa en la de sus personajes. La novela se

---

3 Seix Barral, *Biblioteca Breve*, 1983; 1ª edición, 1978.

vuelve, dice, «el área donde permito que se unifiquen las imaginaciones del lector y del escritor» (p. 53). Además, este deseo, o más bien anhelo, de que sus lectores –su lector– establezcan una relación pasional con sus personajes, o sea, acabamos de verlo, con su propia persona, a través de su propia fantasía, establece una construcción particular y repetida de la arquitectura de la obra, que va a quedar como una infraestructura permanente de su creación. En efecto, las llamadas y explicaciones directas al lector –emplea Donoso la jocosa expresión de «tironear el autor a cada rato la manga del que lee» (p. 53)–, el cual se vuelve uno de los pilares esenciales del equilibrio literario de la novela que descansa, en su constante caminar hacia el epílogo, sobre los tres pilares bien definidos de los personajes, del autor, y del lector, formando una clara configuración triangular interna equilibrada.

Así responde de manera muy concreta, y a su manera, a la interdicción aludida por él, respecto a la novela de tiempos anteriores, de introducir en ella un elemento personal.

Otra de las configuraciones que se entrecruzan, se traban y juegan entre sí en más de una novela de Donoso, es la figura del punto central o del círculo, lo que viene a ser lo mismo. Evocaremos una serie de ellas en que la intriga principal y las intrigas secundarias que nacen de ella, se encierran en una figura que podemos llamar el área de puertas cerradas, las cuales pueden abrirse si lo necesita el planteamiento de alguna intriga, pero que permanecen en su papel de puertas por cerrar. En *El jardín de al lado* (1981), esta configuración del espacio cerrado, pero al mismo tiempo y de otra manera inmensamente abierto a las fugas del espíritu, la representa el jardín de la casa de al lado, y mejor de varios jardines que aparecen en el relato. Esta novela, donde convergen una variedad de temas, es esencialmente la novela de la nostalgia, la del escritor exiliado, luchando con la pobreza, las dificultades de todas clases, morales y materiales, y sobre todo con el repetido fracaso de las varias novelas que no consiguió publicar. Uno de sus amigos, pintor de renombre, le propone su casa en Madrid, situada en un barrio selecto, mientras él está veraneando fuera, lo que lleva al autor a la contemplación diaria, a la vez maravillada y melancólica del jardín de la otra casa, donde él adivina e imagina toda una vida mundana, refinada y fuera de su alcance.

El jardín de al lado, lugar cerrado, es efectivamente el centro de la novela, lugar que exalta y multiplica las insatisfacciones, cierta dinámica de la tragedia del exiliado y del «sueño de regreso», el cual se materializa en la mente de éste por la visión de otro jardín del pasado, otro lugar cerrado,

> Cierta ventana que da a cierto jardín, a un tapiz de verdes entretejidos de historias privadas que iluminan relaciones de seres y lugares: éstos configuran el cosmos que hice nacer en el jardín al que ahora me asomo, hace ya más de medio siglo.[4]

Efectivamente, la novela de Donoso se organiza a partir del jardín, el de al lado o el del pasado, en Chile, en una configuración de relaciones de seres y lugares cuya puesta en intrigas nace de este lugar a puertas cerradas por elección creativa y significativa, en una proyección de tonalidades dramáticas, la del exiliado y de sus tragedias. Esta configuración del lugar cerrado de donde surgen y explotan las intrigas, aparece verdaderamente como una constante en la obra de Donoso.

En *Casa de campo*, la intriga central se desarrolla, por lo esencial, en una casa señoril donde pasan el verano los padres de la numerosa familia de los Ventura y los consiguientes primos, los cuales, entre hembras y varones, llegan a nada más que a treinta y cinco[5], lo que, con los padres, alcanza más o menos una cincuentena de personas. Dicha morada es un caserón enorme, compuesto de un sin fin de habitaciones a cual más exóticas y estrambóticas, siendo cada una de las piezas

---

4 Seix Barral, *Biblioteca Breve*, 1981, p. 66.

5 Se perdió unos cuantos en su recuento Donald L. Shaw, ya que cita la cifra de sólo treinta y tres; ed. cit., p. 152.

como un pequeño encierro a puertas cerradas, y, además, uno de los elementos constitutivos del barroquismo esencial de la obra. Los bajos de la casa los constituyen, por ejemplo, enormes cavidades y túneles que son antiguas minas de sal.

Pero este círculo central viene a ser en sí mismo rodeado por un círculo mayor que es el entorno, evocado mil veces con tonalidades amenazadoras, la naturaleza, no real sino imaginaria, la llanura circundante, inmensa, rodeando y aislando la casa de campo, separándola del resto del territorio, vagamente intuído más allá del horizonte. La cubre una tupida vegetación sin nombre, fantástica, de gramíneas, que se vuelve peligrosa cuando, a fines del verano, suelta sus millares de vilanos, amenazando acabar con la vida de los que se han demorado en esos temibles andurriales: casa y llanura constituyen, pues, dos círculos concéntricos en que la intriga principal y las adventicias nacen, viven un tiempo y se ahogan dramáticamente.

Un curioso caso de configuración circular y dramática se da también en la novela, *El lugar sin límites*. A partir del título ya sabemos adónde vamos ya que éste repite un verso de Marlow en su Dr. Faustus donde el autor inglés intenta una descripción del infierno, este sitio que adivina sin límites. Y, sin embargo, el autor, saliendo de una imaginería que sugiere un lugar abierto indefinidamente, lo transpone en un lugar cerrado, en el cual, claro está, actúan seres comprometidos en acciones y situaciones verdaderamente infernales. Se presenta entonces una serie de retratos a la vez pintorescos y dramáticos: la dueña de esta casa particular –digamos un burdel–, la Japonesa –es un apodo–, don Alejo, el cacique de la comarca, que es otro Pedro Páramo[6], Manuela, un homosexual que hace de bailadora española cuando viene al caso, apareciendo éste como el símbolo de la ambigüedad infernal. Todas las figuras que desfilan en esta casa de la perdición podrían ser otras tantas figuras condenadas en este pequeño infierno de la casa de la Japonesa:

> En los campos que rodeaban al pueblo, el trazado de las viñas, esa noche bajo la luna, era perfecto... y esta casa, este pequeño punto donde ellos, juntos, golpeaban la noche como una roca...[7]

Observemos que, aquí, la construcción presenta la apariencia de un lugar sin límites delineado paradójicamente por un punto, figura limitada si las hay. Pero la contradicción es simplemente aparente, pues lo que es sin límites es el contenido, los personajes que figuran en el círculo delimitado y su incoherencia culpable, ella sí, sin límites, desde luego.

La casa, este lugar con límites, como matriz de un mundo infernal, en el sentido leve o grave de la palabra, se da, pues, como un símbolo muy difundido en la obra novelística de Donoso, incluso en las obras menores. En el libro de cuentos de *Cuatro para Delfina*, de título enigmático, anunciando sencillamente que se compone de cuatro cuentos, el primero, «Sueño de mala muerte», desarrolla una intriga principal, las tribulaciones de Osvaldo Bermúdez, personaje del pueblo, que acaba siendo empleado, y con mucho gusto, en el cementerio católico de la ciudad; vive en un lugar cerrado, la pensión de la Señora Panchita, rodeado por otros círculos internos, como el de ojos que miran y oídos que escuchan, de los otros huéspedes de la casa. Entre mil situaciones originales de este encierro donde se encuentran atrapados los huéspedes, elijamos esta sugestiva evocación de la noche rumorosa y circular que los encierra a cada uno:

---

6 Lo señaló D. L. Shaw, *op. cit.*, p. 146; se mueve sin embargo el personaje de Juan Rulfo en otra circunstancia o configuración temporal.

7 Seix-Barral, *Biblioteca Breve*, 1991, pp. 125-26.

En el silencio veteado por los ronquidos de los habitantes de los distintos dormitorios, la Olga Riquelme desenterró desde el fondo de su amor...[8]

Lo que equivale a decir que la caída de un lápiz en una habitación la perciben circularmente todos los demás: buena ilustración del encierro aplastante en que se encuentran los huéspedes. De este lugar con límites se desprende la intriga principal, los amores de Osvaldo con la Olga Riquelme, las idas y venidas de ambos, lo que desemboca en un pintoresco estudio de psicologías populares, la de Osvaldo que se muere por descubrir un entronque familiar con la poderosa y antigua familia de los Robles, y la Olga Riquelme desviviéndose por hacerse propietaria, incluso de un mausoleo; todo eso a partir de la figura del círculo, del encierro de donde quieren salvarse los personajes para salir a más. La intriga principal termina dramáticamente por la muerte de Olga, atropellada por un autobús.

La novela laberíntica, esquizofrénica, en los planos de lo onírico y lo fantástico –son palabras del mismo Donoso calificando su novela, *El obscuro pájaro de la noche* (1970)[9]– presenta otra casa «circular», la Casa de Ejercicios donde unas viejas devotas encuentran un asilo, pero en un mundo poblado de seres enmascarados y esperpénticos, amén de una bonita caterva de monstruos, con clara intención, de parte del autor, de sugerir la anarquía y el caos que privan en el mundo. Uno de los personajes principales, el Mudito, anda tapiando puertas y ventanas, cerrando unos tras otros los pasillos laberínticos de la casa: otra vez una casa como un punto, pero también un lugar sin límites, en la medida en que el caos y la anarquía son valores ilimitados, que no se dejan circundar, hasta por un círculo. En una entrevista con G. I. Castillo, aclara Donoso la razón de encontrarse, en este círculo infernal, viejas locas y muchachas adolescentes: «La vejez es una anarquía, la adolescencia es una anarquía, la locura es una anarquía»[10]. La anarquía, he aquí una de las constancias de su visión del mundo traducida por la escritura novelesca. Quizás el mejor ejemplo de la anarquía puesta en intriga, o mejor intrigas, aparezca en la ya mencionada *Casa de campo,* más precisamente en su secunda parte. No olvidemos que aquí se trata de una «fábula», de una pura invención literaria, sin el menor nexo con lo real, según el autor; pero veámoslo: ya que es fábula, esperamos una moraleja. La intriga de la primera parte descansa sobre la pintura acabada de un orden a base de prejuicios y leyes terminantes de la más alta y poderosa burguesía, en amos, niños y sirvientes, distribuídos en el área cerrada de Marulanda, la casa de campo, según una disciplina férrea. Queda establecido, por ejemplo que, de noche, después del toque de queda, ninguno de los numerosos primos puede salirse de su habitación y andar por los pasillos so pena de rigurosísimo castigo. Fábula es, bien lo repite al lector el autor, fábula es, conforme; pero ¡qué caso más raro que no sea más que una pura fábula, qué cosa más extraña que esta forma de intriga y su planteamiento se hayan escrito en los años de 1973 a 1978, en los primeros años, en Chile, precisamente, de la dura dictadura del General Pinochet!

Claro que la segunda parte es de otra harina. Desaparecen, pues, los amos y la mayoría de los sirvientes, yéndose a la famosa excursión. ¿Por qué no van también los adolescentes, los primos? Porque carecería entonces el autor de una puesta en intriga esencial, la substitución en la Casa del orden feudal por la anarquía más liberal y anárquica que se pudo ver. El agente de ese cambio estupendo e improbable de la organización básica de Marulanda es Adriano, un miembro adventicio y mal integrado en la familia, médico y liberal, esposo de Balbina Ventura, mantenido prisionero por loco en una de las torres de la Casa: ¿no es locura, desde luego, el liberalismo en este ambiente

---

8 Seix Barral, 1982, p. 44.

9 Prólogo a los Cuentos de Donoso, A. M. Moix, Barcelona, 1971.

10 Citado en D. L. Shaw, *op. cit.*, p. 150.

de orden feroz, cuartelario? Liberado por los adolescentes, en particular por su hijo Wenceslao, finalmente su discípulo, introduce en la aristocrática Casa el desbarajuste mayor, «el irreparable desenfreno de los niños», cada uno, o una, echando por la ventana las sujeciones y obligaciones anteriores, haciéndose toda la casa un pandemónium infernal, hasta dándose el caso de permitir la entrada en la Santa Casa a los nativos, familias y todo, gente inferior, desalmada y con sospechas de antropofagia.

No nos importa aquí evocar las intrigas que siguen acumulándose en ese novelón barroco de nunca acabar, a la manera de las muñecas rusas: lo esencial es lo dicho ya, una manada de intrigas saliendo como avispas de su colmena, que es Marulanda, pero finalmente puestas en cierto orden significativo alrededor de dos ideas centrales, la de disciplina de cuartel y la de libertad-anarquía, la cual termina dramáticamente, entre otras cosas, con la muerte de Adriano matado de un tiro de pistola por uno de los sirvientes –por el pueblo, pues– a quien Adriano el liberal-soñador, el libertador, pretendía redimir, entregándole el pleno ejercicio de la libertad.

Unos de los episodios más sonados del período libertad-anarquía es el momento en que los niños descontrolados rompen las puertas de los armarios paternos para vestir sus galas, dando lugar a una fantástica mascarada en la que la regla consiste en elegir cada uno un disfraz que marque una superioridad social sobre los otros, porque «nadie quiere encarnar personajes plebeyos, si no son también perversos o hermosos» (p. 230); en fin, plebeyos o no, «nadie sabía quién era quién» (p. 233). Pero pronto nace la zizaña entre los niños y se separan en dos facciones, detrás de Wenceslao, el más radical, y de Juvenal, más moderado, por lo visto. La casa va entonces a ser el campo de enfrentamientos entre ambos partidos con episodios dramáticos que causan incluso la muerte de varios primos. Así que, en resumidas cuentas, la nueva sociedad elaborada y puesta en intriga, la de los niños –en realidad adolescentes la mayoría de ellos, pero el autor casi siempre así los califica–, segrega ella también, como la de los adultos, el desorden, la anarquía y la muerte, detrás de una máscara que oculta la verdadera personalidad de cada cual. Lo esencial era disimularse y parecer otro, u otra: «nadie sabía quién era quién».

Este momento particular de la gran intriga que es el tema de la segunda parte de *Casa de campo*, bien parece ir expresando la idea filosófica de que la responsabilidad bien del orden tiránico, bien del desorden negativo de que sufre el mundo, no incumbe ni a una clase social, ni a una nación, ni a un sistema, y que niños y adultos, enfrentados a la misma realidad, pueden muy bien caer en las mismas aberraciones, porque la edad no quita o añade nada esencial a lo que es, en el fondo, la verdadera naturaleza humana.

Definida así a las claras esta organización configurativa, puede llamar la atención el paralelismo que existe entre esta puesta en intriga y la que se plantea en la novela del escritor inglés William Golding, cuyo título original es *Lord of flies*, publicada en 1954, y traducida al francés por *Sa Majesté des mouches* (1956), siendo concretamente el Lord una cabeza de jabalí muerto, atacada de moscas, emblema irrisorio de una sociedad irrisoria y de sus fantasmas. No parece la crítica, que yo sepa, haberse enterado de la muy probable influencia de este extraño texto sobre la organización y el sentido del aludido episodio de la novela de Donoso. En la narración de Golding, un grupo de niños y adolescentes, sin duda británicos, se encuentra ileso en una isla tropical desconocida y desierta, a consecuencia de la caída de un avión cuya procedencia ni destino conocemos. Es el típico lugar de utopía de Thomás Morus, el no-lugar, o sea todos los lugares, donde, como en una vitrina de entomólogo, el autor mueve sus insectos humanos. Éstos, rápidamente, tratan de organizarse en sociedad, la cual empieza constituyéndose en una sociedad de cazadores y recolectores de frutas, como en épocas primitivas; pero pronto cunde la anarquía, y el grupo se divide en dos bandos enemigos. Los adolescentes se ven con el cuerpo abigarrado con pinturas de arcilla coloreada y armados de palos puntiagudos. Los mandones, Jack el radical y Ralph el moderado, aparecen enmascarados, con el rostro pintado de rojo y blanco y coronados de flores; habrá peleas y muertos. Cuando son rescatados por los oficiales de un barco que viene a echar anclas en una de las bahías de la isla, un incendio destruye toda la soberbia vegetación y la isla aparece desolada y en ruina, como se arruinó en la isla la esperanza de sociedad armoniosa y humana que hubiera podido ser y que no pudo ser. Como lo subraya el mismo autor en el comentario a su novela, en el saludo de la humanidad, el enemigo no está fuera, sino de puertas adentro: lo que ocurre precisamente en la sociedad de niños y adolesentes de Marulanda.

Casa de campo, la novela que ocupa el centro de nuestra investigación, se organiza entonces como una ópera, como un teatro de la comedia humana, como una fábula, no con una sola moraleja, sino con un haz de moralejas, por una serie de puestas en intrigas según un orden y gradaciones significativos que desembocan en la creación literaria de cierta realidad dirigida al lector, al importantísimo amigo lector, tan importante en la obra general que llega a armar, a veces, con los personajes y el autor, una equilibrada configuración triangular. Pero, por encima de ésta, la configuración mayor y recurrente en varias obras suyas, del lugar a puertas cerradas, parece constituir la organización privilegiada para concentrar la filosofía de una obra de tesitura barroca –la misma escritura no es el menor de sus florones– donde domina el sentimiento trágico de la vida, en una búsqueda conmovedora y finalmente profunda de sí mismo.

La doctrina marroquí de Antonio Maura
en mayo de 1914

James DURNERIN
Universidad de Orléans

En su larga vida política, Antonio Maura muchas veces tuvo que enfrentarse con el problema marroquí. Ya en 1893, el episodio de Cabrerizas Altas en el campo de Melilla[1] fue en parte responsable del aplazamiento de su obra reformista como ministro de Ultramar en Cuba y Puerto Rico y aun en Filipinas[2]. Luego, como ministro del Interior de Silvela en 1903, hubo de dar su parecer sobre el proyecto de tratado franco-español de 1902; en 1904, como presidente del Consejo de ministros, él fue quien firmó un tratado más razonable con Francia y con la anuencia de Gran Bretaña. Otra vez presidente del Consejo de 1907 a 1909, mandó al ejército español intervenir de manera limitada en Casablanca y llegó a una inteligencia con Francia e Inglaterra con el pacto de Cartagena de abril de 1907.

En 1909, otra vez la campaña de Melilla, con sus consecuencias en España, va a influir en el destino de Maura como gobernante pues tiene que abandonar el poder en octubre de 1909, después de la Semana trágica de Barcelona y el fusilamiento de Ferrer.

Por fin, en agosto de 1921, Maura volverá por última vez al poder, como supremo recurso, después del desastre de Annual. Pero, si bien restablecerá la situación militar, no tendrá tiempo para una acción en profundidad en Marruecos, pues caerá en marzo del año siguiente.

La política marroquí de Maura en estas etapas de gobernante que acabamos de recordar brevemente ha sido estudiada detenidamente y especialmente, en Francia, por Andrée Bachoud para la primera fase y Jean Michel Desvois para la última[3]. Ambos muestran las contradicciones de un

---

[1] V. Melchor Fernández Almagro, *Historia política de la España contemporánea,* Madrid, Alianza, 1968, T. 2, pp. 212-220.

[2] V. James Durnerin, *Maura et Cuba, Politique coloniale d'un ministre libéral,* París, Les Belles Lettres, 1978, 297 p.

[3] V. Andrée Bachoud, *Les Espagnols devant les campagnes du Maroc (1909-1914),* Thèse pour le Doctorat d'Etat, París, Sorbonne Nouvelle, 1984, mecanografiada, disponible en microfichas del taller nacional de tesis de la Universidad de Lille III, 1225 p. V. también, Jean Michel Desvois, *La guerre du Maroc et l'opinion publique espagnole du désastre d'Annual à l'avènement de la dictature de Primo de Rivera (1921-1923),* Tesis mecanografiada, Universidad de Pau, 1981, 414 p.

Hommage à Robert Jammes (Anejos de *Criticón,* 1), Toulouse, PUM, 1994, pp. 351-359.

Maura atrapado entre el ideal y la acción; el deseo de evitar el avispero marroquí y la necesidad de hacer frente a los hechos de la implicación de España en él, como gobernante responsable.

Por eso, me ha parecido interesante analizar la doctrina marroquí del mismo Maura en un momento en que se siente desligado de todo compromiso gubernamental es decir en su famoso discurso de 22 de mayo de 1914[4] en que da libre curso a sus ideales profundos que, como lo mostré en un artículo anterior[5], mucho deben a su formación. Estudiante de derecho en la universidad Central entre 1868 y 1871, con maestros tales como Gumersindo Azcárate, gran lector de Arhens, asiduo en el Ateneo, Maura ha asimilado las enseñanzas del krausismo jurídico y la escuela histórica como otros muchos de sus contemporáneos, por ejemplo Costa. Las soluciones que propone para Marruecos se inspiran en esa filosofía de la historia, tienden a favorecer la expresión natural de las comunidades de base autóctonas.

El contexto

Para entender mejor el discurso, es perciso situarlo en su contexto, tanto de política general, como de política marroquí.

Después de la dimisión de Maura en octubre de 1909, los liberales han ocupado el poder de manera poco constitucional. Pero, fortalecido por las elecciones después del ministerio de transición de Moret, Canalejas ocupa la presidencia en febrero de 1910, y Maura, líder de los conservadores le presta su concurso, especialmente cuando en junio de 1911 decide ocupar Larache para contrarrestar la presión francesa sobre la zona atribuida a España en Marruecos.

En mayo de 1912, sin consultar a España, Francia firma con el Sultán un tratado de protectorado. En noviembre, sin embargo, llega a un acuerdo con su vecina mediante un tratado franco-español firmado el 14, dos días después del asesinato de Canalejas. Romanones, sucesor de Canalejas en la presidencia, va a firmar con el Sultán, el 24 de noviembre, el tratado que organiza el protectorado español en la zona norte (menos Tánger) con un Jalifa, representante del Sultán y un Alto Comisario delegado de España.

Romanones es pues el responsable de la implantación del protectorado, y contra él van a dirigirse principalmente los tiros de Maura en su discurso, aunque ya no esté el jefe liberal en el poder en mayo de 1914. Entre tanto, es verdad, se ha alterado gravemente la norma constitucional y esto explica también la saña de Maura contra Romanones.

En diciembre de 1912, una crisis ministerial obliga a Romanones a dimitir, el Rey, sin proceder a las consultas establecidas por la práctica constitucional, lo vuelve a nombrar presidente del Consejo. Harto de tragar sinsabores, Maura decide retirarse de la vida política el 1ro de enero de 1913, pero revoca su acuerdo poco después.

En octubre de 1913, cae Romanones, y el Rey esta vez consulta a Eduardo Dato, antes que a su jefe, Maura. Este piensa que los liberales tendrían que seguir con lo que habían empezado pero deja a sus correligionarios libres, retirándose a una finca. Dato acepta entonces el poder y se produce una escisión en el partido Conservador entre «idóneos» y «mauristas». Ello significa que Maura se encuentra en una posición de «implacable hostilidad» frente al sistema cuando pronuncia el discurso del 22 de mayo de 1914. Sin embargo, en este discurso va a proponer a Dato

---

4 Sigo el texto de: *Diario de Sesiones de las Cortes (Congreso)*, n° 32, 22 de mayo de 1914, p. 797, col. (a) hasta p. 804, col. (b).

5 James Durnerin, «Une conférence d'Antonio Maura sur l'administration locale (1896)», en *Hommage à Georges Fourrier*, París, Les Belles Lettres, 1973, pp. 173-194.

una orientación política sobre el problema marroquí muy diferente de la orientación patriotera de los «mauristas» que lo aclaman por la calle.

Organización del discurso

La introducción del discurso pronunciado por Antonio Maura en el Congreso de los diputados subraya la importancia del tema marroquí que preocupa a todos. Pero, la política que se sigue allá, nadie la defiende, y eso muestra la necesidad de trazar otra.

La primera parte del discurso es un recuerdo del pasado. Maura reivindica la responsabilidad de lo que ha hecho y pone de relieve lo hecho y no hecho por los demás hasta 1913.

En una segunda parte, Maura se interroga sobre lo que es el protectorado, su naturaleza verdadera, lo que hay detrás de la palabra. Desarrolla ampliamente sus ideas al respecto, valiéndose de una comparación con la acción de Francia, de una crítica a la obra de gobierno de Romanones y de un recuerdo de lo que pasó en Cuba donde los políticos se inhibieron y transfirieron al ejército las responsabilidades.

Volviendo a la interrogación inicial, en una tercera parte, Maura condena de nuevo la política que se está siguiendo en Marruecos y pasa a examinar, en un brillante recuento, las diferentes soluciones propuestas por la cámara.

En la conclusión, por fin, en una hábil síntesis, Maura se hace el portavoz de la cámara toda para trazar al poder ejecutivo un plan de acción.

Recuerdo del pasado

Como suele hacer cuando aborda la cuestión marroquí, Antonio Maura empieza haciendo un examen histórico de la situación para separar bien lo que es de su responsabilidad y lo que atañe a otros.

En 1903, siendo ministro del Interior de Silvela, lo siguió en su rechazo del tratado secreto con Francia de 1902 que ofrecía más a España pero se hacía a espaldas de Inglaterra. En cambio, asume la responsabilidad plena del tratado de 1904 que reservaba los derechos de España sin obligarla a nada concreto en un plazo de 15 años. Quienes contrajeron obligaciones para España fueron los negociadores de Algeciras en 1906, cuando los conservadores estaban en la oposición…

Maura asume, en cambio, todos los actos realizados en su «gobierno largo» de 1907-1909, y especialmente la acción limitada en Casablanca y la guerra de Melilla.

Sobre el conflicto de Casablanca, Antonio Maura no se muestra muy explícito y tenemos que acudir a otro discurso, el de su hijo Gabriel en el Congreso, el 12 de diciembre de 1912[6], para entender la alusión. En 1907, después del asesinato del Dr. Mauchamp en Marrakesh, los franceses ocuparon militarmente Ujda. Esto provocó manifestaciones en Casablanca con la muerte de ocho europeos. Los franceses mandaron inmediatamente un cuerpo expedicionario a esta ciudad e instaron a los españoles a hacer otro tanto. Pero, cumpliendo los tratados que sólo contemplaban una acción limitada de España en este puerto, el gobierno Maura se limitó a mandar

---

6 Sigo el texto (pp. 20-21) de un folleto que reproduce el discurso pronunciado en el Congreso de los diputados el 12 de diciembre de 1912 por Gabriel Maura Gamazo, dándole por título, *El Convenio entre España y Francia relativo a Marruecos,* Madrid, imp. Libertad, 29, 50 p.

unos soldados a Casablanca para reorganizar la policía local, y no quiso dejarse atrapar en el engranaje, a pesar de las presiones tanto de los franceses como de las derechas españolas, incluso en el propio partido Conservador.

Lo de Melilla le merece un desarrollo mucho más extenso a Maura, pues el presidente del Consejo de ministros de 1909 aparece en los mitines republicanos como el responsable de todo lo hecho en Marruecos desde entonces. Ahora bien, y contestando a una alusión del Sr. Rodés, Maura empieza separando a Melilla ,«plaza nuestra, de nuestra soberanía» (p. 798a), del resto de la cuestión de Marruecos. En esto se aparta notablemente de la opinión general que no sólo en el campo republicano, sino también en el campo maurista, no hace la diferencia, como lo muestra el siguiente párrafo de Luis Antón del Olmet y Arturo García Garrafa evocando la guerra de Melilla en un libro de 1913[7]:

> En el año 1909, y cuando era poder Don Antonio Maura, pasó la Nación española por uno de sus momentos más críticos.
>
> El problema de si España perecería en un futuro, no por lejano, inevitable, entre sus fronteras, devorada por el imperialismo francés, o si sacudiendo sus energías vitales, evocando el recuerdo de una herencia noble, ineludible, metería sus tropas en ese pedazo de Marruecos, donde pudo arraigar la leyenda y aun la soberanía españolas y a cuya conquista nos excitaba incluso el instinto de conservación, se presentó inaplazable, con todos los caracteres de una urgencia bárbara.

Después de mostrar que lo de Melilla nada tenía que ver con los compromisos de Algeciras, Maura muestra en efecto que su acción allí no fue de conquista de Marruecos sino de defensa del enclave español, aunque la ocupación de Zeluán por el general Marina, como prenda para futuras negociaciones, hubiera hecho creer a la gente lo contrario. Finalmente la acción enérgica del gobierno Maura que no se había comprometido con las autoridades hostiles al Sultán permitió llegar a la firma de un tratado y a la paz en Melilla. Y esto, según Maura, no tiene que ver con el protectorado.

El protectorado es otra cosa pues se firmó el tratado en noviembre de 1912 y requiere una reflexión nueva pues se ha improvisado una política que no tiene el respaldo de la Nación. Es, en efecto, una política decidida por el solo Conde de Romanones en un gobierno de legitimidad dudosa como es el que salió de la crisis de enero de 1913.

Frente a esta política improvisada, Maura va a proponer una visión más amplia, susceptible de recibir un apoyo más general de la representación nacional.

Del protectorado

«¿Qué había de hacer España en la zona de su influencia en Marrruecos?» pregunta Antonio Maura (p. 800a). Esto le parece más importante que repetir un nombre como «protectorado» sin entender su significado.

En efecto, ¿Cuáles son las ideas de política colonial imperantes en España? Se inspiran en una doble tradición según Maura. Por una parte el glorioso recuerdo del imperio americano, es decir el recuerdo de una politica **asimilista** y, por otra parte, las malas costumbres políticas del siglo XIX español que impusieron un **centralismo** desdeñoso de la vida local. Esta doble tradición es responsable de una idea equivocada del protectorado según Maura:

---

[7] Luis Antón del Olmet y Arturo García Carrafa, *Los grandes españoles, Maura,* Madrid, imp. de «Alrededor del Mundo», 1913, 408 p. El texto está en la p. 351.

Para muchos, para la inmensa mayoría de los españoles eso del protectorado es una farsa, una engañifa, una hipocresía, al amparo de la cual se trata de conquistar aquello y anexionarlo a España. Eso es lo que entiende el 90% de los españoles y me quedo corto; y quienes no lo entienden así opinan que lo que hemos de hacer nosotros es administrar es gobernar nuestra zona en Marruecos, como otra cualquiera parte de la Monarquía. (P. 800a)

A esta manera de sentir, tan común, Maura opone una visión muy krausista del protectorado visto como una influencia «paternal, bienhechora y durable» de España para «dejarles vivir a los moros su propia vida» (p. 800a). España podría influir en esta vida a través del Jalifa, pero sin tratar de imponer a los marroquíes las formas de vida peninsulares, sino, e insiste mucho en ello Maura:

[...] respetando cuidadosamente todo su ser, toda la variedad de sus gentes, costumbres e intereses, aun las mismas que nos parezcan a nosotros monstruosidades de su existencia, de su tradición y de su fe. (P. 800a)

Claro que la obra así diseñada requerirá, aparentemente, mucho más tiempo que la acción militar brutal, pero no importa, según Maura, pues el tratado no indica ningún plazo para la acción de España en su zona.

El paralelo con Francia

En la definición de lo que es el protectorado surge inmediata e inevitablemente una comparación con lo que hacen los franceses en su zona. Cuidado, advierte Maura, la zona francesa y la española son bien diferentes: «La zona francesa es para Francia un territorio y la zona española es para España un litoral» (p. 800b).

La zona francesa es como una prolongación de Argelia, para los franceses; en cambio, explica Maura, la zona española no se presta a la colonización. Es una zona montuosa, pobre y fragmentada de la que no se pueden sacar beneficios, sino sólo sacrificios para defender la posición internacional de España. Querer administrarla, colonizarla a la manera de la zona francesa le parece a Maura una locura, y otra vez arremete contra una idea autoritaria y asimilista del protectorado defendiendo los fueros de los marroquíes con frases muy krausistas:

Nosotros necesitamos renunciar a toda idea de reglamentación y de uniformidad; nosotros necesitamos dejar que todas las variedades subsistan, se desenvuelvan, hasta prosperen, si gustan, salvo aquello que la influencia civilizadora logre brevemente al través del diafragma que se llama el Jalifa. (P. 801a)

Entonces, y aunque no lo cite, el ejemplo de Lyautey no le parece aplicable a Maura en la zona española. El piensa que España, si quiere ir a la par que Francia, lo conseguirá mejor siguiendo su propio camino, por tortuoso que parezca.

El ejército y la Patria

Ahora bien, Maura se siente muy aislado en sus ideas, tanto frente a la opinión pública como frente a la Cámara donde se va repitiendo sin cesar que el problema es militar, que la impreparación de España para la acción bélica y la ausencia de un ejército colonial son la causa de todos los males.

Lejos de aceptar esta idea y los ardores belicistas de muchos «patriotas», Maura piensa que el ejército español sólo ha de ocupar puntos fuertes en la costa (como en Larache), que se puedan abastecer por mar, y ayudar a la formación de un ejército indígena que, bajo las órdenes del Jalifa, haga reinar la paz en el interior de la zona. Es la misma política que la que tratará de poner en práctica después de Annual y que el periódico *Heraldo de Madrid*, comentando el discurso del recién nombrado presidente del Consejo en su número del 13 de agosto de 1921, resume así:

> Restablecer el prestigio y la autoridad de las armas españolas, sí. Pero sin precipitaciones, sin grandes ardores bélicos, sin provocaciones. Política y atracción con preferencia a espadas y fusiles. **Su discurso de 1914, en resumen.**[8]

En un libro posterior, Tomás García Figueras, portavoz de la opción militar[9] ve el ejército como único capacitado para trazar una política coherente en Marruecos frente a la dejadez de los gobiernos que sólo pensaban en dar tiempo al tiempo. En oposición con esta visión, Maura quiere que los gobiernos retomen la iniciativa, asuman una política. Para él, el ejército sólo tiene que intervenir de vez en cuando para castigar algún agravio, pero nunca tiene que estar delante dando la sensación «de que vamos a conquistar el territorio, nosotros cristianos y extranjeros» (p. 801b). Lo mismo pasa con la administración; no se trata, como piensan muchos, de establecer allá una administración española sino de ayudar a que se implante una administración marroquí eficaz a las órdenes del Jalifa.

En suma, Maura piensa que, viéndolo así, España tiene fuerzas suficientes para cumplir con su mandato internacional de potencia protectora.

> Porque lo que hay que hacer en Marruecos es una obra política; no más que una obra política [...]. Es una obra política erizada de dificultades, una obra política esencialmente civil, esencialísimamente civil, porque nosotros, cuando se firmó el Tratado ¿teníamos, por ventura, algún territorio que ir a conquistar? ¿Teníamos algún soberano enemigo a quien buscar y vencer? ¿Teníamos alguna ciudad que asaltar? ¿Teníamos siquiera insurrectos que someter? No. (P. 801b y 802a)

Para asentar su convicción de que sólo favoreciendo las fuerzas autóctonas en su organización natural se puede llegar a la paz, Maura acude a un largo símil con lo que pasó en Cuba.

Antonio Maura, ministro de Ultramar en 1893 quiso favorecer la vida local en Cuba con un proyecto de ley descentralizadora[10] pero España no lo quiso aceptar. Y vino la guerra de 1895 y ahí se vio el error de transferir al ejército todas las responsabilidades y de hacer de un conflicto político y económico un conflicto de honor nacional del que no se podía salir ya sino venciendo o muriendo. Para concluir su comparación, Maura saca la lección de ese drama cubano:

> En efecto, el esfuerzo fue colosal; pero yo pregunto a cada uno de los españoles, estén o no en este recinto, si no están seguros de que decuplando el esfuerzo también habríamos fracasado. ¡Como que el remedio, como que el tratamiento era totalmente inadecuado! ¡Como que significaba haberse ausentado el Estado de su obligación y haber transferido al ejército lo que es misión del gobernante! (P. 802a)

Esta situación se repite desde 1912 en Marruecos, según Maura; él la denuncia para pedir a los gobernantes que tomen sus responsabilidades e impedir un nuevo desastre. En efecto, el ejército – y lo ve de manera premonitoria – sin dirección política, sin misión precisa sino la de hacer la guerra por la guerra no puede hacer nada bueno:

---

[8] El subrayado es mío.

[9] Tomás García Figueras, *...Marruecos (La acción de España en el Norte de Africa)*, 4ª ed., Tetuán, Ed. Marroquí (Cremades), 1955, 380 p. En este libro podemos leer, p. 143: «Los gobiernos llegaron a temer tanto al problema, que poco a poco fueron a caer en una aspiración absurda y negativa: se sentían felices si la acción llevaba a que en Marruecos no pasara nada [...]. Sólo el Ejército, venciendo en cuanto le era posible aquella resistencia, podía ir echando los cimientos de una obra útil.»

[10] V. la nota 2.

[...] porque es naturalmente imposible que la autoridad militar, aunque ella indudablemente haga esfuerzos supremos, no sea antítesis, no sea precisamente todo lo contrario de lo que debe significar la representación. (P. 802a)

Los hechos le darán la razón a Maura con la catástrofe de Annual, y en su discurso del 23 de noviembre de 1921 en el Congreso exclamará:

Mi opinión expuesta vehementemente muchas veces (S.S. ha leído algunos textos), sobre el estrago enorme, sobre la inmensa equivocación de haber comparecido nosotros en la zona de protectorado con todo el semblante de dominadores, con todo el ruido de las armas, esa opinión sigue firme.[11]

Volviendo al discurso del 22 de mayo de 1914, podemos subrayar que el orador desarrolla ampliamente la idea de que el ejército es un instrumento al servicio de la Patria y que confiarle todas las responsabilidades, desentendiéndose del problema es, por parte de los gobiernos, y especiamente del gobierno de Romanones, un error trágico. Lo que propone, en cambio, aparece bien claro: se trata de dar un marco de paz a las fuerzas locales, a las autoridades naturales para que se organicen con el consejo y la ayuda de España.

Examen de las soluciones propuestas

Sin embargo, en su discurso, Maura podía dar la sensación de que exponía grandes principios sin proponer soluciones concretas. El gobierno de Dato las necesita, pues se encuentra con la herencia del gobierno de Romanones que ha hecho un endoso político al ejército. Pasa entonces revista el jefe de la minoría maurista a las diferentes soluciones propuestas por los diputados que sólo parecen estar de acuerdo para rechazar el *statu quo*.

La primera solución, propuesta por los republicanos, es **el abandono**. En nombre de los compromisos internacionales de España, Maura rechaza esta solución y piensa que la mayor parte de los diputados están de acuerdo con él. Les advierte, sin embargo, que si continua la política actual, España puede verse obligada al abandono en las peores condiciones, es decir después de una derrota militar.

Otros diputados han visto la solución del problema marroquí en la creación de un **ejército colonial**[12]. Otra vez repite Maura que es un error de enfoque pues España no se compromete por los tratados a ocupar militarmente la zona sino a dar todo su apoyo para la creación y organización del ejército del Jalifa. Además, la idea del ejército colonial –a no ser que se caiga en los errores denunciados a propósito de Cuba– no resuelve la cuestión esencial de la línea de conducta «que es lo que incumbe al Gobierno» (p. 803b).

A propósito del **Jalifa**, delegado del Sultán en la zona española, Maura piensa que no se le da el papel que podría tener. Confinado en Tetuán, su capital, no se hace ver, no viaja, cuando podría ser la marca visible y prestigiosa de un protectorado fundado en la acción civil.

También se ha discutido en el Congreso para saber si el **Alto Comisario** había de ser civil o militar. Partiendo de la idea que tiene del protectorado, claro que Maura preferiría un civil. Pero, partiendo de la situación de 1914, «del atolladero actual» (p. 803b), no le importaría que se nombrase a un militar, con tal de que apoyase una política de evolución hacia el protectorado «suave» que preconiza.

---

[11] *Diario de Sesiones de las Cortes (Congreso)*, nº 95, del 23 de noviembre de 1921, p. 4352a.
[12] El 25 de enero de 1920 se creará el Tercio de extranjeros para responder a esta demanda.

Para hacer frente a los problemas de Marruecos, ciertos parlamentarios han propuesto –¡ya!– la creación de **una comisión parlamentaria**. Maura la acepta, si esta comisión tiene por papel juzgar de lo que se hizo hasta la fecha, y especialmente lo que hizo él como presidente de Consejo de ministros. En cambio, si se trata de una comisión que aconseje tal o cual política al gobierno, Maura la rechaza de plano. No quiere un gobierno de la asamblea, sino un gobierno de la Monarquía que, desde el banco azul, tome sus responsabilidades. Y, en este punto, Maura insiste en su visión del mecanismo constitucional que poco tiene que ver con las ideas de Romanones o del propio Monarca:

> Las Cortes repudian una política o la aprueban; las Cortes marcan un rumbo nacional o lo rechazan, y toca al Gobierno cumplirlo y buscar los medios, y ejecutarlo, reservándonos nosotros residenciarle [...].
> (P. 804a)

Conclusión y discusión

Al terminar este largo discurso, Maura dice que ha recogido el sentir de la Cámara toda: la política de penetración militar tal como la puso en marcha el Conde de Romanones no se puede seguir, todos están conformes en que se ha de abandonar. Por consiguiente, Maura da por sentado que todos, o casi todos, le seguirán para decir que la acción civil que él propone es la manera correcta de interpretar el protectorado.

Para recabar la unanimidad concede que habrá algunas discrepancias sobre la manera de utlizar el ejército para secundar la acción civil, y logra reunir a todos diciendo:

> [...] pero en que la acción civil es el propio y sustancial ministerio de España en la zona española, en eso me parece que la opinión resulta unánime. (P. 804a)

Así, de manera muy hábil, y a partir de una posición minoritaria en su propia familia política, Maura logra dar la sensación de que sus ideas son el reflejo del sentir general. Ahora puede concluir en una posición de fuerza dictándole su conducta al gobierno de los «idóneos» que tiene que «hacer una evolución» (p. 804a).

Es evidente que en esta peroración, Maura ha utilizado sus grandes dotes de orador para hacer admitir una política que en realidad muchos diputados, muchos militares y el propio Rey no aceptan porque ven en la acción militar la única manera de hacer algo positivo en la zona española.

El propio Maura, en 1921, se verá atrapado en la contradicción de tener que restablecer primero la situación militar con su ministro de la Guerra, Cierva, antes de pensar en la acción civil con su ministro de Estado, González Hontoria. A pesar de lo anunciado en sus discursos ante el Congreso de 1921, en la corta duración de su gobierno, sólo tendrá tiempo para la acción militar.

Sin embargo, en este discurso de 1914, sin el apremio de las responsabilidades del poder, Maura nos ofrece una visión de una política neo-colonial que se inscribe en la tradición de la Sociedad de Africanistas y de los proyectos que en ella defendía Joaquín Costa por los años 1880-1890[13]. Esta visión también tendrá eco entre los socialistas, después de la primera guerra mundial[14]. Esta manera de ver el problema colonial sorprende, a primera vista, por parte de un

---

[13] V. Jacques Maurice y Carlos Serrano, *Joaquín Costa: crisis de la Restauración y populismo (1875-1911)*, Madrid, Siglo XXI, 1977, 246 p.

[14] V. Paul Aubert, «Los intelectuales y la cuestión marroquí, (1914-1918)», en *Bulletin du Département de recherches hispaniques, Pyrenaica*, Universidad de Pau, n° 30, dic de 1984, pp. 19-32. Escribe Paul

político conservador cuyos secuaces «mauristas» eran más bien patrioteros. Pero esta manera de ver corresponde a una convicción profunda en él –y en los krausistas– de que una vida local activa y auténtica es la base de la vida de las naciones. También, y de manera más pragmática, puede buscarse una explicación en la conciencia que tiene de la debilidad económica y de la fragilidad institucional de España, conciencia que le dictó su actitud tan prudente al firmar el tratado de 1904. Ahí está el mayor obstáculo para este tipo de neo-colonialismo: la España de 1914 no goza de un peso económico, ni, probablemente, de un poder de atracción suficiente para «seducir» a los rifeños y se puede temer que permanezca en una situación de sitiada en sus posiciones costeras, o que sirva de mero intermediaria para los capitalistas de otras naciones más poderosas.

A pesar del interés que presentaba este protectorado civil que defendía Maura para Marruecos –y para España–, la Historia se encargó de mostrar su inviabilidad. Para imponerse en la zona, en efecto, el general Primo de Rivera, que no pudo poner en práctica sus ideas de abandono, tuvo que poner en marcha el plan militar de desembarco en Alhucemas ideado por el general Berenguer y... Maura en 1921. Y una vez «pacificada» la zona por un ejército «colonial», quienes la administraron de verdad fueron españoles, sin gran provecho visible para España.

Aubert p. 28: «[Los socialistas] no proponen otra alternativa que la definición de una mera política civil, olvidando de nuevo que España fue incapaz de **pacificar** la zona que había recibido en 1912 y que la colonización no suele preceder la conquista».

Las serpientes enlazadas en un soneto de Lope de Vega

Aurora EGIDO
Universidad de Zaragoza

En el *Protrepticus* de Clemente de Alejandría se dice que los hombres son los animales más dañinos. La relación entre los seres humanos y las bestias se estableció a partir del concepto de la armonía cósmica de la que unos y otros participaban[1]. La transformación creadora que todo ello implicaba dio como resultado un sin fin de moralizaciones ejemplares, deducidas del parangón entre las cualidades de los hombres y las de los animales.

El soneto de Lope de Vega que vamos a comentar muestra, desde los inicios, una extraña visión pastoril que no resulta, sin embargo, tan enigmática si la consideramos a la luz de una tradición que cristalizó en los jeroglíficos y emblemas:

> Silvio en el monte vio con lazo estrecho
> un nudo de dos áspides asidas,
> que, así enlazadas, a furor movidas,
> se mordían las bocas, cuello y pecho.[2]

---

[1] Peter Dronke, *La creazione de li animali. Settimane di studi sull'alto Medioevo*, Spoleto, 1985.

[2] Lope de Vega, *Lírica*, ed. de José Manuel Blecua, Madrid, Castalia, 1981, pp. 125-6. Es el LVII de las *Rimas*. En Lope de Vega, *La hermosura de Angélica con otras diversas Rimas*, Madrid, Madrigal, 1602, aparece claramente *intricados* en el noveno verso que copiamos (*infra*) así como una conjunción copulativa en el octavo: «rotas las paces y el amor deshecho». Blecua, tanto en la edición citada como en Lope de Vega, *Obras Poéticas,* Barcelona, Planeta, 1969, y en la reimpresión de Barcelona, Planeta, 1989, pp. 53-54, sigue las *Rimas de Lope de Vega Carpio aora de nuevo añadidas. Con el Nuevo Arte de hazer Comedias deste tiempo*, Madrid, Alonso Martín, 1609, prescinde de la «y» de la primera edición, yuxtaponiendo el bimembre. Sin embargo, en estas dos últimas, dice «intricados» en tanto que en la de Castalia moderniza: «intrincados». Gerardo Diego (*infra*) también usó la forma moderna que, por cierto, ya aparecía en la edición de Sancha, *Rimas humanas. Colección de las obras sueltas, assi en prosa como en verso, de D Frey Lope Félix de Vega Carpio*, Madrid, 1776, vol. IV, p. 216. Las dos formas aparecen en el *Diccionario* de la Real Academia Española de la Lengua. Pero hay que tener en cuenta lo que señala Corominas: *Autoridades* recoge «intrincados», pero la forma más usual, en Lope, Cervantes y otros es «intricados». «Intrincado» resulta de la «propagación de nasal al modo de *encentar* o *manzana*».

Hommage à Robert Jammes (Anejos de *Criticón*, 1), Toulouse, PUM, 1994, pp. 361-374.

MOR ALIZADAS. 51

Violentum matrimonium.

El matrimonio forçado.

Afsidas y enemiſtadas
　Mal por fuerça ſe han de hallar,
　Y mas auiendo de eſtar
　Mientras viuen enlazadas.
Que por ſer tan a contento
　La carga que otros ſuſtentan,
　Dos culebras repreſentan
　El matrimonio violento.

　　　　　　G 3　　　　Tiene

Hernando de Soto, *Emblemas moralizadas*, Madrid, Herederos de Juan Iñíguez, 1599.

No es necesario encarecer cuanto el ámbito de la égloga representó en las prosas y versos de Lope como lugar poético. El romancero lo había mostrado y popularizado con disfraz de pellico en fechas anteriores a estos versos. La decadencia del romance pastoril entre 1595 y 1605 no restó, sin embargo, fuerza al marco de la égloga que aparece, como es el caso de este soneto, con los motivos más variados[3]. La voz en tercera persona se distancia de la vinculación autobiográfica de otros poemas de las *Rimas* para ofrecer, en el primer cuarteto, la pintura de dos serpientes que se devoran mútuamente, arrancando del pastor Silvio el parangón con quienes sufren a despecho la coyunda del matrimonio:

> Así –dijo el pastor–, que están, sospecho
> en el casado yugo aborrecidas
> dos enlazadas diferentes vidas,
> rotas las paces, el amor deshecho.

La voz se alarga hasta el final promoviendo una consideración sobre la inutilidad de una unión forzada y sin remedio:

> Por dividir los intrincados lazos,
> hasta la muerte de descanso ajenos,
> alzó el cayado, y prosiguió diciendo:
>
> Siendo enemigos, ¿para qué en los brazos?
> ¿Para qué os regaláis y os dais venenos?
> Dulce morir por no vivir muriendo.

Siempre resulta tentadora la fusión vida-obra y más en este caso, pues como dice Blecua, «ningún poeta español transmutó en tantos poemas bellísimos su agitada existencia como Lope de Vega, y los límites entre vida y literatura son muy difíciles de establecer»[4]. Quien fuera *fábula de la corte*, gozó además con el reclamo difundido por sí mismo de sus logros y errores en materia amorosa. No resultaría forzado asignar sin más tan cruda visión del matrimonio a las propias experiencias de Lope con anterioridad a las *Rimas* (1602). Y así se podría pensar en sus vivencias matrimoniales con Isabel de Urbina con quien se casó en 1588, o más al caso, con la poco agraciada Juana de Guardo, a la que esposara en 1598. Quien amó tanto a una mujer casada como Elena Osorio y a otra de tan controvertida historia como Micaela Luján bien podría sostener argumentos como el del soneto en cuestión[5]. La factura del mismo, sin embargo, obliga, por el momento, a alejarse de trasuntos autobiográficos para remitirlo a la serie literaria a la que pertenece.

Como decía Montesinos de Lope, «lo que admiraba en sus antecesores no eran las formas, sino los contenidos»[6]. La búsqueda de un buen concepto legalizaba cualquier despojo. Todo estaba condicionado por la imitación clásica y nada mejor que el soneto para cristalizar agudezas. En su taller, todo era materia susceptible de convertirse en poesía. Al abrigo de polianteas y otras series

---

[3] Antonio Carreño, *El romancero lírico de Lope de Vega*, Madrid, Gredos, 1979, pp. 116 ss., estudia el auge de lo pastoril en Lope. Su romancero, vinculado sobre todo al amor y ocaso de sus relaciones con Elena Osorio, lo configura como un Belardo desterrado en la naturaleza, actor y espectador a un tiempo. Pero Lope, como se sabe, empleó también otros seudónimos pastoriles y, entre ellos, el de Silvio, al que aludiremos luego.

[4] Lope de Vega, *Lírica*, p. 7.

[5] Américo Castro, «Alusiones a Micaela Luján en las obras de Lope de Vega», *Revista de Filología Española* V, 1918, pp. 256-92. No vamos a recoger aquí otras posibilidades, al hilo de los amancebamientos de Lope, por considerarlas innecesarias.

[6] José F. Montesinos, *Estudios sobre Lope de Vega*, Salamanca, 1967, pp. 129 ss. La cita, en p. 130.

paremiológicas, surgieron naturalísimos y personales versos de Lope que sabía muy bien cómo transformar lo acarreado en asunto propio[7].

El ofidianismo de este poeta es cosa probada. Las *Rimas* son una buena muestra, lo mismo que el ámbito pastoril que la égloga ocupa en ellas. Ya el primer soneto-prólogo de las mismas alude, en el último terceto, a la destinataria como «áspid hermoso»[8]. El atractivo simbolismo de la serpiente es bien conocido, así como la ambivalencia positiva y negativa, que ésta ha ido generando a través de los siglos, pues mata y cura, siendo a la par energía y fuerza, maleficio y destrucción[9]. Como antagonista demoníaco y, a la vez, como símbolo de Cristo, aparece en el arte y en la literatura de la Edad Media con un amplio abanico de significados que van de la renovación a la crueldad y a la astucia[10]. El arte medieval aprovechó la ondulación y entrelazamiento de la serpiente, vinculándola al *Génesis*, a la tentación y al pecado[11].

La amplitud de su simbología en el espacio y en el tiempo, así como su vinculación e incluso confusión con otros animales, hacen de la serpiente un tema desbordante y que, como señala Wittkower, a propósito del trasvase de los símbolos, conviene estudiar en cada contexto dado[12]. Lope de Vega siguió la ambivalencia bíblica de la sierpe del templo de Salomón, tanto en su poesía como en su teatro[13]. El diabolismo de los animales ponzoñosos le sirvió como metáfora amorosa y hasta política, pero también se basó en la imagen cristológica de la sierpe de cobre, mostrando esa doble faz que la tradición acarreaba desde antiguo[14].

---

[7] Aurora Egido, «Lope de Vega, Ravisio Textor y la creación del mundo como obra de arte», *Homenaje a Eugenio Asensio*, Madrid, Gredos, 1988, pp. 171-184.

[8] En Lope de Vega, *Rimas*, ed. de Gerardo Diego, Madrid, Palabra en el Tiempo, 1963, el áspid aparece como imagen de la amada (p. 75), o como metáfora (p. 83). Vinculado a lo pastoril (p. 85), tan frecuente en las *Rimas* (p. 122), con claras resonancias garcilasistas, como es el caso del soneto CXXIX, y también imagen de la fiereza (p. 106), entre otras variantes. No hace falta resaltar aquí el amplio campo que la égloga ocupa en su obra. Las hay en las *Rimas* y es género que no abandonó nunca. Lope justificó en éstas su inclusión, en la epístola preliminar a don Juan de Arguijo.

[9] Juan Eduardo Cirlot, *Diccionario de símbolos*, Barcelona, Labor, 1969. Esa ambivalencia se da también en el caduceo de Mercurio, contraposición de salud y daño.

[10] Véase Ignacio Malaxecheverría, *El bestiario esculpido en Navarra*, Pamplona, Institución Príncipe de Viana, 1990, pp. 99 ss., quien no sólo aduce ejemplos artísticos, sino literarios, señalando su frecuencia en la hagiografía y en la novelística de la Edad Media europea. Para mayor información sobre el tópico, véase el artículo en prensa de María del Carmen Marín, «Los monstruos híbridos en las novelas de caballerías», *Actas del IV Congreso de la Asociación Hispánica de Literatura Medieval*.

[11] I. Malaxecheverría, *opus cit.*, pp. 19 ss. En *La continuation de Perceval* aparecen dos serpientes encadenadas vigilando el castillo. Gheerbrant y otros autores se han extendido sobre su poder regenerador y su carácter heroico, así como sobre su vinculación sexual y seductora, tan dignas de tomar en consideración a la hora de interpretar el soneto de Lope. Como señala Malexecheverría, al hilo de las investigaciones de Propp, «es imposible dar una explicación unitaria de la serpiente, dado el espectro amplísimo de sus significaciones» (*Ib.* p. 112).

[12] Rudolf Wittkower, *Allegory and the Migration of Symbols,* Hampshire, Thames and Hudson, 1977, pp. 15-44, analiza ampliamente el simbolismo del águila y de la serpiente a través de los siglos.

[13] Véase, por extenso, Simon A. Vosters, *Lope de Vega y la tradición occidental,* Valencia, Castalia, 1977, I, pp. 348 ss. Como él señala, «También en la simbología cristiana la serpiente es un animal polisemántico que significa tanto demonio, infierno, herejía, pecado, tentaciones, astucia, dialéctica, codicia, discordia, envidia, lujuria, odio y adulación, como salud, prudencia y sabiduría.» Doblez que también se deduce del morir-resurgir del caduceo. Lope utilizó la imagen mariológica y cristocéntrica de la serpiente (*Ibid.* I, pp. 351 y 358). Para otros usos del ofidianismo, véase mi artículo «Sobre la demonología de los burladores (de Tirso a Zorrilla)», *El mito de don Juan, Cuadernos de Teatro Clásico*, 2, 1988 pp. 37-54.

[14] A. Vosters, *opus cit*, II, pp. 92 ss. Así en *La Dragontea* y en *La Jerusalén conquistada*. Véase también *Ibid.*, II, pp. 266, 272-5 y 348 ss. Sierpe contra sierpe, Cristo se alza contra las fuerzas del demonio (*Ibid.*, II,

Aristóteles y Plinio están en la base paremiológica y simbólica de estos animales, particularmente en todo lo referido a su naturaleza, nacimiento y cohabitación[15]. Los bestiarios medievales encarecieron la similitud de la hembra y el macho con la mujer y el hombre, destacando en ellos la prudencia y la astucia, por un lado, y, por otro, su sinonimia con el pecado; símbolos, a un tiempo, de Cristo y del diablo según se ha señalado[16]. Las derivaciones del *Fisiólogo* se recrearon en la cópula de las víboras y en cómo la hembra devora posteriormente al macho. También su parto, con la consiguiente desaparición de la madre, era tenido en cuenta[17]. Esa doble fusión de amor y muerte, de vida y destrucción, atrajo, en su doble simbolismo, como vehículo excelente de los actos humanos. La serpiente anfisbena del *Bestiario toscano* o del de *Oxford*, con sus dos cabezas, expresa bien a las claras el juego del bien y el mal, Cristo y Satán, que aparece en otros textos similares. La sierpe bicéfala alcanzó cierta fortuna iconográfica y sirvió también como divisa académica en Italia[18].

Lope de Vega no sólo aludió al tema de las sierpes que se devoran, sino al trágico nacimiento de sus vástagos. A la muerte de la madre después del parto alude el poeta en el romance que dedicara a Isabel de Urbina. Su Belisa-Dido lo despide antes de embarcar para Inglaterra. Son versos que aparecieron en el *Ramillete de Flores. Quinta y Sexta parte de Flor de Romances* (Lisboa, 1593) y que describen cruelmente el patetismo del adiós:

Mas quiero mudar de intento	Mas no le quiero aguardar,
y aguardar que salga fuera	que será víbora fiera,
por si en algo te parece,	que rompiendo mis entrañas,
matar a quien te parezca.	saldrá dejándome muerta.[19]

Se trataba de un tópico manido que recogieron las polianteas, como la de Ravisio Textor, pero Lope supo darle fuerza nueva, al igual que hiciera con tantos lugares comunes.

El ouroboros o sierpe que se muerde la cola gozaba de una rica tradición clásica apenas explorada en nuestras letras. Principio del secreto cósmico, aparece como animal alquímico en

---

354). Juan de Horozco y Covarrubias saca en sus *Emblemas morales*, Zaragoza, Alonso Rodríguez, 1604, p. 196, la serpiente de metal de Moisés.

[15] Véase *Aristotelis et Theophrasti Historiae. Cum de natura Animalium, tum de Plantis & eauurum Causis,* Lugduni, Apud Haeredes Iacobi Iuntæ, 1552, pp. 310, 340 y 349. Plinio, *Histoire Naturelle,* Paris, J. J. Dubochet, 1851, lib. III, XXXV, habla de la terrible venganza de la sierpe hembra tras el coito. También tratan de ella Plutarco y Eliano.

[16] *El Fisiólogo. Bestiario Medieval.* Introducción de Nilda Guglielmi, Buenos Aires, Ed. Universitaria, Eudeba, s. a., pp. 18 ss. Hay contaminación entre sierpe, víbora y dragón. En los bestiarios aparece la renovación de la serpiente así como con su simbolismo lujurioso.

[17] No le esperaba mejor fortuna a la hembra que al macho, al morir aquélla tras el parto. Véase *Bestiaris,* Barcelona, Els Nostres Classics, 1963, I, pp. 104-5: «com lo mascle vol engendrar, si met lo cap en la bocha de la famella e ella tol-li lo cap ab les dents e no-l lexa tro que l'à mort. E de la sanch que ella beu del mascle, se engendre dos fills, la un mascle e l'altre famella: e com deuen néxer, fan sclatar lur mare e hixen del cors de la mare. E en aquesta manera mor lo pare e la mare». Y véase el texto de B, en *Ib,* pp. 71-2 y 74-6. Además, *Officina Ioannis Ravisii Textoris,* Venetiis, Apud Paulum Vgolinum,1598, pp. 44-7. Lope fue muy afín a Textor (*supra* nota 7) y a otros paremiólogos y autores de polianteas como resume puntualmente Edwin Morby en su introducción a *La Arcadia* de Lope de Vega, Madrid, Castalia, 1975.

[18] Santiago Sebastián, *El Fisiólogo atribuido a San Epifanio seguido de El Bestiario Toscano,* Madrid, Ed. Tuero, 1986, pp. 81 y 93-4. La serpiente anfisbena y la serpiente pitón aparecen en emblemas académicos que las dibujan a solas, de dos en dos o en grupos. Véase la catalogación de Jennifer Montagu, *An Index of Emblems of the Italian Academies,* University of London, The Warburg Institut, 1988, para la serpiente anfisbena como emblema académico.

[19] Tomo la cita de la ed. de F. Pedraza, *Lope de Vega esencial,* Madrid, Taurus, 1990, p. 42.

Lambsprinck y en la *Atalanta* de Maier[20]. Alciato difundió ese círculo simbólico que se repetiría hasta la saciedad. Los emblematistas explotaron su identificación con el tiempo, el año y la eternidad. Las *Empresas morales* de Juan de Borja destacan al ouroboros como símil del tiempo que todo lo destruye y devora, aunque también sea expresión de la verdad[21]. Se trataba de un símbolo flexible, como ha señalado Loretta Inocenti, vinculado a las secuencias de temporalidad y desengaño[22]. La serpiente que se muerde la cola tuvo también su variante amorosa en los *Emblemata* de Vænius que dibujó dentro del círculo del ouroboros al Amor eterno[23].

Los emblemas de Alciato siguieron su atribución saturniana para significar con él la inmortalidad que se alcanza a través de las letras. Horapolo había vinculado esa figura al universo en sus *Jeroglíficos* (París, 1551) y los emblematistas la difundieron con numerosas variantes[24]. La de Covarrubias encierra cabe sí una rosa, imagen de la caducidad de la belleza y del tiempo que, como la sierpe, se muerde a sí mismo[25].

La influencia de Horapolo en la emblemática fue capital y creemos que su huella debe ser considerada en el camino que nos lleva al soneto de Lope. El hecho de que los jeroglíficos fuesen

---

[20] Santiago Sebastián, *Alquimia y Emblemática. La fuga de Atalanta de Michael Maier*, Madrid, Tauro, 1989, pp. 117-9.

[21] Seguiré la reimpresión de la ed. de 1581, Juan de Borja *Empresas morales*, Brusselas, Francisco Foppens, 1680, p. 58, *Omnia vorat*, y p. 170, *Veritatis inventor*. Véase también la sierpe cuyo mortal veneno semeja al daño de la calumnia: *Calumniæ morus*, p. 242, y la sierpe cercada en una viña, imagen para el que, por guardar la ley de Dios, no será castigado: *Sepem ne dissips*, p. 348. También está en la versión latina, Juan de Borja, *Emblemata moralia*, Bezolini sumptibus Johan. Michael Rudigeri, 1697, pp. 58 y 170. El ouroboros aparece dibujado en un marco campestre, monte o llano, parejo al del soneto de Lope. Borja emplea con frecuencia círculos y anillos. Téngase en cuenta el uso tópico de éstos como imagen de amor y epitalamio (cf. Emma Pressmar, «Notas sobre el significado de los anillos», *Traza y Baza*, 6, 1977, pp. 81 ss.)

[22] Loretta Innocenti, *Vis elocuentiae. Emblematica e persuasione*, Sellerio editore, Palermo, 1983, pp. 49-50 y 52, lo destaca en un emblema de H. Junius (Amberes, 1565) y en otros posteriores, entre ellos el de G. Wither (1635), en el que el ouroboros rodea la figura de un niño que se apoya en una calavera, imagen de la muerte que tiene su origen en el mismo nacimiento. La larguísima tradición del ouroboros llega hasta la actual ciencia del neutrino. La física de partículas, la cosmología y la astrofísica modernas lo emplean para explicar el universo. El repertorio clásico es muy amplio y puede verse en A. Henkel y A. Schöne, *Emblemata*, Stuttgart, 1976, col. 652 ss., con diversos ejemplos, incluido el del amor eterno en Vænius (col. 656). Este catálogo nos exime de señalar más ejemplos. Véase todo lo referente a serpiente y víbora, en col. 627 ss. y 661 ss. Aparte del emblema de Soto, figuran varios sobre la *Femina improba* o *Venus improba*, en Camerarius y otros (col. 661), con la imagen de las dos serpientes que se devoran, o luego la de la serpiente que muere tras el parto (col. 662). Henkel y Schöne apuntan las fuentes básicas de esta serie: Herodoto, Aristóteles, Plinio, Eliano, San Isidoro, etc. Conviene también ver *serpens* en el *index* de Philippo Picinello, *Mundus Symbolicus*. Tomus secundus, Coloniæ Agrippinæ, MDCLXXXI, ilustrativo por cuanto resume la variedad casi infinita de su simbolismo. Desde la vida penitencial a la envidia, la avaricia, la gracia, la resurrección de los muertos, las virtudes o la propia *coniugum discordia*. Los Santos Padres y una amplia anotación de fuentes lo avalan.

[23] Véase Mario Praz, *Studies in Seventeenth Century Imagery*, Roma, Ed. di Storia e Letteratura, 1975, p. 106, quien recoge también un ejemplo de la serpiente como divisa de sabiduría en un retrato de la reina Isabel de Inglaterra, y otro de Jesús, dentro de un corazón, arrojando las serpientes del pecado (*Ibid.*, pp. 51 y 153).

[24] Alciato, *Emblemas*, ed. de Santiago Sebastián, Madrid, Akal, 1985, pp. 172-3. Se trata del emblema CXXXII, ligado al *Contra Iulianum* IX de Cirilo de Alejandría, donde se indica que el ouroboros era para los antiguos la progresión silenciosa, rápida y prolongada del tiempo.

[25] Sebastián de Covarrubias, *Emblemas morales*, Madrid, Luis Sánchez, 1610 p. 103. Y véanse otros ejemplos ofidianos, como la sierpe de siete cabezas símbolo de las gentes sin razón (p. 74), el ciervo que atrae a la víbora a las cavernas, emblema del que mata el pecado y sana (p. 90), o las sierpes como imagen del pecado (p. 91).

leidos por los neoplatónicos como Ficino haría aún más rica la difusión de los mismos en toda Europa, España incluída. La herencia horapoliana en los *Emblemas morales* de Juan de Horozco (Segovia 1589) ha sido señalada por la crítica en el conjunto de otras huellas que confirman su arraigo universitario, como es el caso de Palmireno en las aulas valencianas que los publicara en 1556[26]. En todos los ejemplos se muestra la amplitud de un ofidianismo que juega con significados diversos y múltiples contaminaciones, también palpables en los jeroglíficos de Pierio Valeriano[27].

Las imágenes pictóricas, más allá de la letra de los emblemas, favorecieron un simbolismo sin fronteras que invita constantemente al ejercicio de la intertextualidad[28]. Pero ello no debe llevarnos a la arbitrariedad de éste o de otros símbolos. La serpiente, como el león y algunos animales, jugaba con el principio de doble naturaleza, buena o mala, de las cosas, y en los bestiarios o en los libros de emblemas es agudeza compuesta, significado a dos luces, pero nunca mezcladas, sino nítidamente diferenciadas en cada caso concreto[29].

Volviendo al soneto de Lope, la imagen de las dos sierpes entrelazadas que se devoran está a leguas de distancia del círculo sapiencial y eterno del ouroboros, así como de las sierpes cristocéntricas o benéficas que, con distintas moralidades, el propio Lope recreara. Su significado no deja lugar a dudas, así como a qué lado –*in bonam* o *in malam partem*– de la naturaleza animal y humana hay que situarlas.

Lope conocía bien a Horapolo y a Alciato. A éste lo leyó en distintas ediciones, incluida la *Declaración* comentada de Diego López (Nájera 1615). Ya Carducho señaló su predilección por el género. Resulta, sin embargo, arriesgado vincular cualquier imagen poética a un emblema concreto, y no sólo por la proliferación y redundancia de símbolos, sino porque la emblemática se inspiró, a su vez, en repertorios antiguos y modernos de variado signo[30]. Lector de la *Vida de Cristo* (1601) de Fray Cristóbal Moreno, Lope había visto la glosa al libro del *Génesis*, 3, donde este texto explica que el hombre sólo podrá vivir en paz cuando haya «vandos sin tregua entre la

---

[26] Claude-Françoise Brunon, «Signe, figure, langage: les *Hieroglyphica* d'Horapollon», *L'emblème à la Renaissance*, por C. Balavoine *et alt*, pub. por Yves Giraud, Paris, SEDES, 1982, pp. 29-47. Para la huella de Horapolo en los emblemas, véase además Allison Saunders, *The Sixteenth-Century French Emblem Book. A Decorative and Useful Genre*, Droz, 1988, y el clásico estudio de G. Boas, «The Hieroglyphics of Horapollo», *Bollingen Series* XXIII, Nueva York, 1950, 542-766. Sobre el caso español, Jesús María González de Zárate, «La herencia simbólica de los *Hieroglyphica* en las *Emblemas morales* de Juan de Horozco», *Boletín del Museo e Instituto Camón Aznar*, XXXVIII, Zaragoza, 1989, pp. 55-71. Para Horozco, «La culebra enroscada que se come la cola significa la máquina del mundo, porque se resuelve en sí, de sí se sustenta y en sí se resuelve, y porque todas las cosas que cría las gasta el mismo con el tiempo».

[27] Pierio Valeriano, *Hieroglyphica, sive de sacris aegyptiarum, aliarumque gentium literis comentarii*, Basileæ, Per Thomam Guarinum, 1567, ff. 102 v° ss. Basta recorrer el catálogo simbólico de la sierpe, al que ya se aludió, aquí expreso con igual variedad: *mundi machina, iuventuti redditus, tempus, calamitas, mundi moles, annus, æolus, etc*. Para el caduceo, ff. 144 ss.

[28] Sobre el tema, Rudolf Wittkower, *opus cit*, pp. 174-8.

[29] Peter Daly, *Emblem Theory*, Neudeln / Liechtenstein, KTO Press, 1979, pp. 52-3 y 58. Para las asociaciones de la serpiente, criatura total con pluralidad de atributos, pp. 76-7. El ouroboros, en pp. 78-80 y 289.

[30] Sobre el problema, mi artículo «Emblemática y literatura en el Siglo de Oro», *Ephialte, Lecturas de Historia del Arte*, II, 1990, pp. 144-58. Para la tradición emblemática en Lope, Simon A. Vosters, *opus cit.*, I, pp. 37 ss., y 42-5. Lope se inspiró en el ofidianismo, en una doble tradición bíblica y clásica, común a los emblematistas (*Ib.*, II, pp. 92 ss. y 263-4). Para Alciato en Lope, *La Dorotea*, ed. de E. S. Morby, Valencia, Castalia, 1958, pp. 199-200, 233 y 308. Es tema que merecería consideración aparte.

serpiente y la mujer porque si anduvieran a una, bastaran a destruir el mundo»[31]. Pero en el soneto que comentamos la tregua no se ha cumplido y el pastor Silvio ve tan sólo una guerra sin cuartel, a tiempo indefinido, hasta la muerte, como en un doble e infernal ouroboros.

Lope había imaginado la sierpe de los celos en *La hermosura de Angélica*, adjunta a las *Rimas* de 1602, en cuyo canto IX, los amantes aparecen en el desierto rodeados de tan viperinos animales. La épica, en prosa y verso, está llena de ellos. Pero lo que en el soneto de Silvio se recoge es la tradición fisiológica del matrimonio de las serpientes, encerrando su destino en el círculo temporal de una tragedia humana.

Horapolo había trazado figurativamente el odio marital (*Quomodo Mulierem virum suum odio habentem*) bajo la imagen de la unión de las serpientes (*Vipa caput maris devorat in coitus*)[32]. En sus jeroglíficos, sin embargo, es la mujer que odia a su marido la que se erige como protagonista, al compararla con la serpiente que devora al macho tras las nupcias. Esa adscripción femenina resultaba natural, y se reproduce en una empresa moral de la ingratitud[33]. También la Venus ímproba se configuraba con dos sierpes entrelazadas por la cola devorándose, y el mismo Pierio Valeriano asigna al odio de la mujer a su marido la acción nefasta que tal dibujo recrea (*De vipera uxor inimica marito*)[34].

Un emblema del contador Hernando de Soto, buen conocedor de Horapolo y no exento de originalidad, nos ofrece un precedente cercano al soneto de Lope, al suscribir en las serpientes enlazadas, la traza del matrimonio violento, sin distinción de sexos, en la cruenta acción de destruirse. Las *Emblemas moralizadas*, aparecidas en Madrid, 1599, pero seguramente escritas años antes, ofrecen, bajo el epígrafe de «El matrimonio forçado», dos sierpes entrelazadas y de cabezas que miran en direcciones opuestas, con la flecha de sus lenguas dirigida a su propia cola. En este sentido, Lope, al enfrentarlas cara a cara y de forma sangrienta, seguiría más la tradición escrita que la de la pintura del grabado que Soto ilustra, al disponerlas éste con sus cabezas opuestas. Así, aunque el sentido moral de ambos es el mismo, el soneto de Lope le da un dramatismo y una fuerza que el emblema de Soto no tiene. Éste las sitúa sobre un monte, en una *pictura* cuya *suscriptio* reza así:

---

[31] Tomo la cita de S. A. Vosters, *Ibid.*, p. 264 y *vide* 274 ss. La variante misógina del tema también le alcanza (*Ib.*, p. 273). Este autor señala las semejanzas del vocabulario ofidiano de Lope con el de Textor (*Ib*, p. 308).

[32] *Hori Apollinis Niliaci Hieroglyphica*, Bologna,1517, LVIII. El margen remite a Herodoto, i, IIII. He consultado también la ed. de *Ori Apollinis Niliaci hieroglyphica*, Paris, 1521. Véanse f. IV, para el ouroboros; f. XX vº, para la serpiente como símbolo del rey vigilante que sabe gobernar: *Quomodo Regem vitorem*; y f. XXVIII, para el ejemplo del coito viperino.

[33] Bajo el lema *Ingratis servire nefas* y el dibujo de una serpiente, aparece el comentario siguiente: «Suelen dezir en comun proverbio que en la cola esta la ponzoña, por esto quise aqui poner por postrera empresa una de l'ingratitud semejante a la viperea la qual matta al macho aviendole dado plazer y aviendo concebido...», *Devisas o emblemas heróicos y Morales* de Gabriel Symeon, en *Dialogo de las empresas militares* de Paolo Giovio, Leon de Francia, Guillelmo Roville, 1561, p. 263.

[34] La Venus o *femina improba* (*supra*) aparece en varios emblemas, como se ha indicado. Véase además Pierio Valeriano, *Hieroglyphica seu de sacris Ægyptiorum aliarumque gentium literis commentarii*, Lugduni, Apud Thomam Soubron, 1594, pp. 133-4. El comentario va seguido de un poema de Nicandro y se basa en Horapolo, Plinio y Galeno. Y véanse además pp. 127 ss. Luego va señalando otros simbolismos de la serpiente: *delectatio, libidinis, petulantiæ finis, etc.*

Assidas y enemistadas
Mal por fuerça se han de hallar,
Y mas auiendo de estar
Mientras viuen enlazadas.

Que por ser tan a contento
La cara que otros sustentan,
Dos culebras representan
El matrimonio violento.[35]

El emblema en cuestión, aunque ligado a Horapolo, parece seguir de cerca la mencionada corriente de los bestiarios que amonestan a la mujer y al hombre que no se respetan ni se aman en el matrimonio, bajo esa misma imagen[36]. Hernando de Soto, amigo de Lope, publicó unas redondillas en el *Isidro* (Madrid, 1602) y un soneto en *La Arcadia* (Madrid 1602). Sus *Emblemas* se corresponden con ese tono de estoico desengaño que el ejemplo considerado destila, abogando por el ejercicio de la sabia prudencia y por el imperio de la razón y de la industria para mejor dominar la realidad[37].

Tras las redondillas, Soto añade una glosa en la que acarrea varias ideas sobre el matrimonio, con textos del *Génesis*, Aristóteles y otros. Su visión cristiana de la fidelidad y del amor mútuo, así como la consideración que desde Trento tuvo ese sacramento como lazo perpétuo e indisoluble, hecho desde la libre voluntad y común respeto, le lleva a decir «que no puede auer mayor tormento que el estar un hombre o una muger casados, sin gusto: porque como el Matrimonio es vínculo, que dura toda la vida, no se puede desatar, ni romper, y que la muerte sola puede deshazerle»[38]. Alciato, antes que Hernando de Soto, había dedicado un emblema al respeto que requiere el matrimonio con la figura de una víbora apostada en la playa y vomitando venenos, tras otro sobre la fidelidad de las esposas[39]. Para el padre de la emblemática, el tálamo había de ser

---

[35] *Emblemas moralizadas* por Hernando de Soto. En Madrid, Por los herederos de Iuan Iñiguez de Lequerica, 1599, pp. 51-3. Van dedicados al Duque de Lerma. Según opinion de G. Beaudoux, el autor esperó a que muriese Felipe II para publicarlos en libertad. Véase Julián Gállego, *Visión y símbolos en la pintura española del Siglo de Oro,* Madrid, Cátedra, 1987, pp. 93-4, para quien la rusticidad de los grabados del libro de Soto no le quita originalidad a un libro que considera delicioso, aunque sea menos científico que los de Horozco y Covarrubias. Soto utiliza la serpiente en su catálogo emblemático de moral filosofía al abrigo usual de los textos citados de Aristóteles y Plinio, además de la *Philosophia* de Apolonio. Véase «Assí venga el hijo al padre».

[36] El *Bestiario de Oxford*, 86-7, es un buen ejemplo, entre otros. Véase Santiago Sebastián, *El Fisiólogo*, pp. 94-5.

[37] Giuseppina Ledda, *Contributo allo studio della letteratura emblematica in Spagna (1549-1613)*, Universita di Pisa, 1970, pp. 95-101, encarece su moralismo y su preciosismo compositivo. Tanto ella como Gállego alaban las calidades de Soto, cuyos *Emblemas*, tras las *Empresas Morales* de Juan de Borja (Praga, 1581) y los *Emblemas* de Juan de Horozco, Segovia, 1591, muestran una evidente originalidad.

[38] Hernando de Soto ofrece el ejemplo bíblico del matrimonio de Jacob con la poco agraciada Lía en sus *Emblemas,* ff. 52-3, concluyendo sobre el martirio de tan desdichadas uniones: «quanto más sucediendo de ordinario, como he dicho, y ser forçoso el aver de sufrir tal martirio los que llegaren a ser desconformes casados (o por mejor dezir, descasados conformes) y con ello a ser tan desgraciados». Para el tema del matrimonio en la época que nos ocupa, *Amour légitimes, amours illégitimes en Espagne (XVIe-XVIIe)*, Paris, Publications de la Sorbonne, 1985, pp. 19-165. Lope hizo una estampa cristiana del matrimonio en *El Isidro*. Véase Francisco Márquez Villanueva, *Lope: vida y valores*, Ed. de la Universidad de Puerto Rico, 1988, pp. 39-42.

[39] Alciato, *opus cit*, emblemas XCX, CXCI, pp. 235-6. Santiago Sebastián recoge también glosas a Alciato de Diego López sobre el respeto matrimonial. Lope las conoció, con posterioridad, claro, al poema que comentamos. No es extraño que a ambos emblemas de Alciato sigan otros sobre el amor a los hijos, la piedad de éstos hacia los padres y la fama de la mujer. Véanse además los comentarios sobre el caduceo con sus dos serpientes, en un emblema que simboliza sabiduría y prudencia (*Ibid.*, pp. 156-7). Sebastián de Covarrubias, *opus cit.*, p. 109, presenta un ejemplo de caduceo a lo divino. La huella de Horapolo y Alciato fue muy amplia y llega hasta don Diego de Saavedra Fajardo, *Idea de un Príncipe Político cristiano,* Munich,

«con ánimo de entrambos concertado», por lo que tanto el emblema de Soto como el soneto de Lope parecen ser su justo reverso.

El poema de Lope hay que vincularlo a la serie fisiológica que arranca de Aristóteles y Plinio y continúa en los bestiarios medievales y en la emblemática. Su amigo Hernando de Soto le ofreció texto y pie para considerar los desastres del matrimonio forzado. Pero, sobre todo, una imagen pictórica de la que Lope hizo su propia *éckphrasis* en el primer cuarteto. Claro que, más allá de éste y otros modelos cercanos, la inclusión del pastor no sólo individualiza y distancia la reflexión sobre las sierpes entrelazadas hasta la muerte, sino que le da un tono de intimismo y una dramatización de las que el tópico carecía.

A la luz del emblema del contador Soto, dentro de la tradición a la que representa, se iluminan, sin duda, los tercetos de Lope quien, a través de la perspectiva de un pastor llamado Silvio, describe la visión viperina y su traslado al parangón de las relaciones humanas. Pero si nos detenemos en ellos, observaremos que la admonición poética va mucho más lejos, en el fondo y en la forma, que el texto del emblematista. Pues si éste se limita a la reflexión negativa de una unión irremediable y dolorosa como la del matrimonio desconcertado, Lope aviva los términos de la comparación al personificarla. La misma acción de Silvio, levantando el cayado, no sólo remacha sus palabras con autoridad, sino que hasta parece querer arrojarlo para deshacer coyunda tan errada.

Al cabo, sus palabras no dejan de resultar enigmáticas. El terceto final, tan reflexivo, es, desde luego, paradójico y contradictorio en sus términos, pues semeja implicar una unión agridulce, de regalos y venenos mezclados, una fusión antitética de placer y dolor que poco tiene que ver con la sentenciosidad lógica de los cuartetos precedentes. «¿Para qué os regaláis y os dáis venenos» es acción que sugiere algo más que ese devorarse cruentamente expresado al principio del soneto. Y más leído tras la contradicción expresada anteriormente: «Siendo enemigos, ¿para qué en los brazos?».

Si tomamos el último endecasílabo como parte de la admonición del pastor, bastón en alto, el «dulce morir» establece una evidente correlación con el «regaláis» que cambia el signo meramente negativo del entrelazamiento de las serpientes y de los casados que expresaban los cuartetos. Creo que el poema puede entenderse mejor desde la identificación de Lope con Silvio y vislumbrando en los versos últimos el fantasma de los celos. Ello explicaría la aparente contradicción de regalos en medio de una tragedia que ya no es de índole general y abstracta, como en la tradición emblemática, sino particular y concreta. Así se entendería la doblez del yo poético y las paradojas que contrastan *regaláis / dáis venenos, dulce morir / no vivir muriendo*. En ese contexto autobiográfico, se enriquece la lectura y se agrandan los conceptos, sin perder hilación. Lope, desdoblado en el marco de la égloga, hace suyo un ejemplo clásico, escenificándolo y dándole tiempo y voz. Por boca ajena, se alza contra un hecho social que nada tiene que ver con los sentimientos individuales. Pero va más lejos, al asegurar esa mezcla tradicional del *dolce amaro* que parece implicarse en una unión forzada. Los términos del primer cuarteto cobran así nuevo sentido en el ámbito lujurioso que la serpiente implicaba tradicionalmente, y el último endecasílabo se carga de complejas relaciones. Aseverativo, consecutivo y desiderativo a un tiempo; voz del pastor y del poeta, el lector lo recibe en el marco atemporal de lo sentencioso.

1640. Este autor fue pródigo en sierpes con las que simbolizaba la sabiduría y prudencia del príncipe. Véase Jesús María González de Zárate, «Saavedra Fajardo y la Literatura Emblemática» *Traza y Baza*, 10, Valencia, 1985, pp. 35-7, en cuyos ejemplos recoge la huella de Horapolo, J. Bruck y otros.

Se podrá objetar, tras lo apuntado, que *venenos* puede ser complemento tanto de *dáis* como de *regaláis,* pero del *dulce morir* es difícil deshacer la paradoja. Una vez establecida ésta, surge la correlación entre *dulce* y *regaláis,* así como entre estos términos y el cuarto verso: «se mordían las bocas, cuello y pecho», agrandando su sentido. La poesía del siglo XVII, sin dejar de ser conceptual, y precisamente por ello, podía establecer todo tipo de relaciones nuevas y correspondencias, mucho más allá de la mera lógica, provocando agudezas. En el marco de la correlación de la época, el soneto se enriquece y complica, estableciendo redes semánticas como las señaladas, pero también leyéndolo a la luz de otras obras de Lope y de su propia secuencia vital, según vamos a tratar de hacer seguidamente.

En las *Rimas,* el soneto de Silvio va precedido de otro que habla de las frustraciones del amor, comparando los tormentos de «ver otro amante en brazos de su dama» con los de Tántalo y Sísifo. En él tenemos a un Lope atormentado por los celos. Le sigue otro que habla del desdén. En un contexto de *canzoniere,* y aunque sea con la discontinuidad propia de las *rime sparse,* el soneto que comentamos bien podría ser trasunto autobiográfico y tal vez asignable al ciclo de poemas dedicados a Elena Osorio, casada con Cristóbal Calderón, y a la que dedicó una buena parte de las *Rimas,* incluidos los famosos sonetos de los mansos. Si así fuera, el poema que analizamos se remontaría a fecha anterior a la muerte del mencionado marido y a esa venganza de Lope quien, «viuda ya Dorotea», jamás se casó con ella, incluso después de que don Jerónimo Velázquez le perdonase, el 28 de marzo de 1595, para que el poeta pudiera volver libremente a la corte. Como los emblemas de Soto son, según se ha dicho, de factura muy anterior a su publicación, y dada la amistad con el poeta, el problema de las fechas no sería irresoluble.

Pero vayamos por partes. Los seudónimos pastoriles de Lope fueron varios. Belardo alcanzó mayor popularidad e identificación que ningún otro, pero Silvio también ocupa un lugar digno de ser destacado. Así lo confirma *La Arcadia* (1598), donde aparece este pastor bucólico en el libro II, cantando con su instrumento las letras compuestas por Belardo. Lope lo retrata así:

> Venía con él entonces el mayor de sus amigos, Silvio, un pastor de los más valientes de toda el Arcadia, temido no sólo de los hombres pero de los jabalíes, osos y leones.[40]

Silvio reaparece en el libro III, próximo a un soneto en el que el diosecillo Amor está jugando, como en tantos emblemas, sin los arreos de cazador que normalmente se le atribuyen («ni el hierro tira en áspides bañado»). Otra, en un soneto cantado por Belisarda y del que transcribimos el primer cuarteto, por lo que pueda ayudar a la lectura del de las sierpes enlazadas:

> Silvio a una blanca corderilla suya
> de celos de un pastor tiró el cayado,
> con ser la más hermosa del ganado;
> oh amor, ¿qué no podrá la fuerza tuya?[41]

---

[40] Lope de Vega, *La Arcadia,* ed. cit., p. 135.

[41] *Ibid.,* p. 220. Y véanse pp. 140 y ss. En pp. 141-3, Silvio entona una canción que es trasunto del Lope desterrado que se despide. En p.264, canta una canción a Isbella y en p. 271, se disfraza con sayo de húngaro para una máscara, disputando con otros en el buen recitado de versos. Silvio entona los que empiezan: «Silvio a los cabellos de Clórida». Según Morby, *Ibid.,* p. 220, Tirso incorporó el soneto de Silvio en la comedia de *La fingida Arcadia,* obra inspirada en la pastoril de Lope. Tras el soneto en cuestión, Silvio dialoga con Anfriso en la prosa arcádica de Lope, dándole una lección de cómo enamorar fingiendo. Su arte de amar está lleno de un neoplatonismo pleno ya de esa escuela de amores que es *La Dorotea* completa y que tanto se da en otras obras del dramaturgo. Véase mi artículo «La Universidad de amor y *La dama boba»,* *Boletín de la Biblioteca Menéndez Pelayo,* LIV, 1978, pp. 351-371.

Estos versos pertenecen al ciclo de obras basadas en las relaciones de Lope con Elena Osorio y traducen el episodio de sus vidas que luego fue recreado en *La Dorotea*. Lope abofeteó por celos a su amada, que como la corderilla del soneto, volvió luego a comer la sal en manos de su amo. Aunque no haya por qué poner en duda que Lope pegase a su amante al sentirse traicionado, también hay que tener en cuenta, como señaló Morby, que el poeta pudo inspirarse además en un pasaje similar de Ovidio[42]. Desde el punto de vista literario, interesa destacar que volviese sobre el tema y que lo adjudicase a esa Elena que fue Troya de tantas desgracias y felicidades para Lope. Antonio Carreño ha incluido este poema en el ciclo de los mansos. Éste sería el primero de la serie, seguido por los que empiezan: «Querido manso mío, que venistes», «Suelta mi manso, mayoral extraño» y «Vireno, aquel mi manso regalado»[43]. Muy posiblemente el Silvio de las sierpes puede añadirse a tal ciclo poético, hermanado, como va, con el de la blanca corderilla, y tal vez anterior a éste. Vale decir, no asignable a celos de amante por amante, sino de amante a marido. Pero veamos primero el visaje de un pastor que aparece constantemente en la trayectoria literaria de Lope.

Silvio es, como se ha dicho ya, pastor de *La Arcadia*, donde brilla como auténtico maestro en el arte de amar, envuelto en el aura académica y culta que el género propiciaba. Respetado por todos, con esa autoridad que ostenta también el Silvio de las sierpes, dicta sentencias y opiniones sobre amor y poesía. La acción descrita de tirar el cayado es obviamente cercana a la de alzarlo, en uno y otro casos. Vistas las cosas desde esa perspectiva, es posible que los dos se refieran a Elena Osorio y que el que comentamos no sólo recree el tópico de los fisiólogos y emblematistas sino que se refiera a la recriminación de un Lope que sabe casada a quien ama, supone que no vive en armonía con su esposo y trata de ello con todas sus consecuencias. Así se explicaría mejor el último terceto, donde los celos podían dar la vuelta al ejemplo emblemático de las serpientes que se devoran, para ver también en la unión forzada del matrimonio violento algún que otro regalo en sus abrazos. Las paradojas finales gozarían de este modo de explicación plausible.

El último endecasílabo corona los términos de una visión que ha desatado primero sospechas reflexivas y luego admoniciones. «Dulce morir, por no vivir muriendo» sería consecuencia lógica de las amonestaciones interrogativas que se prolongan retóricamente, pero también aparece como la formulación de un deseo por parte de quien las emite. El carácter nominal de todo el verso contribuye a cerrar debidamente el parlamento de un pastor sabio y sentencioso en ésta y otras obras de Lope.

La obsesión de Lope por el bucólico nombre de Silvio es manifiesta. Aparece en una «Égloga Panegírica al Epigrama del Serenísimo Infante Carlos», en diálogo con el pastor Tirsi. Entrelazadas, en ella, épica y bucólica, no faltan los rasgos de humor leve («que un pastor como tú

---

[42] Lope de Vega, *La Dorotea*, ed. cit., pp. 27-8. La obra se publicó en Madrid, en 1632, y aunque es recuerdo de Elena Osorio, va fundida con los amores de Marta de Nevares y, tal vez, de algunas otras. Lope también llegó a la parodia de sí mismo y de los celos que contaminaron permanentemente su relación con Elena. Y así, tras su sublimación en la comedia *Belardo el furioso* (1588), en *La Arcadia* y en *La Dorotea*, o en tantos poemas como le dedicara, se burló de todo en *La Gatomaquia* (1634). Véase la introducción a la edición de esta obra, de Celina Sabor de Cortázar, Madrid, Castalia, 1983, pp. 41 ss.

[43] Antonio Carreño hace un amplio comentario a la agresión de Lope recogida en el soneto de *La Arcadia*. Véase su ed. de Lope de Vega, *Poesía selecta*, Madrid, Cátedra, 1984, con la bibliografía oportuna sobre los sonetos de los mansos (pp. 218-9) y sobre la relación del poeta con Elena Osorio (p. 21). Carreño localiza a Silvio en el resto de las obras que citamos. Sin embargo, es en *La Circe*, y no en el *Laurel de Apolo*, donde aparece el mencionado pastor. En esa obra, se recoge el soneto que empieza «Silvio, ¿para qué miras las ruinas», al que aludiremos luego junto con el ejemplo que, por nuestra parte, añadimos de *La selva sin amor*.

venda cabritos») ni los matices autobiográficos de un Lope que no se siente protegido por mecenas alguno, teniendo que trabajar para su sustento. Silvio es en este poema un pastor-poeta que ha abandonado sus versos para convertirse en pastor «grossero y rudo»[44]. Silvio, en *La Arcadia* como en los ejemplos comentados y en otros lugares en los que aparece, es y no es Lope. Éste habla por su boca o la difiere, provocando perspectivas novedosas y juegos que enriquecen la interpretación. Pesaba en ello la propia ambigüedad que fue siempre connatural a las voces narrativas de la égloga y que es parte sustancial del lenguaje poético. En *La Circe,* Silvio es, sin embargo, el interrogado. Aquél a quien el poeta apela para hablarle de Filis. Frente a las ruinas, la hermosura de ella se impone, para el pastor y para el poeta a un tiempo, perfectamente desdoblados ambos, como mejor símbolo de caducidad:

> No mires piedras, donde vive y dura
> reliquia alguna deste excelso templo:
> mira, Silvio, de Filis la hermosura.
>
> Que si te acuerdas, como yo contemplo,
> que fue dorado sol y es noche escura,
> ¿en quién podrás hallar tan buen ejemplo?[45]

También en *La selva sin amor* el dramaturgo sacó a escena al pastor Silvio, tratando de alcanzar a la desamorada Filis, con todo el lujo asiático del teatro a la italiana[46]. Pero el ejemplo más ilustrativo de doblez dramática, por cuanto atañe al último Lope, es el Silvio que habla en la égloga donde se narra uno de los episodios más tristes de su vida. Aquél en el que se describe el rapto de su hija Antonia Clara y en el que Lope sacerdote, en medio de su dolor, reniega de ella. La voz de Silvio es aquí *vox populi* que le atribuye la paternidad. Pero Lope, por boca de Elisio, la rechaza. El poema no tiene desperdicio y sugiere, como ya hizo Astrana, todo tipo de comentarios al pie[47].

Vida y obra se entrelazan tanto en Lope que parece imposible explicar la una sin la otra. Pero al cabo, todo es arte. La necesidad de incluir en la interpretación poética al poeta no parece ociosa en este caso. Pues si el taller del soneto nos muestra su filiación emblemática, la biografía de

---

[44] La *Egloga* va dirigida al Duque de Medina de las Torres. Véase en la ed. cit. de Lope de Vega, *Colección de las obras sueltas, así en prosa oomo en verso,* IX, 1777, pp. 118-129.

[45] *La Circe, con otras Rimas y Prosas,* Madrid, 1624. Véase en la ed. cit, de Blecua, Lope de Vega, *Obras poéticas* (1989), pp. 1203-4.

[46] *La Selva sin Amor. Egloga pastoril,* en Lope de Vega, *Colección de las obras sueltas,* I, 1776, pp. 224-5. Como en las comedias mitológicas posteriores de Calderón, Lope juega a las transformaciones del amor y del olvido en el marco bucólico y mitológico.

[47] A la aseveración de Silvio, referida a Antonia Clara: «Algunos por tu sangre la tenían», contesta Elisio: «De engendrar a criar no hay diferencia:/ tan engañados como yo vivían». El uso de los seudónimos complica aún más, si cabe, la circunstancia. Tomo la cita de Luis Astrana Marín, *Lope de Vega,* Madrid, Ed. Juventud, 1963, p. 320. Este describe un tanto novelescamente, como se sabe, toda la vida de Lope, cargando tintas en el episodio en cuestión. La hija, en cambio, no renegó de su padre, sino que se afirmó, al testar, en los apellidos de sus progenitores. Para las relaciones con Elena Osorio, véase particularmente p, 125. Para Micaela Luján, cuyo marido marchó a América en el otoño de 1599, *ibid.,* pp. 146 ss. El epistolario de Lope añade abundantes datos respecto a su concepción del amor y del matrimonio. De éste dice que es «cárcel de la libertad y abreviatura de la vida». Opinión que escribe mientras, casado con Doña Juana, suspira por Micaela Luján. Véase Nicolás Marín, *Estudios literarios sobre el Siglo de Oro,* Granada, 1988, p. 325.

Lope, sobre todo en tanto que autobiografía literaria, enriquece su lectura, sin que ello suponga que tomemos el soneto como un mero documento[48].

El poema pudo escribirse sin el auxilio concreto del emblema de Hernando de Soto, habiendo como había una rica tradición del tópico de las sierpes enlazadas, símbolo del matrimonio forzado. Pero casi todo invita a considerar que Lope lo leyó. La doble concordancia de *asidas* y *enemistadas* apoya este argumento, así como el dibujo mismo, con la leve diferencia de la disposición orientativa de las cabezas de las serpientes. Pero Lope no se limita a verlas «enlazadas» como el emblematista, sino que desearía romper tan «intrincados lazos». La poetización convierte las culebras en áspides y la seca lección moral, en algo vivo, complejo y, en definitiva, propio.

Al frente de las *Rimas* Lope había escrito a don Juan de Arguijo sobre la licitud de saquear a los clásicos y de servirse de los tópicos, no sin cierta ironía. Él sabía muy bien en qué serie quería colocarse:

> Usar lugares comunes, como engaños de Ulises, salamandras, Circes y otros, ¿por qué ha de ser prohibido, pues ya son como adagios y términos comunes, y el canto llano sobre que se fundan conceptos?, que si no se hubiera de decir lo dicho, dichoso el que primero escribió en el mundo; pues a un mismo sujeto bien pueden pensar una misma cosa Homero en Grecia, Petrarca en Italia y Garcilaso en España.[49]

Las sierpes enlazadas de Lope recogen los aspectos visuales y moralizadores que la tradición le legaba, pero sirven de pie a un soneto de cuño propio. Él no podía encerrarlas en el círculo del ouroboros, donde cabía el eterno retorno del amor perfecto, sino en el tiempo a muerte de las miserias humanas y de ese paradójico destino que encierra el último verso: «Dulce morir, por no vivir muriendo»[50].

---

[48] Sobre la licitud de considerar al emisor del mensaje poético, contra los extremos del formalismo y del «New Criticism», preocupados tan sólo por el texto, ha advertido Fernando Lázaro Carreter, *De poética y poetas*, Madrid, Cátedra, 1990, p. 17, sin que ello implique llegar a los errores del viejo biografismo.

[49] Cito por la ed. de Gerardo Diego, Lope de Vega, *Rimas*, p. 46.

[50] Como ya indiqué en mi estudio «Variaciones sobre la vid y el olmo en la poesía de Quevedo: *Amor constante más allá de la muerte*» (1982), ahora en *Fronteras de la poesía en el Barroco*, Barcelona, Ed. Crítica, 1990, p. 234 nota 49, el *Amor coniugalis* tuvo también su vertiente emblemática. Se expresaba con la unión armónica de una pareja ligada con un paño y, junto a ella, el símbolo de la vid y el olmo. El capricho 75 de Goya: «Dos casados por fuerza o dos enamorados», los muestra atados por la cintura, mientras un monstruo alado intenta separarlos inútilmente. Haz y envés de un asunto que, como el de las sierpes, se expresaba con distintos argumentos. Un círculo perfecto era el símbolo tradicional del amor matrimonial. Vale decir, del vínculo social a través del amor, como expresión de su doble sentido divino y humano. Sacralización que relacionaba microcosmos y macrocosmos. Venus era el poder del *anima mundi* que bajo la razón divina daba vida, forma y unidad a las cosas creadas. En el baile con ocasión de las bodas del Conde de Essex, en 1606, Ben Jonson presentó una mascarada, *Hymenæi*, con visualización pitagórica del círculo en el movimiento de los danzantes. Ejemplo visual y musical del amor conyugal. Véase al respecto, Roy Strong, *Arte y poder*, Madrid, Alianza, 1988, pp. 43-4.

Les Antilles hispaniques
[plaidoyer pour un concept inusité]*

Paul ESTRADE
Université de Paris VIII

Depuis un quart de siècle que nous fréquentons des Bibliothèques Nationales et des Bibliothèques Universitaires et que nous effectuons dans leurs fichiers « Matières » la même et lancinante démarche, nous en arrivons à la conclusion que le concept d'Antilles hispaniques, traqué en vain, doit être réellement inopérant et foncièrement incongru pour n'avoir été retenu nulle part. Certes, nous n'avons pas fait le tour de la planète pour nous en assurer, et il est possible qu'un lecteur perspicace ait déjà repéré l'exception qui a échappé à notre enquête. Une telle découverte, si d'aventure elle se produisait, ne prouverait pas que, croyant faire cavalier seul dans l'emploi de la notion recherchée, nous faisions bonne route, mais elle ne saurait invalider non plus le constat que chacun peut faire actuellement dans la bibliothèque de sa ville : les Antilles hispaniques, ça n'existe pas !

Nous prétendons le contraire : qu'elles existent comme entité historique et culturelle, qu'elles peuvent exister comme projet collectif, qu'elles doivent exister comme objet d'étude. Et qu'il existe un concept qui peut aider à en rendre compte dans l'attente d'un plus pertinent : celui d'Antilles hispaniques, précisément, que nous utilisons à dessein dans l'équipe d'Histoire des Antilles Hispaniques depuis 1984[1].

Et si c'est à tort que nous le faisons, le moment est certainement venu, en tentant de nous en expliquer sur le fond, de soumettre nos critères aux Hispanistes en ces pages propices où soufflera l'esprit frais et rigoureux du Maître toulousain.

---

* En hommage à Robert Jammes qui – on ne saurait l'oublier – a dirigé tant de thèses sur Cuba et qui a présidé – avec tant de dévouement et de sagesse – le Centre Interuniversitaire d'Études Cubaines fondé à Toulouse en 1978.

[1] « Histoire des Antilles Hispaniques » (HAH) est le nom de l'équipe de recherche de l'Université de Paris VIII-Saint-Denis, où les hypothèses de travail présentées ici sont mises en œuvre. L'équipe HAH, équipe interuniversitaire, équipe pluridisciplinaire, équipe d'accueil (DEA, doctorants), tient un séminaire mensuel à Paris et publie une collection de *Cahiers d'Histoire des Antilles Hispaniques* parvenue en 1993 à son 12e volume.

Hommage à Robert Jammes (Anejos de *Criticón*, 1), Toulouse, PUM, 1994, pp. 375-388.

Notre propos est donc d'exposer en quoi les Antilles hispaniques, composées aujourd'hui de Cuba, Porto Rico et la République Dominicaine, forment un ensemble identifiable comme tel, car caractérisé par des spécificités communes ; de dire par conséquent pourquoi il conviendrait qu'à la suite des index « Antilles anglaises » (ou « britanniques ») et « Antilles françaises », et avant l'index « Antilles hollandaises » (ou « néerlandaises »), on insérât à l'avenir dans les fichiers l'index manquant « d'Antilles hispaniques ».

Des obstacles objectifs, des réticences mentales

La lacune signalée dans les fichiers des bibliothèques n'a évidemment qu'une faible importance en soi, même si, étant générale, elle a l'air délibérée[2]. Mais c'est un symptôme, puisque les bibliothécaires, dans un louable souci de cohérence universelle imaginée par Dewey et prônée par l'UNESCO, se contentent d'enregistrer et de classer les livres selon les catégories usuelles – préexistantes et admises – qui permettent de les retrouver. C'est bien de l'absence et de la nécessité de cette catégorie (idée, notion, concept, peu importe à ce stade) – « Antilles hispaniques » –, plus que de l'absence et de la nécessité de l'index du même nom dont il s'agit dans cet essai à l'état d'ébauche.

Dans *Génesis de la idea y el nombre de América latina*[3], Arturo Ardao a fourni une méthode d'analyse susceptible d'être étendue à l'étude de « l'idée et du nom » d'autres régions ou sous-régions du monde. Cependant elle ne paraît guère pouvoir servir à l'étude de l'idée et du nom d'Antilles hispaniques. Non seulement parce que ce nom n'a pas été adopté (pas même par les intéressés : facteur primordial de sa légitimation), mais encore parce que l'idée elle-même, certes présente aux Antilles depuis 1867-68, a connu des hauts et des bas, et qu'aujourd'hui, repoussée par les vents contraires dominants, elle est plutôt au creux de la dépression, abandonnée à une poignée d'intellectuels sans emprise.

Pourquoi cet état de fait, alors qu'on admet l'existence, même si on en conteste la pertinence, des termes consacrés des Antilles dites britanniques et des Antilles dites françaises ? La comparaison suggère d'elle-même les premières clés du problème.

Au XIXe siècle, au lendemain de l'indépendance des principaux pays du continent américain, les territoires d'Amérique restés sous la domination coloniale de l'Europe comprenaient pour l'essentiel, à l'exception du Canada, les Guyanes et les Antilles. A côté des Guyanes britannique, française et hollandaise, il y eut – pour le monde entier, diplomates et voyageurs – les Antilles britanniques, françaises et hollandaises, mais aussi les Antilles danoises et les Antilles espagnoles[4].

Ces deux derniers groupes connurent ensuite un sort différent des autres. Les Antilles danoises se désagrégèrent, annexées et absorbées par les États-Unis (1917). Les Antilles espagnoles s'individualisèrent en s'émancipant de la tutelle métropolitaine, la République Dominicaine en 1821 puis en 1865, Cuba et Porto Rico en 1898. Tant et si bien qu'au moment où l'usage se fixait – dans une démarche eurocentriste et colonialiste, à n'en point douter –, s'il était possible

---

[2] Une toute récente visite à la Bibliothèque Universitaire de l'Université de Porto Rico, à Río Piedras, montre l'existence dans le catalogue informatisé des rubriques « British West Indies », « Dutch West Indies » et « French West Indies », mais l'oubli de tout ce qui pourrait ressembler à « Spanish West Indies ».

[3] Ardao, Arturo, *Génesis de la idea y el nombre de América latina*, Caracas, Centro de estudios latinoamericanos Rómulo Gallegos, 1980.

[4] Pour être complet, le tableau devrait mentionner la petite Antille suédoise de Saint-Barthélémy qui ne retourne à la France qu'en 1876.

d'évoquer les Antilles britanniques, françaises et hollandaises, toujours groupées et assujetties, il était devenu anachronique de voir en Cuba, Porto Rico et la République Dominicaine les composantes des Antilles espagnoles. La souveraineté espagnole rejetée, celles-ci avaient vécu. D'ailleurs, chercher à les ressusciter aujourd'hui sous ce vocable serait inconvenant. On ne peut parler des Antilles espagnoles que jusqu'en 1898. Et encore à condition d'avoir présent à l'esprit, d'une part, que la République Dominicaine en est exclue de 1796 à 1808, de 1821 à 1861, puis définitivement à partir de 1865, mais que Trinidad en faisait encore partie en 1796 ; d'autre part, qu'à l'aube du XVIIe siècle les Antilles espagnoles représentent toutes les Antilles. On ne saurait donc confondre Antilles espagnoles et Antilles hispaniques. Cela dit, les Antilles hispaniques trouvent bien sûr leur origine dans les Antilles espagnoles. Quand celles-ci commencent à s'effriter (1865), à leur place un champ semble s'ouvrir pour les Antilles hispaniques allant ensemble vers l'indépendance et l'unité.

Et cependant en 1898 ce champ se referme, et nul ne peut dire quand il se rouvrira. Force est de constater que les Antilles hispaniques ne sont pas associées entre elles de nos jours, qu'aucune vue cavalière ne les embrasse. Force est de constater que même débarrassé de toute connotation colonialiste, le terme d'Antilles hispaniques ne s'impose pas, plus rare encore que quelques uns de ses équivalents éventuels, comme on le verra plus loin. C'est comme si aucun concept globalisant n'était indispensable, comme si les Antilles ex-espagnoles avaient éclaté et divergé à jamais.

Peut-on au demeurant dresser en 1993 un autre constat que ce dernier quand on examine, même sommairement, les voies empruntées par les trois États considérés ? La tendance à l'unipolarisation du monde y est présentement en échec. Voilà plusieurs décennies que ces États symbolisent, de façon paradigmale, les trois options fondamentales qu'ont pu prendre les nations latino-américaines pour tenter de surmonter leur sous-développement[5].

Ballotée entre dictature et réformisme, sans stratégie de lutte contre la dépendance, soumise au F.M.I., la République Dominicaine a sombré dans la crise économique et sociale propre à l'ensemble des pays latino-américains. La République Dominicaine ressemble de plus en plus au Vénézuéla, au Brésil, au Pérou, etc., bref à la plupart des pays d'Amérique Latine : c'en est le concentré insulaire, mêmes structures, mêmes effets, mêmes maux, même absence de perspectives, le Sud dans sa détresse explosive.

Obligé depuis 1898 de vivre au rythme et sur l'orbite immédiate des États-Unis, Porto Rico est devenu en 1952, sous le couvert du statut, unique au monde, « d'État Libre Associé », une dépendance étroite des États-Unis où vit près de la moitié de sa population, émigrée pour des motifs économiques. Dans cette petite île, le P.N.B. *per capita* est le plus élevé de toute l'Amérique Latine. Cependant l'état de crise et d'assistance y est tel que l'annexion aux États-Unis est en passe d'y devenir l'idéal populaire, la « solution » de demain, quel qu'ait été le résultat du référendum de novembre 1993.

Cuba, en revanche, depuis 1959, a choisi une voie révolutionnaire – volontariste – de développement national. En rupture avec la domination des États-Unis, Cuba s'est engagée sur une voie socialiste qui, un temps, a paru la conduire vers l'Europe orientale. Mais son originalité s'avère aussi indiscutable que son isolement. Une crise économique sérieuse y sévit depuis quelque temps, aggravée par la persistance du blocus, dramatique en cette année 1993. Toutefois, les structures usées ont résisté, les conséquences sociales de la crise ne s'y manifestent pas aussi

---

[5] Il a existé une quatrième voie, celle essayée par le Nicaragua sandiniste à partir de 1979. Mais l'expérience a pris fin en 1990.

injustement qu'ailleurs, une nouvelle mentalité, faite avant tout de dignité, s'est enracinée. Même assombrie, même ralentie, même déviée, une perspective de développement autonome subsiste.

Ainsi, si Cuba, Porto Rico et la République Dominicaine se tournent presque le dos, comment concevoir que ces États puissent coexister sous un label identitaire, quel qu'il soit ? Quel concept, à moins que l'usage n'en soit très ancré, résisterait à un tel écartèlement ? Car, en vérité, cela ne concerne pas uniquement l'organisation étatique ou le projet de société. Ce n'est pas seulement une question de régime qui sépare les trois pays.

À l'isolement géographique qui est le fait de leur insularité, à l'isolement traditionnel qui marqua leur histoire coloniale, se sont ajoutés l'isolement consécutif au boycott gouvernemental à l'égard de la Révolution Cubaine (décidé à Washington et appliqué à San Juan comme à Santo Domingo), puis l'isolement inhérent aux limitations draconiennes de l'immigration aux États-Unis et dans la région. Il n'est pas plus facile pour un Portoricain d'aller à Cuba que pour un Dominicain d'aller à Porto Rico (et vice versa), ou pour un Cubain de se rendre dans l'une ou l'autre des deux Antilles hispanophones, ne serait-ce, dans ce dernier cas, qu'en raison de l'inconvertibilité du *peso* cubain. Ce sont les peuples des Antilles hispaniques qui sont cantonnés chez eux, au risque de s'ignorer mutuellement davantage.

Une vue d'ensemble, de l'extérieur, n'est pas plus aisée à obtenir. L'expérience enseigne à qui souhaite étudier comparativement et scientifiquement ces trois pays, qu'il doit renoncer à trouver dans les annuaires les plus fiables consacrés à l'Amérique Latine contemporaine, tantôt des statistiques sur Porto Rico (car Porto Rico, non indépendant, est exclu des documents de la CEPAL, du FMI, de la BID, au même titre que les Antilles françaises, par exemple), tantôt des statistiques sur Cuba (car Cuba, au ban de l'OEA à partir de 1962, est comme expulsée du continent américain). Et quand ce chercheur parvient à recueillir aux sources mêmes de l'information nationale officielle les données statistiques dont il a besoin, il sait qu'il va devoir se livrer alors à une intense et parfois vaine gymnastique cérébrale d'harmonisation des critères de comparaison[6].

Il n'est pas impossible qu'à la source, inavouée, de la difficulté à concevoir et à nommer les Antilles hispaniques, il y ait surtout aujourd'hui le cas épineux de Porto Rico. L'ambiguïté de son statut, l'incertitude de son destin pèsent plus lourd que le cas cubain. Combien d'institutions, combien de publications ne classent-elles pas déjà Porto Rico, en compagnie des Îles Vierges, à la nouvelle rubrique des « Antilles américaines », comme l'a fait le *Guide Bleu* des *Antilles* (Paris, Hachette, 1986) ?

Il est vraisemblable aussi que l'originalité des nationalités et la force des nationalismes cubain, dominicain et même portoricain, contribuent à rendre en apparence sans objet leur regroupement dans un même et seul ensemble ; alors que, par exemple, s'agissant de la Guadeloupe et de la Martinique, la marginalisation des revendications indépendantistes ou autonomistes ainsi que la faible différenciation existant entre les deux îles, concourent à leur coexistence naturelle au sein des « Antilles françaises ». Admettons-le. Encore qu'on remarquera que le fait que la nation soit si solide et le sentiment national si vif dans les trois Antilles hispaniques – à l'égal d'Haïti, mais à la différence des autres Antilles où le fait national est plus récent ou plus flou –, constitue déjà un trait distinctif qui devrait obliger l'observateur à les considérer en tant que bloc historique à part dans l'archipel de la mer caraïbe.

---

6 Prenons un exemple : comment comparer en termes économiques et de revenus *per capita* les données concernant le PNB et le PIB de la République Dominicaine et celles offertes par le « Produit Social Global » de Cuba ?

Des liens historiques puissants, des traits culturels semblables

Qu'est-ce qui distingue, en effet, au sein de l'ensemble latino-américain et au sein de l'ensemble antillais, le sous-ensemble des Antilles hispaniques ?

Tout d'abord, et fondamentalement, qu'il appartient de plein droit à l'un et à l'autre. Il faudrait avoir un goût immodéré du paradoxe pour nier cette évidence première. Les Antilles hispaniques sont la composante antillaise de l'ex-Amérique espagnole, et par là-même, elles sont la composante hispano-américaine des Antilles. Mais si cette double appartenance n'est pas propre aux Antilles hispaniques, puisque, par exemple, Haïti, la Martinique et la Guadeloupe peuvent la revendiquer, elle leur est intrinsèque. On peut – et on doit légitimement, selon nous – rattacher Haïti et les Antilles françaises à l'Amérique Latine, mais les Antilles hispaniques sont l'Amérique Latine[7]. On peut – et on doit souvent – rattacher les zones littorales du Vénézuéla, de la Colombie, du Nicaragua et d'autres États, bordées par la mer des Caraïbes, au monde des Antilles (ou des Caraïbes, comme l'on dit de plus en plus), mais les Antilles hispaniques constituent la masse des Antilles et renferment l'essence des Caraïbes, bien mieux que la côte des Miskitos, la péninsule de la Goajira ou l'éden artificiel de Saint-Bart'.

… Par rapport à l'Amérique Latine continentale…

Les Antilles hispaniques sont, disions-nous, l'Amérique Latine, à condition de préciser aussitôt qu'elles y occupent une place singulière. L'Amiral de la mer océane n'avait pas encore mis pied sur ces îles qu'il existait entre elles depuis quelques siècles une grande parenté et d'étroites relations. Conquérants, moines et colons trouvèrent là des populations qu'ils ne devaient plus rencontrer ailleurs sur leur passage. Les Taïnos (des Arawaks) occupaient, avec d'autres groupes résiduels comme les Siboneyes de Cuba et les Macorijes d'Hispaniola, les Grandes Antilles que les Caraïbes n'avaient pas encore envahies dans leur migration vers l'ouest. Les premiers liens – exclusifs – entre Cuba, la République Dominicaine et Porto Rico remontent donc aux temps précolombiens, lorsque la société et la culture taïnas y exerçaient une influence dominante, lorsqu'elles étaient les Îles Taïnas. Ce qui explique que Hatuey, un cacique d'Hispaniola, ait pu organiser l'ultime résistance de son peuple dans l'île de Cuba.

Ensuite, après la « Découverte » initiale, inaugurée par Cuba (octobre 1492) et close par Porto Rico (novembre 1493), pendant plus de vingt ans il n'y eut pas d'autre Amérique espagnole que les îles des Antilles. Hispaniola, puis Cuba, et à un degré moindre Porto Rico, servirent de banc d'essai puis de base arrière à la colonisation espagnole détournée vers l'Eldorado continental.

Dans ces Antilles, plus qu'en tout autre région, se produisit littéralement la « destruction des Indes ». C'est là que Las Casas a puisé en premier lieu la matière de sa *Brevísima relación*. L'ethnocide des aborigènes qu'il y a observé était à peu près consommé en l'espace de deux générations. Des 1 300 000 individus qu'auraient comptés ensemble en 1492 Haïti, Cuba et

---

[7] Nous employons le concept d'Amérique Latine (avec deux majuscules) dans le sens originel que lui ont donné ses inventeurs latino-américains dans la seconde moitié du XIXe siècle, Francisco Bilbao, José María Torres Caicedo, Carlos Calvo, Eugenio María de Hostos, Ramón E. Betances, *et al.*, à savoir dans un sens politique (l'Amérique Latine étant définie par rapport, et par opposition, aux États-Unis d'Amérique), ayant certes des implications économiques, culturelles et linguistiques, mais pas dans un sens géographique et aucunement dans un sens ethnique. Malgré les apparences, cet usage ne confère à la « latinité » aucun statut prééminent : ni postulat de base ni référence identitaire.

Borinquén, il n'en restait au mieux que quelques milliers de pure souche un demi-siècle plus tard[8]. C'est dire que dans l'ensemble latino-américain, les Antilles hispaniques se caractérisent d'abord aujourd'hui, bien plus que l'Amérique « blanche » des pays du Rio de la Plata, par l'absence quasi totale d'Indiens et de métis d'Indiens sur leur sol[9]. « Indoamérica » n'y signifie plus rien.

Cependant, décimés, disparus, les Taïnos ont laissé des empreintes encore reconnaissables dans l'habitat rural (*bohío*), l'alimentation (manioc), les mœurs (les goûts de l'eau, de l'hygiène, du hamac, du tabac) de leurs successeurs dans les futures Antilles hispaniques, ainsi que dans le lexique actuel (faune, flore, toponymie). Vestiges tenaces ou ténus, mais seulement des vestiges.

L'élimination physique des Taïnos, concurremment à celle des Siboneyes et des Caraïbes, a entraîné *ipso facto* l'introduction d'esclaves noirs africains. En 1511 commence la conquête de Cuba et en 1513 les premiers esclaves y sont transplantés. Il y en avait déjà à Hispaniola depuis 1501 et à Porto Rico depuis 1510, en vertu d'un commerce dûment autorisé par la Couronne. Les Noirs sont arrivés dans les Antilles hispaniques presqu'en même temps que les Blancs. Cette ancienneté sur un même sol, et l'ampleur démographique d'une immigration forcée de près de quatre siècles qui a fait de Porto Rico et de Cuba les deux derniers pays de l'Amérique hispanique à maintenir l'esclavage[10], ont marqué en profondeur les Antilles hispaniques dans l'ensemble latino-américain.

Sur le continent, c'est évidemment avec le Brésil, où l'esclavage a duré jusqu'en 1888 et où il a eu une importance économique, démographique et culturelle également déterminante, que la comparaison s'impose. Mais si la République Dominicaine, Cuba et Porto Rico relèvent, à des degrés divers, de ce que Roger Bastide a appelé « les Amériques noires », le Brésil, un continent à lui seul, comprend, pour reprendre les expressions de Bastide, « un Brésil indien ou cabocle, un Brésil blanc et un Brésil noir »[11]. Au Brésil donc, comme dans les autres pays où l'esclavage a laissé des traces nettes et même essentielles pour la compréhension du présent (Vénézuéla, Colombie, Panama, Equateur, Pérou, les Guyanes), la présence africaine a été sectorielle, alors qu'elle a été globale dans les Antilles.

Amenés d'abord pour le service domestique, puis pour le travail des mines d'or, les esclaves noirs ont été affectés de plus en plus, surtout après 1789, année de leur « libre » introduction dans les possessions espagnoles, dans les champs de canne à sucre et dans l'industrie sucrière. Sans eux, point de plantations. Or l'économie de plantation, qui devient celle de Cuba et de Porto Rico, quand celle de St.Domingue s'effondre, et qui sera celle de la République Dominicaine un siècle plus tard, est bien l'économie qui caractérise les Antilles hispaniques au sein de l'Amérique espagnole à l'heure de l'émancipation politique. Une des parties les plus délaissées de l'empire

---

[8] Selon l'évêque Bastidas, il n'y avait plus à Porto Rico que 60 indigènes en 1544 ; selon Fernández de Oviedo, à Cuba, ils n'étaient plus que 500 en 1548.

[9] Ces rares aborigènes dont les aïeux ont survécu à des siècles d'environnement hostile, habitaient (habitent ?) des villages situés dans les zones les plus accidentées des montagnes de Cuba (Oriente), de Porto Rico (au pied du Yunque) et de la République Dominicaine.

   Mais la plupart des actuels descendants, très métissés, des Indigènes des Antilles hispaniques proviennent, non des Taïnos primitifs, mais des contingents d'esclaves indiens arrachés aux petites îles voisines (population caraïbe) ou au Mexique (dès le XVIe siècle, et tout spécialement au milieu du XIXe : Mayas du Yucatán).

[10] L'esclavage y a été aboli en 1873 à Porto Rico et en 1886 à Cuba, alors que sur le continent, à l'exception du Brésil, les dates de l'abolition s'étalent de 1811 à 1854 (Vénézuela). A Santo Domingo, qui allait devenir la République Dominicaine en 1844, elle eut lieu en 1822, suite à l'invasion haïtienne, en ce sens libératrice. On estime à 850 000 les esclaves noirs vendus à Cuba durant la période coloniale.

[11] Bastide, Roger, *Les Amériques noires*, Paris, Payot, 1967, p. 25.

espagnol, jusqu'à ce que les Anglais et les Français en révèlent l'intérêt et la potentialité[12], ces « Indes inutiles » deviennent, par suite des événements américains (Indépendance des États-Unis, Révolution de St. Domingue) et européens (Guerres de la Révolution et de l'Empire), et de l'essor subit de l'économie de plantation esclavagiste (sucre, café), certaines des pièces les plus rentables et les mieux défendues de l'Empire en voie de dislocation entre 1810 et 1825.

Quand en 1826 les dernières garnisons espagnoles continentales capitulent, il ne reste de l'empire espagnol d'Amérique que les Antilles, réduites à Cuba et à Porto, et aussi, l'espace d'une « réincorporation » malencontreuse (1861-1865), à Santo Domingo. Les opinions des historiens ne concordent guère dans l'explication des causes principales ayant entraîné ce décalage historique. Quels ont été les facteurs décisifs ? L'insularité et l'exiguïté des îles ? Les moyens défensifs de l'Espagne ? La politique de réformes et la stratégie de libéralisation des autorités coloniales ? La prospérité économique des planteurs ? L'opposition des grandes puissances, et des États-Unis en particulier, à l'indépendance des Antilles espagnoles ? Le poids de l'esclavage et la permanence du syndrome haïtien entretenu par l'oligarchie créole esclavagiste ?[13] Quoi qu'il en soit, la prise de conscience nationale fut plus tardive dans les Antilles que sur le continent, puisque la domination espagnole n'y prit fin qu'en 1865 (République Dominicaine) et 1898 (Cuba et Porto Rico). Les Antilles ont été les terres les plus durablement hispanisées de tout l'empire espagnol d'outremer, d'autant plus que, phénomène surprenant, la fin de la domination n'y a pas entraîné une « désespagnolisation » : jamais il y eut tant d'Espagnols désireux d'entrer et de s'installer à Cuba, par exemple, qu'après l'Indépendance de la « Perle des Antilles »[14]. Entre les Antilles hispaniques et l'Espagne, il n'y a jamais eu, à proprement parler, de rupture des relations, à la différence de la situation que connurent nombre de républiques hispano-américaines au lendemain d'Ayacucho[15].

La guerre d'indépendance de Cuba a duré de 1868 à 1898 : trente ans d'affrontements, certes discontinus, mais qui, du point de vue qui retient notre attention ici, ont mis en évidence une forte solidarité entre les « trois sœurs ». Il est frappant que les premiers soulèvements indépendantistes – internes – se soient produits à peu d'intervalle[16]. La guerre populaire de la « Restauration » de la souveraineté dominicaine a servi de stimulant et d'expérience aux voisins. Ensuite, dès le début de la Guerre de Dix Ans, les Dominicains ne sont pas rares dans l'armée *mambí* ; et dans la Guerre de 95, préparée à l'extérieur par le Parti Révolutionnaire Cubain qui rassemble Cubains et Portoricains[17], des Portoricains s'en furent combattre à Cuba, pour l'indépendance de Cuba et des

---

[12] Occupation de La Havane par les Anglais (1762-63), cession de Santo Domingo à la France (1795), attaque de San Juan de Porto Rico et prise de l'île de Trinidad (1797) par les Anglais : les Antilles espagnoles étaient fort convoitées !

[13] Voir sur l'état de la question les pages 90-102 du chapitre qu'Anne Pérotin et nous-même avons rédigé (le chap. X – Les Antilles espagnoles) dans l'ouvrage collectif : *Les Révolutions dans le monde ibérique*. II-*L'Amérique*, Bordeaux, P.U.B., 1991.

[14] Selon les recensements effectués à Cuba, les immigrants espagnols auraient été de : 47 023 en 1846 ; 117 114 en 1862 ; 129 240 en 1899 ; 185 393 en 1907 ; 245 644 en 1919 ; 257 596 en 1931. En 1933, 1/6 de la population de Cuba avait la nationalité espagnole. (D'après Jordi Maluquer de Motes, *Nación e inmigración : los españoles en Cuba [Siglos XIX y XX]*, Oviedo, Ed. Júcar, 1992).

[15] La reconnaissance diplomatique des nouveaux États par l'Espagne s'échelonne de 1836 (Mexique) à 1881 (Colombie).

[16] Rappelons pour mémoire :
- *Grito* de Capotillo (Santo Domingo) : 16 août 1863.
- *Grito* de Lares (Porto Rico) : 23 septembre 1868.
- *Grito* de Yara (Cuba) : 10 octobre 1868.

[17] L'article Ier des *Bases* du PRC préparées par José Martí et adoptées en janvier 1892 précisait que ce Parti se constituait pour obtenir « la independencia absoluta de la Isla de Cuba, y fomentar y auxiliar la de

Antilles, tandis que le Général en chef, élu, de l'Armée libératrice cubaine était le Dominicain
Máximo Gómez.

Sur la solidarité politique et matérielle effective qui se manifesta entre Dominicains,
Portoricains et Cubains, durant ces trente années, vint se greffer un projet d'union des Antilles
hispaniques pour le présent et pour l'avenir, union conçue comme indispensable pour conquérir et
asseoir leur indépendance absolue, protéger l'Amérique Latine et équilibrer le monde. Cette idée
d'une Confédération des Antilles centrée sur les « trois sœurs », on la retrouve exprimée, à des
nuances près, de 1867 à la fin du siècle, par les grandes figures du nationalisme : les Portoricains
Betances et Hostos (les plus enthousiastes), les Cubains Martí et Maceo, les Dominicains Luperón,
Henríquez y Carvajal et Gómez. Incarnation de la fondation de leurs patries respectives, ces
hommes ont pensé aussi leur destin commun en termes de patrie « antillaise »[18]. Avec eux prend
corps un antillanisme militant au sein du latino-américanisme d'esprit bolivarien.

Un des traits de cet antillanisme, c'est qu'il est anti-annexionniste. Depuis l'époque où
Jefferson, Monroe, Quincy Adams décrétaient que Cuba et Porto Rico devraient tôt ou tard
s'amarrer à l'Union, jusqu'à celle où Blaine, MacKinley, Roosevelt prenaient diverses mesures
douanières puis militaires pour qu'il en fût ainsi, les Antilles hispaniques ont été au cœur d'un
complot annexionniste avoué. D'autres États latino-américains ont dû faire face à de semblables
menaces dès le milieu du XIXe siècle (Nicaragua, Mexique, Haïti), mais nulle part, comme dans
les Antilles hispaniques, le danger a été aussi constant, car nulle part ailleurs il y a eu autant de
forces annexionnistes puissantes parmi les *criollos*[19]. C'est sur ses marges, dans ses îles, au contact
direct du voisin pressant du Nord, que l'Amérique Latine a engendré la conscience anti-
impérialiste la plus lucide, mais en même temps c'est là, après 1898 (occupation de Cuba et de
Porto Rico) et après 1916 (occupation de la République Dominicaine), que l'influence des États-
Unis a été la plus sensible, leur mainmise et leur attrait les plus perturbateurs. Les Antilles
hispaniques ont reçu au XIXe siècle, en dehors des apports espagnols et africains qui leur sont
propres, des influences britanniques et françaises comme tout le continent. Cependant l'influence

---

Puerto Rico ». Déjà en 1876, l'article 2e des statuts de la « Liga de los Independientes » rédigés par Eugenio
María de Hostos stipulait que la Ligue luttait pour « la independencia absoluta de Cuba y Puerto Rico ». Le
début de la solidarité proclamée entre les indépendantistes des deux îles remontait à 1865.

[18] José Martí – Cubain – salue dans *Patria* (n° du 14 mars 1892) : « ...las tres Antillas que han de salvarse
juntas, o juntas han de perecer, las tres vigías de la América hospitalaria y durable, las tres hermanas que de
siglos atrás se vienen cambiando los hijos y enviándose los libertadores, las tres islas abrazadas de Cuba,
Puerto Rico y Santo Domingo » (*Obras Completas*, La Habana, t. IV, p. 406).

Eugenio María de Hostos – Portoricain – déclare : « En las Antillas mayores hay el esbozo de una
nacionalidad [...]. Cuba, Jamaica, Santo Domingo, Puerto Rico no son sino miembros de un mismo cuerpo,
fracciones de un mismo entero, partes de un mismo todo » (Cité par Rodríguez Demorizi, *Hostos en Santo
Domingo*. Ciudad Trujillo, Imp. Vda. García, 1942. T. I, p. 131).

Quant à Máximo Gómez – Dominicain – il expose en pleine guerre son vœu profond : « Sueño con
una ley, que con muy insignificantes restricciones declarase (lo mismo con Puerto Rico cuando fuese libre)
que el dominicano fuese cubano en Cuba y viceversa » (Lettre à son épouse, 27 juillet 1896. Dans *Papeles
dominicanos de Máximo Gómez*, Sto Domingo, Ed. Coripio, 1985, p. 163).

[19] A Cuba l'annexionnisme a connu son apogée vers 1848-55 (expéditions de Narciso López), mais il a
repris de la vigueur au début de la guerre de 1868 (déclaration de la Chambre des représentants de Cuba
Libre) puis à nouveau au début des années 1890.

En République Dominicaine, il a conduit en 1869 le président Báez à faire voter l'annexion aux États-
Unis.

Pour Porto Rico, en 1898, la direction même de la section portoricaine du PRC, installée à New York, lui
était acquise.

commerciale et idéologique des États-Unis, qui s'y développe au XIXᵉ siècle plus tôt qu'ailleurs, s'y transforme à l'orée du XXᵉ siècle en influence économique, financière, politique et culturelle dominante, du moins jusqu'en 1959 pour ce qui est de Cuba. Tour à tour occupées (entre 1898 et 1924), les Antilles hispaniques restent la partie de l'Amérique Latine la plus exposée et la plus perméable à l'influence nord-américaine, voire au modèle nord-américain, à l'égal du Mexique frontalier. Par ailleurs, trois millions au moins de Portoricains, de Cubains et de Dominicains composent aujourd'hui le secteur dynamique de la minorité hispanique de l'Est des États-Unis. Celui-là même qui a donné naissance à la *salsa* à New York et qui a investi la Floride.

Il est certain que de nos jours les États-Unis n'attirent pas seulement les *latinos* insulaires. Les raffiots bondés d'Haïtiens, repoussés par les garde-côte, montrent dramatiquement que si l'accès aux côtes nord-américaines était libre, l'afflux se généraliserait en provenance de tout pays et de toute île. Effet de ces restrictions ou appel de la métropole (ou de l'ex-métropole), les Antillais, qui émigrent proportionnellement davantage que les continentaux, émigrent de préférence vers Paris s'ils quittent les Antilles francophones ou créolophones, vers Londres s'ils délaissent les Antilles anglophones, mais davantage vers les États-Unis que vers l'Espagne s'ils sont originaires des Antilles hispanophones, encore que Cubains et Dominicains aient trouvé en nombre élevé dans la Péninsule, dans la dernière décennie, qui un asile, qui un emploi domestique.

... Comme par rapport au reste des Antilles

Voilà déjà un point qui sépare les Antilles hispaniques des autres Antilles. Car autant les premières nommées se distinguent, comme nous l'avons vu, au sein de l'Amérique Latine, dont elles ne constituent qu'un morceau périphérique (oublié même parfois par des auteurs !), autant elles constituent le bloc principal des Antilles au sein desquelles elles occupent une place prééminente et originale.

Leur poids y est prépondérant. Cuba, Porto Rico et la République Dominicaine, c'est en superficie plus de 70 % et en population plus de 60 % de l'archipel antillais ; c'est aussi le gros de sa production agricole et industrielle. Sans ces États, les Antilles ne seraient peut-être à terme qu'une destination touristique proposée aux citadins d'Europe, des États-Unis et du Canada en manque de *sea, sun and sex*.

Le taux de métissage de leurs populations y est élevé. Si nous avons pu dire, dans une première approche, que les Antilles hispaniques représentaient un pan des Amériques noires en Amérique Latine, une rectification s'impose : au cœur des Antilles noires, les Antilles hispaniques sont globalement les moins noires, les plus *amulatadas*, les plus blanches de toutes. Toute statistique comme toute estimation empirique en la matière est sujette à caution. Malgré des différences ethniques importantes entre leurs trois composantes, les Antilles hispaniques, globalement considérées, tranchent avec Haïti, la Jamaïque, la Barbade, Grenade, les Îles Vierges, etc., où Noirs et Mulâtres sont dominants à plus de 90 %, alors qu'à Cuba, à Porto Rico et en République Dominicaine, Blancs et Mulâtres sont majoritaires à plus de 80 %[20]. On n'a pas fait sans raison de l'*ajiaco*, ce pot-pourri cubain, le plat national et le symbole d'un mélange réussi de peuples et de cultures, et qui dit *ajiaco* à Cuba dit *salcocho* à Porto Rico et *sancocho* en République Dominicaine.

---

[20] Mais pas dans les mêmes proportions, loin s'en faut. Dans les années 1980, il y aurait eu 66 % de Blancs à Cuba, 80 % à Porto Rico, contre 16 % en République Dominicaine ; et dans ce dernier pays, 70 % de Mulâtres qui, à eux seuls, font pencher la balance d'un côté ou de l'autre...

Cette particularité démographique est ancienne, liée autant à la mentalité du colon d'origine hispanique, moins puritain que d'autres, qu'à la structure agraire. À l'exception de quelques décennies, du début au milieu du XIXᵉ siècle, pendant lesquelles la population de couleur, esclave ou libre, l'emporta numériquement sur la population réputée blanche, cette situation n'a plus jamais prévalu à Cuba ni à Porto Rico. En République Dominicaine par contre le doute est permis[21]. Dans les Antilles hispaniques, à la différence des Antilles britanniques et françaises, la plantation esclavagiste s'est caractérisée par une forte sédentarisation et « créolisation » des colons blancs ainsi que par la non-monopolisation totale du sol. Plusieurs études récentes ont établi que la petite propriété familiale, consacrée à la polyculture, à la culture du tabac, du maïs, des tubercules, des fruits, etc., et à l'élevage, quoique toujours menacée, a coexisté en permanence avec la grande propriété latifondiaire. Cette forme d'exploitation, apanage de petits agriculteurs chassés de la Péninsule et des Canaries (*Isleños*), était très répandue à la fin de l'époque coloniale, notamment à Porto Rico, tandis qu'elle se développait au long du XIXᵉ siècle au nord de la République Dominicaine (Cibao)[22].

Le *jíbaro* de Porto Rico, le *guajiro* de Cuba, et dans une certaine mesure le *cibaeño*[23], sont, à n'en point douter, des archétypes nationaux imaginaires. Survenue au XIXᵉ siècle, au moment où disparaît le type social qu'ils sont censés symboliser – le petit paysan blanc indépendant –, leur promotion représente certes une mythification et une altération du passé national par l'omission du Noir, il n'empêche qu'elle s'appuie sur une réalité rurale. Ces îles ont produit le petit créole blanc dans une proportion inégalée dans les autres îles antillaises.

C'est le poids économique, l'enracinement historique, la diffusion géographique, le degré de culture et l'engagement des intellectuels de cette masse créole, plus ou moins métissée, qui ont fait, le moment venu dans la deuxième moitié du XIXᵉ siècle, la force initiale du mouvement indépendantiste. Alliée à celle des esclaves libérés et à celle des créoles noirs et mulâtres, elle a fait alors la décision. On constate que le retard observé dans la prise de conscience nationale dans les Antilles hispaniques, comparativement aux événements américains continentaux, devient ainsi, dans le cadre de l'évolution politique générale des Antilles, une précocité. Il faudra attendre, en effet, les années 60 de ce siècle pour que, les unes après les autres, les Antilles britanniques

---

[21] Le doute est permis, en effet, étant donné qu'au XIXᵉ siècle :

1°/ Aucun recensement (ni même aucune estimation rétrospective) n'apporte d'information sur la proportion des « Blancs » et des « Habitants de couleur ».

2°/ Tous les « observateurs » disent constater une prépondérance numérique de la population de couleur : Noirs et Mulâtres.

3°/ L'immigration blanche a été très limitée.

4°/ L'immigration noire a été plus conséquente : Haïtiens et *Cocolos* (en provenance des petites Antilles britanniques).

[22] A Cuba, île des grands domaines sucriers et d'élevage, le *minifundio* (moins d'une *caballería*) représentait 92,8 % des propriétés rurales en 1899 ; à Porto Rico à la même date le *minifundio* (moins de 19 *cuerdas*) en représentait 87,8 %.

À Porto Rico 93 % des propriétés rurales, étaient exploitées par leurs propriétaires (71 % par des Blancs et 22 % par des Noirs) ; à Cuba, 28 % seulement (23 % par des Blancs et 5 % par des Noirs) mais 67,4 % d'entre elles étaient affermées selon diverses modalités (fermiers blancs : 48,9 %, fermiers noirs : 18,5 %). D'après : Fe Iglesias, « La tierra de Cuba y Puerto Rico en 1899 », dans *Identidad nacional y cultural de las Antillas hispanoparlantes*, Prague, Université Caroline, 1991, pp. 125-144.

[23] Fort logiquement, il n'existe pas d'équivalent dominicain du *guajiro* ou du *jíbaro*. Quoi que prétendent encore certains, le monde rural dominicain a été et reste massivement mulâtre. Il a produit aux yeux du citadin le paysan « de campo adentro ». Quant à l'agriculteur du Cibao (*cibaeño*), c'est un type régional plus qu'un archétype national.

accèdent peu à peu à l'Indépendance[24]. Dans cette analyse, il faut laisser de côté le cas atypique de Saint Domingue/Haïti, premier État indépendant de l'Amérique Latine (1804) mais qui aurait pu en être un des derniers sans des circonstances historiques exceptionnelles.

Il convient de laisser de côté le cas d'Haïti, afin de le traiter à part et non pour l'ignorer. Car, plus que le reste de l'Amérique Latine et que le reste des Antilles, les Antilles hispaniques ont eu après 1791 une histoire et une économie interdépendantes de celles d'Haïti. La prospérité agricole, les révoltes d'esclaves, la loyauté prolongée envers l'Espagne à Cuba et à Porto Rico, ainsi que la source du nationalisme dominicain -au XIXe siècle-, et au XXe la récolte de la canne à sucre dans les plantations cubaines et dominicaines, ne peuvent être pleinement comprises sans référence à Haïti, modèle ou contre-modèle, pôle d'attraction ou repoussoir, peuple envahisseur ou réserve de main d'œuvre.

Il n'y a qu' à Cuba et en « Dominicanie », comme disent les Haïtiens, que la présence haïtienne ait laissé quelques traces culturelles. Ailleurs, Haïti est encore plus méconnu. Les Antilles hispaniques sont, avec Haïti et les Antilles françaises, les plus catholiques des Antilles, même si des églises protestantes s'y sont développées depuis un siècle et même si la *santería* y est devenue, à Cuba à coup sûr, la religion populaire. Et elle n'est pas sans rapport avec le vaudou.

Croyances, rites magiques, danses, musiques, codes sociaux, médecine et alimentation populaires, etc., beaucoup de manifestations de la vie quotidienne des Cubains, des Portoricains et des Dominicains gardent leurs secrets aux yeux des étrangers profanes et pourtant, pour cette raison, elles unissent leurs peuples dans une complicité intime. Fêtes et carnavals la révèlent au grand jour. L'Afrique de leurs ancêtres est là derrière, mais nombre de descendants d'Européens s'y reconnaissent spontanément.

L'Africanité latente et généralisée est également présente dans un autre domaine : la langue parlée, encore que là d'autres particularités de l'espagnol des Antilles soient déjà imputables aux habitudes des immigrants andalous, canariens ou galiciens, toujours plus nombreux que les Castillans. Cependant la principale caractéristique linguistique des Antilles hispaniques, c'est avec l'usage de l'espagnol, l'absence d'une ou de langues créoles à base d'espagnol[25]. Rien de comparable n'existe dans les autres îles : on y enseigne le français, l'anglais, le néerlandais, langues officielles, et on y parle, dans les rues des capitales et dans les villages, divers créoles que l'on commence à écrire. Deux de ces créoles, à Haïti et à Curaçao, sont en passe de devenir des langues nationales. La longue présence de l'Espagne, les traits de la formation de la Nation et de l'émancipation politique, les risques d'absorption de la part d'un État francophone ou d'une puissance anglophone, ont renforcé l'espagnol comme langue nationale dans chacune des Antilles hispaniques, même si, comme partout ailleurs, un divorce se creuse entre la langue parlée et la langue écrite.

---

[24] En 1962, la Jamaïque et Trinidad ; en 1966, la Barbade ; en 1973, les Bahamas ; en 1974, Grenade ; etc.

[25] A Porto Rico, depuis 1898, face à l'anglais imposé, le statut de l'espagnol a évolué de langue vernaculaire à langue nationale. L'État Libre Associé lui a reconnu en 1992 le statut de langue officielle. La langue espagnole y reste le bastion central de la nationalité.

ANTILLANA SOY (...) LO MISMO YO SOY CUBANA, DOMINICANA QUE BORINCANA (...) PORQUE BORINQUÉN, CUBA Y QUISQUEYA SON UNA SOLA EN MI CORAZÓN. (*Celia Cruz, salsa*)

Il nous faut conclure, mais nous reconnaîtrons volontiers que plusieurs aspects des Antilles hispaniques, en tant qu'espace culturel (et en particulier musical), n'ont pu être abordés dans l'espace convenu d'un article, alors que d'autres aspects l'ont été de façon trop schématique au moyen d'affirmations trop péremptoires ; que les différences nationales progressivement établies par le temps n'ont pas été assez soulignées ; et que cette première approche doit donc être complétée, nuancée, discutée. Nous appelons de nos vœux cette discussion, quelque forme qu'elle épouse, où qu'elle jaillisse.

Le concept d'Antilles hispaniques est inusité, soit. Nous avons évoqué quelques unes des raisons qui, à notre avis, pouvaient expliquer cet état de fait : elles reviennent toutes à figer le présent, à méconnaître le passé, à hypothéquer l'avenir. S'il a été possible aux plus lucides des penseurs et des acteurs de l'indépendance absolue des Antilles (Betances, Hostos, Martí, Máximo Gómez, Luperón, *et al*) de rêver de leurs terres soumises et isolées comme d'une entité future indissociable dans la liberté, il serait étonnant que leurs idées ne refissent surface le jour où la question, toujours ajournée, de l'indépendance absolue, simultanée et solidaire, de Cuba, Porto Rico et la République Dominicaine se reposera immanquablement, et vraisemblablement à partir des bases ébauchées par les pères fondateurs.

Dans les milieux officiels, dans les milieux populaires, et même dans le milieu universitaire (dont les grandes bibliothèques finissent par refléter l'activité), le concept d'Antilles hispaniques est inusité, comme nous le constatons, mais l'on sent, à la lecture de divers écrits des trois dernières décennies, qu'un nombre croissant de personnes de la région a éprouvé le besoin intellectuel ou affectif d'en disposer. Les unes parce qu'elles déplorent un état de division préjudiciable à chacune des parties ; les autres parce qu'elles sont frappées par les affinités qui subsistent, et celles qui se créent ou se recréent, entre les « trois sœurs ». Le développement de l'histoire comparée – perspective éclairante s'il en est quand l'histoire nationale est confuse et fragmentée – rendra indispensable à la longue, au moins comme outil conceptuel à défaut d'être le signe d'un projet, une expression pour désigner ensemble Cuba, Porto Rico et la République Dominicaine.

Aucun brevet ne saurait être déposé à ce sujet, aucun label n'est définitif. C'est le besoin qui engendre, c'est l'usage qui commande. L'Abbé de Pradt, Humboldt, Schoelcher virent à terme les Antilles indépendantes comme un tout : les Antilles. Les *Libertadores* continentaux envisagèrent pour les Antilles espagnoles un destin au coup par coup : ou bien leur cession à d'autres puissances ou bien leur fédération avec la Colombie. Le regroupement autonome des Antilles espagnoles fut conçu comme un devoir patriotique par les indépendantistes antillais qui appuyèrent l'insurrection cubaine à partir de 1868. « Confédération des Antilles » ou non, la forme concrète de leur union future resta vague mais le dessein était ferme. Et si dans la formulation de ce dernier, ils évoquaient simplement les Antilles, ils pensaient toujours à l'union des trois Antilles ex-espagnoles mais sans exclure l'éventualité de l'agrégation ultérieure d'autres Antilles[26].

---

26 Betances, notamment, a toujours inclus la République d'Haïti dans son plan de Confédération des Antilles ; il a envisagé aussi, comme Hostos, l'inclusion de la Jamaïque, et même celle de petites Antilles, Saint-Thomas par exemple, « après les agitations nécessaires pour l'organisation indépendante des îles » (*Le XIXᵉ Siècle*, 25 août 1875).

Au XXᵉ siècle, sous l'influence politique et linguistique grandissante des États-Unis et surtout à la suite de l'indépendance des Antilles britanniques, le concept de « Caribbean/Caribe/Caraïbe(s) » tend à s'imposer et à couvrir tout le champ : mer, îles, pourtour continental. tandis qu'une autre évolution se fait jour, liée au choc que provoque la révolution la plus profonde dans la plus grande des Antilles : la Révolution Cubaine, qui harangue et chante en espagnol.

De ces bouleversements des années 1960-70 ; des contradictions, réajustements et replis consécutifs à ces bouleversements souhaités ou craints, naît une double tendance. Celle qui conduit à l'adjonction fréquente de la mention « Caraïbe » à la dénomination « Amérique Latine » et fait éclore çà et là, à côté des institutions rebaptisées « latino- américaines et caraïbes », des centres d'études et des revues proprement « caraïbes », « caribéens », voire « caraïbéens »[27]. Et celle qui, compatible avec la précédente tout en renouant avec le passé, postule en outre à l'occasion l'existence d'un système stellaire « hispanique » au milieu de la galaxie caraïbe, un système décrit en des termes hésitants mais relativement convergents.

Ce sont, en vrac, sous la plume de quelques historiens et essayistes auscultés au hasard : « The Hispanic Caribbean » (Arturo Morales Carrión, 1971 – Harmannus Hoetink, 1973 – Gert Oostindie, 1986 – Franklin Knight, 1989 – Roberto Márquez, 1989) ; « La Caraïbe espagnole » (Michel Devèze, 1977) ; « Le Secteur Caraïbe de l'Amérique latine » (Leslie Manigat, 1969) ; « El Caribe español » (Olga Cabrera, 1990) ; « El Caribe hispánico » ou « hispano » (Manuel Maldonado-Denis, 1964 – Andrés Serbin, 1984 – Fernando Picó, 1986 – Fe Iglesias, 1990 – Manuel de Paz, 1992 – Efraín Barradas, 1993) ; « El Caribe latino » (Gert Oostindie, 1992) ; « El Caribe insular de habla hispana » (Kaldone Nweihed, 1989) ; « Les Caraïbes de langue espagnole » (Alfred Melon, 1984) ; « El Caribe hispanófono » (Andrés Bansart, 1990) ; « El Caribe Insular hispanohablante » (Jesús Guanche, 1990) ; « El Caribe hispanoparlante » (Manuel Maldonado-Denis, 1968 – Jorge Ibarra, 1992) ; « Las Antillas hispanoparlantes » (Jorge Ibarra, 1989) ; « Las Antillas de habla hispana » (Neida Pagán, 1988) ; et aussi une fois, une seule fois, « Las Antillas hispanas » (Alain Yacou, 1989) et, réconfortante surprise, « Las Antillas hispánicas » (José Ferrer Canales, 1985). Personne n'emploie par contre le concept de Caraïbes ou d'Antilles « afro-hispaniques » : c'est le seul pourtant, soit dit en passant, s'il devait être employé couramment un jour, devant lequel nous retirerions celui que nous préconisons.

Un tel foisonnement de concepts peut prouver plusieurs choses. Si l'on est pessimiste : que cette diversité rend pour longtemps improbable l'adoption d'une terminologie commune. Si l'on est optimiste : que la genèse de « l'idée » d'Antilles hispaniques est en cours. Si l'on se veut réaliste : que « le nom » sur lequel débouchera cette idée a peut-être été soumis mais qu'il n'a pas encore été retenu.

---

[27] Mentionnons par exemple :
- The Caribbean Studies Association.
- L'Association des Historiens de la Caraïbe (1969).
- Le Centre d'Etudes et de Recherches Caraïbéennes, à Pointe-à-Pitre, et sa *Revue du CERC* (1981).
- El Centro de Estudios del Caribe, auprès de la Casa de las Américas, à La Havane, et ses *Anales del Caribe* (1981).
- La Casa del Caribe, à Santiago de Cuba, et sa publication *Del Caribe* (1983).
- El Centro de Estudios Avanzados de Puerto Rico y el Caribe (1976), à San Juan de Puerto Rico, et ses revues *Caribe* (1980) puis *Revista* (1985).
- El Instituto de Estudios del Caribe au sein de l'Université de Porto Rico (Río Piedras) et sa revue *Caribbean Studies / Estudios del Caribe / Etudes des Caraïbes* (1961).
- Ainsi que : *Caribbean Review* (Miami), *Caribbean Quarterly* (Kingston), *El Caribe contemporáneo* (México) et tout récemment *Espace Caraïbe* (Pointe-à-Pitre, n°1 : 1993), etc.

N'en serait-on pas aujourd'hui, en ce qui concerne « l'idée et le nom » d'Antilles hispaniques (ou de tout autre nom qui pourrait finir par prévaloir), au stade où l'on en était vers 1860-70 au sujet du nom de la future Amérique Latine, quand les uns parlaient d'Amérique espagnole, d'autres d'Amérique ex-espagnole, d'autres d'Amérique hispanique, d'autres d'Amérique du Sud, d'autres de Colombie et d'autres, déjà, depuis 1856, d'Amérique latine ?[28]

L'Histoire a montré que le choix ne se fit pas alors rationnellement entre philologues, ethnologues, géographes, etc. ; il fut politique et culturel. Il est douteux qu'il en aille autrement dans les Antilles hispaniques.

Dans ces conditions, pourquoi préférer le concept d'Antilles hispaniques ?

Parce que parmi ses équivalents possibles et ses concurrents potentiels, le concept le plus répandu, à savoir « Caraïbe(s) hispanique(s) », englobe et confond trop souvent les îles et les pays riverains de la mer des Caraïbes sur une base qui néglige les conséquences de l'organisation administrative de l'espace.

Parce que le concept « d'Antilles hispanophones » s'avère réducteur à ne privilégier que la langue.

Parce que « Caribbean » a pris la relève de « West Indies » après la faillite de la « West Indies Federation » (1957-62) et que, comme le constatait Nicolás Guillén en 1934, « West Indies, en inglés. En castellano / Las Antillas ».

Parce que Martí, Betances, Hostos et leurs compatriotes, en se réclamant fièrement des Antilles, les ont rachetées de l'ethnocentrisme originel qui pouvait entacher ce nom. Assoupie, leur aspiration unitaire n'a pas forcément vieilli.

Parce qu'en résumé l'idée et le nom d'Antilles hispaniques renvoient à une histoire commune séculaire dans des limites stables, impliquent une forte communauté de langue et de cultures et sous-tendent la seule utopie capable de contribuer, dans la région, à la transformation du monde.

---

[28] Voir Rojas-Mix, Miguel, *Los cien nombres de América*, Barcelona, Lumen, 1991.

V. Blasco Ibáñez y la Revolución mexicana

José EXTRAMANIA
Universidad de Pau

Nos ha parecido interesante conocer la visión que un escritor español progresista tiene de un acontecimiento de su época, de gran resonancia en América Latina. Analizaremos la imagen que nos transmite de la revolución mexicana en un libro poco conocido y trataremos de medir el valor de ese testimonio recordando algunos aspectos esenciales de la historia contemporánea de México[1]. Empezaremos por rememorar la génesis del libro resumiendo la biografía del escritor y, de manera particular, su experiencia de América.

Vicente Blasco Ibáñez nace en Valencia en 1867 en una familia de clase media acomodada que le inculca una educación católica; a partir de los once años, va perdiendo progresivamente su fe infantil y se hace librepensador. Quiere ingresar en la Marina de guerra pero tiene pocas dotes para las matemáticas y estudia Derecho sin entusiasmo. Tanto en el centro de segunda enseñanza como en la universidad, asiste a pocas clases y sólo estudia a finales de curso lo mínimo indispensable para aprobar. Cuando hay algún problema de indisciplina colectiva, el futuro novelista se destaca como uno de los más revoltosos. En su época de estudiante universitario, se hace republicano federal y concluye su licenciatura en 1888. Agitador político en los medios populares de su ciudad natal, participa en la difusión de proclamas y en mítines que hace a veces en lengua valenciana. La policía le busca a causa de una manifestación y, para evitar su detención, huye a París (en 1890) donde reside 18 meses. Regresa a Valencia, se casa y prosigue su actividad política. En 1893 hay una peregrinación importante a Roma, dirigida por diez obispos; Blasco organiza una manifestación antipapista frente a los peregrinos que embarcan en Valencia y es detenido. En 1894 aparece el primer número de *El Pueblo*, diario republicano, creado, financiado y dirigido por el escritor. En 1895 hace propaganda por la independencia de Cuba y contra la guerra; para protegerse de la policía se va a Italia y pasa allí tres meses. A su regreso, en 1896, es

---

[1] *El militarismo mejicano*, Copyright 1920, by V. Blasco Ibáñez, 250 p. Ejemplar de la Biblioteca Nacional de Madrid. La introducción «Al lector» (pp. 7-41) está fechada en París en julio de 1920. Títulos de cada uno de los diez capítulos: I. La caída de Carranza; II. Las desventuras de Flor de Té; III. El ciudadano Obregón; IV. Más héroes de la revolución; V. Los familiares de Carranza; VI. La situación de Méjico; VII. Los generales; VIII. El ejército mejicano; IX. El silencio de Méjico; X. Méjico y las dos Américas.

Hommage à Robert Jammes (Anejos de *Criticón*, 1), Toulouse, PUM, 1994, pp. 389-398.

condenado por un tribunal militar y recluído con los presos comunes durante más de un año. En 1898 es elegido por primera vez diputado, pierde paulatinamente su entusiasmo revolucionario y se dedica a escribir. En 1909 ha publicado ya varias novelas que han tenido éxito y le han dado a conocer ante un vasto público. Sin interrumpir su carrera de novelista, va a defender apasionadamente a los aliados, durante la primera guerra mundial, en una multitud de artículos, mítines, conferencias y en algunas novelas. En 1919 establece su residencia en Montecarlo y viaja a América. En 1921 es recibido multitudinaria y triunfalmente en Valencia. En Menton, entre 1921 y 1923, escribe cinco volúmenes y se interesa por el cine. En 1923 da la vuelta al mundo en barco y más tarde participa en campañas contra el dictador español, general Primo de Rivera. Se casa en segundas nupcias en 1925 y muere en Menton el 28 de enero de 1928[2].

Sus relaciones con América empiezan con sus lecturas infantiles sobre las vidas de Cristóbal Colón y de los principales conquistadores a quienes Blasco admira. En 1909, ya escritor, hace una gira de conferencias (un centenar de intervenciones públicas en nueve meses) por Argentina, Paraguay y Chile donde es recibido como una personalidad. Luego se dedica durante tres años a organizar colonias agropecuarias en la Argentina que acaba vendiendo en 1913 y retorna a Europa. En 1919 va a los E.E.U.U. donde su novela *Los cuatro jinetes del apocalipsis* ha tenido un éxito enorme; es recibido como huésped de honor y cobra como conferenciante y por derechos de autor sumas cuantiosas[3]. En marzo y abril de 1920 visita a México y es recibido por el presidente V. Carranza. En los E.E.U.U. publica diez artículos sobre la revolución mexicana, reunidos en un libro de cuya versión en inglés se vendieron pocos ejemplares. Blasco ha ido a México con la intención de completar una novela cuya acción se desarrolla en aquel país; la reacción de los mexicanos a su libro sobre la revolución fue desfavorable y el escritor renunció a publicar su novela y a escribir o hablar de México[4].

En la introducción de su libro, Blasco Ibáñez se justifica de haberlo publicado en los E.E.U.U.; lo ha hecho precisamente para perjudicar hasta el máximo al «militarismo mejicano». En el capítulo noveno recuerda su pasado revolucionario y proclama su solvencia de hombre de izquierdas, para que no pueda dudarse de la veracidad de su testimonio; afirma que cuanto dice le ha sido revelado o confirmado por periodistas mexicanos que ahora le atacan porque su país carece de libertad de prensa. Según nuestro escritor, una minoría insolente de macheteros domina a México por medio del terror. Los dirigentes de la revolución han fusilado a centenares de españoles y han robado a otros muchos que «...tienen mostrador y cajón»; lo contrario de la época de P.Díaz en la que se respetaba a los extranjeros. La barbarie de los guerrilleros mexicanos, sigue diciendo, se desarrolla junto a los E.E.U.U. que creen que así es toda América Latina y por ello «...considero como un deber atacar a la revolución mejicana»[5].

En diversas partes de la obra, trata de algunos aspectos de la revolución. Afirma que, exceptuando a adversarios del nuevo régimen que fueron despojados de sus bienes, la mayor parte de las confiscaciones afectó a propietarios que no habían intervenido en la política y que pagan

---

[2] Para la biografía de Blasco Ibáñez hemos consultado: Emilio Gascó Castell, *Genio y figura de Vicente Blasco Ibáñez, agitador, aventurero y novelista*, Afrodisio Aguado, S.A. Editores Libreros, Madrid, 1957, 237 p., y Pilar Tortosa, *La mejor novela de V. Blasco Ibáñez: su vida*, Prometeo, S.L. Valencia, 1977, 575 p.

[3] Por la adaptación cinematográfica de *Los cuatro jinetes del apocalipsis* recibe el escritor 200 000 dólares. De finales de 1919 a julio de 1920 da una larga serie de conferencias por toda la Unión y escribe varios artículos pagados 1 000 dólares cada uno.

[4] Gascó Castell, *op. cit.*, pp. 142-146. «El aguila y la serpiente» era el título de la novela que estaba escribiendo.

[5] *El militarismo mejicano*, *op. cit.*, «Al lector».

miles de dólares para rescatar sus bienes[6]. Al mismo tiempo, una tradición mexicana muy practicada consiste en que un jefe militar declare más soldados que los que tiene para recibir mayores subvenciones del Estado. Así, P.Díaz tenía un ejército moderno y bien equipado, con oficiales formados en Europa que sabían mucho más que todos los generales de la revolución, pero fue vencido porque disponía de cien mil hombres en el papel y tan solo catorce mil participaron efectivamente en la defensa del régimen[7]. El ejército de Díaz fue anulado y las academias militares cerradas; el de ahora es el que ha surgido de la revolución, mal uniformado y de ambos sexos[8]. Por otro lado, los revolucionarios desconfían de los extranjeros a pesar de la experiencia que debieran tener. «Los pocos adelantos materiales modernos...los realizaron los extranjeros atraídos por don Porfirio». Se oye el grito de «Mueran los españoles...no sólo por antipatía histórica, sino porque los españoles forman la mayoría del comercio». Blasco Ibáñez declara que la revolución lo ha destruido todo y por añadidura da mala fama a todos los que hablan español. «Todos somos iguales para los norteamericanos»[9]. Lo que naturalmente no es cierto; la Argentina, con menos habitantes que México, es un país más próspero que atrae a extranjeros[10]. Los mexicanos, por su parte, constituyen un pueblo globalmente ignorante pero dotado para el cante, las artes y las ciencias, sobre todo los blancos[11]. La propaganda electoral, particularmente abundante en favor de Bonillas, no ha servido para nada en un país de analfabetos, pero también es verdad que mucha gente aceptaba a ese candidato porque lo consideraba menos ladrón que los demás. No obstante al populacho le gusta verse halagado y eso ha sabido hacerlo bien Obregón; la pérdida de un brazo le da popularidad ante un público sentimental y propenso al enternecimiento[12]. Las clases acomodadas, sigue afirmando, han huido al extranjero y la clase media y los intelectuales no se atreven a hablar; el pueblo sigue a los revolucionarios con tal que le den una carabina y le prometan dos pesos diarios. La inconsciencia de los soldados es asombrosa pues «se baten y mueren sin saber porqué»[13]. Sugiere que ese comportamiento se debe, al menos parcialmente, a rasgos raciales. Comparando a México con otros países, elogia a la Argentina cuyos dirigentes «...son blancos (no lo olviden)...». Lo mismo ocurre en Uruguay y en Chile y, a propósito del Brasil, declara: «No importa que la mayoría de la población sea de una raza o de otra. Lo interesante es la raza y la cultura de los que la dirigen». A los mexicanos, cuyo país cuenta con quince millones de habitantes, les dice: «...son ustedes dos millones escasos nada

---

[6] *Ibid.,* cap. V.

[7] *Ibid.,* cap. IV.

[8] *Ibid.,* cap. VIII.

[9] *Ibid.,* sucesivamente cap. VII y cap. IX.

[10] *Ibid.,* cap. X.

[11] Véanse los cap. II, VIII y IX. Ciudad México, una de las mejor iluminadas del mundo, tiene calles poco concurridas por la noche, al revés de lo que ocurría en la época de P. Díaz. En los primeros tiempos de la revolución se asaltaron las casas de los ricos y se destruyeron bibliotecas ; vinieron luego las violencias frías y los robos. Los generales se instalan en las casas más lujosas y sus mujeres ostentan las joyas que pertenecían a las damas de la buena sociedad (cap. VII y cap. IX). La multitud que, en determinado momento, aplaudía en un acto público al embajador alemán y silbaba al de los E.E.U.U. o bien era pagada o era inconsciente, cree el escritor (cap. III). En México «...son tantos los indígenas y tan pocos los blancos, que puede decirse que éstos resultan esclavos de los otros, gracias a las revoluciones». «El temible es el mestizo que parece haber heredado todos los apetitos y las malas pasiones de las dos razas» (cap. VI). No comparte una opinión muy difundida en México que «...diviniza al azteca antropófago...y execra al español que implantó en el país la civilización cristiana» (cap. VIII).

[12] *Ibid.,* cap. II. Bonillas fue candidato a la presidencia en marzo de 1920. Obregón anunció su candidatura en 1919 y fue presidente de 1920 a 1924.

[13] *Ibid.,* cap. VIII.

más, los dos millones mal contados de blancos que existen en el país». Hay también cinco o seis millones de indios cuya situación es acaso peor que en la época colonial y la gran masa de los «... mestizos, blancos con cobre o indios blanqueados...que en su mayoría son bullangueros, parlanchines, declamadores, poco amigos del trabajo, predispuestos siempre a la vagancia». Comentando el proyecto de Carranza de crear una «Confederación indio-americana», Blasco piensa que se trata de un sueño irrealizable que le ha hecho reír, «... pensando en la sorpresa que mostrarían ante tal título los políticos argentinos, de antiguas familias coloniales, refinados, pulidos de maneras, educados en París; los políticos chilenos, que a su grave y caballeresca figura de guerreros de la conquista unen una perfecta educación inglesa; los uruguayos, cultos, de un gran ingenio europeo, y que conservan la tradición de su origen español»[14]. Tras haber establecido esta jerarquía de razas y de países, el escritor afirma que aprecia sinceramente al pueblo mexicano. «Deseo un Méjico verdaderamente moderno, dirigido por hombres civiles y cultos, de los que han viajado y tienen mentalidad de blanco»[15].

En ocasiones insiste en lo pintoresco, como ocurre cuando habla de las «soldaderas». El mexicano, dice en substancia, va siempre acompañado de su mujer o «socia», (aun cuando la engaña con otra mujer) y de sus hijos. Esas mujeres, a las que también llaman «galletas», dan prueba de limpieza en la comida que ofrecen a su «hombre», incluso cuando son sucias o andrajosas; también le son fieles hasta que él muere o las repudia. Las «galletas» saquean a los pueblos para dar de comer a los soldados, suministran cartuchos e información sobre el enemigo y toman parte en los combates, a veces heroicamente. Esa participación de las mujeres en la revolución, más allá del mérito individual, es de poco valor colectivo porque, según Blasco Ibáñez, el mal de México son las revoluciones y la inestabilidad política. Desde la Independencia, declara, ha habido setenta y tres gobiernos. Dedica cierto espacio a Porfirio Díaz y afirma que ha tenido mérito en el orden material y, en definitiva, su época ha sido globalmente positiva[16].

Al recordar la inestabilidad política de México desde su independencia es el único aspecto que retiene de un siglo de historia, lo que nos incita a evocar brevemente ese período[17].

Tras Itúrbide (1821-23), México conoce una etapa (1823-55) en la que ejerce el poder directa o indirectamente el general Santa Anna. En su época, además de una breve intervención francesa (en 1838), se produce la guerra que los E.E.U.U. imponen a México, la cual cuesta a este país la mitad de su territorio. En 1855 empieza la Reforma que va a abolir los privilegios del ejército y del clero, promulgar la desamortización (1856) y dotar al país de una nueva Constitución (1857). La Iglesia, que poseía los dos tercios aproximadamente de las tierras, financia la guerra contra la Reforma (1858-61) y el gobierno nacionaliza sus bienes suprimiendo la propiedad colectiva (lo que también perjudica a la masa campesina que pierde sus ejidos). Juárez, ministro de justicia en 1854, llega a ser presidente en 1861 y tiene que hacer frente a la prolongada intervención francesa y al emperador Maximiliano (1862-67). Porfirio Díaz, tras una primera presidencia, va a ser reelegido varias veces y gobierna sin interrupción de 1876 a 1910. Durante el porfiriato, México se desarrolla económicamente en materia de comercio, industria y minas y se construyen 20 000 Km. de ferrocarriles. Nacen nuevas fábricas textiles, se embellecen las ciudades y se nivelan los presupuestos. Gran parte de ese crecimiento se debe a capitales extranjeros (los más importantes

---

[14] Las últimas citas han sido extraídas del cap. X.

[15] *Ibid.*, «Al lector».

[16] Habla de P. Díaz en los cap. I y V.

[17] En cualquier manual de historia de México aparecen los hechos que consignamos a continuación; nos parece particularmente interesante el breve libro de Raquel Thiercelin, *La revolución mexicana*, Masson et Cie, Paris, 1972, 136 p.

son norteamericanos e ingleses, en las minas de oro y plata, cuya producción se exporta, y en los ferrocarriles; en éstos, los empleos superiores y los secundarios son detentados por extranjeros, sólo los puestos subalternos son asequibles a los mexicanos). Se acentúa la concentración de la tierra hasta el punto que, en 1910, medio México pertenece a tres mil familias (poseen una o varias haciendas de más de 2.000 hectáres; tan sólo quince terratenientes reúnen millón y medio de hectáreas) mientras que de los doce millones de personas que viven del trabajo rural, la mitad ha sido desposeída de sus ejidos y la otra mitad está compuesta de peones. El desequilibrio social en el campo es superior al que existía un siglo antes. La ideología oficial de los «científicos» (tecnócratas de P.Díaz) se inspira en la de la burguesía europea pero su régimen perpetúa el feudalismo y México es un país casi colonial. Las huelgas están prohibidas y cuando se producen son reprimidas con multas y encarcelamientos. Bajo las apariencias de un régimen democrático, el porfirismo es autocrático y brutalmente represivo. Se forma el partido antireeleccionista presidido por Francisco I. Madero, candidato a las elecciones presidenciales de 1910. Una vez más, la ausencia de una verdadera campaña electoral y el fraude conceden el triunfo a Porfirio Díaz; muchos no están de acuerdo y el 20 de noviembre de 1910 se desencadena la insurrección armada en Chihuahua. Es el comienzo de la revolución[18].

Resumamos la imagen que Blasco Ibáñez da de varios dirigentes de la revolución. De Carranza empieza haciendo un retrato elogioso: vivió en el séquito de Díaz donde adquirió modales distinguidos; fue senador y luego gobernador de Coahuila. «Es majestuosamente grande...y sobre todo es blanco, puramente blanco». «Recuerda a los conquistadores que hace tres siglos, después de apoderarse de Méjico, se despojaron de la coraza para dedicarse a la explotación de minas y cultivos»[19]. Otros rasgos son menos favorables, pues Carranza sabe sin duda que la principal virtud en la política mexicana es el disimulo; cuando recibe a algien se coloca en la penumbra para observar sin ser observado. Antiguo hidalgo, se ha empeñado en hacer una política antimilitarista; nunca ha querido que le llamen general sino primer jefe. (En una interrupción, el escritor dice que ha buscado sin éxito a gente desinteresada como la hubo en la revolución francesa y en la rusa; en México los dirigentes afirman que son de origen humilde pero los hay «con varios millones de dólares»[20]). Los adversarios de Carranza han hecho de la palabra «carranceo» un sinónimo de robo; Blasco cree que al dirigente mexicano le interesa el poder y no el dinero (Lo probable, dice, es que haya tolerado los robos de sus colaboradores. Su cocinero, por ejemplo, dispone del monopolio de las comidas en los trenes mexicanos)[21]. Para el escritor, Carranza aplicó una política exterior que se pretendía neutral y que ha favorecido a los alemanes. En cuanto a su ministro de Hacienda (Cabrera), se ha distinguido por el asalto de bancos extranjeros y la anulación de dos emisiones de moneda. Con todo, Blasco Ibáñez elogia las dotes militares de Carranza y admira su comportamiento en la desgracia[22]. Su principal error estriba en apoyar la candidatura a la presidencia de un desconocido, sea para gobernar bajo cuerda, para irritar a Obregón o bien para suprimir la no reelección.

A ese desconocido dedica el escritor párrafos elogiosos. Bonillas, tal es su nombre, emigró de adolescente a los E.E.U.U., practicó diversos oficios y llegó a hacerse ingeniero. Volvió a su país en la época de la revolución y trabajó como ingeniero antes de ser nombrado embajador en Washington. El escritor declara que Bonillas ha sido calumniado (que es tan sólo de madre

[18] *Ibid.*, pp. 6-8, 16 a 19 y 20 a 26.
[19] *El militarismo mejicano, op. cit.*, cap. V.
[20] *Ibid.*, cap. I.
[21] *Ibid.*, cap. I.
[22] *Ibid.*, cap. V.

mexicana, que habla mal el español y que está casado con una inglesa de religión reformada; le han apodado «Flor de Té», la pastorcita de la canción. Cuando vuelve a México para ser candidato, se le recibe con aclamaciones por parte de un público compuesto de policías sin uniforme y de sus mujeres) y pondera sus cualidades personales y su lealtad a Carranza[23].

A Álvaro Obregón, otro candidato a la presidencia, Blasco dedica mayor espacio. Almuerza con él en la sala céntrica de un restaurante muy conocido de la capital y dice que le ha escuchado unas tres horas. Es blanco sin una gota de sangre indígena; declara que sus abuelos procedían de España y que serían pobre gente. Es soltero y le falta un brazo, detalle que le da popularidad así como el vestir con sencillez para halagar al populacho. Habla de su juventud y da a entender, según interpreta el escritor, que nació para ser primero en todo. (Era corredor de garbanzos en Sonora y asegura que hubiera llegado a ser el primer comerciante de México si no hubiera habido la revolución. Sus adversarios, comenta Blasco, le acusan de vender todos los garbanzos que se consumen en México y de ser millonario; Obregón, por su parte, dice humorísticamente que con una sola mano no puede robar tanto como los demás). Sabe que las batallas de México son menos importantes que las que se han conocido en Europa y dice que es un civil dedicado a militar. En este caso, asegura el escritor en su comentario, le escucho con verdadera simpatía como el de más atractivo y mérito de los generales mexicanos[24]. Una de sus hazañas, añade Blasco, ha consistido en convocar en un teatro de la capital a todos los comerciantes y, tras hacer rodear el edificio de tropas, amenazarles con el fusilamiento si no le entregaban determinada cantidad de dinero[25]. El escritor no cree en la sinceridad de Obregón cuando pide a Carranza que le dé de baja en el ejército y declara que el dirigente mexicano le recuerda al jabalí[26]. Reconoce no obstante que la mayoría de los generales adoran a Obregón y teme que lleguen a sublevarse y organicen una revolución más[27]. Blasco acusa a Obregón de haber cometido muchos fusilamientos y lo trata de desequilibrado; admite, sin embargo, que es el jefe más amado y se deja seducir por su personalidad. Concluye declarando: «... hombre complejo, a pesar de simpleza primitiva, que en el corto espacio de unos minutos alarma por su malicia o asombra por su inocencia»[28].

Aún menos consideración dispensa el escritor a Pablo González, también candidato a la presidencia. Carece, dice de él, de creencias religiosas, no ha respetado el derecho de propiedad y ha fusilado a mucha gente. En el conflicto entre Carranza y Obregón, González cambia de campo y prepara la derrota y muerte de Carranza, después de haber intervenido en el asesinato de Zapata[29].

Alude brevemente a Zapata y declara que sus partidarios son los que tienen peor fama; él piensa, no obstante, que los zapatistas eran los únicos revolucionarios sinceros que, aunque destruyeron muchas cosas, nunca robaron. Con respecto a Villa, dice que sólo es un bandido[30].

Nuestro escritor no hace mención de los diversos proyectos e intentos de reforma ni de la Constitución de 1917; tampoco habla de los primeros dirigentes de la revolución, Madero y Huerta. Ha destacado hechos, más o menos auténticos, que denigran ese momento de la historia

---

[23] *Ibid.*, cap. II.

[24] *Ibid.*, cap. III.

[25] *Ibid.*, cap. VI.

[26] *Ibid.*, cap. IV.

[27] *Ibid.*, cap. VII.

[28] La cita ha sido extraída del capítulo III; he resumido las declaraciones de Blasco sobre Obregón en los capítulos II, III y IX.

[29] *El militarismo mejicano, op. cit.*, cap. II y IX.

[30] *Ibid.*, cap. III. En «Al lector» se cita simplemente al «bandido Villa».

mexicana; el escritor acusa a los responsables de la revolución y se apiada de sus víctimas. Por ejemplo, compadece a los comerciantes españoles, sin ocuparse de saber cómo ejercían su oficio esos «gachupines», a los que Valle-Inclán califica de extracto de la barbarie ibérica. Recordemos con brevedad ese período fundamental del México contemporáneo.

La revolución mexicana ha sido preparada por largas luchas de minorías obreras (250 huelgas), estudiantiles e intelectuales (creación de diversos periódicos). En 1906, se edita el manifiesto a la nación de la oposición reunida en San Luis Missouri, se producen huelgas en las minas explotadas por una compañía americana (Cananea) y en la industria textil (Río Blanco). El poder responde con la intransigencia y la represión a esas huelgas y a otras que se desencadenan más tarde de forma que, frente a la imposibilidad de defenderse por la vía normal, el recurso a las armas aparece como la única alternativa. En la insurrección de 1910 participan masas populares (obreros, campesinos, clases medias e intelectuales) que luchan por la defensa de sus intereses contra una minoría de privilegiados mexicanos y de capitalistas extranjeros, lo que confiere a esa revolución una coloración de lucha de liberación nacional[31]. Los insurgentes obligan a Díaz a dimitir y a exilarse y Madero entra en la capital en junio de 1911. Es presidente provisional hasta el mes de noviembre en que triunfa en elecciones libres. Madero se muestra conciliante (nombra ministros a porfiristas de la víspera y tan sólo a dos revolucionarios), tiene buenas relaciones con antiguos represores y retrasa la aplicación de medidas urgentes desde el punto de vista social. Esa situación impulsa a Emiliano Zapata y a sus partidarios a rechazar al presidente (Plan de Ayala). También arremeten contra él los conservadores que organizan una conjura militar que acaba excluyendo a Madero del poder (pronto va a ser asesinado) y encumbrando al general V. Huerta (febrero de 1913). Recurre éste al asesinato, la represión feroz y la arbitrariedad e impone una dictadura particularmente opresiva. Pero numerosos trabajadores de las ciudades y del campo apoyan la insurrección o se incorporan a ella. Huerta, cuyos gobiernos han provocado la bancarrota, renuncia a su puesto y se refugia en los E.E.U.U. (julio de 1914). Las disensiones entre responsables revolucionarios llevan a la Convención de Aguascalientes, donde se discuten diversos proyectos de reforma, pero se imponen las rivalidades por encima de los acuerdos. Los conflictos entre constitucionalistas y convencionistas conducen a las batallas de Celaya (abril de 1915) en las que los villistas son derrotados por las tropas de Obregón; los constitucionalistas vuelven a apoderarse de la capital (en agosto) y Carranza es reconocido como jefe de la revolución por los E.E.U.U. (octubre). En 1916 la inflación y sus consecuencias entre los trabajadores dan lugar a huelgas que van a ser reprimidas por Carranza; no obstante, este dirigente es elegido presidente (1916-1920). En 1920, la detención y ejecución de Carranza determinan su sustitución por un presidente provisional que ejercerá el poder durante unos meses, hasta las elecciones. Obregón es elegido para el período 1920-1924[32]. Villa y Zapata[33], destacados responsables, quedan excluídos.

Francisco Villa, a finales de 1910 (ha conocido ese año a Madero), empieza a reclutar combatientes contra Díaz y va a crear la importantísima división del norte. Participa en batallas decisivas contra Díaz y contra Huerta, pero su enfrentamiento con Carranza ocasiona la derrota de Celaya y el debilitamiento de su ejército. A finales de 1915, el ataque de un tren en Chihuahua (van a ser fusilados 15 estadounidenses) y el asalto de la ciudad fronteriza de Columbus (marzo de

---

[31] R. Thiercelin, *op. cit.*, pp. 26-38.

[32] Jesús Silva Herzog, *Breve historia de la Revolución mexicana*, Fondo de Cultura Económica, México 1960, tomo I, pp. 285 a 305.

[33] R. Thiercelin da un resumen claro de la historia de la revolución hasta la muerte de Obregón, en julio de 1928. J. Silva H., en los dos tomos de su obra, estudia los antecedentes de la revolución y la revolución misma hasta 1917.

1916) motivan la intervención de tropas de los E.E.U.U. contra los villistas. Estos son perseguidos también por los carrancistas a quienes derrotan en 1919; los villistas ocupan Ciudad Juárez y son desalojados por tropas de intervención, una vez más, de los E.E.U.U. En julio de 1920, Villa depone las armas y se dedica a cultivar la hacienda de Canutillo (Durango)[34].

En Anenecuilco (Morelos) los campesinos intentaban recuperar las tierras que los hacendados les habían robado. En 1909 eligen como presidente de la junta encargada de defender sus intereses a un campesino modesto llamado Emiliano Zapata que, en marzo de 1911, asume la jefatura de la insurrección contra Díaz en su región e incita a los pueblos a reclamar las tierras de que fueron desposeídos. Después de la caída de Díaz, las autoridades centrales mandan tropas a «pacificar» el estado de Morelos. En noviembre de 1911, Zapata y sus partidarios publican el plan de Ayala que desconoce a Madero; el presidente envía contra Zapata a un ejército represivo mandado por el siniestro Juvencio Robles, encargado del mismo cometido en la época de Huerta. Los zapatistas consiguen triunfar (en 1913 y 1914) en Morelos y Guerrero y durante un año de paz (en 1915) completan la reforma agraria y crean numerosas escuelas. Desde principios de 1916 Carranza envía tropas dirigidas por Pablo González que roban, saquean y ejercen represalias contra los zapatistas y contra la población civil. Zapata y Villa serán asesinados, respectivamente en 1919 y 1923[35].

Aspecto fundamental para muchos combatientes revolucionarios ha sido el de las reformas sociales y en especial la reforma agraria. Los zapatistas (en el plan de Ayala) exigen la devolución de las tierras expropiadas a los pueblos, la confiscación, mediante indemnización, de la tercera parte de los latifundios y, en caso de resistencia de los terratenientes, la expropiación de sus bienes, destinados al pago de pensiones a viudas y huérfanos de revolucionarios muertos. En marzo de 1912, Pascual Orozco propone en Chihuahua la aceptación y la ampliación del plan zapatista. La ley agraria de Villa prevé, por su parte, el fraccionamiento de las grandes propiedades y la expropiación de los terrenos que rodean a los pueblos de indígenas. En otro campo, se celebra en Mérida, en enero de 1916, el primer congreso feminista de México que propone medidas realmente novedosas[36]. Como puede verse las propuestas son numerosas y de

---

[34] Doroteo Arango, verdadero nombre de Francisco Villa, nace en el estado de Durango en 1878. De familia muy humilde, trabaja desde muy joven; a causa de un incidente en el que hiere al hacendado, se refugia en la sierra y se dedica a robar para subsistir; luego alterna su profesión de comerciante con la de delincuente hasta que se incorpora a la revolución. En diciembre de 1913, entra victorioso en Chihuahua donde confisca bienes de los potentados, logra bajar el precio de la carne y distribuye alimentos a los necesitados. Concebía para el futuro un ejército nacional que alternara los trabajos civiles con la instrucción militar que debía extenderse al conjunto de las masas populares, a fin de defender mejor a México en caso de agresión exterior. Asesinado en Parral el 20 de julio de 1923, Pancho Villa (también llamado «Centauro del Norte», «Amigo de los pobres», «Robin Hood mexicano») y sus hazañas perviven aún en la mente de los oprimidos.

[35] Emiliano Zapata nace en 1879, acude a la escuela durante dos años y hereda una pequeña explotación agrícola. Se incorpora a la revolución para defender los intereses de los campesinos y de los jornaleros, pero, a partir de 1917, empieza a resquebrajarse el frente zapatista y, un año después, una epidemia mortífera hace perder a Morelos la cuarta parte de su población. El gran jefe sureño fue asesinado a traición y con el beneplácito de Carranza el domingo 10 de abril de 1919. El más puro de los dirigentes de la revolución ha dejado un recuerdo imborrable hasta nuestros días. En uno de los numerosos corridos a él dedicados oímos: «Arroyito revoltoso, ¿qué te dijo aquel clavel? – Dice que no ha muerto el jefe, que Zapata ha de volver». Poco antes de su muerte escribe a Carranza acusándole de haber violado gravemente la Constitución. Véase, para ambos dirigentes, Margarita de Orellana, *Villa y Zapata. La revolución mexicana*, Biblioteca Ibero-americana, Impreso en España, 1988.

[36] En marzo de 1911, varios estados estipulan que se limite la superficie detentada por los grandes propietarios para distribuir tierras a los peones y decretan, por otro lado, el alza de salarios y la reducción de

contenidos variados; la Constitución de 1917 es un intento de conciliación de esas propuestas y de reforzamiento de la unión nacional. Aparecen consignadas en ella reformas económicas y sociales de gran trascendencia así como garantías que aseguren la independencia nacional y la creación de un estado láico y moderno[37].

Blasco Ibáñez resume la política de los E.E.U.U. con la revolución mexicana con los calificativos de incoherente, indecisa y cambiante. Cuando hay problemas con México, añade el escritor, sus dirigentes explican que hay peligro de intervención militar, lo que es un argumento excesivamente utilizado. En la actualidad, Obregón y sus partidiarios se mostrarán atentos con sus vecinos del Norte pues tienen necesidad de un empréstito. Blasco declara que, si estuviera en su poder, no prestaría dinero a México antes de que este país tuviera un gobierno de hombres civiles[38]. El escritor sugiere así que los E.E.U.U. deben hacer presión para que México tenga determinado tipo de gobierno, pero el poderoso vecino del Norte no tiene necesidad de esa recomendación.

En efecto, después de haber mantenido relaciones cordiales con el régimen de P.Díaz, los E.E.U.U. intervienen de manera multiforme y permanente en la revolución mexicana. Bástenos con citar los hechos más conocidos. En febrero de 1913, en todo el proceso de destitución de

---

la jornada de trabajo. En agosto de 1913, el general Lucio Blanco distribuye a los campesinos las tierras de una hacienda, lo que descontenta a Carranza. Éste, por una ley de enero de 1915, afirma la necesidad de devolver las tierras expropiadas a los pueblos y el derecho de éstos a poseer propiedades colectivas, pero esas buenas intenciones son anuladas un año después. En octubre de 1913, el general Zapata ha dirigido un manifiesto a la nación en el que denuncia las enormes desigualdades sociales y a la vez la mala explotación de las riquezas de México. En 1915, Obregón, que ocupa la capital durante cuarenta días, presencia la penuria alimenticia de muchos de sus habitantes y obliga al clero y a los ricos a prestar su ayuda para atenuar los sufrimientos de los más pobres. En el congreso feminista de Mérida se hacen las siguientes propuestas : modificar la legislación para conceder a la mujer más derechos, garantizar la efectividad de la enseñanza laica para todos, evitar en los templos la enseñanza de la religión a los menores de 18 años, fomentar espectáculos que aboguen por soluciones socialistas y que impulsen a la mujer a aceptar ideales de libre pensamiento. Para garantizar la igualdad de los dos sexos es preciso que las mujeres tengan un oficio y para ello se necesitan muchas escuelas y una modernización de los métodos pedagógicos; hay que despertar en las mujeres el gusto por la medicina y la farmacia. Véase J. Silva Herzog, tomo I, cap. I y II pp. 211-260 y tomo II, pp. 7-48, 60-96 y 116-217.

[37] La Constitución, con respecto a las reformas económicas y sociales, declara que la nación se atribuye el derecho de imponer límites a la propiedad privada en favor del bien común y el de expropiar para que se desarrolle la pequeña propiedad; corresponde también a la nación el dominio directo de todos los minerales y substancias de la naturaleza. Las sociedades comerciales por acciones no podrán adquirir, poseer o administrar fincas rústicas; también se imponen estas restricciones a los bancos. Se devuelven las tierras expropiadas a los pueblos y cada estado ha de fijar la superficie máxima de cada explotación. Se impone una jornada máxima de 8 horas, el cese del trabajo por lo menos un día por semana y la participación de los trabajadores en los beneficios de la empresa; se decreta el pago del doble de las horas extraordinarias, limitadas como máximo a tres por día; se reglamentan las condiciones de higiene y los alquileres de las viviendas destinadas a los obreros, se establece la responsabilidad de los patronos en los accidentes de trabajo, se dan normas para seguridad y prevención de accidentes y despidos y garantías para los trabajadores en los casos de quiebra. Se afirma el derecho de sindicación y de huelga, el salario igual a trabajo igual sin discriminación de sexo o de nacionalidad; se incita a la creación de organismos de seguro para los trabajadores y a la construcción de viviendas baratas. En materia de laicismo, se estipula que las asociaciones religiosas carecen de capacidad para tener bienes raíces o capitales impuestos sobre ellos. Los templos, conventos y otros edificios eclesiásticos son propiedad de la nación. Los estados fijarán el número máximo de ministros de culto quienes, por su lado, deben ser mexicanos de nacimiento y no podrán criticar las leyes fundamentales del país ni a sus autoridades. El matrimonio es un contrato civil. Véase el resumen que da R. Thiercelin, pp. 108-121.

[38] *El militarismo mexicano*, op. cit., cap. IX.

Madero y de encumbramiento de Huerta, interviene el embajador de los E.E.U.U.[39]. Como Huerta no es una buena carta, el presidente del Norte exige su cese en declaraciones arrogantes y, en abril de 1914, los E.E.U.U. ocupan militarmente Veracruz[40]. También envían tropas al norte de México, sin autorización del gobierno mexicano (en 1916), para perseguir a Villa y permanecen allí varios meses[41].

Blasco Ibáñez ignora esa realidad o finge ignorarla pues es improbable que no haya oído hablar de las intervenciones de los «gringos». Pinta al pueblo mexicano como ignorante, analfabeto, sentimental y pintoresco y no comprende que en un acto público se aplauda al embajador alemán y se abuchee al de los E.E.U.U. Resume la revolución diciendo que ha transformado a México en un pueblo sojuzgado por una minoría insolente de macheteros que ejercen el terror y practican confiscaciones abusivas. Pero no da pruebas serias de esas graves acusaciones y, en el episodio en el que cuenta cómo Obregón obliga a los pudientes de la capital a dar una cantidad de dinero, deforma y falsifica los hechos. Entre los dirigentes que cita, el más positivo a sus ojos es Carranza. Desconoce totalmente los proyectos de reforma y las reformas emprendidas e ignora incluso la Constitución. Sólo olvidando las realizaciones de la revolución y las inmensas esperanzas que despierta en millones de personas puede afirmarse que las soldaderas hacen sacrificios tan sólo por su hombre o que los combatientes se baten sin saber porqué. La imagen que nos suministra de los responsables aparece invertida con relación a la que han retenido la mayoría de los mexicanos. Sólo los «gringos» que desconfiaban de la masa de indios y mestizos podían examinar con complacencia la versión que da Blasco Ibáñez. Este valora en alto grado la opinión de los E.E.U.U. y teme que la revolución mexicana desprestigie a todos los de lengua española. Su punto de vista coincide con el de los responsables estadounidenses en grado tal que hasta puede sospecharse que el escritor ha puesto cuidado especial en ignorar a Madero y Huerta. Incluso los mexicanos más hostiles a la revolución no se atreverían a exponer en público lo que declara el escritor español. Pese a todo, también es verdad que Blasco Ibáñez sabe matizar y mostrarse prudente, que su relato es siempre ameno y que en él ha dejado su huella un escritor justamente afamado por sus novelas de mayor valor. Digamos simplemente que *El militarismo mejicano* no es un título de gloria para V. Blasco Ibáñez.

---

[39] J. Silva Herzog, tomo I, cap. VIII y anexo 15, pp. 285-314. El historiador mexicano califica la intervención del embajador de los E.E.U.U. (Henry Lane Wilson) de «...indebida y canallesca». La señora de Madero pide al embajador que intervenga para salvar la vida de su esposo y éste se niega.

[40] J. Silva Herzog, *op. cit.*, tomo II pp. 73-78 y 103-110.

[41] Idem, tomo II pp. 181-187 y 205-215.

TABLE DES MATIÈRES

VOLUME I

Achevé d'imprimer
sur les presses de l'Atelier d'Imprimerie
de l'Université de Toulouse-Le Mirail

- Novembre 1994 -